La noche de los tiempos

Antonio Muñoz Molina
La noche de los tiempos

Seix Barral

No se permite la reproducción total o parcial de este libro,
ni su incorporación a un sistema informático, ni su transmisión
en cualquier forma o por cualquier medio, sea éste electrónico,
mecánico, por fotocopia, por grabación u otros métodos,
sin el permiso previo y por escrito del editor. La infracción
de los derechos mencionados puede ser constitutiva de delito
contra la propiedad intelectual (Art. 270 y siguientes del Código Penal).
Diríjase a CEDRO (Centro Español de Derechos Reprográficos) si necesita
fotocopiar o escanear algún fragmento de esta obra. Puede contactar
con CEDRO a través de la web www.conlicencia.com
o por teléfono en el 91 702 19 70 / 93 272 04 47

© Antonio Muñoz Molina, 2009
© Editorial Planeta, S. A., 2009, 2014
   Seix Barral, un sello editorial de Editorial Planeta, S. A.
   Avinguda Diagonal, 662, 6.ª planta. 08034 Barcelona (España)
   www.seix-barral.es
   www.planetadelibros.com

Diseño de la cubierta: Departamento de Arte y Diseño, Área Editorial Grupo Planeta
Ilustración de la cubierta: © Miguel Sánchez Lindo
Fotografía del autor: © Ricardo Martín
Primera edición en Colección Booket: marzo de 2011
Segunda impresión: julio de 2013
Tercera impresión: octubre de 2014

Depósito legal: B. 1.506-2011
ISBN: 978-84-322-5100-9
Impresión y encuadernación: Rodesa, S. L.
Printed in Spain - Impreso en España

Biografía

Antonio Muñoz Molina nació en Úbeda (Jaén) en 1956. Ha reunido sus artículos en volúmenes como *El Robinson urbano* (1984; Seix Barral, 1993 y 2003) o *La vida por delante* (2002). Su obra narrativa comprende *Beatus Ille* (Seix Barral, 1986 y 1999), *El invierno en Lisboa* (Seix Barral, 1987 y 1999), *Beltenebros* (Seix Barral, 1989 y 1999), *El jinete polaco* (1991; Seix Barral, 2002), *Los misterios de Madrid* (Seix Barral, 1992 y 1999), *El dueño del secreto* (1994), *Ardor guerrero* (1995), *Plenilunio* (1997; Seix Barral, 2013), *Carlota Fainberg* (2000), *En ausencia de Blanca* (2001), *Ventanas de Manhattan* (Seix Barral, 2004), *El viento de la Luna* (Seix Barral, 2006), *Sefarad* (2001; Seix Barral, 2009), *La noche de los tiempos* (Seix Barral, 2009), el volumen de relatos *Nada del otro mundo* (Seix Barral, 2011) y el ensayo *Todo lo que era sólido* (Seix Barral, 2013). Ha recibido, entre otros, el Premio Príncipe de Asturias de las Letras, el Premio Nacional de Literatura en dos ocasiones, el Premio de la Crítica, el Premio Planeta, el Premio Jean Monnet de Literatura Europea, el Prix Méditerranée Étranger, el Premio Jerusalén y el Premio Qué Leer, concedido por los lectores. Desde 1995 es miembro de la Real Academia Española. Vive en Madrid y Nueva York y está casado con la escritora Elvira Lindo.

www.antoniomuñozmolina.es

Veo en los sucesos de España un insulto, una rebelión contra la inteligencia, un tal desate de lo zoológico y del primitivismo incivil, que las bases de mi racionalidad se estremecen. En este conflicto, mi juicio me llevaría a la repulsa, a volverme de espaldas a todo cuanto la razón condena. No puedo hacerlo. Mi duelo de español se sobrepone a todo. Esta servidumbre voluntaria me ha de acompañar siempre, y nunca podré ser un desarraigado. Siento como propias todas las cosas españolas, y aun las más detestables hay que conllevarlas, como una enfermedad penosa. Pero eso no impide conocer la enfermedad de la que uno se muere, o más exactamente de la que nos hemos muerto; porque todo lo que podamos ahora decir sobre lo pasado suena a cosa de otro mundo.

MANUEL AZAÑA

¿Será verdad que tenemos la patria deshecha, la vida en suspenso, todo en el aire?

PEDRO SALINAS

1

En medio del tumulto de la estación de Pennsylvania Ignacio Abel se ha detenido al oír que alguien lo llamaba por su nombre. Lo veo primero de lejos, entre la multitud de la hora punta, una figura masculina idéntica a las otras, como en una fotografía de entonces, empequeñecidas por la escala inmensa de la arquitectura: abrigos ligeros, gabardinas, sombreros; sombreros de mujer con la visera ladeada y pequeñas plumas laterales; gorras de visera rojas de cargadores de equipajes y empleados del ferrocarril; caras borrosas en la distancia; abrigos abiertos con faldones echados hacia atrás por la energía de las caminatas; corrientes humanas que se entrecruzan sin chocar nunca entre sí, cada hombre y cada mujer una figura muy semejante a las otras y sin embargo dotada de una identidad tan indudable como la trayectoria única que sigue en busca de un destino preciso: flechas de dirección, pizarras con nombres de lugares y horas de salida y llegada, escaleras metálicas que resuenan y tiemblan bajo un galope de pisadas, relojes colgados de los arcos de hierro o coronando indicadores verticales con grandes hojas de calendario que permiten ver desde lejos la fecha del día. Sería preciso saberlo todo exactamente: letras y números de un rojo tan intenso como el de las gorras de los mozos de estación señalan un día casi de finales de octubre de 1936. En la esfera iluminada de cada uno de los relojes suspendidos como globos cautivos a mucha altura sobre las cabezas de la gente son las cuatro menos diez minutos. En ese momento Ignacio Abel avanza por el vestíbulo de la estación, por el gran espacio de mármoles, altos arcos de hierro, bóvedas de cristal sucias de hollín que filtran una luz dorada, en la que flotan el polvo y el clamor de las voces y los pasos.

Lo he visto cada vez con más claridad, surgido de ninguna parte, viniendo de la nada, nacido de un fogonazo de la imaginación, con la maleta en la mano, cansado de subir a toda prisa la escalinata de la entrada, cruzada por las sombras oblicuas de las columnas de mármol, aturdido al ingresar en una amplitud desmesurada en la que no está seguro de encontrar a tiempo su camino; lo he distinguido entre otros, con los que casi se confunde, un traje oscuro, una gabardina idéntica, un sombrero, quizás una ropa demasiado formal para esta ciudad y esta época del año, una ropa europea, como la maleta que lleva en la mano, sólida y cara, de piel, pero ya desgastada después de tanto viaje, con etiquetas de hoteles y de compañías de navegación, con restos de marcas de tiza y sellos de aduanas, una maleta que ya pesa mucho para su mano dolorida de apretar el asa pero que parecería insuficiente para un viaje tan largo. Con una precisión de informe policial y de sueño descubro los detalles reales. Los voy viendo surgir ante mí y cristalizar en el momento en que Ignacio Abel se detiene un instante entre las corrientes poderosas de la multitud en movimiento y se vuelve con el gesto de quien ha oído que lo están llamando: alguien que lo hubiera visto entre la gente y dice o grita su nombre para ser oído por encima del tumulto; del clamor amplificado por muros de mármol y bóvedas de hierro, la confusión sonora de pasos, voces, estrépito de trenes, la vibración del suelo, los ecos metálicos de los avisos en los altavoces, los gritos de los vendedores que vocean los periódicos de la tarde. Indago en su conciencia igual que en sus bolsillos o en el interior de la maleta. Ignacio Abel mira siempre las primeras páginas de los periódicos con la expectación y el miedo de ver un titular en el que aparezca la palabra España, la palabra guerra, el nombre de Madrid. También mira las caras de todas las mujeres de una cierta edad y estatura esperando insensatamente que el azar le haga encontrarse con su amante perdida, Judith Biely. Por vestíbulos y andenes de estaciones y hangares de instalaciones portuarias, por las aceras de París y de Nueva York, ha atravesado desde hace semanas bosques enteros de caras de desconocidos que siguen multiplicándose en su imaginación cuando el sueño empieza a cerrarle los ojos. Caras y voces, nombres, frases enteras en inglés escuchadas al azar que se quedan suspendidas en el aire como cintas de palabras. *I told you we were late but you never listen to me and now we are gonna miss that goddamn train*: también esa voz ha parecido que le hablaba a él, tan lento en sus decisiones prácticas, tan torpe entre la gente, con su maleta en la mano, con su decente traje europeo estropeado por el uso, vagamente fúnebre, como el de su amigo el profesor Rossman cuando apareció por Madrid. En la cartera que abulta en el bolsillo derecho de su gabardina guarda una foto de Judith Biely y otra de sus hijos, Lita y Miguel, sonriendo una mañana de domingo de hace unos meses: las dos mitades rotas de su vida, antes incompatibles, ahora perdidas por igual. Ignacio Abel sabe que si se miran demasiado las fotografías no sirven para invocar una presencia. Las caras se van despojando de su singularidad igual que una prenda de ropa íntima atesorada por un amante pierde pronto el olor tan deseable de quien la llevaba. En las fotos de los archivos policiales de Madrid las caras de los muertos, de los asesinados, han sufrido una transfiguración tan completa que ni siquiera los parientes más cercanos están seguros de reconocerlas. Qué verán sus hijos ahora si buscan en los álbumes familiares tan cuidadosamente catalogados por su madre la cara que no han visto en los últimos tres meses y no saben si volverán a ver, la que ya no es idéntica a la que ellos recuerdan. El padre huido, les aleccionarán, el desertor, el que prefirió irse al otro lado, tomar un tren una tarde de domingo fingiendo que no sucedía nada, que podría volver tranquilamente a la casa de veraneo el sábado próximo (aunque si se hubiera quedado es muy probable que ahora estuviera muerto). Lo veo alto, extranjero, enflaquecido por comparación con la fotografía del pasaporte, que fue tomada tan sólo a principios de junio y sin embargo en otra época, antes del verano sanguinario y alucinado de Madrid y del comienzo de este viaje que tal vez terminará dentro de unas horas; se mueve inseguro, asustado, furtivo, entre toda esa gente que sabe su destino exacto y avanza hacia él con una energía áspera, con una poderosa determinación de hombros fornidos, mentones levantados, rodillas flexibles. Ha escuchado una voz improbable que decía su nombre y se ha detenido y se ha vuelto y en el momento en que lo hace ya sabe que nadie lo ha llamado y sin embargo mira con la misma esperanza automática, encontrando sólo las caras irritadas de quienes por culpa suya se ven entorpecidos en su avance en línea recta, hombres enormes de ojos claros y caras encendidas que mastican cigarros. *Don't you have eyes on your face you moron?* Pero en la hostilidad de los desconocidos nunca interviene la mirada. En Madrid, ahora mismo, apartar los ojos a tiempo de una mirada fija es una de las nuevas astucias para sobrevivir. Que no parezca que tienes miedo porque te volverás automáticamente sospe-

14

choso. La voz oída de verdad o sólo imaginada en virtud de un espejismo acústico le ha producido ese sobresalto de quien estaba a punto de dormirse y cree que tropieza con un escalón, y se despierta de golpe o se sumerge del todo en el sueño. Pero ha oído su nombre con toda claridad, no gritado por alguien que quiere llamar la atención entre el ruido de una multitud sino dicho casi en voz baja, casi murmurado, Ignacio, Ignacio Abel, dicho por una voz familiar que sin embargo no identifica, que ha estado a punto de reconocer. Ni siquiera sabe si es una voz de hombre o de mujer, si es la voz de un muerto o la de un vivo. Al otro lado de la puerta cerrada de su casa en Madrid oyó una voz que repetía su nombre con un acento ronco de súplica y él se quedó en silencio conteniendo la respiración y sin moverse en la oscuridad y no abrió la puerta.

Desde hace meses uno ya no puede estar seguro de ciertas cosas: uno no sabe si alguien que recuerda bien o a quien vio hace unos días o sólo unas horas está vivo aún. Antes la muerte y la vida tenían fronteras más nítidas, menos movedizas. Otras personas no sabrán si él está vivo o está muerto. Se envían cartas y postales y no se sabe si llegarán a su destino, y si cuando lleguen estará vivo el que debía recibirlas, o seguirá viviendo en esa misma dirección. Se marcan números de teléfono y nadie contesta al otro lado, o la voz en el auricular es la de un desconocido. Se levanta un auricular con la urgencia de decir o de saber algo y no hay línea. Se abre un grifo y el agua puede no salir. Los antiguos actos automáticos quedan cancelados por la incertidumbre. Calles usuales de Madrid terminan de pronto en una barricada o en una trinchera o en el alud de escombros que ha dejado la explosión de una bomba. En una acera, al doblar una esquina, se puede ver con la primera luz del día el cuerpo ya rígido de alguien a quien empujaron contra la pared la noche anterior, convirtiéndola por impaciencia en paredón de fusilamiento, los ojos entornados en la cara amarilla, el labio superior contraído en una especie de sonrisa, mostrando los dientes, la mitad superior de la cabeza volada por un disparo demasiado próximo. Estalla el timbre del teléfono en mitad de la noche y a uno le da miedo levantar el auricular. Suena el motor del ascensor o el timbre de la puerta en mitad de un sueño y no se sabe si es una amenaza verdadera o sólo una pesadilla. Tan lejos de Madrid y de las noches de insomnio y miedo de los últimos meses Ignacio Abel aún recuerda en presente. El tiempo verbal del miedo no lo cancela la distancia. En la habitación del hotel donde ha pasado cuatro noches lo despertaba el estruendo de los aviones enemigos; abría los ojos y era el fragor de un tren elevado. Las voces siguen alcanzándolo: quién ha dicho su nombre, ahora mismo, cuando yo lo he visto quedarse inmóvil con su gabardina abierta y su maleta en la mano, con la expresión ansiosa de quien mira relojes e indicadores temiendo perder un tren, qué voz ausente se ha impuesto por encima del estruendo de la vida real, llamándolo, no sabe si urgiéndolo a que huya más rápido aún o a que se detenga y dé media vuelta y regrese, Ignacio, Ignacio Abel.

Ahora lo veo mucho mejor, aislado en ese instante de inmovilidad, cercado por gestos bruscos, por miradas hostiles, la prisa contrariada de los que saben seguro adónde van, cansados del trabajo en las oficinas, apresurándose para tomar trenes, acuciados por obligaciones y atrapados por telarañas de vínculos de los que él ahora carece, como un vagabundo o como un lunático, aunque lleve en un bolsillo su pasaporte en regla y un billete de tren en la mano izquierda, la que no sostiene la maleta, la maleta europea maltratada por los viajes pero todavía distinguida, con etiquetas de colores vivos y nombres de hoteles y de transatlánticos que también podré ver si mi atención actúa como una lente de aumento, como los ojos fatigados y ávidos de Ignacio Abel. Veo la mano que aprieta el asa de cuero, percibo la tensión excesiva con la que se cierra sobre ella, el dolor de las articulaciones que vienen repitiendo ese gesto desde hace más de dos semanas, cuando esta misma silueta de un hombre alto de edad intermedia que ahora casi se confunde entre la multitud avanzaba solitariamente de noche por una calle de Madrid en la que los faroles estaban apagados o tenían los cristales rotos o pintados de azul y sólo se filtraba luz bajo los postigos cerrados de algunas ventanas. La misma silueta, recortada de la fotografía de la estación de Pennsylvania y pegada en la perspectiva de una calle de Madrid, Alfonso XII, tal vez (le cambiaron el nombre y se llamó algún tiempo Niceto Alcalá-Zamora; ahora se lo han cambiado otra vez y se llama Reforma Agraria), la acera de los portales frente a las verjas del Retiro quince o veinte días atrás, bajando hacia la estación de Mediodía, tan cerca de las paredes que la maleta choca a veces contra las esquinas, queriendo borrarse en la sombra, sobre todo si en el silencio del toque de queda se oye acercarse el motor de un automóvil que sólo puede ser una señal de peligro, aunque se lleven todos los papeles en regla, todos los certificados con sus firmas y sellos. Habría que saber la fecha exacta de la partida, pero ni él guarda la cuenta de los días que lleva de viaje, y el tiempo se aleja muy rápidamente en el pasado. Una ciudad a oscuras, sitiada por el miedo, estremecida por el rumor de una batalla, por motores de aviones que se aproximan pero que todavía no son más que un eco de tormenta lejana. Ha mirado uno de los relojes colgados de los arcos de hierro y ha calculado que desde hace varias horas es de noche en Madrid, ahora mismo, cuando él se ha detenido porque una voz lo llamaba, cuando la aguja de los minutos ha avanzado con un espasmo idéntico en todas las esferas luminosas, saltando del ocho al siete, un golpe de tiempo como un latido de urgencia en el corazón, el paso que se da en el vacío al entrar en el sueño: las cuatro menos siete minutos; a las cuatro sale el tren que debe tomar y aún no tiene idea de hacia dónde debe ir, cuál entre los caminos que se entrecruzan en la multitud como ondulaciones o corrientes en la superficie del mar es el que lo llevará a su punto de destino. Como en un sueño lúcido puedo ver ahora su cara que se vuelve, ya muy de cerca, igual que él la veía esta mañana después de limpiar con la palma de la mano el vapor en el espejo frente al que iba a afeitarse, en la habitación del hotel donde ha pasado cuatro noches y a la que es consciente de que no volverá nunca. Ahora las puertas se cierran para siempre tras él y su presencia desaparece sin huella por los lugares que atraviesa, como cuando avanza por un corredor del hotel y dobla una esquina y ya es como si no hubiera estado nunca. Lo he visto afeitándose, frente al espejo del lavabo, esta mañana, en la habitación que por fin sabía que iba a abandonar, porque hace unas horas recibió el telegrama que ahora estaba abierto sobre la mesa de noche, junto a su cartera y sus gafas de cerca y la carta que le entregaron ayer por la tarde, y que estuvo a punto de romper una vez leída. *Apreciado Ignacio espero que al recibo de la presente estés bien tus hijos y yo bien y tranquilos a Dios gracias que no es poco en estos tiempos aunque tú no parece que te hayas preocupado mucho por saber de nosotros.* El telegrama contiene una petición sumaria de disculpa por los días de espera y las indicaciones sobre el tren y la hora de salida y la estación de destino a la que vendrán a recogerlo. La carta fue escrita y enviada hace casi tres meses y ha llegado hasta él en este hotel de Nueva York gracias a una sucesión de azares que no acaba de explicarse del todo, como si la hubiera guiado en la persistencia de su búsqueda la densidad misma del rencor que alienta en sus palabras (el rencor o algo más que por ahora prefiere o no sabe nombrar). Nada es ya como fue y no hay motivos para pensar que después del trastorno las cosas volverán a su curso anterior. Una carta enviada a Madrid desde un pueblo de la Sierra se pierde en el camino y tarda no dos días sino tres meses en llegar y ha pasado por una sede de la Cruz Roja de París y por una oficina de Correos española en la que alguien ha estampado varias veces un sello: *Desconocido en esta dirección.*

Tan poco tiempo hace que falta Ignacio Abel de su casa de Madrid y ya es un desconocido. Veo el sobre bajo la lámpara encendida en la mesa de noche, en la habitación interior y sombría, a la que llegaba regularmente el ruido de un tren elevado. Ignacio Abel preparaba una vez más su maleta, abierta sobre la cama, y se afeitaba con más cuidado que estos últimos días, ahora que sabía que lo esperan, que hacia las seis de la tarde habrá alguien en un andén queriendo distinguir su cara entre los pasajeros que bajen en una estación con un raro nombre germánico que ahora está impreso en su billete, Rhineberg. Bajará del tren y alguien estará esperándolo y al decir su nombre le devolverá una parte de su existencia suspendida. Le importa mucho no ceder, no abandonarse; cuidar cada pormenor de resistencia íntima contra el deterioro de la soledad y el viaje; igual que se cuidan detalles en la práctica innecesarios al dibujar el proyecto de un edificio o al tallar y pulir el bloque de madera de una maqueta. Hay que afeitarse cada mañana, aunque vaya faltando el jabón y la cuchilla esté perdiendo su filo y la brocha de tejón sus pelos, uno por uno. Hay que procurar que el cuello de la camisa no aparezca oscurecido. Pero él no tiene más que tres y se van gastando de tanto lavarlas. Se gastan los puños y el cuello, las superficies más sujetas a la fricción, al roce de la piel irritada o sudada. Se deshilacha el filo del pantalón, se van deshaciendo los cordones de los zapatos y llega una vez en que al hacer el lazo uno de ellos se rompe del todo. Estaba abrochándose la camisa esta mañana y descubrió que uno de los botones se había caído, y si lo encontrara no sabría cómo volver a coserlo. Veo a Ignacio Abel como si me viera a mí mismo, con su atención maniática a todos los detalles, su deseo incesante de captarlo todo y su miedo a pasar por alto algo decisivo, su angustia por la velocidad del tiempo, por su lentitud abrumadora cuando se convierte en espera. Se palpa la cara después de afeitarse frotándola con un poco de loción del frasco casi vacío que ha traído consigo desde que salió de Madrid y yo noto el roce de mis dedos en la mía. A lo largo del viaje las cosas se deterioran o se pierden y no hay tiempo de reemplazarlas o uno no sabe cómo y tampoco sabe cuántos días le faltan para llegar a su destino, cuánto tiempo más deberá hacer que le dure el dinero cada vez más escaso, los billetes en la cartera, las monedas que se confunden en los bolsillos con calderilla de otros países, las cosas menudas que se guardan sin motivo y se acaban perdiendo en el curso de un viaje: fichas de metro o de teléfono, un billete de tren, un sello que no llegó a usarse, la entrada de un cine en el que se refugió de la lluvia viendo una película sin entender lo que decían las voces. Quiero enumerar estas cosas, como él lo hace, muchas noches, al regresar a su habitación, cuando vacía metódicamente sobre la mesa el contenido de sus bolsillos, como lo hacía en el escritorio de su despacho de Madrid, en su oficina de la Ciudad Universitaria; buscar en el fondo de los bolsillos de Ignacio Abel con el tacto de sus dedos, en el forro de su americana, en la cinta interior del sombrero; escuchar en el bolsillo de la gabardina el tintineo inútil de unas llaves que son las de su casa de Madrid; saber cada objeto y cada papel que ha ido dejando en la mesa de noche y sobre el aparador de la habitación del hotel, los que habrá guardado al salir a toda prisa hacia la estación de Pennsylvania y los que se queden atrás y sean arrojados a la basura por la limpiadora que hace la cama y abre la ventana para que entre un aire de octubre con olor a hollín y a río, a vapores de lavandería y de cocina grasienta: cosas fugaces en las que está contenido un hecho, un instante indeleble, el nombre de un cine, el recibo de una comida rápida en una cafetería, una hoja de calendario que tiene una fecha exacta en una cara y en la otra un número de teléfono garabateado a toda prisa. En el cajón de su despacho que cerraba siempre con llave guardaba las cartas y las fotografías de Judith Biely pero también cualquier objeto mínimo que tuviera que ver con ella o le hubiera pertenecido. Una caja de cerillas, un lápiz de labios, un posavasos del cabaret del hotel Palace, con el cerco del vaso del que bebía Judith. El alma de las personas no está en sus fotografías sino en las cosas menudas que tocaron, las que tuvieron el calor de las palmas de sus manos. Con la ayuda de las gafas de cerca buscó su apellido en las columnas diminutas de la guía telefónica de Manhattan, conmoviéndose al reconocerlo entre tantos nombres de desconocidos, como si hubiera visto una cara familiar en medio de una multitud, escuchado su voz. Variantes cercanas complicaban la búsqueda: Bily, Bialy, Bieley. En una de las cabinas de madera alineadas al fondo del vestíbulo del hotel solicitó el número que venía junto al apellido Biely y escuchó la señal con el corazón sobresaltado, temiendo que colgaría en el momento en que alguien contestara. Pero la operadora le dijo que no había respuesta y él se quedó sentado en la cabina con el auricular en la mano, hasta que unos golpes irritados en el cristal lo sacaron de su ensimismamiento.

Importa la precisión extrema. Nada real es vago. Ignacio Abel trae en la maleta su título de arquitecto y el diploma firmado por los profesores Walter Gropius y Karl Ludwig Rossman en Weimar en mayo de 1924. Conoce el valor de las medidas exactas y de los cálculos de resistencia de los materiales, del equilibrio entre fuerzas contrarias que mantiene en pie un edificio. Qué habrá sido del ingeniero Torroja, con el que le gustaba tanto conversar sobre los fundamentos físicos de la edificación, aprender cosas inquietantes sobre la insustancialidad última de la materia, la agitación demente de partículas en el vacío. Los dibujos esbozados en el cuaderno que lleva en uno de los bolsillos no serán nada si no se someten a la disciplina esclarecedora de la física y de la geometría. ¿Cómo eran esas palabras de Juan Ramón Jiménez que parecían la síntesis de un tratado de arquitectura? *Lo neto, lo apuntado, lo sintético, lo justo.* Ignacio Abel las tenía anotadas en un papel y las leyó en voz alta en la Residencia de Estudiantes, en la conferencia que dio el año pasado, el 7 de octubre de 1935. Nada sucede en un tiempo abstracto ni en un espacio en blanco. Un arco es una línea trazada sobre una hoja de papel y la solución de un problema matemático; peso convertido en ligereza por el juego de fuerzas contrarias; especulación visual que se transmuta en espacio habitable. Una escalera es una forma artificial tan necesaria y tan pura como la espiral de una caracola, tan orgánica como la arborescencia de los nervios de una hoja. En ese lugar donde Ignacio Abel todavía no ha estado se levantará en la cima de una colina boscosa el edificio blanco de una biblioteca que ya existe en su imaginación y en los bocetos de sus cuadernos. Bajo los arcos de hierro y las bóvedas de cristal de la estación de Pennsylvania, en el aire tamizado de polvo y humo, estremecido por un clamor de espacios cóncavos, los relojes marcan una hora precisa: la aguja de los minutos acaba de avanzar en un rápido espasmo que el ojo apenas percibe hasta las cuatro menos cinco. El billete que lleva Ignacio Abel en la mano izquierda, ligeramente sudada, es para un tren que sale a las cuatro en punto de un andén que él todavía no sabe dónde está. En el bolsillo interior de su gabardina guarda el pasaporte que esta mañana estaba sobre la mesa de noche, cerca de la cartera y de una postal ya escrita y franqueada que olvidó luego echar en el buzón del vestíbulo del hotel y que ahora lleva en un bolsillo de la americana, junto a la carta que no se decidió a romper en pequeños pedazos. *Dos hijos criándose sin padre en la edad más difícil y en esta época que nos ha tocado vivir y yo sola teniendo que sacarlos adelante.* La postal es una fotografía coloreada del Empire State Building, visto de noche, con hileras de ventanas encendidas, con un zepelín amarrado a su espléndido espolón de acero. Cada vez que ha hecho un viaje ha mandado postales diarias a sus hijos. Esta vez lo ha seguido haciendo, aunque no sabe si llegarán a su destino; escribe los nombres y la dirección como repitiendo un conjuro, como si su obstinación en enviar las postales bastara para evitar que se perdieran, como el impulso y la puntería con que se lanza una flecha o el rencor minucioso con que su mujer enumeró por escrito cada una de sus quejas. *Querida Lita, querido Miguel, aquí tenéis el edificio más alto del mundo. Hubiera querido ver Nueva York desde el cielo subido con vosotros en un zepelín.* En el cielo azul de tinta de la postal hay una luna llena amarillenta y reflectores que alumbran con sus haces cónicos la silueta futurista del dirigible. Las postales y las cartas se extravían ahora en la geografía convulsa de la guerra; o se retrasan y llegan cuando el que las esperaba ha muerto o cuando ya no vive nadie en la dirección escrita en el sobre. La carta de Adela y el telegrama han rescatado transitoriamente a Ignacio Abel de su gradual inexistencia en la habitación del hotel donde a lo largo de cuatro días el teléfono no ha sonado y nadie ha dicho su nombre y ni siquiera ha entablado con él la conversación más circunstancial. Los lleva también en algún bolsillo de la gabardina o de la americana, el telegrama de bienvenida tardía del profesor Stevens, director del departamento de Architecture and Fine Arts de Burton College, la carta en la que por un engaño visual del deseo reconoció durante unos segundos la letra de Judith Biely con la misma claridad con que ha escuchado en la estación de Pennsylvania una voz que podría ser la suya. Pero la caligrafía no se parece en nada: anoche, antes de apagar la luz, Ignacio Abel leyó entera la carta de Adela y volvió a guardarla en el sobre, dejándola sobre la mesita, junto al pasaporte y la cartera, y a las gafas de cerca, descartando sin esfuerzo la tentación de romperla en pedazos muy pequeños. En la oscuridad imperfecta de la habitación, sumergido en la ronca vibración de la ciudad, que lo envolvía como el temblor sin pausa de las máquinas del barco durante su viaje de seis días a través del Atlántico, Ignacio Abel veía deslizarse delante de sus ojos la anticuada caligrafía femenina de su mujer y las palabras de la carta adquirían en el insomnio su voz monótona de enumeración y reproche y al mismo tiempo de una especie de ternura indestructible contra la que no tenía defensas.

Después de varios días de espera el tiempo de nuevo se acelera angustiosamente. Eran casi las tres y media cuando miró el reloj antes de abandonar la habitación y a las cuatro sale el tren para Rhineberg. Se le ha hecho tan tarde que ha cerrado de golpe la maleta sobre la cama y sólo cuando ya abría la puerta ha caído en la cuenta de que se dejaba el pasaporte sobre la mesa de noche. Le ha dado un escalofrío pensar que ha estado a punto de marcharse sin él. En el descuido de un segundo está contenida entera una catástrofe. Faltaba tal vez menos de un minuto para que lo mataran esa noche de finales de julio con la que sueña muchas veces y una voz que decía su nombre en la oscuridad lo salvó. Don Ignacio, tranquilo, que no pasa nada. El pasaporte de tapas azules con el escudo de la República Española fue expedido a mediados de junio; el visado de un año para los Estados Unidos lleva fecha de principios de octubre (pero todo tarda tanto tiempo que no parece que vaya a llegar nunca). La foto es la de un hombre más fornido y no exactamente más joven, pero sí menos receloso y de expresión menos insegura, con una mirada en la que siempre habrá algo de furtivo pero que se detiene con serenidad en el objetivo de la cámara, incluso con un punto de arrogancia, acentuado por el corte excelente de la chaqueta, que muestra un pañuelo bien doblado y el capuchón de una estilográfica en el bolsillo superior, por el brillo de seda de la corbata, por la calidad muy visible de la camisa hecha a medida. En cada puesto fronterizo que Ignacio Abel ha cruzado en las últimas semanas los guardias han comparado cada vez más despacio la cara del pasaporte con la del hombre que lo ofrecía con un gesto de docilidad gradualmente más nervioso. En este tiempo acelerado las fotografías tardan muy poco en volverse infieles. Ignacio Abel mira la suya en el pasaporte y encuentra la cara de alguien que se le ha vuelto un extraño, y que en el fondo no le provoca simpatía, ni siquiera nostalgia. Nostalgia, o más bien una añoranza tan física como una enfermedad, tiene de Judith Biely y de sus hijos, no de quien era hace unos meses, y menos aún de ese tiempo anterior a la guerra, normal mientras se estaba viviendo, irrespirable en el recuerdo. La diferencia no está sólo en el estado de la ropa, sino en la mirada. Los ojos de Ignacio Abel han visto cosas que el hombre de la fotografía no sospecha. Su seguridad es petulancia; peor aún: ceguera. A un paso de la irrupción del porvenir que lo trastornará todo no intuye su cercanía y no sabe imaginar su espanto.

Detalles exactos: el pasaporte ha sufrido el mismo proceso de deterioro que la ropa y la maleta, ha pasado por demasiadas manos, ha recibido el impacto inútilmente enérgico de muchos tampones de caucho. El sello de salida de España tiene malamente impresas las iniciales en tinta roja y negra de la Federación Anarquista Ibérica, y si se mira la hoja con cuidado se advertirá la huella de unos dedos sucios. Las manos del gendarme francés que lo inspeccionó sólo unos metros más allá eran pálidas y huesudas y tenían las uñas brillantes. Los dedos manipulaban el pasaporte con el escrúpulo de quien teme un contagio. En el lado español el miliciano anarquista había mirado fijamente a Ignacio Abel con un brillo de amenaza y sarcasmo, con desprecio, haciéndole saber que lo consideraba un emboscado y un desertor, y que aunque lo dejara pasar no renunciaba hasta el último momento a la potestad de arrebatarle el pasaporte que para él no valía nada; el gendarme francés, la cabeza tiesa sobre el cuello duro del uniforme, lo había estudiado largamente sin mirarlo en ningún momento a los ojos, sin concederle ese privilegio (requiere adiestramiento examinar la cara de alguien sin cruzar una mirada). El tampón francés, con un mango de madera bruñida, se abatió sobre el pasaporte abierto con un chasquido de resorte metálico. En cada frontera habrá alguien que se tomará su tiempo para estudiar un pasaporte y cualquier otro papel que se le ocurra exigir, que alzará los ojos por encima de unas gafas con aire de recelo y se volverá hacia un colega para murmurar algo o desaparecerá detrás de una puerta cerrada llevándose consigo el documento de pronto sospechoso; alguien que se erige en guardián, en dueño del porvenir de los que esperan, admitiendo a algunos, rechazando inescrutablemente a otros; o que se toma su tiempo para encender un pitillo o intercambiar un chisme con el empleado de la mesa contigua antes de volver hacia la ventanilla y examinar de nuevo al que espera, al que se sabe a punto de la salvación o la condena, del sí o del no.

Quizás hoy mismo el enemigo ha entrado en Madrid y el pasaporte no sirve ya de nada. En el suelo de la habitación del hotel, cerca de la cama, Ignacio Abel ha dejado al marcharse un periódico desordenado que las mujeres de la limpieza tirarán a la bolsa de basura sin mirarlo siquiera. INSURGENTS ADVANCE ON MADRID. La noticia está fechada hace tres días. INCENDIARY BOMBS ON A BATTERED CITY. En la radio que hay sobre el aparador escuchó a altas horas de una noche de insomnio un boletín de noticias leído por una voz nasal y aguda y demasiado rápida que sólo le permitía entender la palabra Madrid. Entre la música de los anuncios y los silbidos estáticos de la sintonía el nombre sonaba como el de una ciudad remota y exótica iluminada por los resplandores de las bombas. Quizás a estas horas su casa es un montón de ruinas y el país al que pertenece el pasaporte y del que depende su identidad jurídica ha dejado de existir. Pero al menos la palabra España o la palabra guerra o Madrid no estaban en las primeras páginas que ha visto de soslayo recién desplegadas en uno de los puestos de periódicos de la estación. Mira flechas, indicadores; escucha al pasar ráfagas de conversaciones triviales que se le vuelven transparentes y que parecen referirse a él o contener vaticinios; examina una por una las caras de todas las mujeres no porque espere reconocer de pronto a Judith Biely sino porque no sabe no buscarla. A pesar de la urgencia, del miedo a perder el tren, aprecia las formas y las dimensiones de la arquitectura, el impulso ascensional de los pilares de hierro, el ritmo de los arcos. Lo neto, lo apuntado. La luz madura de la tarde atraviesa en diagonal los vitrales de la bóveda y traza sobre las cabezas anchos rayos paralelos tamizados de polvo. Quiere preguntarle algo a un mozo de uniforme azul oscuro y gorra roja pero su voz no suena con claridad en el tumulto y su gesto no es advertido. Una columna de gente se apresura en dirección a un corredor sobre el cual hay un gran letrero y una flecha. DEPARTING TRAINS.

Cuánto tiempo hacía que no escuchaba a nadie diciendo en voz alta su nombre. Si nadie te reconoce y nadie te nombra poco a poco vas dejando de existir. Se ha vuelto sabiendo que no podía ser verdad que alguien lo llamara pero durante unos segundos un impulso reflejo ha seguido afirmando lo que negaba su conciencia racional. Las voces del pasado, las que lo alcanzan en la huida, se congregan en un rumor tan poderoso como el que resuena bajo las bóvedas de hierro y cristal de la estación de Pennsylvania. La lejanía en el espacio y en el tiempo es su cámara acústica. Se ha quedado dormido después de comer un domingo de julio en la casa de la Sierra y las voces de sus hijos lo llaman desde el jardín desde donde se filtraba en su sueño el ruido del columpio oxidado. Le avisan de que se hace tarde, de que muy pronto pasará el tren hacia Madrid. Ha levantado el auricular del teléfono en mitad del largo pasillo de su casa y la voz extranjera que pronuncia su nombre es la de Judith Biely. Ha ingresado con alivio en la sombra del toldo del café que hay junto al cine Europa en la calle Bravo Murillo y hace como que no escucha la voz que está llamándolo a su espalda, que es la de su antiguo maestro en la Bauhaus de Weimar, el profesor Rossman. No tiene ningún motivo para escabullirse de él pero prefiere no verlo; no sabe que

ésta es la última vez que lo verá vivo, esta mañana de septiembre; la última vez que el profesor Rossman lo llamará por su nombre en medio de una calle de Madrid. La
voz se pierde entre una explosión coral de himnos marciales acompañada rudamente por tambores y cornetas
que sale de las puertas abiertas del cine, junto a la bocanada de umbría y olores de desinfectante. Pero suena de nuevo, repitiendo el nombre, cuando la mano del profesor
Rossman se posa en su hombro, mi querido profesor Abel,
qué sorpresa encontrarlo, yo pensaba que usted estaría ya
en América.

Espejismos acústicos (pero la voz que decía su nombre
al otro lado de la puerta cerrada no la había soñado: *Ignacio, por lo que más quieras, ábreme, no dejes que me maten*).
Ignacio Abel conjetura que tal vez en el cerebro humano
hay un instinto que exige escuchar voces familiares para
que la conciencia no pierda su anclaje en la realidad; que
segrega simulacros de voces cuando el nervio acústico no
envía sus señales durante mucho tiempo. Las escuchó este
verano, de noche, en Madrid, en su casa a oscuras, más
grande al estar deshabitada desde principios de julio, la
mayor parte de los muebles y las lámparas cubiertos por
los lienzos blancos que extendieron las criadas para protegerlos del polvo, y que él, solo durante varios meses, no se
molestó en quitar. Creía oír la radio al fondo de la casa, en
el cuarto de la plancha, y tardaba unos segundos en comprender que no era posible, o que el sonido de otra radio
en la vecindad su memoria lo había manipulado para convertir en sensación presente el eco de un recuerdo. Se imaginaba que oía a Miguel y a Lita, peleando a gritos en su
cuarto, tras la puerta cerrada, o que Adela acababa de entrar en la casa y la puerta se cerraba pesadamente tras ella.
La brevedad del engaño lo hacía más intenso, igual que su

irrupción inesperada. En cualquier momento, sobre todo cuando empezaba a abandonarse a un sueño intranquilo, la voz de Judith Biely murmuraba su nombre tan cerca del oído que sentía el roce de su aliento y sus labios. En París, en su primera mañana lejos de España, todavía con la extrañeza de encontrarse en una ciudad en la que no había ninguna huella de la guerra, al sobresalto de las voces empezó a sumarse el de las fugaces apariciones visuales. Veía una figura de lejos, la silueta de alguien tras el cristal de un café, y durante un segundo estaba seguro de que era un conocido de Madrid. Sus hijos, de los que llevaba tanto tiempo sin saber nada, jugaban al fútbol en un sendero arenoso de los jardines del Luxemburgo; el día antes de emprender su viaje había ido a despedirse de José Moreno Villa, que estaba solo y envejecido en una oficina diminuta del Palacio Nacional, inclinado sobre un legajo antiguo: y sin embargo lo vio caminar unos pasos por delante de él por el bulevar Saint-Germain, de nuevo erguido, más joven, con su sólida elegancia burguesa de unos meses atrás, con uno de esos trajes de lana inglesa que le gustaban tanto y el sombrero de fieltro ligeramente ladeado. Un segundo después se deshacía el espejismo al llegar más cerca de la persona que lo había suscitado y a Ignacio Abel le costaba comprender que hubiera sido posible el engaño de sus ojos: los chicos que jugaban en el Luxemburgo eran mayores que sus hijos, y no se les parecían en nada; el hombre idéntico a Moreno Villa se había detenido ante un escaparate y tenía una cara embotada y vulgar, una mirada sin inteligencia, y su traje era de un corte mediocre. En el ventanuco redondo que daba a la cocina de un restaurante vio durante un segundo, y se quedó paralizado, la cara de uno de los tres hombres que se presentaron en su casa para hacer un registro una de las últimas noches de julio.

Pero la experiencia del engaño no lo volvía más cauto: al poco tiempo de nuevo veía a lo lejos, en el velador de un café o en el andén de una estación, a un conocido de Madrid; incluso a alguien a quien sabía muerto. Al principio las caras de los muertos se imprimen intensamente en la memoria y vuelven en los sueños y en los espejismos diurnos, poco antes de desvanecerse en la nada. La cabeza ovalada y calva del profesor Karl Ludwig Rossman, que había visto y reconocido con dificultad en el Depósito de Cadáveres de Madrid una noche de principios de septiembre, a la luz funeraria de una bombilla colgada de un cordón en el que se arracimaban las moscas, se le apareció un día fugazmente entre los pasajeros que tomaban el débil sol de octubre en la cubierta del barco donde viajaba a Nueva York: un hombre calvo, mayor, probablemente judío, recostado contra la lona de una hamaca, la boca abierta, la cabeza torcida hacia un lado, durmiendo. Los muertos parece que se quedaron dormidos en una postura extraña, o que se reían en sueños, o que les vino la muerte sin que se despertaran, o que abrieron los ojos y ya estaban en la muerte, un ojo abierto y otro medio cerrado, un ojo negro o convertido en pulpa por una bala. Recuerdos súbitos se proyectan ante su mirada en el presente como fotogramas insertados por error en el montaje de una película, y aunque sabe que son falsos no tiene manera de disiparlos y eludir así su promesa y su veneno. Caminando por el bulevar que desembocaba en el puerto de Saint-Nazaire —al final de una perspectiva de castaños de Indias se levantaba el muro curvo de acero de un transatlántico, en el que brillaba al sol un nombre recién pintado en letras blancas, *S.S. Manhattan*—, vio a un hombre de cara ancha y pelo muy negro, vestido con un traje claro, que estaba sentado al sol junto a la mesa de un café: por una trampa de la

31

memoria había vuelto a ver de pasada al poeta García Lorca en el paseo de Recoletos, en Madrid, una mañana de junio, desde la ventanilla de un taxi en el que se dirigía a toda prisa hacia uno de sus encuentros secretos con Judith Biely. Uno de los últimos. La lejanía avivaba los pormenores del recuerdo con una inmediatez de sensaciones físicas: el calor de junio dentro del taxi, el olor a cuero reblandecido del asiento. Lorca fumaba un cigarrillo junto al velador de mármol con las piernas cruzadas y por un momento Ignacio Abel pensó que lo había visto y lo reconocía. Luego el taxi dio la vuelta en Cibeles y subió muy despacio por la calle de Alcalá, la circulación detenida por algo, tal vez por el cortejo de un entierro, porque había guardias armados en las esquinas. Miraba la hora en su reloj de pulsera, en el del edificio de Correos; calculaba avariciosamente cada minuto de su tiempo con Judith que le robaba la lentitud del taxi, la muchedumbre agrupada para el entierro, con banderas y pancartas, con gestos crispados de duelo político. Ahora piensa en García Lorca muerto y se lo imagina con el mismo traje claro de verano que tenía esa mañana, con la misma corbata y los zapatos de dos colores, muerto y encogido como un guiñapo, en esa actitud como de replegarse para el sueño que tienen algunos cadáveres de fusilados, como de echarse de lado y contraer las piernas y apoyar la cara en un brazo extendido a medias, durmientes tirados en una cuneta o junto a una tapia picoteada de disparos, salpicada de borbotones secos de sangre.

La misma prisa de entonces lo sigue empujando, ahora hacia lo desconocido, un lugar que es sólo un nombre, Rhineberg, una colina sobre un río de anchura marítima, una biblioteca que no existe, que a estas alturas del viaje no es más que una serie de bocetos a lápiz y una justificación para la huida. La prisa que lo llevaba a sus obligaciones conduciendo a toda velocidad su pequeño automóvil por Madrid; la que lo hacía despertarse todavía de noche, impaciente por que amaneciera, atribulado por el paso del tiempo, por el desperdicio irreparable de tiempo que imponía la inepta lentitud española, la desgana, la hosca resistencia inmemorial a cualquier clase de cambio. Ahora la prisa perdura despojada de cualquier finalidad, como el dolor fantasma que sigue acuciando a quien sufrió una amputación, como un impulso reflejo que lo lleva hacia un destino inmediato en el que no va a encontrar a Judith Biely y más allá del cual no ve nada: las voces soñadas y reales, la aguja de los minutos que avanza de golpe en todos los relojes de la estación de Pennsylvania: una escalera de peldaños metálicos que desciende hacia las bóvedas resonantes de donde parten los trenes, su maleta en la mano, el dolor en los nudillos, el pasaporte en el bolsillo interior de la americana, palpado un segundo por la mano que sostiene el billete, un revisor que asiente cuando le dice a gritos el nombre de su estación de destino, la voz ahogada por la vibración de la locomotora eléctrica, hermosa como el morro de un aeroplano, dispuesta a partir con una puntualidad sin misericordia, rugiendo como las máquinas y las sirenas del *S.S. Manhattan* cuando empezaba a apartarse muy despacio del muelle. De vez en cuando se apacigua la prisa, pero no llega a borrarse su punzada. La única tregua es el momento de una partida; la absolución de unas pocas horas o de unos días en los que uno podrá abandonarse sin remordimiento a la pasividad del viaje; o tenderse con los ojos cerrados y sin quitarse siquiera los zapatos en la habitación de un hotel; tenderse de lado, con las piernas encogidas, queriendo no pensar en nada, no tener que abrir de nuevo los ojos. Pronto se acabará el plazo, volverá el desasosiego: hay que hacer la maleta de nuevo o que bajarla de la red de los equipajes, hay que preparar los documentos, que asegurarse de que nada queda atrás. Pero por ahora, recién subido al tren todavía inmóvil, en el asiento que le corresponde, Ignacio Abel se ha recostado con alivio infinito junto a una ventanilla, protegido, a salvo, al menos durante las próximas dos horas. Ha dejado la maleta en el asiento contiguo y sin quitarse todavía la gabardina palpa uno por uno todos los bolsillos, las yemas de los dedos reconociendo superficies, texturas, la tapa y la flexibilidad del pasaporte, el grosor de la cartera, donde están las fotos de Judith Biely y de sus hijos y el fajo escaso de dólares que todavía le queda, el telegrama que sacará dentro de poco para comprobar de nuevo las instrucciones del viaje, el sobre con la carta de Adela, hinchado de cuartillas que tal vez debió romper en pedazos antes de salir de la habitación del hotel o dejar simplemente olvidadas sobre la mesa de noche. Algo que no reconoce de inmediato, un filo de cartulina, en el bolsillo derecho de la americana, la postal del Empire State Building con un zepelín amarrado a su cúspide, la que no se ha acordado de echar en los buzones de la estación, sobre cada uno de los cuales está escrito en letras doradas el nombre de un país del mundo. Advierte ahora, al cruzar los pies, lo sucios y cuarteados que están sus zapatos, que aún tienen en las suelas polvo de las calles de Madrid, las suelas cosidas a mano que ya están desgastándose, igual que el filo del pantalón, que los puños de su camisa. Lo más interesante de una construcción empieza a ocurrir cuando ya está terminada, decía sonriendo el ingeniero Torroja, que revisaba los cálculos de estructuras en los edificios de la Ciudad Universitaria y había diseñado un puente de arcos estrechos y altos como los de un cuadro de Giorgio de Chirico: la acción del tiempo, el tirón de la gravedad, las fuerzas que siguen actuando entre sí en ese equilibrio precario que suele llamarse estabilidad o firmeza, que en realidad no tiene más sustancia que un castillo de naipes y más pronto o más tarde acabará sucumbiendo. Bien a sus leyes internas, decía Torroja, ayudando la enumeración con los dedos, bien a una catástrofe natural —inundación, terremoto—, bien al entusiasmo humano por la destrucción. La puerta al fondo del vagón se abre y una mujer rubia y joven aparece en ella, delgada, sin sombrero, buscando a alguien con la vista, con cara de urgencia, como si tuviera que bajar del tren antes de que se ponga en marcha, dentro de menos de un minuto. Por un momento, apenas el tiempo entre dos latidos, lo que dura un parpadeo, Ignacio Abel reconoce con toda exactitud a Judith Biely, inventa con la pura precisión de un dibujo lo que no sabía que permaneciera así de intacto en su memoria, lo que existe y se borra sin rastro en la presencia de una mujer desconocida que no se parece en nada a ella: el óvalo de su cara, sus cejas, sus labios, los rizos entre rubios y castaños del pelo que ha acariciado y olido tantas veces, sus manos con las uñas pintadas de rojo, sus hombros de nadadora, su figura delgada y sinuosa como la de un maniquí en el escaparate de una tienda o una modelo en una revista ilustrada.

2

De pronto el milagro de la aparición ha cesado. Que Judith Biely esté ahora mismo de verdad en el mundo le parece tan improbable como que haya irrumpido hace un instante en el vagón del tren a punto de partir, forzándole a inventar el melodrama de su llegada a la estación en el último minuto. No recuerda exactamente cuánto hace que salió de Madrid pero lleva la cuenta exacta de los días que han pasado desde la última vez que la vio. Ha caminado por su ciudad durante cuatro días, viajado en tranvías, en vagones de metro, en trenes elevados, y nunca ha dejado de buscarla en cada mujer joven que se cruzaba con él o a la que veía desde lejos, y la reiteración del desengaño no lo ha inoculado contra el espejismo de reconocerla. Vio en Union Square un cartel que anunciaba un acto de solidaridad con la República Española y con la lucha gloriosa del pueblo español contra el fascismo y se abrió paso entre la multitud que agitaba pancartas y banderas y cantaba himnos exclusivamente con la esperanza de encontrarse con ella. Vio desde la cubierta del barco las torres de la ciudad emergiendo de la niebla como acantilados luminosos y aparte del miedo y el vértigo su único pensamiento fue que en algún lugar de ese laberinto podía estar Judith Biely. En las columnas innumerables de apellidos de la guía telefónica de Nueva York ha encontrado el suyo repetido tres veces y dos de ellas voces irritadas que apenas entendía le han dicho que se equivocaba, y la tercera señal ha sonado mucho tiempo sin que contestara nadie. Pero la conciencia segrega imágenes y ficciones igual que las glándulas de la boca segregan saliva. Judith corriendo entre la gente por el gran vestíbulo de la estación de Pennsylvania, buscándolo, creyendo verlo en cualquier hombre de edad intermedia y traje oscuro, bajando las resonantes escaleras de hierro con su agilidad gimnástica a pesar de los tacones y la falda estrecha para llegar a tiempo. Así la buscó él entre los pasajeros de los expresos a punto de salir de Madrid en la noche del 19 de julio, que aún podía parecer una noche cualquiera y no una raya definitiva en el tiempo, a pesar de los aparatos de radio a todo volumen en los balcones iluminados y abiertos de par en par y de las multitudes en las calles del centro gritando roncamente, y de las ráfagas de disparos que todavía era posible confundir con petardeos de motores o de fuegos artificiales. La encontraría unos momentos antes de que arrancara su tren, su melena rubia emergiendo de una ventanilla de *wagon-lits* entre una nube de vapor tornasolada por las poderosas lámparas eléctricas, y ella al verlo claudicaría de su decisión de romper con él y marcharse de España y saltaría a sus brazos. Ficciones pueriles, contagio inconsciente de novelas y películas en las que el destino permite la reunión de los amantes unos segundos antes del final. Películas musicales que había visto con ella en los cines de Madrid, enormes y oscuros, oliendo a materiales nuevos y a desinfectante, con esplendores de dorados que relucían bajo la móvil luz plateada de la pantalla.

Se citaban en un palco del cine Europa, en la calle Bravo Murillo, y aunque no era probable que alguien los reconociera en ese barrio popular apartado del centro entraban por separado a la primera sesión de la tarde, en la que había menos público. En la calle agitada y polvorienta hacía un calor de verano anticipado y el sol cegaba: bastaba cruzar unas puertas forradas de tela granate y con ojos de buey para ingresar en la delicia artificial de la oscuridad y la refrigeración. Tardaban en acostumbrarse a la sombra y se buscaban aprovechando las escenas más luminosas, la claridad súbita de un mediodía en la cubierta de primera clase de un transatlántico falso, con un mar proyectado en una pantalla de transparencias y una brisa oceánica de ventiladores eléctricos agitando los rizos rubios de la heroína. En el noticiario dos millones de hombres con ramas de olivo y herramientas al hombro desfilaban por las avenidas de Berlín el día del Trabajo con un fondo de marchas militares. Una multitud igual de oceánica y con la misma disciplina agitaba armas, ramos de flores, banderas y retratos en la Plaza Roja de Moscú. Ciclistas con duras caras de labriegos pedaleaban cuesta arriba por caminos pedregosos en la Vuelta Ciclista a España. Buscaba ávidamente sus manos en la penumbra, la piel desnuda de los muslos más arriba de la seda tensa de las medias, el punto delicioso en el que la liga se hundía ligeramente en la carne; se abandonaba a la caricia sigilosa e impúdica de la mano de ella, su cara sonriente iluminada por los fogonazos de la pantalla. Insolentes legionarios italianos con perillas negras de piratas y cascos coloniales coronados de plumas desfilaban delante del palacio recién conquistado del Negus en Addis Abeba. Don Manuel Azaña salía del Congreso de los Diputados después de jurar su cargo como presidente de la República Española, vestido de frac, con una banda cruzándole el torso hinchado, muy pálido, cubierto con una chistera absurda, con una expresión atónita como de estar asistiendo a su propio entierro (Judith había presenciado en la calle el paso de la comitiva y se acordaba del contraste entre la piel incolora de Azaña en el automóvil descubierto y los penachos rojos de los coraceros a caballo que le daban escolta). Ginger Rogers y Fred Astaire se deslizaban sin peso sobre una plataforma lacada, abrazándose en una figura de baile idéntica a la del cartel de lona a todo color que cubría la fachada del cine Europa. La falsedad evidente del cine deparaba a Judith una emoción verdadera a la que se abandonaba sin resistencia: las bocas que se movían sin estar cantando; la inverosimilitud de que un hombre y una mujer vestidos de calle conversen mientras caminan y un momento después estén cantando y bailando y tengan que protegerse de una lluvia súbita y visiblemente artificial. Se sabía de memoria todas las canciones, incluyendo las de los anuncios de las emisoras españolas, que estudiaba tan meticulosamente como los romances antiguos o los poemas de Rubén Darío que aprendía en las clases de don Pedro Salinas. Le decía a él las letras de las canciones en inglés y le pedía que le explicara a cambio las que cantaba Imperio Argentina en *Morena Clara,* que por un motivo que él no comprendía le gustaba tanto como *Top Hat.* En el fonógrafo que tenía en su cuarto sonaban igual las canciones que había traído de América y las del disco en el que García Lorca acompañaba al piano a La Argentinita. Porque a Judith le gustaban esas películas embarulladas de flamencos y contrabandistas y las voces chillonas que cantaban en ellas a Ignacio Abel le irritaba menos que a su hijo Miguel, a los doce años, también le entusiasmaran. Antes de conocerla su presencia le había sido anunciada por la música que de un modo u otro irradiaba de ella tan naturalmente como su voz o como el brillo de su pelo o la fragancia entre deportiva y agreste de la colonia que usaba. Ignacio Abel entró una tarde de finales de septiembre en el salón de actos de la Residencia de Estudiantes buscando a Moreno Villa y una mujer de espaldas tocaba el piano y cantaba por lo bajo para sí misma, en la sala desierta, inundada por una luz dorada y rojiza de poniente que perduraría intacta en sus recuerdos como en una gota de ámbar, la luz precisa del final de la tarde del 29 de septiembre.

Parece que sucedió ayer y también que ha pasado mucho más tiempo. Ahora sabe que la identidad personal es una torre demasiado frágil para sostenerse por sí sola, sin testigos cercanos que la certifiquen ni miradas que la reconozcan. Los recuerdos de lo que más le importa son tan lejanos como si pertenecieran a otro hombre. La cara en la fotografía de su pasaporte es casi la de un desconocido: la que se ha acostumbrado a ver en los espejos tal vez la identificarían con dificultad Judith Biely o sus hijos. En Madrid ha visto transfigurarse de la noche a la mañana caras de personas a las que creía conocer desde siempre: convertirse en caras de verdugos, o de iluminados, o de animales fugitivos, o de reses llevadas sin resistencia al sacrificio; caras enteras ocupadas por bocas que gritan de euforia o de pánico; caras de muertos a medias familiares y a medias convertidas en una pulpa roja por el impacto de una bala de fusil; caras de cera que decidían sobre la vida y la muerte tras una mesa iluminada por el cono de luz de una lámpara, mientras dedos muy rápidos tecleaban a máquina listas de nombres. Cómo es la cara de alguien a la luz de unos faros unos momentos antes de caer asesinado, o de caer malherido y agonizar retorciéndose hasta que le acercan a la nuca la pistola del tiro de gracia. La muerte en Madrid es algunas veces una explosión súbita o un disparo y otras un lento trámite que requiere oficios redactados en prosa administrativa y mecanografiados con varias copias al carbón y legalizados con sellos y rúbricas. De modo que en su invocación de ese día de hace poco más de un año en el que vio a Judith por primera vez no hay casi sentimiento de pérdida, porque lo perdido ha dejado de existir tan completamente como el hombre que habría podido añorarlo. Hay más bien un escrúpulo de exactitud ilusoria, el deseo de dejar constancia a través del esfuerzo de la imaginación de un mundo completo que se ha borrado dejando muy pocos rastros materiales, tan frágiles que ellos mismos están destinados a una rápida desaparición. Pero no le basta con sus tentativas de restituir a ese momento su cualidad de presente, despojándolo de las añadiduras y las superposiciones de la memoria, como el restaurador que limpia con delicada paciencia un fresco para devolverle el esplendor de sus colores primitivos. Quiere revivir los pasos que le condujeron sin que él lo supiera a ese encuentro que fácilmente podía no haberle sucedido; reconstruir paso a paso la tarde entera, el preludio, las horas que lo acercaban secretamente a una frontera de su vida.

Se ve a sí mismo como en una instantánea fotográfica, parado en un límite del tiempo, como lo he visto yo a él apareciendo entre la gente en la estación de Pennsylvania, o como lo veo ahora, más fácil de captar porque está inmóvil, echado hacia atrás en su asiento del tren que empieza a ponerse en marcha, exhausto, aliviado, sin quitarse todavía la gabardina, el sombrero sobre el regazo, la maleta en el asiento contiguo, los signos del deterioro visibles para un ojo muy atento, el nudo de la corbata torcido, el cuello de la camisa gastado y un poco oscuro, porque ha sudado mientras iba hacia la estación, más por el miedo a perder el tren que por el calor del día soleado de octubre, con una luz limpia y dorada que se parece extraordinariamente a la de Madrid. Cuando llegue a la estación de Rhineberg, el profesor Stevens, que lo estará esperando en el andén, y que lo conoció el año pasado en su oficina de la Ciudad Universitaria, se asombrará del cambio que perciba en él, y lo atribuirá compasivamente a las privaciones de la guerra, compasivamente pero también con cierto desagrado, con un impulso de rechazo que él sentirá sobre todo como incomodidad, la que produce la cercanía de la desgracia. Con un sentimiento muy parecido, procurando no traslucirlo en su cara, vio Ignacio Abel al profesor Rossman, aparecido de repente en Madrid, llegado de Moscú después de un viaje tortuoso por media Europa, tan cambiado que los únicos rasgos intactos de su antigua presencia eran las gafas redondas con montura de carey y la gran cartera negra que llevaba bajo el brazo. Pero esta tarde de finales de septiembre de 1935 Ignacio Abel no sabe nada todavía: es la escala de su propia ignorancia lo que ahora más le cuesta imaginar, como cuando se mira la expresión de alguien en una foto de entonces, cuando se indaga en esos gestos risueños de quienes pasean por la calle o charlan en un café y aunque miran directamente al objetivo y parece que nos están viendo a nosotros no saben traspasar el límite del tiempo, no ven lo que va a sucederles, lo que está sucediendo tal vez muy cerca sin que ellos se enteren, sin que sepan que esa fecha común en la que viven habrá cobrado una siniestra magnitud en los libros de historia. Ignacio Abel está de pie, en mangas de camisa, tan absorto sobre el tablero de dibujo que sin darse cuenta se ha quedado solo en la oficina, delante de un ventanal que da a las obras de la Ciudad Universitaria, y más allá a un horizonte de encinares disuelto por la distancia en las laderas de la Sierra. Alzando los ojos, fatigados de pronto, miró las filas de tableros vacíos, inclinados como pupitres, con planos azul pálido desplegados sobre ellos, con botes de lápices, tinteros, reglas; las mesas donde hasta unos minutos antes sonaban los teléfonos y escribían a máquina las secretarias. En algún cenicero aún humeaba un cigarrillo abandonado. Casi tan perceptiblemente como el humo flotaba todavía en el aire el rumor de las voces y de las tareas. En el centro de la sala, sobre una tarima de dos palmos de altura, estaba la maqueta de lo que aún no existía del todo al otro lado del ventanal: las avenidas arboladas, los campos de deportes, los edificios de las facultades, el del Hospital Clínico, los desniveles exactos y las ondulaciones de los terrenos. Sólo tanteándolos en la oscuridad Ignacio Abel los habría reconocido, como un ciego que percibe a través de las manos volúmenes y espacios. Algunos de aquellos modelos a escala los había dibujado y plegado él mismo, estudiando atentamente los alzados de los planos, fijándose con paciencia en la habilidad del maestro maquetista al que visitaba en su taller cada vez que había que hacerle un nuevo encargo, tan sólo por el gusto de ver cómo se movían sus manos, por percibir el olor a cartulina, a madera fresca, a pegamento. Incluso, puerilmente, había dibujado, coloreado y recortado muchos de los árboles, algunas de las figurillas humanas que caminaban por las avenidas aún inexistentes; había agregado pequeños automóviles y tranvías de juguete como los que le gustaba llevarle de regalo a su hijo (advirtió con alarma que había estado a punto de olvidarse de que hoy era su santo, San Miguel). Durante los últimos seis años había vivido muchas horas cada día entre un espacio y el otro, como trasladándose entre dos mundos paralelos regidos por leyes y escalas diversas, la Ciudad Universitaria que empezaba tan lentamente a existir gracias al trabajo de centenares de hombres y su modelo aproximado y también ilusorio que cobraba forma sobre una tarima con una perfección ajena al esfuerzo físico, con una consistencia al mismo tiempo tangible y fantástica, como la de las estaciones ferroviarias y los pueblos alpinos por los que circulaban trenes eléctricos en los escaparates de las jugueterías opulentas de Madrid. La maqueta había ido creciendo tan paso a paso como los edificios reales, aunque con grados diversos de desfase temporal. Algunas veces el bloque de cartulina pintada o de madera había ocupado su sitio exacto en la superficie que reproducía a escala los desniveles del terreno mucho tiempo antes de que el edificio que anticipaba llegara a existir; otras, había permanecido durante años en su lugar preciso del gran espacio imaginario, pero, por algún motivo, el edificio que anticipaba se había descartado, y sin embargo su modelo no llegaba a desaparecer: un porvenir ya no posible, pero de algún modo todavía existente, el espectro no de lo que fue demolido sino de lo que nunca se llegó a levantar. A diferencia de los edificios reales, los modelos a escala tenían una cualidad abstracta que sus manos apreciaban tanto como sus ojos, formas puras, superficies pulidas, incisiones de ventanas o ángulos rectos de esquinas y aleros en los que se complacían las yemas de los dedos. En una repisa de su despacho conservaba la maqueta de la escuela nacional que había diseñado hacía casi cuatro años para su barrio de Madrid: en el que había nacido, el de la Latina, no donde vivía ahora, en el de Salamanca, al otro lado de la ciudad.

La jornada de trabajo también había terminado más allá de los ventanales de la oficina técnica, donde Ignacio Abel se disponía a marcharse, ajustándose la corbata, guardando papeles en la cartera. Los obreros abandonaban en grupos los tajos, enfilando veredas entre los desmontes camino de lejanas paradas de metro y de tranvía. Cabezas bajas, ropas de colores terrosos, zurrones de comida al hombro. Ignacio Abel reconoció con una oleada de afecto muy antiguo la figura de Eutimio Gómez, el capataz de las obras de la Facultad de Medicina, que se volvía alzando la cabeza hacia donde él estaba y le saludaba con la mano. Eutimio era alto, fuerte, gallardo a pesar de los años, con la verticalidad lenta y flexible de un chopo. Cuando era muy joven había trabajado como aprendiz de estuquista en la cuadrilla del padre de Ignacio Abel. Entre los pilares de cemento de algún edificio en el que aún no se habían levantado los tabiques se distinguía brillando al sol oblicuo de la tarde el fusil de un vigilante de uniforme. Una camioneta de guardias de Asalto avanzaba despacio a lo largo de la avenida principal, que se llamaría de la República cuando estuviera terminada. En cuanto anocheciera empezarían a merodear por el perímetro de las obras cuadrillas de ladrones de materiales y saboteadores dispuestos a volcar o incendiar las máquinas, a las que echaban la culpa de que hubiera menos jornales, alentados por un milenarismo primitivo, como el de los tejedores que incendiaban en otro siglo los telares de vapor. Excavadoras, apisonadoras, máquinas de asfaltar, hormigoneras, ahora inmóviles, cobraban una presencia tan sólida como la de los edificios donde ya se habían cubierto aguas, sobre los cuales ondeaban en la tarde luminosa de finales de septiembre hermosas banderas tricolores.

Antes de salir, Ignacio Abel tachó la fecha con un lápiz rojo en el calendario que había detrás de su mesa, simétrico al otro del año siguiente en el que había una sola fecha señalada, el día de octubre en el que estaba prevista la inauguración de la Ciudad Universitaria, cuando la maqueta y el paisaje real anticipado en ella alcanzaran un parecido casi idéntico. Números negros y rojos medían el tiempo en blanco de su vida inmediata, imponiéndole una cuadrícula de días laborales y una línea recta como la trayectoria de una flecha, al mismo tiempo angustiosa y tranquilizadora. Tan veloz el tiempo, tan lento y difícil el trabajo, el proceso mediante el cual las líneas pulcras de un plano o los volúmenes sin peso de una maqueta se convertían en cimientos, en muros, en cubiertas de tejados. El tiempo desvanecido de cada uno de los días de su vida en los últimos seis años: números alojados en los recuadros como ventanas iguales de los calendarios, en el espacio curvo de la esfera del reloj, el que llevaba en su pulsera y el que ahora mismo marcaba las seis en la pared de la oficina. «El presidente de la República quiere estar seguro de que habrá inauguración antes de que termine su mandato», había tronado en el teléfono el doctor Negrín, secretario de las obras. Que traigan más máquinas, que contraten más obreros, que lleguen más rápidamente los materiales, que no sea tan lento cada trámite, tan difícil cada paso, que no se paralice todo cada vez que hay un cambio de gobierno, pensó Ignacio Abel, pero no dijo nada. «Se hará lo que se pueda, don Juan», dijo, y la voz de Negrín sonó más rotunda aún en el teléfono, sus vocales canarias tan poderosas como su misma presencia física. «Lo que se pueda no, Abel, se hará lo que tenga que hacerse.» Colgó de un golpe, su mano grande abarcando entero el auricular, imaginaba Ignacio Abel, sus gestos de un vigor enfático, como si avanzara siempre contra el viento en la cubierta de un buque.

Le gustaba ese momento de quietud justo al final de la jornada: la quietud honda de los lugares donde se ha trabajado mucho, el silencio que sigue al rugido y la trepidación de las máquinas, a los timbres de los teléfonos, a los gritos de los hombres, la soledad de un espacio en el que hasta hace muy poco se agitaba una multitud, cada uno ocupado en lo suyo, cumpliendo, con su tarea experta y precisa, una fracción del gran empeño general. Hijo de un maestro de obras, habituado de niño a tratar con albañiles y a trabajar él mismo con sus manos, Ignacio Abel conservaba un apego práctico y sentimental por los saberes específicos de los oficios, que se convertían en rasgos de carácter en cada hombre que los cultivaba. El delineante que pasaba a tinta un ángulo recto en un plano; el albañil que extendía una base de cemento fresco y la alisaba con el palustre antes de poner sobre ella el ladrillo; el ebanista que pulía la curva de un pasamanos; el vidriero que cortaba con sus dimensiones exactas la hoja de cristal para una ventana; el maestro que se había asegurado con una plomada y un cordel de la verticalidad de un muro; el cantero que tallaba un adoquín o el bloque de piedra de un bordillo o el plinto de una columna. Ahora sus manos demasiado delicadas no habrían soportado el roce de los materiales, y nunca habían llegado a adquirir la sabiduría del tacto que él observaba de niño en su padre y en los hombres que trabajaban con él. Sus dedos rozaban la cartulina suave y el papel, manejaban reglas, compases, lápices de dibujo, pinceles de acuarela; tecleaban velozmente en una máquina de escribir, marcaban con destreza números de teléfono; se cerraban en torno a la curvada laca negra de su estilográfica, con la que trazaba rápidas firmas que eran órdenes y tenían resultados concretos. Pero en alguna parte le quedaba una memoria táctil que añoraba el trato franco de las manos con las herramientas y las cosas. Tenía una habilidad extraordinaria para montar y desmontar los mecanos y los juguetes de sus hijos; sobre su mesa de trabajo había siempre casas, barcos, pájaros de papel; hacía fotos con una pequeña Leica para documentar cada fase en la construcción de un edificio y las revelaba él mismo en un diminuto cuarto oscuro que había instalado en su casa, con gran intriga y admiración de sus hijos, sobre todo de Miguel, que tenía la imaginación veleidosa, a diferencia de su hermana, y al ver la cámara de su padre decidía que de mayor iba a ser uno de esos fotógrafos que viajaban a los lugares más lejanos del mundo para captar las imágenes que publicaban a toda página las revistas ilustradas.

Con una grata sensación de cansancio y alivio, de trabajo cumplido, atravesó el espacio desierto de la oficina y salió al exterior, recibiendo en la cara el aire fresco que venía de la Sierra, con un matiz anticipado de los olores del otoño. Olor de pinos y encinas, de jara, de tomillo, de tierra ligeramente húmeda. Para seguir percibiéndolo dejó abierta la ventanilla de su pequeño Fiat cuando lo puso en marcha. A un paso de Madrid la Ciudad Universitaria tendría a la vez una armonía geométrica de trazado urbano y una amplitud de horizontes perfilados por laderas boscosas. En no muchos años las espesuras de los árboles serían el contrapunto de las líneas rectas de la arquitectura. El ritmo mecánico de los trabajos, la impaciencia de imprimir sobre la realidad las formas de las maquetas y de los planos, se correspondía con la lentitud del crecimiento orgánico. Lo recién terminado sólo alcanzaba verdadera nobleza con el uso y con la resistencia perdurable a la intemperie, con el desgaste causado por el viento y la lluvia, por los pasos humanos, por las voces que al principio resuenan con ecos demasiado crudos en los espacios donde todavía queda un olor a yeso y a pintura, a madera, a barniz fresco. Gran amigo de las novedades técnicas, Ignacio Abel había instalado en el coche una radio. Pero ahora prefería no conectarla, para que nada lo distrajera del placer de conducir lentamente por las avenidas rectas y despejadas de la ciudad futura, supervisando obras y máquinas, el progreso de los últimos días, dejándose llevar por una mezcla de contemplación atenta y de ensoñación, porque veía con mirada experta lo que tenía delante de los ojos y también lo que aún no llegaba todavía a existir, lo que ya estaba completo en los planos y en los volúmenes a escala de la gran maqueta instalada en el centro de la sala principal de la oficina técnica. En medio del desorden de lo inacabado resaltaba más el edificio de la Facultad de Filosofía, inaugurado apenas dos años atrás, todavía con el resplandor de lo nuevo, la piedra clara y el ladrillo rojo brillando al sol tan luminosamente como la bandera de la fachada y como las ropas de los estudiantes que entraban y salían del vestíbulo, las chicas sobre todo, con sus melenas cortas y sus faldas ceñidas, con blusas casi de verano contra las que apretaban cuadernos y libros. Dentro de unos años su hija Lita sería muy probablemente una de ellas.

Veía sus figuras de colores vivos hacerse más pequeñas en el espejo retrovisor cuando se alejaba en dirección a Madrid, aunque no tenía prisa y no eligió el camino más rápido. Le gustaba costear la ciudad por el oeste y luego por el norte, a lo largo del monte del Pardo, por la llanura de repente sin límites en la que arrancaba la carretera de Burgos, y sobre la que se extendía la Sierra como una mole formidable y sin peso, de color azul oscuro y violeta, coronada por cataratas inmóviles de nubes. Madrid, tan cerca, desaparecía en la llanura, surgía de nuevo como un horizonte aldeano de casas bajas y encaladas, de extensiones estériles, de agujas de iglesias. Se cruzaba con muy pocos coches en la carretera, una línea recta más clara que los terrenos pardos sobre los que había sido trazada, con arbolillos débiles en los arcenes. Había sobre todo carros tirados por mulos, algunos rebosantes de canastos de uvas recién vendimiadas, otros cargados hasta una altura inverosímil de chatarra y desperdicios, porque estaba acercándose al barrio extremo de los traperos y los basureros. Hileras de casuchas junto a la carretera, largos bardales de tierra encalada, puertas oscuras como bocas de cuevas junto a las que se agrupaban mujeres desgreñadas y atónitas y niños de cabezas rapadas que miraban pasar el coche con las bocas muy abiertas, con moscas en las comisuras húmedas. Columnas de humo subiendo de los hornos de los tejares, emanando de la fermentación de las montañas de basura. Para aislarse del hedor cerró la ventanilla. En la amplitud diáfana del cielo volaban hacia el sur las primeras bandadas de pájaros migratorios. El sol más pálido del final de septiembre hacía relucir los tallos secos en los barbechos. A Ignacio Abel los primeros síntomas indudables del otoño le deparaban un estado de expectación ilusionada que no tenía ninguna causa precisa y que tal vez no era más que la reverberación en el tiempo de una lejana felicidad escolar de cuadernos nuevos y lápices, el puro tirón de un porvenir intacto surgido en la infancia y sostenido hasta las primeras claudicaciones de la vida adulta.

· Ahora la carretera cobraba una dirección más definida, subrayada por las hileras de cables de electricidad y de teléfonos. En las afueras planas y despobladas de Madrid las avenidas de su expansión futura se prolongaban con el mismo rigor abstracto que si estuvieran dibujadas en un plano. Colonias de hotelitos surgían como islas entre solares desérticos y campos cultivados, a lo largo de las líneas sinuosas de cables de los tranvías, frágiles avanzadillas urbanas en mitad de la nada. Podía imaginar barriadas de bloques blancos de apartamentos para obreros entre zonas boscosas y parques deportivos, como había visto en Berlín diez años atrás, en un clima menos áspero y con cielos grises y más bajos; torres altas entre campos de césped, como en las ciudades fantásticas de Le Corbusier. La arquitectura era un esfuerzo de la imaginación, ver lo que aún no existe con mayor claridad que lo que se tiene delante de los ojos, lo caduco, lo que ha perdurado sin más motivo que la obstinación mineral de las cosas, como perdura la religión o la malaria, o la soberbia de los fuertes, o la miseria de los despojados de todo. *Arriba los pobres del mundo, en pie los esclavos sin pan.* Veía conduciendo, igual que los altos espejismos de las nubes sobre las cumbres de la Sierra, los bloques de viviendas sociales que ya existían en sus cuadernos de bocetos, ventanas amplias, terrazas, campos de deportes y parques infantiles, plazas con centros de asamblea y bibliotecas públicas. Veía manchas luminosas de verdor —una huerta, una línea de álamos a lo largo de un arroyo— en medio de desmontes pelados y laderas hendidas por la erosión, con cicatrices de torrentes secos. Más regadío y menos palabras, más árboles con raíces que sujeten la tierra fértil, más conducciones de agua limpia y fresca, más líneas de raíles relucientes al sol sobre las cuales se deslizaran livianos tranvías pintados de colores claros. Veía chabolas, vertederos de basura en los que hormigueaban indigentes, casas de labor con trágicas techumbres derrumbadas, corralones comidos por la maleza seca, un perro atado a un árbol con una cuerda demasiado corta que le llagaría el cuello, un pastor vestido de harapos o pieles bárbaras que vigilaba un rebaño de cabras como si estuviera en un desierto bíblico y no a menos de dos kilómetros del centro de Madrid. Al pasar a su lado el pastor se quedó mirando el automóvil como si nunca hubiera visto uno y lo saludó agitando el cayado y mostrando una sonrisa desdentada en la cara barbuda y cobriza.

Veía el porvenir en sus signos aislados: en la energía de lo que está edificándose, sólidamente afirmado en la tierra, en la llanura aún baldía pero ya roturada por ángulos rectos de avenidas futuras, por esbozos de aceras, por líneas de farolas y cables de tranvías, horadada por túneles y conducciones subterráneas. En la horizontalidad desnuda resaltaba más nítidamente la vertical de un muro que empezaba a levantarse, el perfil ingente y cubierto de andamios de los que serían en no mucho tiempo lo que la gente nombraba como si ya existiera, los Nuevos Ministerios. Otra ciudad más diáfana que no se parecería a Madrid aunque siguiera llevando su nombre se extendería muy pronto por esos descampados del norte. Islas de porvenir: a su izquierda, al otro lado de la ancha extensión desierta, sobre la fila de árboles muy jóvenes que delineaban como trazos gruesos de tinta la prolongación hacia el norte del paseo de la Castellana, la Residencia de Estudiantes coronaba una colina agreste sombreada de chopos, al pie de la cual estaba la Escuela de Ingenieros y la cúpula exagerada del Museo de Ciencias Naturales. Diminutas figuras blancas resaltaban sobre la parda anchura de los campos de deportes. El sol tardío de septiembre ardía con fulgores dorados en las ventanas de poniente. Recordó de golpe algo que había olvidado por completo: que tenía que hablar en la Residencia con José Moreno Villa, quien le había pedido semanas atrás que diera una charla sobre arquitectura española. Podía llamarlo por teléfono cuando llegara a casa: le pareció más considerado hacerle una visita. Moreno Villa era un hombre afectuoso y solitario, muy formal en su manera de vestir y en sus modales, menos joven que la mayor parte de sus conocidos. Probablemente agradecería una carta o una visita personal mucho más que una llamada. Vivía en su cuarto de la Residencia como en una celda de un monasterio confortable y laico, rodeado de pinturas y libros, disfrutando con melancolía de solterón de la proximidad de las universitarias extranjeras que inundaban los pasillos de taconeos gimnásticos, carcajadas sonoras y conversaciones en inglés.

Sin pensarlo mucho Ignacio Abel giró a la izquierda y subió la cuesta hacia la Residencia, dejando a un lado el edificio del Museo de Ciencias Naturales y los campos de deportes, de donde le llegaban aplausos débiles y ecos de gritos de jugadores. En un merendero entre los chopos —aún abierto, a pesar de lo tardío de la estación— la radio encendida a todo volumen emitía una música de baile, pero no había casi nadie en las mesas de hierro. En la recepción alguien le dijo que el señor Moreno Villa estaría probablemente en el salón de actos. Mientras se acercaba a él empezó a oír una música de piano que venía débilmente del otro lado de la puerta cerrada. Quizás no debería abrirla y arriesgarse a interrumpir algo, tal vez el ensayo de un concierto. Pudo volverse pero no lo hizo. Abrió suavemente, adelantando apenas la cabeza. Una mujer se volvió al oír la puerta que se abría. Era joven y sin duda extranjera. El sol relumbraba en su pelo castaño y revuelto, que ella se apartó de la cara con la mano al volver la cabeza. Había dejado de cantar pero terminó la frase no interrumpida del piano. Ignacio Abel murmuró una disculpa y cerró de nuevo la puerta. Mientras se alejaba siguió escuchando en el piano una melodía a la vez sentimental y rítmica. Si no hubiera vuelto a ver esa cara nunca la habría recordado.

3

Qué pereza, los pasos rápidos en el corredor, acercándose, los golpes en la puerta, a la que nadie había llamado en las últimas horas, golpes enérgicos, como los pasos de alguien que busca algo y tiene prisa, pisando tan fuerte que en el silencio se distingue el gruñido del cuero de los zapatos al flexionarse tomando impulso sobre las baldosas: alguien bajo la presión de una tarea, a diferencia de él, José Moreno Villa, que no tenía urgencia de nada, y que si buscaba algo muchas veces no sabía lo que era, o era algo que no se parecía a lo que había creído estar buscando poco tiempo antes, a lo que encontraba al final de la búsqueda. Casi nada le llegaba del todo al corazón; de nada estaba plenamente seguro, con una tibieza que unas veces lo avergonzaba y otras lo hacía sentir alivio, y que, si le había quitado impulso muchas veces, también le había ahorrado sufrimiento, y equivocaciones de las que luego se habría arrepentido. Tuvo un amor arrebatado y tardío y lo perdió, en el fondo por desgana, y cuando supo que no iba a recobrarlo el dolor que sentía estaba matizado por un fondo mezquino de alivio. Con qué gozo íntimo de encontrarse solo de nuevo se instaló en su camarote del barco que iba a zarpar de Nueva York en su viaje de regreso hacia España, dejando atrás a la mujer con la que había estado a punto de casarse; con qué dulzura, después de tanto sobresalto, tanta intoxicación sexual, se instaló de nuevo entre sus cosas, en su cuarto austero de la Residencia. Tanta furia, en España, tanta aspereza, crímenes pasionales y sanguinarios levantamientos anarquistas ahogados en sangre, toscas proclamas cuartelarias; tantos santos, mártires, fanáticos, como en esos cuadros del Prado en los que la piel torturada de los ascetas parece que araña como la tela de saco con la que se visten, esos ojos fanatizados por una visión de pureza incompatible con el mundo real: y también la ronquera de las gargantas desolladas por los vivas y mueras, la vulgaridad agresiva que se ha ido adueñando de este Madrid que a él tanto le gustaba, y en el que cada vez se aventura menos, con el desagrado de un hombre que ya no es joven y al que casi cualquier cambio empieza a parecerle una injuria personal. La zafiedad de la política, la profanación de ideales en los que al fin y al cabo nadie le pidió que creyera, aunque durante algún tiempo fueron tan cálidos para su corazón, tan llenos de promesas racionales y de ensoñaciones estéticas como las banderas tricolores ondeando en lo alto de los edificios contra un azul tan limpio y nuevo como ellas mismas. Qué propio de él que sus convicciones políticas, muy pronto atenuadas por el escepticismo —sobre las mezquindades del alma humana, sobre el vuelo corto y la pobretería profunda de la vida española— estuvieran tan asociadas al capricho estético, a su preferencia por esa bandera tricolor por encima de la vulgarmente roja y amarilla del rey rufián al que no añoraba nadie, pero también de la roja y negra que por algún motivo incomprensible compartían fascistas y anarquistas, y de la únicamente roja con la hoz y el martillo que ahora gustaba tanto a algunos de sus amigos, de pronto entusiastas de la Unión

Soviética, de los collages fotográficos con obreros, soldados con capotes y bayonetas, tractores y centrales hidroeléctricas, de las camisas azul celeste, los correajes, los puños cerrados. Tal vez no los entendía o, peor aún, no creía en la sinceridad o en la sustancia de sus actitudes porque eran más jóvenes que él, o porque tenían más éxito; los veía levantarse para cantar himnos al final de los banquetes literarios y lo que sentía no era discordia ideológica sino vergüenza ajena. Él nunca había sabido participar en un entusiasmo público sin observarse desde fuera. Él era un burgués, desde luego, ni siquiera eso, un rentista y un funcionario: pero algunos de ellos, de sus antiguos amigos, eran más burgueses aún, señoritos que nunca habían trabajado de verdad, pero que hablaban con seriedad extraordinaria de la dictadura del proletariado mientras cruzaban las piernas con un whisky en la mano, en la terraza del Palace, después de cortarse el pelo en la barbería del hotel. Vaticinaban el cercano hundimiento de la República, arrollada por el empuje victorioso de la revolución social: al mismo tiempo medraban para buscarse viajes oficiales de conferencias al extranjero o sueldos justificados por vagas tareas culturales.

Pero no le gustaba su propio sarcasmo, su inclinación a la amargura: desconfiaba de los simulacros de lucidez con los que podría engañarlo el resentimiento. En cuanto a su propia integridad, qué mérito tenía, si no había sido puesta a prueba por ninguna tentación. A él ninguna diva del teatro le había pedido que le escribiera un drama a la medida de su lucimiento, como Lola Membrives o Margarita Xirgu a Lorca; ninguna recitadora enfática se había preocupado de declamar sus poemas como esa cargante Berta Singermann que llenaba teatros contorsionándose mientras gritaba con acento porteño los versos de Antonio

Machado o de Lorca o Juan Ramón. Tampoco tendría nunca la ocasión de rechazar un sustancioso cargo público para consagrarse en cuerpo y alma a su literatura: nadie iba a ofrecerle la Secretaría General de la Universidad de Verano de Santander, como a Pedro Salinas, que se quejaba tanto de la falta de sosiego y de tiempo, pero a quien se veía tan complacido con su cargo en las fotos de los actos públicos. No me cuesta nada imaginarlo, a José Moreno Villa, acogido a la hospitalidad benévola de la Residencia de Estudiantes, con cerca de cincuenta años, casi siempre huésped secundario en las fotografías de otros, más célebres que él, siempre discreto en ellas, huidizo, formal, a veces ni siquiera identificado con su nombre, no reconocido, sin la sonrisa abierta o la pose arrogante que los otros exhiben, como si ya estuvieran seguros de su lugar en la posteridad. No es joven ni viste como si lo fuera, no tiene aire de literato, pero tampoco de profesor, sino más bien, en realidad, de lo que hace para ganarse la vida, de funcionario de cierta posición, no un oficinista pero tampoco un empleado de alto rango, quizás un abogado o un rentista de cierta solvencia en una capital de provincias, que no va a misa ni esconde sus simpatías republicanas pero que no saldrá nunca a la calle sin corbata y sombrero; un hombre que ya parecía mayor de lo que era antes de que el pelo empezara a ponérsele gris; que a los cuarenta y ocho años supone con una mezcla de melancolía y de alivio que ya no le esperan grandes cambios en la vida.

Los pasos lo habían sacado de su ensimismamiento, muy profundo y a la vez despojado de reflexión y casi de recuerdos, ocupado sobre todo por la indolencia y por algo más que no se distinguía mucho de ella, la contemplación atenta de un pequeño lienzo en el que sólo había esbozado unas pocas líneas tenues a carboncillo y la de un cuenco de frutas del tiempo traído a mediodía del comedor de la Residencia: un membrillo, una granada, una manzana, un racimo de uvas. Había despejado de papeles y libros una parte de la mesa para que las formas limpias resaltaran. Había estado observando cómo el descenso lento de la luz en la ventana hacía más densos los volúmenes al acentuar las sombras y atenuaba los colores. El rojo de la granada se convertía en un color de cuero muy pulido; el oro polvoriento del membrillo brillaba con más intensidad según crecía la penumbra, no reflejando la luz sino irradiándola; la luz resbalaba sobre la manzana como sobre una bola de madera bruñida y sin embargo adquiría un punto de espesor húmedo al tocar la piel de las uvas. Quizás las uvas eran demasiado sensuales, demasiado táctiles, para el propósito que apenas empezaba a intuir, entornando los ojos. Tendrían que ser unas uvas ascéticas como de Juan Gris o de Sánchez Cotán, talladas en un solo volumen visual, sin la sugerencia un poco pegajosa que acentuaba el sol de la tarde, un sol de Sorolla, demasiado maduro, tamizado por el mismo polvo suave que la superficie abrupta del membrillo dejaba en los dedos, en las ventanas de la nariz.

Debajo del frutero había una hoja de la revista *Estampa*. *HA PASADO POR MADRID UN HECHICERO DE EL CAIRO QUE HECHIZA A LAS MUJERES Y ADIVINA EL PORVENIR*. Las palabras «Madrid» y «porvenir» se imponían en su mirada tan rotundamente como las formas de las frutas. Cada vez que se disponía a pintar algo había un momento de revelación y otro de desaliento, como cuando le surgía inesperadamente en la imaginación el primer verso de un poema. Cómo dar el siguiente paso, en el espacio en blanco y sin indicaciones de la página del carnet, de la hoja del cuaderno de dibujo o del lienzo. Quizás la textura indicaba algo, la resistencia o la suavidad del papel. Podía continuar y darse cuenta de que había malogrado el intento: el segundo verso, forzado, no era digno de la iluminación súbita del primero; sobre la hermosa anchura del papel ahora había una mancha inútil. La revelación parecía perderse sin que él hubiera sabido atraparla; el desaliento se quedaba con él, y para emprender el trabajo era preciso, si no vencerlo, al menos oponerle resistencia, dar los primeros pasos como si no sintiera uno su peso de plomo. Pero en todas las cosas que había emprendido le pasaba lo mismo: un entusiasmo fácil y luego un principio de fatiga, y por fin una desgana a la que no siempre había sabido sobreponerse. Al fin y al cabo era un pintor de domingo. Y si la pintura exigía tal esfuerzo de concentración mental y de destreza en el oficio, ¿por qué en vez de poner en ella todo su corazón y todo su talento disgregaba sus fuerzas ya escasas para empeñarse en la poesía, donde ni siquiera se le concedía a uno la absolución del trabajo manual, la certeza de un grado aceptable de dominio del oficio? En el fervor del trabajo se disipaba la desgana, pero al día siguiente había que empezar de nuevo y el entusiasmo de ayer no parecía que pudiera repetirse. El trabajo hecho no servía de nada: cada comienzo era un nuevo punto de partida, y el lienzo o la hoja de papel frente a los que se quedaba hechizado y abatido estaban más vacíos que nunca. Una primera línea prometedora, pero muy insegura, una horizontal que podía ser la de una mesa sobre la que reposaba el frutero o la de una distancia marítima imaginada al fondo de su ventana de Madrid. Una iluminación inminente que se deshacía sin rastro en puro abatimiento. Y sin embargo, no sabía cómo, el cuadro empezaba a surgir, o el poema a escribirse, persistiendo por sí mismos, con un empeño en el que no intervenía del todo su voluntad debilitada por el escepticismo y por el simple paso del tiempo.

Se veía a sí mismo como un hombre sin ambición que había deseado demasiadas cosas, demasiado distintas entre sí. Hace falta ambición para que se cumplan los deseos: no puede uno dejar que la incredulidad y la desgana lo carcoman por dentro. Otros habían sabido concentrar sus fuerzas. Él se había dispersado, había ido de una tarea a otra como un viajante que no pasa más que unos días en cada ciudad y acaba hastiado de su nomadismo. Otros más jóvenes que él se le habían acercado queriendo aprender de su experiencia y al cabo de no mucho tiempo lo habían dejado atrás sin agradecer lo que le debían: el ejemplo de su pintura y el de su conocimiento del arte moderno; el de su poesía que fue innovadora antes que la de nadie y cuya huella no reconocida estaba tan presente en los que ahora brillaban mucho más que él. Hubiera querido que nada de eso le importara: su propio resentimiento le irritaba más que el éxito de otros, ligeramente amargo para él incluso cuando lo consideraba merecido. Le daba tristeza no estar a la altura de lo mejor de sí mismo; no conformarse con el noble estoicismo del personaje que imaginaba, otro Moreno Villa igual de desengañado pero con el corazón mucho más sereno, poeta ya casi secreto, pintor tan ajeno a la celebridad como aquel Sánchez Cotán a quien él tanto admiraba, y que había pasado la vida culminando recónditas obras maestras en su celda de cartujo, o como Juan Gris, persistiendo en su arte riguroso a pesar de la pobreza, a pesar del ruido del triunfo obsceno de Picasso.

Sin proponérselo se había quedado solo. Seguir viviendo en la Residencia a pesar de sus años y cuando ya hacía mucho que se habían alejado de ella la mayor parte de sus antiguos amigos acentuaba su sensación de anacronismo, de dislocamiento. Por otra parte no deseaba nada más ni se imaginaba viviendo en otro sitio. En un cuarto tenía su estudio; en otro el dormitorio con los pocos muebles familiares que había traído de Málaga. La parte que le correspondía de la herencia familiar la había entregado a sus hermanas solteras, que la necesitaban más que él. Le parecía inmoral acumular más de lo que era necesario, igual que hablar o gesticular demasiado o dar muestras de entusiasmo o de sufrimiento excesivo o vestirse de una manera que llamara la atención. Un verso de Antonio Machado le volvía a la memoria: *lleva quien deja y vive el que ha vivido*. Nada era más suyo que las cosas de las que se había desprendido; vivir era un estado en suspenso en el que contaban sobre todo cosas lejanas, presencias perdidas (la risa escandalosa de aquella mujer americana tan joven a la que él llamó Jacinta en los poemas que le había dedicado, en los que su nombre se repetía como un conjuro: su pelo rojo turbulento). Le gustaba el trabajo de archivero con el que se ganaba la vida: el horario laboral no era nada agobiante y le otorgaba una forma sólida a los días, salvándolo del peligro seguro de la desgana y la incertidumbre. Frecuentaba poco los espacios comunes de la Residencia y los deberes que se le asignaban eran muy limitados. Organizar algunas conferencias, hacer compañía a visitantes ilustres. Podía pasar tardes enteras en su cuarto, con todo el lujo de la soledad tranquila y el tiempo por delante, con la absolución de haber trabajado con dedicación y provecho, leyendo, echado en el sillón de cuero que ya había sido gastado por el roce de la nuca y de los brazos de su padre, o imaginando o esbozando un bodegón, o ni siquiera eso, mirando por la ventana el patio de muros de ladrillo con las adelfas que había plantado Juan Ramón Jiménez —el verde de las hojas tan ascético como los ladrillos de un rojo apagado—, o escuchando con el oído muy atento y los ojos entornados los rumores de la ciudad, que llegaban muy atenuados por la distancia a la colina de la Residencia, como el esfumado en un dibujo, sin la aspereza hiriente de las calles. Cláxones, campanillas de tranvías, pregones de vendedores callejeros, melopeas de ciegos, pasodobles de corridas de toros, tambores y trompetas de paradas militares, músicas canallas de las verbenas y de los circos, campanas de iglesias, clamores de manifestaciones obreras y tiroteos de motines, silbidos de trenes, ascendían hacia su ventana abierta confundidos como en la policromía nebulosa de una orquestación de Ravel, contra la cual resaltaban los sonidos cercanos y nítidos de los gritos de los jugadores de fútbol y los silbatos de los árbitros en los campos de deportes, los balidos de pronto rurales de un rebaño de ovejas que pastaba en los desmontes cercanos. Si ponía mucha atención escuchaba el viento en los chopos: casi podía distinguir el caudal del agua en la acequia que pasaba junto a la Residencia llevando el agua de riego hacia las huertas del otro lado de la Castellana. Estaba en Madrid y estaba en el campo, en el límite donde la ciudad terminaba. En ninguna otra parte se imaginaba viviendo (pero en algo más de un año saldrá de Madrid y de España para no regresar nunca). Su inmovilidad acentuaba por contraste la diáspora de los otros, los que habían sabido concentrarse en un solo propósito, desearlo con una intensidad que tal vez por sí misma hacía inevitable su cumplimiento. Ahora Lorca era un autor de éxito y estrenaba multitudinariamente en Barcelona y en Buenos Aires, y contaba sin reparo a cualquiera que estaba ganando muchísimo dinero, complacido en la magnitud de su triunfo con una desvergüenza más bien pueril, como si todavía fuera un muchacho, como si no anduviera ya cerca de los cuarenta años, con aquellas camisas de colores fuertes que contrastaban tanto con su cabeza chata de campesino sin cuello, como si no advirtiera el modo en que otros lo miraban, el desagrado físico con que se apartaban de él.

Buñuel se había convertido en productor de películas; tenía un automóvil ostentoso y recibía a las visitas fumando un puro y cruzando los pies sobre la mesa enorme de su despacho, en la planta más alta de un edificio nuevo de la Gran Vía. El éxito favorecía o disculpaba la desmemoria: viendo en las fachadas de los cines los carteles de las películas de flamencos andaluces o de baturros con la faja ceñida y los ojos pintados que fabricaba Buñuel, Moreno Villa se acordaba de la malevolencia con la que no mucho tiempo atrás él mismo lo había oído poner en ridículo a Lorca por sus romances de gitanos. Salinas acumulaba cátedras, encargos, conferencias, puestos oficiales, incluso queridas, según contaban por Madrid; Alberti y María Teresa León viajaban a Rusia costeados por el dinero de la República y al volver se hacían fotos en la cubierta del barco, como si fueran dos artistas de cine en gira por el mundo, los dos levantando el puño cerrado, ella envuelta en pieles, rubia, con los labios muy pintados, como una Jean Harlow soviética con cara de pepona española. Bergamín, tan asceta, no se bajaba del coche oficial. Lo consiguió en seguida, antes que nadie: una mañana de aquel primer mes de la República que al cabo de algo más de cuatro años ya parecía tan lejano, Moreno Villa iba caminando distraído bajo los árboles del paseo de Recoletos y un enorme coche negro se detuvo a su lado, con un sonido ronco de claxon: se abrió la puerta de atrás y en el interior estaba Bergamín, vestido de chaqué, fumando un cigarrillo, invitándolo a subir con una gran sonrisa. Dalí pronto sería tan rico y tan déspota como Picasso: nunca volvería a mandarle a él, Moreno Villa, una postal llena de declaraciones de admiración y gratitud y faltas de ortografía, nunca diría su nombre cuando mencionara a los maestros de los que había aprendido, quién fue el primero que le enseñó fotografías de esos nuevos retratos alemanes en los que se recobraba con técnica asombrosa y de una manera plenamente moderna el realismo de Holbein. Tampoco Lorca reconocería nunca su deuda: pero quién había sido el primero en yuxtaponer la expresión poética de vanguardia y la métrica de los romances populares, quién había viajado antes a Nueva York y concebido una poesía y una prosa que se correspondieran con la trepidación de esa ciudad, con el ruido de los trenes elevados y la discordancia de las bandas de jazz. Con la mayor desenvoltura Lorca había dado en la Residencia un recital con poemas e impresiones en prosa sobre Nueva York, ilustrándolo con grabaciones musicales y proyecciones fotográficas: y teniendo sentado en primera fila a Moreno Villa no había mencionado ni una sola vez su ejemplo evidente.

La celebridad de los otros lo volvía invisible; convenía borrar su existencia para que su sombra no se proyectara reveladoramente sobre las caras triunfales de sus deudores. Preferible el retiro, ya que no la magnanimidad. Escribir versos con aquel raro conflicto de fervor y desgana sabiendo que por algún motivo serían refractarios al éxito. Investigar cosas en los archivos que nadie había visitado durante siglos, vidas de enanos y bufones en la corte tenebrosa de Felipe IV, en la de Carlos II. No pensar en todo el trabajo hecho, ni en el porvenir dudoso de su pintura, ni en su probable lejanía de una moda que a él no le importaba, pero que le dolía como una afrenta a todos los años que llevaba dedicados a la pintura sin ningún reconocimiento. No imaginarse a uno mismo pintor: limitar las expectativas, el campo de visión. Concentrarse en el problema relativamente simple, pero también inagotable, de representar sobre un pequeño lienzo ese cuenco con unas pocas frutas. Pero ¿y si en realidad se merecía el lugar mediocre al que se encontraba relegado? Quizás, después de todo, no era que Lorca callara la deuda que tenía con él, sino que simplemente no había leído sus poemas de Nueva York y el libro de prosas sobre la ciudad que había escrito en el viaje de regreso y publicado luego por entregas en *El Sol*, ante una indiferencia unánime (en Madrid no parecía que hubiera mucho interés por el mundo exterior: llegó al café al día siguiente de su regreso de Nueva York, excitado de antemano por todas las historias que le sería preciso contar, y los amigos lo recibieron como si no hubiera faltado y no le hicieron ninguna pregunta). ¿Y si se había hecho viejo y estaba envenenándolo lo que más le había desagradado siempre, el resentimiento? Con muchos más méritos que él Juan Ramón Jiménez estaba infectado de una innoble amargura, de una obsesiva mezquindad alimentada por cada mínimo desdén imaginado o real que se le hubiera infligido, por cada brizna de reconocimiento que no era dedicada a él, agua sucia que envilecía su luminoso talento. Qué sórdido sería que le faltara a uno no sólo el talento, sino también la nobleza, que se hubiera ido dejando intoxicar sin remedio por el rencor del que se hace viejo hacia los que son más jóvenes, por la vejación de sentirse ofendido por la fortuna celosamente observada de otros que ni siquiera reparaban en él, que lo insultaban por el simple hecho de haber logrado sin apariencia de esfuerzo lo que a él se le negaba, mereciéndolo más. Pero ¿habría querido ser él de verdad como Lorca, con su éxito entre folklórico y taurino, con su afición a las fiestas de los diplomáticos y las duquesas? ¿No se había dicho alguna vez a sí mismo que sus modelos secretos eran Antonio Machado o Juan Gris? A Juan Gris no se lo imaginaba resentido contra el triunfo de Picasso, agraviado por su obscena energía, por su histrionismo simiesco, llenando lienzos con la misma prisa con la que seducía y abandonaba mujeres. Pero Juan Gris, solo en París, no ya ensombrecido, sino borrado por el otro, enfermo de tuberculosis, probablemente había tenido en el fondo de su alma una certeza que a él, Moreno Villa, le faltaba, había obedecido una sola pasión, había sabido despojarse como un asceta o un místico de todas las comodidades del mundo a las que él no sabría nunca renunciar, por modestas que fueran: su sueldo fijo de funcionario, sus dos cuartos contiguos en la Residencia, sus trajes bien cortados, sus cigarrillos ingleses. No era verdad, él no se había retirado del mundo. La iluminación que había estado a punto de recibir mirando el cuenco con los frutos del otoño y la tipografía seductora y vulgar de una revista ilustrada se malograría porque no era capaz de sostener la disciplina exigente de la observación, el estado de alerta que habría afilado su pupila y guiado su mano sobre la cartulina blanca del cuaderno. Alguien llegaba por el corredor, pisando con una determinación casi violenta, alguien golpeaba con los nudillos en su puerta y aunque la visita fuera muy breve él ya no podría recobrar aquel recogimiento brevemente intuido, aquella especie de estado de gracia.

—Adelante —dijo, rindiéndose a la interrupción, en el fondo aliviado por ella, resignándose, el carboncillo de gruesa punta cremosa todavía en la mano, detenido muy cerca de la superficie del lienzo.

Ignacio Abel irrumpió en la quietud de su cuarto trayendo consigo la prisa de la calle, de la vida activa, como si al abrir la puerta hubiera dejado pasar una corriente fría. Con una mirada que Moreno Villa percibió había abarcado el desorden de la habitación, que nadie limpiaba, la mezcla de estudio de pintor y biblioteca de erudito, y también de madriguera de solterón, los cuadros contra las paredes y las láminas de dibujo apiladas de cualquier manera por el suelo, los trapos manchados de pintura, las postales clavadas sin orden por las paredes. El traje de pantalón ancho y chaqueta cruzada de Ignacio Abel, su corbata de seda, sus zapatos relucientes y sólidos, su buen reloj de pulsera, lo hacían consciente de la penuria de su propio aspecto: la blusa llena de manchas, las zapatillas de paño que se ponía para pintar. A Moreno Villa, que había pasado tal vez demasiado tiempo de su vida con gente más joven, le confortaba sin embargo que Ignacio Abel tuviera casi su misma edad, y más todavía que no se esforzara en fingir juventud. Pero lo conocía superficialmente: también pertenecía al mundo de los otros, los que tenían carreras y perseguían proyectos, los capaces de actuar con una energía práctica que él nunca había tenido.

—Estaba usted trabajando y lo he interrumpido.

—No se preocupe, amigo Abel, llevaba solo toda la tarde. Ya tenía ganas de conversar con alguien.

—Lo molesto sólo unos minutos…

Miró el reloj de pulsera como para medir el tiempo exacto que se quedaría. Desplegó papeles sobre la mesa, de la que Moreno Villa apartó el frutero al que Abel había dedicado una mirada muy rápida, intrigada, seguida rápidamente por otra en dirección al lienzo casi en blanco, donde el único fruto de varias horas perezosas de contemplación eran unas pocas líneas a carboncillo. Un hombre activo, que consultaba una agenda y hacía llamadas telefónicas, que conducía un automóvil, que trabajaba diez horas al día en las obras de la Ciudad Universitaria, que había terminado hacía poco un mercado municipal de abastos y una escuela pública. Preguntaba detalles: cuánto tenía que durar su conferencia, cómo sería el proyector fotográfico, cuántos carteles se habían impreso, qué número de invitaciones se habían repartido. Moreno Villa lo observaba como desde su orilla de tiempo más lento, improvisaba respuestas sobre cosas que ignoraba o sobre las que no había pensado hasta entonces. Para llegar a donde había llegado desde un origen nada prometedor Ignacio Abel habría necesitado una determinación excepcional, una energía moral y física que se traslucía en sus gestos, y acaso también en un punto de cordialidad algo excesivo, como si en cada momento, delante de cada persona, calibrara la importancia práctica de resultar agradable. Tal vez él, Moreno Villa, no había tenido nunca que esforzarse demasiado, y de ahí procedía su propensión a la desgana, la facilidad con que cambiaba de propósito o se daba por vencido; desgana de heredero de una posición escasa, pero que le permite vivir sin otro esfuerzo que el de no aspirar a mucho, acomodándose a una inercia somnolienta, una abulia de clase media de provincia española. Miraba el reloj de oro, los puños de la camisa de Ignacio Abel, el capuchón de la estilográfica que sobresalía del bolsillo superior de la americana, junto al pico de un pañuelo blanco con las iniciales bordadas. Había hecho una buena boda, recordaba haberle oído a alguien, en ese Madrid en el que todo se sabía: se había casado con una mujer algo mayor que él, hija de alguien influyente. En el cuarto de Moreno Villa ocupaba un espacio muy superior al que le correspondía por su presencia física: la cartera de buen cuero flexible, rebosando papeles que requerirían soluciones urgentes, hojas de planos de edificios que ahora mismo se estarían levantando, los gemelos de oro en los puños anchos de la camisa: la energía intacta al cabo de tantas horas de trabajo, timbres de teléfono y conversaciones veloces, decisiones tajantes, órdenes que tenían un efecto real sobre el esfuerzo de otros hombres y sobre la forma que iría cobrando esa ciudad nueva y moderna surgida de la nada en el otro extremo de Madrid.

No me cuesta nada imaginar a los dos hombres conversando, escuchar sus dos voces tranquilas, en el cuarto del que poco a poco se va el sol de la tarde, desaparecido detrás de los tejados de la ciudad, no exactamente amigos, porque ninguno de los dos es demasiado sociable más allá de un cierto punto, pero sí unidos por una vaga semejanza exterior, por un aire común de formalidad y decoro, aunque Ignacio Abel parece más joven. Se hablan de usted, lo cual es un alivio para Moreno Villa, ahora que casi cualquiera le llama Pepe o incluso Pepito, reforzándole la sospecha de que ha perdido la juventud sin la compensación de ganar en respeto. Por dentro siempre está comparando sin poder remediarlo: no sólo su ropa ajada y manchada de pintura con el traje de Abel, la posición tensa y muy erguida que el otro tiene en la silla mientras despliega dibujos y fotos sobre la mesa con su propio abandono de hombre viejo en el sillón que fue de su padre: también piensa que él vive en dos cuartos más o menos prestados mientras Ignacio Abel tiene un piso en un edificio nuevo en el barrio de Salamanca, que es padre de dos hijos y él muy probablemente no llegará a tener ninguno, que los resultados de su trabajo ocupan un lugar sólido, indiscutible en el mundo.

—¿Y qué hará usted cuando la Ciudad Universitaria esté terminada?

Ignacio Abel, desconcertado por la pregunta, tardó un poco en contestar.

—La verdad es que no lo pienso seriamente. Sé que hay un plazo, y que yo quiero que llegue esa fecha, pero al mismo tiempo no me lo acabo de creer.

—La situación política no parece muy tranquilizadora.

—En eso también prefiero no pensar. Claro que habrá retrasos, y que no me hago ilusiones, por muchas seguridades que quiera darme el doctor Negrín. Todas las obras se retrasan. Nada resulta como estaba planeado. Usted sabe lo que va a pintar en ese cuadro, pero en mi trabajo la incertidumbre es mucho mayor. Cada vez que cambia el ministro o que hay una huelga de la construcción todo se detiene, y luego cuesta más arrancar de nuevo.

—Usted tiene planos y maquetas de sus edificios. Yo no sé cómo será este cuadro, si es que llego a pintarlo.

—¿El modelo no le sirve de guía? Tranquiliza mirar estas frutas que tiene usted delante, el cuenco de cristal.

—Pero si pone usted atención están cambiando siempre. Ya no se ve lo mismo que cuando usted entró hace un rato. A los pintores antiguos de bodegones les gustaba poner alguna mancha en la fruta, incluso algún agujero del que asomara un gusano. Querían que se viera que la lozanía era falsa o transitoria y que la putrefacción ya estaba actuando.

—No me diga eso, Moreno. —Ignacio Abel sonrió, a su manera rápida y formal—. No quiero llegar mañana a las obras y pensar que llevo seis años trabajando para construir ruinas futuras.

—Usted tiene suerte, amigo Abel. Me gustan mucho las cosas suyas que vienen fotografiadas en las revistas de arquitectura, y ese mercado nuevo que hizo por la calle Toledo. Pasé un día por allí y entré sólo por verlo por dentro. Tan nuevo, y ya tan lleno de gente, con esos olores tan fuertes, la fruta, la hortaliza, la carne, el pescado, las especias. Usted hace cosas que pueden tener una forma tan bella como una escultura y que además son prácticas y le sirven a la gente en su vida. Aquellos vendedores que gritaban tanto y las mujeres que les compraban disfrutaban de la obra de usted sin pensar en ella. Pensé ponerle una carta ese día. Pero ya sabe usted que uno se hace esos propósitos y no los cumple. Pensará usted: no será por falta de tiempo, en mi caso.

—Moreno, creo que usted se juzga demasiado ásperamente a sí mismo.

—Veo las cosas como son. Tengo bien entrenados los ojos.

—Los físicos aseguran que las cosas que creemos ver no se parecen nada a la estructura de la materia. Según el doctor Negrín las conclusiones de Max Planck no están muy lejos de las de Platón o las de los místicos de nuestro Siglo de Oro. La realidad tal como usted y yo la vemos es un engaño de los sentidos…

—¿Ve usted mucho a Negrín? Ya no viene nunca por su antiguo laboratorio.

—¿Que si lo veo? Hasta en sueños. Es mi pesadilla. Es el único español que se toma al pie de la letra su trabajo. Está al tanto de todo, del último ladrillo que ponemos, del último árbol. Me llama por teléfono a cualquier hora del día o de la noche, a la oficina o a mi casa. Mis hijos se burlan de mí. Le han inventado una cantinela: *Rin, rin, / ¿quién es? / El doctor Negrín*. Si está de viaje y no tiene cerca un teléfono me manda un telegrama. Ahora que ha descubierto el aeroplano ya no tiene límites. Me pone una conferencia por cable submarino desde Canarias a las ocho de la mañana y a las cinco de la tarde se presenta en la oficina recién llegado del aeródromo. Siempre está en movimiento. Es como una de esas partículas de las que habla tanto, porque aparte de todo siempre está leyendo revistas científicas alemanas, como cuando se dedicaba sólo al laboratorio. Se puede saber dónde está el doctor Negrín en un momento dado o cuál es su trayectoria, pero no las dos cosas a la vez…

Pero se hacía tarde: en la penumbra creciente las dos voces se iban haciendo más inaudibles, y al mismo tiempo más cercanas la una a la otra, como las dos figuras, ahora dos siluetas más igualadas por la falta de luz que suprime los detalles, cada una inclinada hacia la otra, separadas por la mesa donde está el frutero, donde ya no llega la poca claridad residual que todavía entra por la ventana y resalta el blanco del pequeño lienzo sobre el caballete, con unas líneas esbozadas en carboncillo. Moreno Villa enciende una lámpara que hay junto a su sillón —también la lámpara, como la mesita, son parte del poco mobiliario que se trajo de Málaga, reliquias de la antigua casa de los padres— y cuando la luz eléctrica alumbra las caras queda cancelado el tono de confidencia y de cierta ironía hacia el que se habían deslizado las voces. Ignacio Abel mira ahora francamente su reloj de pulsera, que antes consultó una o dos veces con un gesto furtivo: tiene que irse, ha vuelto a recordar hace un momento que hoy es San Miguel y que si se da prisa aún está a tiempo de comprarle algo a su hijo, uno de esos aeroplanos o transatlánticos de latón pintado que le siguen gustando tanto aunque ya no es precisamente un niño pequeño, quizás un nuevo tren eléctrico, no de los que imitan los viejos trenes de carbón, sino los expresos de locomotoras tan estilizadas como proas de buques o morros de aviones, o un equipo completo de vaquero del Oeste, que requerirá que a su hermana se le compre un vestido de india, sólo por complacer al chico, ya que ella, a diferencia de su hermano, tiene prisa por no seguir pareciendo una niña, aunque Miguel quiera sujetarla muy fuerte como para evitar que crezca, retenerla tanto tiempo como le sea posible en el espacio de la infancia común. Ignacio Abel guarda sus papeles y sus fotografías de arquitectura popular española en la cartera y le estrecha la mano a Moreno Villa, apartando ligeramente la cabeza, como si antes de irse ya hubiera dejado de estar allí. Moreno Villa, perezoso, no se levanta para acompañarlo a la puerta, demasiado hundido en el sillón tal vez no queriendo mostrar sus pantalones flojos manchados de pintura y sus zapatillas de paño.

—Al final no me ha dicho usted qué hará cuando esté terminada la Ciudad Universitaria —le dice.

—Le contestaré cuando tenga tiempo de pensarlo —dice Ignacio Abel, compensando con una sonrisa rápida su recobrada rigidez de hombre muy atareado.

La puerta se cierra y los pasos enérgicos se alejan por el corredor, y en el silencio de la habitación vuelven a filtrarse los sonidos lejanos de la ciudad y los muy próximos de la Residencia y de los campos de deportes en los que todavía se oyen exclamaciones aisladas de deportistas a los que les ha oscurecido mientras se quedaban jugando o entrenándose un poco más, silbatos de árbitros. Más cerca todavía, aunque no se pueda identificar desde dónde viene, Moreno Villa escucha ráfagas de una música de piano que se pierde entre los demás sonidos y regresa de nuevo, una canción que le trae el recuerdo ya despojado de dolor pero no de melancolía de una muchacha pelirroja de la que se despidió para siempre en Nueva York hace ya más de seis años.

4

Apenas se deja caer en el respaldo del asiento le sobreviene un calambrazo de incertidumbre. ¿Y si a pesar
de todo se ha equivocado de tren? Según el tren empieza
a moverse la breve serenidad de Ignacio Abel se ha convertido en alarma. Advierto el gesto automático de la
mano derecha que reposaba abierta sobre un muslo y se
contrae para buscar el billete; la mano que tantas veces
hurga, indaga, reconoce, acuciada por el miedo a perder
algo, que roza la cara áspera con un principio indeseado
de barba, la que toca el cuello gastado de la camisa, la que
se cierra al fin con un ligero temblor sujetando el documento encontrado; la mano que no toca a nadie hace
tanto tiempo; la que ha perdido la costumbre de la piel
suave de Judith Biely. Al otro lado de la ventanilla hay un
tren idéntico que se mantiene inmóvil y que tal vez sea el
que él hubiera debido tomar. En la pulsación de un segundo la alarma crece hasta convertirse en angustia. Ante
la menor sospecha de amenaza sus nervios exhaustos sal-
tan como cuerdas tensadas hasta su límite de resistencia.
Ahora no encuentra el billete. Palpa en los bolsillos y no
se acuerda de que un poco antes lo guardó en la cartera,
para estar seguro de que no se le enredaba entre los de-

dos y se le caía inadvertidamente al buscar otra cosa; en los bolsillos del pantalón, en los de la americana, en los de la gabardina: madrigueras de objetos diminutos e inútiles, de migas y cortezas endurecidas de pan, de monedas ínfimas de varios países. Toca el filo de la postal que no ha echado al correo. En alguna parte, al fondo de algún bolsillo, tintinean las llaves inútiles de su casa de Madrid. Roza la hoja del telegrama, una esquina del sobre que contiene la carta de su mujer. *Ya sé que preferirías no escuchar todo lo que tengo que decirte.* Cuando por fin abre la cartera y ve en ella el filo del billete su suspiro hondo de alivio coincide con el descubrimiento de que de nuevo ha sido víctima de una ilusión óptica: el tren que ha empezado a moverse es el que está en el andén contiguo, el tren idéntico desde el cual durante unos segundos lo ha mirado un desconocido. De modo que todavía le queda tiempo para asegurarse. Un mozo de equipajes negro ha entrado en el vagón arrastrando un baúl e Ignacio Abel va hacia él y le enseña su billete, intentando pronunciar una frase que ha estado clara en su conciencia pero que se le queda desbaratada entre las cuerdas vocales y los labios cuando empezaba a decirla. El empleado se limpia la frente sudada por el esfuerzo con un pañuelo tan rojo como su gorra y le contesta algo que debe de ser muy sencillo pero que él al principio no entiende, en parte por el acento arrastrado y nasal, en parte porque el hombre habla separando apenas los labios. Pero el gesto que hace es indudable, como su gran sonrisa fatigada y benévola, y con unos instantes de retraso, como un trueno que llega un poco después que el relámpago, Ignacio Abel comprende de golpe cada una de las palabras que ha escuchado: *You can be damn sure you're on your way up to old Rhineberg, sir.*

El billete corresponde a este tren y no a otro. Él ya lo sabía pero la angustia ha actuado sin obedecer a la razón: como un intruso la angustia ha usurpado el movimiento de las manos, acelerado los latidos del corazón, presionado contra el pecho; el intruso que se aloja como un parásito dentro de la cáscara en gran parte vacía de su existencia anterior, a la que en el fondo ya no cree que pueda volver nunca. Quién restablecerá lo deshecho, levantará lo derribado, restaurará lo convertido en cenizas y en humo, la carne humana podrida bajo la tierra, qué se levantaría de ella si sonaran las trompetas de la resurrección; quién borrará las palabras que fueron dichas y escritas y alentaron el crimen y lo volvieron no sólo respetable y heroico, sino también necesario, fríamente legítimo; quién abrirá la puerta en la que ya nadie golpea solicitando refugio. Los sonidos viajan con un grado perceptible aunque infinitesimal de lentitud entre su oído y los circuitos cerebrales en los que se descifran las palabras. Vuelve a sentarse, respirando muy hondo, la cara contra el cristal de la ventanilla, mirando el andén subterráneo, una punzada de dolor cerca del corazón, aliviado, aguardando. En su conciencia dos relojes marcan dos horas distintas, como dos pulsaciones discordantes que percibiera apretando en dos puntos distintos del cuerpo. Son las cuatro de la tarde y son las diez de la noche. En Madrid es noche cerrada desde hace varias horas y en las calles desiertas no hay más luz que la muy tenue de algunas farolas con los cristales pintados de azul, o la de los faros de los coches que pasan a toda velocidad, surgiendo de pronto a la vuelta de una esquina, los neumáticos chirriando contra los adoquines, colchones atados de cualquier manera sobre el techo, como una protección irrisoria, siglas pintadas a brochazos sobre el metal negro de las puertas o de las carrocerías, cañones de fusiles asomando por las ventanillas, tal vez la cara muy pálida de alguien que lleva las manos atadas y sabe que va camino de la muerte (a él ni siquiera se acordaron de atarle las suyas, tan dócil que no les debió de parecer necesario). En la casa de la Sierra donde sus hijos tal vez siguen viviendo se escucharán en la oscuridad los golpes secos del péndulo y el mecanismo de un reloj que siempre anda con retraso. En la Sierra de Guadarrama las noches ya son frías y de la tierra se levanta un olor a humedad y a hojas podridas y a agujas de pinos. Sobre la ciudad a oscuras, en las primeras noches despejadas de otoño, hace sólo unas semanas, el firmamento recobraba su esplendor olvidado, la fosforescencia poderosa de la Vía Láctea, que a Ignacio Abel le devolvía un sobrecogimiento infantil, porque su memoria de Madrid era anterior a la iluminación eléctrica y a los ríos de faros encendidos de los automóviles. Con la guerra regresaban a la ciudad las tinieblas y los terrores de las noches arcaicas de los cuentos. Se despertaba de niño en su cuarto diminuto de la portería, con un ventanuco enrejado que daba a la altura de la acera, y veía la débil claridad amarilla de los faroles de gas y escuchaba pasos y golpes, la punta metálica del chuzo del sereno chocando contra los adoquines, sus pasos lentos y temibles que eran los de los mantequeros y los hombres del saco de los cuentos. Tantos años después, en el Madrid oscurecido, pasos y golpes eran de nuevo emisarios del pánico: el ascensor sonando en medio de la noche, los tacones de las botas en el pasillo, los culatazos en la puerta, resonando en el interior del pecho al ritmo acelerado del corazón, tan aturdido como si latieran dos corazones simultáneos. *Ignacio, por lo que más quieras, ábreme la puerta, que van a matarme.* Ahora sí que se mueve el tren, a golpes suaves y enérgicos, aún lentamente, con poderosa majestad, con el brío de su locomotora eléctrica, concediéndole intacta la felicidad de todo comienzo de viaje, la perfecta absolución de las próximas dos horas, en las que nada inesperado podrá sucederle. El más breve futuro sin la expectación de un sobresalto es un regalo que ha aprendido a agradecer, las pocas veces que se le ha presentado en los últimos meses. Sintió lo mismo, más intensamente, en el puerto de Saint-Nazaire, cuando el buque *S.S. Manhattan* se apartaba del muelle, haciendo sonar las notas más graves de su sirena, que estremecían el aire al mismo tiempo que la trepidación de las máquinas hacía vibrar las planchas metálicas bajo sus pies y la barandilla en la que sujetaba sus manos, como al hierro del balcón en un piso muy alto, desde el que viera hacerse pequeñas las figuras que agitaban pañuelos en el embarcadero: sintió no la alegría práctica de haber escapado, de estar yendo definitivamente hacia América después de tantas dilaciones, tantos días atrapado hora tras hora por el miedo o por la simple inercia de una espera sin final previsible, sino la pura suspensión del pasado inmediato y todavía más la del futuro cercano, porque España y Europa estaban quedándose atrás y él tenía por delante seis o siete días de valioso presente en los que por primera vez en mucho tiempo no iba a serle necesario enfrentarse a nada, temer nada, tomar ninguna decisión. Sólo eso deseaba, tenderse sobre una hamaca en cubierta con los ojos entornados y la mente limpia de todo pensamiento, lisa y vacía como el horizonte del mar.

Era un pasajero como cualquier otro de segunda clase, todavía relativamente bien vestido, aunque el traer una sola maleta y no muy grande lo volvía algo irregular. ¿Era del todo respetable quien viajaba tan lejos con un equipaje tan ligero? *Puede usted encontrarse con problemas en la frontera, por muchos documentos que enseñe*, le había advertido Negrín la víspera de la partida, con su cara de sarcasmo triste, abotargada de agotamiento y de falta de sueño, *así que será mejor que lleve poco equipaje, no vaya a ser que tenga que cruzar a Francia por el monte. Bien sabe usted que en nuestro país ya no hay nada seguro.* Según el buque se apartaba del muelle los estigmas de la guerra se iban quedando atrás, la pestilencia de Europa, al menos provisionalmente, desdibujada en la memoria por el alivio de la partida, como una escritura que disuelve el agua, dejando sólo vagas manchas en el papel en blanco. La guerra había estado aún muy cerca en la frontera de Francia, en los cafés y los hoteles baratos de París en los que se reunían los españoles, como enfermos congregados por la vergüenza de una infección infame, que al ser compartida entre ellos les parecía tal vez menos monstruosa. Españoles huidos de un lado o del otro, en tránsito no se sabía hacia dónde, o destinados más o menos oficialmente en París con misiones dudosas, que en algunos casos les permitían manejar cantidades inusitadas de dinero —para comprar armas, para lograr que en los periódicos se publicaran informaciones favorables a la causa de la República—, agrupados en torno a un aparato de radio queriendo descifrar un boletín de noticias en el que se distinguían nombres de personajes públicos o de lugares españoles, aguardando la salida de los periódicos de la tarde, en los que aparecía la palabra Madrid en un titular casi nunca de primera página. Discutían tormentosamente con puñetazos rotundos sobre las mesas de mármol y manoteos que estremecían las nubes de humo de los cigarrillos, refractarios a la ciudad en la que se encontraban, como si estuvieran en un café de la calle de Alcalá o de la Puerta del Sol, como si no les llamara la atención lo que tenían delante de los ojos, la ciudad próspera, luminosa y sin miedo en la que su guerra obsesiva no existía, en la que ellos mismos no eran nada, extranjeros muy parecidos a los otros, hablando más alto, con el pelo más negro, las caras más oscuras, las voces más roncas, con asperezas guturales como de algún dialecto balcánico. En las dos noches que tuvo que pasar en un hotel de París esperando a tener confirmado su visado de tránsito y su billete hacia América Ignacio Abel hizo lo posible por no encontrarse a ningún conocido. Bergamín estaba en París, le habían dicho, en una confusa misión cultural que tal vez encubría un proyecto de compra de armas o de reclutamiento de voluntarios extranjeros. Bergamín siempre tenía que estar en el secreto de algo. Pero probablemente su hotel era de más categoría. En el que se alojó Ignacio Abel con una tenaz sensación de desagrado íntimo había sobre todo prostitutas y extranjeros, desechos diversos de Europa, entre los cuales los españoles preservaban su ruidosa particularidad nacional, intensamente singulares y a la vez, sin que ellos lo advirtieran, ya parecidos a los otros, los que salieron de sus países hacía más tiempo y los que no tenían ningún país al que volver, apátridas con pasaportes Nansen de la Sociedad de Naciones a los que no les estaba permitido quedarse en Francia pero a los que tampoco admitían en ningún otro país: los judíos alemanes, los rumanos o húngaros, los italianos antifascistas, los rusos lánguidamente resignados al destierro o discutiendo furiosamente entre sí acerca de su patria cada vez más fantasmagórica, cada uno con su lengua y con su manera particular de hablar mal francés, todos unidos por el aire idéntico que les daba su extranjería, por la incertidumbre de los documentos y la espera de los trámites que siempre eran postergados, por la hostilidad grosera de los empleados de los hoteles y los registros violentos de la policía. Con su pasaporte en regla y su visado americano, con su pasaje para el *S.S. Manhattan*, Ignacio Abel había eludido la sombra incómoda de cualquier parentesco con aquellas almas errantes, con las que se cruzaba en el pasillo estrecho hacia el lavabo o a las que escuchaba gemir o murmurar en sus idiomas igualmente extraños al otro lado de la pared inconsistente de su habitación. El profesor Rossman podía haber sido uno de ellos, si al volver de Moscú en la primavera de 1935 se hubiera quedado con su hija en París en vez de probar suerte en la embajada de España, donde los oficinistas a cargo de los permisos de residencia le habían parecido más benévolos o más descuidados o venales que los franceses. Alguna vez, en esos días de París, Ignacio Abel creyó verlo de lejos, abrazado a su gran cartera negra, o llevando del brazo a su hija, que era más alta que él, como si hubiera continuado teniendo una existencia paralela, no anulada por la otra, la que lo llevó a Madrid y a la penuria errante y la pérdida gradual de la dignidad y luego al depósito de cadáveres. Si se hubiera quedado en París el profesor Rossman viviría ahora en uno de estos hoteles, visitando embajadas y oficinas consulares con obstinación y mansedumbre, sonriendo siempre y quitándose el sombrero al acercarse a una ventanilla, esperando un visado para los Estados Unidos o para Cuba o cualquier país de América del Sur, haciendo como que no comprendía cuando un funcionario o un tendero le llamaba a sus espaldas *sale boche, sale métèque.*

Ahora el profesor Rossman ya no esperaba nada, sepultado junto a varias docenas de cadáveres cubiertos a toda prisa con cal en una fosa común de Madrid, contagiado sin motivo ni culpa por la gran plaga medieval de la muerte española, difundida a mansalva con los medios más modernos y los más primitivos, con fusiles máuser, pistolas ametralladoras y bombas incendiarias, y también con las rudas armas ancestrales, navajas, arcabuces, escopetas de caza, garrochas de ganaderos, guijarros, quijadas de animales si fuera preciso, con retumbar de motores de aeroplanos y relinchos de mulos, con escapularios y cruces y con banderas rojas, con rezos de rosarios y clamor de himnos en los altavoces de los aparatos de radio. En cafés apartados y en hoteles sórdidos de París emisarios españoles de los dos bandos cerraban tratos de compras de armas para acabar más rápido y con mayor eficacia con sus semejantes. En medio del carnaval de la muerte española la cara pálida del profesor Rossman se aparecía a Ignacio Abel lo mismo en los sueños que a la luz del día, trayéndole un escalofrío de vergüenza, una pulsión de náusea, como la que había sentido al ver por primera vez un muerto en mitad de la calle, bajo el sol sin misericordia de una mañana de verano. Si en el restaurante barato donde iba a comer en París escuchaba cerca una conversación española mantenía una expresión neutra y procuraba no mirar, como si eso lo salvara del contagio. En los periódicos españoles la guerra había sido un escándalo diario de tipografías, titulares enormes y triunfales y colosalmente embusteros, impresos de cualquier manera en papel malo, sobre hojas escasas, difundiendo noticias falsas sobre batallas victoriosas mientras el enemigo seguía acercándose a Madrid. En los periódicos de París, solemnes y monótonos como edificios burgueses, sujetos por sus bastidores de madera bruñida en la penumbra confortable de los cafés, la guerra de España era un asunto exótico y con frecuencia menor, noticias de barbarie en una región lejana y primitiva del mundo. Recordaba la melancolía de sus primeros viajes fuera del país: la sensación de salto en el tiempo nada más cruzar la frontera; revivía la vergüenza que había sentido de joven al ver en un periódico francés o alemán ilustraciones de corridas de toros: caballos miserables con los vientres abiertos por una cornada pataleando en la agonía sobre un lodazal de vísceras, de arena y de sangre; toros con la lengua fuera vomitando sangre, con un estoque atravesando el testuz convertido en una pulpa roja por las tentativas fracasadas de descabello. Ahora no eran toros o caballos muertos los que veía en las fotos de los periódicos de París o en los noticiarios de un cine en el que añoró sin consuelo la cercanía de Judith Biely, sus manos en la penumbra, su aliento en el oído, la saliva de sus besos con un sabor de carmín y un aroma tenue de tabaco: eran hombres esta vez, hombres matándose los unos a los otros, cadáveres tirados como guiñapos en las cunetas, jornaleros de boina y camisa blanca y manos levantadas conducidos como reses por militares a caballo, soldados renegridos, con uniformes grotescos, en actitudes de crueldad o jactancia o entusiasmo insensato, de un exotismo tan siniestro como el de los bandoleros de los daguerrotipos y las litografías de un siglo atrás, tan ajenos al digno público europeo que asistía desde lejos a la masacre como esos abisinios con escudos y lanzas a los que habían ametrallado y bombardeado desde el aire durante meses y con perfecta impunidad los expedicionarios italianos de Mussolini. Los abisinios habían aparecido durante algún tiempo en los periódicos, en las revistas gráficas, en los noticiarios de los cines: ahora ya se habían vuelto invisibles, una vez cumplido su papel transitorio de carne de cañón, de figurantes en la gran mascarada del escándalo internacional. Ahora nos toca a nosotros, pensaba hojeando el periódico en el restaurante, hundiendo la cabeza entre sus grandes hojas por miedo a que alguno de los españoles de las mesas cercanas lo reconociera. ESPAGNE ENSANGLANTÉE — ON FUSILLE ICI COMME ON DÉBOISE. Entre las palabras francesas, en la tipografía tupida del periódico, resaltaban como guijarros los nombres de lugares españoles, la geografía del avance inexorable del enemigo hacia Madrid, donde las músicas aflamencadas de la radio que difundían los altavoces en los cafés se interrumpían de vez en cuando con un toque de cornetín y una voz vibrante que anunciaba nuevas victorias cada vez más gloriosas y más inverosímiles, acogidas por el público con aplausos y olés taurinos. DES FEMMES, DES ENFANTS, FUIENT SOUS LE FEU DES INSURGÉS. En una foto confusa y muy oscurecida se reconocía una carretera recta y blanca, bultos avanzando, animales cargados, una mujer campesina abrazando a un niño de pecho al que intentaba proteger de algo que venía del cielo. Calculaba distancias hacia Madrid, probablemente ya reducidas por el avance enemigo en los últimos días, hora tras hora. Imaginaba la repetición de lo que había visto con sus ojos: los carros, los animales, los coches volcados en las cunetas, los milicianos tirando los fusiles y las cartucheras para huir más rápido campo a través, los oficiales roncos de gritar órdenes que nadie entendía ni obedecía. La carretera era un río desbordado de seres humanos, animales y máquinas empujados por el trastorno sísmico de un enemigo muy cercano pero todavía invisible. A su lado, en el asiento trasero del automóvil oficial, atrapado en un atasco de camionetas y carros campesinos, entre los cuales se dispersaba absurdamente un rebaño de cabras, Negrín contemplaba el desastre con una expresión de abatido fatalismo, su perfil tosco contra la ventanilla, el mentón hincado en el puño, mientras el conductor de uniforme hacía sonar inútilmente la bocina, queriendo abrirse paso. Un poco más allá de la carretera había una casa blanca con un emparrado, una ladera suave de tierra oscura recién labrada para la siembra de otoño. Al fondo, contra el cielo limpio de la tarde, se levantaba una gran columna de humo negro y espeso de la que venía un olor a gasolina y a neumáticos quemados. «Están mucho más cerca de lo que creíamos», dijo Negrín, sin volverse hacia él. Caras hostiles o despavoridas se inclinaban sobre las ventanillas para mirar hacia el interior del automóvil. Puños furiosos y culatas de fusiles golpeaban el techo y la carrocería. «No creo que nos dejen pasar de aquí, don Juan», dijo el miliciano que iba de escolta junto al conductor.

Quizás si el profesor Rossman decidió probar suerte en España fue porque confiaba en encontrar la ayuda de su antiguo discípulo, que no hizo nada o casi nada por él, que podía haberle salvado la vida. O advertirle al menos, aconsejarle que no hablara tan alto, que no se hiciera tan visible, que no contara a cualquiera lo que había sucedido en Alemania, lo que había visto con sus propios ojos en Moscú. Podía haberle respaldado con algo más de convicción: no sólo buscándole entrevistas de trabajo que no dieron fruto o contratando a su hija para que les diera clases de alemán a Lita y a Miguel. Pero los favores que menos se hacen son los que no costarían casi nada: la necesidad demasiado visible provoca rechazo; la vehemencia de una solicitud es la garantía de que no obtendrá respuesta. Los ojos del profesor Rossman eran más incoloros de lo que él recordaba, y su piel más blanca, como reblandecida, un poco viscosa, la piel de alguien que se ha acostumbrado a vivir en una sombra húmeda, sin el lustre casi militar que había tenido alguna vez su cráneo pelado, brillante bajo la luz eléctrica de un aula en las noches prematuras de invierno. Ignacio Abel levantó los ojos fatigados de su mesa de trabajo, llena de planos y papeles, en la oficina de la Ciudad Universitaria, y el hombre pálido y vestido con una severidad funeraria que lo llamaba por su nombre y le tendía la mano tenía la sonrisa incierta de quien esperaba ser reconocido. Pero el doctor Rossman no era la versión envejecida del hombre a quien Ignacio Abel conoció en Weimar en 1923 o del que se había despedido un día de septiembre de 1929 en Barcelona, en la estación de Francia, después de recorrer juntos el pabellón de Alemania en la Exposición Universal y de pasar horas de fervorosa conversación en un café: era otro, menos de seis años después, en abril o mayo del 35, no cambiado ni envejecido sino transfigurado, su piel tan incolora como si le hubieran aguado o extraído la sangre, sus ojos un agua ligeramente turbia, sus gestos tan frágiles y su voz tan tenue como los de un convaleciente, su traje tan usado como si no hubiera dejado de llevarlo y hasta de dormir con él desde que se marchó de Barcelona en 1929. Uno deja de tener cuarto de baño, cama limpia, agua corriente, y qué pronto se degrada. Muy pronto y a la vez muy poco a poco. El cerco se hace más oscuro en el cuello de la camisa, aunque uno lo frote en algún lavabo; los zapatos se hinchan, cruzados por grietas tan visibles como las líneas de una cara; el cuello de la corbata se tuerce y parece que ha sido estrujado; los codos de la americana, las rodilleras de los pantalones, cobran un brillo de sotana vieja o de ala de mosca. Desde que era niño Ignacio Abel tuvo instinto para advertir la variedad de infortunio que aquejaba a las personas empobrecidas y decentes, los inquilinos dignos que se retrasaban en pagar el alquiler en la casa donde su madre trabajaba de portera: caballeros con el pelo aplastado y las botas torcidas que se inclinaban rápidamente para recoger del suelo una colilla, o miraban con disimulo el interior de un cubo de basura; señoras viudas que salían a misa dejando en la escalera un rastro de hedor insondable, con moños grasientos atravesados de peinetas bajo los velos zurcidos; oficinistas con corbata y cuello de celuloide y uñas sucias, con un aliento a café con leche agrio y a úlcera. Viendo al profesor Rossman, aparecido de pronto en su oficina de la Ciudad Universitaria, como regresado del reino de los muertos, Ignacio Abel sintió la misma mezcla de lástima y rechazo que aquella gente le despertaba de niño. La sonrisa era tan rara porque ahora le faltaban casi todos los dientes. Lo único que quedaba de su antigua presencia, aparte de la rigidez ceremoniosa —el corbatín, el cuello duro, los botines, ahora deformados, el traje de una hechura anterior a 1914—, era la gran cartera que sujetaba con las dos manos contra el pecho, la misma que soltaba encima de su mesa de profesor en un aula de la Bauhaus provocando un ruido metálico de objetos y cacharros descabalados: más desgastada ahora, con una consistencia de pergamino cuarteado, con una blandura como la de su boca sin dientes, pero conservando todavía toda su severidad germánica de cartera de profesor, con sus hebillas y broches de metal, con sus refuerzos en los ángulos, la cartera de la que salían durante sus clases los objetos más inesperados, casi como surgían las figuras dibujadas con tiza sobre la pizarra en las clases de Paul Klee, como palomas o conejos o pañuelos salidos de la chistera de un ilusionista.

Una por una, con un asombro cómico de película muda, el profesor Rossman extraía de su cartera al parecer insondable cosas perfectamente cotidianas que cobraban en sus manos una cualidad milagrosa de recién inventadas. En sus clases de Weimar, sin quitarse el abrigo ni la bufanda, en un aula sin calefacción en la que entraba el viento frío por los cristales rotos de las ventanas, el profesor Karl Ludwig Rossman examinaba como invenciones rutilantes o tesoros recién descubiertos las herramientas más comunes, los objetos que todo el mundo usa a diario y en los que nadie se fija porque su invisibilidad, decía, era la medida de su eficiencia, la prueba de que una forma se correspondía exactamente con una tarea: una forma muchas veces modelada durante siglos, incluso milenios, como la voluta de una caracola o como la curvatura casi plana de un guijarro pulido por el roce de la arena y del agua en la orilla del mar. De la cartera del profesor Rossman no salían libros, ni bocetos, ni revistas de arquitectura, sino herramientas de carpintero, de cantero, de albañil, plomadas, peonzas, cuencos de barro, una cuchara, un lápiz, el mango de un molinillo de café, una bola negra de caucho que rebotaba en el techo, después de ascender como un resorte ante los ojos infantilizados de los estudiantes, un pincel, una brocha de pintor, un vaso italiano de cristal recio y verdoso, una manivela de latón ondulado, un librillo de papel de fumar, una bombilla común, un biberón, unas tijeras. La realidad era un laberinto y un laboratorio de objetos prodigiosos, tan habituales sin embargo que uno olvidaba fácilmente que no existían en la naturaleza, que eran el fruto de la imaginación humana. Un plano horizontal, decía, una escalera. ¡En la naturaleza el único plano horizontal era el del agua inmóvil, el de la distancia del mar! Una cueva natural o la copa de un árbol pueden sugerir la idea del tejado, la de la columna. Pero ¿qué proceso mental dio lugar por primera vez a la concepción de una escalera? En el aula gélida, con el sombrero hundido hasta las cejas, sin quitarse el abrigo ni los guantes de lana, el profesor Rossman, que era muy friolero, podía pasarse toda una clase concentrado voluptuosamente en la forma y en el funcionamiento de un par de tijeras, en el modo en que los dos brazos afilados se abrían como un pico de pájaro o como mandíbulas de caimán y cortaban una hoja de papel con perfecta limpieza, siguiendo un trazado recto o curvo, las líneas sinuosas del perfil de una caricatura. En los bolsillos de su abrigo abultaban las cosas encontradas en cualquier parte o recogidas por el suelo, y cuando tanteaba en ellos con los dedos forrados de lana buscando algo solía tropezar con otro objeto inesperado que reclamaba su atención y enardecía su entusiasmo. Las seis caras de un dado, con los puntos horadados en cada una de ellas, contenían todas las posibilidades infinitas del azar. Nada era más bello que una bola bien pulida rodando sobre una superficie lisa. ¡En una ínfima cerilla estaba contenida la solución prodigiosa al problema milenario de la producción y el transporte del fuego! Extraía con mucho cuidado la cerilla de la caja, como si sacara de ella una mariposa disecada cuyas alas pudieran destruirse al menor descuido, la sostenía entre el pulgar y el índice, la mostraba a los alumnos, alzándola con un gesto en el que había algo de litúrgico. Ponderaba sus cualidades, la delicada forma de pera diminuta de la cabeza, el palito de madera o de papel encerado. La caja misma, con su complicación de ángulos, con aquel golpe maestro de intuición que había sido idear las dos partes que se ajustaban tan perfectamente y que a la vez facilitaban la apertura. Cuando raspaba la cerilla el ruido mínimo del frotamiento de la cabeza del fósforo contra la lámina de lija se oía con perfecta claridad en el silencio maravillado del aula, y el estallido de la pequeña llama tenía algo de milagro. Radiante, como quien ha culminado con éxito un experimento, el profesor Rossman mostraba la cerilla ardiendo. A continuación sacaba un cigarrillo y lo encendía con la misma naturalidad que si estuviera en un café, y sólo entonces, cuando el profesor Rossman apagaba la cerilla, los que escuchaban su exposición salían del trance de hipnotismo al que sin darse cuenta habían sido inducidos.

El profesor Rossman era como un buhonero de las cosas más vulgares y de las más improbables. Disertaba igual sobre las virtudes prácticas de la curvatura de una cuchara o sobre los exquisitos ritmos visuales de los radios de una rueda de bicicleta en movimiento. Otros profesores de la Escuela ejercían con entusiasmo el proselitismo de lo nuevo: el profesor Rossman revelaba la novedad y la sofisticación que permanecen ocultas y sin embargo actúan en lo que ha existido desde siempre. Despejaba el centro de la mesa, ponía sobre ella una peonza, comprada en su camino hacia la escuela a unos niños que jugaban con ella en la calle, la impulsaba con un gesto súbito de destreza, la miraba girar, tan deslumbrado como si asistiera a la rotación de un cuerpo celeste. «Inventen ustedes algo así», desafiaba risueñamente a los alumnos, «inventen la peonza, o la cuchara, o el lápiz, inventen el libro, que puede llevarse en un bolsillo y contiene la *Ilíada* o el *Fausto* de Goethe; inventen ustedes la cerilla, el asa de la jarra, la balanza, el metro plegable de los carpinteros, la aguja de coser, las tijeras, perfeccionen la rueda o la pluma estilográfica. Piensen en el tiempo en el que algunas de estas cosas no existían». A continuación miraba su reloj de pulsera —le entusiasmaba esa innovación, según él surgida entre los oficiales británicos durante la guerra—, recogía sus cosas, guardaba sus objetos de inventor lunático o de chamarilero en la cartera, llenaba con ellos los bolsillos, y se despedía de la clase con una inclinación de cabeza y un amago de taconazo militar.

«Mi querido amigo, ¿no se acuerda usted de mí?»
Pero no había pasado tanto tiempo. En Barcelona, hacía ahora menos de seis años, el profesor Rossman, más corpulento y más calvo que en Weimar, con un traje cortado probablemente por el mismo sastre que se los hacía antes de 1914, inspeccionaba los últimos detalles del pabellón de Alemania en la Exposición Universal con rápidos gestos como de pájaro, con unos ojos pálidos de búho tras los cristales de las gafas. Había que asegurarse de que todo estaría a punto cuando Mies Van der Rohe hiciera su principesca aparición en Barcelona, con su monóculo de oficial prusiano, mordiendo la larga pipa de ébano en la que in-

sertaba cigarrillos con un ademán quirúrgico. El profesor Rossman tomaba del brazo a Ignacio Abel, le preguntaba por su trabajo en España, lamentaba que no hubiera regresado a la Escuela, ahora que las cosas habían mejorado tanto, que había una sede nueva y magnífica en Dessau. Pasaba la mano por una superficie pulida de mármol verde oscuro, para comprobar su limpieza; estudiaba la alineación de unos muebles o de una escultura; acercaba mucho los ojos a un letrero como para asegurarse de la exactitud de la tipografía. En aquel espacio austero y diáfano que aún no había visitado nadie el doctor Rossman parecía más anacrónico, con su cuello rígido, con sus botines como de 1900, con su tiesa cortesía de funcionario imperial. Pero sus manos tocaban las cosas con la misma codicia de siempre, comprobaban consistencias, ángulos, curvaturas, y en sus ojos había la misma mezcla permanente de interrogación y de asombro, como una urgencia impúdica por verlo todo, una felicidad pueril de descubrimientos incesantes. Ahora su disposición de jovialidad se había fortalecido igual que su presencia física, y rememoraba con alivio los años nada lejanos de la incertidumbre, de la inflación y el hambre, cuando a veces llevaba en su cartera insondable o en sus bolsillos una patata cocida que iba a ser su único alimento para todo el día, cuando en las aulas sin calefacción de la Escuela hacía tanto frío que no alcanzaba a sujetar la tiza con sus dedos helados. «Pero usted también se acuerda, amigo mío, usted pasó con nosotros aquel invierno de 1923.» Ahora el profesor Rossman miraba con cierta serenidad el porvenir, aunque también con el fondo de recelo de quien ya vio una vez hundirse el mundo. «Tendría usted que volver a Alemania. No reconocería Berlín. No sabe cuántos edificios nuevos y bellos se están construyendo. Los verá en las revistas, desde luego, pero usted sabe que no es igual. ¡Berlín parece Nueva York! Tiene que ver los barrios nuevos de viviendas populares, los grandes almacenes, las luces nocturnas. Algunas cosas que soñábamos en la escuela en medio del desastre parece que se vuelven realidad. Unas cuantas, no muchas. Pero usted sabe lo que vale un poco de algo si está muy bien hecho.»

El valor de los objetos, de los instrumentos, de las herramientas. La belleza de aquel pabellón que cortaba el aliento, que estremecía el alma, algo tangible y de este mundo que sin embargo parecía no pertenecer del todo a él, demasiado puro tal vez, demasiado perfecto, ajeno en la pureza de sus ángulos rectos y de sus superficies lisas no sólo a la mayor parte de los otros edificios de la Exposición, sino también a la realidad misma, a la cruda luz y a la aspereza españolas. Puede haber un depravado barroquismo en la pobreza, igual que en la ostentación. Ignacio Abel paseaba con el profesor Rossman una mañana de septiembre de 1929 por el pabellón de Alemania, en el que aún sonaban martillazos y se afanaban operarios, y en el que los pasos y las voces resaltaban con el eco de los espacios deshabitados, y notaba un aguijón de escepticismo en su propio entusiasmo. O quizás era sólo el resentimiento de no haber sido él capaz de concebir nada semejante, un edificio que justificaría su vida aunque estuviera destinado a la demolición al cabo de unos pocos meses. Como una música magistral que no vuelve a interpretarse después de su estreno: quedaría la partitura, tal vez una grabación fonográfica, el recuerdo inexacto de quienes la escucharon. Activo, locuaz, atento a todo, el profesor Rossman supervisaba las obras del pabellón para que todo estuviera dispuesto cuando llegara de Alemania su colega Van der Rohe, y después hacía turismo por Barcelona con su mujer y su hija, a las que les tomaba fotos delante de los edificios de Gaudí, que le parecían delirantes y sin embargo muy bellos, de una belleza que lo sobresaltaba más porque contradecía todos sus principios. La mujer gorda, menuda, flemática; la hija alta y flaca, lacia, con pies grandes y zapatos planos, con una mirada de intensidad excesiva detrás de los cristales con montura dorada de las gafas. Y el profesor Rossman en medio de las dos, vanamente animoso, pidiendo a algún transeúnte que les tomara una foto a los tres, celebrándoles edificios y perspectivas que ninguna de las dos miraba y delicias de la cocina local que las dos engullían sin prestarles atención, impaciente en el fondo por dejarlas en el hotel y dejarse llevar en dirección al puerto, río abajo por la corriente humana de las Ramblas.

«¿Su mujer y sus hijos están bien? Un chico y una chica, ¿verdad? Me acuerdo de que usted me enseñaba fotos de los dos cuando estábamos en Weimar, y eran muy pequeños. Aún no habrán crecido lo bastante como para discutir de política con usted. Mi mujer añora al Káiser y siente simpatía por Hitler. El único defecto que le encuentra es que sea tan antisemita. Y mi hija es miembro del Partido Comunista. Vive en una casa con calefacción y agua caliente pero añora vivir en un apartamento comunal de Moscú. Odia a Hitler, aunque mucho menos que a los socialdemócratas, incluyéndome a mí, que debo de parecerle uno de los peores. Qué magnífico drama freudiano ser hija de un socialfascista, de un socialimperialista. Quizás en el fondo mi hija admira a Hitler tanto como su madre, y el único defecto que le encuentra es que sea tan anticomunista.» El profesor Rossman se reía con algo de benevolencia, como si atribuyera en el fondo la insensatez política de su mujer y de su hija a una cierta debilidad intelectual congénita de la mente femenina, o como si al cabo de los años hubiera desarrollado una tolerancia entre resignada y sarcástica hacia los extremos de la tontería humana. «Pero cuénteme usted en qué está trabajando ahora, amigo mío, qué proyectos tiene. Me alegra saber que es usted del todo inocente en el crimen estético del pabellón de España en la Exposición.» La cabeza oval del profesor Rossman dejó de moverse con espasmos de pájaro, sus ojos agrandados por los cristales de las gafas se detuvieron en él con una atención afectuosa que a Ignacio Abel le hizo sentirse de pronto tan azorado como alguien mucho más joven, un estudiante que no está seguro de resistir al escrutinio del profesor que lo conoce muy bien. Qué había hecho en esos años que estuviese a la altura de lo que había aprendido en Alemania, de las promesas que había vislumbrado en su oficio y también en sí mismo, un hombre que cerca de los cuarenta años descubría una liviandad vital sostenida casi exclusivamente por una forma de entusiasmo que no había conocido en la juventud, que se pasaba los días estimulado por una pasión de conocimiento que tenía algo de ebriedad. Las luces nocturnas y los colores fuertes de Berlín, el sosiego de Weimar, las bibliotecas, la felicidad de internarse por fin en un idioma manejado hasta entonces muy laboriosamente, y al cual de pronto se abrían sus oídos con la misma naturalidad que si se hubiera despojado de unos tapones de cera, las aulas de la Escuela, los anocheceres prematuros de llovizna y recogimiento, con luces encendidas tras los visillos y timbres de bicicletas sonando en medio del silencio. El frío también, y la escasez de todo, pero no le importaban, o no reparaba mucho en ellos. Los cascos de los caballos de los policías levantando chispas de los adoquines, las manifestaciones solemnes y embravecidas de obreros sin trabajo, con gorras y chaquetas de cuero y brazaletes rojos, las pancartas y las banderas rojas iluminadas por antorchas, los veteranos con medio cuerpo talado que pedían limosna en las aceras, que exhibían muñones bajo los harapos de los uniformes o caras doblemente desfiguradas por las heridas de guerra y las operaciones quirúrgicas. Las mujeres jóvenes de faldas breves y ojos y labios pintados y melenas lisas cortadas a la altura de la barbilla, sentadas en las terrazas de los cafés de Berlín con las piernas cruzadas, fumando cigarrillos en los que dejaban las marcas rojas del carmín, caminando enérgicamente por las aceras sin compañía masculina, activas y joviales, saltando a los tranvías a la hora de salida de las oficinas, taconeando a toda prisa por las escaleras del metro.

Ni se acordaba de España durante aquellos meses de intensidad irrepetible. Tenía treinta y cuatro años y notaba una ligereza física y una excitación intelectual que no había conocido a los veinte. Imaginaba para sí mismo otra vida ilimitada y también imposible, en la que no contaba ni el peso ni el chantaje del pasado, la tristeza del matrimonio, la exigencia agobiante y perpetua de los hijos. En pocos meses su tiempo en Alemania se había acabado como un capital que le hubiera parecido inagotable a un hombre acostumbrado a manejar muy poco dinero. Llegó a Madrid en el calor adelantado del verano de 1924 y nada había cambiado en casi un año de ausencia. Su hijo ya había empezado a andar. La niña no lo reconoció al verlo y se refugió asustada en los brazos de su madre. Nadie le preguntaba nada sobre su experiencia en Alemania. Fue a la oficina de la Junta para la Ampliación de Estudios a entregar el informe preceptivo sobre los resultados de su viaje y el funcionario que lo recibió lo guardó sin mirarlo y le entregó un recibo sellado. Ahora, en Barcelona, el profesor Rossman le preguntaba qué había hecho en esos cinco años y su vida tan densa de tareas y compromisos parecía disolverse en nada, como las expectativas febriles de los meses de Weimar, como esos sueños en los que uno se siente enaltecido por una idea esplendorosa que en la lucidez del despertar resulta una nadería. Tentativas que en algún momento acababan frustrándose, encargos sin resultado, proyectos en ruinas, como había leído en un artículo de Ortega y Gasset: España era un país de proyectos en ruinas. Pero al menos había alguna expectativa prometedora, le dijo al profesor Rossman, temiendo supersticiosamente que se le malograra por haberla mencionado: un mercado en un barrio popular de Madrid, muy cerca de la calle en la que había nacido, y algo más improbable pero también más tentador, que casi le daba vértigo, un puesto en la dirección técnica de obras de la Ciudad Universitaria de Madrid. El profesor Rossman, con su curiosidad versátil y políglota, con su interés por todo, ya había oído hablar del proyecto, de una envergadura inusitada en Europa, había leído algo en una revista internacional. «Escríbame», le dijo al despedirse, «cuénteme cómo va todo. Ojalá pudiera usted venir alguna vez a enseñar un curso a la Escuela. Cuénteme cómo progresa su ciudad ideal del conocimiento».

Pero ni el uno ni el otro escribieron. Las promesas, los buenos deseos de la despedida, tuvieron la abundancia y la irrealidad de aquellos fajos de billetes alemanes que inundaban los bolsillos y con los que no se podía comprar ni un café. De pronto todo se vuelve muy rápido, el tiempo se acelera y los hijos han crecido sin que uno se dé mucha cuenta; en el descampado donde no existía nada —donde los pinares habían sido arrancados por las máquinas excavadoras, los desmontes aplanados, la llanura subdividida por líneas imaginarias— ahora hay calles con aceras, aunque sin casas a los lados, hileras de árboles muy frágiles, edificios que surgen entre los barrizales, algunos de ellos terminados pero aún vacíos, de pronto uno inaugurado y en funcionamiento, la Facultad de Filosofía y Letras, aunque albañiles, carpinteros y pintores se sigan atareando en ella, aunque los estudiantes tengan que llegar a campo través, sorteando zanjas y montones de materiales de construcción. Por las ventanas de la oficina se dominaban los bloques rojizos de las facultades de Medicina y Farmacia, ya casi terminadas exteriormente, la estructura del Hospital Clínico, en torno a la cual hormigueaban los peones, las recuas de burros, los camiones de materiales, los guardias armados que patrullaban protegiendo las obras. Más allá se extendía el verde sombrío de las encinas y de los pinares, y por encima de él, en un plano más distante, se levantaba el perfil de la Sierra, con sus picos más altos todavía nevados. En el gran reloj de la oficina son ya casi las seis, demasiado tarde para recibir a un visitante que ni siquiera tiene cita. En el calendario hay una fecha de mayo de 1935 que Ignacio Abel tachará en el último momento antes de irse. Alzó los ojos del tablero en el que un ayudante había desplegado un plano y el hombre viejo y pálido venido del otro mundo le sonreía torpemente con sus ojos acuosos y entreabriendo una boca de dientes en ruinas, extendiendo hacia él una mano, sujetando con la otra la cartera negra que apretaba contra el pecho, tan reconocible de inmediato como su acento y como su tiesa compostura de otro siglo, la cartera en la que ya no guardaba los deslumbrantes objetos comunes con los que solía transmitir a los alumnos el misterio de las formas prácticas que mejoran la vida: guardaba documentos, certificados en letra gótica y con sellos dorados que ya no valían nada, impresos de solicitudes de visados en diversos idiomas, copias de cartas a embajadas, cartas oficiales en las que se le denegaba algo en un lenguaje neutro o en las que se le reclamaba un certificado más, algún papel nimio pero inaccesible, algún sello consular sin el cual no valdrían de nada esperas y dilaciones de meses.

—Profesor Rossman, qué alegría. ¿De dónde sale usted?

—Amigo mío, querido profesor Abel, si se lo cuento usted no me creería. Pero no se preocupe por mí, veo que usted está muy ocupado, no me importa esperarle.

5

Una silueta negra atravesó el rectángulo iluminado de la pantalla en la que habían empezado a proyectarse las transparencias fotográficas, junto al atril desde donde Ignacio Abel pronunciaba su charla. Sólo cuando empezó a hablar se le calmaron los nervios. Lo tranquilizaba el sonido claro de su propia voz en el micrófono, la solidez del atril en el que apoyaba las manos. Lo había confortado antes de salir a la tarima el rumor cálido del público que llenaba la sala, después de haber tenido tanto miedo a que no asistiera nadie a la conferencia; un temor creciente según se acercaba el día; más aún, embarazosamente, esa mañana, el miedo disimulado a la hora de comer delante de Adela y los niños, agravado a cada minuto, cuando queriendo serenarse dijo que prefería ir él solo a la Residencia, dando un paseo desde su domicilio. Llevaba hablando apenas unos minutos: había pedido que se apagaran las luces de la sala, y al hacerse la oscuridad el murmullo del público se disolvió en silencio. Sobre el atril una lámpara de pantalla verde reflejaba a contraluz en su cara el blanco de las páginas escritas, endureciendo sus rasgos con zonas de sombra. Parecía mayor de lo que era, visto desde la primera fila en la que estaban sentadas Adela y su hija, las dos nerviosas, de manera distinta, Adela con una ternura pudorosa y protectora, incómoda para la vanidad tan masculina de él, la niña orgullosa sin reserva de la presencia alta y solitaria de su padre sobre la tarima, distinguido, con su corbata de lazo, con las gafas de leer que se ponía y se quitaba según consultaba sus notas o hablaba sin mirarlas, volviendo luego a ellas con cierta dificultad, como si quisiera parecer más distraído de lo que en realidad era. La niña, Lita, que tiene a los catorce años una afición precoz por la pintura, alimentada por sus profesores del Instituto-Escuela, aprecia la escena como una composición plástica, cuyo centro fugaz es la sombra femenina perfilada y muy rápida que cruza por delante de una fotografía proyectada sobre una pantalla a la que su padre da la espalda. La halaga que le hayan permitido asistir a esta charla; saber que su padre está pendiente de ella y le ha hecho una señal desde el atril; que estas señoras cultivadas y afables a las que su madre invita de vez en cuando a tomar el té y que han venido esta noche —doña María de Maeztu, la señora Bonmatí de Salinas, la de Juan Ramón Jiménez, que tiene ese nombre tan bonito, Zenobia, Zenobia Camprubí— la acepten sin condescendencia y le hayan dicho al verla llegar que ya parece enteramente una señorita (a las señoras las llamó Adela por teléfono para asegurarse de que asistirían; se le contagiaba el miedo adivinado de él a que no hubiera público; hizo las llamadas sin que él lo supiera para no lastimar su orgullo). Pero ojalá la interrupción no hubiera distraído a su padre, que en casa se quejaba tantas veces de falta de silencio, de las peleas entre Lita y su hermano, de lo alta que ponían la radio las criadas. Se quedó callado, con las gafas en una mano, en la otra el puntero con el que señalaba detalles en las fotografías, como un profesor delante de un mapa, con un gesto de irritación que Adela y la niña reconocieron aunque fue muy sutil cuando la puerta de la sala se abrió dejando paso a una mujer con zapatos de tacón que resonaban sobre el suelo de madera a pesar de la cautela de sus movimientos. Cautela y algo de descaro, o sólo el aturdimiento de quien llega tarde y ha de moverse en una penumbra de cinematógrafo. Pasó por delante del cono de luz del proyector moviéndose no sin impertinencia a lo largo de la primera fila, en dirección a un asiento vacío que había en la esquina. Veo la silueta, al mismo tiempo móvil y precisa, el perfil contra la pantalla como una sombra china, la falda de un tejido ligero como una corola invertida. Ignacio Abel guardó un silencio evidente, siguiendo con los ojos a la recién llegada, con un malhumor que su mujer y su hija reconocieron no sin cierta alarma, porque tenía muy poca paciencia para las contrariedades menores, lo mismo en el trabajo que en su vida familiar. Esa tarde, en la Residencia, en la sala en penumbra en la que apenas distinguía algunas caras familiares entre el público —Adela, su hija, la señora de Salinas, Zenobia, Moreno Villa, Negrín, el ingeniero Torroja, el arquitecto López Otero, el profesor Rossman, muy al fondo, su calva ovoide entre sombreros femeninos—, lo complacía el sonido fuerte y claro de su propia voz, la conciencia de la atención que se proyectaba sobre él, que tenía un efecto ligeramente euforizante, después de los primeros minutos de aproximación y tanteo, de rumor en la sala, de ruido de sillas, y de varios días de una inseguridad que no habría confesado a nadie. La silueta de la recién llegada se recortó sin que él la viera sobre la fotografía de una fachada campesina, una casa construida a mediados del XVIII, explicó, mirando sus notas, en una ciudad del sur, ideada no por un arquitecto sino por un maestro de obras que conocía su oficio y, literalmente, el suelo que pisaba: la tierra de la que había salido la piedra arenosa y dorada del dintel de la puerta y de

las ventanas y el barro para los ladrillos y las tejas; la cal
con la que se había blanqueado la fachada entera, dejando
sólo al descubierto, con una intuición estética admirable,
dijo, la piedra de los dinteles, labrada con delicadeza por
un maestro cantero que había esculpido también, en el
centro del dintel, un cáliz situado exactamente en el eje del
edificio. Hizo una señal para que pasaran a la siguiente
diapositiva: un detalle del ángulo del dintel; señaló con el
puntero la diagonal de la juntura entre dos sillares que
formaban la esquina, en la que dos fuerzas contrarias se
equilibraban entre sí, con una precisión matemática todavía más asombrosa porque probablemente quienes conci-
bieron el edificio y lo construyeron no sabían leer ni escribir. La piedra y la cal, dijo, los muros gruesos que ais-
laban igual del calor que del frío; las ventanas pequeñas
distribuidas según un orden irregular relacionado con la
inclinación de los rayos solares, jugando a eludir la simetría obvia; la cal blanca que al reflejar el máximo de luz
solar hacía más suave la temperatura interior en los meses de verano. Con argamasa y cañas crecidas junto a los
arroyos cercanos se hacía un aislante natural para los techos de las habitaciones más altas: la técnica era sustan-
cialmente la misma que se había usado en Egipto y en Mesopotamia. Los arquitectos de la escuela alemana —«yo
mismo entre ellos», apuntó sonriendo, sabiendo que se escucharían risas aisladas en la sala— hablaban siempre de
construcciones orgánicas: qué podía ser más orgánico que
aquel instinto popular para aprovechar lo que estuviera
más a mano y adaptar flexiblemente un vocabulario intemporal a las condiciones inmediatas, al clima y a la forma de ganarse la vida y a las necesidades del trabajo, rein-
ventando formas elementales que siempre eran nuevas y
sin embargo nunca condescendían al capricho, que resaltaban en el paisaje y al mismo tiempo se fundían en él, sin

ostentación y sin repetición mecánica, transmitiéndose a lo largo del país y de una generación a otra como romances antiguos que no precisan ser transcritos porque sobreviven en la corriente de la memoria popular, en la disciplina sin vanagloria de los mejores artesanos. Al fondo de la sala, a pesar de la penumbra, adivinaba o casi distinguía la sonrisa aprobadora del profesor Rossman, inclinado hacia delante para no perder ninguna de aquellas palabras españolas: la intuición de las formas, la honradez de los materiales y de los procedimientos; patios empedrados con guijarros de río trazando un ritmo visual giratorio; tejas que se ajustaban entre sí con la precisión orgánica de las escamas del pescado. (Otra vez había dicho esa palabra: de ahora en adelante debería evitarla.) Según hablaba el entusiasmo disipaba la vanidad y sus gestos perdían la rigidez del principio, que quizás sólo Adela había advertido, igual que advertía cómo su voz se iba volviendo más natural. Mostraba un patio empedrado con columnas y con un aljibe en el centro que podía haber estado en Creta o en Roma pero que pertenecía a una casa de vecinos de Córdoba; su forma tan ajustada a su función que había perdurado con sólo variaciones menores a lo largo de varios milenios; la luz y la sombra se modelaban igual que la materia; la luz, la sombra, el sonido; el chorro de agua de un aljibe refrescando un patio; la opacidad de los muros hacia el exterior: la luz diurna que entra desde arriba y se difunde por habitaciones y zaguanes. ¿Quién tendría la petulancia de afirmar que la arquitectura funcional —había estado a punto de decir: orgánica— era una invención del siglo XX? Pero era una estafa imitar, parodiándolas, las formas exteriores: había que aprender de los procesos, no de los resultados; la sintaxis de un idioma y no palabras sueltas; el hierro, el acero, las anchas láminas de cristal, el hormigón armado, tendrían que usarse con la misma conciencia de sus cualidades materiales con que el arquitecto popular usaba las cañas o la arcilla o los cantos de filos agudos con los que levantaba una tapia divisoria, aprovechando instintivamente la forma de cada piedra para ajustarla a las otras, sin empeñarse en someterla a un molde exterior. Mostraba la foto de una choza de pastores hecha de paja y de juncos entretejidos; la del interior de un refugio en el monte en el que con cantos sin argamasa se había armado una bóveda que tenía la áspera solidez de un ábside románico. El azar en la forma de cada laja se convertía en necesidad al ajustarse como por una afinidad magnética a la forma de otra. Y en el fondo de todo actuaba el instinto popular de aprovechar lo escaso, el talento de convertir en ventajas formidables las limitaciones. Hasta ahora en las fotos se habían visto sólo edificios. Sonó el clic del proyector y la pantalla entera fue ocupada por una familia campesina posando delante de una de las chozas con aleros de paja y de juncos admirablemente entretejidos. Caras oscuras miraban con los ojos fijos a la sala, ojos grandes de niños descalzos, barrigudos, vestidos con harapos; una mujer embarazada y flaca, con un niño en brazos; un hombre enjuto a su lado, con una camisa blanca y un pantalón atado a la cintura con una cuerda, con abarcas de esparto. En la sala de la Residencia la foto tenía algo del testimonio de un viaje a un país remoto, sumido en tiempos primitivos. Igual que antes había indicado con el puntero los detalles de la arquitectura ahora Ignacio Abel señalaba las caras que él mismo había fotografiado sólo unos meses atrás en un pueblo de fantasmagórica pobreza en la Sierra de Málaga: la arquitectura no consistía en inventar formas abstractas, la tradición popular española no era un catálogo de pintoresquismos para enseñar a los extranjeros o para usar decorativamente en el pabellón de una feria; la arquitectura de los nuevos tiempos había de ser una herramienta en el gran empeño de hacer mejores las vidas de hombres, de aliviar el sufrimiento, de traer la justicia, o mejor todavía, o dicho de una manera más precisa, de hacer accesible lo que esa familia de la foto no había visto nunca y ni siquiera sabido que existía, el agua corriente, los espacios ventilados y saludables, la escuela, el alimento suficiente y a ser posible sabroso; no un regalo, sino una devolución; no una limosna sino un gesto de reparación por el trabajo nunca recompensado, por la destreza de las manos y la finura de las inteligencias que habían sabido elegir los juncos mejores y trenzarlos lo mismo para sostener un tejado de paja que para hacer un cesto, la arcilla más adecuada para enjalbegar los muros de una choza. De lo que esa gente ha creado a lo largo de siglos viene casi lo único sólido y noble en España, dijo, lo original e incomparable, la música y los romances y los edificios, conmovido, advirtió Adela desde la primera fila compartiendo íntimamente su emoción, aunque no le veía bien la cara, pero sí escuchaba con claridad su voz. Ignacio Abel se esforzaba en contener una efusión que lo tomaba por sorpresa y que no sabía bien de dónde brotaba, ascendiendo desde el estómago, como poseído de golpe no ya por la rememoración de su padre y de los albañiles y canteros que trabajaban con él, los que levantaban edificios y pavimentaban calles y horadaban zanjas y túneles y luego desaparecían de la tierra sin dejar rastro: también por la conciencia de los que vivieron antes, los campesinos de varias generaciones atrás de los que él mismo procedía, los que vivieron y murieron en chozas de barro idénticas a la de la foto, tan pobres, tan obstinados, tan sin porvenir como esa gente cuyas caras ahora se difuminaban, cuando la luz de la sala se encendió sin que se apagara todavía el proyector fotográfico.

En alguna parte, en un cajón de su despacho, cerrado con una pequeña llave, ahora inútil, que Ignacio Abel sigue llevando en el bolsillo, está la hoja doblada con el anuncio de la conferencia. Las cosas más ínfimas pueden durar mucho tiempo, inmunes al abandono e incluso a la desaparición física de quien las tuvo en sus manos. Una hoja amarilla, un poco descolorida, los filos tan gastados por el doblez que al cabo de unos años se deshará si alguien intenta abrirla, si no ha ardido o si no ha sido arrojada a un muladar, si no desaparece bajo los escombros de la casa después de uno de los bombardeos enemigos del próximo invierno. Encontró el cartel semanas más tarde en el bolsillo de la chaqueta que no se había puesto desde entonces: pero ya era un indicio secreto, la prueba material del comienzo de otra vida que había empezado esa tarde sin que él lo supiera; sin que nada la hubiera anunciado en el momento justo en el que empezaba, ni siquiera la silueta que cruzó por delante del proyector fotográfico. El día y el año, el lugar, hasta la hora, como una inscripción desenterrada que permite fechar un hallazgo arqueológico: Martes, 7 de octubre de 1935, 7 de la tarde, salón de actos de la Residencia de Estudiantes, Pinar 21, Madrid. Ignacio Abel dobló la hoja con mucho cuidado, con un cierto sentimiento de clandestinidad, y la guardó bajo llave en el mismo cajón en el que ya estaban las primeras cartas de Judith Biely.

Si no fuera por esa hoja impresa en la tipografía noble y austera de la Residencia quizás no tendría constancia de la fecha en la que escuchó por primera vez su nombre. Pero unos minutos antes de que alguien se la presentara ya la había reconocido como en un fogonazo, cuando al terminar la charla se encendieron las luces del salón de actos y él se inclinaba con cierta incomodidad para escuchar un educado aplauso, despertando de un fervor del que ahora íntimamente se arrepentía o se avergonzaba, mirando de soslayo hacia la esquina de la primera fila en la que estaban sentadas Adela y la niña, la señora de Salinas, Zenobia Camprubí, María de Maeztu, con su sombrero torcido, y junto a ellas, incongruente y joven, exótica en su pelo rubio, en su piel tan clara, en su aplauso enérgico, la desconocida que lo había irritado tanto al llegar tarde. Recordaba tan exactamente a la mujer de espaldas que se volvía hacia él desde el piano como la madura cualidad otoñal de la luz que brillaba en su pelo y resaltaba la anchura del espacio en torno a ella, dilatándose por el ventanal hacia las amplitudes de Madrid.

Abrazaba a su hija, zalamera y seria, que había corrido hacia él en cuanto bajó de la tarima. «¿Cómo es que no ha venido tu hermano con vosotras?» «Tenía clase de alemán con la señorita Rossman. ¿Has visto ya a su padre? Mamá no lograba quitárselo de encima.» El profesor Rossman se abría paso entre la gente hacia él, lo envolvía en su pesada cordialidad germánica, en su olor rancio a ropa no lavada, a pensión pobre y a enfermedad de la próstata. «El profesor Rossman huele a pis de gato viejo», protestaba su hijo con bárbara sinceridad infantil. «Excelente disertación, mi querido amigo, excelente. No sabe usted cuánto le agradezco su invitación, de nuevo otra gentileza que no podré corresponder.» Detrás de los cristales gruesos de sus gafas redondas los ojos incoloros del profesor Rossman estaban húmedos de emoción, de una gratitud excesiva que Ignacio Abel habría preferido no recibir. Olía efectivamente a ácido úrico y llevaba un traje demasiado usado, y el cráneo oval y pelado le brillaba de sudor. Vivía de vender estilográficas por los cafés pero sobre todo del poco dinero que Ignacio Abel le pagaba a su hija para que les diera clases de alemán a Miguel y Lita. «Pero no quiero retenerle, amigo mío, tiene usted mucha gente a la que saludar.» Se apartó de él y el doctor Rossman se quedó solo, aislado de los otros en su evidente condición de extranjero pobre, envuelto en un aire de infortunio tan perceptible como su olor a orina.

Mientras atendía a las señoras y aceptaba felicitaciones, asentía a comentarios, meditaba antes de responder preguntas, Ignacio Abel buscaba entre la gente a la mujer extranjera, temiendo al no verla que se hubiera marchado. Que hubiera asistido tanto público confortaba su vanidad secreta. El vozarrón y la corpulencia de don Juan Negrín sobresalían entre el rumor civilizado de la gente. «Fui yo quien le propuso a López Otero que contratara al amigo Abel cuando empezábamos las obras de la Ciudad Universitaria, y ya ven ustedes que no me equivoqué», le oyó que decía, en el centro de un grupo vagamente oficial, al mismo tiempo que engullía algo con la boca llena. Camareros con chaquetillas sostenían bandejas de pequeños emparedados y repartían copas de vino y refrescos de granadina y limón. El profesor Rossman se inclinaba rígidamente ante personas que no lo conocían o que no recordaban que les hubiera sido presentado y atrapaba canapés al paso de las bandejas, comiéndose algunos, guardando otros en el bolsillo de su chaqueta. Al llegar esa noche a la pensión los compartiría con su hija. Ignacio Abel lo miraba de soslayo, consciente de demasiadas cosas al mismo tiempo, dividido siempre entre sensaciones demasiado diferentes.

—A Juan Ramón le habría gustado tanto escuchar las cosas tan bonitas que ha dicho usted esta tarde —le dijo Zenobia Camprubí—... «el rigor cubista de los pueblos blancos andaluces», qué hermoso. Y qué agradecida estoy a que usted lo haya citado. Pero ya sabe usted lo delicado que se encuentra de salud, el trabajo que le cuesta poner el pie en la calle.

—Ignacio dice siempre que su esposo tiene un sentido instintivo de la arquitectura —dijo Adela—. Nunca se cansa de admirar la composición de sus libros, las portadas, la tipografía.

—No sólo eso —Ignacio Abel sonreía y miraba disimuladamente más allá del círculo de señoras que lo rodeaba, y no se dio cuenta de la contrariedad de su mujer—. Los poemas, por encima de todo. La exactitud de cada palabra.

Moreno Villa hablaba con la extranjera rubia gesticulando mucho, apoyado en el piano, y ella asentía, más alta, dejando a veces vagar la mirada entre la gente.

—Yo pensé que eso se daba por supuesto, que no admiramos a Juan Ramón por la belleza exterior de sus libros —dijo Adela, muy tímida de pronto, humillada en el fondo, como una mujer mucho más joven. Zenobia le apretó la mano enguantada.

—Claro que sí, Adela querida. Todos hemos entendido lo que usted quería decir.

Un fotógrafo que daba vueltas entre el público le pidió a Ignacio Abel que le permitiera tomarle una instantánea. «Es para *Ahora*.» Abel se apartó de las señoras y observó que su hija lo miraba con orgullo, y que la mujer rubia se volvía al advertir el fogonazo. Al día siguiente le disgustó verse en la foto del periódico con una sonrisa demasiado complacida de la que no había sido consciente, y que tal vez daría a los demás una idea de él mismo que le desagradaba. El reputado arquitecto señor Abel, adjunto a la dirección de obras de la Ciudad Universitaria, disertó anoche con brillantez sobre la rica tradición de la arquitectura popular española ante el selecto público congregado al efecto en el salón de actos de la Residencia de Estudiantes. El humo de los cigarrillos, el sonido del cristal de las copas, las manos enguantadas y móviles de las mujeres, los velos tenues de los sombreros, el rumor civilizado de las conversaciones. La risa de Judith Biely estallaba como una copa de cristal rompiéndose contra la madera reluciente del suelo. Hubiera querido desprenderse sin miramiento del cerco fervoroso de las señoras y cruzar en línea recta el salón hacia ella sin atender a nadie.

—Me ha gustado la comparación entre la arquitectura y la música —dijo en una voz poco audible la señora de Salinas, que tenía siempre un aire entre cansado y ausente—. ¿Cree usted de verdad que entre la tradición popular y las cosas más modernas del siglo XX no hay término medio?

—El siglo XIX es todo decoración burguesa y mala copia —interrumpió el ingeniero Torroja—. Adornos de tarta con escayola en vez de nata.

—Completamente de acuerdo —dijo Moreno Villa—. Lo malo es que las bellas artes en España no acaban de llegar al siglo XX. El público es cerril y los mecenas cavernarios.

—No hay más que ver el hotelito con tejadillos pseudomudéjares donde tiene su vivienda particular su excelencia el presidente de la República.

—Arquitectura de kiosco de música.

—Peor todavía: de plaza de toros.

Moreno Villa y la mujer rubia se habían acercado sin que Abel lo advirtiera. No era tan joven como le había parecido de lejos, a causa de su corte de pelo y su desenvoltura. Parecía que sus rasgos hubieran sido dibujados con un lápiz muy preciso y muy fino: pecas suaves en los pómulos, sobre una piel muy clara, que resaltaba el oro de trigo al sol del pelo y el gris verdoso de los ojos rasgados, con un punto de somnolencia en los párpados. Viejo conocido de las señoras y de sus esposos eminentes, Moreno Villa cumplía con soltura anticuada el protocolo de las presentaciones. *Te miré de cerca por primera vez y me parecía que te hubiera conocido desde siempre y que no había nadie más que tú en aquella sala.* Con secreta deslealtad masculina Ignacio Abel vio a su mujer comparándola con la extranjera joven cuyo nombre musical y raro había escuchado por primera vez sin llegar a captar el apellido. Una señora española, madura, ensanchada por la maternidad y el descuido de los años, peinada con una ondulación que se había quedado antigua sin que ella lo advirtiera, tan semejante a las otras, sus amigas y conocidas, aficionadas a los tés de media tarde, a las charlas artísticas y literarias para señoras en el Lyceum Club, esposas de catedráticos, de dignatarios gubernamentales intermedios, habitantes de un Madrid ilustrado y más bien ficticio que sólo cobraba algo de realidad en lugares como la Residencia, o en la tienda de artesanía popular española que regentaba Zenobia Camprubí.

—¿Me disculpará por llegar tarde a su conferencia? Voy siempre con prisas y me perdí por los pasillos —dijo Judith.

—Si usted me disculpa a mí por interrumpir su ensayo el otro día.

Pero ella no se había fijado o no se acordaba. Desde el principio no hubo nadie más cuando ella estaba cerca. El peligro no era que no supiera cómo esconder su deseo ante los otros sino que al estar con ella se olvidaba de que otras personas existieran. Igual que en el tiempo comprimido de las canciones y de las películas una transmutación decisiva les sucedía para siempre en un cruce de miradas.

—Mi querido Abel, un abrazo. Ha cortado usted dos orejas y rabo en una plaza muy exigente, y perdóneme el símil taurino, usted que odia la fiesta nacional —Negrín irrumpió con su presencia excesiva, con su soberbia física de hombre grande en un país de gente desmedrada. Moreno Villa hizo las presentaciones y esta vez Ignacio Abel sí escuchó bien el nombre de la extranjera.

—Biely —dijo Negrín—. ¿No es un apellido ruso?

—Mis padres lo eran. Emigraron a América a principios de siglo. —Judith hablaba un español claro y cuidadoso—. ¿A usted no le gustan los toros?

Miraba a Ignacio Abel al hacerle la pregunta de un modo que cancelaba la presencia de Negrín y de Moreno Villa. Su hija venía hacia él, le tiraba de la mano, le decía en voz baja que su madre estaba un poco cansada. Siempre estaría medido, amenazado, el tiempo que pasara con Judith Biely, siempre sometido a la inquisición de alguien, a una usura angustiosa de horas y minutos, de relojes de pulsera que uno no quiere mirar y sin embargo mira de soslayo y con disimulo, relojes públicos que se aproximan muy despacio a la hora de una cita o marcan con indiferencia el minuto inexorable de una despedida que ya no puede seguir prolongándose.

—A nuestro amigo Abel le pasa como al eminente esposo de la señora Camprubí, aquí presente —dijo Negrín. Adela y Zenobia se habían acercado al grupo. Adela miraba a la extranjera a la que no había sido presentada con una curiosidad recelosa que era frecuente en ella ante los desconocidos, hombres o mujeres—. Sus principios laicos, antimilitaristas y antitaurinos son tan sólidos que su mayor pesadilla sería una misa de campaña en una plaza de toros.

Negrín celebró su propia broma con una carcajada: era tan incapaz de controlar el volumen de su voz como el apretón de su mano; tampoco se daba cuenta de que Judith Biely no había entendido bien sus palabras, dichas muy rápido y con la boca llena, envueltas en el ruido confuso de las conversaciones próximas.

—Grandes intelectuales españoles han escrito cosas bellas acerca del toreo. —Judith había pensado entera la frase en español antes de atreverse a decirla.

—Mejor sería para todos que escribieran sobre cosas más serias y menos bárbaras —dijo Ignacio Abel, arrepintiéndose en seguida, porque notó que ella enrojecía, el rosa extranjero de su piel más intenso en los pómulos, en el cuello, como una erupción.

Adela le reprobaba luego, en el taxi, cruzando ya de noche los extremos despoblados de aquel Madrid todavía en construcción, con tramos de solares en sombras y rieles de tranvías que iban a perderse en una oscuridad rural, más allá de las últimas esquinas iluminadas. «Qué seco eres a veces, hijo mío, no mides tus palabras ni te das cuenta de la cara tan seria que pones. Primero me haces quedar en ridículo delante de Zenobia y luego le dices una impertinencia sobre los toros a esa pobre chica extranjera que sólo quería hacer un comentario educado. Ha debido de pasar un mal rato. Nunca mides tus fuerzas. Parece que no sabes cuánto puedes herir. O que sí lo sabes y lo haces por eso.» Pero lo que le estaba reprochando no con sus palabras sino con el tono en el que se las decía era que habiendo buscado en ella alivio contra su inseguridad no hubiera compartido después el alivio y la satisfacción por el éxito, no se hubiera molestado en agradecer y ni siquiera en percibir la honda emoción conyugal de ella, dócil y a la vez protectora, la admiración demasiado cercana que él ya no parecía necesitar. Recostado en el taxi, exhausto, mareado de caras y palabras, Ignacio Abel miraba con un poco de íntima hostilidad el perfil de Adela, tan próximo, tan demasiado conocido, la cara de una mujer de la que comprendía de pronto que no estaba enamorado, a la que hacía muchos años que no asociaba con la idea del amor, si es que lo había hecho de verdad alguna vez. No se acordaba bien. Rescataba si acaso un rastro de antigua ternura identificando en las caras de sus hijos rasgos de una Adela mucho más joven. Pero le producía desgana pensar en el pasado, en los años de noviazgo, y quizás se avergonzaba de haberla querido más de lo que ahora accedía a recordar, con un amor anticuado y verboso, casi de postal romántica coloreada a mano, el amor de un hombre joven e ignorante que a él le había costado mucho dejar de ser, y del que Adela guardaba una memoria muy precisa, entre enternecida e irónica. Lo que ella veía en él no podría sospecharlo nadie que sólo conociese al hombre hecho y sólido de ahora, ninguna de las señoras que lo habían mirado y escuchado esta tarde en la Residencia, alto sobre la tarima, bien vestido, con su traje a rayas finas y sus zapatos hechos a mano, con su cuello flexible de primera calidad y su pajarita inglesa. El lazo se lo había hecho ella antes de salir. Veían al hombre completo, no los borradores precarios que lo habían precedido, al arquitecto que proyectaba imágenes de antiguas casas andaluzas y de edificios alemanes de ángulos rectos, ventanas amplias y barandillas náuticas en las terrazas, y que sabía pronunciar nombres en alemán y en inglés e interrumpir adecuadamente una exposición muy seria con un quiebro irónico que halagaba al público al presuponer su capacidad de captarlo. Pero ella, Adela, sentada junto a su hija y a sus amigas en la primera fila, complacida también por la brillantez de su esposo, sabía de él cosas que los demás ignoraban, podía medir la distancia entre el hombre de esta tarde y el muchacho rudo y a medio hacer que había sido cuando ella lo conoció, y por lo tanto calibraba la parte de impostura que había en sus modales y en su mundanidad, pues en esos momentos todo en él era demasiado intachable como para ser plenamente verdadero. *Aunque a ti no te importe no hay nadie en este mundo que te pueda querer más que yo porque no hay nadie que te conozca tanto al completo a lo largo de toda tu vida y no en unos meses o unos pocos años.* El amante desdeñado es un legitimista que vindica en vano derechos ancestrales a los que nadie da crédito. No advierte los signos, no puede sospechar lo que está incubándose a su lado, en la presencia todavía no modificada del otro, no percibe el grado ligeramente mayor de encono que hay en su silencio, la deslealtad todavía secreta y no del todo consciente de ese hombre que viaja en el asiento contiguo del taxi, cansado y contento, aliviado de volver a casa, enumerando mentalmente las personas conocidas que asistieron a su conferencia, las que mencionarán mañana el *Heraldo*, *Ahora* y *El Sol* en artículos que él buscará con disimulada impaciencia, pues tiene la vanidad de no mostrar que se envanece, y le incomoda no ser inmune a esa flaqueza que le resulta tan desagradable en otros. El taxi enfilaba ahora la calle Príncipe de Vergara, avanzando más despacio junto a la hilera de árboles jóvenes del paseo central, entre los cuales colgaban todavía las bombillas apagadas y las banderitas de papel de una verbena reciente. «Ya estamos cerca de casa», dijo la niña, que iba sentada junto al conductor, recta y atenta, como si se le hubiera confiado la responsabilidad del trayecto. Por la acera venían en dirección a ellos un hombre mayor y una mujer flaca y alta tomada de su brazo, muy cerca de la pared, los dos con algo furtivo en sus movimientos, camino de la estación del metro. «Mira, papá, hemos tenido suerte, el profesor Rossman se nos ha adelantado y ya ha recogido a su hija.»

6

La misma música lo había llevado por segunda vez hacia Judith sin que él supiera que se acercaba a ella; en el corredor resonante de un edificio de oficinas de Madrid una canción lejana le había devuelto su recuerdo al cabo de varios días en los que poco a poco la había ido olvidando: una sensación de familiaridad al principio, clarinete y piano haciéndose más precisos y borrándose un poco después como si cambiara el viento. Miraba las puertas numeradas de las oficinas de las cuales salían timbres de teléfono y tecleos confusos de máquinas de escribir y tardó un poco en identificar de dónde procedía la vibración inmediata del reconocimiento; esa misma canción la había escuchado un momento antes de abrir la puerta del salón de actos de la Residencia, esperando encontrar a Moreno Villa, la tarde de cuya fecha estaba seguro porque era el día de San Miguel. Pero ni siquiera sabía que esa canción se hubiera guardado en su memoria. Lo supo ahora, cuando el hilo disperso de la melodía unió al momento presente las dos imágenes que poseía de Judith y le despertó una vaga expectativa de volver a verla. Aun después de haberla visto de nuevo en la Residencia y haberla deseado habría podido olvidarse de ella. En esa época de inmersión obsesiva en el trabajo sus estados de ánimo eran tan pasajeros como las formas de las nubes y él tendía a prestarles la misma atención. Más allá de su tablero de dibujo y de la gran maqueta de la Ciudad Universitaria cuya réplica se iba completando tan despacio al otro lado del ventanal de su oficina, el mundo exterior era un zumbido confuso que no llegaba a aturdirle los oídos, como un paisaje que se hace más borroso en la ventanilla según aumenta la velocidad del tren. La pasión política, que nunca tuvo en él raíces muy profundas, se le había amortiguado con los años, templada por el escepticismo, por el recelo hacia los aspavientos y las proclamas guturales, hacia las riadas españolas de palabras. Tan distraídamente como repasaba los titulares del periódico o escuchaba en la radio durante el desayuno el noticiario de las ocho de la mañana atravesaba sus rachas cambiantes de abatimiento o de impaciencia, de vago disgusto familiar, de remordimiento sin motivo visible o anhelo sin objeto. La prisa lo llevaba de un sitio a otro tan replegado en sus tareas como en el interior del pequeño Fiat con el que cruzaba velozmente Madrid. Sin ningún esfuerzo se le había debilitado la atracción hacia la mujer extranjera a la que había visto atravesando de perfil el cono de luz del proyector; el estremecimiento de una presencia exótica, intensamente carnal y a la vez intangible como una promesa, contenida no en su actitud o en sus palabras sino en su misma figura, en el hecho primordial de su existencia, la forma de la cara y el color del pelo y de los ojos y el metal de la voz y también algo más que no estaba en ella, la promesa misma de tantos deseos no cumplidos y muchas veces ni siquiera formulados, soliviantados por la cercanía de Judith como por una palmada o una voz que revelan la amplitud de un gran espacio en penumbra. En la promesa había una parte de añoranza de lo nunca sucedido y de pesadumbre anticipada por lo que probablemente ya no iba a suceder; hasta de su propia capacidad juvenil de desear, embotada con los años, a pesar de que aún siguiera mirando con expectación furtiva a las mujeres con las que se cruzaba, incluso a las modelos de las revistas ilustradas y a las actrices del cine, a las maniquíes de los escaparates de las tiendas, vestidas con jovial temeridad deportiva para el clima de una estación futura o de un paisaje marítimo. La vida no podía ser sólo lo que ya conocía; algo o alguien estaría esperándole en el porvenir, a la vuelta de la esquina, en el tranvía estrecho y oscilante que estaba viendo llegar desde el fondo de una avenida, los rieles brillando al sol entre los adoquines, o detrás de las puertas giratorias de un café; algo o alguien en la bruma del porvenir, mañana mismo o en el próximo minuto. Sin creer ya seguía esperando; la pérdida o el decaimiento de la fe no eliminaban la expectación del milagro. Algo vendría sobresaltándolo todo: el proyecto de un edificio que no se parecería a ningún otro, la existencia más rica, más densa de incitaciones y texturas que había vislumbrado, casi rozado, en Alemania, apenas durante un año, en el tiempo que le había parecido el principio de su vida verdadera y resultó ser tan sólo un paréntesis desvanecido con el paso de los años, el final retardado de su juventud. Delgada y soberana, extranjera, hablando en un grupo de hombres con una naturalidad que habría sido muy rara en una mujer española, Judith Biely quizás le había atraído más porque le recordaba a las mujeres jóvenes de Berlín y de Weimar, saliendo en grupos a la caída de la tarde de los almacenes y de los edificios de oficinas, mecanógrafas, secretarias, dependientas, dejando al paso un olor a carmín y humo dulce de tabaco americano, con las viseras de los sombreros a la altura de los ojos, con ropas livianas y andares gimnásticos, lanzándose intrépidamente a cruzar las calles entre los automóviles y los tranvías.

Lo que más le excitaba era aquella soltura que no había visto nunca en España; lo estimulaba y lo amedrentaba a la vez: a los treinta y tantos años, arquitecto y padre de familia pensionado por el gobierno para estudiar un curso en el extranjero, vestido sombríamente a la manera española, las mujeres que caminaban por las calles o conversaban en los cafés entre cigarrillos y bebidas, con las faldas cortas y las piernas cruzadas, con los labios muy rojos, moviendo al gesticular las cortas melenas lisas, le despertaban una forma de excitación y de miedo muy semejantes a los de la adolescencia. El deseo sexual era indistinguible del entusiasmo del aprendizaje y el temblor del descubrimiento: las luces nocturnas, el fragor de los trenes, el deleite de sumergirse de verdad en un idioma y empezar a dominarlo, sintiendo que los oídos se abrían igual que los ojos, igual que la inteligencia desbordada por tantas incitaciones a las que no sabía sustraerse, y que al hablar alemán con un poco de fluidez adquiría sin darse cuenta una identidad que ya no era del todo la fatigosamente suya, más liviana, como su mismo cuerpo cuando salía cada mañana a la calle, dispuesto a percibirlo todo, abandonándose al estrépito de Berlín o al sosiego de las calles densamente arboladas de Weimar, por las que pedaleaba en su bicicleta camino de la Escuela, deleitándose en el rumor de los neumáticos sobre los adoquines y en el viento suave que le daba en la cara. En las aulas sin calefacción de la Bauhaus casi la mitad de los estudiantes eran mujeres, todas mucho más jóvenes que él. En una fiesta una de ellas que se llamaba Mitzi lo había besado hundiéndole la lengua en la boca y dejándole en la saliva un regusto de alcohol y tabaco. Vino luego a escondidas con él a su cuarto de la pensión y cuando él se volvía después de buscar el libro que le había prometido prestarle estaba desnuda encima de la cama, muy delgada, muy blanca, ti-

ritando de frío. Nunca antes una mujer se había desnudado delante de él de esa manera. Nunca había estado con
una mujer tan joven, que tomara la iniciativa con una naturalidad a la vez delicada y obscena. Debajo de las mantas parecía que fuera a descoyuntarse en sus brazos, tan
abierta y jugosa para él como lo había estado su boca unas
horas antes en la fiesta. Decía venir de una gran familia
arruinada de Hungría. Se entendía con ella saltando aza-
rosamente del alemán al francés y le escuchaba murmurar
en su oído palabras indescifrables en húngaro, como chisporroteos fonéticos. Había empezado a estudiar arquitectura pero en la Escuela había descubierto que le importaba mucho más la fotografía; buscaba en la naturaleza y en
los lugares cotidianos las formas visuales abstractas que le
había enseñado a mirar su compatriota Moholy-Nagy, que
también era o había sido su amante. Se entregaba en el
amor con los ojos abiertos y como abandonándose a un
sacrificio humano en el que ella era la oficiante y la víctima. Cuando era ella quien llevaba la iniciativa saltaba y se
estremecía como en un trance metódico en el que había
algo de distracción y hasta de indiferencia. Luego encendía
un cigarrillo y lo fumaba extendida sobre la cama, las piernas abiertas, una rodilla levantada, y con sólo mirarla él
volvía a morirse de deseo. La presunta ex condesa o ex
marquesa húngara vivía en un sótano en el que no había
más que un jergón y una maleta abierta con su ropa y sobre ella un lavabo y un espejo. En un rincón, sobre una
pomposa estufa de porcelana que pocas veces desprendía
un calor aceptable, hervía despacio una olla llena de patatas. Sin sal, sin mantequilla, sin nada, sólo patatas hervidas
de las que ella se iba alimentando de manera anárquica a
lo largo del día o de la noche, clavándolas con un tenedor
y soplándoles para que se enfriaran antes de empezar a
masticarlas. La recordaba sentada sobre el jergón, con el

abrigo de él echado sobre los hombros escuálidos, despeinada, inclinándose sobre la olla e hincando una patata con el tenedor, el cigarrillo encendido en la otra mano, masticando con un ronroneo de deleite. Lo que más trastornaba a Ignacio Abel era que careciera por completo de cualquier rastro de vergüenza. Había soltado una carcajada la primera noche, cuando él se disponía a apagar la luz. Durante años se excitó sin consuelo en las noches de insomnio junto al cuerpo ancho y dormido de Adela recordando la sonrisa ebria que había a veces en sus ojos, cuando alzaba la cabeza entre los muslos de él para tomar aire o para mirar en su cara el efecto de lo que estaba haciéndole con la lengua y los finos labios en los que se había borrado la línea de carmín; lo que ninguna mujer le había hecho hasta entonces y lo que no imaginaba que volviera a sucederle; lo que ella hacía con la misma entrega y el mismo desapego, descubrió pronto con un acceso de rústicos celos españoles, a otros alumnos de la Escuela, aparte de a su profesor de fotografía. En un momento dado Mitzi desapareció y él la anduvo buscando ultrajado y ridículo; lo hirió sobre todo el estupor y la ligera burla con que ella escuchó sus quejas de amante rancio y ofendido, expresadas en un torpe alemán. Nadie tenía un derecho exclusivo sobre ella. ¿Le había puesto ella alguna condición, le había pedido siquiera que volviese contra la pared la foto de su mujer y sus dos hijos que había sobre la mesa de noche? ¿Cómo estaba él tan seguro de que se bastaba para satisfacerla? Al querer atraparla se le había escapado como escurriendo su cuerpo sudoroso y ágil del tosco abrazo masculino, como una nadadora que se desprende de un talonazo de una planta vibrátil del fondo que se le enredaba a las piernas. Tal vez Mitzi se acostaba con otros para dormir de vez en cuando en cuartos menos inhóspitos que el suyo o para comer algo más que patatas o fumar cigarrillos menos venenosos que los que compraba por la calle a veteranos de guerra sin un brazo o sin una pierna o sin la mitad de la cara que los habían liado con el tabaco de las colillas que recogían por el suelo: tal vez ésa era la razón por la que se había acostado con él, que se encontraba con las manos llenas de enormes billetes de millones de marcos cada vez que cambiaba unos pocos francos de su mezquina beca española. El hambre exageraba la alucinación colectiva y hacía más resplandecientes los letreros luminosos de la noche y las cascadas de collares de perlas de las mujeres que se bajaban de automóviles negros y largos como góndolas a las puertas de los restaurantes de lujo. Había una palpitación sexual en el aire que se correspondía en él mismo con una especie de estado de celo permanente que lo empujaba, cuando estaba solo, a andar errante por las calles de los cabarets y de los prostíbulos de los que salían ráfagas de músicas sincopadas y manchas de luz de colores muy fuertes, a veces difuminados por la niebla, rojos, verdes, azules. Mujeres de melenas rubio platino y largas piernas desnudas a pesar del frío resultaban ser, cuando se pasaba cerca de ellas apartando la mirada y sin hacer caso a sus invitaciones, hombres de mentón sombrío y voz ronca. Llamaba con los nudillos a las dos o a las tres de la mañana en el ventanuco del sótano donde vivía ella y la acariciaba y la abría en la oscuridad y no llegaba a saber si estaba despierta del todo o si gemía y murmuraba cosas y se reía en sueños apresándole la cintura con sus flacos muslos elásticos. Se quedaba luego tendido junto a ella abrumado por un estupor hacia sí mismo y hacia su propia furia ahora apaciguada en el que había una parte católica de remordimiento. Pero otras veces la buscaba y no llegaba a encontrarla, o peor aún, veía luz en el ventanuco sucio y golpeaba con los nudillos sin obtener respuesta y se le hacía físicamente intolerable la certeza de que ella estaba en ese momento con otro hombre en la cama, los dos tendidos en silencio, mirando hacia la sombra en el cristal, ella poniéndose el dedo índice en los labios pintados, con cara de burla. En diez años Ignacio Abel no volvió a sentir nada parecido a aquella conmoción física, ni olvidó ninguno de sus pormenores. A nadie le confió su aventura; se quedaba siempre callado en las conversaciones sexuales entre hombres. Sólo varios años después de volver de Alemania vio retratado su propio trastorno en una película de Buñuel que proyectaron en privado y no sin gran embarazo de las señoras en una salita del Lyceum Club: una mujer joven a la que al cabo del tiempo no le costaba nada confundir con su fugaz amante húngara le chupaba voluptuosamente el pie a una estatua de mármol; los dos amantes se buscaban y en cuanto llegaban a encontrarse volvían a separarlos y a perseguirlos, y se deseaban tanto que se tiraban abrazados al suelo sin reparar en el escándalo que los rodeaba. Había vuelto a Madrid a principios del verano de 1924 y las cosas y las personas le parecieron detenidas en el punto justo en el que las dejó un año atrás. Hasta su alma antigua lo estaba esperando como un traje de varias temporadas atrás colgado en un armario. Comprendía, como quien sale de una borrachera, que en Alemania se había sumergido febrilmente en un estado colectivo de alucinación y de alerta. Nada más cruzar la frontera presentando su pasaporte a guardias civiles con hoscas caras de pobres bajo los tricornios y subir a un tren español, la estimulación excesiva se convertía en abatimiento. Sólo encontraba fortaleza en la maleta llena de libros y revistas que había venido arrastrando como una losa por las estaciones de Europa, y que iba a ser el alimento de su inteligencia en los años de penuria intelectual que se avecinaban. En Madrid hacía un calor de desierto y las calles céntricas estaban ocupadas por la procesión lenta y barroca del Corpus Christi: canónigos con pesadas capas alzando cruces y haciendo oscilar barrocos incensarios de plata; mujeres con mantillas negras y bozos africanos sobre los labios carnosos (entre ellas su propia suegra, doña Cecilia, y las hermanas solteras de su suegro, don Francisco de Asís); soldados de gala rindiendo armas al Santísimo Sacramento. Entró en su casa y el aire olía espesamente al linimento muscular que usaba el padre de Adela y a la sopa de ajo con la que se deleitaba cuando iba a comer a casa de su hija mayor, de la que apenas se habían separado él y su señora durante la ausencia del marido. Miguel lloraba sin descanso con la cara muy roja y Adela enumeraba los síntomas de una posible infección intestinal como si Ignacio Abel o su ausencia fueran en el fondo responsables de ella. La niña, que tenía ya cuatro años, se había echado asustada en los brazos de su madre al ver a aquel hombre alto y desconocido que había dejado dos maletas enormes en el recibidor y avanzaba hacia ella por el pasillo extendiendo sus grandes brazos abiertos.

Al cabo de tanto tiempo seguía buscando como entonces, esperando algo que no sabía lo que era, pero que roía o minaba en secreto la estabilidad de su conciencia, no permitiéndole verdadero descanso, inoculando duda y sospecha en la satisfacción visible de las cosas que había logrado. En algunas revistas ilustradas alemanas o francesas veía a veces fotos de actualidad firmadas por su amante de tantos años atrás con un pseudónimo corto y sonoro. Meditaba sin drama sobre la probable asimetría del recuerdo: lo que a él tanto le había importado no sería nada para ella. El tiempo había limpiado el rencor y la sospecha masculina del ridículo dejándole una secreta gratitud. Se-

guía buscando por un hábito juvenil de su alma convertido ahora en rasgo de carácter, disociado de las expectativas de su vida real, que se había ido achatando según se
volvía más sólida, despojada de riesgos y también de sorpresa, como un proyecto que al materializarse adquiere
una presencia firme y útil y al mismo tiempo pierde la novedad y la belleza que fueron posibilidades tan poderosas
en su origen, cuando no era más que un esbozo, un juego
de líneas sobre el papel de un cuaderno, o ni siquiera eso,
el relámpago de una intuición, el espacio baldío donde
aún tardarán mucho en empezar a excavarse cimientos.
De algún modo lo que se cumplía se frustraba, la obra llegaba al final excluyendo lo mejor de lo que podía haber
sido. Tal vez el filo de su inteligencia se había embotado,
igual que su vista ya era más débil y sus movimientos algo
más torpes, su cuerpo más pesado y más romo, no traspasado desde hacía tanto tiempo por una punzada de verdadero deseo. La tensión de la expectativa se mantenía
inalterada, pero era muy probable que lo que le esperaba
en el porvenir no fuera a ser mucho más de lo que le había sucedido en el pasado. El suspenso de lo incógnito, la
sensación de una posibilidad ilimitada, ya no volvería a
sentirlos como en el tiempo que pasó en Alemania, tan luminoso y breve en el recuerdo. El talento y la ambición los
había puesto en su oficio. A su propia vida personal había
asistido distraídamente, como quien delega en otros los
detalles subalternos de una tarea complicada. Alzarse sin
ayuda casi de nadie —sólo de su madre batalladora y
analfabeta; de su padre prematuramente muerto; de la voluntad nunca expresada por su padre y organizada por él
con eficacia y sigilo de que su hijo tuviera un porvenir
menos inclemente que el suyo—, estudiar primero el bachillerato y luego la carrera de arquitectura viviendo con
una especie de ascetismo fanático, habían requerido de él

tal grado de concentración y energía que el resto de su vida le parecía por comparación una larga indolencia. Una vez logrado el título, ganado el primer puesto de trabajo, hacer en cada momento lo que se requería o se esperaba de él no había exigido más esfuerzo que el de dejarse llevar con una cierta astucia estratégica, en una vaga dirección de respetabilidad. Tal vez Adela, cuando los dos eran jóvenes, le había gustado más de lo que ahora recordaba. El noviazgo, el matrimonio, los hijos, niña y luego niño, se habían sucedido a intervalos decentes; con una mezcla de cálculo y de fastidio íntimo había acatado las normas de la familia de Adela; asistido a los bautizos, confirmaciones, imposiciones de escapularios de sus hijos; languidecido a lo largo de innumerables celebraciones familiares, bodas y onomásticas y cenas de Navidad y de Año Nuevo, adoptando un aire educado y cada vez más ausente que todos aceptaban como prueba de su rareza, tal vez de su talento, quizás también como un residuo de rudeza propio de su origen plebeyo, al que nadie aludía, pero nadie olvidaba. A pesar de ser el hijo de una portera de la calle Toledo y de un albañil venido a más habían tenido la magnanimidad de admitirlo como uno de los suyos; le habían hecho entrega de la criatura más distinguida (aunque ya ligeramente ajada) de aquella familia intachable; le habían facilitado el acceso a los primeros peldaños de una profesión a la que de otro modo no habría podido acceder, por mucho expediente académico con matrículas de honor y título de arquitecto que tuviera. Se esperaba de él que cumpliera con sus responsabilidades; que pagara a plazos regulares y a lo largo del resto de su vida los intereses formidables de la deuda: comportamiento digno, visible celo conyugal, paternidad rápida, despliegue provechoso y brillante de las facultades, en principio sólo teóricas, en virtud de las cuales se le había aceptado sin demasiadas reservas en una clase que no era la suya.

Durante años cumplió tan rectamente y sin esfuerzo perceptible ese papel que casi llegó a olvidarse de que hubiera sido posible otra vida. Decepción y conformidad fueron muy pronto rasgos estables de su alma, así como una profunda indiferencia hacia todo aquello que no fuera la solitaria exaltación intelectual que le deparaba su trabajo. Tedio sin drama, sexo sin deseo y desvelo compartido y excesivo por los hijos sostenían su vida conyugal. Imaginaba con descuido que a Adela su ensimismamiento y su tibieza, gradualmente convertida en indiferencia, no la importunaban, incluso que los recibía con alivio, siendo una mujer que siempre pareció insegura y más bien avergonzada de su cuerpo, convencida de que lo propio de los hombres era salir de casa temprano y volver muy tarde y ocupar ese tiempo intermedio en tareas indescifrables cuya única consecuencia digna de interés era el bienestar de la familia. La idea de ir con prostitutas le habría desagradado incluso si hubiera podido eludir los indiscutibles argumentos higiénicos, que para su sorpresa no intimidaban a otros hombres. Lo que había probado en un cuarto de Weimar junto a una mujer joven y resuelta que tiritaba desnuda abrazándose a él y lo miraba sonriendo a los ojos mientras él se movía rítmicamente sobre ella adaptando su empuje a la ondulación sabia de sus caderas, eso no volvería a sucederle, del mismo modo irrevocable en que no volvería a vivir su juventud. Miraba con atención a todas las mujeres, pero muy raramente se sentía atraído de verdad por alguna, o se volvía para seguir mirándola después de que pasara a su lado. Suponía que la edad iba amortiguando el deseo físico en la misma medida que las ambiciones y los desvaríos de la imaginación. Una americana desconocida le había gustado mucho durante unos minutos y había cruzado con él unas pocas palabras, y luego él se había complacido recordándola en la penumbra de un taxi mientras Adela, a su lado, le hablaba con un tono hostil en la voz, como si adivinara, como si hubiera sido capaz de atrapar en los ojos de su marido un fulgor instantáneo que no los había animado en muchos años, igual que la niña se había fijado en la falda tan estrecha y en el corte de pelo y en el acento con que la extranjera hablaba en español, tan distinto de las severas consonantes germanas de la señorita Rossman. Había vuelto a pensar en ella acostado en silencio junto a su mujer, esa noche, esforzándose por precisar en la memoria los detalles de su cara —sombras de pecas en torno a la nariz, el brillo de los ojos tras un mechón de pelo rizado, que había tenido la tentación insensata de apartar con sus dedos— al mismo tiempo que notaba un principio indudable de excitación física, pronto languidecida, una llama alimentada por los materiales muy débiles de la imaginación adulta. Al día siguiente, en su oficina de la Ciudad Universitaria —sobre la mesa estaba desplegado el periódico en el que venía una reseña de su charla, con una foto muy oscura en la que su cara apenas podía distinguirse—, había pedido comunicación con el teléfono de Moreno Villa mientras urdía el pretexto para una conversación que derivaría sin dificultad hacia Judith Biely. Pero colgó en seguida, indeciso, dejando con la palabra en la boca a la telefonista, falto de hábito para esa clase de astucias, y ya no tuvo ocasión de repetir la llamada, ni de cumplir un vago propósito de volver con cualquier motivo a la Residencia, con la esperanza pueril de encontrarse con ella.

Los días pasan, la posibilidad de algo que estuvo a punto de suceder se deshace como un dibujo trazado sobre el vaho de un cristal. Ignacio Abel pudo no haber visto nunca más a Judith Biely y ninguno de los dos habría vuelto a pensar en el otro, cada uno alejándose por los laberintos de su propia vida. Ahora avanzaba por un corredor en el décimo piso de un edificio nuevo de la Gran Vía —el traje oscuro, de chaqueta cruzada, el sombrero en la mano, el pelo canoso pegado a las sienes, el ademán distraído y enérgico de quien no teme mucho ni espera en el fondo demasiado, salvo lo que le corresponde. En medio de los sonidos previsibles de pasos, de taconeos de secretarias, de ráfagas de anuncios en aparatos de radio, de timbres de teléfonos, del tableteo de las máquinas de escribir detrás de puertas de cristal escarchado, distinguía más claramente la música que había empezado a escuchar cuando salió del ascensor. La canción le hizo acordarse de Judith Biely aun antes de saber que estaba guiándolo hacia ella. Se acordó de su nombre pero no de su apellido; del sol que entraba por un ventanal orientado al oeste cuando ella volvió la cabeza sin interrumpir del todo la melodía que tocaba al piano; de Negrín diciendo que ese apellido era o sonaba a ruso. El ascensor rápido y silencioso se había abierto a un amplio rellano de suelo reluciente, con un muro de bloques de cristal de obra que difundían la claridad de un gran patio interior. El ascensorista se tocó la gorra apartándose para dejarle paso. Olía prometedoramente a nuevo, a recién terminado, a barnices recientes, a pintura y a madera frescas. Hasta los pasos tenían la resonancia de un espacio que aún no ha sido ocupado por completo, con paredes desnudas que devuelven los ecos y acentúan los agudos.

La música venía del otro lado de alguna de las puertas numeradas a lo largo del corredor donde Ignacio Abel buscaba la placa con el nombre de quien le había dado la cita, la voz efusiva y con mucho acento americano que lo llamó por teléfono a los dos o tres días de su conferencia para proponerle confusamente algo. «Usted no sabe quién soy pero yo sé mucho de usted. Conozco y admiro su trabajo. Tenemos amigos comunes. El doctor Negrín tuvo la amabilidad de darme su número. Él fue quien me propuso su nombre.» Aceptó por curiosidad, por ceder al halago, y porque esa tarde de viernes iba a estar solo en Madrid. Adela y los niños se habían marchado a la casa de la Sierra, en preparación de una de las grandes celebraciones anuales de la familia, el día del santo de su padre, don Francisco de Asís. Ignacio Abel había imaginado que la cita sería en una oficina. Había muchas en ese edificio, sedes de empresas extranjeras, de productoras y distribuidoras cinematográficas, de agencias de viajes y compañías transatlánticas. Las máquinas de escribir y los teléfonos sonaban a rachas, como cuando se abre y se cierra una puerta y entra por ella el sonido de la lluvia. Secretarias jóvenes se cruzaban con él, pintadas y veloces como las que veía diez años atrás en Alemania: botones de uniforme, repartidores de telegramas, empleados con carteras bajo el brazo, operarios que ultimaban instalaciones. Le complacía esa actividad, la sugestión de tareas urgentes, tan distinta del sosiego letárgico de las oficinas ministeriales a las que a veces tenía que acudir para despachar asuntos relacionados con las obras de la Ciudad Universitaria, expedientes de pagos que nunca estaban resueltos, trámites que se detenían por la falta de una firma o de una póliza, del óvalo morado de un sello o de un lacre de rojo medieval al pie de un documento. Este edificio, por fuera, como tantos recientes de Madrid, tenía un volumen noble pero era complicado y enfático, con columnas y cornisas que no sostenían nada y balcones de piedra a los que nunca se asomaría nadie, con filigranas de escayola cuya única finalidad sería almacenar cuanto antes la mugre de las palomas y el hollín de las calefacciones y los coches. Pero los interiores eran diáfanos, ángulos rectos y curvas limpias, secuencias aritméticas que se desplegaban ante él según iba caminando por el corredor, según se acercaba a la puerta de la que procedía la música, que no era de cristal esmerilado y no tenía un rótulo comercial, sino una placa discreta con un nombre en letra cursiva, *P. W. Van Doren.*

Reconoció la canción al mismo tiempo que se acordaba del apellido musical y olvidado, Biely. Y un momento después, cuando se abrió la puerta, la vio a ella, sin previo aviso, como si su presencia hubiera sido una emanación de la música y del nombre recordado de pronto. En vez de en una oficina se encontró en medio de algo que parecía una fiesta más bien incongruente, a esa hora temprana y todavía laboral. Tuvo la sensación de que cruzando la puerta ingresaba un espacio que no era la continuidad del corredor que lo había traído hasta allí; no parecía un lugar español, y ni siquiera del todo real: una gran sala de paredes blancas y volúmenes abstractos, como un interior de película moderna. Las personas, los invitados, también tenían algo de figurantes, dispuestos en pequeños grupos que conversaban en varios idiomas, en diferentes planos, como para ocupar de una forma convincente el decorado. Inesperada, reconocida, carnal entre aquellas figuras que no advertían la presencia del recién llegado —no porque se propusieran hacer como que no lo veían, sino porque se movían en otro plano de la realidad—, Judith lo vio nada más entrar y le hizo desde lejos un gesto de bienvenida. Tenía un disco reluciente en las manos y estaba de pie junto al fonógrafo, perdida ella también entre desconocidos, aunque él entonces no se diera cuenta, delante de un ventanal que daba a un Madrid provinciano de tejados y campanarios y cúpulas de iglesias, llevando con la cabeza el ritmo de aquella canción. El clarinete, el piano, Benny Goodman acompañando a Teddy Wilson en un disco grabado en Nueva York sólo unos pocos meses antes, descubierto por ella con un arrebato de nostalgia americana en la cabina de una tienda de música de París, a principios de ese verano, cuando aún no sabía que iba a viajar a Madrid en septiembre, cuando España era todavía para ella el lugar soñado de los libros, un país tan ilusorio y tan anclado en la imaginación juvenil como la Isla del Tesoro o la Ínsula Barataria de Sancho Panza. La doncella de uniforme negro y cofia blanca que le había abierto la puerta se alejó con sigilo llevándose el sombrero y el paraguas de Ignacio Abel. Su mirada rápida y experta evaluaba al mismo tiempo las dimensiones del espacio y la calidad y la disposición de los objetos, identificando a los autores de los cuadros y a los de los muebles, casi todos alemanes o franceses de los diez últimos años, salvo algún vienés muy distinguido de principios de siglo. Todo tenía una pulcritud de premeditación excesiva, de desorden muy calculado, con un brillo como de papel fotográfico, de revista internacional de decoración. Un camarero muy joven, con el pelo lacado de brillantina, le ofreció una copa transparente que olía a ginebra helada, una pequeña bandeja con canapés de mantequilla fresca y caviar. Le parecía que Judith tardaba mucho viniendo hacia él, entre los grupos de gente que se separaban sin verla para abrirle paso o que ella sorteaba guiada tan sólo por la melodía que había tocado tentativamente en el piano de la Residencia: más real e incitante según se le acercaba, vestida con una camisa blanca sin adornos y un pantalón ancho, cuando le estrechó la mano con una soltura masculina. La mano cálida, de dedos finos y huesos frágiles en cuanto se la apretaba un poco, apresada en la suya durante un momento que se prolongó sin que los dos hicieran nada, sin saber nada el uno del otro y de nuevo solos entre un rumor de gente invisible, igual que unas noches atrás en la Residencia. Al ser mirado por ella Ignacio Abel cobró una conciencia incómoda de su propio aspecto, demasiado severo y español en aquel ambiente, entre aquellas personas más jóvenes y vestidas, como Judith, de una manera deportiva, jerseys ceñidos, corbatas de colores vivos, pantalones a cuadros, zapatos de dos tonos. Por encima de las conversaciones y del tintineo de las copas se elevaba de vez en cuando una carcajada, una exclamación americana.

—El hombre al que no le gusta la fiesta de los toros —dijo Judith—. Me alegro tanto de verlo de nuevo, entre tantos desconocidos.

—Pensaba que eran todos compatriotas suyos.

—Pero en mi país no habría tratado con ninguno de ellos.

—Uno no es el mismo cuando está fuera de su país.

—¿Cómo es usted cuando está fuera de España? —Judith lo miraba por encima de la copa que sostenía delante de los labios.

—Ya casi no me acuerdo. Hace mucho que no viajo.

—Lo dice con pena. En su charla se le iluminaba la cara cuando enseñaba fotografías de edificios modernos alemanes.

—Espero que no se aburriera usted mucho. —El alcohol, al que no estaba acostumbrado, le provocaba en el pecho una oleada caliente cada vez que tomaba un sorbo. El olor de la ginebra se mezclaba con el de la colonia o el jabón de Judith. El deseo físico que le provocaba su cercanía era tan nuevo para él, tan inmediato, como el del alcohol aromático en su sangre, y le producía un desconcierto parecido. Despertaba al cabo de más de diez años, atónito de haber estado dormido durante tanto tiempo y de no haberse dado cuenta de su sonambulismo.

—*Now you're fishing for compliments* —Judith había saltado instintivamente al inglés y se echó a reír ante su propia confusión lingüística: se limpió los labios con una pequeña servilleta, ahora arrepentida de la risa y tal vez del comentario—. Usted sabe muy bien que nadie se aburrió.

Le gustaba todavía más de lo que recordaba. No había sabido guardar en la memoria el color exacto de sus ojos, su brillo de inteligencia irónica y siempre alerta, el modo en que su espesa melena rizada se cortaba en ángulo recto a la altura de los pómulos y los rozaba cuando movía la cabeza, el timbre luminoso de su voz en español. La embellecía el entusiasmo. Llevaba un mes en Madrid y sentía por la ciudad todo el fervor de un enamoramiento inesperado. Era una de esas personas imaginativas capaces de disfrutar saludablemente de todo y de agradecer la novedad sin ninguna sombra de recelo ante lo desconocido. Conversando con ella esa tarde Ignacio Abel pensó que se parecía a Lita en su equilibrio entre una rigurosa vocación de aprender y una disposición jovial a recibir los dones de lo imprevisto, a disfrutar serenamente de la vida. Llevaba dos años recorriendo Europa y había planeado dejar para el final una estancia de seis meses en España. Pero una antigua compañera de la Universidad de Columbia, donde Judith había dejado sin terminar su doctorado hacía unos años, la llamó a principios de verano: se había puesto enferma y no podía hacerse cargo del grupo de estudiantes con el que tenía que pasar un curso de intercambio en Madrid. Cuántas piezas de azar se requerían para urdir un trance decisivo en la vida. Desde principios de septiembre y contra todas sus expectativas de poco tiempo atrás Judith Biely era una profesora y estaba viviendo en una pensión de Madrid, en un cuarto austero y luminoso que daba a la plaza de Santa Ana, mientras esperaba a que quedara una habitación vacante en la Residencia de Señoritas. Perfeccionaba su español, que había empezado a aprender por su cuenta de niña, después de leer en una edición escolar los *Cuentos de la Alhambra*; asistía a clases de literatura en la Facultad de Filosofía y Letras y de historia de España en el Centro de Estudios Históricos de la calle Almagro, a conferencias y a conciertos y proyecciones de películas en la Residencia de Estudiantes; comía cocidos sabrosos e indigestos en las tabernas de la Cava Baja procurando memorizar los nombres de los ingredientes; se paseaba en los atardeceres por las Vistillas y el Viaducto y la plaza de Oriente para ver las puestas de sol que en aquella ciudad tan interior cobraban una delicada amplitud de horizontes marítimos tamizados de niebla. Los morados y grises de la Sierra que veía desde su ventana en los primeros días lluviosos de octubre los reconocía un poco después en las lejanías de los cuadros de caza de Velázquez. La felicidad de salir de su pensión y pasarse una mañana en el museo no era muy distinta a la de tomar luego un bocadillo de calamares fritos y una caña de cerveza en un kiosco del paseo del Prado, viendo pasar a la gente charlatana y activa de Madrid, intentando descifrar los giros del habla, revisando en un pequeño cuaderno las palabras y las expresiones nuevas que aprendía. A los diez o doce años había leído a Washington Irving inclinada durante horas sobre el pupitre de una biblioteca pública, mirando ilustraciones en las que la Alhambra era un palacio oriental, junto a una ventana desde la que se veían las terrazas cubiertas con tendederos de ropa blanca de un barrio de emigrantes italianos y judíos en Nueva York; ahora estaba impaciente por tomar una noche el expreso y amanecer en Granada. Un poco antes de ingresar en la universidad había descubierto un libro de viajes por España de John Dos Passos, *Rosinante to the Road Again,* y ahora lo llevaba de nuevo consigo y alguna vez lo había releído en los mismos lugares que se describían en sus páginas. Gracias a Dos Passos había conocido a Cervantes y al Greco, pero la arrebataron mucho más Velázquez y Goya en el Museo del Prado. ¿No había visto aún los frescos de Goya en la cúpula de San Antonio de la Florida, sus cuadros mucho menos célebres pero igual de poderosos en la Academia de San Fernando, las series de grabados? Ignacio Abel se sorprendió a sí mismo ofreciéndose como guía: estaban muy cerca de San Fernando, y a la ermita de San Antonio podía llegarse en automóvil en unos pocos minutos: se cruzaba el río y el paisaje de la Pradera y el de la ciudad al fondo, con la gran mancha blanca del Palacio de Oriente, era el mismo que había pintado Goya. Su propia temeridad lo inquietaba: no le costaría nada adelantar la mano y tocar su cara, tan cerca, apartar ese mechón que le rozaba la esquina de la boca risueña. Judith asentía, muy atenta para comprender cada palabra, los labios delgados humedecidos por la copa, los ojos brillantes, o era sólo el efecto euforizante del alcohol y de la conversación en una lengua extranjera, la misma temeridad que lo empujaba a él, irresponsable, un poco mareado, insistiendo, su coche estaba muy cerca de allí, y además él, por su trabajo, conocía al capellán de la ermita, que les permitiría subir hasta la cúpula para ver más de cerca los frescos. Aún no estaba enamorado y ya tenía celos de que otros la tocaran, otros hombres que además estaban unidos a ella por la complicidad del idioma. Un hombre fornido, más alto que ella, con la cabeza afeitada, la abrazó por detrás, interrumpiendo sin remedio la conversación.

—*Judith, my dear, would you please introduce me to my own guest?*

De qué la conocía, desde cuándo. Por qué apoyaba el mentón cuadrado en su hombro y le rozaba el pelo con los labios sin ningún apuro, y le pasaba los brazos por la cintura, las dos manos grandes y chatas y con pelos muy negros (pero con las uñas rosadas y brillantes por la manicura) cerrándose justo por encima de su pantalón. Ella hizo un ademán de desprenderse, pero sin mucha convicción, tal vez algo incómoda, aunque no lo bastante como para apartar la cara, para separar las dos manos que la apretaban contra el cuerpo masculino adherido a su espalda. Cómo sería estar en su lugar, apretando ese cuerpo delgado, percibiendo el ritmo de su respiración, debajo de la tela de la camisa. Lo sorprendía el trastorno de efusiones repentinas tan ajenas al control de su voluntad como los latidos del corazón o las oleadas rápidas de presión en las sienes.

—Phil Van Doren —dijo Judith, mirando a Ignacio Abel como si le pidiera disculpas—. Philip Van Doren tercero, para decir el nombre completo.

—No pude asistir a su conferencia del otro día, pero he leído sobre ella en varios periódicos, y Judith me la contó con detalle.

Hubiera querido apartar esas dos manos que te tocaban con tanta confianza, con sus pelos negros y sus anillos y sus uñas lacadas, hacerle que se separara de ti, que no pusiera su boca tan cerca de la tuya, que no siguiera rozándote con ese aire de propiedad con el que disponía de todo, de su casa y de sus invitados, hasta de mí mismo, que ni siquiera sabía aún por qué me había llamado, pero no me importaba, tenía bastante con haberte encontrado de nuevo.

—Como le dije por teléfono, he hecho algunas averiguaciones sobre usted, he visto algunos de sus trabajos en Madrid. —Van Doren hablaba un excelente español con deje mexicano—. La escuela pública en ese barrio del sur, el Mercado. Obras magníficas, si me permite una opinión de *amateur*.

Dijo *amateur* con una pulcra pronunciación francesa. Tenía unos ojos claros de mirada penetrante y fácilmente desconfiada o sarcástica y se depilaba las cejas con el mismo cuidado con que se afeitaba el cráneo. Por muy afilada que fuera la navaja de afeitar nunca se suavizaría la sombra negra de la barba. Del jersey de cuello alto que revelaba su musculatura pectoral surgía una cabeza bronceada y poderosa de atleta. Ignacio Abel sintió en seguida un alivio tocado de incomodidad: en esas manos reciamente masculinas que abrazaban a Judith probablemente no había deseo, pero la mirada tenía una fijeza excesiva, la de alguien dispuesto a hacerse juicios rápidos e inapelables sobre quien tuviera delante, sometiéndolo a pruebas cuyo único juez era él mismo; una curiosidad impúdica, codiciosa, indiscriminada, sin miramiento; un instinto por descubrir lo que estuviera más oculto y llegar a saber lo que nadie más sabía.

—Las cosas nunca salen como uno quisiera —dijo Abel, halagado, sobre todo porque Judith estaba delante, inhábil para recibir elogios—. Falta siempre dinero, hay retrasos, hace falta pelearse con todo el mundo. Por no hablar de las huelgas, las justas y las injustas…

Pero Van Doren se distraía en seguida cuando no era él quien hablaba. Miraba a los invitados, a los camareros, atento a cualquier detalle de la fiesta, con gestos secos y veloces de la cabeza, como ajustando a cada momento el ángulo y la distancia de visión; asentía mucho, como para abreviar las palabras que estaba escuchando, para desplazar su atención hacia signos más reveladores que ellas (el gesto nervioso de una mano que se frota contra otra, la mirada que se aparta un segundo); tomó una copa de la bandeja que pasaba; saludó brevemente a alguien; miró hacia los ventanales, como si también dependieran de él la claridad del día o el estado de la atmósfera; le indicó a Ignacio Abel que lo acompañara a su despacho; cuando ya lo tomaba del brazo para guiarlo pareció acordarse de Judith y le hizo una señal para que viniera con ellos, como una decisión sobre la marcha de la que no estuviera muy convencido, aunque a continuación la abrazara otra vez por la cintura, afectuoso de nuevo, advirtiendo que la copa de ella estaba casi vacía, ordenando con ademán autoritario a un camarero que le sirviera otra, su cara un momento animada por una gran sonrisa y al momento siguiente muy seria y con un ceño de ira, presionando un brazo de Ignacio Abel con sus dedos fuertes y vulgares. Se dejó llevar con un sentimiento de desagrado físico y de alarma; no había necesidad de que se le impusiera la dirección de sus pasos; esa mano lo llevaba hacia él no sabía dónde con la misma fuerza con que la emoción sexual y la ginebra bebida a deshoras debilitaban su control de sí mismo, confuso ya por la misma extrañeza del lugar, la burbuja de espacio en la que había ingresado cuando la doncella le abrió la puerta y vio a Judith al fondo, haciendo el gesto de quien ha estado esperando; ella sabía que él iba a venir; de algún modo era parte de un propósito que lo involucraba sin que él lo supiera; iba a cambiar el disco en el fonógrafo y se volvió al oír el timbre entre la música y las voces de los invitados.

Van Doren cerró la puerta del despacho con más energía de la que hubiera sido necesaria y cuando se sentó frente a ellos en un sillón tubular tapizado con piel de becerro poniendo las dos manos sobre las rodillas tenía una placidez de bailarín que ha culminado un salto sin esfuerzo visible. Posadas sobre la tela deportiva del pantalón, las manos resaltaban con una tosquedad obscena. El sonido de la fiesta quedaba muy difuminado, agravando en Ignacio Abel la sensación de lejanía; de perder pie; de avanzar en la oscuridad por un pasillo extendiendo las manos y no encontrar un punto de referencia sólido que le explicara el espacio. Las mangas ajustadas del jersey de Van Doren mostraban una parte de los antebrazos musculosos y peludos. El reloj en su muñeca izquierda y la pulsera en la derecha eran de oro, y los dos se agitaban cuando movía las manos. Por el ventanal se veían muy cerca las cresterías barrocas y las antenas de comunicaciones del edificio de la Compañía Telefónica. Judith se reclinaba en un gran sofá de piel blanca fumando un cigarrillo, las piernas cruzadas, uno de sus zapatos de tacón oscilando en el aire. La luz pálida de la tarde de octubre brillaba en su pelo y en la piel tensa de sus pómulos y su mentón. Van Doren había pulsado un timbre mientras observaba a Judith encender el cigarrillo y seguía con la mirada la mano que dejaba junto a la mesa de cristal la cerilla apagada. El camarero entró y le indicó por señas que pusiera un cenicero, siempre con prisa, con un poco de ira que la sonrisa no llegaba del todo a disimular, no porque no supiera hacerlo, sino porque no lo pretendía. Quizás lo que no sabía era vivir sin la sensación confortable de amedrentar a quien tuviera cerca. El camarero cambió la copa inacabada y ya tibia de Ignacio Abel por otra en la que el frío dejaba un vaho de condensación en su delicada forma de cono invertido. Judith paladeaba la suya a sorbos muy cortos, como las caladas que daba al cigarrillo, que mantenía muy apartado de la cara.

—La arquitectura moderna es mi pasión —dijo Van Doren—. La pintura también, como usted ya ha notado, pero de otra manera. ¿Le gusta Paul Klee?

La mirada vigilante había seguido a la suya, asombrada e incrédula, subyugada por cinco cuadros pequeños de

Paul Klee, acuarelas y óleos, y un poco más allá el dibujo de un bodegón que probablemente era de Juan Gris.

—Fue mi profesor de dibujo, en Alemania.

—¿Estudió usted en la Bauhaus? —Ahora Van Doren le concedía de verdad, aunque quizás transitoriamente, la consideración que hasta entonces, por un motivo u otro, por recelo o por simple arrogancia, sólo había fingido.

—Un año, en la primera época, en Weimar. Pero entonces nadie imaginaba que aquello fuera a durar o que tuviera mucha importancia. Aprendí más en unos meses que en todo el resto de mi vida.

Pero Van Doren ya había perdido interés. Tenía prisa, demasiadas ocupaciones al mismo tiempo, invitados a los que atender, telegramas, radiogramas urgentes que enviar a Europa y a los Estados Unidos, gente nueva a la que conocer y calibrar, minutos medidos para cada encuentro. Sin moverse ni dejar de sonreír estaba en otra parte, como quien cierra un segundo los ojos y se queda dormido y despierta con una sacudida. Su mirada exploraba siempre un campo de visión que estaba más allá de su interlocutor. Contraía los músculos de la cara y recobraba en un instante el hilo interrumpido de su monólogo.

—Pero la pintura es un placer privado, aunque se disfrute en un museo. Está uno solo, delante del cuadro, y el mundo alrededor no cuenta. La pintura exige un grado de contemplación que a veces es un problema para las personas activas. Cuando usted lleva quieto unos minutos, ¿no tiene remordimientos, no siente que se está perdiendo algo? Por supuesto que un edificio se puede disfrutar de una manera tan privada como un cuadro. Como usted sabe, la emoción estética suele ser reforzada por el privilegio de la posesión. Pero la arquitectura siempre tiene una parte pública, accesible a cualquiera, en plena calle, al aire libre. Es una afirmación. Como un puñetazo sobre una mesa…

Sin darse cuenta Van Doren cerraba el puño de la mano derecha, lo levantaba en el aire. Tenía el reflejo de subirse una y otra vez las mangas del jersey casi hasta el codo, primero la una, luego la otra, con el gesto enérgico de quien se dispone con impaciencia a emprender una tarea manual.

—Mire esa torre magnífica, la de la Compañía Telefónica. Quizás Judith le ha contado que tenemos intereses en ella. Mi familia, quiero decir, a través de la American Telephone and Telegraph. La torre está declarando algo, el poder del dinero, dirá nuestra querida Judith, que tiene simpatías radicales, como usted ya sabe, y lleva razón diciendo eso, claro que la lleva, pero también hay algo más. La maravilla de las comunicaciones telefónicas y de lo que es todavía mejor que ellas, las ondas de radio, que no requieren el tendido de cables, que transmiten las palabras a través de la atmósfera, haciéndolas resonar como ecos en la estratosfera, recogiéndolas luego. Un milagro para la gente de la edad de nuestros padres, un acto de brujería. Pero esa torre todavía está diciendo algo más, y usted como arquitecto es muy consciente de lo que significa: el empuje de su patria, tan poderoso ahora como cuando se levantaban las catedrales. ¡Uno se acerca a Madrid y el edificio de la Compañía Telefónica es su catedral! Una torre de oficinas y un almacén lleno de aparatos y cables y también un símbolo, igual que una iglesia o que un templo griego o una pirámide.

Bebió un sorbo terminante chasqueando la lengua, miró de soslayo el reloj de pulsera al subirse de nuevo las mangas. Estudió con recelo la cara un poco ausente de Judith, que tenía la mirada detenida en el humo del cigarrillo. Quizás el estremecimiento común se había disipado; quizás cuando salieran de allí y se hubiera pasado el efecto del alcohol y de la cercanía física ninguno de los dos se sentiría aludido por el otro.

—Pero lo noto impaciente. No quiero desperdiciar su tiempo ni el mío. No se me olvida que usted tampoco es un alma contemplativa. Supongo que no ha oído hablar de Burton College. Es una universidad pequeña, muy selecta, a unas dos horas en tren de Nueva York, hacia el norte, en la orilla del río Hudson. Hermosos paisajes. El campus está esparcido entre la naturaleza, como las viviendas y las granjas de los primeros colonos...

—Y antes las de los indios a los que los primeros colonos expulsaron.

Cuando habló Judith, Van Doren levantó hacia ella la mirada con una placidez absoluta, como transido por su propia paciencia, examinándola despacio, las manos detenidas en el gesto de subirse las mangas del jersey, mirando luego a Ignacio Abel como para asegurarse de que era testigo de su magnanimidad. Se complacía en dar por supuesto lo que probablemente sabía que era falso, que entre Judith y él había alguna clase de familiaridad.

—Como usted también habría previsto, era inevitable que nuestra querida Judith, llegados a este punto, mencionara a los indios. Lamentablemente desaparecidos. Ustedes, los españoles, saben también algo de eso. Pero si Judith nos lo permite será mejor continuar con mi historia acerca de Burton College. Ahora mismo los bosques se están volviendo rojos y amarillos. No soy muy sentimental y me gusta mucho Madrid, pero echo de menos los colores del otoño en esa parte de América. Judith sabe bien a lo que me refiero. ¿No ha estado nunca en los Estados Unidos, profesor Abel? Quizás ahora vendrá el momento oportuno. Desde hace varias generaciones mi familia está vinculada a Burton College. En algún momento estuvo a punto de llamarse Van Doren College, de hecho. Los terrenos del campus fueron una donación de un bisabuelo mío. Como usted sabe, nosotros estábamos asentados allí cuando llegaron los ingleses. Nosotros los holandeses, quiero decir. Su Nueva York fue antes nuestra New Amsterdam, como el México de ahora fue la Nueva España de ustedes.

—Por eso esa parte del Estado está llena de nombres holandeses —interrumpió Judith, tal vez con algo de fastidio ante aquel despliegue de ancestros, ella que no tenía en América más antepasados que sus padres, emigrantes que hablaban inglés con acento terrible y discutían a gritos en ruso y en yiddish.

—… Los Roosevelt, por citar unos vecinos prominentes. —Van Doren se echó a reír—. O los Vanderbilt. O los Van Buren. Sólo que en nuestra familia hemos sido más discretos. Nada de política, ni de negocios especulativos. La última crisis apenas nos afectó.

—A nosotros sí —dijo Judith, pero Van Doren decidió no hacer caso.

—Burton College ha sido el territorio preferido de nuestra filantropía. Hay un Van Doren Hall con un escenario en el que se dan regularmente conciertos sinfónicos, una Van Doren Wing en el hospital universitario, especializada en tratamientos pioneros para el cáncer. Y desde hace años, desde los tiempos de mi padre, existe un proyecto muy querido para mí, porque mi padre hubiera deseado construirlo y murió antes de tiempo: una nueva biblioteca, la Van Doren Library, la Philip Van Doren II Library, para ser exactos. Varios arquitectos han trabajado ya para nosotros y no me gusta ninguno de los proyectos que nos ofrecen. Por supuesto que no soy yo quien decide, pero lo que yo diga pesa mucho en el Board of Trustees de la universidad, y al fin y al cabo yo soy el que maneja las cuerdas de la bolsa…

—El que tiene la sartén por el mango —dijo Judith, contenta de corregirle a Van Doren su traducción literal del inglés con una franca expresión española que había aprendido hacía poco y le gustaba mucho.

—Hasta ahora todo lo que nos han presentado han sido *pastiches*, como puede imaginar. —Van Doren volvió a pronunciar con pulcritud amanerada una palabra francesa—. *Pastiches* góticos, imitaciones de imitaciones, de templos griegos, de termas romanas, de estaciones de ferrocarril o palacios de exposiciones imitando templos griegos y monumentos romanos, tartas estilo *Beaux-Arts*. Pero yo no quiero que sea profanado ese terreno con un monstruo parecido a una oficina de Correos. Me gustaría que lo viera. Le haré enviar fotografías y planos si le parece necesario. Es un claro en un bosque de arces y robles, una elevación más allá del lado oeste del campus, con una vista del río Hudson. El edificio se verá desde los trenes que pasen junto a la orilla, desde los barcos que suben y bajan por el río. Incluso desde el otro lado, desde los acantilados de New Jersey. Será el más visible del *college*. Lo imagino por encima de las copas de los árboles, más escondido cuando estén llenos de hojas, al final de un sendero que se apartará del rectángulo central, un camino de retiro y elevación hacia los libros, sus luces encendidas hasta la medianoche. Habrá libros, pero también discos de cualquier música, de cualquier parte del mundo. Judith, con su oído excelente, me ayudará sin duda a buscar grabaciones de música española. Mi familia tiene intereses en algunas compañías fonográficas. Imagino cabinas insonorizadas para escuchar los discos, salas de proyección en las que cualquiera pueda ver las películas. Me interesa mucho ese proyecto que hay ahora en España de grabar en disco las voces de sus personalidades más eminentes. Habrá salas de lectura con grandes ventanales desde los que se dominen el bosque y el río, los otros edificios del campus. No una de esas bibliotecas lúgubres que hay en Inglaterra, y que se imitan absurdamente en América, con olor a moho y a cuero podrido, con estanterías y ficheros de madera oscura, como ataúdes o monumentos funerarios, con lámparas bajas de pantalla verde que les den color de muerto a las caras. Veo una biblioteca luminosa, como esos edificios y talleres que construyeron los maestros de usted en Alemania, como esa escuela que hizo usted en Madrid. Una biblioteca práctica, como un buen gimnasio, un gimnasio para la inteligencia. Una torre vigía y un refugio también.

—Yo quiero trabajar en esa biblioteca —dijo Judith, pero Van Doren no tenía tiempo ni ganas de escuchar. Movía las manos grandes, con las uñas rosadas de manicura, se subía las mangas del jersey, como impaciente por empezar a trabajar en su biblioteca imaginaria, por excavar cimientos, aplanar desigualdades, poner hileras de ladrillos rojizos o bloques de la dura piedra grisácea que emergía en los claros del bosque.

—No lo he invitado hoy para que me diga que sí, para que se comprometa conmigo. Usted tiene muchas cosas que hacer y yo también. El doctor Negrín me ha contado que este año va a ser particularmente difícil para ustedes, porque se han comprometido a inaugurar la Ciudad Universitaria el próximo octubre. Difícil, si me permite mi opinión sincera. Casi imposible.

—¿Ha visitado usted las obras?

Antes de contestar Van Doren sonrió para sí mismo en silencio, como quien no se decide a revelar del todo lo que sabe, o como quien quiere dar la impresión de que sabe más de lo que dice.

—Ésa es una de las razones por las que vine a Madrid en primer lugar. He visitado atentamente las obras y he consultado planos y maquetas. Un proyecto magnífico, de una escala sin comparación en Europa, aunque de ejecución lenta y quizás desordenada, me atrevería a decir. Me gustó mucho su edificio, por cierto, el que está diseñado exclusivamente por usted. La central térmica, si no me equivoco.

—Casi no es un edificio. Es una caja para contener la maquinaria y los controles. Pero todavía no está en funcionamiento. ¿Quién se lo enseñó?

—A esa pregunta Phil no va a contestarle —dijo Judith. Van Doren le dedicó una sonrisa rápida, un gesto, aprobando no sin halago lo que ella había dicho. Era un hombre al que le gustaba sobre todo saber lo que otros no sabían, tener acceso privilegiado a lo que para los demás era inaccesible. A Ignacio Abel no le gustó que Judith volviera a llamarlo por un diminutivo.

—Es un bloque cúbico y sin embargo parece que hubiera surgido de la tierra, que formara parte de ella. Es una fortaleza pero no parece que pesara demasiado, el corazón vigoroso que bombea el agua caliente y la calefacción a esa ciudad del conocimiento. Uno quiere llamar a esa puerta en el muro, entrar en ese castillo. Se ve en seguida que ha trabajado usted con ingenieros competentes. Y que aparte de sus maestros alemanes admira usted a algunos arquitectos escandinavos, si me permite decírselo. ¿Le costó mucho que fuese aceptado su proyecto?

—No demasiado. Es una construcción práctica y nadie le presta mucha atención. No hubo que añadir volutas ni tejadillos platerescos, ni que imitar El Escorial.

—Terrible edificio, ¿no le parece? Me llevaron a verlo la semana pasada, compatriotas suyos que están muy orgullosos de él. Era como entrar en un decorado siniestro para *Don Carlo*. Siente uno el peso del granito como si fuera la mano de Felipe II con un guante de hierro. O la de la estatua del Comendador en *Don Giovanni*. ¿Se enfada si se lo digo?

Van Doren se echó a reír buscando en vano la complicidad de Judith y luego se volvió hacia Abel cambiando por completo de tono, como si le hablara a otra persona.

—¿Es usted comunista?

—¿Por qué me pregunta eso?

—*Background check* —dijo Judith en voz baja, con visible irritación, con impaciencia. Se levantó y fue hacia la ventana, incómoda por lo que le parecía el principio de un interrogatorio del que tal vez se sentía parcialmente responsable.

—Una parte de sus compañeros y de sus profesores en la Bauhaus lo eran. Y me parece que usted es un hombre al que le gusta que las cosas se hagan. Que tiene al mismo tiempo sentido práctico e imaginación utópica.

—¿Hay que ser comunista para eso?

—Comunista o fascista, me temo. Hay que amar los grandes proyectos y la acción inmediata y efectiva y no tener paciencia con la palabrería, con las dilaciones. En Moscú o en Berlín su ciudad universitaria ya estaría terminada. Incluso en Roma.

—Pero probablemente no tendría ningún sentido. —Ignacio Abel era consciente de la mirada y de la atención de Judith, aunque no estuviera mirándola. Sin darse cuenta del todo, hablaba para ella, para que a ella le gustara lo que estaba diciendo—. A no ser como cuartel o como campo de instrucción.

—No diga vulgaridades de propaganda impropias de usted. La ciencia alemana es la mejor del mundo.

—No lo será por mucho tiempo.

—Ahora habla usted como un comunista.

—¿Estás diciendo que hay que ser comunista para estar contra Hitler? —Judith Biely estaba de pie contra la ventana, enojada, muy seria, nerviosa. Van Doren la miró de soslayo sin decirle nada. En quien fijó intensamente los ojos fue en Ignacio Abel, que habló sin levantar la voz, con el pudor instintivo que sentía al expresar opiniones políticas.

—Soy socialista.

—¿Hay alguna diferencia?

—Cuando los comunistas subieron al poder en Rusia mandaron a los socialistas a la cárcel.

—Los socialistas fusilaron a Rosa Luxemburgo en Alemania en 1919 —dijo Judith. A Van Doren la discusión le producía un efecto de comicidad algo histriónico.

—Y cuando ganan los fascistas o los nazis, comunistas y socialistas acaban juntos en las mismas cárceles, después de haberse peleado tanto entre sí. No me negará que no hay cierta comicidad en el espectáculo.

—Yo espero que eso no pase en mi país. Y que podamos inaugurar a tiempo la Ciudad Universitaria sin necesidad de un golpe de Estado fascista o comunista. —Ignacio Abel hubiera querido dar por terminada la conversación y marcharse, pero si se iba ahora mismo cuándo podría ver de nuevo a Judith.

—Me gusta su entusiasmo, Ignacio, si me permite llamarlo por su nombre. He sabido que terminó su charla con mucha elocuencia, con una declaración revolucionaria. Esto no me lo ha contado Judith, no le eche a ella la culpa. Me encantaría que usted me llamara Phil, y que nos tuteáramos, aunque ya sé que apenas nos conocemos y que España es un país más formal que América. Me gusta que no parezca importarle quedarse al margen de las grandes corrientes modernas, políticamente hablando.

—A mí me parecen horriblemente primitivas.

—Visité la Unión Soviética hace dos años, y he viajado extensamente por Alemania e Italia. Creo que soy una persona sin prejuicios. Un americano abierto a las cosas nuevas que pueda ofrecer el mundo. *The Innocent Abroad*, por decirlo como uno de los grandes viajeros de mi país, Mark Twain. Somos una nación nueva, comparados con ustedes los europeos, tenemos simpatía hacia todo lo que sea una ruptura valiente con el pasado. Nosotros nacimos así, rompiendo con la vieja Europa, acabando con reyes y arzobispos...

—Eso hicimos nosotros en España, hace sólo cuatro años.

—¿Y con qué resultados? ¿Qué han llevado a cabo ustedes en este tiempo? Viajo en auto por el país y desde que salgo de Madrid sólo veo pueblos miserables. Campesinos flacos montados en burros, pastores de cabras, niños descalzos. Mujeres que se quitan los piojos las unas a las otras sentadas al sol.

—Estás exagerando, Phil. El señor Abel puede sentirse herido. Hablas de su país.

—De una parte de él —dijo con suavidad Ignacio Abel, furioso consigo mismo por no haberse marchado, por seguir escuchando.

—Gastan su energía en peleas en el Parlamento, en discursos, en cambios de gobierno. Usted me dice que es socialista: ¡pero hasta dentro de su propio partido están peleados entre sí! ¿Es usted de los socialistas que están a favor del sistema parlamentario o de los que se sublevaron el año pasado para traer a España la revolución soviética? Tuve el placer de ser presentado hace poco en una cena de diplomáticos a su correligionario don Julián Besteiro, y me pareció todo un *gentleman*, pero también me pareció que vivía en las nubes. Discúlpeme que hable claro: parte de mi trabajo consiste en buscar información. Tenemos mucho dinero invertido en su país y no quisiéramos perderlo. Queremos saber si nos conviene seguir trabajando e invirtiendo dinero aquí o si sería más prudente marcharnos. ¿Es verdad que dentro de poco habrá nuevas elecciones? Llegué a Madrid el mes pasado y los periódicos estaban llenos de las fotos del nuevo gobierno. Ahora he leído que se anuncia una crisis y que el gobierno va a cambiar.

Mire lo que ha conseguido Alemania en la mitad de tiempo. Mire las carreteras, la multiplicación de la industria, los millones de nuevos puestos de trabajo. Y no es cuestión de la diferencia de razas, como piensan algunas personas, de arios eficientes y latinos perezosos. Mire en qué se ha convertido Italia en diez años. ¿Ha visto las carreteras, las estaciones nuevas de ferrocarril, la fuerza de su ejército? Tampoco tengo prejuicios ideológicos, querida Judith, es una cuestión simplemente práctica. Me admiran igual los avances formidables de los planes quinquenales soviéticos. He visto las fábricas con mis propios ojos, los altos hornos, las granjas colectivas labradas con tractores. Hace diez, quince años, el campo era más miserable y más atrasado en Rusia que en España. Hace tan sólo dos años Alemania era un país humillado. Ahora vuelve a ser la primera potencia de Europa. A pesar de las sanciones terribles e injustas que le impusieron los aliados, especialmente los franceses, que no serían tan resentidos si además no fueran incompetentes y corruptos...

—¿Da igual el precio que se pague?

—¿Y no pagan también un precio espantoso las democracias? Millones de hombres sin trabajo en mi país, en Inglaterra, en Francia. La podredumbre de la Tercera República. Niños con las barrigas hinchadas y los ojos llenos de moscas aquí mismo, en los suburbios de Madrid. Hasta nuestro presidente ha tenido que imitar las obras públicas gigantes de Alemania e Italia, la planificación del gobierno soviético.

—Espero que no imite también los campos de prisioneros.

—Ni las leyes raciales.

—Querida Judith, en esa opinión me temo que tienes un prejuicio insalvable.

Ignacio Abel tardó en entender de qué estaban hablando. Observó que Judith Biely enrojecía, y que Van Doren disfrutaba de su propia vehemencia fría, del sentimiento de controlar la conversación. No estaba acostumbrado a la soltura norteamericana para combinar cortesía y crudeza.

—¿Quieres decir que la razón para que me repugne Hitler es que soy judía?

—Quiero decir, con todo mi respeto, que las cosas deben ser consideradas en sus proporciones exactas. Carezco de prejuicios, como tú bien sabes. Si tú quisieras abandonar ese puesto que tienes ahora en una universidad a mi juicio mediocre recomendaría de manera inmediata que se te ofreciera un contrato en Burton College. ¿Cuántos judíos había en Alemania hace dos años? ¿Quinientos mil? ¿Cuántos de ellos tendrán que irse? Y si en Alemania no hay sitio para todos ellos, ¿cómo es que sus correligionarios y amigos en Francia, en Inglaterra o en los Estados Unidos no se apresuran a acogerlos? ¿Cuántos aristócratas y parásitos rusos tuvieron que irse del país, voluntariamente o a la fuerza, cuando empezó a construirse en serio la Unión Soviética? Los españoles, ¿no quemaron iglesias y expulsaron a los jesuitas nada más empezar su República? ¿Cuántos alemanes se han visto forzados a marcharse de la tierra en la que habían nacido para que Beneš y Masaryk tengan entera su amada patria checa? Nosotros, en América, también expulsamos a miles de británicos, a muchísimos colonos que eran tan americanos como Washington o Jefferson pero que preferían seguir siendo súbditos de la corona inglesa. Es una cuestión de proporciones, querida mía, no de casos individuales. Como decimos en nuestro país, *there is no such thing as free lunch*, todas las cosas tienen un precio.

Van Doren había estado mirando de soslayo el reloj mientras hablaba. Inspeccionaba en fogonazos secos de atención todo lo que ocurría en torno suyo, lo que podía traslucirse en la mirada, en los gestos, en el silencio de un interlocutor. Era un hombre que parecía poner una energía fiera en cada uno de sus actos y en cada cosa que decía pero que también estaba parcialmente en otro sitio, impaciente por encontrarse con otras personas o por hacer algo que tardaba demasiado en llegar. En su convicción había una sospecha de impostura: como si fuese capaz de defender igual de apasionadamente lo contrario de lo que estaba diciendo, o como si al hablar así pusiera a prueba las reacciones de quien lo escuchaba, le tendiera una trampa para averiguar sus pensamientos ocultos. El criado de la chaquetilla y la bandeja entró sigilosamente y se inclinó para decirle algo al oído. Ignacio Abel sospechó que entraba a la hora acordada, para interrumpir un encuentro que no debería prolongarse más. En la mirada de Judith encontró una complicidad que no había existido cuando entraron en esa habitación: algo de lo que se había dicho allí les había puesto del mismo lado, haciéndoles descubrir afinidades que ignoraban. Que ella compartiera con él algo de lo que quedaba fuera Van Doren no sólo le halagaba: le producía una intensa excitación sexual, como si se hubieran atrevido sin que los viera nadie a una inesperada cercanía física. Van Doren miraba el reloj, hablaba con el criado, ajeno a lo que sucedía entre ellos. O tal vez no, nada escapaba a su cinismo o a su astucia, a su costumbre de controlar sutil o groseramente las vidas de otros.

—No saben cuánto lo lamento, pero voy a tener que irme. Una cita inesperada en el Ministerio de Comunicaciones. La duda es si el ministro seguirá siéndolo cuando yo llegue a ella… En serio, *my dear* Ignacio, lamento que hayamos tenido que hablar de política. Siempre es una pérdida de tiempo, sobre todo cuando hay cosas mucho más serias sobre las que se debe hablar. Judith, ¿cómo se dice en español *to cut a long story short*?

—Ir al grano.

—Mujer admirable. Para ir al grano, Ignacio: estoy autorizado a proponerle que acepte una posición como *visiting professor* en el departamento de Fine Arts and Architecture de Burton College el próximo año, el semestre de otoño si a usted le viene bien y si la Ciudad Universitaria se ha inaugurado a tiempo, lo cual deseo de todo corazón. Y quisiera que en ese tiempo estudiara usted la posibilidad de diseñar el edificio de la nueva biblioteca, la Van Doren Library. El proyecto tendrá que ser aprobado por el *board*, desde luego, pero puedo garantizarle que se le permitirá trabajar con libertad absoluta. Usted es un hombre de porvenir: si el porvenir a su medida no es el de Alemania ni el de Rusia quizás el que más le conviene es el de América. Ahora tengo que irme, si ustedes me disculpan. *Make yourselves at home*. Están ustedes en su casa. Espero su respuesta, querido Ignacio. *À bientôt, my dear* Judith.

Van Doren se puso en pie, extendió los brazos y entró sin esfuerzo en la americana deportiva que el criado le ofrecía. En la mirada aguda y filosa de sus ojos, en el gesto de sus cejas depiladas, hubo una rápida sugestión de obscenidad secreta, como de ofrecimiento a Judith Biely y a Ignacio Abel de la habitación en la que estaba a punto de dejarlos solos, como si ya hubiera adivinado y diera por supuesto lo que ellos mismos aún no se atrevían a descubrir.

7

Judith Biely es una mujer de espaldas delante de un piano que al volverse recibe en la cara y en el pelo muy fuerte y muy rizado el sol de la caída de la tarde del 29 de septiembre de 1935; es una silueta que cruza delante del chorro azulado de luz de un proyector de diapositivas; es una escritura agitada y fantasiosa que se parece en algo a los rizos de su pelo en un sobre que Ignacio Abel guarda en uno de sus bolsillos, en su equipaje de fugitivo o de desertor que sólo posee lo que lleva consigo y no sabe cuánto durará su viaje y ni siquiera si volverá al país en ruinas del que se marchó hace tan sólo dos semanas. Judith Biely es la escritura tumultuosa en las cuartillas de esa carta que Ignacio Abel hubiera preferido no recibir y que quizás sea la última de todas; fechada en Madrid hace menos de tres meses; no confiada al correo, sino dejada a cargo de alguien que la entregó con la mezcla de astucia y deleite de quien sabe que está ofreciendo el dolor de una hoja de cuchillo. Veía las manos rapaces ofreciéndosela, en el vestíbulo de la casa de citas donde habían acordado encontrarse por última vez, las uñas muy rojas de unos dedos artríticos manchando con su cercanía el sobre en el que la letra de Judith había escrito su nombre con una formalidad que era también un mal augurio, *Sr. D. Ignacio Abel*. Una carta puede ser un maleficio retardado; alguien para quien no estaba destinada abre un cajón y la ve por error si se atreve a leerla y es como si hubiera introducido la mano en la madriguera de un alacrán; ya no puede cerrar el cajón de nuevo; ya no puede no haberla sacado del sobre ni haberla leído, descifrando esa caligrafía de rasgos caprichosos en la que se dicen palabras que le quemarán la memoria durante mucho tiempo. La encuentra alguien muchos años después en el interior de una maleta cubierta de polvo o en un archivo universitario y la carta sigue preservando su fervor o su daño aunque ya estén muertos quien la escribió y quien la recibió. *Sr. D. Ignacio Abel*: como si de repente ya no se conocieran, como si los últimos nueve meses no hubieran existido. Judith Biely es ahora mismo una mujer de espaldas que no hubiera llegado a volverse; una ausencia irreparable y algunos rastros materiales custodiados por ese hombre que apoya la cara contra la ventanilla del tren mirando la anchura del río Hudson, los ojos entornados, la conciencia disolviéndose en la fatiga y en la contemplación. Veo sus zapatos negros cuarteados según la forma de su pie y el modo en que camina, la suela cosida a mano pero ya gastada, sobre todo en el tacón, residuos de polvo de Madrid y de los tajos abandonados de la Ciudad Universitaria en sus intersticios (volvía a casa para alguna reunión familiar con los zapatos manchados de polvo o de barro de las obras, contrastando con la hechura impecable de los bajos del pantalón, y el hermano de Adela o alguna tía o prima observaba: «Se ve que tiene nostalgia del andamio»). El calcetín derecho tiene un agujero en el dedo gordo. En la habitación del hotel de Nueva York Ignacio Abel encontró aguja e hilo de coser en una cajita e intentó remendarse el calcetín descubriendo que no sabía, que sus manos eran inútiles. Tampoco sabía coserse el botón caído de una camisa y había observado con alarma que el bolsillo derecho de su chaqueta estaba empezando a desprenderse. Sutilmente los materiales se degradan; los bolsillos de quien no tiene domicilio fijo acaban deformándose, porque guarda en ellos demasiadas cosas; unos hilos sueltos son el primer indicio de la siguiente fase en la ruina; como una grieta todavía no muy visible en un muro. Se acuerda de cuando la ropa aparecía por milagro limpia y planchada en su armario, en los cajones del aparador con un espejo oval en el que se reflejaba la sombría cama conyugal, con un cabecero de madera torneada imitación Renacimiento español que era el estilo inmemorial de la familia Ponce-Cañizares Salcedo. No sabes hacer nada; te morirías de hambre si tuvieras que ganarte la vida con las manos; que hacerte tú mismo la comida. De niño su padre se burlaba de él al ver el vértigo con el que se subía incluso al andamio más bajo, la torpeza con la que llevaba a cabo las tareas manuales más sencillas. «Eutimio, o este hijo mío se nos hace señorito o se muere de hambre», le decía al aprendiz que se ocupaba de él como un hermano mayor cada vez que llevaba al chico a una obra. El profesor Rossman al menos tenía destreza y pudo defenderse malamente en sus peores tiempos en Madrid componiendo plumas estilográficas; vendiéndolas a comisión por los cafés, sacándolas por sorpresa de sus bolsillos o del interior de su cartera sin fondo, como un mago viejo que sigue repitiendo trucos anticuados. La cartera no la había llevado consigo cuando lo sacaron de la pensión con modales ásperos pero no violentos o groseros y lo montaron en el asiento de atrás de un automóvil incautado, un Hispano-Suiza, recordaba su hija, que lo vio desde arriba, tras los visillos de la ventana. Sin siglas políticas pintadas a brochazos en las puertas o sobre el capó, sin colchones sobre el techo como precaución chapucera contra los francotiradores o contra la metralla de los aviones enemigos. En las portezuelas todavía llevaba impreso el escudo nobiliario del aristócrata al que se lo habrían incautado, que habría huido o estaría muerto. Gente seria, que no perdía el tiempo ni hacía aspavientos ni imitaba a los gángsters del cine; que traía una orden de registro firmada, con un sello morado de aire oficial que la señorita Rossman no acertó a distinguir. El profesor Rossman también llevaba los bolsillos llenos de cosas, como él ahora, en el tren, abultados, desfondándose: le dieron tiempo a que se pusiera la chaqueta, pero no el chaleco ni el cuello duro, que no le harían ninguna falta en el calor de Madrid; o no le dieron permiso para ponerse las botas alemanas de tacones torcidos o él tuvo tanto miedo que se olvidó de pedirlo, de modo que salió en calcetines, con sus zapatillas viejas de fieltro. En el depósito de cadáveres de la calle Santa Isabel un pie del profesor Rossman llevaba todavía la zapatilla, y el dedo gordo del otro sobresalía de la punta del calcetín, amarillo y rígido, la uña como una garra torcida. En la sala del depósito olía a muerte y a desinfectante y todos los cadáveres llevaban colgado al cuello un cartel con un número. Por algún motivo a los muertos se les salían siempre los zapatos. Los merodeadores madrugaban para quitarles a los muertos los zapatos y los relojes, los alfileres de corbata, hasta los dientes de oro. A algunos era más difícil identificarlos porque les habían volado la cara o les había robado la cartera, quizás los mismos que acababan de fusilarlos. «Es la justicia del pueblo», dijo Bergamín, mirándolo con un recelo eclesiástico desde el otro lado de su mesa de despacho, en un salón de techos góticos de la Alianza de Intelectuales Antifascistas, las manos juntas a la altura de la boca, oliéndose subrepticiamente las uñas, «Una riada que lo arrasa todo, que se lo lleva todo por delante. Pero han sido los otros los que al sublevarse han abierto las compuertas de esa riada en la que ahora perecen. Hasta el señor Ossorio y Gallardo, que es tan católico como yo y mucho más conservador, ha sabido entenderlo, y lo ha puesto por escrito: es la lógica de la Historia». Las vidas individuales ahora no contaban, dijo, tampoco las nuestras. Pero por si acaso él protegía la suya en el interior de un despacho en vez de exponerla acercándose al frente, hubiera deseado decirle Ignacio Abel, muerto posible él también, interrogado unas cuantas veces a lo largo del verano, apuntado por cañones de fusiles viejos que se le hincaban en el pecho y que se podrían haber disparado en cualquier momento, porque quienes los manejaban tenían un dominio muy sumario de sus mecanismos, arrojado una noche delante de unos faros unos segundos antes de la voz que lo salvó diciendo su nombre. Seguía pareciendo un burgués aunque por precaución saliera siempre sin corbata ni sombrero, tan desamparado al principio como cuando se sueña que se ha salido a la calle desnudo. Cuando se ha estado a punto de morir el mundo adquiere una cualidad impersonal: las cosas que uno mira habrían seguido existiendo si hace unos minutos alguien le hubiera reventado la cabeza o el pecho con una bala de máuser disparada desde muy cerca. Piensa, desapegado de sí mismo, con la objetividad de una cámara detrás de la cual no estuviera la mirada de nadie: yo podría estar muerto y nadie ocuparía este asiento del tren, junto a la ventanilla por la que se desliza la perspectiva de un río cuya amplitud desborda la capacidad de mirar de unos ojos españoles, acostumbrados al secano, a los arroyos mustios, a las riadas violentas y las torrenteras pedregosas. «La riada incontenible de la justa ira popular, escribía Bergamín», decía en voz alta, con su voz débil y apagada, como ensayando el artículo que iba a publicar al día siguiente. Ignacio Abel sabe que podría haber muerto sin ninguna duda al menos cuatro o cinco veces durante el verano de Madrid y ni Judith ni sus hijos habrían llegado todavía a enterarse: puede que piensen, que lo den por muerto; que de algún modo, sin él mismo saberlo, lo esté. Que el olvido de los otros lo esté borrando mientras él imagina que su identidad permanece intacta. *Qué terror, pensar que en este instante, en esta hora, en no sé dónde, el olvido está trabajando contra mí, deshaciéndome.* Ha escrito esas palabras pero no sabe si Judith las recibirá alguna vez. Si yo hubiera muerto en Madrid el horizonte del río pasaría a velocidad creciente junto a esta ventanilla sin que nadie lo mirara. Me habrían llevado al depósito de cadáveres, tan inundado de muertos sin nombres que se apilaban en los pasillos y hasta en los cuartos de las escobas, bajo un zumbido de nubes de moscas; me habrían colgado al cuello un cartel manoseado con un número de registro, como al profesor Rossman; lo que no me hubieran robado los que madrugan para saquear a los muertos de la última noche alguien lo habría guardado en un archivador después de concluir una lista mecanografiada con varias copias en papel carbón.

Yo catalogo los bolsillos de Ignacio Abel; todo lo que un hombre lleva consigo sin darse cuenta, lo que no ha tirado, lo que le importa mucho y lo que permanece adherido sin ningún motivo a su ropa, abultando en sus bolsillos, con un peso excesivo que empieza a hacer que se suelten unos hilos, y que una vez sueltos el descosido pueda convertirse en un desgarrón; lo que ayudaría a establecer su identidad y a reconstruir sus pasos y es tan efímero como cualquier papel que el viento de octubre arrastra por la calle; como el contenido de la papelera que las limpiadoras del hotel New Yorker vuelcan en un cubo de basura. Habrás muerto y sólo esas cosas hablarán de ti. Pero en Madrid los suicidas del Viaducto tendían a vaciarse los bolsillos y a dejar bien ordenados sus documentos y sus objetos personales de valor antes de saltar al vacío. Algunos se quitaban los zapatos, pero no los calcetines, y los dejaban alineados y juntos, como a los pies de la cama (Adela no se quitó los suyos; saltó al agua o más bien dio un paso y se dejó caer en ella con sus zapatos de tacón y el bolso apretado entre las manos cubiertas con los guantes ligeros de verano y el pequeño sombrero que se quedó flotando y de lejos parecía un barco de papel). Aparta el pensamiento, con un gesto instintivo de la cabeza; se acuerda de la carta de Adela que hubiera debido romper en pedazos menudos y todavía lleva en un bolsillo, con la contumacia de un recuerdo o de un remordimiento parásito. *Y para qué voy a ocultar que no soy mejor que tú porque lo que me da más miedo y más rabia pensar no es que te hayan matado esos salvajes que tú creías que eran los tuyos y que tus hijos se vayan a criar sin un padre sino que estés ahora mismo vivo y tan feliz en los brazos de la otra.* Se acuerda de las cartas de Judith guardadas insensatamente en un cajón de su despacho cerrado con una pequeña llave que alguna vez él dejaría inevitablemente olvidada en la cerradura. *Bien sabía yo que muchas cosas que tú deseabas no podía dártelas pero tampoco habrá otra que te las dé porque lo que tú quieres no existe y no sabes querer tampoco lo que tienes más cerca.*

Arqueología del pasajero de un tren que ha salido de la estación de Pennsylvania a las cuatro de la tarde de un día preciso de octubre de 1936; no lo que hay en su maleta digna de viajero internacional venido a menos sino el contenido de sus bolsillos: el billete de tren; una cartilla con las instrucciones de emergencia en caso de peligro de naufragio suministrada al embarcar a cada pasajero del *S.S. Manhattan*; una postal franqueada que se ha prometido echar en cuanto llegue a su estación de destino, culpable por el tiempo que hace que no escribe a sus hijos, aunque no sabe si les habrá llegado alguna de las postales que ha estado enviando desde la mañana siguiente a su salida de Madrid, en Valencia, en una plaza recién regada con palmeras; perras gordas españolas, céntimos franceses, algún centavo diminuto de cobre escondido en el último intersticio de un bolsillo, donde se alojan las migas de pan más duras, en una profundidad a la que no llegan las uñas; algún sello de correos; una pluma estilográfica, regalo de Adela por su último cumpleaños, sugerida —y vendida, con una pequeña comisión— por el profesor Karl Ludwig Rossman, aprovechando una de las ocasiones en las que iba a casa de Ignacio Abel a recoger a su hija al final de la clase de alemán que le daba a los niños; una ficha del tren elevado; dos cartas de dos mujeres, tan diversas entre sí como la caligrafía de cada una de ellas (las dos anuncian el final de algo en cada uno de los dos lados de su vida, los que él pensó durante un tiempo que no chocarían ni se mezclarían nunca, habitaciones contiguas de un mismo hotel con tabique insonorizado, mundos paralelos). Fotos en la cartera, muy gastada por el uso, abultada de documentos y credenciales inútiles: la cédula personal, el carnet de la UGT y el del Partido Socialista, el del Colegio de Arquitectos, el salvoconducto fechado el 4 de septiembre de 1936 para viajar a Illescas, provincia de Toledo, *con el objeto de salvar obras valiosas de arte pertenecientes al patrimonio nacional y amenazadas por la brutal agresión facciosa*. El salvoconducto habla de agresión, no de avance. Se modificaban las palabras con la esperanza de que dejaran de existir los hechos que las palabras ya no contaban. Que el enemigo venía sin que ninguna fuerza efectiva lo detuviera o al menos entorpeciera su avance, sólo bandadas sin orden de milicianos que pasaban de la jactancia al pánico y a la desbandada después de los primeros disparos; que morían con un heroísmo generoso e inútil sin saber dónde estaba el enemigo y ni siquiera que la confusión en la que de pronto se habían visto envueltos era una batalla; que se caían de espaldas al recibir en el hombro el retroceso de los fusiles o tenían fusiles sin balas o sólo fusiles de madera o pistolas enormes robadas en el saqueo del Cuartel de la Montaña, apuntadas insensatamente contra un avión que volaba bajo sobre la carretera recta disparando metralla o contra unos chopos que al ser agitados por el viento habían parecido hirviendo de enemigos. *Las plazas que los rebeldes consideran baluartes decisivos de su posición están cada día en una situación más desesperada y si todavía no se ha producido su rendición es sencillamente porque nuestras fuerzas victoriosas no quieren arrasar esas ciudades sino conquistarlas para la Civilización y la República.* Quizás ya han llegado a Madrid y ésta es la primera noche de la ocupación, la noche de seis horas más tarde que ya tiene sobre las calles silenciadas una oscuridad de tintero o de pozo. Quizás cuando el tren llegue a la estación de Burton College habrá en el kiosco titulares con tinta todavía fresca que anuncien la caída de Madrid.

Judith Biely es una foto en la cartera tomada cuando no existía aún ni la posibilidad de que pudieran encontrarse, en París, días o semanas antes de que le llegara la invitación inesperada para viajar a Madrid, casi de la noche a la mañana, cuando lo que imaginaba era que pasaría el otoño en Italia, escribiendo crónicas para una revista americana que le pagaría muy poco, pero que le ofrecería al menos el doble alivio de no estar gastando el dinero que le quedaba y el de ver publicado algo escrito por ella; verlo ella y sobre todo su madre, que guardaba en un álbum las fotos y las cartas que Judith había ido enviándole

en los dos últimos dos años y los escasos artículos apareci-
dos con su firma, la compensación por ahora tan dudosa
del sacrificio que había hecho para que su hija emprendie-
ra ese viaje y se diera a sí misma la educación en el mundo
que merecía y que necesitaba y que le permitiría cumplir
su vocación. Las cosas más frágiles tienen una extraordinaria capacidad de persistir, al menos por comparación
con las personas que las manejan y las hacen. En algún archivo de Nueva York que no visita nadie estarán encua-
dernadas las pequeñas revistas radicales que publicaron
entre 1934 y 1936 relatos de viajes o breves estampas de
ciudades europeas escritas por Judith Biely, casi nunca
abiertamente políticas, aunque dotadas de una aguda observación de la vida, con un estilo rápido y entrecortado,
mecanografiadas en una máquina portátil, la Smith Corona que había sido también un regalo de su madre, como el
viaje entero, como el impulso para emprenderlo. Le entregó la máquina cuando ya estaban en el muelle esperando
a que se abriera la pasarela para subir a bordo, cuando ya
había sonado una vez la sirena tremenda al tiempo que ascendía de una de las chimeneas una gran columna de
humo. No le ponía una condición ni le exigía ningún resultado, tan sólo le ofrecía ese regalo con un desbordamiento de entrega semejante al que había sentido veintinueve años atrás al darle la vida, quedándose luego igual de
exhausta, igual de arrasada por un empeño en el que sacri-
ficaba sus propias fuerzas orgánicas para robustecer la existencia de su hija. Cumplió veintinueve años en alta mar,
encerrada en su cabina, delante de la máquina en la que
había puesto una hoja sin escribir luego nada en ella, mareada por el movimiento y el calor del buque, abrumada
por la magnitud del regalo y la responsabilidad de merecerlo. Acodado en una barandilla de la cubierta de primera clase Philip Van Doren la estuvo observando durante el

viaje. Era la vida de Judith la que debería adquirir una forma decisiva como consecuencia del regalo, pero era también, de manera delegada, la prolongación de la vida que su madre no había podido tener; su travesía hacia una Europa en la que no había estado nunca era el viaje de vuelta que su madre ya no haría. Judith, la hija menor e inesperada que le vino como un contratiempo definitivo a los treinta y tantos años, ahora cumpliría las expectativas y las posibilidades a las que ella había renunciado, bajo el agobio de la crianza de los hijos y el cuidado de la casa y la presión de un marido angustiado y tiránico que no podía explicarse por qué otros casi recién llegados triunfaban en América y él no, o no en la escala y con la solidez que hubiera querido; él que en Rusia había sido un comerciante sagaz y respetado; que se descubrió con estupor tan torpe para los negocios en el nuevo país como para el manejo del idioma, en el que siempre se escuchaba hablar como un idiota indeciso, aunque en San Petersburgo había cerrado tratos fulminantes lo mismo en francés y en alemán que en polaco o en yiddish. Su amargura de hombre soberbio que ha sido ultrajado envolvía su presencia y ocupaba su casa como una sombra irrespirable. Al ser una niña y haber nacido la última Judith estaba a salvo de la violenta presión que el padre ejercía sobre los hijos varones: les exigía que fueran lo que él no había sido y a la vez era muy sensible a la humillación que ellos le infligían desbordando muy pronto su desacreditado magisterio; hablando inglés sin acento, avergonzándose del suyo, saliendo adelante con una inextinguible capacidad de entregarse al trabajo, al comercio de cosas que él en Rusia habría despreciado, la chatarra, la ropa vieja, los materiales de construcción, cualquier mercancía que pudiera ser comprada y vendida en grandes cantidades y sin mucho miramiento. En la mesa familiar hablaba muy alto y no escuchaba a nadie, adoctrinando a sus hijos con consejos imperativos e inútiles que empezaban y acababan siempre en él mismo, en las relaciones que había sabido cultivar a lo largo de toda Europa, llevando a mano su propia correspondencia en francés y alemán; les aconsejaba cómo tenían que escribir ellos las cartas, como si no acabara de enterarse de que estaba en Brooklyn y no en San Petersburgo, como seguía llamando a su ciudad natal. Cuanto más fuera del mundo iba quedándose más agresivo se volvía; cuanto más terror sentía a aventurarse en una ciudad que nunca iba a ser ya la suya más retadoramente se negaba a seguir las indicaciones de sus hijos en las tareas muy limitadas que le encargaban. Su egolatría se hipertrofiaba hinchándose con el aire caliente de rememoraciones siempre repetidas y cada vez más exageradas en las que él mismo era siempre el centro. Los hijos miraban a otro lado, se distraían con migajas de pan o fumando cigarrillos, intercambiando miradas entre ellos; se iban rápido, siempre tenían que hacer cosas; madrugaban tanto que se quedaban roncando sobre el plato recién acabado de la cena. La madre se quedaba adormilada sin levantarse de la mesa, sin atreverse a irritarlo dejándolo sin público para sus desvaríos; algunas veces, sin darse cuenta, se distraía haciendo escalas de piano sobre el hule. Con el tiempo Judith, la pequeña, fue la única que le escuchaba, sin poder escapar a aquellos ojos que habían vagado de una cara a otra en busca de una mirada de atención en la que anclar su monólogo. Lo entendía fragmentariamente, porque hablaba muy rápido en ruso, o se ponía a divagar en francés o en alemán para mostrar su dominio de esos dos idiomas que para él eran la civilización, o para repetir el elogio que alguien había hecho de él en una carta enviada desde París o Berlín muchos años atrás. Ser niña y haber llegado la última le daba una libertad algo gatuna que estaba negada a los otros, y desde la cual los observaba a todos, absuelta de las obligaciones brutales a las que los hermanos y el padre se entregaban, de los madrugones, de los viajes a chatarrerías y a vertederos, de la furia de las celebraciones masculinas, siempre ásperas y más bien amenazadoras, el vodka, la cerveza, el tabaco, las competiciones deportivas. Pero también estaba a salvo en gran parte del trabajo de su madre, quien vivía en silencio igual que su marido vivía en las palabras, pero aún más desterrada, según Judith fue comprendiendo al paso de los años, a medida que se hizo mayor y pudo explicarse lo que sólo intuía como corrientes de tristeza cuando era una niña, sensible a ellas pero ajena a su origen. Después de pasarse todo el día trabajando en la casa, cuando los demás ya dormían, su madre se quedaba en la cocina recién fregada y ordenada y la cara le cambiaba porque se ponía unas gafas y se sentaba muy recta para leer un libro en ruso, muy grueso casi siempre, de tapas negras, como una biblia. Lo que sentía hacia el marido no era miedo a su energía desenfocada y violenta sino un profundo desdén que le hacía más llevadero el aburrimiento al permitirle comprobar que ni su dominio de los idiomas era tan bueno como él aseguraba ni su bravuconería alguna cosa más que miedo encubierto y patético. Se vengaba de él viéndolo ridículo, advirtiendo cada indicio de su profunda vulgaridad, prediciendo con antelación y palabra por palabra los embustes que contaría de nuevo cada noche. Sin decir nada lo miraba haciendo un gesto sutil y sabía que sus hijos lo habían advertido y lo tomaban como una señal para compartir tácitamente con ella el descrédito del padre, contra quien guardaba desde mucho antes de que la hiciera emigrar de su querida ciudad natal agravios inmunes al paso del tiempo. Fue él quien se empeñó insensatamente en traerla a América; por culpa suya dejó de ser una señora con sólidas aficiones musicales y literarias y un servicio doméstico que se ocupaba con eficacia y sigilo de las tareas de la casa para convertirse en poco más que una fregona; de ocupar la planta noble de un edificio en San Petersburgo había pasado a vivir en un vecindario hediondo y ruidoso de emigrantes, en un apartamento de techos bajos y tabiques como de cartón en el que casi todas las ventanas daban a un patio interior que era como un pozo negro de basuras y gritos. Ella que fue una señora tenía que pelearse para no perder su turno en el lavadero o en el retrete con mujeres greñudas y gritonas que la despreciaban más porque advertían su superioridad y su reserva; porque la veían volver de la biblioteca pública trayendo libros bajo el brazo; porque recibía de vez en cuando en el correo alguna revista rusa o el folleto informativo de una casa de pianos. Llevaba años ahorrando para comprarse uno. Había traído partituras de Rusia y algunas noches, en vez de leer, abría una sobre la mesa de la cocina apoyándola verticalmente en una jarra o en una caja de bizcochos y movía rápidamente los dedos sobre un teclado inexistente, murmurando la música en una voz tan baja que Judith apenas la oía. Cuando era niña la había hipnotizado aquel piano invisible, desaparecido como por un conjuro mágico pero de algún modo presente en los signos extraños de la partitura y en la delicadeza con que se movían sobre el hule barato o sobre la madera muy frotada las manos de su madre. Guardaba céntimo a céntimo. Trabajaba a veces a destajo en medio del estrépito de un taller de costura en el que las máquinas de coser no se detenían ni de día ni de noche. Era importante no dañarse los dedos; no dejar que se entorpecieran; mantener la música en la cabeza, aunque ningún instrumento la hiciera sonar, como Beethoven componía y escuchaba la suya cuando ya estaba completamente sordo. Judith la observaba leyendo en ruso con sus gafas que le cambiaban la expresión de la cara o tocando el piano inexistente y comprendía que su madre, aunque se ocupara tanto de ella —para que no faltara a la escuela ni saliera de casa sin los deberes hechos, para que fuera bien peinada y muy limpia y vestida como una señorita—, vivía en realidad en otro mundo del que ella, su hija, igual que su marido y los chicos, estaban excluidos, una burbuja de silencio en el interior de la cual flotaban las palabras rusas que leía en voz muy baja en las novelas, las notas del piano que tal vez ya no sonaban en su imaginación con la nitidez que ella hubiera querido. Mucho después de que el Petersburgo de su juventud se convirtiera en Petrogrado y luego —bárbaramente a su juicio, una profanación que se tomaba como una injuria personal— en el Leningrado de los sóviets; cuando dejaron de llegar cartas de parientes y amigos y empezó a saberse con retraso el destino de muchos de ellos —deportados, encarcelados, muertos de frío y hambre en las calles, desaparecidos—: aun entonces ella seguía alimentando las mismas quejas circulares contra su marido por haberla arrancado de su ciudad y de su vida: una ciudad que ya no existía, una vida que habría acabado siendo mucho peor que la que tenía en América. Él se vanagloriaba en la mesa de haber previsto con veinte años de antelación lo que iba a suceder; escuchándole, parecía inexplicable que el Zar no le hubiera pedido consejo, que Kerensky, en 1917, se hubiera dejado llevar por una ingenuidad de consecuencias desastrosas, habiendo podido hacer caso a lo que él vaticinaba, incluso llevando ya muchos años fuera del país, gracias a su conocimiento del mundo y a su astucia en los negocios, a su capacidad de penetrar las intenciones más escondidas de los hombres y de leer por debajo de las informaciones mentirosas de los periódicos. Cuando Fanny Kaplan atentó contra Lenin en 1918 él sostuvo que en realidad lo había asesinado y que los sóviets, maestros en la propaganda, ganaban tiempo engañando al mundo entero, salvo a él. Cuando se supo varios años más tarde que Lenin había muerto predijo el hundimiento inmediato de un sistema de tiranía asiática que dependía de un solo hombre: así se desmoronó el imperio de Genghis Kan después de su muerte, así se deshicieron en nada las hordas de Atila. A diferencia de otros, él no basaba sus opiniones en las banalidades que publicaban los periódicos; había que tener una perspectiva amplia, que manejar libros de historia en varios idiomas. Para entonces Judith ya estaba en la universidad, alumna brillante en City College, no porque la obstinación de su madre por que tuviese una educación hubiera prevalecido sobre el padre y los hermanos sino porque ninguno de ellos le había prestado mucha atención mientras crecía, callada y sigilosa, tan irrelevante como esos hermanos pequeños y débiles de otras familias que pasaban temporadas en los hospitales o eran un poco retrasados y a los que no se les exigía que contribuyeran al esfuerzo común para salir adelante: era la menor; era una niña tenue y flexible, casi translúcida; era la única de todos que había nacido en América. Aceptaron como parte de su singularidad que ganara todos los premios en la escuela y que no le costara nada superar la prueba de ingreso en City College. En realidad, les parecía un logro menor, cosa de niñas o de varones de hombría escasa. El padre al principio se había envanecido de ella, mucho más que la madre; había explicado que los logros de la hija de un modo u otro se debían a él, y modificado sus recuerdos para que se ajustaran a esa nueva versión de los hechos; delante de ella, de la madre, de los hermanos, contaba lo que todos sabían que no era verdad, y lo contaba más adornado y con más exageración según intuía que no le daban crédito; como desafiándolos a que le llevaran la contraria; a que no aceptaran recordar ellos también —y ella, Judith, sobre todo— lo que nunca había sucedido: cómo su padre la había llevado a la escuela cada mañana de invierno cuando era muy niña, cómo le había ayudado en los ejercicios, cómo, en el fondo, había sido más responsable que ella misma de sus excelentes calificaciones. ¿Cuántas veces había robado horas al sueño para explicarle francés y alemán? Incluso aseguraba haberle corregido muchos de sus trabajos de inglés, él que después de un cuarto de siglo en América aún hablaba traduciendo literalmente del ruso, y que en cualquier caso, cuando sus hijos eran pequeños, había tenido una habilidad extraordinaria para no verlos, especialmente cuando caían enfermos o cuando mostraban alguna debilidad. A medida que su hija iba afianzando sus credenciales en la universidad él empezó a mostrar un recelo agraviado que se manifestaba en forma de desdén a lo que llamaba el conocimiento de los libros, la falta de formación verdadera de profesores que en muchos casos habían alcanzado su posición no gracias al mérito personal sino a las conexiones familiares, al efecto corruptor del dinero. ¿Había necesitado él ir a la universidad para dirigir en San Petersburgo un negocio que extendía sus sucursales a las grandes ciudades de Europa y a las capitales del Levante de las que importaba, con excelentes beneficios, aceite de oliva, almendras, aceitunas y naranjas? ¿Qué título le había hecho falta para abrirse paso en América, habiendo previsto, antes que nadie, y contra la opinión de pomposos universitarios, que el zarismo tenía los días contados y que cuando se hundiera no lo sustituiría un sistema parlamentario a la europea, como afirmaban tantos ilusos con títulos de doctores, sino un despotismo asiático? En la mesa familiar, bajo el círculo de luz de la lámpara, uno de los hermanos, agotado por catorce horas de trabajo sin tregua, roncaba con la cabeza hincada sobre el pecho. El otro fumaba un cigarrillo prestando una atención cuidadosa a la ceniza. La madre miraba de soslayo y practicaba sin darse cuenta ejercicios de digitación con la mano derecha, en el filo de la mesa. Sólo ella, Judith, sostenía la mirada del padre, actuaba de público, asentía sin esforzarse mucho a sus preguntas que llevaban siempre implícita la respuesta. Pero ni le guardaba verdadero rencor ni se le acababa la paciencia, y esa tolerancia suya en el fondo hería a su madre, que la hubiera querido más indignada con él, más herida por su tacañería y su vanidad y su profunda indiferencia hacia todo lo que no fuera él mismo, su yo hinchándose como un globo con el aire de todas sus palabras, con el brío de sus gesticulaciones. Ella, que de verdad había hecho tanto por su hija, ¿no merecía que Judith se pusiera francamente de su parte, que se hiciera su cómplice en el resentimiento y en el cuidado del archivo de todos los agravios catalogados desde varios años antes de que terminara el siglo anterior, en un mundo de corsés y coches de caballos y solemnidades bizantinas en honor del Zar? Pero si ella hablaba contra el padre Judith no la secundaba, y si enumeraba para ella todas sus muestras de vulgaridad y demente egoísmo Judith le daba la razón y luego sonreía, haciendo un comentario que de algún modo lo exculpaba a él, mostrándolo menos arbitrario y cruel que pintoresco o excéntrico. Jamás le había dado ni un céntimo para comprar un cuaderno, un lápiz, un libro. Y sin embargo no estaba resentida, y si a pesar de todo sentía el impulso íntimo de la queja lo ahogaba en remordimiento, como si hubiera cometido una falta de misericordia con su padre. Había ingresado prematuramente en la decrepitud física; le daba miedo salir de las calles más conocidas, y cada vez se atrevía menos a aventurarse en Manhattan; no fue nunca un hombre muy querido, ni de niño ni de adulto, no desde luego por su mujer y muy poco por sus hijos varones, que no tenían tiempo ni energías para gastar en él, confabulados en ganar dinero y en hacerse plenamente, casi violentamente americanos. El día antes de la partida de Judith para Europa le hizo una caricia torpe en el pelo que parecía más bien un manotazo o un empujón y le dijo en ruso «mi niña», apartando en seguida la cara, por temor a que ella le viera el brillo húmedo en los ojos.

Pero era su madre quien había hecho posible el viaje; quien la había alentado, quien la había asistido cuando más perdida se encontraba; quien la había estado observando con ansiosa expectación a lo largo de los años en los que la vio extraviada, en peligro de acabar viéndose tan sepultada para siempre como lo estaba ella, queriendo advertirle y no sabiendo cómo hacerlo, consciente de que su hija no aceptaría una interferencia, aunque también ella supiera que se estaba equivocando. De qué le servía la clarividencia sobre el carácter y las fragilidades de su hija si ella, su madre, era impotente para prevenir el desastre. Qué fácilmente se ataba quien era muy joven, quien no hubiera tenido ninguna obligación, quien no sabía la magnitud del tesoro que estaba malbaratando sin más motivo que su empecinamiento, ni siquiera por una pasión que lo cegara. En 1930, en vez de terminar su doctorado, Judith Biely se casó con un compañero de curso y empezó a trabajar diez horas en una oficina editorial de novelas policiacas baratas. A principios de 1934 llamó a su madre por teléfono y le dijo que se había divorciado; que tal vez aceptaría un empleo para cuidar niños o dar clases de inglés en París, y que desde allí viajaría a España, adonde había querido ir desde que era una niña fantasiosa lectora de Washington Irving. Quería revivir su español, bien aprendido en la escuela y luego en la universidad, tal vez reanudar el proyecto de una tesis doctoral sobre literatura española. Se habían visto muy poco en los últimos años: su padre, su madre y sus hermanos, que tendían a discutir furiosamente por todo, se habían puesto de acuerdo, aunque por diversos motivos, en considerar que su matrimonio era un error y su marido un indeseable, y Judith había roto bravíamente con todos ellos. Ella y su madre se citaron en una cafetería grande y ruidosa de la Segunda Avenida, decorada con carteles y fotografías de actores de teatro en yiddish. Su madre venía con una cartera negra de piel bien aferrada en el interior del abrigo: una cartera elegante, gastada, traída de Rusia igual que las partituras del piano. Había estado trabajando mucho como modista en los últimos años: había ahorrado dinero y elegido un piano. Pero al mirarlo en la tienda y extender las manos sobre las teclas se había dado cuenta de que ya era tarde: sus dedos que habían sido fuertes y flexibles ahora eran más torpes de lo que ella imaginaba y tenían las articulaciones hinchadas por la artrosis. La música de sus partituras se había acostumbrado a escucharla sólo en su cabeza, igual que escuchaba en ella la dulce fonética rusa de las novelas que leía en silencio, sentada en la cocina, con sus gafas que ya tenía que llevar siempre. Apartó las tazas de café y el plato con la tarta a un lado de la mesa y puso sobre ella la cartera, abultada y mullida por el fajo de billetes perfectamente ordenados que constituían sus ahorros personales de los últimos treinta años. «Para tu viaje», dijo, empujando la cartera hacia Judith, que no se atrevía a tocarla, «para que no vuelvas hasta que no te lo hayas gastado todo». *Down to the very last cent,* dijo, repitió luego Judith delante de Ignacio Abel, sintiendo sólo entonces, tanto tiempo después, el alivio de una restitución, la certeza de haber aprendido a corresponder a la ternura de su madre sin deslealtad hacia el padre que nunca habría hecho nada parecido por ella.

La veo más claramente ahora, no de espaldas y volviéndose un instante ni un perfil recortado en negro: veo su cara luminosa de expectación en la fotografía tomada en una cabina automática de una calle de París, la cara y la mirada de quien espera algo intensamente, no porque no sepa ver las sombras sino porque ha tenido el coraje de sobreponerse al infortunio y una salud de espíritu resistente por igual al engaño y a la desolación. Pero quizás esa cara ya pertenece al pasado o sólo sigue existiendo en el espejismo químico de la fotografía: es la de una desconocida a la que Ignacio Abel aún no ha visto y bien podría no ver nunca; es la de alguien que tal vez ya no se le parece y ha ingresado en otra vida, que ahora mismo habla y mira y respira en un lugar hostil donde él nunca va a encontrarla; donde ella se dedica poco a poco a borrarlo de su existencia, ya sin esfuerzo, como borra las cosas que estaban escritas en la pizarra cuando entra en un aula para dar una clase, polvo blanco de tiza cayendo al suelo y manchándole los dedos, un rastro físico mucho más tangible que la presencia desvanecida del amante a quien abandonó a mediados de julio, en otra ciudad de otro país, en otro continente, si es que ha regresado a América, en otra época.

8

No hace nada, sólo espera, dejándose llevar. Espera y teme, pero sobre todo se abandona al ímpetu del tren, la inercia de ser llevado y no decidir, recostado contra la tapicería muy rozada del asiento, la cara vuelta hacia la ventanilla, el sombrero en el regazo, el cuerpo entero registrando los golpes rítmicos de las ruedas sobre los raíles, la brusquedad de una curva, las manos sobre las rodillas. Así pasó seis días en el buque que cruzaba el Atlántico, absuelto de toda obligación y de toda incertidumbre por primera vez en no recuerda cuánto tiempo, desde que vio con alivio cómo se perdía la costa de Francia y antes de que empezara la inquietud de la llegada a América, seis días enteros sin enseñar documentos ni responder a interrogatorios, sin el tormento de decidir nada, el pasado y el porvenir tan despejados y vacíos como el horizonte del mar, y él echado en una hamaca de cubierta sintiendo todo el cansancio almacenado en el cuerpo, un cansancio mucho más hondo de lo que había imaginado, en el peso de los párpados sobre los globos oculares, en el de los brazos y las manos, en el de los pies hinchados después de noches enteras en trenes sin poder quitarse los zapatos, el cuerpo entero como puro agotamiento, materia inerte que reclama su propia inmovilidad, después de haber trajinado tanto de un sitio para otro.

Piensa en un convaleciente que abre los ojos emergiendo del desvanecimiento o de la anestesia y vuelve la cabeza apoyada en la almohada hacia la ventana de la habitación del hospital; la imagen se precisa y es Adela; en la ventana hay un paisaje de pinares y encinares oscuros, moteado por las grandes flores blancas de la jara; la ventana está entreabierta, por ella entra una brisa suave con olor a jara y a resina, que mueve tenuemente un mechón sobre su cara muy pálida, en el que hay muchas hebras grises que él no había advertido hasta ahora. No sabe si es que acaban de salirle o si ha descuidado teñirse el pelo en los últimos tiempos o si las canas se le han desteñido por culpa de la inmersión en el agua en la que ha estado a punto de ahogarse. La mira y no sabe nada de ella. Es su mujer y ha vivido casi día por día con ella los últimos dieciséis años y es tan desconocida o anónima como la habitación del sanatorio o la cama de barrotes blancos en la que yace. Más allá, en dirección a Madrid, que se perfila apenas en la lejanía, el aire tiene una luz de cal, vibrante en una neblina de bochorno. Al entrar Ignacio Abel ha cerrado la puerta de la habitación y ha dado unos pasos hacia la cama pero se ha quedado de pie, el sombrero en una mano, en la otra el pequeño ramo de flores que no se decide a darle, quizás porque no sabe cómo hacerlo: cómo se le dan unas flores a una mujer que no ha hecho ningún movimiento al verlo entrar, sólo mirarlo un momento y luego volver los ojos de nuevo hacia la ventana, con los dos brazos a lo largo del cuerpo, encima de la colcha, las manos que no han hecho ademán de coger las flores. *Te quedaste junto a la puerta como si estuvieras en una visita de cumplido o en un velatorio y ni siquiera fuiste para venir hacia mí y abrazarme y decirme que te alegrabas de que no me hubiera pasado nada porque quién sabe si no habrías preferido que no me hubieran salvado y librarte así tú del estorbo.* Apoyado contra la ventanilla, notando contra su frente la vibración del cristal, no sabe si lo que recuerda es la voz de Adela ese día de junio o algo de lo que ha leído varias veces en la carta que lleva en el bolsillo y que debería haber roto; o si proyecta ahora sobre la imagen silenciosa de ella las palabras escritas imaginadas en su voz, las que ese día Adela hubiera querido decirle y no le dijo o las que murmuró en el duermevela de la fiebre y luego, inextinguidas, sin apaciguamiento ni consuelo, puso por escrito mucho más tarde, cuando ya el principio de la guerra los había separado como una gran falla geológica, él en Madrid y ella en la casa de la Sierra con los niños y con sus padres, regresada al capullo familiar en cuyo interior se sentía tan protegida y del que tal vez no hubiera debido salir nunca, aunque entonces no habría tenido esos dos hijos que la habían tratado con tanta dulzura cuando volvió a casa después de una semana entera en el hospital, sin hacer preguntas sobre lo que todo el mundo en la familia llamaba el accidente, llenándola de remordimiento por lo que había intentado hacer y casi logrado. *De eso sí que me arrepiento de no haber pensado en ellos y sólo en ti y en mi deseo de hacerte daño pero a quien le habría hecho daño de verdad había sido a ellos no a ti que te habrías ahorrado la molestia de seguir viéndome y habrías visto despejado el camino; pero no es que quisiera hacerte daño, tonta de mí, lo que me pasaba era que estaba loca de amor y no podía vivir si tú me dejabas.* No es la voz de verdad, son las palabras escritas, en una especie de largo y laborioso arrebato, quizás en una noche de insomnio, a la luz de una lámpara de petróleo, en la casa de la Sierra donde el suministro eléctrico se cortaba a las once de la noche, quién sabe si oyendo como el fragor amortiguado de una tormenta el cañoneo del frente, que no debe de estar muy lejos. Los niños dormidos, don Francisco de Asís y doña Cecilia roncando en su cuarto, el pueblo con todas las luces apagadas, quizás algún candil de aceite en el ventanuco de un pajar, la estación en sombras, sin trenes que vengan o vayan a Madrid desde hace más de un mes: justo desde el día de julio en que Ignacio Abel se marchó, como cualquier domingo de verano por la tarde, como tantos hombres que dejan a la familia en la Sierra y vuelven a trabajar a la ciudad, con su traje claro, con la cartera en la mano, diciendo adiós con el sombrero desde el otro lado de la verja, apresurándose porque había escuchado el silbato del tren acercándose y tenía miedo de perderlo. *Pensarías que no te notaba la impaciencia cuando querías irte y no te atrevías a decirlo porque les habías prometido a los chicos que te quedarías hasta el lunes por la mañana temprano pero yo sabía que no ibas a aguantar qué sería lo que tan fuerte te llamaba que lo único que te importaba ese día no eran las noticias de Marruecos y de Sevilla y del peligro que había en Madrid con tantos tiroteos y crímenes horribles sino tan sólo que ese tren no se fuera sin ti para encontrarte con ella que te estaba esperando.* Escribía tan rápido que no reparaba ni en la puntuación, y su letra de alumna de colegio de monjas perdía la regularidad y la línea recta y ocupaba todo el espacio del papel, tachando descuidadamente, dejando manchas de tinta y raspaduras en los lugares donde la punta casi seca de la pluma se había atascado, como una boca que se queda sin saliva, poseída por el impulso de decir lo que no había dicho nunca, de romper impúdicamente su apocamiento y su decoro, *será que ella te hace cosas que a mí me habría dado asco hacerte y que parece que es lo que quieren todos los hombres y por eso van a esas casas inmundas.* Era lo que estaría pensando cuando él entró en la habitación del sanatorio y la vio vuelta hacia la ventana, indiferente a su presencia, dejándose llevar por un agotamiento que era sobre todo abandono, pura inercia física, obediencia al peso del cuerpo y a su inmovilidad después de la asfixia y del agua turbia entrando por la nariz y la boca e inundando los pulmones y el pataleo contra el cieno y las algas del fondo: un agua inmóvil en la que se había reflejado su cuerpo entero recortado contra el cielo antes de que ella saltara, o más bien diera un paso y se dejara caer como un saco de barro, aliviada por fin de la carga torpe y sudorosa de sí misma, convertida ella entera en su lastre de plomo.

No como esta corriente junto a la que avanza el tren, que arrastra en sentido contrario, en dirección al mar, grandes barcazas cargadas de minerales o de montañas de chatarra o basura y livianos veleros suspendidos sobre el agua, oscilando como barcos de papel, las velas blancas agitadas por la brisa con ondulaciones semejantes a las de la superficie, en la que también flota, medio sumergido como el lomo de un caimán, un tronco enorme tal vez desgajado de la orilla, con gaviotas aleteando sobre su cabellera de raíces. Si alguien se arroja aquí al agua no podría ser rescatado. Pero ahora él querría solamente mirar: no tener recuerdos ni deseos ni remordimientos (deseos de lo que ya no le será concedido; remordimientos de lo que ya no puede remediar), no calcular el tiempo que todavía le queda de viaje, no sufrir la inquietud de pasarse de estación o de no estar preparado con tiempo cuando el tren llegue a ella, porque le ha dicho el revisor que la parada es muy corta y que mejor será que se vaya acercando con antelación a la puerta de salida. Pero no lleva tantos minutos de viaje: mira el reloj con la misma frecuencia con que otros hombres ansiosos chupan o encienden cigarrillos; lo mira y hace tan poco que lo miró por última vez que le parece que se le ha parado y se lo lleva al oído con un gesto de alarma. Una curva pronunciada en las vías del tren le permite ahora ver por delante de él toda la anchura del río y las dos orillas al mismo tiempo, y sobre ellas, tan ligero como un dibujo o un espejismo, el puente más bello que ha visto nunca, sus pilares y arcos y las armazones metálicas de las dos torres brillando al sol como una ingrávida estructura de láminas de acero, los cables resaltando contra el azul o casi desapareciendo en la cegadora claridad igual que los hilos de seda de una telaraña que vibraran con el viento. Con recobrado asombro juvenil reconoce el puente George Washington, más admirable en la realidad que en las fotografías y en los planos, con el resplandor que debió de tener una catedral gótica recién terminada, blanca todavía, como en las evocaciones de Le Corbusier; pero más bello que cualquier catedral, delicado en su escala formidable, en la limpieza de su forma, tan pura como un axioma matemático, tan necesaria como la de aquellos objetos maravillosos y diarios que dejaba sobre la mesa del aula el profesor Rossman, que ya no conocerá nunca la emoción de distinguirlo a lo lejos. Pega la cara al cristal de la ventanilla para verlo mejor según el tren se acerca. A su hijo Miguel le compró para su santo hace dos años un mecano del puente George Washington, y el niño estaba tan excitado, tan abrumado por el regalo, que no acertaba a montarlo, y se le derrumbaron todas las piezas cuando ya parecía empezar a lograrlo, y rompió a llorar. El arco invertido de los cables atraviesa de una orilla a otra con la exacta delicadeza de una curva de compás trazada en tinta azul sobre la cartulina blanca. No hay revestimientos de piedra para esconder o ennoblecer la estructura: la luz traspasa las torres como las filigranas geométricas de una celosía. Las torres desnudas, puros prismas de acero, su verticalidad tan firme como la horizontal ligeramente combada que se extiende sin más soporte que ellas entre las dos orillas, los cables como arcos y como dobles cuerdas de arpas, vibrando con el viento. Pureza matemática: dos líneas verticales atravesadas por una horizontal, un arco inverso de aproximadamente treinta grados que tiene sus extremos en los puntos de intersección de la horizontal y las verticales. Poco a poco, al acercarse el tren, la ligereza se convierte en peso, en la gravitación tremenda de las vigas de acero sobre los pilares ciclópeos que las sostienen, hundidos en la roca viva por debajo del cauce del río y del cieno, sus bloques graníticos golpeados por las olas que levanta un carguero al pasar bajo el puente, adelantado en seguida por el tren. Tal vez se equivocó de trabajo; en el oficio de arquitecto caben frivolidades y caprichos que el arte ascético de la ingeniería no admite («ustedes, los arquitectos, ¿no son más bien decoradores?», le decía sin bromear del todo el ingeniero Torroja): no puede existir un edificio que fuera más hermoso que un puente, una forma más pura y al mismo tiempo más artificial, superpuesta a la desmesura de la naturaleza como una hoja de papel transparente en la que se ha trazado un boceto. Durante unos segundos puede apreciar muy de cerca desde la ventanilla la superficie labrada de los grandes sillares, tan magníficos como los de un palacio de Florencia o de Roma, o como bloques de roca primitiva, el tamaño de los pernos ajustados a lo largo de las vigas; casi tiene la sensación de tocar las asperezas y las grietas de la capa de pintura mordida por la intemperie, su textura tan rica como la de la corteza de un gran árbol; dobla la cabeza para intentar abarcar la altura de los pilares y siente el mareo de su gravitación. La escala del puente se mide con la del río ancho y poderoso como un mar: con la de los acantilados, con la de los bosques en los que ahora, según la ciudad va quedándose atrás, se interna el tren más velozmente. Les enviará a sus hijos una postal en color, como las que ya les ha mandado del puente de Brooklyn y de los transatlánticos alineados a lo largo de los muelles, delante del telón de los rascacielos, del edificio Chrysler; como la del Empire State Building que se olvidó de echar aunque ya le había pegado el sello: marcará un punto al pie de uno de los pilares del puente George Washington para darles una idea del tamaño de una figura humana, ínfima como un insecto, perdida en aquel mundo demasiado colosal y a la vez exaltada en su inteligencia y su imaginación, porque nada de aquello que lo abrumaba pertenecía al reino de la naturaleza. Hombres igual de diminutos habían concebido el puente, lo habían imaginado trazando líneas indecisas sobre un cuaderno de dibujo; habían calculado con precisión fuerzas y resistencias; habían horadado luego la tierra con máquinas; se habían sumergido en el agua con trajes de buzos y zapatos de plomo; habían escalado estructuras metálicas oscilantes en el viento para soldar vigas, tensar cables, golpear remaches con grandes martillos. El trabajo humano era sagrado: el coraje de enfrentarse al viento helado, al cansancio y al vértigo, no en nombre de ningún ideal o delirio sino para cumplir la tarea asignada y ganar el pan de cada día; el empeño unánime de erigir algo donde nada existía antes: un puente, los rieles de un tren y las traviesas de un tren, uno por uno clavados en la tierra; una casa, una biblioteca en la cima de una colina. Levantar algo sabiendo que desde el momento en que se diera por concluido el trabajo el tiempo y los elementos ya estarían empezando a socavarlo, a gastarlo con la dilatación del calor o con la agresión del viento y de la lluvia, con la humedad insidiosa, con la oxidación del hierro, la carcoma de la madera, la pulverización lenta del ladrillo, la corrosión de la piedra, el desastre repentino del fuego. Cuadrillas de hombres subidos en los cables, puntos negros como notas en una partitura o pájaros en los alambres del telégrafo, reparaban algo, tal vez repintaban, porque la pintura más sólida se degradaría muy pronto en este clima, atacada por el salitre del mar, cuarteada por el frío extremo y el hielo, reblandecida cuando el sol del verano recalentara el acero. Pero era el tiempo el que completaba el trabajo; el paso del tiempo, la luz del sol, el calor y el frío, la constancia del uso; el tiempo el que revelaba y consumaba la belleza de un muro de ladrillo mordido por la intemperie o de unos peldaños que las pisadas han ido gastando o una baranda de madera bruñida por el deslizarse asiduo de las manos. Tantos años angustiado por la obsesión de terminar cuanto antes las cosas, de saltar de un minuto a otro como de un vagón a otro en un tren en marcha y ahora empieza a intuir que lo que le faltaba tal vez no era velocidad sino lentitud, paciencia y no confusa agitación.

Pero cuesta tanto levantar algo; hay un resentimiento sordo contra ese esfuerzo, una corriente destructiva subterránea; el impulso del niño que pisotea su castillo de arena recién terminado en la playa, el gozo de aplastar torres con la planta del pie, arrasar muros de una patada; Miguel llorando en su cuarto, rodeado por las ruinas del mecano, con un llanto excesivo para su edad, la cara roja, su hermana mirándolo con fastidio desde su pupitre; cuadrillas de dinamiteros intentando volar en el calor de finales de julio y de los primeros días alucinados de la guerra el monumento al Sagrado Corazón de Jesús, en el Cerro de los Ángeles; trayendo en camiones desde Madrid grandes barrenos y máquinas perforadoras; pelotones de milicianos disparando en descargas sucesivas los fusiles contra la estatua ingente con los brazos abiertos; la multitud iluminada por el resplandor de las llamas, los ojos brillantes, el clamor que estalló unánime en las bocas abiertas en la noche del 19 de julio cuando vieron que se hundía la cúpula de una iglesia entre fulgores de pavesas y una lava de plomo derretido. En el calor de la noche de verano el fuego estremecía el aire con bocanadas de horno. Cuánto tiempo, cuánto trabajo, cuánto ingenio habría costado levantar esa cúpula hace algo más de un par de siglos, cuántos hombres picando la piedra y mulos o bueyes arrastrando los grandes bloques desde la cantera, cuántos árboles y cuántas hachas fueron precisos para preparar las vigas, cuántas manos endurecidas se habrían desollado tirando de las sogas de las poleas, en qué hornos se moldeó el plomo para las cubiertas, se cocieron las tejas de arcilla roja y las de arcilla vidriada: pero todo ardía tan rápido; la hoguera succionaba el aire caliente para seguir alimentando su voracidad; alrededor de Ignacio Abel hombres y mujeres danzaban como si celebraran la apoteosis de una divinidad primitiva, algunos disparando fusiles o pistolas al aire, tan ebrios de fuego como de palabras o de himnos, celebrando no el derrumbe literal de la cúpula de una iglesia de Madrid devorada por las llamas sino el hundimiento imaginario del mundo caduco que merecía perecer. Recuerda la sensación del fuego quemándole la piel de la cara; el olor a gasolina, la asfixia del humo después de un golpe de viento; el sabor de la ceniza en la boca; luego el hedor del humo en la ropa. Los otros destruyen con métodos más modernos; no con el fuego de los apocalipsis medievales, sino con aviones italianos y alemanes que ametrallan a los fugitivos por los caminos y lanzan bombas desde una altura confortable sobre un Madrid que carece no sólo de defensa antiaérea sino hasta de reflectores y sirenas eficaces. Los nuestros ejecutan con furia y torpeza; los otros con una metódica deliberación de matarifes, acertando de lejos con infalible puntería a milicianos aterrados que escapan, usando de cerca bien afiladas bayonetas. Ni los unos ni los otros descansan de noche. De noche la víctima designada ofrece todavía menos resistencia. Espera inmóvil, apática, como un animal hechizado por los faros del automóvil que va a atropellarlo. En un lado y otro lo último que ven los que van a ser ejecutados son los faros de un coche. Al profesor Rossman, a quien le habían pisoteado las gafas, la luz le heriría los pobres ojos incoloros. Ignacio Abel oyó en la oscuridad una voz que decía su nombre y tardó en darse cuenta de que si no veía nada era porque él mismo estaba tapándose los ojos con las dos manos.

Mira el reloj, una vez más, aunque lo ha mirado hace nada, como el fumador que no recuerda que ya tenía un cigarrillo y enciende ansiosamente otro. Si todavía no han asaltado la ciudad es probable que los motores de los aviones ya estén oyéndose en la quietud sobrecogida de la noche sin luces. Moreno Villa los escuchará detrás de la ventana cerrada en su cuarto de la Residencia, donde otras noches ha oído tan de cerca las órdenes y los disparos de los pelotones de fusilamiento, el ronroneo de los autos que iluminan la escena y aguardan con el motor en marcha a que se termine la tarea. Quizás los aviones llegan volando desde el norte y Miguel y Lita los oyen pasar sobre los picos de la Sierra, sabiendo que van a bombardear Madrid, imaginando que su padre está todavía en la ciudad, o que ha muerto, que no volverán a verlo, su última imagen de él una foto mal hecha que se desvanece en el agua del revelado, el traje claro, la cartera negra, el sombrero de verano agitándose al otro lado de la verja mientras se oye de nuevo el pitido del tren.

Con un silbido como de sirena de barco el tren se aparta de la orilla del río y se sumerge a más velocidad en el túnel de hojas amarillas, ocres, naranjas, azuladas, rojas, de un bosque tan tupido que la claridad de la tarde apenas lo atraviesa. El viento provocado por la fuerza del tren levanta remolinos de hojas que aletean y chocan como nubes de mariposas trastornadas contra los cristales de la ventanilla y van quedándose rápidamente atrás. Hojas de robles, de arces, de olmos, de árboles que él no ha visto nunca, todavía densas en las copas y también flotando en el aire o cubriendo el suelo como una gran nevada de rojos, de amarillos, de ocres, entre los troncos de una desmesura de columnas primitivas y los matorrales impenetrables en los que parece que se ha preservado la naturaleza originaria tan sólo a unos pasos del tren, igual que muy cerca de los rieles choca en débiles oleadas contra la orilla la corriente oceánica del río. La mirada se pierde en la hondura del bosque: de la ciudad que está a unos pocos minutos en dirección contraria y del puente que atestigua tan cerca la presencia humana de pronto parece que no hubiera rastros; que el continente se hubiera cerrado sobre sí mismo en una crecida de sus ríos y sus bosques, borrando hasta las cicatrices de la presencia de sus invasores. Bajo la vegetación tan densa podrían ocultarse las ruinas de una civilización abolida. Por la ventanilla entra ahora no el olor de las algas y el mar sino el de las hojas, el de la tierra empapada y el suelo fértil en el que la materia vegetal se pudre bajo la umbría de una maleza impenetrable. Montes enteros de pinares fueron talados en Sierra Morena y en la Sierra de Cazorla para construir los buques de la Armada de Felipe II, que una tempestad hundió en pocas horas cerca de la costa de Inglaterra. Los animales muertos, los pájaros sin refugio, la lluvia arrastrando la tierra de las laderas que las raíces de los árboles habían sujetado, la ingrata roca pelada al final, la patria áspera de los cabreros, los campesinos raquíticos, los iluminados, resueltos a talar y a quemar más aún, a no dejar refugio ni para los alacranes.

A Judith Biely la llevó a pasear por el Jardín Botánico la segunda vez que se encontraron a solas. Ella reconocía con gratitud los árboles de América, los colores otoñales idénticos, aunque la sorprendía que el bosque se acabara tan pronto, que llegaran en seguida a senderos rectos, verjas y pérgolas de jardín francés. Caminaba a su lado y los dos se habían quedado en silencio, escuchando el crujido de las hojas secas bajo las pisadas. Aún no estaban adiestrados en las astucias del amor clandestino. Ni siquiera eran amantes todavía. No habían hecho más que acariciarse con ansiosa torpeza mientras se besaban en la penumbra verdosa del bar del hotel Florida y luego dentro del coche en el que Ignacio Abel la llevaba por primera vez a su pensión, los dos en un silencio asombrado después del atrevimiento. No se habían visto desnudos. La conversación los había distraído del hecho de estar juntos; les permitía dejar en suspenso el vínculo que actuaba sobre ellos detrás de las palabras. Se habían citado junto a la verja de entrada del Botánico y el impulso de ir el uno hacia el otro se había detenido en el preludio del contacto físico. No se besaron, por indecisión o por pudor, no se dieron la mano. Una recobrada timidez borraba la cercanía ya alcanzada en el primer encuentro; parecía imposible que se hubieran abrazado, besado largamente en la boca. Era preciso empezar de nuevo; tantear otra vez los límites restablecidos, las ataduras invisibles de la buena educación. Qué raro que todo eso haya sucedido: que haya pasado un año tan sólo desde entonces, que la luz de la tarde de octubre sea casi idéntica, como el olor y los colores de las hojas. «Y lo más raro de todo es que me siento como en casa en Madrid», había dicho Judith justo antes de quedarse callada, las manos en los bolsillos de su gabardina ligera, el pelo descubierto, mirando a su alrededor tan ávida, tan serenamente como el primer día que estuvieron juntos en la calle, en la acera de la Gran Vía, al bajar de casa de Van Doren, delante de los carteles cinematográficos que cubrían la fachada del Palacio de la Prensa. En el Botánico, en la mañana tibia y húmeda de octubre, con un vago olor a humo y a hojas caídas en el aire, leían las etiquetas con los nombres en latín y en español de los árboles. Judith los pronunciaba en voz alta, insegura, dejándose disciplinadamente corregir, complaciéndose en los nombres que aludían a orígenes remotos: el olmo del Cáucaso, el pino llorón del Himalaya, las sequoias gigantes de California. Le contaba que en Madrid se sentía más en casa que en ninguna otra de las ciudades de Europa que había visitado a lo largo del último año y medio, y que fue así desde el primer momento, desde que bajó del tren en la estación del Norte y salió a una calle soleada y húmeda en la primera luz de una mañana de septiembre y tomó el taxi que la dejó en la plaza de Santa Ana, llena de puestos de hortalizas y de flores cubiertos por toldos, ocupada por el clamor de los gritos agudos de las vendedoras y los gorjeos de los pájaros en venta en sus jaulas de alambre, por los pregones y las flautas de los afiladores y el rumor de las conversaciones a voces que salían por las puertas abiertas de par en par de los cafés. Su barrio de Nueva York había sido así cuando ella era niña, le dijo: pero tal vez con una vitalidad más angustiosa, con una furia más visible en la busca diaria del sustento o del beneficio, en la crudeza de las relaciones sociales, hombres y mujeres llegados de lugares lejanos del mundo y teniendo que ganarse el pan desde el primer día y sin ayuda de nadie en una ciudad desconocida y abrumadora para ellos más allá de las calles familiares en las que se agrupaban los inmigrantes, vestidos igual que en las aldeas y en los guetos de los límites orientales de Europa, rodeados de letreros, de gritos, de olores de comida que reproducían exactamente los del antiguo país. En Madrid un vendedor ambulante parado en una esquina o el parroquiano apoyado en el mostrador de una taberna le daban a Judith la impresión de haber estado allí siempre; de habitar una indolencia sin sobresaltos, como la de los hombres vestidos de oscuro que miraban a la calle tras los ventanales de los cafés o la de los vigilantes adormecidos en las salas del Museo del Prado. ¿Y no había probado aún, le dijo él, en materia de indolencia oriental, la de los empleados de las oficinas públicas? ¿No había llegado a alguna a las nueve para resolver algún trámite y tenido que esperar hasta después de las diez, y encontrado frente a sí, más allá del arco de una ventanilla, una cara entre avinagrada e impasible, un dedo índice manchado de nicotina que se movía negando algo o que señalaba acusadoramente el espacio en un documento en el que faltaba una póliza, un sello, la rúbrica de alguien a quien habría que buscar a continuación en otra oficina más recóndita en la que ni siquiera estaba abierta la ventanilla de atención al público?

—No tomes por exotismo lo que es sólo atraso —dijo Ignacio Abel, inseguro de haber usado la segunda persona del singular, como de un roce o un acercamiento impropios, sin atreverse no ya a tocarla sino a desearla plenamente—. A los españoles nos ha tocado la desgracia de ser pintorescos.

—Tú pareces español y no lo pareces —dijo Judith, y se detuvo mirándolo, con una sonrisa de reconocimiento, más aventurada que él, impaciente, queriendo hacerle saber que ella sí se acordaba, que lo sucedido la otra vez no estaba cancelado.

—¿Yo te parezco americana?

—Más americana que nadie.

—Phil Van Doren tendría sus dudas. Su familia llegó a América hace tres siglos y la mía hace treinta años.

No le gustaba que dijera ese nombre, Van Doren, y menos aún el diminutivo: se acordaba de las pupilas fijas y sarcásticas debajo de las cejas depiladas y de las chatas manos peludas con anillos que apretaban la cintura de Judith, del momento en que, nada más salir de su habitación dejándolos solos en ella, volvió a asomarse empujando bruscamente la puerta, como si se hubiera olvidado de algo.

—Para él los españoles debemos de ser poco más o menos que abisinios. Habla de sus viajes por el interior del país como si hubiera tenido que llevar porteadores nativos.

Pero se daba cuenta de que su hostilidad era un hondo despecho personal, causado por los celos que le daba un vínculo entre Van Doren y Judith del que él estaba excluido, y sobre el que no se atrevía a preguntarle a ella, qué derecho tenía. Si no le gustaban las mujeres, ¿por qué la tocaba tanto? Pero qué podía saber él, tan torpe no ya para el adulterio sino para los sentimientos, cómo podría desenvolverse con ella, si la tenía al lado franca y deseable en una avenida del Botánico en el que estaban solos y no se atrevía no ya a tocarla sino a sostener su mirada, si la escuchaba hablar en su español concienzudo y cada vez más fluido y en lo que estaba pensando no era en lo que ella decía y ni siquiera en lo que él le contestaba sino en la posibilidad desoladora de que lo ya ocurrido una vez no volviera a repetirse. Oía silbidos de trenes en la estación cercana; campanillas de tranvía y motores y bocinas de autos subiendo por el paseo del Prado, amortiguados por la espesura de los árboles, como el crujido de las hojas secas bajo las pisadas, que se hundían ligeramente en la tierra humedecida, hace sólo un año, un año y apenas unos días, en otra ciudad de otro continente, en otra época; gatos soñolientos se tendían al sol en los bancos de piedra. Y si ella se había arrepentido, o simplemente consideraba que no fue para tanto, que había algo embarazoso o ridículo en la vehemencia de un hombre de cuarenta y siete años; un hombre casado, además, con hijos, conocido, que no podía mostrarse en público con una mujer que no era la suya, una mujer extranjera y más joven, observada por las caras vigilantes de Madrid, las de los mostradores de las tabernas y las del otro lado de las cristaleras de los cafés. Qué estaba haciendo, se preguntaría cuando los dos se quedaron en silencio y la conversación ya no tendió como una red por debajo de ellos la trama de un pretexto, marchándose de la oficina mucho más temprano de lo que debía y acostumbraba, citándose con Judith con un motivo de una puerilidad casi patética, enseñarle el Jardín Botánico, su lugar preferido en Madrid, le había dicho, su modelo de patria, más que el Museo del Prado, más que la Ciudad Universitaria, su patria con estatuas de naturalistas y botánicos y no de toscos generales sanguinarios o reyes tarados, su isla de civilización consagrada no al culto de la sangre hirviente sino al de la savia templada, a la sabiduría y la paciencia de ordenar la naturaleza a la escala de la inteligencia humana. Entonces Judith se detuvo frente a él al otro lado de una de aquellas fuentes de taza en las que nadaban peces rojos y de las que se alzaba un chorro débil de agua y antes de que dijera algo él supo que iba a referirse a lo no mencionado hasta ahora, la otra noche en el bar del Florida.

—No estaba segura de que fueras a llamarme.

—Cómo no iba a llamarte. —Ignacio Abel tragó saliva y sintió que enrojecía ligeramente. Hablaba tan bajo que a ella le costaba comprender lo que decía—. Qué te hizo pensar eso. No he parado de acordarme de ti.

—Ibas tan serio conduciendo, sin decir nada, sin mirarme. Pensé que te habrías arrepentido.

—No podía creerme que me hubiera atrevido a besarte.

—¿Te atreverás ahora?

—¿Cómo se dice en inglés me muero de ganas?

—*I'm dying to.*

Pero en la temeridad que había tenido la tarde del primer encuentro no había estado sólo el deseo sino también la gradual desvergüenza del alcohol, el líquido helado y transparente en las copas cónicas que ofrecía el camarero de chaquetilla blanca en casa de Van Doren, siguiendo sus instrucciones, sus gestos sutiles e imperiosos. Embriaguez de alcohol, de novedad, de palabras, la misma canción sonando de nuevo en el gramófono, su propia voz ligeramente cambiada, el cielo limpio de octubre sobre los tejados de Madrid, las caras de los invitados (a la mayor parte de los cuales, descubrió con alivio, Judith no conocía, aunque fueran compatriotas suyos, lo cual les daba una complicidad añadida), los cuadros de Klee y de Juan Gris, el espacio blanco y diáfano que le devolvía la exaltación de su tiempo en Alemania, en la misma medida en que el deseo por Judith despertaba la parte aletargada en él desde que perdió a su amante húngara. Dijo, mirando el reloj, cuando Van Doren los había dejado solos en su despacho, «ahora sí que debería irme», y agradeció como un regalo desmedido que Judith contestara que ella también, que saliera con él y en el ascensor respirara aliviada, arreglándose un momento el pelo en el espejo. Fue la primera vez que caminaron juntos, al llegar a la calle, a la luz del día y entre la gente, sin necesidad de cautela, aún a tiempo de decirse adiós y de que no ocurriera nada, de alejarse cada uno del otro en la agitación de la Gran Vía a las cinco de una tarde de viernes, escaparates de tiendas y grandes carteles pintados a mano sobre lienzos de lona en las fachadas de los cines, cláxones de coches, el sol de octubre hiriendo los metales plateados de las carrocerías, un presente sin porvenir aún, el porvenir inevitable desatado por una palabra que pudo no ser dicha. Pudo decir lo que era cierto, que le urgía volver a la oficina, a los papeles y planos sobre la mesa de trabajo y los recados de llamadas urgentes que debía contestar. Estaba mareado: si conducía con la ventanilla abierta el aire lo despejaría. A cada momento se despliegan porvenires posibles que arden como fogonazos en la oscuridad y un segundo después ya se han extinguido. Pero quería seguir escuchando su voz, el modo peculiar en que sonaban en ella vocales y consonantes españolas; prolongar el estado de suave embriaguez física que le despertaba su cercanía, no tanto la crudeza inmediata del deseo como su posibilidad, como la punzada de un vértigo localizado en el estómago y en la debilidad de las rodillas, que no había sentido desde hacía más de diez años, la inminencia poderosa de algo, el ámbito incitante y misterioso de lo femenino. Judith se quedó mirando con una sonrisa de reconocimiento la luz del sol en las terrazas de los edificios más altos, el azul tan limpio del cielo contra el que se recortaba el torreón del cine Capitol. Le dijo:

—Miro hacia arriba y es como si estuviera en Nueva York.

—Pero allí los edificios serán mucho más altos.

—No son los edificios, es la luz. Ésta es la luz que hay ahora mismo en Manhattan. Mejor dicho, la que habrá dentro de seis horas.

Podía proponer que tomaran algo juntos y Judith le daría las gracias sonriendo y le diría que llegaba tarde a una cita con sus estudiantes o a una charla en la Residencia o en el Centro de Estudios Históricos. Pensó en su casa oscura y deshabitada cuando llegara a ella esa noche, cuando abriera la puerta y no vinieran hacia él las voces de sus hijos, que ahora mismo estarían tal vez explorando el jardín en la casa de la Sierra, o planeando para cuando él llegara al día siguiente alguna expedición como las de las novelas de Julio Verne. Sin premeditación, con un tono de liviandad que a él mismo le sorprendía, y que ocultaba un fondo de miedo, le dijo a Judith que la invitaba a tomar algo en el bar del hotel Florida, que estaba muy cerca, al otro lado de la calle. Ella asintió tras un momento de duda, encogiéndose de hombros con una sonrisa, y se tomó un momento de su brazo para cruzar la Gran Vía en medio del tráfico.

Las palabras no son nada, el delirio de los deseos y las fantasmagorías girando en vano en el interior de la dura concavidad intraspasable del cráneo: sólo cuenta el roce, el tacto de otra mano, el calor de un cuerpo, el latido misterioso de un pulso. Cuánto tiempo hace que a él no lo toca nadie, una figura replegada sobre sí misma en el asiento del tren, áspera y mineral como una doble concha sellada. Ha soñado con la voz de Judith Biely (que ya casi no recuerda despierto, al cabo de sólo tres meses) pero su sonido ha sido menos verdadero que la sensación de ser rozado, tocado por su mano, apretado por su vientre, la piel tensa y lisa y los rizos del vello, besado por sus labios, acariciado por su pelo casi tan inmaterialmente como por su aliento, igual que por una brisa tenue que ha entrado en silencio por una ventana abierta. Caminaba junto a ella por una avenida del Botánico y de pronto los dos estaban callados y sólo se oían las hojas bajo las pisadas: las hojas de árboles traídos como semillas o como débiles brotes de América en el siglo XVIII, albergados en bodegas oscuras de buques, esperando para germinar en esta tierra remota en la que de pronto Judith Biely, después de casi dos años de viaje, se siente como en casa, en una patria que nunca hasta ahora supo que tenía, reconociendo los troncos y las formas y los colores de las hojas, aprendiendo sus nombres en español, diciéndolos en inglés para que él los repita, torpe ahora y mucho más joven que las primeras veces que lo vio, más joven y más desarmado en cada encuentro, como si su vida se proyectara al revés: la figura alta y profesoral detrás de un atril en la Residencia, con el traje oscuro y el pelo canoso y la mirada censora, el hombre que la miraba entre la gente desde el otro extremo de la sala un rato después, el que se marchó sin despedirse, junto a su mujer que era visiblemente mayor que él y no parecía la madre de la niña erguida y atenta que sin embargo era hija improbable de los dos; el que surgió en el umbral del apartamento de Van Doren; el que se inclinó envaradamente hacia ella y aún no parecía que fuera a atreverse a besarla en un reservado del bar del hotel Florida; el que ahora, sólo unos días después, desconcertado, erudito, diciendo nombres de árboles en latín y no dándose cuenta de que el barro del suelo le manchaba los zapatos y los bajos del pantalón, se paraba porque ella se había parado y no se atrevía a hacer frente a su mirada, quizás arrepentido, abrumado por la responsabilidad de haber llegado tan lejos, de haber vuelto a llamarla, incapaz de seguir hablando, de seguir fingiendo que era una especie de maestro o mentor de botánica o de costumbres españolas y ella una alumna extranjera, paralizado por el reconocimiento de un deseo que lo desbordaba y no sabía manejar, que recordaba apenas que existiera.

—*I'm dying to.*

9

Acostumbrado a no mentir lo sorprendía la facilidad con que por primera vez en mucho tiempo ocultaba algo. La novedad de la simulación era tan estimulante como la del deseo resurgido, como la de los signos del enamoramiento. En una impunidad tan perfecta había algo de inocencia. Lo que nadie debía saber había ocurrido tan sólo unas horas antes y estaba claro y fresco en su memoria y sin embargo no había dejado rastro alguno en su presencia exterior. El secreto de la conciencia era un don prodigioso. Echado sobre la hierba, al sol suave de la tarde del sábado, en la Sierra, conversaba distraídamente con Adela acerca del nuevo curso de los niños en el instituto y aunque ella estaba mirándolo a los ojos no podía saber lo que había en su pensamiento, lo que él revivía deleitándose en la precisión de cada detalle, de cada minuto. Su memoria era una cámara oscura en la que sólo él podía ver a Judith Biely, una galería de murmullos en la que nadie más que él escuchaba su voz tan cercana como si le hablara al oído, rozándole la cara con los labios, con su aliento en el que al cabo de dos horas de conversación fervorosa había un matiz tenue de whisky y de tabaco rubio. Adela probablemente agradecía la actitud habladora y benévola con la que había llegado esa mañana a la casa de la Sierra; su aire descansado y casi risueño, su disposición de amabilidad con suegros, cuñados, parientes; porque no siempre se mostraba afable con ellos, y mantenía a lo largo de las reuniones familiares una expresión de íntimo disgusto que a ella la laceraba doblemente: se sentía herida en su amor por los suyos, que era muy intenso, y culpable de la incomodidad de él. Pero también se sentía culpable de ver a través de los ojos de su marido lo que tal vez no habría advertido si él no hubiera estado presente, lo que habría sido menos hiriente o ridículo sin un testigo tan hostil como él. Estaba en la cocina ayudando a las criadas a pelar membrillos —le gustaba la pelusa parda y dorada que se le quedaba en las yemas de los dedos, y que olía tan delicadamente al aproximarla a la nariz— cuando oyó con un sobresalto el motor del automóvil. Con la sorpresa grata de que su marido hubiese llegado antes de lo que ella esperaba, con el temor a que apareciera hosco, irritado de antemano, falto de descanso. Hubiera querido no tener una percepción tan aguda de las variaciones en sus estados de ánimo, no responder tan de inmediato a cualquier indicio de cambio de humor, de ira o de abatimiento, como si hubiera afilado a lo largo de los años un instrumento de detección tan sensible que rozaba la profecía, porque avisaba de ciertos síntomas antes de que sucedieran. Por las escaleras abajo retumbaban como un galope los pasos de los hijos. «Ah de las almenas, mis fieles vasallos, que se acerca al castillo, que no venta ni fonda de estación, un caballero andante», declamó con aspavientos de teatro don Francisco de Asís bajo las chatas columnas de granito del porche cuando sus nietos cruzaban el jardín camino de la verja. Ignacio Abel detuvo el Fiat delante de ella, mirándose un momento en el retrovisor, dispuesto sin remordimiento a la novedad de la mentira. En el asiento contiguo no había ni un rastro de la mujer que tan sólo la noche antes lo había ocupado, entornando los ojos para recibir el aire fresco que entraba por la ventanilla bajada y le apartaba el pelo rubio y desordenado de la cara, mientras él conducía Castellana arriba. En ese mismo espejo oval se había mirado para corregir el carmín de los labios antes de bajar, para peinarse con los dedos. Los ojos que unas horas antes la miraban con tanta atención y codicia ahora no revelaban nada, los mismos ojos que la habían visto aproximarse entreabriendo los labios y echando la cabeza hacia atrás. Qué raro que ese recuerdo no se hiciera visible a los otros, que le costara tan poco mantener el secreto, como un ladrón que extiende la mano y roba algo muy valioso sin esfuerzo y a la vista de todos y luego sale a la calle y se marcha a plena luz del día. Salió del coche y su hija vino hacia él y se colgó de su cuello para besarlo. El chico permaneció de pie al lado de la verja, ilusionado y serio, más tímido que su hermana, más débil, tal vez desconfiando de algo, alerta a cualquier signo de que la presencia del padre no era del todo segura, pues solía llegar más tarde de lo que había anunciado y probablemente también esta vez se quedaría menos tiempo del que había prometido. Abrazando a su padre se adhería luego a él como para asegurarse de que de verdad había llegado, como si en el fondo hubiera temido que no apareciera. En el claro del jardín que había delante de la entrada a la casa don Francisco de Asís recibió a Ignacio Abel con los brazos abiertos en un ademán melodramático de bienvenida, como en una parodia del teatro clásico español que tanto le gustaba. «¡Albricias, yerno insigne! ¡Tu presencia honra esta humilde morada campestre, solar de mis mayores!» Le dio dos besos sonoros y húmedos, demasiado absorto en sí mismo o demasiado inocente o pueril para no advertir el desagrado físico de Abel, su ademán de rechazo:

lo advirtió Adela, que esperaba en la puerta, secándose en el mandil las manos que conservaban el olor de los membrillos. Oyó la declamación rancia de su padre a través de los oídos de su esposo, y lo que de otro modo no habría sido más que uno de esos hábitos machacones de un anciano que sólo despierta paciencia y un poco de ternura le sonó como una tontería embarazosa. Advirtió el gesto con que su marido apartaba ligeramente la cara; supo lo que estaría pensando, avergonzada de las manías ridículas de su padre, culpable de esa dosis de vergüenza y deslealtad hacia él que enturbiaba la benévola resignación con que las habría aceptado de no haber sido porque Ignacio Abel era testigo de ellas; demasiado sensible a los estados de ánimo de quien no prestaba mucha atención a los suyos, tan propensa como su hijo a depender en exceso de un cariño incierto. La niña no padecía tales inseguridades: venía junto a su padre por el sendero de grava llevándole la cartera, como un paje a su servicio, segura de la predilección depositada sobre ella. Se infantilizaba halagadoramente en su presencia en la misma medida en que delante de la madre vindicaba con cierto desafío su derecho a no ser tratada como una niña.

Qué raro que en esta parte de su vida nada hubiera sido alterado por lo que sólo él y Judith Biely sabían, que no le hiciera falta fingir para ocultar: como si hubiera traspasado la frontera invisible de dos mundos contiguos, en uno de los cuales los habitantes no tenían la menor sospecha de la existencia del otro. Y aunque echaba de menos a Judith y hubiera querido despertarse junto a ella no dejaba de deleitarse en la cercanía de sus hijos y en el olor a jara y a humo de leña resinosa que había en el aire de la Sierra, en los primeros colores otoñales del jardín. La parra virgen ascendía como una llamarada enredándose a una columna de la entrada y luego a los barrotes del balcón, el rojo vivo de las hojas recortado contra el granito y la cal blanca de la fachada de la casa, que tenía una cierta nobleza rústica en sus proporciones. En la mañana del sábado el tiempo de este otro mundo parecía suspendido. Golpes lentos de cencerro y mugidos de vacas venían de las dehesas cercanas, disparos sueltos de cazadores que no llegaban a alterar la quietud otoñal del aire. Ignacio Abel se quedaba luego absorto, sin hacer nada, con el periódico sobre las rodillas, en el porche orientado al sur, y el sol tenía una lenta densidad de miel que calentaba el aire y doraba las cosas, desperezando a los insectos. En la higuera se abrían los últimos higos, mostrando la pulpa roja que picoteaban los gorriones y los mirlos y libaban las avispas. En el interior de la casa charloteaba a gritos la familia, la voz aguda de doña Cecilia predominando sobre las otras, secundada por el vozarrón de órgano de don Francisco de Asís, como un bajo continuo. Habría elecciones, declamaba, en camiseta de manga larga y pantuflas, los tirantes colgando a los lados, el periódico entre las manos como una bandera desbaratada por los infortunios de la política española. Habría elecciones y, si las ganaban otra vez las derechas, las izquierdas se levantarían en una nueva tentativa de revolución bolchevique; y si las ganaban las izquierdas la revolución bolchevique sería también inevitable, un desplome de la civilización tan pavoroso como en Rusia. A don Francisco de Asís le gustaba la palabra pavoroso, la palabra civilización. Doña Cecilia le pedía por favor que no le contara esas cosas: en el vozarrón de su marido los vaticinios apocalípticos le provocaban, decía, descomposición de vientre. Don Francisco de Asís votaba juiciosamente a las derechas catoliconas y algo marrulleras de Gil Robles pero lo que lo arrebataba de verdad era la oratoria de don José Calvo Sotelo: con qué emoción decía aquel hombre «la nave del Estado» o «la columna vertebral de la nación»; con qué tino había reformado y robustecido la administración pública durante su mandato como ministro durante la dictadura de don Miguel Primo de Rivera. Por los senderos del jardín el chico jugaba a la pelota, imaginando que esquivaba a futbolistas célebres, feliz de estar en la casa de la Sierra y de que su padre hubiera venido. La niña estaba sentada en el columpio, balanceándose despacio mientras leía un libro, las puntas de las sandalias rozando la tierra. Encinares azulados a lo lejos, en las dehesas de las que venían los ecos de disparos aislados; membrillos en el suelo, granadas abiertas, de corteza rojiza y reseca; en la parra que daba sombra a la entrada de la casa las últimas uvas tenían el mismo color de miel jugosa del sol de octubre (se acordó del frutero con uvas y membrillos en el cuarto de Moreno Villa). Sobre la mesa de las cenas familiares al aire libre en las noches de verano estaba su carpeta de documentos y dibujos, pero a Ignacio Abel le daba pereza abrirla. El tiempo estaba detenido, en una dulce somnolencia que le pesaba en los párpados. En Madrid Judith Biely estaría acordándose de las mismas cosas que él, preguntándose dónde habría ido. No habían hablado de verse de nuevo cuando se despidieron. Como si les bastara lo que ya había sucedido, primero en la penumbra del reservado, cuando se quedaron de repente mirándose en silencio después de una conversación tumultuosa, luego en el interior incómodo del coche. Buscar una continuación, hacer planes, habría sido una profanación del paraíso inesperado en el que de pronto se encontraban, no como si hubieran llegado a él, sino como si despertaran y no supieran del todo dónde estaban. El cuerpo entero de Judith se tensaba respondiendo a una caricia honda y su mandíbula hizo un sonido reiterado y seco, como si masticara el aire. Aprendería pronto a reconocer con gratitud en ese sonido y en la rigidez de sus muslos de mujer deportista las señales de que estaba corriéndose. Sin darse cuenta Ignacio Abel se pasó bajo la nariz los dedos índice y corazón de la mano derecha y olió o creyó que olía un rastro de la humedad de ella, no borrado del todo por la ducha de esta mañana; o tal vez borrado y restituido por la imaginación, aliada fiel de su memoria, cómplice secreta. Era tan fácil esconderse: acordarse de los muslos desnudos de Judith Biely más arriba de las medias y al mismo tiempo sonreírle a Adela, que venía del interior de la casa trayéndole un vaso de vino y un aperitivo, un adelanto de la comida que estaba preparándose, el arroz con pollo legendario de doña Cecilia. Pero tampoco le había costado nada al llegar besarla en los labios mientras le pasaba la mano por la cintura, con un gesto inusual que la mirada vigilante del niño notó con aprobación. Tenía tan poca costumbre de mentir que ni siquiera había previsto una respuesta para cuando Adela o su suegro o los niños le preguntaran qué había hecho la tarde anterior. Pero no le costó nada inventar algo sobre la marcha, asombrado de que todo fuera tan fácil, de que algo imborrable hubiera podido suceder sin consecuencias, fluir tan impremeditadamente como las palabras que los dos decían en un rincón en penumbra del bar del hotel Florida, que eligieron con una tácita complicidad. Así era como habían bajado conversando en el ascensor del Palacio de la Prensa, como Judith Biely se había cogido un momento de su brazo cuando cruzaban la Gran Vía eludiendo el tráfico.

Se le había olvidado la sensación de novedad y maravilla de tener cerca de sí a una mujer muy deseada, el puro magnetismo de una presencia femenina, de una singularidad que lo estremecía por algo más que la belleza física o la elegancia un poco exótica de su manera de vestir o la naturalidad con que Judith se había apoyado en su brazo, apretándolo más fuerte cuando un coche muy rápido les pasó muy de cerca. Era la singularidad de una mujer tangible y de repente única, dotada de una vida entera que le parecía más rica y misteriosa porque no sabía nada de ella, de un idioma y de un acento en español que no pertenecían genéricamente a cualquiera de su mismo origen, sino tan sólo a ella misma, tan exclusivos de la atracción que ejercía como la forma de sus párpados o la de su boca grande y carnal. Impunemente sentía que habitaba dos mundos. La ebriedad sentimental de ayer tarde en Madrid se transmitía sin culpa a sus percepciones de esta mañana en la casa de la Sierra igual que lo había acompañado mientras conducía por la carretera de La Coruña, la velocidad del automóvil tan segura y gozosa como su conciencia plena de sí mismo. La transparencia del aire en la mañana fresca de octubre, los encinares y las casas tan nítidos en la lejanía como tallados en diamante, una crecida inmóvil de nubes desbordando los montes de El Escorial con el resplandor de un acantilado de hielo.

A Judith le había gustado escuchar música en la radio del coche mientras cruzaban Madrid. Con íntima vanidad Ignacio Abel aceleraba el motor y manejaba los mandos de la radio recién instalada. La velocidad y la música parecían alimentarse mutuamente. Delante de los faros se desplegaban las arboledas rectas de la Castellana y las fachadas de los palacios detrás de las verjas y los jardines; brillaban sobre los adoquines los rieles de los tranvías. Tenía la suerte de haberse hecho adulto en una época de máquinas extraordinarias, más hermosas que las estatuas de la Antigüedad, más increíbles que los prodigios de los cuentos. Muy pronto todas se confabularían para facilitar su amor por

Judith Biely. Tranvías y automóviles lo llevarían velozmente hacia ella prolongando así el tiempo mezquino de sus encuentros; los teléfonos le traerían con sigilo su voz cuando no pudiera tenerla a su lado y la llamara desde su casa, tapándose la boca con la mano, fingiendo una conversación sobre cosas del trabajo si alguien se acercaba; los cines les acogerían en su simulacro hospitalario de oscuridad cuando quisieran esconderse de la luz diurna; las oficinas de telégrafos permanecerían abiertas hasta muy tarde para que él pudiera mandarle un telegrama en un arrebato de ternura. Cintas mecanizadas transportaban las cartas que muy pronto empezaron a escribirse y las mataselaban automáticamente para que atravesaran con rapidez más certera la distancia. Gracias a un reluciente motor Fiat en menos de dos horas había conducido de un mundo a otro. Adela notó que hablaba más de lo habitual esa mañana. Fue saludando a la suegra, a las tías solteras, a vagos parientes cuyos nombres no recordaba nunca. Desde muy temprano la familia se preparaba para la celebración —retrasada al sábado, para darle mayor realce— de la onomástica de don Francisco de Asís. De la cocina venía el borboteo y el olor del caldo del guiso, así como la voz melodramática de doña Cecilia, que deliberaba con Adela, con las criadas y con don Francisco de Asís sobre la conveniencia o no de ir echando el arroz, por miedo a que si su hijo Víctor se retrasaba en llegar, como tantas veces, lo encontrara pasado, con lo que a él le gustaba, con lo fácil que era que el arroz se pasara y perdiera toda la gracia. En aquella familia no había nada que no fuera una costumbre inmemorial, una conmemoración: cada vez que doña Cecilia preparaba su guiso —«legendario», a juicio de don Francisco de Asís— se repetía casi palabra por palabra el conflicto sobre el momento adecuado de echar el arroz, lo que don Francisco de Asís llamaba «la cuestión palpitante»: añadir el arroz al caldo que borboteaba o esperar un poco más; mandar o no a la criada a asomarse a la verja por si el señorito Víctor llegaba de Madrid; esperar al menos a que se oyera el próximo tren en la estación. Ignacio Abel pensaba en Judith Biely —pero no tenía que invocarla: era una presencia constante y secreta en su memoria— y saludaba y conversaba como un actor muy secundario que no tiene que esforzarse mucho para cumplir su papel asignado. Escuchaba cosas, asentía sin enterarse de nada, perfeccionaba su capacidad de resignación y de ausencia. Cuando llegó por fin Víctor —¡por una corazonada casi telepática doña Cecilia había echado el arroz tan sólo hacía unos minutos!— no le costó nada aceptar su apretón de manos excesivo sin mostrar desagrado. Ni siquiera mentía: contaba parcialmente la verdad; les explicaba a Adela y a los niños que había pasado toda la tarde del viernes en casa de un millonario americano que vivía en Madrid y que lo había invitado a viajar a América a dar unas clases y a proyectar un edificio.

—¿Un rascacielos? —dijo el chico—. ¿Como el de la Telefónica?

—Más grande, paleto, en América los rascacielos son mucho más altos.

—No le digas esas cosas a tu hermano.

—Una biblioteca. En medio de un bosque. A la orilla de un río muy ancho.

—¿El Mississippi?

—Pero, niño, ¿tú te crees que no hay más ríos en América?

—Es el que sale en *Las aventuras de Tom Sawyer*.

—El río Hudson.

—Que tiene su desembocadura al lado de Nueva York.

—Como que no iba ella a presumir de saberse toda la geografía.

—¿Y nos llevarás a nosotros contigo?

—Si vuestra madre quiere, os llevaré esta tarde a la laguna de la presa, que está mucho más cerca que América.

No fingía. No le costaba nada conversar con Adela y con sus hijos sin que lo remordiera una sospecha de impostura o traición. Lo que sucediera en la vida secreta no interfería con ésta; le transmitía una parte de su soleada plenitud. Ni siquiera le importaba demasiado la expectativa ominosa de una inmersión en las celebraciones de su familia política, tan irrespirables habitualmente para él como el aire de los lugares que habitaban, denso de polvo de cortinajes, de alfombras, de falsos tapices heráldicos, de olores a frituras con ajos, a colonias eclesiásticas, a linimentos para dolores de reúma, a escapularios sudados. Una conciencia muy aguda del otro mundo invisible al que podría regresar muy pronto le hacía más tolerable la laboriosa fealdad de éste en el que ahora se encontraba, y en el que a pesar de los años nunca había dejado de ser un forastero, un intruso. Las tías solteras pululaban en el cuarto de costura, que tenía un mirador orientado al sur. Reían tapándose la boca, se inclinaban las unas sobre las otras para decirse cosas en voz baja, bordaban sábanas y cojines con motivos románticos de hacía un siglo, marcaban patrones con trozos de jabón, bruñidos con el mismo brillo que sus caras de muchachas envejecidas. Ignacio Abel las besaba una por una y ya antes ni estaba seguro de su número. El tío sacerdote llegaría a la hora de comer; con mucho apetito pero con la cara sombría, contando noticias de impiedades o de atentados contra la Iglesia, augurando el regreso al gobierno, si era verdad que se convocaban elecciones, de los mismos que el año 31 alentaron en secreto las quemas de conventos; el cuñado Víctor, recién llegado, vestido para el fin de semana en la Sierra con una vaga indumentaria de cacería o de equitación, le tendió la mano con la palma en diagonal, medio vuelta hacia abajo, en un gesto que a él debía de parecerle deportivo y enérgico. «Cuñado, dichosos los ojos.» El pelo escaso y muy pegado al cráneo le formaba un ángulo picudo sobre la frente. Era más joven de lo que parecía; lo envejecían el ceño siempre algo hostil y la sombra de la barba en el mentón huesudo y brillante, la dureza de los rasgos, que era del todo voluntaria, producto de su empeño en mostrar una hombría sin debilidades ni fisuras. Su cordialidad hispánica y viril de cuñado contrastaba con un fondo de recelo hacia Ignacio Abel que sólo en parte era ideológico: daba la impresión de estar al acecho en busca de alguna señal de peligro para la honra o el bienestar de su hermana, de la que se sentía protector aunque era diez años más joven que ella. Adela lo trataba con una ilimitada indulgencia, con una docilidad de madre blanda que irritaba a Ignacio Abel. Tenía una pistola y una porra de goma. Algunas veces se presentaba a comer en casa de sus padres con camisa y correaje de centurión falangista. Adela era a la vez sumisa y protectora: «Siempre le gustaron los uniformes, y la pistola ni siquiera tiene balas.» Alzaba la barbilla al estrecharle la mano a Ignacio Abel y lo miraba a los ojos en busca de señales de peligro, sin sospechar nada. Les mostró el regalo que había traído para el padre: un *Quijote* pseudoantiguo encuadernado en piel, con letras y cantos dorados, con reproducciones de Doré. En aquella familia reinaba un apetito insaciable por los objetos atroces, por las antigüedades falsas, por las caligrafías góticas sobre pergamino, por las encuadernaciones de lujo y las genealogías ilusorias. En la fachada de la casa de la Sierra, detrás de las dos columnas de granito que sostenían la terraza, estaban empotrados los escudos heráldicos de los dos apellidos familiares, el de don Francisco de Asís y el de su esposa doña Cecilia, Ponce-Cañizares y Salcedo. En la familia se debatían apasionadamente los rasgos distintivos de cada una de las dos ramas. «Mi hijo Víctor tiene la nariz Ponce-Cañizares inconfundible»; «A la niña se le nota que nació con un carácter Salcedo puro». A los hijos de Ignacio Abel y Adela, desde que nacieron, el abuelo, las tías solteras, el cuñado Víctor, el tío sacerdote, los tomaban en brazos y los miraban de cerca discurriendo a cuál de los dos linajes pertenecía una nariz o un tipo de pelo o unos hoyuelos en la cara, de qué Ponce o Cañizares o Salcedo había heredado el bebé la propensión a llorar reciamente —¡Esos vigorosos pulmones Cañizares!— o a engolfarse en el pecho suculento del ama de cría; apenas la criatura empezaba a dar unos pasos vacilantes ya se reconocía su parecido exacto a los andares de algún antepasado especialmente gallardo, o se disputaba con vehemencia el origen Ponce o Ponce-Cañizares o Salcedo, con un detallismo técnico de filólogos debatiendo una etimología. En el calor de las sabrosas diatribas tendían a olvidarse de la inevitable contribución genética del padre de las criaturas, a no ser que pudieran relacionarla con la sospecha de un defecto: «El chico parece que ha sacado la rareza del padre.» En las comidas familiares Adela miraba de soslayo a su marido y se irritaba consigo misma por no saber sobreponerse a la tensión de imaginar lo que él estaría pensando, lo que estaría viendo. *Desprecias a mis padres, que no te han hecho nada y te quieren como a un hijo, que te quieren más porque tus padres no viven. Los ves tontos y ridículos, y no te das cuenta de que son mayores y van teniendo manías de viejos como las que tendrás tú o tendré yo cuando lleguemos a su edad. Mi hermano te parece un fascista y un parásito, y cuando te dice algo le hablas de una manera tan cortante que hasta a mí me da vergüenza. No sabes ver nada de lo que tienen de buenos y de generosos, lo* que quieren a tus hijos y lo que tus hijos los quieren a ellos. No te imaginas cómo sufren por ti cuando se enteran de todas las cosas horribles que los tuyos o los que tú crees que son los tuyos están haciendo en Madrid y se angustian igual que yo y que tus hijos por no saber dónde estás ni si te han hecho algo esos salvajes. Yo creo que te da rabia, que te dan celos. No sabes lo que se han alegrado cada vez que has tenido un éxito en tu profesión. A ellos no les importa para apreciarte que seas republicano y socialista y que no vayas a misa los domingos ni quieras que nuestros hijos tengan una educación religiosa, como si mi opinión no contara. Tú los desprecias porque son católicos y votan a las derechas y van a misa y rezan el rosario todos los días sin hacerle mal a nadie con eso. Pero no rechazaste el dinero que nos dio mi padre cuando no teníamos nada ni los encargos que empezaron a salirte gracias a él, y cuando se te metió en la cabeza irte a Alemania a pesar de que los niños eran tan pequeños tampoco te importó pedirle a mi padre que nos tuviera en su casa mientras tú estabas lejos, porque eso te permitía irte sin cargo de conciencia y además era un ahorro, y tú no habrías podido mantenerte un año entero en Alemania sólo con la pensión que te daban en la Junta para la Ampliación de Estudios. No les perdonas que sean conservadores y católicos ni les agradeces que te aceptaran con los brazos abiertos aunque otras personas de mi familia y de nuestra clase les dijeran que no tenías ni un céntimo cuando me pretendiste y que eras el hijo de un maestro de obras socialista y de una portera de la calle Toledo. Son carcas como vosotros los llamáis pero han tenido siempre contigo mucha más generosidad que tú con ellos. Y si no hubiera sido por ellos y por nuestros hijos yo me habría podrido de soledad todos estos años y dime ahora qué haría desde que tú te empeñaste en volver a Madrid aunque sabías igual que nosotros que algo muy malo estaba pasando *porque más que tus hijos te importaba ver a tu amante ese mismo día.*

Pero no habría podido explicarle a su mujer que lo que más le enconaba contra su familia no era una discordia ideológica sino estética, la misma que mantenía silenciosamente contra la inagotable fealdad española de tantas cosas cotidianas, contra una especie de depravación nacional que ofendía más gravemente su sentido de la belleza que sus convicciones sobre la justicia: las cabezas de toros disecadas sobre los mostradores de las tabernas, los carteles taurinos con un rojo de pimentón y un amarillo de sucedáneo de azafrán, los sillones de tijera y los bargueños que imitaban el Renacimiento español, las muñecas vestidas de flamenca y con caracolillo sobre la frente que cerraban los ojos cuando se las echaba hacia atrás y los abrían como resucitadas cuando se las enderezaba, las sortijas con una piedra cúbica, los dientes de oro en las bocas brutales de los potentados, los trágicos ataúdes blancos de los niños, las esquelas de niños muertos en el periódico —*subió al Cielo, se reunió con los ángeles*—, las molduras barrocas, las excrecencias labradas en granito en las fachadas groseras de los bancos, los percheros con cuernos o pezuñas de ciervos o de cabras monteses, los escudos heráldicos de apellidos comunes hechos en cerámica vidriada de Talavera, las esquelas mortuorias en el *ABC* y en *El Debate*, las fotos de cacerías del rey Alfonso XIII, hasta unos pocos días antes de su salida del país, indiferente o ciego a lo que sucedía a su alrededor, apoyado en su escopeta junto a la cabeza de un pobre ciervo derribado de un tiro, o bien erguido y jovial junto a una hecatombe de perdices o de faisanes o de liebres, rodeado de señoritos con trajes y polainas de caza y de servidores con gorras de pobres y alpargatas y sonrisas apocadas en las bocas sin dientes. Pensaba a veces que sus accesos de furia tenían más que ver con la estética que con la ética; con la fealdad que con la injusticia. En la rotonda del hotel Palace los señoritos monárquicos levantaban la taza de té extendiendo el dedo meñique adornado con una pequeña sortija y con una uña pulida y muy larga. En las películas de más éxito los personajes profanaban la maravilla técnica del cine sonoro rompiendo a cantar coplas folklóricas vestidos con horrendos trajes regionales, montados en burros, apoyados en rejas de ventanas con macetas, tocados con sombreros de ala ancha o boinas o pañuelos rústicos. El *Heraldo* informaba con vehemencia patriótica de que al principio de la corrida grande de las fiestas del Pilar en Zaragoza la cuadrilla había efectuado el paseíllo a los compases vibrantes del Himno de Riego. En casa de la familia Ponce-Cañizares Salcedo, al fondo de un pasillo lóbrego, ardían unas diminutas velas eléctricas en los farolillos que enmarcaban una estampa a todo color de Jesús de Medinaceli, provista de un tejadillo artístico de inspiración mudéjar y de una pequeña baranda que simulaba un balcón andaluz. En el sillón Renacimiento del comedor, lleno de muebles de madera oscura que imitaban un estilo entre gótico y moruno, con medallones incrustados de los Reyes Católicos, don Francisco de Asís Ponce-Cañizares, interventor jubilado de la Excelentísima Diputación Provincial de Madrid, leía en voz alta y grave los artículos de fondo y las crónicas parlamentarias del *ABC*, y su mujer, doña Cecilia, lo escuchaba entre atolondrada e impaciente, y decía «Muy bien» o «Claro que sí» o «Qué vergüenza» cada vez que don Francisco de Asís concluía un párrafo con su timbre cavernoso de orador sagrado, y notaba al mismo tiempo las punzadas de la emoción y las de la descomposición de vientre, de la cual informaba con detalle a la familia. A don Francisco de Asís lo embriagaba la prosa apocalíptica de los discursos de Calvo Sotelo en el parlamento y la de los cronistas que hablaban de las hordas o las turbas asiáticas del resentimiento bolchevique o de la alegría varonil y marcial de la juventud alemana que aclamaba al Führer agitando ramas de olivo, alzando enérgicamente el brazo derecho en los estadios. Le gustaban palabras como horda, turba, vorágine, colapso, contubernio, y según leía y se iba emocionando engolaba más la voz y acompañaba la lectura con gestos tribunicios, con golpes de ira sobre la mesa o índices acusadores. Amaba los giros verbales rotundos y las expresiones en latín: *alea jacta est, sic semper tirannis,* reirá mejor el que ría el último, más vale morir con honra que vivir con vilipendio, más vale honra sin barcos que barcos sin honra; los clarines del destino; el momento de la verdad; la gota que colma el vaso de la paciencia. Las crónicas fervientes de los corresponsales en Alemania y en Italia y las publicaciones falangistas que traía a casa su hijo Víctor le suministraban una prosa poética algo menos rancia pero igual de embriagadora, que le permitía el halago de sentirse en sintonía con el dinamismo juvenil y gimnástico de los nuevos tiempos. Pero era verdad que por Ignacio Abel había mostrado siempre un afecto rotundo de apretones y besos, en el que intervenía una mezcla curiosa de admiración e indulgencia: admiración por la brillantez de su yerno y por la tenacidad con que había logrado sobreponerse a las dificultades de su origen y a las muertes tempranas de sus padres; indulgencia hacia sus convicciones políticas, que tal vez atribuía, si es que pensaba en ellas, más a una lealtad sentimental a la memoria de su padre republicano y socialista que a un verdadero radicalismo personal. ¿Cómo se podía ser extremista y tener tanta afición por los trajes bien cortados y por los buenos modales? Si Ignacio Abel era socialista tendría que serlo a la manera civilizada y medio británica de don Julián Besteiro o de don Fernando de los Ríos. ¡Pero según el tío sacerdote no había que dejarse engañar, porque esos socialistas eran los peores, los más insidiosos! ¿Quién sino Fernando de los Ríos, con todos sus modales untuosos, había ideado la blasfema ley del divorcio siendo ministro de Justicia? Íntimamente don Francisco de Asís compararía el tesón y la entereza de su yerno, que se había hecho a sí mismo saliendo de la nada, con la inutilidad de su propio hijo, que lo tuvo todo siempre y no fue capaz ni de acabar la carrera de abogado, y llevaba años dando tumbos de un oficio a otro, sin sacar nada en limpio, con la cabeza llena de pájaros, comprometiéndose en proyectos vanos y negocios dudosos, ahora atolondrado por un entusiasmo falangista que a don Francisco de Asís le provocaba en el fondo menos simpatía que alarma y desconfianza. Tenía miedo de que a su hijo le pasara algo; de que se metiera en un lío y lo encerraran en la cárcel; o de que cualquier día acabara muerto en la calle después de una de aquellas refriegas a tiros en las que se enredaban falangistas y comunistas, él tan desmañado siempre, como cuando era niño, tan fácilmente acobardado a pesar de sus bravatas, de su camisa azul abierta en el pecho y sus botas y correajes brillantes de betún.

Qué diferencia con el yerno, el casi otro hijo tan serio y esquivo, entrando esa mañana en el jardín con su apostura tan firme, su manera tan sólida de estar en el mundo, su traje oscuro de chaqueta cruzada y sus zapatos hechos a medida en la mejor zapatería inglesa de Madrid pisando la grava, su cartera en la mano, que la niña le quitó para llevarla ella, pesada de documentos y planos que requerirían su atención incluso en el día de fiesta, pues tenía un cargo de mucha responsabilidad en las obras de la Ciudad Universitaria, según se complacía en contar don Francisco de Asís a sus amistades. *El Sol* había publicado su foto unos días atrás, y don Francisco de Asís —contra su costumbre, porque él se definía como lector sempiterno de *ABC*— había comprado ese periódico y leído en voz alta a doña Cecilia la crónica de la charla de su yerno en la Residencia de Estudiantes, y luego había recortado la página y la había guardado en una de sus carpetas, en el bargueño imitación Renacimiento de su despacho. Muy poco perspicaz, nada propenso a pensar mal de nadie, por inocencia senil o por falta de imaginación, o por reverencia excesiva a las formalidades, don Francisco de Asís, como él mismo decía, «habría puesto la mano en el fuego por su yerno»: que no fumaba; que apenas bebía más de un vaso de vino en las comidas; que nunca alzaba la voz, ni cuando hablaba de política, lo cual sucedía raramente, ni siquiera cuando al cuñado Víctor o al tío sacerdote, a la hora de la comida, se les calentaba la boca hablando de la calamidad de la República, de la anarquía constante, de la insolencia de los obreros, de la falta que hacía en España una figura providencial como el Duce o el Führer, o al menos como el añorado general Primo de Rivera, un cirujano de hierro; él, su yerno, no respondía, jamás usaba una palabra grosera; era socialista, pero gracias a su trabajo había podido comprarse un automóvil y un piso amplio con ascensor en la parte más distinguida de la calle Príncipe de Vergara, entre Goya y Lista nada menos; mandaba a los hijos al Instituto-Escuela para que tuvieran una educación laica y no dejaba que les colgaran escapularios, pero no se había opuesto a que hicieran la comunión ni a que su madre les enseñara las oraciones; no perdía las tardes mano sobre mano en los cafés; el tiempo que no dedicaba a su trabajo lo pasaba con su mujer y con sus dos hijos, los dos únicos nietos de don Francisco de Asís, que dolorosamente no transmitirían a la siguiente generación como primer apellido el Ponce-Cañizares. Probablemente anoche se había quedado trabajando hasta muy tarde en la Ciudad Universitaria; y esta mañana, a primera hora, había venido conduciendo a la casa de la Sierra. Inmune a su frialdad habitual don Francisco de Asís lanzó un albricias festivo al ver a su yerno y le dio un beso húmedo de bienvenida en cada mejilla. Los dos chicos se peleaban por estar más cerca de él, por llevarle la cartera, por contarle aventuras y exploraciones de los últimos días, competían por el mérito de los libros leídos. Le rogaban que fuera con ellos y con su madre esa tarde a la laguna de la presa; le preguntaban si era verdad lo que les había prometido antes de venir, que no se marcharía mañana domingo por la tarde, que los llevaría de vuelta a Madrid en el coche el lunes por la mañana. Asentía, se dejaba llevar por las anchuras interiores de la casa. Al encontrarse con su mujer la miró a los ojos y le dio un beso en los labios, y su hijo vio desde atrás que le pasaba la mano por la cintura y la apretaba ligeramente contra él.

La actitud benévola que detectaban con alivio y casi gratitud los sensores extremados de Adela era justamente la consecuencia del engaño; quizás su marido no le habría pasado la mano por la cintura al besarla si no hubiera abrazado a otra mujer la tarde anterior; sus gestos de ternura la compensaban por la ofensa que no sabía que hubiera recibido; eran los materiales sobrantes de una efusión que había despertado otra; el resultado del alivio del estafador que no ha sido atrapado; de la alegría de quien ha visto surgir en sí mismo un deseo que ya no imaginaba posible en su vida y ha alcanzado una satisfacción que no recordaba haber conocido nunca, y que importándole ahora tanto ha dependido estrictamente del azar. Como habían hecho muchas veces cuando los chicos eran pequeños se alejaron esa tarde con ellos por el camino que llevaba entre pinares y espesuras de jara a la laguna de la presa: el embalse que había alimentado la antigua central eléctrica, de la cual quedaba en la orilla un edificio medio abandonado. Por él aparecía a veces un guarda huraño que en otro tiempo les daba miedo a los chicos, y que les servía como personaje en sus fabulaciones de casas encantadas junto a un lago. Que Ignacio Abel hubiera accedido tan fácilmente a la excursión ya era un indicio de su humor benévolo, y no sólo de su impaciencia por apartarse del espesor familiar, que culminaba después de los ronquidos de la siesta con el rezo del santo rosario, seguido por una merienda confortadora de chocolate bien espeso con bizcochos de anís, obra del también legendario talento de doña Cecilia para la repostería. Parecía que los cuatro conmemoraban, apartados de los demás, un tiempo más antiguo que no costaba nada imaginarse más feliz, los veranos de la niñez de los hijos, cuando tenían que llevarlos de la mano por el sendero y se cansaban tan pronto que el padre se los cargaba a la espalda, tan pequeños que había que vigilarlos a cada momento para que no se adentraran en el agua, que en algunas partes era muy profunda. Jugaban a Hansel y Gretel y dejaban migas de pan por el sendero, y al volver comprobaban si se las habían comido los pájaros. Pero si se sumergían demasiado en el juego el chico de pronto rompía a llorar porque de verdad temía que sus padres fueran a abandonarlos, abrazándose a las piernas de Adela con su pequeña cara enrojecida, mojada por las lágrimas, mientras la hermana se reía. El agua de la laguna tenía una transparencia verdosa y reflejaba en la superficie las copas de los pinos y el volumen hosco del edificio de ladrillo que en otro tiempo habría alojado las turbinas. El sol de octubre aún estaba alto, dorando las lejanías azuladas, los colores suaves de la tarde. Los chicos buscaban guijarros planos por la orilla, los lanzaban luego en ángulos certeros sobre la lisura del agua, disputando a voces, regresando a la complicidad antigua de los juegos, ahora que los dos habían salido ya de la infancia, más cercanos a ella de lo que imaginaban. Miguel llevaba al cuello la cámara fotográfica de su padre y mientras venían a través del bosque se había imaginado que era un reportero solitario abriéndose paso por la jungla del Amazonas o del centro de África, porque su hermana no quería secundarlo en el juego. Sentados sobre la hierba, en el aire todavía cálido de la tarde, Ignacio Abel y Adela también parecían regresados a un tiempo anterior, el padre y la madre jóvenes a los que ven los hijos a una distancia protectora, ocupados en sus conversaciones misteriosas pero también vigilantes, tal vez ansiosos, temiendo un percance o una desgracia que sobrevendrán si apartan los ojos tan sólo un momento de los niños que juegan y chapotean en la orilla. Qué raro tener a Adela tan cerca y que no pudiera saber nada, sostener su mirada franca y melancólica sin despertar en ella ninguna sospecha, hablarle con tanta naturalidad, sin necesidad de fingir o de decirle una mentira. La escuchaba observándola. La veía con la sensación de no haberse fijado en ella desde hacía algún tiempo, como le había sucedido unas noches atrás en la Residencia, el tiempo justamente en el que había perdido sin que él lo advirtiera los últimos rescoldos de juventud. Sonó un chasquido y era que Miguel les había hecho una foto sin avisarles desde la orilla de la laguna.

—¿De verdad piensas ir a América el año que viene? ¿Y podrás llevarnos contigo?

Lo conocía demasiado bien para no intuir que su disposición de ánimo podría ser pasajera. Agradecía los gestos de tibia ternura, el beso rápido en los labios, la mano en el talle, pero instintivamente se protegía contra la decepción, y al mismo tiempo protegía a sus hijos, sobre todo al chico, que era el más frágil y también el más cercano a ella, el de imaginación más excitable: ahora, en la orilla, le hablaba a su hermana de transatlánticos o de aeroplanos en los que viajarían a América, hacía ademanes exagerados con los brazos para sugerir el tamaño de las cosas, del Empire State, de la Estatua de la Libertad.

—Tengo que consultar con Negrín lo primero de todo. Y tengo que ver lo que me ofrecen, y cuánto tiempo debería quedarme. Sea como sea, si yo me voy venís vosotros conmigo.

Pero había un punto de insinceridad en su voz que Adela percibía, aunque él mismo no supiera que no estaba diciendo del todo la verdad. Ahora estaba en los dos mundos, en los dos tiempos simultáneos, en la tarde de ayer con Judith y en la de hoy con Adela y los chicos, en la media luz propicia del bar del Florida y en el sol confortable a la orilla de la laguna, oliendo jara y tomillo y resina y carmín de los labios y la colonia americana de Judith Biely, no dividido sino duplicado, enardecido por el amor y al mismo tiempo acomodado en la sólida rutina que había ido construyendo a lo largo de los años, que esa tarde alcanzaba una especie de plenitud visual, como un cuadro acabado, como la maduración de los últimos frutos de octubre, las granadas y los membrillos, las calabazas amarillas, los caquis, las uvas reventonas y rubias del jardín. Tenía tan poca experiencia o tan poca capacidad de verdadera introspección que no imaginaba el acecho probable de la culpa y la angustia; ni siquiera se preguntaba qué estaría sintiendo Judith Biely. No existía para él de una manera autónoma y plena, sino como una proyección de su propio deseo.

—¿En qué estás pensando?

—En nada, en algo del trabajo.

—Parecía que estuvieras en otro mundo.

—Quizás debería irme a Madrid mañana por la tarde.

—Les prometiste a los chicos que volveríamos juntos en el coche el lunes muy temprano.

—Si me voy no lo hago por capricho.

—No les digas que los llevarás a América si no vas a hacerlo. No les prometas lo que sabes que no vas a cumplir.

—Y a ti, ¿te apetecería el viaje?

—Lo que a mí me apetece es no separarme nunca de ti. El sitio donde estemos me da igual.

Enrojeció al decir eso y pareció más joven. Se parecía a la mujer demasiado tímida que ya no contaba con encontrar un novio cuando se conocieron, a la que sus padres vaticinaban el mismo destino familiar de las tías solteras, con las que a veces pasaba las tardes de domingo rezando el rosario. Sus caderas demasiado anchas se aposentaban en la hierba de la orilla de la laguna, sus tobillos tendían a hincharse, su pelo negro peinado con una onda anticuada la hacía parecer mayor; pero sus ojos miraban de pronto como hacía quince años, con una expresión apasionada y vulnerable, como si pasara tumultuosamente de no esperar nada a desearlo todo, de la conformidad a la audacia, y de ésta al anticipado desengaño, al escepticismo sobre lo que pudiera ofrecerle la vida. Ahora habría deseado que los hijos no estuvieran tan cerca; que no gritaran tanto mientras buscaban guijarros planos en la orilla y contaban luego los saltos que daba cada uno cuando los lanzaban en una experta trayectoria oblicua sobre la lisura del agua. Para ella fue un contratiempo que vinieran hacia ellos fatigados y hambrientos, las mejillas enrojecidas por el ejercicio y la brisa serrana, reclamando la merienda, que habían traído en un cesto de mimbre. Para Ignacio Abel fue un alivio. El sol empezaba a declinar sobre los pinares, el aire adquiría un punto de humedad que hacía más intensos los olores del monte, el del tomillo y la jara, el de las agujas secas de los pinos. Los cencerros y los mugidos de las vacas, las esquilas de las ovejas, resaltaban acústicamente la sensación de amplitud y lejanía. Si el aire estuviera más claro podría verse la mancha blanca de Madrid en el límite del horizonte. Haría frío en cuanto el sol ya oblicuo no alcanzara la laguna, levantando sobre ella una tenue niebla dorada. Desleal en secreto, impune en su simulación, Ignacio Abel decidió que inventaría un pretexto para volverse a Madrid la tarde del domingo; que no esperaría hasta entonces para escuchar de nuevo la voz de Judith Biely: iría al pueblo para comprar algo, para intentar llamarla desde el único teléfono, que estaba en el café de la estación. Alzó los ojos, saliendo del ensimismamiento, del viaje clandestino al otro mundo invisible y contiguo. Sentada sobre una piedra su hija comía un bocadillo y leía una novela de Julio Verne. Adela daba unos pasos torpes por la orilla, desentumeciendo las piernas, limpiándose las agujas de pino y las briznas de hierba de la falda. Su hijo lo estaba mirando con los ojos muy abiertos, como si hubiera podido leer en su conciencia y advertir el engaño, como si ya supiera que a la tarde siguiente iba a marcharse solo de regreso a Madrid, y que si iba a América tampoco los llevaría con él.

10

De dónde había venido Judith trayendo consigo el vendaval de su novedad, irrumpiendo en su vida como quien entra bruscamente en una habitación, alguien que no era esperado, que abre de golpe la puerta, que viene seguido por el aire frío del exterior, que en unos segundos ha alterado la atmósfera cerrada. Su misma presencia era ya un trastorno, el torbellino metódico de una puerta giratoria, la aparición que hace sonar bruscamente la campanilla de entrada y que se vuelvan todas las miradas, la mayor parte de soslayo, miradas de contratiempo o irritación, de curiosidad, tal vez de codicioso y escondido deseo, miradas de rancios varones españoles vestidos de oscuro en los cafés, en una penumbra exclusivamente masculina tamizada de humo de tabaco. Judith Biely se movía siempre con prisa entre personas mucho más lentas, como la emisaria de sí misma, con un exotismo que era más poderoso porque irradiaba de ella ajeno a su voluntad y a su carácter, la adelantada luminosa de algo que podía ser una promesa, la de otra vida en otro país menos áspero, de colores menos terrosos o lóbregos, su presencia estallando con el poderío de una aparición, una mujer tangible y a la vez el espejismo y la síntesis de lo que para Ignacio Abel era más deseable en las mujeres, en la sustancia de lo femenino: no inmóvil, nunca previsible, entrando a destiempo, yéndose tan rápido que atrapar en la retina una imagen de ella que luego quedara fijada en la memoria era tan imposible como parar el tiempo o dejarlo en suspenso para que durara más un encuentro clandestino. Así es Judith Biely en la única foto suya que Ignacio Abel guarda en la cartera, ligeramente desenfocada porque se estaba volviendo hacia un lado en el momento en que se produjo el disparo de la cámara automática, con una niebla tenue en torno a los ojos, a la boca sonriente, respondiendo con una expresión jovial a algo que ha llamado su atención y olvidándose por un instante de que está posando para una fotografía, el instante preciso captado en ella. Estaría esperando incómodamente a que saltara el flash en el interior de aquella cabina callejera y algo o alguien la hizo ladear un poco la cara y sonreír, casi riendo, y la luz estalló en su barbilla y en sus pómulos, en los rizos de su pelo, en las pupilas un poco borrosas en las que resalta un punto de brillo, igual que en los labios. Es la imperfección de la foto lo que hace que a Ignacio Abel le guste más aún: el automatismo impersonal del azar vuelve a Judith más presente sin la interferencia de la mirada y la intención de un fotógrafo; como si estuviera de verdad allí, en ese momento salvado del tiempo, como una de esas impresiones detalladas y fantasmales de hojas que lograban los primeros fotógrafos sin necesidad de usar una cámara, tan sólo depositando la hoja o el tallo de hierba sobre una lámina de papel empapado en un líquido sensible a la luz. Y para que la foto sea todavía más verdadera no es ni siquiera de la Judith que él recuerda sino de la que aún no había viajado a Madrid: todavía no tergiversada por la familiaridad ni por la obsesión del deseo, intacta en su lejanía y tan ella misma como cuando irrumpa en su vida dentro de unos meses, en un porvenir del que todavía no sabe nada cuando sonríe en la foto, porque ni siquiera sabe que está a punto de recibir el ofrecimiento que la hará cambiar sus planes adelantando el viaje a España.

De dónde había venido: contar su vida en otro idioma a un hombre que la escuchaba con una atención tan seria y como hipnotizada limitaba sus posibilidades expresivas pero también le hacía depurar el relato, le concedía una objetividad que a ella misma le resultaba liberadora, al permitirle verse desde la distancia privilegiada de su extranjería. Sin necesidad de ser modificada, la experiencia verdadera cobraba al contarse algo del rigor y de la sensación de propósito de una novela. Lo que había sido el deambular incierto de tantos años adquiría la curva de un arco que viniendo del pasado borroso se alzaba sobre el tiempo para aposentar su otro extremo en el momento presente, al otro lado del mundo, en Madrid y en esos días de octubre de 1935; en un reservado en penumbra del hotel Florida; en el mareo suave de viajar en un coche por una avenida recta y arbolada que se abría como un túnel delante de los faros, recibiendo con alivio en la cara la brisa fresca que entraba por la ventanilla, los ojos entornados, viendo las cosas a través de una niebla ligera y risueña que él reconocerá después y deseará atesorar en una foto cualquiera de cabina automática. Imágenes y palabras fluyen, aparecen, se pierden, igual que las copas de los árboles y las fachadas y las ventanas con luces encendidas de los hoteles particulares de la Castellana; Judith Biely va en un automóvil por Madrid pero podría también ir por una avenida de París, de un París más horizontal y menos imponente; por cualquiera de las capitales de Europa que ha visitado en los últimos dos años y ahora se le confunden en el recuerdo fatigado; los faros del coche iluminan adoquines negros con un brillo de charol y rieles y cables de tranvías; se ha quedado callada junto al hombre que conduce muy serio y que ahora es mucho más joven que hace tan sólo unas horas, cuando apareció con cara de extrañeza y casi de susto en el vestíbulo de la casa de Philip Van Doren (dónde estará Van Doren ahora mismo: con cuánta agudeza habrá sospechado y comprendido, casi vaticinado, con qué malicia llamará mañana mismo por teléfono para averiguar algo, enviará una invitación escrita a mano para su próxima fiesta); se ha quedado callada pero le ronda la cabeza, igual que el mareo del alcohol, la sensación de haber hablado mucho; su vida, recién contada, se proyecta ante ella como esa avenida por la que avanza el automóvil, se despliega con una sensación de simetría y propósito que ella sabe que es falsa, pero en la que por ahora no le importa complacerse, igual que en la velocidad del automóvil o en la música del aparato de radio que Ignacio Abel ha conectado no sin un orgullo pueril que confirma su insospechada juventud, como la han confirmado ya la evidencia de su deseo y su torpeza entre retraída y brusca al manifestarlo. La mano que conectaba la radio se quedó luego inmóvil en la oscuridad y se encontró sin esfuerzo y como distraídamente con la mano de Judith, que ahora la aprieta suavemente aunque ella no se vuelve hacia él, no reconoce del todo lo que está sucediendo. Qué raro, de pronto, el juego de las manos, a esta edad, como si volviera al banco de un parque o a la penumbra de una sala de cine en la que un órgano enfático acompaña el parpadeo y la gesticulación de las imágenes; la mano masculina apretando la suya con una fuerza que pone a prueba la fragilidad de sus articulaciones y sus huesos, huesos huecos de pájaro no heredados de los dedos fornidos de su madre, tan diestros en manejar la máquina de coser como en moverse por el teclado del piano invisible en el que se convierte el filo de la mesa de la cocina nada más ella posa sus manos: las manos que abren las cartas, que recorren igual que la mirada la escritura de la hija, tocando en ella su presencia.

Ve de golpe toda la distancia que ha recorrido; en un idioma aprendido en los libros con el que sólo ahora empieza a familiarizarse de verdad cuenta su vida al hombre que la escucha y la mira sin un parpadeo (y que a veces se queda ausente y tarda unos segundos en volver) y se asombra de lo lejos que estaba y lo improbable que era llegar aquí, y de lo natural y hasta predestinado que ahora parece. Ha ido tan sin sosiego de un sitio a otro que sus recuerdos tienen a veces el punto de vaguedad de esa foto movida que se hizo por broma en una cabina de París, la agitación de su letra en las cartas que le escribe a su madre, la velocidad con que suena el teclado de la máquina cuando se sienta delante de ella en estas mañanas de octubre en las que el sol es un charco de luz en las baldosas de su habitación y se deja llevar no por la inspiración sino por la energía misma de los dedos. Viene de tan lejos que la embriaga la casi imposibilidad de lo que sin embargo está sucediéndole; en su relato las cosas adquieren un orden que ella sabe que es falso, una sugestión de inevitabilidad que encubre pero no atenúa la conciencia de lo inverosímil. Viene de un cuarto de techo muy bajo en el que de niña se quedaba leyendo hasta después de medianoche a la luz de una bujía (si se acercaban los pasos pesados de su padre la apagaba de un soplo: aunque sabía que el olor la delataría); de trenes que se perdían en túneles en dirección a Manhattan y emergían súbitamente al vértigo ilimitado de los veloces pilares de un puente colgado sobre el East River y a la visión de la bahía oceánica y de los acantilados de edificios desde las ventanillas, y de los transatlánticos alineados a lo largo de los muelles, más allá y por debajo de las armazones vibrantes del puente de Williamsburg, emitiendo mugidos graves de sirenas y columnas de humo sobre las chimeneas pintadas de negro y de rojo, de blanco y de rojo. Viene de las aulas y de las praderas bajo árboles colosales de una universidad para hijos de emigrantes, divididos entre este mundo que es el único que conocen y el que proyecta sobre sus vidas sombras de inseguridad y persecución aunque ellos no lo visitarán nunca, porque es el mundo remoto que los padres trajeron consigo. Pero viene, sobre todo, de la conciencia fulminante de una equivocación de la que no puede culpar a nadie más que a sí misma, que podría fácilmente haber evitado y en la que se obstinó no por ceguera ni por apasionamiento sino por puro orgullo insensato, tan sólo por resistir a una presión contra la que se había educado a sí misma para rebelarse. Con qué facilidad se malbarataba el tesoro del propio albedrío: no por amor sino por llevar la contraria, por hacer lo que sus mayores le pedían que no hiciera, y lo que por tanto se convertía en la encarnación misma de su libertad. Se casó con aquel antiguo compañero de universidad algo mayor que ella y sabía que estaba equivocándose, le dijo a Ignacio Abel, y al decirlo le vinieron a la imaginación como un fogonazo la mujer de caderas anchas y mirada melancólica y la niña con un vestidito anticuado y un lazo en el pelo que se acercaron a él después de su charla en la Residencia; la mujer junto a la que había un asiento vacío que ella, Judith, había ocupado; la que la miró un momento, casi de soslayo, aunque de arriba abajo, con un instinto de recelo, cuando ella urgió a Moreno Villa para que le presentara a Ignacio Abel. Quién puede saber cuál es la razón profunda de sus actos. Antes de salir del desolado edificio judicial en el que había acatado con plena soberanía personal el vínculo del matrimonio Judith Biely sabía que había cometido un error y que hasta renunciar a su apellido era una inaceptable vejación. Prefería no ver, desde luego. Era asombrosa la amplitud de lo que una misma era capaz de no ver tan sólo empeñándose en una ceguera más rigurosa todavía porque era voluntaria. Nadie te ata las manos ni te empuja al interior de una celda ni echa luego por fuera llaves y cerrojos; nadie te pone a la fuerza una venda sobre la cara y te la anuda en la nuca con tanta fuerza que no podrías desprenderte de ella aunque no tuvieras las manos atadas. Eres tú misma quien teje la venda y la cuerda, quien extiende las manos voluntariosamente y aguarda hasta que el nudo está bien apretado, quien levanta los muros de la celda y cierra por dentro y se asegura de que el candado está en su sitio. Tú das los pasos necesarios, uno tras otro, y si alguien te hace señas para advertirte del peligro lo único que logra es reforzar tu empeño de seguirte aproximando al desastre. Unas veces te alivia saber que no has llegado todavía: otras, que ya no hay vuelta atrás. La duda se convierte en una deslealtad inconfesable que ni ante ti misma reconoces. Se había graduado con éxito en City College; podía haber completado sin dificultad su doctorado en literatura española que le dirigía el profesor Onís en Columbia, al mismo tiempo que enseñaba el idioma a los estudiantes primerizos. Las heroínas de Henry James que despertaban su imaginación y a las que deseaba parecerse cuando tenía quince o dieciséis años heredaban fortunas que les permitían viajar solas por Europa: ahora su modelo de vida era la habitación propia de Virginia Woolf, la soledad emancipada de una mujer que gana un sueldo suficiente para no depender de nadie y cultivar sin miedo sus aficiones o su talento. Su madre no había tenido piano, pero tampoco habitación. En los cuartos estrechos se amontonaban las camas de los hijos y ella tenía que esperar a que todos se hubieran dormido para leer sus queridas novelas rusas o repasar en silencio las partituras descuadernadas que vinieron más de treinta años atrás en un baúl desde San Petersburgo.

Pero de un día para otro lo que más le había importado ya no le interesaba: dijo que no quería dedicar varios años a una tesis doctoral para verse luego sepultada en alguna universidad rural para señoritas; que el estudio académico de libros polvorientos tenía menos valor para formar su vocación que la experiencia de la vida real y el trabajo (no le perdonó a su madre que le dijera que esas palabras no parecían suyas: que ella, Judith, movía los labios pero era otro el que hablaba por su boca). Su habitación propia no podía estar en medio de un bosque o de una soñolienta extensión de campos de maíz. Tenía que ser una habitación austera y bien protegida de las intromisiones, propicia para una dedicación solitaria cuya naturaleza exacta ella aún no sabía precisar, pero que no se quedaría, de eso estaba segura, en el tedio forzoso de una investigación académica: a la habitación deberían llegar los ruidos y las voces de la calle, el temblor de la ciudad que le gustaba tanto, el fragor de los trenes, las sirenas de los buques en los muelles y las de los automóviles de la policía y los camiones rojos de los bomberos. Quería viajar a Europa para educarse en la vida y labrarse un destino como Isabel Archer en la novela de Henry James que había leído varias veces —o como las reporteras que enviaban crónicas desde París a *Vanity Fair* o *The New Yorker*— pero también amaba más que nunca el tumulto humano y la excitación visual, sonora, olfativa, de su ciudad natal, sin prescindir de nada, disfrutándolo todo, los letreros luminosos encendiéndose al anochecer y la niebla en la que desaparecían los edificios más altos entre torbellinos de nieve, las oleadas humanas surgiendo de los hangares de los *ferries* y los escaparates de las tiendas de lujo en la Quinta Avenida, las multitudes agitando banderas rojas y pancartas sindicales en italiano y en yiddish bajo las arboledas de Union Square, la aspereza, el desamparo, la cordialidad de los desconocidos, el gusto de no elegir y de dejarse llevar, sin propósito, sin fatiga, sin urgencia de nada, con la misma sensación de fervor que le daba siempre leer en voz alta un poema de Walt Whitman. En un momento del relato aparecía un nombre masculino que tal vez ella ya había mencionado antes, confusamente, o que Ignacio Abel no había llegado a entender, o no había escuchado, una de esas veces en las que se quedaba perdido, hechizado por la cercanía de ella o absorto en un pensamiento que lo llevaba muy lejos (quizás se le hacía tarde para volver con la esposa demasiado madura y con la hija zalamera; de vez en cuando miraba de soslayo su reloj: o alzaba los ojos hacia el que había en la pared del bar; o quién sabe si temía ser reconocido). O le desagradaba la idea de que ella hubiera estado casada, hubiera querido a otro hombre con la pasión suficiente como para romper con su familia; como para abandonar el trabajo de profesora y la tesis doctoral e irse a vivir en un cuarto alquilado al final de cinco tramos de escaleras, con un retrete colectivo al fondo de un pasillo, con su solo grifo de agua fría en el fregadero y una bañera en la cocina que cubierta con una tabla servía de escritorio y mesa de comedor. Queriendo huir en busca de su habitación propia Judith Biely se encontraba casi sin saber cómo en una cocina más inhóspita que la de su madre, igual de sola que ella algunas veces, otras veces tan invadida como ella: en vez del ansia por el trabajo y el dinero de sus hermanos y de los delirios de hombre de negocios del padre la invasión igualmente masculina a la que ella se veía ahora sometida arrastraba consigo una bronca palabrería literaria y política. El humo acre de los cigarrillos era el mismo; la vehemencia agresiva de las gesticulaciones. En la cocina familiar de la que había pasado tantos años queriendo huir su padre y sus hermanos celebraban la gloria del capitalismo como creyentes aterrados en un dios despótico que podía igual derribarlos que exaltarlos; en su habitación sin agua caliente los invitados se sentaban en el suelo y apagaban los cigarrillos en el linóleo mientras discutían el arte revolucionario del porvenir y la caída inminente del Gran Becerro de Oro de América, tambaleándose en el seísmo de la Depresión. La igualdad entre hombres y mujeres era uno de los estandartes que esgrimían: pero las mujeres, aunque fumaban igual y también se sentaban en el suelo, o no hablaban o no eran escuchadas, y cuando todos se habían ido era ella quien barría el suelo y recogía los vasos de vino barato y las botellas vacías y abría las ventanas incluso en pleno invierno para que la habitación se ventilara. Para su marido, como para cualquiera de ellos, preparar un doctorado sobre novelas españolas del siglo XIX y dar clases a estudiantes de los primeros cursos era una claudicación inaceptable; uno no podía vender a tan bajo precio su integridad artística. Judith dejó la universidad y abandonó la tesis y consiguió un trabajo mal pagado corrigiendo y mecanografiando desde la mañana a la noche historias de gángsters y de crímenes para una editorial de novelas baratas. El marido cuyo nombre tardó tanto en identificar Ignacio Abel —un nombre común que la pronunciación americana hacía casi irreconocible— llevaba años completando una novela populosa e itinerante sobre Nueva York, de la que había publicado fragmentos en algunas revistas. No era improbable que John Dos Passos los hubiera leído; pero a pesar de sus ideas en apariencia avanzadas Dos Passos se había instalado en el éxito comercial y no iba a reconocer nunca la influencia de un autor casi desconocido en el pulso y en el esquema general de *Manhattan Transfer*. Si se cruzaban alguna vez en una fiesta literaria del Village Dos Passos apartaba los ojos y hacía como que no lo había visto. Que otros dudaran del talento de su marido enfurecía tanto a Judith que borraba sus propias dudas aún confusas y se ponía belicosamente de su parte. Poco a poco fue comprendiendo que se había casado con él no a pesar de la oposición de sus padres y de sus hermanos sino a causa de ella. Oponiéndose a su libre voluntad la ofendían. Porque estaban en contra del hombre a quien ella había elegido la empujaban a vencer su propia incertidumbre y le otorgaban a él una estatura que de otro modo no lo habría ennoblecido. No le sorprendió que su padre y sus hermanos lo miraran como a un individuo despreciable desde la primera vez que entró con ella en la casa y se apresuró a hacer explícitas sus convicciones políticas. Si América era una plutocracia sin esperanzas ni oportunidades para los trabajadores, ¿por qué no se marchaba de vuelta a Rusia, de donde también habían emigrado sus padres? Más le dolió a Judith que su madre tampoco se fiara de él: aunque sabía citar en ruso las novelas que a ella le gustaban y tenía un aire desgarbado y hasta un poco enfermo que habría debido despertarle el instinto de madre protectora. ¿De qué iban a vivir si cualquier trabajo rutinario le parecía una traición a sus principios políticos y a su vocación de novelista? ¿Y por qué ella, Judith, abandonaba tan fácilmente lo que le había costado tanto, el puesto prometedor en la universidad, el bello campus y la escalinata de la biblioteca de Columbia, su investigación de doctorado? Estaba claro que por mucho que le doliera tenía que romper con todos ellos: una cosa había sido desear alejarse; otra muy distinta dar por cancelado el camino de vuelta. El orgullo obcecado la sostenía. El deterioro rápido de la pasión sexual (que había consistido más en preludios y efusiones toscas que en el cumplimiento de ensoñaciones alimentadas sobre todo por la literatura) le produjo al principio más desconcierto que amargura; quizás también la sospecha de no estar a la altura del ideal erótico que en las reuniones se debatía tan abiertamente como la dictadura del proletariado, el realismo social o la corriente de conciencia. Pero en quien tenía al lado empezó a encontrar no fortaleza sino debilidad; indiferencia de piel fría; resentimiento vanidoso debajo de la profesada rebelión, de la renuncia incorruptible a tentaciones que en realidad no se le presentaban. Ira también, algunas veces contra ella; el desagrado y el pánico ante la fuerza masculina de nuevo la asaltaban; ante la furia turbia del alcohol, los puñetazos sobre la mesa, las voces demasiado roncas, la pérdida del sentido de la realidad inducida por el narcisismo y el resentimiento. Casi todo salvo la pérdida de la delicadeza le habría parecido aceptable. Había palabras que una vez dichas no tenían remedio, gestos que el olvido no podía borrar. En cuanto a ella misma, a la secreta diferencia que alimentaba sin querer entre la gente con la que ahora se movía, amigos y correligionarios del marido, artistas con proyectos de invención radical que dedicaban más tiempo a explicarlos que a ponerlos en práctica, ¿no era idéntica a la que sentía en la infancia, cuando era consciente de fijarse en cosas que sólo a ella le importaban, cuando le gustaba imaginarse que no era hija de sus padres ni hermana de sus hermanos, y que le iba la vida en no permitir que se descubriera ese secreto? Igual que de niña, la emocionaban muchas cosas hacia las que los otros manifestaban desdén, o que ni siquiera veían. Un estuche con todos los lápices de colores de la misma longitud; un ramo de flores frescas en una jarra de cristal; un vestido que se ajustaba bien al cuerpo y al mismo tiempo parecía flotar en torno a él; el letrero luminoso de un restaurante automático encendiéndose cuando aún quedaba claridad diurna, el neón rosado de los tubos distinguiéndose apenas, diluido en la luz como tinta en el agua; el misterio de la renovación continua y la fugacidad de la moda traspasando con rasgos semejantes cosas muy ajenas entre sí, transformándolo todo a un ritmo continuo y sin embargo invisible, convirtiendo lo apenas sucedido en pasado anacrónico. Le gustaban algunos cuadros que veía en las revistas de vanguardia, pero también un juego de tazas de porcelana en el escaparate de una tienda o unas sandalias de verano que se probaba en la zapatería por el simple gusto de sentir que los pies se deslizaban en ellas, sabiendo que no podía comprarlas. Y a quién podía decirle que disfrutaba mucho más las películas sonoras sobre musicales de Broadway que las soviéticas o que las alemanas, y que se abandonaba con la misma sensualidad a la prosa de Henry James que a un nuevo número de Irving Berlin. Al tiempo que disfrutaba secretamente de estas cosas se sentía culpable de una ligereza en la que quizás habría un fondo de debilidad intelectual, incluso de poca consistencia política. Pero no podía evitar detenerse, cuando iba sola, junto a los escaparates de las tiendas de moda de la Quinta Avenida, ni junto a las puertas giratorias de los hoteles de donde salían mujeres muy bien perfumadas y vestidas y ráfagas de orquestas de baile. ¿Por qué la causa de la justicia implicaría la elección contumaz de la fealdad y del humor sombrío? Se le iban las horas paseando y cuando llegaba a casa no sabía explicarle al marido en qué había gastado tanto tiempo. En mirar el color de bronce de una cornisa recortada contra el cielo limpio de una tarde de invierno; en una fila de cabezas de mujer en el escaparate de una sombrerería, todas con una sonrisa idéntica de carmín, cada una con un sombrero distinto; en observar a un limpiabotas inclinado sobre unos zapatos masculinos de charol y silbando un estribillo de Broadway al mismo ritmo con que les pasaba la gamuza. No creía que esas aficiones escondidas la distinguieran; pero tampoco quería ser juzgada despectivamente por ellas. Ocultarlas, igual que cuando era niña, le daba la sensación confortadora de habitar un lugar que sólo ella conocía. Se quedaba sola un sábado por la noche y buscaba en la radio la transmisión del concierto de una orquesta de baile: seguía los pasos taconeando con cuidado para no molestar a los vecinos de abajo; cantaba imitando el tono agudo de la vocalista, repitiendo de memoria una letra en la que la conmovían por igual su sugestión de verdad y su dosis barata y azucarada de mentira, la mentira cordial sobre el cumplimiento de los sueños que no engañaba a nadie y sin embargo ayudaba a vivir.

Durante algún tiempo el cultivo secreto de su singularidad le permitió postergar el reconocimiento de un error que se hacía más grave al resultar inexplicable. Por un acto de libertad se había encadenado. Sin saber cómo su empeño de soberanía personal, su abnegación en el estudio, el impulso y la complicidad de su madre, la habían llevado a una situación para la que no habría sido necesario ningún esfuerzo: el dolor de la espalda después de muchas horas sentada delante de una máquina en la oficina; los cinco tramos de escaleras; el marido irritado y hermético, ofendido sombríamente por la injusticia, herido en su orgullo por la indiferencia del mundo y las cartas de rechazo de los editores. Miraba a su alrededor y no podía comprender cómo había llegado a ese punto, desde dónde, a través de qué suma de equivocaciones; como si después de un viaje muy largo y difícil se encontrara con las maletas en el suelo de una estación equivocada, el tren en el que había venido perdiéndose en la distancia y ningún otro en perspectiva y nadie en la estación, ni siquiera una ventanilla abierta en la que consultar horarios o pedir otro billete. Nadie más que ella misma había puesto la venda alrededor de sus ojos, elegido la celda y echado la llave. Pero ni siquiera le hizo falta el esfuerzo de voluntad y destreza de palpar a ciegas el lazo en la nuca e intentar deshacerlo. La venda, aflojándose, cayó por sí sola. Hasta que un día Judith Biely se vio en una habitación en la que no había nada que la invitara a quedarse ni que le pareciera suyo, y en la que un hombre poco atractivo y no muy aseado hablaba sin parar moviendo mucho las manos y agitando la cabeza, sosteniendo cigarrillos entre los dedos amarillentos de nicotina y con las uñas sucias, esparciendo la ceniza de cualquier manera, tirando las colillas al suelo. En realidad las cosas que decía no eran tan brillantes, y las había repetido muchas veces, palabra por palabra; ni siquiera eran suyas, aunque tampoco de los otros. Flotaban en el aire, pasando de una boca a otra, de un folleto a otro, ampliadas a veces en pancartas, gritadas en el apasionamiento frío de una discusión política en la que era urgente sobre todo aniquilar al adversario, dejándolo sin razones, condenándolo a una intemperie de tinieblas como la que durante algún tiempo pareció haberse tragado a Leon Trotsky. Despojados de la venda que ella misma había apretado unos años atrás sus ojos veían al hombre que hablaba sin mirarla a ella, el pelo rizado sobre la frente, las manos vanamente enérgicas, agitando delante de su cara el humo de un cigarrillo. Si él no la veía ella oía sus palabras como un rumor o un zumbido, sin distinguir casi ninguna, como si en vez de la venda en los ojos llevara ahora tapones en los oídos. Pensaba en ese momento que probablemente estaba embarazada. Había hecho cuentas con los dedos; mirado las marcas de meses anteriores en el calendario; con la cara impasible quería recordar alguna fecha exacta. Tres, cuatro días de retraso. Mientras el casi desconocido hablaba el germen sembrado por él ya estaría multiplicándose en el interior del vientre, un copo diminuto de células, una semilla que se ha despertado en la negrura densa de la tierra y se abrirá paso en ella. La consecuencia enorme de qué: de algo a lo que ella no había prestado mucha atención y que no le había dado mucho placer, si se descontaba el alivio de que hubiera terminado. Serenamente decidió callar lo que había estado a punto de decir. Notó la manera instintiva en que se apretaban sus labios. Sin decirle nada a él se procuraría un aborto. Muy pronto, cuanto antes, en secreto, para abreviar la tristeza, la abrumadora congoja. El niño que ella quería, el ser humano fornido y delicado y noble que ella vislumbraba a veces creciendo a su lado en un inconcreto porvenir, no podía ser que naciera de tanta mezquindad. Durmió mal y al día siguiente, en la hora del almuerzo, fue a tomar un sándwich a la escalinata de la Biblioteca Pública, porque hacía sol y el aire tenía una tibieza impropia de mediados de marzo. Miraba a la gente alrededor de ella pensando que nadie podía imaginar su secreto ni compartir su abatimiento: mecanógrafas, dependientas de almacenes, chicas que ya iban siendo más jóvenes que ella, vestidas con una desenvoltura que ella había perdido en los últimos tiempos, intercambiando miradas de soslayo y risas ahogadas con los oficinistas de los bancos cercanos que también tomaban el almuerzo esparcidos por los peldaños de mármol y las sillas de hierro. Terminó su sándwich sin haberlo paladeado, cerró el termo de café, se puso en pie sacudiéndose de la falda las migajas de pan. Un rato antes, al cruzar la avenida, había notado mareo, un principio de náuseas. Ahora, al bajar la escalinata, lo que notó fue algo en el vientre, como un suave calambrazo, la descarga placentera de algo. Con incredulidad, con dulzura, con un alivio que tenía algo de desbordamiento de misericordia, con una liviandad que casi la alzaba del suelo sobre los tacones de los zapatos a los que había prestado tan poca atención en los últimos tiempos, sintió que estaba bajándole la regla y que el yugo de pesadumbre y resignación al que hasta un momento antes se había visto condenada ahora se disolvía, se desprendía de ella, dejándola delante de un porvenir diáfano que esta vez no iba a malograr. Vio con claridad, sin esfuerzo, igual que veía delante de sí el tráfico de la Quinta Avenida, el sol en las ventanas y en las incrustaciones de acero de un rascacielos recién terminado, el anuncio de una marca de jabón en el costado de un tranvía, cada uno de los errores de una vida anterior que ya daba por cancelada y cada uno de sus pasos futuros, y todas las sombras que la habían rodeado con una consistencia física de muros o túneles excavados en roca viva se disipaban como una niebla que desbarata un poco de brisa.

Había empezado a venir hacia él desde esa mañana tan en línea recta como cruzó la Quinta Avenida desde la escalinata de la Biblioteca Pública: la espalda erguida, los hombros animosos, el caminar a la vez desahogado y rápido de la gente de su ciudad, la boca entreabierta, con el mismo gesto de expectación con que Ignacio Abel la veía desde la mesa del fondo del café donde la estaba esperando, o todavía de pie y sin haberse quitado la chaqueta y muchas veces ni siquiera el abrigo en la habitación alquilada para citas furtivas donde la vio desnuda por primera vez, en una penumbra de cortinas espesas y postigos entornados en la que la claridad de la tarde se filtraba tan débilmente como los sonidos de la ciudad y como los rumores de la casa. Cada uno de los pasos que había dado hasta entonces precedían las pisadas silenciosas de sus pies descalzos sobre la alfombra muy gastada en dirección al hombre que no se había movido y ni siquiera había empezado a desnudarse. Tan sólo unas semanas antes, un poco más de un mes, había llegado a una pensión de la plaza de Santa Ana sin conocer a nadie en Madrid, con mucho sueño, después de una noche entera en el tren que la traía desde Hendaya. Qué distinta de París olía esta ciudad; qué distinto el olor del aire desde que cruzó la frontera. Esa mañana de septiembre, tan temprano, Madrid olía al barro húmedo de un botijo de arcilla roja puesto a refrescar en la ventana de la cocina; olía a los pétalos y a las hojas carnosas de los geranios y a la tierra de las macetas que eran del color de la arcilla del botijo. Olía a adoquines recién regados por una cuba municipal arrastrada por dos caballos viejos; olía al estiércol de los caballos, a aceite, a polvo seco, a los rastrojos sobre los que aún duraba el rocío cuando el tren iba entrando en Madrid; a la jara y a los pinos de la Sierra; a la penumbra húmeda y a los peldaños de madera del edificio en el que estaba la pensión, peldaños fregados y frotados con lejía, penumbra invadida por los olores a embutidos y a especias de una tienda de ultramarinos que había en los bajos, y cuyos postigos empezaban a ser levantados cuando ella llegó con su aire de aturdimiento y su maleta en la mano, recibiendo como una bienvenida y casi como un abrazo el aroma denso del café que el tendero molía delante de la puerta. El cuarto que le asignaron en la pensión daba a una calle estrecha que desembocaba en la plaza. Subía de ella un clamor que al principio no identificaba, mareada todavía por la extrañeza y el sueño: gente conversando en los corros que ya buscaban la sombra, vendedores ambulantes, pregoneros de arreglo de paraguas y de cazuelas de estaño, altavoces de aparatos de radio en los puestos de bebidas, cantos de criadas que hacían la limpieza y tendían ropa en las azoteas, que golpeaban alfombras o sacudían sábanas en los balcones de la vecindad. Una felicidad inmotivada y jubilosa se instalaba en su alma: le transmitían el sentido de espacio ancho y austero que tenía la habitación, mucho más acogedora que los cuartos cada vez más angostos que había podido pagarse en París. Como en los paisajes que la luz del amanecer le había revelado desde la ventanilla del tren, en la habitación las cosas parecían ordenadas según un orden ascético que resaltaba las dimensiones del vacío. En otros países de Europa el campo, lo mismo que las ciudades, le había dado la sensación agobiante de que todo estaba demasiado hecho, demasiado lleno, roturado, habitado. En España los espacios desiertos tenían algo de la amplitud de América. Sobre la cama de hierro de la habitación había un crucifijo, y una Virgen María de escayola pintada encima de la cómoda de líneas austeras en la que guardó su ropa, en cajones hondos cuidadosamente forrados con hojas de periódicos. Las paredes eran blancas, pintadas con cal, con un zócalo negro que llegaba a la altura de la ventana; el suelo, de baldosas de barro rojizo, intercaladas con otras más pequeñas de cerámica policromada. Los barrotes rectos de la cama terminaban en bolas de latón dorado y brillante, que tintineaban ligeramente cuando el suelo vibraba bajo las pisadas. Sobre la cómoda, junto a la Virgen de pecho plano y manto azul que aplastaba la cabeza de una serpiente con un pequeño pie descalzo, había una especie de candelabro de bronce o de latón con unas cuantas velas incrustadas. El cable de la corriente eléctrica atravesaba en línea recta la pared para llegar a la pera de baquelita negra que había sobre la cama y a la bombilla con una tulipa de cristal azulado que colgaba del techo. El embozo se plegaba sobre la colcha ligera, debajo de la almohada, con una solemne sugestión de blancura y volumen que Judith reconocería esa misma mañana, en su primera visita deslumbrada al Museo del Prado, en los hábitos de los frailes cartujos pintados por Zurbarán. Justo enfrente de la cama había una mesa de madera de pino desnuda, muy sólida, las patas firmemente apoyadas sobre las baldosas, con un cajón del que salió al abrirlo un olor de resina. Delante de la mesa una silla con el respaldo muy recto y el asiento de anea invitaba a sentarse de manera inmediata. Antes de deshacer del todo la maleta puso encima de la mesa la máquina de escribir, una carpeta con cuartillas en blanco, el tintero, la pluma estilográfica, el secante, un estuche con lápices, su cuaderno de notas, el pequeño espejo redondo que tenía siempre a mano cuando se sentaba a trabajar. Cada cosa parecía encajar en su lugar con una precisión sin esfuerzo que de algún modo anticipaba y hacía inevitable la escritura: todas ellas, sobre la madera de la mesa, a la luz rubia y ligeramente húmeda de la mañana de Madrid, filtrada por las varillas pintadas de verde de una persiana, se correspondían entre sí como los objetos diversos en el espacio plano de un cuadro cubista. El armario era alto y un poco lúgubre y tenía un espejo de cuerpo entero en el que Judith se miró estudiando con benevolencia los signos del cansancio, el contraste entre su presencia extranjera y el fondo arcaico de la habitación. La palangana y la jarra de agua del lavabo eran de porcelana blanca con un delicado filo azul. Tuvo una sensación que hasta ahora no había conocido en el curso de un viaje que ya empezaba a hacérsele demasiado largo: una correspondencia inmediata entre ella misma y el lugar donde estaba; una armonía que la aliviaba la pesadumbre de la soledad al mismo tiempo que le confirmaba el privilegio de no necesitar a nadie. En el tejado, delante de la ventana, un gato dormitaba tendido al sol. Más allá, en una buhardilla, una mujer se había lavado el pelo muy negro y se lo envolvía en una toalla, los párpados entornados y la cara vuelta hacia el sol con la misma placidez que el gato. Pocos días después Judith ya había aprendido a identificar los edificios que sobresalían del horizonte rústico de los tejados: el torreón con columnas y la Atenea de bronce del Círculo de Bellas Artes; las cresterías del Palacio de Comunicaciones, sobre las que ondeaba una bandera que inmediatamente había despertado su simpatía sin motivo, desde la primera vez que la vio al cruzar la frontera en Hendaya: roja, amarilla, morada, resplandeciendo al sol con algo del descaro popular que tenían las flores de los geranios en los balcones.

Quería hacerlo todo al mismo tiempo, esa misma mañana, le dijo luego a Ignacio Abel. Echarse a la calle, tenderse sobre el embozo blanco y fragante y la colcha de la cama, escribirle cuanto antes una carta a su madre poniendo en el encabezamiento la palabra Madrid y la fecha exacta de ese día, escribir a máquina una crónica sobre la experiencia del viaje: la sensación de haber llegado a otro mundo que se tenía nada más cruzar la frontera; de encontrar gente más pobre y caras más oscuras y miradas de una fijeza y una intensidad que al principio la desconcertaban; de vislumbrar en la oscuridad, a través de la ventanilla, sombras de rocas desnudas y de precipicios como los de los grabados de los libros de viajes; de despertarse con las sacudidas violentas de un tren mucho más lento e incómodo que los trenes franceses y ver con la primera claridad del día un paisaje plano y abstracto, de colores terrosos, liso y seco como una yuxtaposición de hojas otoñales. Quería leer el libro de Dos Passos que traía consigo pero también quería sentarse a la mesa con el diccionario al alcance de la mano para leer una de las novelas de Pérez Galdós que le había descubierto años atrás su profesor de Columbia; o salir con la novela en la mano y buscar cuanto antes las mismas calles por las que se movían los personajes. Sentada delante de la máquina de escribir y de la ventana abierta sintió por primera vez en el umbral de la conciencia y en las yemas de los dedos que rozaban apenas las teclas la inminencia de un libro del que formaría parte cada una de las cosas que estaba sintiendo tan golosamente en ese mismo momento. No era una crónica, ni un relato de viajes, ni una confesión, ni una novela; la incertidumbre la hería igual que la estimulaba; intuyó que si permanecía alerta y a la vez dejándose llevar encontraría un principio tan tenue como la punta de un hilo; tendría que apretarlo entre los dedos para no perderlo; pero si lo apretaba con un poco más de fuerza de la necesaria el hilo se rompería y ya no iba a poder encontrarlo de nuevo. Por la ventana venían voces de vendedores callejeros, zureos de palomas, ruidos de tráfico, toques de campanas. Los tonos de las campanas cambiaban cada pocos minutos o se confundían entre sí: el horizonte sobre los tejados estaba lleno de campanarios. Llamaron a la puerta y estaba tan absorta en sí misma que se le sobresaltó el corazón. Una criada entró con una bandeja y ella intentó explicarle en su español todavía poco ágil que debía de tratarse de un error, porque no había pedido nada. «Que es de parte de la patrona, por si la señorita viene con el estómago vacío después de tanto viaje por el extranjero.» La criada era muy joven y tenía el pelo negro y una cara que a Judith, saturada de imágenes, le recordó la de la camarera que se inclina sobre la Infanta en *Las Meninas*. Puso la bandeja sobre la mesa apartando con el codo la máquina de escribir, que no dejó de llamarle la atención, porque no la asociaba con una mujer, aunque fuese extranjera. «Que le aproveche»: un tazón de café, un jarrillo de leche, un bollo de pan blanco y tostado, abierto por la mitad, chorreando un aceite dorado y verdoso, los cristales de la sal brillando en la luz. Descubrió de pronto toda el hambre que tenía y el alivio de no oler a mantequilla rancia. El pan untado con aceite crujía deshaciéndose en su boca, los granos de sal estallando en su paladar como semillas de delicia. Con una servilleta a cuadros se limpiaba el aceite de las comisuras de la boca, el bozo de nata que la leche le dejaba en los labios. Todo conspiraba de golpe para su felicidad, incluso el agotamiento, la somnolencia dulce que el calor del café con leche dejaba en su estómago, el escándalo de las campanas de las iglesias, que provocaban al comenzar sus repiques revuelos de palomas sobre los tejados. Sin abrir la maleta se quitó los zapatos y se sentó en la cama, menos blanda que las camas francesas o las alemanas, para darse un masaje en los pies hinchados y doloridos al cabo de tantas horas de viaje. Se tendió un momento, con su libro de Galdós en las manos, recorriendo las páginas en busca de nombres de lugares de Madrid que no estarían muy lejos, y en apenas un minuto se había quedado tan dormida como cuando era una niña, en aquellas mañanas de invierno en las que estaba un poco enferma y su madre —porque era la única hija y había venido tan por sorpresa— le traía el desayuno a la cama, cuando los varones ya se habían ido y sobre la casa descendía un silencio apacible, y en la calle estaba nevando, y la ventisca hacía vibrar los cristales de la ventana.

11

Cuando sus hijos eran pequeños a Ignacio Abel le gustaba hacerles dibujos, maquetas y recortables de casas, de automóviles, de animales, de árboles, de barcos. Empezaba por dibujar un perro diminuto en un ángulo de la cartulina del cuaderno y junto al perro surgía una farola como una flor muy alta y cerca de ella una ventana a partir de la cual cobraba forma la casa entera, y por encima del tejado con su chimenea junto a la que se perfilaba un gato aparecía la luna como una tajada de melón. Lita y Miguel miraban aquellas apariciones prodigiosas acercando mucho las caras al cuaderno, los codos sobre la mesa, arrimándose tanto a él que apenas le dejaban espacio para seguir dibujando, compitiendo por su cercanía, de la que disfrutaban raramente, pues les estaba casi siempre vedado el espacio que ocupaban los adultos en la casa. Vivían en el dormitorio compartido que era también cuarto de estudio y de juegos y en las habitaciones traseras donde reinaban las criadas, y en las que no se cumplían las severas normas de silencio o de cosas dichas en voz baja a las que había que someterse en cuanto se entraba en el territorio de los mayores: en la cocina, en el cuarto de la plancha, donde a Miguel se le iban las horas muertas, las criadas hablaban a gritos y la radio sonaba todo el día, y por la ventana que daba a un patio interior venían las voces de las muchachas de servicio de las otras viviendas y las canciones estridentes y los anuncios de la radio que todas escuchaban. Se llamaban entre sí, arrastrando las voces, con un acento que Miguel imitaba con suma destreza, aunque procurando que no lo oyera su padre. En el resto de la casa había que cerrar y abrir las puertas con mucho cuidado, que pisar sin hacer ruido, sobre todo en la cercanía del despacho del padre o del dormitorio al que tantas veces la madre se retiraba a lo largo del día, con las cortinas echadas, con interminables dolores de cabeza o dolencias más vagas que pocas veces recibían nombre preciso o eran tan graves como para exigir la presencia del médico. En la cocina las voces de las criadas y las de la radio se mezclaban con los borbotones y los chisporroteos y las vaharadas de humo que venían de los fogones, y en la puerta de servicio aparecían con frecuencia personajes pintorescos o estrambóticos, repartidores de las tiendas, vendedores ambulantes con caras oscuras y ásperas ropas rurales, cargados con quesos, con tarros de miel, a veces con pollos o conejos que se revolvían cabeza abajo con las patas atadas. Pero la puerta que separaba la zona de servicio del resto de la casa tenía que estar siempre cerrada, y a los niños, sobre todo a Miguel, que tenía una idea más confusa de su lugar en el mundo, les fascinaba esa frontera rigurosa establecida en el interior de la casa, a través de la cual sólo ellos dos se movían libremente: cambiaban no sólo las caras y los sonidos, sino también los acentos, y hasta los olores, los olores de las cosas y los de las personas: a un lado olía a aceite, a comida, a pescado, a la sangre de un pollo o de un conejo recién sacrificado, al sudor de las criadas, tan fuerte mientras estaban trabajando como el de los repartidores que subían a pie los cinco pisos de la escalera de servicio; en el otro olía al jabón de lavanda con el que su madre se lavaba las manos y a la colonia de su padre, al barniz en los muebles, a los cigarrillos rubios que a veces fumaban las visitas.

Según se iba haciendo mayor, la niña, observaba Miguel, se aventuraba cada vez menos más allá de frontera, en gran parte por mantenerse fiel al personaje de señorita distinguida y un poco intelectual que había inventado para sí misma y que representaba con tanto éxito que sólo él parecía darse cuenta de su visible impostura. En vez de las coplas flamencas de celos y crímenes y ojazos negros que sonaban en la radio de la cocina —y que Miguel interpretaba a solas delante del espejo en su dormitorio, imitando unas veces los gestos de Miguel de Molina y otras los de Carmen Amaya—, ahora Lita se sentaba con la espalda recta en una silla del salón para escuchar junto a su madre las transmisiones sinfónicas de Unión Radio. Mientras Miguel leía subyugado los seriales sobre artistas de cine y los anuncios de conjuros y remedios astrológicos de las revistas baratas que compraban las criadas (*EL AMOR y la SUERTE los puede usted lograr GRATUITAMENTE con la posesión de la misteriosa FLOR IRRADIANTE preparada conforme a los ritos milenarios del PAMIR y los inmutables principios astrológicos de los MAGOS DE ORIENTE*), Lita leía novelas de Julio Verne sabiendo que así ganaba la aprobación de su padre y fingía emocionarse interpretando delante de la familia los romances populares que les enseñaban a cantar en el Instituto-Escuela. Pero a los dos les había atraído por igual ser admitidos en el despacho del padre, cuya amplitud misteriosa agrandaban sus imaginaciones infantiles. Era rápido y certero manejando el lápiz y tenía una gran habilidad para ese tipo de tareas manuales pueriles. Meticuloso, paciente, tan ensimismado como sus hijos en lo que él mismo estaba haciendo, tintaba los contornos del dibujo y le añadía la forma de una base plegable, y luego lo recortaba, casa, árbol, globo aerostático, animal, automóvil —con su capota y sus faros, con los radios de las ruedas perfectamente detallados, incluso con el perfil al volante de un chófer con gorra de plato—, bandolero del Oeste a caballo, motocicleta con su conductor inclinado sobre ella, vestido con cazadora de cuero y gafas de aviador. Dibujaba un aeroplano y cuando terminaba de recortarlo ya estaba imitando el rugido del motor, y el aeroplano se despegaba de la cartulina y volaba entre sus dedos por encima de las cabezas de los niños, cada uno de los dos ansioso por tenerlo antes en sus manos, la niña aprovechándose de su fuerza y de su seguridad, el niño que no podía quitárselo a su hermana y se echaba a llorar tan fácilmente, de modo que había que dibujar y recortar a toda prisa otro aeroplano, y hacerlo lo más parecido que fuera posible al anterior, para no provocar un agravio, una nueva disputa. Buscaba para ellos en las papelerías recortables de edificios célebres, de puentes modernos, de trenes, de buques transatlánticos; les enseñaba a manejar las tijeras, en las que se les enredaban los carnosos dedos infantiles; a ir siguiendo con precisión cautelosa los bordes del dibujo y distinguir bien las líneas de corte de las de plegado; a apretar muy poco el bote de pegamento, para que sólo saliera la pequeña gota necesaria. Y cuando se impacientaban o se rendían ante la dificultad él tomaba las tijeras y volvía a enseñarles el modo de recortar un dibujo, acordándose de su lejano maestro de Weimar, el profesor Rossman, que entraba en un cómico éxtasis al oír el sonido y percibir la resistencia de una hoja de papel que cortaba entre sus manos.

Les traía de la oficina maquetas en desuso; les dibujaba él mismo recortables de edificios que había estudiado en las revistas internacionales. Cuando fueran mayores tal vez recapacitarían que de niños habían jugado con la maqueta de la Bauhaus en Dessau y con la de la torre de Einstein de Erich Mendelsohn, que les gustaba más que casi ninguna porque se parecía a un faro y al torreón de un castillo. Pero no era que Ignacio Abel condescendiera a entretener a sus hijos, o que tuviera con ellos una meritoria paciencia. Su propio amor por la arquitectura tenía una parte de ensimismado entretenimiento infantil. Le gustaba recortar y plegar; los ángulos flexibles de una caja vacía de medicinas le provocaban una inmediata felicidad táctil: formas puras tan perceptibles para las yemas de los dedos como para los ojos; ángulos, escaleras, esquinas. Qué rara la invención de la escalera, la idea de algo tan ajeno a cualquier inspiración en la naturaleza, el espacio plegándose en ángulos rectos, una sola línea quebrada sobre un papel en blanco, tan ilimitada en principio como una espiral, o como esas dos líneas paralelas cuya definición le había subyugado en la escuela: «... que por mucho que se prolonguen nunca se encuentran». Tan cerca, la una de la otra, condenadas a no encontrarse nunca, por una especie de maldición inexplicada, como la que llevaba a Caín a vagar por la tierra hasta el final de sus días con una señal de ceniza en la frente. Desde las manos inquisitivas y hábiles, desde las sombras de palabras y miedos infantiles, una emoción retrocedía en ondulaciones instantáneas hacia el fondo del tiempo: como avanzando por un pasillo muy largo hacia una débil luz encendida veía al niño que había sido muchos años atrás, sentado en un cuarto de techo bajo, inclinado y absorto sobre un cuaderno, manejando despacio una pluma barata de palillero de madera, mojándola en un tintero, las cosas cercanas borradas para él, más allá del breve círculo de la lámpara de petróleo (por la ventana del sótano no entraba el sol, pero sí el sonido de los pasos de la gente, y el de los cascos de los animales y las ruedas de los carros; el escándalo permanente de los vendedores callejeros; la melopea de los ciegos que cantaban historias de crímenes; una noche hubo unos cascos y unas ruedas que se detuvieron a la altura de la ventana y él no levantó la cabeza de sus cuadernos, de sus cartulinas recortadas; alguien llamó a la puerta y él recordó con fastidio que su madre había salido y que le tocaba a él abrir; en el carro traían un bulto cubierto con sacos).

Levantaba una pequeña casa y decía a sus hijos que era una casa de pulgas; junto a ella un árbol, un automóvil; un puente un poco más allá, su arco levantado idéntico al del Viaducto, o al que el ingeniero Torroja había diseñado para salvar el barranco de un arroyo en la Ciudad Universitaria; la marquesina de una estación de ferrocarril, con su reloj colgado de las vigas, los números romanos diminutos dibujados en la esfera con un lápiz al que había sacado con deleite una punta muy fina, que se quebraría a la mínima presión. Con la misma felicidad pueril estudiaba la maqueta de la Ciudad Universitaria que había ido creciendo en una de las salas de la oficina técnica, la réplica a escala del mismo espacio que se veía al otro lado de los ventanales, al principio no una lámina en blanco sino un descampado de tierra removida y pelada en la que aún quedaban tocones trágicos de los millares de pinos que habían sido talados (pero el mundo no es ilimitado y no se puede construir sin arrasar primero). Como Gulliver en Liliput supervisaba una ciudad diminuta en la que sus pasos habrían retumbado como golpes sísmicos, la ciudad que había empezado siendo de cartulina y de tinta, de pegamento y cartón, de bloques de madera, el modelo fiel de un fragmento del mundo que ya era tridimensional pero aún no existía, o se iba haciendo muy lentamente, demasiado. Al otro lado de los ventanales las máquinas excavadoras abrían grandes zanjas en la tierra estéril, levantando en sus palas dentadas raíces como cabelleras, como ramas desnudas de árboles que hubieran crecido hacia el subsuelo (para construir había que desbrozar y talar primero, que limpiar y aplanar, hacer que la tierra se volviera a ser posible tan lisa y abstracta como una lámina extendida sobre un tablero de dibujo). Por las explanadas, en los terraplenes, hormigueaban los peones; subían ágilmente por los andamios de los edificios en construcción, pululaban por pasillos y futuras aulas, aplicando el cemento, pegando azulejos, completando una hilera de ladrillos, empezando otra; monarcas de sus oficios; expertos en dar forma real a lo que había empezado siendo una fantasía irresponsable sobre un cuaderno de dibujo; hombres cobrizos con boinas y cigarrillos pegados a los labios; camiones potentes con volquetes y recuas de burros que transportaban cargas de yeso o cántaros llenos de agua en los serones; guardias armados que patrullaban los tajos para ahuyentar a las cuadrillas de obreros en paro que los asaltaban para ponerse a trabajar sin que nadie los hubiera llamado o para volcar o incendiar las máquinas que al reducir los jornales necesarios los condenaban al hambre. Primitivos y milenaristas, igual que ellos, alucinados ahora no por la esperanza del Fin de los Tiempos sino del comunismo libertario. Con un esfuerzo liviano de la imaginación racional Ignacio Abel veía completos los edificios en cuyos andamios aún se afanaban los albañiles y sobre los cuales oscilaban las grúas de motores eléctricos: hermosos cubos de ladrillo rojo brillando al sol, con el exacto ritmo visual de las ventanas, contra el fondo verde oscuro de las estribaciones de la Sierra. Veía las avenidas con grandes árboles que ahora eran poco más que débiles tallos o ni siquiera eso, árboles de cartón recortados por él mismo y pegados en la acera de una maqueta. Los estudiantes de Filosofía atravesaban desmontes para llegar a su Facultad inaugurada a toda prisa y de cualquier manera (a las aulas donde daban las clases llegaban los gritos y los martillazos de los operarios): en su imaginación impaciente él los veía llegar en tranvías veloces por las avenidas rectas y anchas, paseando a la sombra de los árboles, tilos o robles, dispersos por el césped que alguna vez crecería sobre aquella tierra pelada; hombres y mujeres jóvenes bien alimentados, los huesos largos y fuertes gracias al calcio de la leche, hijos de privilegiados pero también hijos de trabajadores, educados en sólidas escuelas públicas en las que la racionalidad del saber no estaría corrompida por la religión y en las que el mérito prevalecería sobre el origen y el dinero. A los hervores españoles de la sangre prefería con mucho el vigor de la savia; a la política, la botánica; a los planes quinquenales, los de regadío. Los desmontes calcinados en los que desembocaba Madrid casi en cualquier dirección salvo por el oeste le recordaban los desiertos de las religiones fanáticas. Agua corriente, tranvías eléctricos, árboles de copas anchas y densas, espacios ventilados. «Abel, para usted la revolución social es cuestión de obras públicas y de jardinería», le dijo una vez Negrín, y él contestó: «¿Y para usted no, don Juan?» Casi veía a su hija, sólo unos pocos años después, ya predestinada para esa Facultad de Filosofía y Letras, jovial y adulta, tan serena como ahora, saltando del tranvía con zapatos de tacón y calcetines cortos y libros bajo el brazo, el pelo bajo una boina ladeada, la gabardina abierta, como esas muchachas todavía singulares entre los grupos de estudiantes varones. El porvenir no era una bruma de desconocimiento o una proyección de deseos insensatos, no el vaticinio embustero de las cartas o de las líneas de la mano, la profecía siniestra de los predicadores del fin del mundo o del paraíso sobre la tierra. El porvenir estaba previsto en las líneas azules de los planos y en las maquetas que él mismo había ayudado a construir, con su amor por las cosas que pueden hacerse con las manos, dibujar con tiralíneas y luego recortar con unas tijeras escuchando el sonido del acero afilado que hiende la cartulina. La emoción estética suprema era un golpe visual instantáneo. Ver algo completo y de repente con una sola mirada, comprender con los ojos, adivinar una forma con el tacto. Ignacio Abel amaba los bloques de madera de los juegos de construcción de sus hijos, la tipografía de los libros de Juan Ramón Jiménez, la poesía de los ángulos rectos de Le Corbusier. Las afueras planas de Madrid eran un despejado tablero de dibujo sobre el que podría proyectarse la ciudad futura con una amplitud mucho mayor que la del recinto universitario. Perspectivas rectas que se disolverían en el horizonte de la Sierra, líneas de fuga de rieles de tranvías y de cables eléctricos, barrios para trabajadores con casas de fachadas blancas y ventanas grandes rodeadas por plazas con jardines. En la misma medida en que desconfiaba de la vaguedad de las palabras, de los vapores calientes y tóxicos de los discursos, amaba los actos concretos y las cosas tangibles y bien hechas. Una escuela con aulas luminosas y cómodas, con un buen patio de juegos, con un gimnasio bien equipado; un puente trazado con solidez y belleza; una vivienda racionalmente concebida, con agua corriente y cuarto de baño: no imaginaba formas más prácticas de mejorar el mundo.

Había hecho algunas cosas que podían ser medidas, juzgadas; que tenían una presencia indudable y modesta en la realidad; que existirían del todo con un poco de paciencia y destreza. Pero qué angustia de que se le acabara el tiempo, de no tener la claridad intelectual ni el sosiego ni el coraje para llevar a cabo lo que aún no intuía más que en sueños, en bocetos privados, una casa en la que él y Judith Biely vivirían a la vez en el mundo y apartados y a salvo del mundo, una biblioteca en el claro de un bosque, al lado de un gran río. Las figurillas humanas que había situadas en algunos lugares de la maqueta para dar una idea inmediata de escala él las veía ya animadas y agrandadas hasta un tamaño de seres adultos, hombres y mujeres muy jóvenes con ropas de corte deportivo y carteras de libros, sus propios hijos en la distancia del porvenir cercano, como si levantara la cabeza de su tablero de dibujo y lo viera pasar al otro lado de la ventana. Sólo lo agobiaba la impaciencia de que las cosas sucedieran más rápido, como en esas películas en las que se veía un tren en marcha y sobre el morro de la locomotora o sobre el vértigo de las ruedas aparecían y luego se esfumaban nombres de ciudades y fechas de acontecimientos, en las que el tiempo pasaba muy deprisa y los edificios se iban levantando delante de los ojos, sin que los personajes envejecieran ni perdieran el brío de su entusiasmo. A Juan Ramón Jiménez le había oído hablar de *una prisa lenta,* del *trabajo gustoso.* Él quería ver completados el Hospital Clínico, la Facultad de Medicina, la de Ciencias, la Escuela de Arquitectura, tan cerca de la terminación; quería que ese descampado con zanjas como cicatrices y malezas ásperas fuese ya un campo de deportes; que los palos tristes de los árboles crecieran cuanto antes para dar un poco más de sombra en el secano de Madrid (otros árboles fueron talados previamente; otros muros derribados por piquetas y excavadoras; pero en muy poco tiempo las heridas del paisaje habrían sanado y se perdería la memoria de lo que existió antes). Qué dolor la lentitud de los trabajos, qué impaciencia la de los trámites administrativos, la del esfuerzo humano requerido para cualquier tarea, más aún con aquellos métodos de construcción tan primitivos. Picos, azadones, palas arañando la tierra dura de Castilla, peones mal alimentados, con boinas sucias, con bocas arruinadas de las que colgaban cigarrillos liados a mano, espesos de saliva. Arrancaban un lunes a primera hora los trabajos con una apariencia de energía duradera y al cabo de una semana todo quedaba en suspenso por culpa de una crisis de gobierno o porque se había declarado de nuevo una huelga de la construcción.

Pensaba de pronto: tú podrías haber sido uno de ellos; tu hijo habría nacido para ganarse un jornal escaso de albañil en la Ciudad Universitaria o para pelearse a pedradas con los guardias a caballo y no para estudiar una carrera en una de aquellas facultades (qué estudiaría Miguel, para qué serviría; dónde se posaría duraderamente alguna vez su atención veleidosa). De niño él había trabajado con sus manos, durante las vacaciones escolares, en las cuadrillas que mandaba su padre, el maestro de obras al que respetaban sus albañiles, porque si bien había prosperado lo bastante para llevar chaleco y chaqueta (pero no corbata, ni cuello duro en la camisa) seguía teniendo la cara quemada por la intemperie y las manos chatas y ásperas y era más hábil que nadie para trazar la línea de un muro con los ojos guiñados y sin más ayuda que la de un cordel y una plomada. Yendo de niño con su padre había aprendido el esfuerzo físico que exigía cada cosa, cada palmo de cimiento excavado, de tierra removida, cada adoquín y cada sillar en su sitio preciso, cada ladrillo en su fila idéntica. Todo era fácil, deslumbrante en el plano: las líneas de tinta y las manchas de acuarela culminaban un edificio en un par de tardes de trabajo gustoso, inventaban completa una ciudad en unos pocos días. Avenidas cruzándose en ángulo recto, alejándose hacia los puntos de fuga; árboles de un verde tierno de acuarela diluido en el blanco del papel de dibujo; pequeñas figuras humanas que indicaban la escala. Pero en la realidad esa figura que se veía moviéndose a lo lejos desde los ventanales de la oficina técnica es un hombre que se cansa con facilidad y no está bien alimentado, que ha salido antes del amanecer de su vivienda insalubre y mezquina en una corrala suburbial para venir caminando al trabajo y ahorrarse así los pocos céntimos del tranvía o del metro; que almuerza a mediodía una pobre cazuela de garbanzos cocidos con un caldo de tocino o de hueso rancio; que puede caer del andamio o ser aplastado por una avalancha de ladrillos o piedras y quedarse inválido y vivir ya para siempre tendido en un jergón, en un cuarto de vecindad al fondo de un pasillo hediondo, mientras su mujer y sus hijos pasan hambre y se ven condenados a la humillación de la Beneficencia. Cuando inspeccionaba una obra, asistiendo pasivamente al esfuerzo físico de otros, Ignacio Abel cobraba una conciencia incómoda de su traje bien cortado, de su cuerpo tonificado esa misma mañana por la ducha y absuelto de la brutalidad del trabajo; de sus zapatos que se manchaban de polvo y cemento, y en los que ese albañil doblado sobre una zanja repararía cuando pasara a su lado, a la altura de sus ojos: los zapatos de los señores, tan llamativos y sin duda insultantes para el que calza alpargatas. «Usted no entiende la lucha de clases, don Ignacio», le había dicho Eutimio, el capataz que cuarenta años atrás había sido aprendiz en la cuadrilla de su padre: «La lucha de clases es que caigan cuatro gotas y a uno se le mojen los pies.» Sentía vergüenza y alivio; deseos de justicia social y miedo a la furia de quienes esperaban acelerar su llegada mediante la violencia de una revolución probablemente sanguinaria. Cuántos hombres habían muerto en la sublevación de Asturias; cuántos habían sufrido la tortura y la cárcel: para qué; en nombre de qué profecías apocalípticas traducidas a un lenguaje de periodismo de tercera; a manos de qué brutales vengadores de uniforme, borrachos también de otras palabras de gradadas, o ni siquiera eso, mercenarios pagados tan miserablemente como los rebeldes a los que daban caza. Temía que la crueldad o la desgracia se abatieran sobre sus hijos, arrojándolos a la penuria de la que él había escapado, pero que estaba todavía tan cerca, como una amenaza cierta y visible: en los niños tiñosos y descalzos que rondaban las obras buscando robar algo o que se acercaban a los tajos a mendigar algo de comida; en los que caminaban con la cabeza baja de la mano de un padre en paro. Quería que sus hijos se fortalecieran, que aprendieran algo de la cruenta aspereza de la vida real, sobre todo el niño, tan excesivamente débil y vulnerable a todo: pero también quería protegerlos más allá de cualquier incertidumbre, salvarlos para siempre del descubrimiento de la maldad y del dolor. Algunas veces llevaba a los chicos a la oficina, sobre todo desde que se compró el automóvil. Les daba paseos por las avenidas futuras, les señalaba las facultades donde tal vez estudiarían. Aceleraba para que el viento les diera en la cara, se alejaba hacia el verdor polvoriento del monte del Pardo, regresaba a la Ciudad Universitaria. Su madre los había arreglado como si fueran a un bautizo: el chico con su flequillo recto sobre la frente, su chaqueta de hombre diminuto, sus pantalones bombachos; la niña peinada con raya, con un lazo en el pelo, con zapatos de charol y calcetines cortos. Él seguía trabajando cuando los demás empleados ya se habían ido y los niños jugaban como gigantes repentinos en la ciudad de la maqueta. Cuando estaban en casa, a las criadas les extrañaba que el señor se ocupara de sus hijos mientras la señora asistía a sus reuniones sociales, a las conferencias y las exposiciones del Lyceum Club, o se quedaba encerrada el día entero en la penumbra enferma del dormitorio; que anduviera a gatas con ellos a caballo por el corredor o apartara los papeles de su mesa de trabajo para hacer sitio a sus construcciones de papel y cartón y a sus carreras de autos de juguete.

No había sido así desde el principio. Hubo un tiempo largo en el que deseó que no hubieran nacido; noches angustiadas de llanto y fiebre en las que se sintió atrapado en un cepo de responsabilidad irrespirable. Se fue lejos y la culpa lo seguía alcanzando, se volvía más aguda y cortante con la distancia. En Weimar, cada vez que reconocía la letra de su mujer en una carta temía encontrar cuando la abriera la noticia de que uno de los dos estaba muy enfermo (seguramente el niño, no sólo el menor, sino también el más frágil con mucha diferencia). Tenía miedo sobre todo de los telegramas. Algunas veces iba por la calle disfrutando del silencio nocturno después de un día de mucho estudio y trabajo en la Escuela y de pronto tenía el presentimiento de que cuando llegara a la pensión la patrona le entregaría con un gesto de pesada indiferencia alemana un telegrama urgente. Temía la desgracia y más aún el castigo. Por haberse marchado, por no sentir añoranza. Por abandonarse al abrazo convulso de su amante húngara que al terminar lo apartaba de ella y encendía un cigarrillo y parecía que se hubiera olvidado de su existencia. Por haber solicitado la pensión de estudios sin consultar nada con Adela y retrasado el momento de decírselo con la esperanza cobarde de que se la denegaran, evitándole así la necesidad del coraje y del seguro melodrama. Temía los telegramas, las llamadas súbitas, los golpes en la puerta, los signos de algo que va a saberse pronto y lo desbaratará todo.

El carro de ruedas de madera con refuerzos de hierro se había detenido junto a la ventana baja de la portería y los cascos de un caballo o un mulo habían golpeado los adoquines de la calle, pero él aún no levantó la cabeza de su cuaderno, en el que estaba copiando un ejercicio de dibujo geométrico; repasando con tinta las líneas que había trazado previamente a lápiz (dos líneas paralelas por mucho que se prolonguen nunca se encuentran); mojando tan sólo la punta del plumín en el tintero, para evitar el error de una mancha sobre el papel en blanco. Era otra época, casi otro siglo, y él tenía trece años: el invierno de 1903 (al rey lo habían coronado sólo unos meses antes: Ignacio Abel lo había visto pasar en una carroza rodeado de gorros dorados con penachos de plumas y había descubierto con sorpresa, mirándolo tan de cerca, que no era mucho mayor que él y tenía una cara larga y pálida de muchacho aburrido bajo la visera del alto gorro militar). Llamaron a la puerta de entrada del edificio y él aún no levantó la cabeza, porque era su madre quien se ocupaba de la portería. Volvieron a llamar más fuerte y entonces recordó que su madre había salido dejándole dicho que estuviera atento. Un desconocido con gorra y blusa de albañil le preguntó por ella, lo miró de una manera rara cuando él le explicó que no estaba y que él era su hijo. Aún llevaba en la mano la pluma con el palillero de madera. La apretó tanto que se le partió entre los dedos cuando tuvo que acercarse al carro en el que traían aquel bulto cubierto con sacos vacíos de yeso. Las ruedas de un carro dejarán sobre la tierra y el polvo dos líneas paralelas que no se encontrarán nunca por mucho que se prolonguen a lo largo de todos los caminos llevando sobre las tablas peladas que rebotan en los socavones un cuerpo muerto tapado con un saco. En la tela del saco había una gran mancha oscura cuyo color no pudo distinguir a la luz de los faroles de gas recién encendidos en la calle. Su padre, tan ágil siempre, tan impaciente con aquel hijo que tenía vértigo en cuanto se subía a unos palmos de altura, se había partido el cuello al caer de un andamio. Al cabo de muchos años aún soñaba algunas veces que tenía que apartar la tela del saco polvoriento con la gran mancha oscura para verle la cara. En la palma blanda de su mano infantil se partía en dos el palillero de la pluma, una astilla aguda hiriéndole la piel sudorosa. La culpa de la paternidad se le mezclaba con el miedo a la desgracia y con el recuerdo indeleble de un desamparo sin explicación ni consuelo posible. El vértigo ante esas vidas tan frágiles a las que estaba atado por una responsabilidad abrumadora era avivado por la compasión retrospectiva hacia el niño que inclinaba la cabeza sobre un cuaderno en una habitación pobremente alumbrada, intacta para siempre en la lejanía del tiempo, en el momento anterior a los golpes en la puerta; ignorante aún de que ya era el hijo único de una madre viuda, destinado a un porvenir de sobriedad y mansedumbre, alumno ejemplar en el colegio de Escolapios del barrio, salvado de la condena al trabajo manual gracias no sólo a su aplicación y su inteligencia sino a los ahorros que había ido guardando el padre a lo largo de los años, sabiéndose enfermo, sabiendo que dejaría a un hijo indefenso, demasiado frágil para ganarse la vida como había hecho él. Estaba muy enfermo y no se cayó desde lo alto del andamio porque hubiera tropezado o porque hubiera una tabla suelta sino porque le había reventado el corazón.

Muy lentamente y sin darse mucha cuenta, Ignacio Abel se había ido reconciliando con la presencia de los dos niños en el mundo y había descubierto, no sin asombro, que eran la parte más luminosa de su vida. Asistir al crecimiento de sus hijos y encontrar en sí mismo un yacimiento de ternura en el que nunca había reparado le enseñó a Ignacio Abel a desconfiar de la decepción y a permanecer atento y agradecer lo inesperado. La decepción podía ser tan halagadora y tan engañosa como el vano entusiasmo. Lo que la vida real imponía al deseo y al proyecto no eran sólo amargas limitaciones: también posibilidades que nadie había anticipado, los dones de lo azaroso y de lo imprevisto. Los maestros anónimos de la arquitectura popular habían trabajado con lo que tenían más a mano, no con los materiales escogidos por ellos sino con los que la casualidad les había deparado, piedra o madera o arcilla para adobes. Su padre tocaba un sillar de granito con la gran palma abierta de su mano y era como si rozara el lomo de un animal. En la hermosa ambición de culminar exactamente algo de acuerdo con un proyecto sin vaguedades ni fisuras había una parte de rigidez, de soberbia. En 1929 había viajado expresamente a Barcelona para ver el pabellón de Alemania en la Exposición Universal y al recorrer junto al profesor Rossman aquellas estancias de mármol liso y acero y muros de cristal transparente se había sorprendido al descubrir en sí mismo, debajo de la fascinada admiración, un punto sordo de rechazo. La perfección que sólo unos años antes le habría parecido indiscutible ahora lo inquietaba por su reverso de frialdad, sobre el que parecía que la presencia humana resbalaría sin dejar rastro. Amaba el hormigón armado, las láminas extensas de cristal, el acero firme y flexible, pero sentía envidia ante un talento y una destreza inaccesibles para él si veía a un lado de un camino la choza del guarda de un melonar hecha con una urdimbre de paja y cañas de acuerdo con un arte que ya existía cuatro mil años atrás en las marismas de Mesopotamia, o un simple muro levantado con piedras de tamaños y formas diversas que se ajustaban sólidamente entre sí sin necesidad de argamasa. No había plano tan perfecto que permitiera descartar la incertidumbre. Sólo la prueba del paso del tiempo y de la acción de los elementos revelaba la belleza de una construcción, ennoblecida por la intemperie y gastada por el tránsito de las vidas humanas igual que el mango de una herramienta o que los peldaños de una escalera. Y si el cumplimiento de lo que había deseado sin esperanza cuando era muy joven le producía un fondo de decepción y desgana que los años agravaban, todo lo mejor que tenía era la consecuencia de lo inesperado: aquella mujer que apretaba contra él su vientre liso y sus flacas caderas en un cuarto sin calefacción de Weimar; Judith Biely, que a diferencia de la otra, la amante húngara, lo miraba a los ojos cuando estaba corriéndose y le murmuraba palabras dulces y sucias al oído, le decía su nombre; Lita y Miguel, que tal vez no han recibido ninguna de sus postales, que están olvidándose de su cara y del sonido de su voz y quizás piensan que está muerto, y lo empiezan a borrar lentamente de sus vidas, fortalecidos por una espléndida capacidad de supervivencia que a él ya no le corresponde.

Ningún signo le advirtió de la aparición de Judith Biely. Jamás había soñado, ni siquiera deseado, la existencia de sus hijos, que llegaron por casualidad y por la inercia muy pronto desganada del matrimonio. Ningún proyecto, ningún deseo cumplido, ni siquiera los que alentaba sin mucha esperanza a los trece o catorce años, en la portería de su madre (los libros de estudio y los cuadernos sobre el hule de la mesa camilla, el tintero y los lápices, el quinqué de petróleo siempre encendido, en la penumbra húmeda del sótano, la foto del padre muerto en la repisa de la chimenea, todavía con un lazo negro en un ángulo del marco), le había deparado tanta felicidad como el ir viendo crecer a su hija, obra maestra inesperada en la que él se complacía sin sospecha de vanagloria ni temor de decepción. Estaba en el mundo de una manera soberana y autónoma, nacida de unos padres pero independiente de ellos, con un aire indefinido de familia —¡el nacimiento del pelo idéntico a todos los Ponce-Cañizares; la nariz redondeada tan indiscutiblemente Salcedo como el color marrón verdoso de los ojos!— que un extraño reconocería sin dificultad, pero que era mucho menos rotundo que su perfecta singularidad individual. De quién había heredado su actitud serena y atenta hacia las cosas, su delicada consideración hacia las personas, por encima de la cercanía familiar o social, su instinto ecuánime, su equilibrio entre el sentido del deber y la disposición para la alegría — nada de eso lo había heredado de él, desde luego, y menos aún de Adela, ni de su familia materna, a la que sin embargo reverenciaba, sobre todo al abuelo don Francisco de Asís. De pequeña había cuidado a su hermano con un instinto magnífico de protección y ternura, y quizás al ser el niño un año y medio menor y bastante desmedrado y frágil había despertado en ella un sentido prematuro de responsabilidad. Adela estaba enferma con frecuencia después del nacimiento del niño; el ama de cría lo amamantaba no sin dificultad y lo mantenía limpio; las criadas rondaban en torno suyo, descuidadas y locuaces, olvidándose de bajar la voz cuando pasaban junto al dormitorio de la señora. Pero fue su hermana quien desde muy pronto se ocupó de cuidarlo, de enseñarle a jugar y a caminar y de adivinar sus deseos y comprender su lenguaje. Lo trataba con una mezcla de risueña indulgencia y rectitud educadora; adivinaba lo que estaba pidiendo o lo que necesitaba pero lo reprendía por sus frecuentes arrebatos de capricho o de llanto y era la única que sabía tranquilizarlo. Cuidaba de su hermano con la misma complacencia reflexiva con que saltaba a la comba o recortaba un figurín infantil o disponía los muebles en su casa de muñecas. Lo tomaba en brazos apretándolo muy fuerte contra ella y poniéndole la mano en la nuca para proteger su tierna cabeza cuando era un bebé, y le pesaba tanto que se tambaleaba y sin embargo nunca se le caía. Lo acunaba en sus brazos, apretando sus carrillos lozanos contra la carita desmedrada del niño, le daba besos con una desenvoltura de la que sus padres carecían, y que tampoco a ella le habían dedicado. Desde muy pronto el niño le tuvo una admiración maravillada, tan incondicional como la de un perro hacia el amo de quien espera todos los bienes y al que atribuye todos los poderes. Fue ella quien le ayudó a dar los primeros pasos y quien le limpió enérgicamente las lágrimas y los mocos cada vez que se caía. Jugaba a las maestras y sentaba a su hermano en una silla baja, en la misma fila que los muñecos a los que explicaba las reglas aritméticas o les ponía cuentas o dictados escribiendo con tiza, con su letra pulcra y redonda, sobre una pizarra que le habían traído los Reyes Magos. El niño creció adorándola, imitándola, tan cerca de ella en edad que podían ser cómplices, y a la vez lo bastante pequeño y dócil como para obedecerla y aprender de su ejemplo. Pero no aprendió de ella sus destrezas sociales, su capacidad para hacer amigas y establecer relaciones elaboradas e intensas, tan ricas en abrazos y promesas de amistad eterna como en rupturas dramáticas y reconciliaciones.

Cuando eran muy pequeños Ignacio Abel había mirado a sus hijos con distracción y alarma, demasiado impaciente para hacerles mucho caso. Les prestó más atención según iban dominando el lenguaje articulado. Los recuerdos más duraderos que tenía de los primeros años de los dos surgían del terror que le daban sus enfermedades. Los accesos de fiebre en mitad de la noche; el llanto interminable, feroz, sin descanso, sin motivo visible; la sangre que brotaba de la nariz sin que hubiera forma de cortarla; la incesante diarrea; la tos que parecía apaciguada después de varias horas y comenzaba de nuevo, tan profunda como si desgarrara los pulmones infantiles.

Imaginaba vagamente que Adela, o el ama de cría, o las muchachas, tendrían alguna manera de manejar el peligro, sabrían proveer remedios o decidir cuándo era el momento de llamar al médico. Él se sentía a la vez torpe y fastidiado, muerto de miedo y carcomido por la irritación. El niño había sido tan débil desde que nació, después de un parto muy largo en el que parecía que Adela o él o los dos iban a morir. Diminuto y rojo, cuando la comadrona salió del dormitorio y se lo puso en los brazos, las manos tan pequeñas, tan arrugadas, los dedos tan finos como de ratón, las piernas y los pies mínimos, la piel como cubierta de escamas, morada y flácida, demasiado holgada para los huesos diminutos del recién nacido. «Es muy pequeño, pero aunque no lo parezca está muy sano», dijo la comadrona, mientras él sostenía aquel bulto envuelto en un chal de lana que casi no pesaba, que parecía no respirar, que se movía de pronto con un espasmo brusco. Le había aterrado su debilidad; casi se había avergonzado de ella, de su hijo tan llorón y tan poco saludable, los ojos que tardaban en abrirse, la piel rojiza como la de una cría desmedrada, un gato o un conejo, una rana, su vida una breve llama insegura que un golpe de viento cualquiera habría podido apagar en los primeros meses. Adela pasó semanas de fiebre y delirio y cuando pareció que se recuperaba fue para sucumbir a una languidez de la que ni siquiera le hacía salir la presencia desvalida del niño, que lloraba sin pausa, la boca ocupando toda la cara y los párpados sin pestañas muy apretados, hinchados excesivamente, el pecho de pájaro desplumado o de conejo o gato sin pelo o criatura anfibia subiendo y bajando con una energía furiosa, con una especie de furiosa determinación de seguir llorando. Ama de cría, muchachas de servicio, mujeres expertas de la familia, comadronas, médicos convocados a deshoras, don Francisco de Asís y doña Cecilia, las tías solteras, el tío sacerdote, invadían la casa, mucho más pequeña entonces que el piso futuro en la calle Príncipe de Vergara, agitándose en una actividad ficticia, hirviendo ollas de agua, preparando biberones, pañales, medicinas, toallas húmedas para la fiebre de Adela, remedios caseros para la diarrea del niño, tan incesante como su llanto sin consuelo, rezando rosarios y oraciones para recién paridas, conjuros primitivos de viejas. Ignacio Abel se pasaba la noche en vela junto a su mujer silenciosa y postrada y a primera hora de la mañana, aliviado, exhausto, culpable, salía de casa con la coartada indiscutible del trabajo. Llamaba por teléfono desde la oficina mediocre en la que trabajaba entonces, consultaba con los médicos. Sin que lo supiera nadie había solicitado a la Junta de Ampliación de Estudios una pensión para pasar un año en Alemania, en la nueva Escuela de Arquitectura fundada por Walter Gropius en Weimar. Se sentaba junto a la cama en la que Adela dormitaba incorporada sobre almohadones o miraba al vacío mientras en la habitación contigua el niño lloraba en brazos del ama y un poco más allá las tías solteras y don Francisco de Asís y doña Cecilia rezaban un rosario dirigido por el tío sacerdote, y el hermano menor se mordía las uñas y sudaba con un rictus nervioso en la mandíbula y pensaba que de algún modo la culpa de la desgracia, si por fin sucedía, iba a ser del padre del niño, el marido siempre sospechoso de la hermana. Si se hacía un silencio Ignacio Abel temía que el niño hubiera muerto: o lo miraba respirar en los brazos del ama y contaba los segundos que pasaban sin que rompiera a llorar de nuevo. «Si aguanta un poco más se quedará dormido, si recuento un segundo más y no lo oigo no volverá a llorar en toda la noche.» Recapitulaba culpablemente los documentos que había presentado en el Ministerio de Instrucción Pública, calculaba las posibilidades de recibir la carta oficial en la que se le notificaba la pensión. El niño mejoraría: la niña ya tenía casi tres años y siempre había sido fuerte y saludable. Incrédulamente se imaginaba a sí mismo tomando un tren en la estación del Norte; recostado contra el cristal frío de una ventanilla mientras amanecía sobre un paisaje de campos verdes y niebla grisácea, mientras el tren avanzaba junto a la corriente de un río muy ancho. Repasaba sus conocimientos de alemán, adquiridos a fuerza de voluntad durante la carrera. Leía libros alemanes pronunciando en voz baja, buscando palabras difíciles en el diccionario. Se preparaba en secreto para algo que no sabía si iba a suceder; ni siquiera estaba seguro de reunir el coraje necesario si llegaba el momento. ¿Por qué había secundado tan pasivamente la impaciencia de Adela por quedarse embarazada, y después por tener otro hijo, asustada porque ya no era joven, porque no estaba segura de retener al marido? Había pasado más de un minuto y el niño no lloraba; se le cerraban los ojos, quizás podría dormir una o dos horas seguidas esta noche. Pero el llanto volvía, más rabioso aún, sin descanso, sin apaciguamiento, siempre con la misma furia inextinguible en los pulmoncillos de ratón recién nacido y ciego todavía, de batracio, con un vigor muscular que no parecía posible en esa criatura de piel floja y rugosa y ojos cerrados que no había pesado ni dos kilos y medio al nacer. Muy pequeño, pero muy sano, había dicho la comadrona, quizás para engañarlo, adiestrada en ciertas mentiras necesarias. «Habrá que bautizarlo cuanto antes», dijo don Francisco de Asís, poniendo sus manos virilmente sobre los hombros del yerno afligido, emergiendo de la penumbra rumorosa en que tías y parientes rezaban el rosario, congregados por la sospecha del infortunio cercano, ocupando la casa con una desenvoltura de propietarios. Una noche el tío sacerdote se presentó vestido con sus galas litúrgicas y acompañado por un monaguillo, y el olor del incienso se mezcló al de las medicinas y la diarrea del bebé. «Es muy duro de aceptar, hijo mío, pero si se nos va este ángel habrá que asegurarse de que subirá derecho al cielo.» Trajeron agua bendita, una jofaina de plata, paños bordados, velas en las que estaba escrito el nombre del niño. Sin consultarle nada a él ni tampoco probablemente a Adela, medio sonámbula y con los ojos perdidos en la pared frente a la cama, las tías solteras cuyos nombres y caras Ignacio Abel apenas distinguía ayudaron al ama a vestir al bebé diminuto con un vestido largo, de lazos azules y faldones bordados, dentro de los cuales su cuerpo desaparecía, el pecho indomable hinchando la tela, las piernas como cerillas o como patas translúcidas de rana pataleando bajo las faldas, los diminutos pies morados y con pellejos secos que ninguna crema aliviaba. Doña Cecilia, las tías solteras, el ama de cría, las muchachas llorosas, se habían puesto velos como en un funeral anticipado, el tío Víctor se erguía en su posición de padrino, aunque se le notaba el disgusto por la debilidad y el llanto del niño, pruebas tal vez de que había prevalecido en su gestación la sangre débil de la rama paterna, el mal menor al que la familia Ponce-Cañizares Salcedo se había visto forzada a aceptar para reproducirse. El niño, el primer nieto varón, llegaba al mundo encanijado y lloroso, una prueba más de lo poco de fiar que era el intruso necesario, el inseminador externo, tan dudoso en sus capacidades masculinas como en sus ideas. «Valor, cuñado, que el chico saldrá de ésta. En nuestra familia no se ha dado todavía ni un solo caso de muerte prematura.»

En medio de aquel trastorno sólo la niña parecía mantenerse serena, yendo de un sitio a otro con su chupete en la boca y observando, observando a la muchacha cuando le limpiaba una vez más al bebé la caca verdosa y a la que lavaba los pañales bajo el grifo de la cocina, y al ama de cría cuando intentaba acercar la pequeña cara roja a su gran pecho hinchado, muy blanco, la piel translúcida cruzada de venas azules, los pezones enormes y oscuros, las manos anchas que acariciaban el pelo sudoroso y aplastado e intentaban delicadamente llevar hacia la boca del bebé un pezón del que brotaba un hilo blanco y suculento de leche. Iba por el largo pasillo sin hacer ruido y entraba con sigilo en el dormitorio donde yacía adormilada o ausente su madre. Se sentaba junto a ella en el borde de la cama, al que había escalado subiéndose en un taburete. Le acariciaba las manos o el pelo mojado de sudor, se lo alisaba, desordenado y sucio al cabo de tantos días de convalecencia, y parecía comprender que no respondiera a sus preguntas, no contrariarse ni sentir extrañeza si su madre, aunque tenía los ojos abiertos, no respondía a sus gestos de cariño ni daba muestras de advertir su presencia. Le pusieron un velo blanco y le hicieron sostener una vela para el bautizo de su hermano, y ella se alzó de puntillas para ver bien cómo el cura vertía el agua sobre su cabeza de pelo escaso y enfermizo y luego se la secaba ligeramente con un pañuelo blanco, con los filos bordados, en el que se limpiaba también las puntas de los dedos. Miraba a su padre, intuyendo que le importunaba la ceremonia entera, y que se fijaba con disgusto en su velito blanco y en la vela encendida que llevaba en la mano. Pero parecía tener una comprensión ilimitada para las rarezas de los adultos, una curiosidad exenta de distracción o censura. El bebé se había callado un momento mientras el cura decía cosas extrañas en latín y hacía gestos con los dedos puntiagudos y pálidos sobre su cabeza, pero lloró más recio aún cuando el agua le mojó el cráneo, su boca desdentada y abierta mientras rugía, los párpados sin pestañas muy apretados, los ojos ciegos como los de un conejo o un ratón recién nacidos, la misma pelusa sobre la piel tan roja. Igual que tantas veces Ignacio Abel asistía como un invitado o un intruso a un acto de su propia vida familiar, aceptaba lo que no tenía que ver con él sin ponerle remedio ni mostrar siquiera resistencia, o disgusto, tan sólo una frialdad mansa, como si nada de aquello estuviera ocurriendo de verdad ni tuviera que ver con él. Al cura el aliento le olía a tabaco: la niña observó que tenía las puntas de los dedos índice y corazón, los mismos que se movían trazando signos en el aire, amarillos de nicotina. Esa noche, cuando su hermano lloraba, se acercó cautelosamente a él y en vez de mecerle la cuna le tomó una mano, y el bebé se quedó callado instantáneamente. Desde entonces la niña durmió con la cuna al lado de su cama. Sin despertarse del todo oía el comienzo de un quejido y su mano tanteaba en la oscuridad entre los barrotes. La mano diminuta del niño buscaba en el vacío, los dedos extendidos, queriendo encontrar un asidero, y el gemido se acentuaba, a punto de convertirse en llanto. Pero entonces encontraba la mano de la hermana y se asía muy fuerte a ella, se cerraba en torno al dedo pulgar, y el niño tranquilizado y seguro volvía a quedarse dormido. En su dormitorio, desvelado, Ignacio Abel contaba segundos de silencio, temiendo que antes de llegar al minuto el llanto estallaría de nuevo. Imaginaba el largo duermevela de una noche en tren y podía verse a sí mismo, soberano y solo en una ciudad europea, tan claramente como si ese futuro ya fuera parte de un recuerdo, como se veía acodado sobre una mesa, de niño, delante de sus cuadernos, la pluma trazando dos líneas paralelas sobre la hoja en blanco un momento antes de que sonaran los golpes en la puerta, cuando ya había oído las ruedas del carro sobre los adoquines sin hacerles caso, a la luz de la lámpara de petróleo que parecía arder siempre al fondo del tiempo.

12

Qué raro que el tiempo anterior a la culpa hubiera durado tanto; el regalo sin sombra que se volvía más dulce cuanto más se gozaba; la ciudad compartida, clandestina en gran parte y también ilimitada: cines oscuros y merenderos al aire desde los cuales se divisaban en una anchura como de horizonte marítimo los encinares de la Casa de Campo y del monte del Pardo y las lejanías brumosas de la Sierra; el cuarto secreto alquilado por horas en un hotel particular al final de la calle O'Donnell (campanillas de tranvías y bocinas de automóviles llegaban débilmente a través de las densas cortinas echadas para procurar en las horas laborales del día un simulacro de nocturnidad) y la amplitud pública de las salas de Velázquez en el Prado, temprano, a primera hora, en mañanas de invierno en las que el museo acababa de abrir y aún no empezaban a llegar los turistas. Se había despertado todavía de noche con una sensación instintiva de dicha que se adelantaba a su conciencia y al mirar la hora en el despertador de números fosforescentes había recordado de pronto que le faltaban sólo tres horas para encontrarse con ella. Qué raro que aún no hubiera irrumpido de verdad el miedo: el presentimiento de que ocurriría algo inesperado y no podría verla ese día, o nunca más, apartada de él por un golpe de azar o porque otro hombre se la había quitado o porque ella misma había decidido marcharse ejercitando la misma soberana libertad que la había traído de América a Europa y la había impulsado a convertirse en su amante. Se afeitaba después de la ducha paladeando su secreto, mirando en el espejo la cara afortunada del hombre a quien en algo más de dos horas y sin que lo supiera nadie le iba a sonreír Judith Biely. El tiempo conspiraba en su favor, el orden de las cosas: el desayuno servido sobre la mesa y los dos hijos saludables y dóciles que no iban a ponerse enfermos en los próximos minutos, la esposa que le ofrecía la cartera y el sombrero en el recibidor y le decía que se abrigara, que hacía niebla y humedad esa mañana, y se daba por satisfecha o así lo parecía con un beso doméstico que apenas le rozaba los labios y con un gesto de adiós en el que no intervenía la sonrisa, ni casi la mirada. Cómplices involuntarios y eficaces actuaban a su servicio: el ascensor nuevo, con su mecanismo eléctrico y sus suaves frenos hidráulicos; el hijo del portero que había ido a buscar su automóvil al garaje y se lo tenía dispuesto delante del portal; el motor Fiat que a pesar del frío de la mañana se encendía tan sólo con un giro de la llave de contacto; las calles rectas y todavía despejadas de tráfico, que le permitían llegar cuanto antes a su cita y no desperdiciar ni uno solo de los minutos disponibles. Aunque era temprano ya había alguien en la taquilla del museo dispuesto a venderle una entrada y un portero medio adormilado de uniforme azul se ofrecía para cortarla. En la claridad desierta de la galería central resonaban los pasos antes de que pudiera verse de lejos la figura que anunciaban. Venía uno y el otro ya estaba esperando, sintiéndose observado en las salas sin nadie por los personajes de los cuadros, santos y reyes cuyos nombres Judith Biely no conocía, mártires de una religión para ella suntuosa y exótica. Avanzaba uno de los dos por el largo corredor desierto del museo, bajo la luz gris de las claraboyas, y el otro venía al mismo tiempo, recién aparecido en el umbral de una puerta, reconocido en la distancia con un sobresalto del corazón, la mirada aguda y adiestrada en la búsqueda. Llegaba primero Ignacio Abel para estar seguro de que la vería venir. Los hombros anchos, el caminar resuelto y erguido de Judith Biely, la cabeza ligeramente ladeada y el pelo cubriéndole la mitad de la cara: los ojos muy grandes, ya más de cerca, muy separados, los pómulos, los labios finos, entreabiertos en las comisuras, con una sugerencia de expectación, como de una palabra o una sonrisa a punto de formarse, la cara seria y angulosa y sin embargo rápidamente iluminada por un principio de sonrisa, todavía sólo insinuada, como la claridad matinal que se iba volviendo más intensa en el interior de una niebla tenue, la que habían atravesado viniendo al museo por calles distintas. Sola y erguida, soberana, resuelta a entregarse con toda la deliberación de una voluntad que a él le halagaba y que también le daba miedo, porque nunca hasta entonces había tratado con ninguna mujer que fuera tan dueña de su propia vida. Le daba miedo y redoblaba su excitación sexual, nada más verla venir, provocadora en su ligereza, en el aire tan práctico de su ropa y de sus ademanes. En un rincón a salvo de las miradas de los vigilantes se besaban golosamente notando el frío del invierno en la piel, el olor del frío en el aliento y en el pelo, en la ropa de abrigo ligeramente humedecida por la niebla. Erguido y alerta en su penumbra plateada de *Las meninas* Velázquez era el único testigo de la codicia obscena con que se buscaban debajo de la ropa.

Por las avenidas del Jardín Botánico la vio venir otro día desde lejos escuchando el rumor seco de las hojas caídas que arrastraba el viento y que inundaban el suelo bajo sus pisadas, una mañana muy fría y muy luminosa de principios de diciembre en la que la escarcha plateaba la hierba en las zonas de sombra y el aire tenía relumbres de cristales de hielo. Venía embozada contra el invierno, el ala del sombrero caída sobre la frente, las solapas del abrigo subidas, una bufanda tapándole la barbilla y la boca, mostrando sólo la nariz enrojecida y los ojos brillantes, los pómulos sombreados por el pelo. Quería ir hacia ella pero se quedaba quieto, las manos en los bolsillos del abrigo y el vaho de la respiración delante de la cara, consciente de cada paso que ella daba y de la distancia cada segundo menor que los separaba, de la inminencia del cuerpo apretado contra el suyo, adherido a su vientre bajo la tela del abrigo, las dos manos frías que sujetaban su cara para seguir mirándolo hasta el momento mismo en que cerraba los ojos al besarlo, los dos vahos confundiéndose como las dos salivas. En mitad del día robaban a las obligaciones tesoros inesperados de minutos, espacios en blanco que una llamada de teléfono, una mentira rápida, una carrera en taxi, convertían en el paréntesis siempre demasiado breve de un encuentro. Qué raro que tardaran tanto en empezar a medir lo que les era negado y en no agradecer ya lo que se les concedía, lo que podrían no haber conocido. Si no había tiempo para nada más y la intemperie invernal era demasiado inhóspita compartían un rato de conversación y un café con leche refugiados en cualquier sitio. Las rodillas rozándose, las manos ateridas que se buscaban bajo el mármol de una mesa en uno de esos cafés apartados a los que iban pequeños empleados sin porvenir, jubilados y a veces parejas de amantes tan furtivos como ellos; cafés sin éxito, entre deshabitados y sombríos, en zonas ambiguas de Madrid que no eran céntricas ni pertenecían del todo a los suburbios, en calles urbanizadas hacía no mucho, todavía con filas de árboles muy jóvenes y vallas de solares sin edificar en las que había pegados carteles desleídos de circo o de boxeo o de propaganda política, con paradas finales de líneas de tranvías y esquinas que lindaban con el campo abierto. Había que contarlo todo, que preguntarlo todo, la vida entera de cada uno de los dos hasta ese día de unos meses atrás que era el primero de su memoria común. Sólo había un límite que ninguno de los dos traspasaba, por un acuerdo silencioso que a Judith le parecía en el fondo humillante pero que tardó mucho en romper, quizás cuando ya había caído en la cuenta de que era sobre todo ella quien contaba y quien hacía preguntas: había un límite, como una habitación vedada, un nombre que ninguno de los dos decía, como el hueco de una silueta recortada en el centro de una foto familiar. Ignacio Abel hablaba alguna vez de sus hijos pero nunca de Adela. Qué raro que tardaran tanto no en decir su nombre o su condición —«mi mujer», «tu esposa»— sino en percibir su sombra, en recordar que existía, que mantuvieran durante tanto tiempo la facultad de borrar tan sin rastro desde el momento mismo en que se encontraban la casa y la vida de las que él venía. Judith vivía para él en un mundo invisible al que se llegaba tan instantáneamente como si se pudiera cruzar al otro lado de un espejo en virtud de una llave secreta que sólo él poseía. La llave a veces era un objeto material: se encerraba en su despacho para hablar por teléfono con ella; guardaba bajo llave en su escritorio las cartas y las fotos de Judith; echaba por dentro la llave del cuarto de baño y mientras la silueta de Adela pasaba junto al cristal escarchado de la puerta él estaba duchándose para Judith Biely a la que iba a ver media hora más tarde y bajo el agua caliente y la esponja llena de espuma una erección tenaz y dolorosa anticipaba el encuentro, invocaba el cuerpo de ella entre sus manos en ese cuarto de baño donde Judith nunca entraría. Qué cerca el otro lado, el secreto inviolable, a la distancia de unos pocos minutos, de unos centenares de latidos, la topografía del deseo superpuesta como una lámina transparente a los lugares de la vida diaria. Bajó a la calle y el hijo del portero que le había traído el automóvil del garaje no sabía que estaba siendo su cómplice. Le dio una propina; antes de subir miró hacia arriba y Adela estaba asomada al balcón; miraba cada mañana porque tenía miedo: los pistoleros elegían el momento de salir de casa para atentar contra sus víctimas («pero qué cosas tienes, a quién va a ocurrírsele disparar contra mí»). Condujo hasta la esquina de la calle de Alcalá y dejó el coche estacionado delante de la Peluquería Moderna. La cara que veía en el espejo mientras se inclinaba sobre él un peluquero que lo había recibido con una inclinación y diciendo respetuosamente su nombre era la misma que iba a mirar unos minutos más tarde Judith Biely. Pero nadie más que él sabía eso. El secreto era un tesoro y la cripta y el palacio que lo contenían, la casa inviolable de tiempo en la que sólo Judith y él habitaban. En vez de bajar por Alcalá dio la vuelta y subió por O'Donnell y dejó el auto a una cierta distancia del hotel particular con una alta verja detrás de la cual un jardín con palmeras y setos espesos protegía los postigos tupidos como celosías, pintados de un verde muy fuerte, con lamas practicables que al entreabrirse filtraban una claridad acuática. Para llegar al otro mundo escondido sólo había tenido que conducir unos pocos minutos, cruzar diversas puertas sucesivas, visibles e invisibles, cada una provista de su correspondiente ábrete sésamo. Al cruzar la última de todas Judith Biely ya estaba esperándolo, sentada en un sillón cerca de la cama, junto a una lámpara de cristal azul encendida sobre la mesa de noche, en la penumbra artificial de las nueve de la mañana.

La ebriedad sin culpa se correspondía con una desenvoltura temeraria: al no verse más que a sí mismos actuaban muchas veces tan sin recelo como si nadie más los viera. Iban de noche a bares recónditos cercanos a los grandes hoteles, frecuentados sobre todo por extranjeros y por señoritos noctámbulos que difícilmente habrían reconocido a Ignacio Abel; en el cabaret del hotel Palace, sentados muy juntos al amparo de una media luz rojiza, bebían combinaciones exóticas que les dejaban un sabor dulzón en los labios y conversaban en español y en inglés mientras en la pista muy estrecha bailaban las parejas siguiendo el ritmo convulso de una pequeña orquesta de músicos negros. En una mesa próxima reía a carcajadas entre el coro de sus amigos el poeta García Lorca, su cara ancha y campesina brillando de sudor. Ignacio Abel nunca había estado en esa clase de lugares: ni siquiera había sabido que existieran. Con aprensión de hombre celoso veía la desenvoltura con que se movía Judith Biely entre aquella gente inusitada a la que en realidad se parecía mucho más que a él: americanos e ingleses, sobre todo, hombres y mujeres jóvenes unidos por una rara camaradería igualitaria y una resistencia semejante al alcohol, transeúntes por Europa que se enredaban y se desenredaban entre sí tan livianamente como pasaban de un país a otro, de una lengua a otra, discutiendo con el mismo calor sobre las expectativas del Frente Popular en Francia que sobre una película soviética, mencionando a gritos nombres de escritores que para Ignacio Abel siempre eran desconocidos, y acerca de los cuales Judith Biely tendía a sostener opiniones pasionales. Con orgullo y con un miedo nebuloso de perderla la veía defender gallardamente a Roosevelt contra un americano algo borracho que lo había llamado comunista encubierto, imitador de los planes quinquenales: tan deseable, tan suya cuando se le entregaba, también existía plenamente fuera de él, resplandecía ante otros que a él no lo veían, un español de cierta edad y vestido de oscuro, extranjero en ese país políglota de fronteras fluidas y normas ambiguas en el que ellos habitaban, y del que Madrid no era mucho más que una estación de paso. Entre ellos Ignacio Abel observaba a veces a hombres con las cejas depiladas y colorete suave en los pómulos y a mujeres vestidas de hombres y le parecía que estaba viviendo una versión corregida de sus tiempos en Alemania.

Pretextaba con soltura y sin remordimiento un compromiso tardío o un exceso de trabajo para volver más tarde a casa y cuando colgaba el teléfono se olvidaba en seguida del matiz de desganada incredulidad que había en la voz de Adela. Con Judith Biely todo estaba sucediéndole siempre por primera vez, la exaltación de que la noche empezara a la hora en que no mucho tiempo atrás él ya se resignaba a la somnolencia doméstica, el sabor de su boca o la densa dulzura de ir entrando en ella o la gratitud y la sorpresa de sentir cómo su cuerpo se tensaba igual que un arco cuando se corría, con un abandono generoso que no se parecía a nada de lo que él hubiera conocido en su pobre experiencia del amor de las mujeres, y en el que a veces, como quien se agita y habla en sueños, Judith murmuraba palabras en inglés que él no comprendía y que por eso eran todavía más excitantes. Guiado por ella descubría mundos y vidas que nunca había imaginado en una ciudad que era la suya y sin embargo se le volvía prometedora y desconocida las noches en que gracias a una mentira la exploraba a su lado (la mentira aún no los manchaba; entre la vida antigua y la que llevaba con ella no había zonas de sombra, ni puntos de fricción; pasaba de la una a la otra con la misma ligereza con que saltaba de un tranvía un poco antes de que se detuviera, ajustándose la americana o el sombrero, guiñando acaso los ojos para adaptarlos a la abundancia súbita de sol). Pero también él era el mismo que había sido siempre y el que volvería a ser al cabo de unas horas o a la mañana siguiente (el desayuno en la mesa del comedor, con los hijos ya preparados para ir a la escuela: la agitación de las máquinas de escribir y los timbres de teléfono en la oficina técnica de la Ciudad Universitaria, los planos sobre los tableros, las cuadrillas de hombres hormigueando entre andamios y zanjas, subiendo en las grúas hacia las terrazas de los edificios ya a punto de concluirse) y sin embargo era otro, más joven, pasional y aturdido, no del todo responsable de sus actos, a los que a veces asistía como si se mirara desde fuera, con un fondo de alarma, dejándose llevar por un impulso al que no quería resistirse. Bajaba de la mano de Judith por escaleras estrechas hacia sótanos llenos de música y humo, habitados por caras pálidas en una penumbra verdosa, azulada y rojiza, en un Madrid sumergido del que no quedaban rastros a la luz del día, y al que se accedía cruzando puertas hostiles al que no conociera su secreto, pasadizos tan poco iluminados que se habría perdido en ellos si no lo guiara Judith Biely. Él había sido uno de esos hombres diurnos a los que cada vez les va anocheciendo más temprano en sus vidas: el regreso a casa después del trabajo, la llave en la cerradura y las voces y los olores familiares viniendo a acogerlo desde el fondo del pasillo, la cena en torno a la mesa, las cabezas inclinadas sobre los platos, bajo la luz de la lámpara, la somnolencia de la conversación punteada por sonidos domésticos, el leve chirrido de las puntas de un tenedor sobre la porcelana, una cucharilla contra el cristal de un vaso. Desde la ventana de su dormitorio conyugal Madrid era un país remoto con luces encendidas que se perdían en la distancia, del que le llegaban a veces, en el silencio y el insomnio, ráfagas de carcajadas de noctámbulos, motores de automóviles, las palmadas y los golpes del chuzo del sereno contra los adoquines de la calle. Ahora, algunas veces, la noche se dilataba ante él como esos paisajes despejados que se dominan en los sueños, le revelaba laberintos que se extendían por debajo o al otro lado de la ciudad que había conocido siempre igual que los túneles del metro y que las galerías de las conducciones subterráneas. Una simple mentira era el ábrete sésamo que le entreabría el paraíso sin culpa de un Madrid más suyo y más extranjero que nunca, en el que la presencia de Judith Biely caminando de su brazo le otorgaba un derecho inédito de ciudadanía. Le bastaba beber muy poco (o ni siquiera eso, tan sólo respirar el aire húmedo y frío de la noche, mirando las constelaciones de los letreros luminosos, su reflejo en las carrocerías de los automóviles) para adquirir un mareo risueño, igual que no necesitaba más que una cierta mirada o el roce de su mano o su simple cercanía para que se le despertara el deseo. En esos lugares la luz siempre era más tenue, las caras más pálidas, las cabelleras más brillantes, las voces con frecuencia extranjeras. La excitación sexual y el alcohol lo volvían todo más borroso, las cosas fluían con el ritmo rápido y quebrado de la música. Judith llamaba a una puerta en un piso con escalera de mármol en la calle Velázquez y nada más entrar ya se sumergían en un espacio oscuro cruzado por sombras en el que flotaba un rumor de conversaciones en inglés y un humo de aroma resinoso, y en el que las brasas de los cigarrillos iluminaban caras jóvenes que parecían asentir siguiendo las pulsaciones de la música que ya estaban escuchando antes de que se abriera la puerta. En el reservado de una taberna flamenca taconeaba bajo una luz turbia una mujer muy pintada que vista más de cerca se convertía en un hombre. Bajo las bóvedas de ladrillo desnudo de un bar americano instalado en un sótano a las espaldas de la Gran Vía (un farol en forma de búho rojo intermitente alumbraba la puerta) vio con alarma que Judith Biely se abrazaba a un desconocido de cabeza afeitada y smoking reluciente que era Philip Van Doren. Le decía algo pero la música era demasiado estridente; los golpes de tambor tan secos y veloces como el taconeo sobre la tarima de la taberna flamenca: Ignacio Abel sintió la mano de Judith apretando la suya en una afirmación visible y orgullosa de su amor por él. «Espero que haya tomado usted ya su decisión», le dijo Van Doren cerca del oído, y Abel tardó un poco en comprender que se refería no a Judith sino a la invitación a viajar a Burton College. Van Doren miraba de soslayo las dos manos apretadas, el gesto audaz de Ignacio Abel al abrazar luego a Judith por la cintura. Sonreía, aprobadoramente, con un aire de conspirador o de experto en la flaqueza humana complacido por el éxito de sus predicciones. Les pedía que se unieran a la mesa de sus invitados; llamaba a un camarero con el gesto desapegado y terminante que dedicaría a su ayuda de cámara. «Qué alegría verlo, profesor, me da usted envidia. En este tiempo se ha vuelto más joven. ¿Será por las expectativas de victoria electoral de sus compañeros socialistas?» Ignacio Abel temía de pronto, borrosamente, que Judith hubiera sido amante de Van Doren; que se siguieran viendo todavía. La falta de costumbre de la bebida y de los celos le daba una suspicacia inepta: ¿no había algo de burla en esa sonrisa aprobadora, algo de condescendencia? Judith y Van Doren hablaban en inglés y había demasiado ruido para que él pudiera entenderlos: miraba los labios de ella moviéndose, curvándose para chupar un cigarrillo, que Van Doren había encendido con un mechero plano y dorado. El alcohol lo mareaba tanto como la música y las voces en el agobio del techo tan bajo, como las caras demasiado próximas de los desconocidos que se movían a codazos para acercarse a la barra. Le faltaba el aire y temía que Judith le fuera arrebatada. Alguien le hablaba muy alto y a pesar de eso él no llegaba a oírlo: un pelirrojo con gafas del grupo de Van Doren, un secretario de la embajada americana que un momento antes le había entregado su tarjeta, y que se empeñaba absurdamente en mantener una conversación formal. «¿Cree usted, profesor, que el Frente Popular tiene alguna posibilidad de ganar las elecciones?» Respondía cualquier cosa mirando más allá de él: sin soltar la copa ni el cigarrillo Judith bailaba con Van Doren en la pista diminuta, el uno frente al otro, con gestos idénticos, como una figura rápida y su repetición en un espejo. El pelo revuelto le tapaba a ella la mitad de la cara, el vuelo de la falda descubría sus rodillas bruñidas por las medias de seda. El secretario impávido estaba diciendo algo sobre las reacciones diplomáticas del gobierno español ante la ocupación italiana de Abisinia. Ignacio Abel miraba bailar a Judith Biely muerto de deseo y de secreto orgullo y celoso de Van Doren y de cada uno de los hombres que se volvían hacia ella. La Sociedad de Naciones mostraba una vez más su lamentable irrelevancia, decía lúgubremente el secretario. La trompeta y el saxofón le herían los tímpanos. ¿Pensaba él que había verdadero peligro en España de un nuevo levantamiento revolucionario como el de Asturias, más violento y mejor preparado esta vez y quizás con más probabilidades de éxito? Al girar Judith sobre sí misma guiada por Van Doren se le había levantado la falda revelando brevemente los muslos. Y si las elecciones del próximo febrero las ganaban las izquierdas, como parecía posible, ¿no se produciría un golpe militar? Los redobles de tambor y el chasquido metálico de los platillos percutían en la concavidad de su cabeza. El gobierno de los Estados Unidos vería con agrado la formación en España de una mayoría parlamentaria estable, fuese cual fuese su signo político. Un redoble final y un aplauso concluyeron el baile. Inmune a las distracciones exteriores el secretario pelirrojo de la embajada, limpiándose el sudor de la frente, se interesaba ahora por el progreso de las obras en la Ciudad Universitaria. Ignacio Abel le explicaba algo sin poner atención a lo que decía ni disimular su vigilancia. Con la cara brillante de sudor y la melena despeinada Judith Biely venía hacia él y lo miraba como si no hubiera nadie en torno a ellos, tan sólo sombras que se apartaban para abrirle paso.

Viniendo hacia él la recordaba siempre, con más claridad aún cuando estuvo seguro de que no volvería a verla. La imaginaba, la veía viniendo, desde el fondo del pasillo en el tren, desde la puerta del baño en la habitación en casa de Madame Mathilde, los hombros hacia atrás, la cabeza ladeada, una mano apartando el pelo de la cara, desde el punto de fuga al fondo de la sala en el Museo del Prado, desde la puerta giratoria de un café: cada lugar era el espacio al fondo del cual ella aparecía, su visión recordada, o anticipada, o del todo imposible, o en los lugares en los que nunca había estado, Judith Biely en el pasillo de la casa de Madrid que había ido siendo ganada por la soledad y el desorden a lo largo del verano, en el tiempo convulso para el que aún no se usaba la palabra guerra. Judith perfilada contra el ventanal del salón de actos de la Residencia de Estudiantes, donde la había visto por primera vez hacía menos de un año, el salón con el piano ahora arrinconado y cubierto porque casi todo el espacio estaba ocupado por los colchones y las camas de un hospital, el suelo de tarima reluciente sobre el que ella había caminado con su redoble de tacones. Se le acercaba desde lejos y él la veía venir sin moverse, pasivo en su espera, ansioso, concentrado en su deseo, en la codicia de sus ojos, sentado en el diván de un café al que había llegado con mucha anticipación no sólo por la impaciencia de estar con ella sino también porque le gustaba tanto verla aparecer, entrando de la calle, delgada y extranjera, desorientada por la penumbra, sus ojos todavía acostumbrados a la claridad exterior, y él pensando, diciéndole cuando se puso en pie caballerosamente para recibirla, con su cortesía anticuada de hombre mayor que ella, «Nunca me canso de mirarte».

El Madrid que veían cuando se buscaban o cuando estaban juntos era sólo parcialmente la misma ciudad en la que habría vivido cada uno si no hubieran llegado a encontrarse. Antes de venir Madrid había sido una capital de la imaginación para Judith Biely, resplandeciente de promesas y de literatura, la ciudad de los libros y la de un idioma del que se había enamorado con ese amor incondicional de las personas fantasiosas por lenguas que no son las suyas y por países en los que no han estado nunca: para Ignacio Abel Madrid era el escenario desastrado en el que había vivido con desgana desde que nació y hacia el que sentía una mezcla incómoda de irritación y ternura; quería irse de Madrid y a ser posible de España: con la misma vehemencia quería empeñarse en proyectos de invención urbana que a pesar del cansancio, del gradual escepticismo, del acomodamiento a una vida burguesa en la que se había ido instalando sin darse mucha cuenta, seguían alimentándose en su alma con un impulso de justicia social, de hermoseamiento del mundo y de las vidas comunes. La ciudad que Judith Biely había imaginado estudiando mapas y fotografías y leyendo a Galdós en la universidad con la misma pasión con que había leído a Washington Irving en sus años escolares se entrecruzaba con la que Ignacio Abel descubría de nuevo porque estaba enseñándosela a ella y porque ahora la miraba a través de sus ojos asombrados. Pensaba en sí mismo cuando llegó a Alemania: en la parte de celebración que tenían entonces para él los actos más triviales, comprar un periódico y leerlo laboriosamente en un café, cruzar unas palabras corteses con la dueña de su pensión; en la permanente alegría de aprender algo nuevo, una palabra o un giro en alemán, un secreto del arte del dibujo o de la geometría explicado por Paul Klee, la maravilla racional de un objeto común revelada de pronto entre las manos del profesor Rossman. Comprendía la pasión española de Judith Biely acordándose de quién había sido; queriendo recobrar esa parte de él mismo cancelada más de diez años atrás en la que estaban contenidas las mejores posibilidades de su alma, aletargadas poco a poco desde su regreso. La intensidad de su deseo por Judith le devolvía el entusiasmo que lo había sostenido durante los tiempos de Alemania: el imán de una expectación permanente, la sensación de tener por delante algo tangible y a la vez ilimitado, de asomarse de nuevo a una ancha ventana de su vida que después se cerró. Comprendía a Judith sin que tuviera que explicarse: tan libre en Madrid de la gravitación del pasado como lo estuvo él en Berlín y en Weimar, el presente cobraba para ella una deslumbrante cualidad sensorial. Acaba de cumplir los mismos años que tenía él cuando se marchó a Alemania: la rejuvenecían aún más el amor y el deseo de saber. Contagiado por ella Ignacio Abel percibía ahora de otro modo la textura y la densidad de la vida en los lugares de siempre, incitado por la metódica vocación de aprendizaje con que Judith salía cada mañana a la calle, dispuesta a amar las cosas tal como las veía, limpias de sombras de pasado, de las pesadumbres del recuerdo, asociadas de un modo u otro a su amor por él. Madrid era el presente gozoso en el que también ella se aligeraba de casi todo el peso de su identidad personal: era, aparte de las horas que dedicaba a sus estudiantes, lo que Ignacio Abel veía en ella, lo que ella misma le contaba, y lo era más aún porque al oírse a sí misma hablando en español experimentaba el alivio de convertirse en parte en una persona nueva, de haberse desprendido temporalmente no sólo de su idioma de siempre sino de su antigua existencia. Inmune todavía al recelo y a la culpa, en un estado que después no supo si había sido de inocencia o de insensatez —agradecía que hubiera durado tanto al mismo tiempo que se reprochaba el dolor infligido, la sórdida complicidad en el engaño, ella tan recta siempre hasta entonces, su conciencia tan limpia—, asistía a su propia vida en otro país y en otra lengua como a una novela; como a la inmersión en el libro que siempre estaba a punto de romper a escribir: como cuando era adolescente y dejaba de leer o salía del cine y continuaba habitando en el interior de la ficción que tan poderosamente la había hechizado. Lo que le ocurría en esa otra existencia era real y no soñado pero igual que los acontecimientos de una película no tenía consecuencias en el mundo exterior ni se regía por sus normas. Andar por esta ciudad donde no la conocía nadie y donde nada estaba asociado a su memoria, encontrarse clandestinamente en ella con un amante al que nunca estaba segura de si volvería a ver, eran actos que pertenecían a un orden de las cosas tan distante de su vida en América como los episodios de una novela: una novela que iba sucediendo sin que nadie la escribiera y de la que ella misma era la protagonista y también la única lectora; una película proyectada en un cine en el que no había más espectadores que ella, y que mientras duraba la absorbía tanto que cancelaba lo que parecía imposible que siguiera existiendo, la luz hiriente del día, la intemperie hostil del mundo exterior.

Pero era una mujer práctica aunque amara tanto las películas y las novelas, aunque tan voluntariosamente se dejara seducir por su engaño. Habría un despertar igual que habría un regreso, pero por ahora, deliberadamente, mantenía el porvenir en suspenso. Una película no dura siempre, una canción se acaba en unos pocos minutos, una novela llega a la última página y uno levanta los ojos de ella y los tiene húmedos de lágrimas, y una congoja del todo real le oprime la garganta. Qué raro que tardara tanto tiempo en rebelarse contra la aceptación del previsible final, que le bastara una vida tan limitada y en suspenso como las dos horas que se pasan en la oscuridad del cine. Saber que una novela sucede en otras dimensiones del espacio y del tiempo no priva a nadie del deleite de sumergirse en ella. Tal vez porque Madrid había sido durante tantos años una ciudad de la literatura a Judith Biely le costaba muy poco concederse la indulgencia de vivir temporalmente en el interior de algo que se parecía a una novela. No habría un precio que pagar, un daño del que arrepentirse, una desgarradura de dolorosa y larga curación. En las novelas los personajes descubren la amargura y son engañados y lo pierden todo y mueren y sin embargo se cierra el libro y es como si nunca hubieran existido y se vuelve a abrir por la primera página y están vivos de nuevo, intactos en su juventud y en su disposición de felicidad y coraje. Porque en las cartas copiosas que seguía escribiendo a su madre no había ninguna referencia a su vida secreta era como si ésta no existiera del todo, o no pudiera tener consecuencias.

En Madrid las novelas se parecían más a la verdad. Judith Biely asistía a las clases del profesor Salinas sobre *Fortunata y Jacinta* (para llegar a la Facultad de Filosofía y Letras, inacabada y tan activa, tenía que pasar bajo los ventanales de la oficina técnica de la Ciudad Universitaria) y los nombres de lugares que en sus lecturas anteriores le habían parecido tan improbables y fantásticos ahora los encontraba en los mapas del metro y en los letreros de las esquinas de las calles. Iba leyendo en el tranvía y al bajarse en la Puerta del Sol y dar sólo unos pocos pasos ya estaba en el corazón de la novela. El recorrido del tranvía, la caminata, el tumulto de la calle, le daban una felicidad terrenal que le iluminaba el libro y se confundía con la exaltación de la literatura. La calle de Postas, la plaza de Santa Cruz, la plaza de Pontejos, increíblemente existían, con la misma magnificencia que la Alhambra de Washington Irving y que las llanuras manchegas por las que había viajado John Dos Passos buscando el rastro fabuloso de don Quijote. En la plaza de Pontejos había un ir y venir de camionetas de la Guardia de Asalto, de policías con botas altas y uniformes azules de botonadura dorada. Carteles electorales pegados los unos sobre los otros cubrían las paredes y llegaban casi hasta la altura de los primeros balcones, con su dramatismo caótico de tipografías, iniciales e insignias de partidos políticos. Reconocía las sombrías tiendas de tejidos y de imágenes de santos y objetos de culto de la novela, el clamor de los vendedores ambulantes bajo las arcadas de la plaza Mayor, en uno de cuyos ángulos buscó la farmacia por la que tenía su entrada la casa en la que vivía Fortunata. Por la calle Toledo seguía los pasos del charlatán Estupiñá: al pie del contrafuerte de granito del arco de Cuchilleros leyó la descripción de la llegada de Juanito Santa Cruz a la casa de vecindad donde estaba a punto de ver a la muchacha que iba a cambiar el curso de su vida. Mujeres jóvenes tan hermosas como ella pregonaban con voces agudas las cosas que vendían en sus puestos callejeros: muy morenas, con ojos tan oscuros y caras tan carnales como las de las santas de Velázquez y Zurbarán en los cuadros del Prado, despeinadas, con anchas faldas negras y chales sobre los hombros, algunas sentadas en un escalón y mostrando con desenvoltura el pecho hinchado y blanco del que mamaba un niño de cara roja y redonda y risueña somnolencia en los párpados. Madrid se volvía suburbial y campesino: un olor a esparto y a cuero salía de hondos almacenes de herramientas agrícolas y aparejos para animales cuyos nombres Judith Biely ni siquiera imaginaba. Martillazos y humaredas de metales sumergidos en agua le llegaban desde la boca oscura de una herrería en cuyo interior resplandecían ascuas y puntas de acero candentes iguales a las que había visto en un cuadro de Velázquez en el Prado. Autobuses con campesinos de caras sombrías en las ventanillas se cruzaban con carretones tirados por mulas a las que golpeaban sin misericordia con los látigos arrieros cubiertos con chaquetones de piel de oveja que gritaban obscenidades y silbaban a los animales sin quitarse la colilla ensalivada de la boca. Relinchos, cascos de mulos y caballos, pregones de vendedores ambulantes, bocinas de camionetas que no lograban abrirse paso entre el desorden de los coches y de los animales y los carros, melopeas de ciegos que cantaban romances en las puertas de las tabernas, coplas flamencas y anuncios saliendo a todo volumen de los aparatos de radio, niños pelones y descalzos que se disputaban a puñetazos una colilla o el céntimo de una limosna rodando por el suelo entre las patas de los animales. De pronto irrumpió un coche con dos altavoces sobre el techo en los que sonaba *La Internacional* y el aire se llenó de octavillas que flotaban agitadas en el viento como una invasión de mariposas blancas. ¡MADRILEÑOS, VOTAD LAS CANDIDATURAS DEL FRENTE POPULAR! El himno se interrumpió para dejar paso a una voz enronquecida y entusiasta que retumbaba con una deficiente amplificación metálica sobre el estrépito de la calle: POR LA LIBERTAD DE LOS HÉROES DE OCTUBRE INICUAMENTE ENCARCELADOS, POR EL CASTIGO DE LOS VERDUGOS DE ASTURIAS, POR LA REFORMA AGRARIA, POR EL TRIUNFO DEL PUEBLO TRABA-JADOR. Atenta a todo, extranjera, observada sin disimulo, con la cabeza descubierta y la novela bajo el brazo, Judith Biely descubría Madrid y se remontaba en la memoria a las calles de Nueva York en las que había crecido: tan lejos, al otro lado del océano, a una distancia todavía más irre-parable en el tiempo, reconocía olores y cadencias de gri-tos, la densidad menesterosa de las vidas humanas, el olor a estiércol y a fruta podrida y a frituras de grasas, a arneses sudados de caballos, la yuxtaposición de voces, de letreros, de comercios y oficios, el desasosiego de sobrevivir, quizás aquí menos angustioso, igual que no era tan irrespirable el hacinamiento de la gente, quizás porque el clima era mu-cho más benévolo: los cascos de los animales y las ruedas de los carros y de los automóviles no se hundían aquí en el cieno grisáceo de una nieve manchada de motas de hollín, el viento helado no batía las esquinas en cuanto el sol se ocultaba.

Transitaba una ciudad populosa y real y la trama y la materia de una novela y también la parte más antigua de la memoria del hombre que amaba: en esa tarde de febre-ro Judith caminaba llevada por su disposición de felicidad en el tiempo y en la literatura, en las mismas calles en las que su amante había sido un niño del final de otro siglo, en una ciudad de tranvías de mulas y faroles de gas. De algún modo en el libro que tenía que escribir estaría tam-bién la resonancia de esa memoria que sin pertenecerle le resultaba tan íntima. Hubiera querido ir caminando con él y hacerle preguntas: veía al fondo la entrada a la plaza Ma-yor por el arco de Cuchilleros y recordaba que el hombre le había dicho que se guiaba por él para no perderse las primeras veces que iba solo a la escuela, un niño no muy distinto a los que ahora veía jugando en la calle, con mandilones grises y alpargatas y cabezas peladas, con bufandas y boinas y caras rojas por el frío, acercándose a ella para pedirle algo, atraídos por su aire extranjero, como los hombres que se la quedaban mirando y murmuraban en voz baja cosas que no entendía cuando pasaba apresurando el paso junto a las puertas de las tabernas. Paladeaba los nombres de las calles pronunciándolos en voz baja para ejercitar su español, y subrayándolos en las páginas de la novela: Ignacio Abel luego se sorprendía de que Judith hubiera encontrado tanta belleza en ellos, y la apreciaba él mismo, extrañado de su descubrimiento, incómodo cuando ella insistía demasiado en preguntarle cosas que él había olvidado hacía mucho tiempo: cuál era el número exacto de la casa en la que había trabajado de portera su madre, dónde estaba la ventana o más bien la tronera por la que entraba una perpetua claridad gris al sótano donde él estudiaba encarnizadamente a la luz de una lámpara de petróleo, escuchando muy cerca los pasos de la gente en la acera y los cascos de los caballos contra el adoquinado, donde una vez se habían detenido las ruedas del carro en el que traían muerto a su padre. «A mí no me gustan las cosas que fueron», le había dicho él, «sino las cosas que serán». Era muy torpe o muy desganado recordando: lo que excitaba su imaginación era lo que tenía delante de los ojos o lo que aún no existía. No le preguntaba a Judith por su pasado para no tener que imaginar que había conocido a otros hombres. Del suyo sólo rememoraba ante ella su primer viaje por Europa y el año entero que pasó en Alemania, el baúl lleno de libros y revistas que trajo al regreso, y del que aún se alimentaba. «Como tú ahora en Madrid; casi tan joven como tú.» No fue él quien le habló de las dos obras que había construido en su barrio en los últimos años, y que le deparaban un orgullo demasiado íntimo como para degradarlo manifestándolo en voz alta, envaneciéndose. Fue Philip Van Doren, de quien él tanto desconfiaba, sintiéndose observado, juzgado por unos ojos en los que brillaba una inteligencia a la vez apasionada y fría que para él era inquietante, porque no podía comprenderla, la inteligencia de quien sabe que posee dinero suficiente para comprarlo todo y tal vez imagina que puede controlar desde lejos las vidas de los otros: la suya, la de Judith. Fue Philip Van Doren quien le mostró a Judith las fotos de la escuela nacional y del mercado diseñados por Ignacio Abel para el mismo barrio en el que había nacido. Buscó esa tarde los dos edificios con el mismo celo con que seguía el rastro de los personajes de Galdós. Cada uno imponía su presencia de una manera distinta, apareciendo de repente en una plaza o a la vuelta de una esquina, singulares y a la vez confundidos con las casas de vecindad, con las filas modestas de balcones y el horizonte de tejados. La escuela era todo ángulos rectos y ventanales muy grandes: los niños uniformados con mandilones azules salían en riadas cuando ella se detuvo delante de la fachada, imaginando el cuidado con el que Ignacio Abel habría elegido el color exacto del ladrillo, la tipografía del rótulo tallado en piedra blanca sobre la puerta de entrada, REPÚBLICA ESPAÑOLA. ESCUELA NACIONAL MIXTA «PÉREZ GALDÓS». La cubierta de hormigón del mercado se plegaba hacia arriba como un gran animal que emerge vigorosamente del agua, como una ola inmóvil rompiendo contra los aleros próximos, contra las tejas pardas, las buhardillas y las chimeneas, como una proa alzándose. Lo reconoció a él igual que lo reconocía en los rasgos bruscos de su escritura, en la turbulencia que estaba siempre dominada y oculta bajo sus modales tan correctos, bajo su actitud abrumadora de formalidad; en la impaciencia sedienta con que la desnudaba en cuanto se quedaban solos y la besaba y la mordía, indagaba en ella tan fervorosamente con su mirada como con sus dedos y sus labios. Ángulos rectos, ventanales anchos, hormigón y ladrillo ya castigados y ennoblecidos por la intemperie, tensiones masivas que se sostenían sobre la ligereza de una clave matemática, sobre la pura fuerza de la gravedad y la solidez de los cimientos clavados en la tierra: donde otros veían un mercado lleno de gente y clamoroso de voces, manchado de desperdicios, ocupado por montañas de hortalizas y animales despiezados que rezumaban sangre sobre los mostradores de azulejos blancos, bajo la luz hiriente de las lámparas eléctricas, ella encontraba una confesión personal, las líneas ocultas de un autorretrato.

Sin que se diera cuenta se había hecho de noche. Las últimas puertas del mercado se cerraban con un estruendo de cortinas metálicas. En el suelo resbaladizo de frutas podridas y restos de pescado resaltaba la tipografía erizada de símbolos y signos de admiración de las octavillas políticas. Se había desorientado y caminaba por una calle estrecha en la que no había más claridad que una bombilla débil en la última esquina. Con la cabeza erguida y la mirada al frente cruzó la mancha de sucia luz eléctrica de una taberna de donde surgía un olor de vino agrio y penumbra húmeda y un vago rumor de conversaciones de borrachos. La rozó una sombra al mismo tiempo que un aliento hediondo. Una bronca voz arrastrada y masculina le dijo algo que ella no entendía, pero que le hizo instintivamente caminar más deprisa. A su espalda, muy cerca, alguien la llamaba, unos pasos doblaban los suyos. Una mujer sola y joven, con tacones, con la cabeza descubierta, extranjera: vulnerable, perdida, apresuró el paso y la sombra que la seguía se quedó rezagada y la voz soltó una interjección despectiva, pero un momento después los pasos se acercaron, y con ellos el aliento y las sucias palabras murmuradas, que la asustaban y la ofendían más porque en su aturdimiento no las comprendía, aterrada y sola en una ciudad extraña que de repente se le había vuelto hostil, puertas cerradas a lo largo de la calle y detrás de la claridad inaccesible de las ventanas tapadas con postigos y visillos sonidos domésticos de conversaciones, de cubiertos y vasos en la hora de la cena. Hubiera querido echar a correr pero las piernas le pesaban igual que en los sueños: si intentaba escapar estaría reconociendo la proximidad del peligro, irritaría a su perseguidor, ganándose la desgracia, el espanto del daño físico, de la vejación inconcebible. Una sombra o tal vez dos sombras, ahora ya no estaba segura, unos pasos a su derecha y otros a su izquierda, como para evitar que huyera, un roce que le provocaba un encogimiento de asco, de rabia ante la insolencia impune, ante la cacería sexual: podía volverse y hacer frente gritando insultos, podía reclamar ayuda a las puertas cerradas y a las ventanas tamizadas de visillos. Si él viniera, si lo viera aparecer al fondo de la calle, su silueta alta y firme contra la luz de la esquina, los brazos abiertos que le ofrecían su refugio y la envolvían en caricias al principio tan temerosas, como incrédulas, las caricias de un hombre que agradece el amor y no acaba de comprender que se le haya concedido. Estaban borrachos, se les notaba en el aliento, en la blandura chulesca de las voces. El alcohol los hacía temerarios y los debilitaba. Más allá de la esquina la calle se ensanchaba en una plazoleta: al otro lado vio los ventanales de un café escarchados de vaho. Una mano áspera le apretó el brazo, la voz beoda se le acercó tanto al oído que notó en el cuello un roce húmedo de aliento o de saliva. Se desprendió de un manotazo sin mirar hacia atrás y cruzó la calle corriendo, eludiendo un golpe frío de viento y el claxon de un coche que no había visto venir. En el interior del café la envolvió el aire espeso de voces y de humo. Miradas masculinas se detenían en ella, las notaba en su espalda y su nuca según avanzaba hacia el fondo, hacia el arco tapado por una cortina detrás de la cual estarían el lavabo y la cabina del teléfono. Se sabía de memoria el número de la casa de él pero no lo había usado nunca. Pidió una ficha, sin disimular la urgencia, el sofoco de haber huido, la crudeza del miedo. Lo imaginó en el interior de su otra vida, como si pasara por una calle oscura y mirara hacia una ventana ancha y alta en la que sucedía en silencio una escena doméstica. No iba a salir del café hasta que él no viniera a buscarla: no iba ni siquiera a abandonar la protección de la cabina del teléfono. Impaciente, tamborileando en el cristal con las uñas, queriendo recuperar el aliento, escuchaba en el auricular la señal de llamada. Descolgaron y Judith se contuvo justo cuando iba a decir el nombre de él: en silencio, con el auricular en la mano, conteniendo el aliento, como si de pronto se viera escondida detrás de una cortina, escuchó una voz intrigada que preguntaba quién era, la voz de Adela, que sólo había oído una vez, mucho tiempo atrás y hacía sólo unos meses, al principio de todo, la voz de una mujer entristecida y madura a la que había visto en la Residencia de Estudiantes.

13

Adormecido por el ritmo del tren ha visto a sus hijos en el relámpago de un sueño de colores muy vivos. Tal vez también ha oído sus voces, porque las recuerda muy cercanas ahora, un poco debilitadas, como voces en un espacio abierto, quizás en el jardín de la casa de la Sierra o a la orilla de la laguna de la presa; voces oídas en el declinar de la tarde, con un eco de retirada y de anticipación de lejanía; el pasado y el presente juntos, las voces recobradas y el sonido del tren filtrándose en el sueño tan ligero, alumbrado por una aleación de la luz del Hudson y la de la Sierra de Madrid. Una voz deja de escucharse y se va gastando en la memoria y al cabo de unos años se olvida, como dicen que va olvidando poco a poco los colores quien se ha quedado ciego. La de su padre Ignacio Abel ya no puede recordarla, ni siquiera sabe desde cuándo. La de su madre logra invocarla asociada a palabras o a dichos peculiares de ella; al modo en que gritaba *Ya voy* cuando un vecino impaciente la reclamaba desde el portal, cuando alguien tocaba con los nudillos en el cristal de la portería. Eso sí lo recuerda: la vibración del cristal escarchado, el tintineo de la campanilla y los pasos de su madre cada vez más lentos, según envejecía y se iba volviendo más pesada y más torpe por culpa de la artrosis, y conservaba sin embargo un timbre agudo y joven y un deje popular en su voz. *Ya voy*, gritaba, alargando mucho las vocales, y añadiendo por lo bajo, *Ni que fuéramos aeroplanos*.

Cuánto tardarán sus hijos en olvidar su voz si no vuelve a verlos, en no poder acordarse de su cara, sustituyendo gradualmente la memoria directa por el recuerdo congelado en las fotografías. La lejanía creciente agranda la dificultad del regreso. Minutos, horas, días, kilómetros, la distancia multiplicada por el tiempo. Ahora mismo, inmóvil, recostado en el tren, la cara junto a la ventanilla, sigue yéndose, alejándose. La distancia no es una magnitud detenida y estable, sino una onda expansiva que lo arrastra sin pausa en su corriente centrífuga, en su vacío helado de espacio sin límites. Trenes, transatlánticos, taxis, vagones de metro, pasos errantes hacia el final de calles desconocidas. Espejos de habitaciones sucesivas de hotel que siempre parecen la misma al final de un tramo semejante de escaleras empinadas y de un pasillo estrecho con olores idénticos, una geografía universal de la desolación. Pero también sus hijos, igual que Judith Biely, se alejan a la misma velocidad en direcciones distintas, y cada instante y cada paso agregado a la distancia hacen más improbable el regreso. No hay vuelta atrás en una deflagración que lo arrastra y lo trastorna todo; no se puede remontar el curso acelerado del tiempo. Puertas cerrándose tras él, habitaciones en las que no volverá a dormir nunca, corredores, barreras de aduanas, millas marítimas, kilómetros avanzados hacia el norte por el tren seguro y veloz que lo lleva a otro lugar desconocido, sólo un nombre por ahora, Rhineberg, a la colina en un bosque junto a un acantilado y al edificio blanco que aún no existe, cuyos primeros bocetos trae en la cartera, borradores en el fondo desganados de un proyecto que muy probablemente no llegará a cumplirse. Tanto avanzar y no regresar nunca. Agregando distancias, accidentes geográficos, llanuras, cordilleras, ciudades, frentes de guerra, países, continentes enteros, océanos, habitaciones interiores de hotel no indecentes pero sí tocadas por un principio de deterioro como el de la ropa y los zapatos de los huéspedes que se alojan en ellas con muy poco equipaje y sólo por una noche o unas pocas noches, porque nunca saben qué será de sus vidas más allá de los próximos días, de dónde vendrá el dinero para pagar, qué nuevos documentos les serán requeridos para quedarse un poco más o para irse.

Como en los materiales de construcción, en la memoria habrá grados o índices de resistencia que debería ser posible calcular. Cuánto tiempo se tarda en olvidar una voz; en no poder invocarla a voluntad, su metal único y misterioso, su entonación al decir ciertas palabras, al murmurar en el oído o al llamar desde lejos, a la vez íntima y remota en el auricular de un teléfono, diciéndolo todo al pronunciar un nombre, una dulce palabra obscena que nunca hasta entonces se ha atrevido a decir a nadie. O sí: tal vez esa misma voz la recuerdan otros, hombres desconocidos y odiosos que rondan como sombras el país ignoto del pasado, las vidas anteriores de Judith Biely, la que estará viviendo ahora; ojos que miraron su desnudez ofrecida y altiva; manos y labios que la acariciaron y a los que se rindió en un abandono idéntico, intolerable de imaginar. A quién más le habría dicho ella esas palabras más singulares todavía, más excitantes, porque pertenecían a otro idioma, *sweetie, honey, my dear, my love*. A quién se las estará diciendo ahora mismo, se las habrá dicho en los tres meses que llevaba fuera de España, regresada a América o tal vez errante de nuevo por ciudades de Europa, olvidándose poco a poco de él, incontaminada por la desgracia española, libre de ella con sólo cruzar la frontera, inmune por igual al sufrimiento del amor y al luto de un país que al fin y al cabo no es el suyo. Tan soberanamente como había decidido hacerse su amante una tarde de principios de octubre en Madrid decidió dejar de serlo algo más de ocho meses después, hacia mediados de julio, con una seca determinación americana que excluiría por igual la ambigüedad y el remordimiento, y quizás también la ha vacunado contra el dolor. Tan poco tiempo, si se para a pensarlo. Ignacio Abel sigue viéndola en algunos sueños pero en ellos no escucha su voz. Tal vez era la voz de Judith Biely la que ha oído diciendo tan claramente su nombre en la estación de Pennsylvania y sin embargo un momento después no ha sabido identificar ni recordar. La voz se pierde antes que la cara, sin el auxilio mnemotécnico de la fotografía. La foto es ausencia, la voz es presencia. La foto es el dolor del pasado; el punto fijo que se va quedando atrás en el tiempo: la cara inmóvil, en apariencia invariable, y sin embargo cada vez más lejana, más infiel, el simulacro de una sombra desvaneciéndose casi tan rápido en el papel fotográfico como en la memoria. Palpándose los bolsillos con la angustia de haber perdido cualquiera de las pocas cosas que ahora posee Ignacio Abel encuentra su cartera y busca con las yemas de los dedos la cartulina de la foto que Judith Biely le dio al poco tiempo de conocerse. Sonríe en ella igual que le sonreirá a él tan sólo unas semanas más tarde, confiada y alerta, sin guardar nada en reserva, mostrando entera la plenitud de sus expectativas. A Ignacio Abel la foto le despertaba los celos de la vida anterior de Judith en la que él aún no existía, y de la que prefería no saber nada, no preguntarle nada, por miedo a las inevitables sombras masculinas que habría en ella. Quizás lo que le ha hecho sonreír así y volverse olvidándose del disparo automático es la presencia de un hombre. Lo que más le había excitado de ella desde el principio era también lo que más miedo le daba, justo lo que al final se la había arrebatado: la sugestión de un luminoso albedrío femenino que él no había visto hasta entonces en ninguna mujer y que se revelaba en cada uno de sus gestos tan visiblemente como en los pormenores de su atractivo físico. El flash de la cabina automática brillaba en su pelo rizado, en sus dientes blancos, en sus ojos risueños; resaltaba la línea ósea de los pómulos. Esa foto era la misma que había tenido Adela en sus manos; la que miró aturdida en una especie de niebla que desenfocaba los rasgos y estuvo a punto de romper, y tan sólo dejó caer al suelo, junto a dos o tres cartas, casi desvaneciéndose, apoyándose en la mesa del despacho cuyos cajones Ignacio Abel había olvidado cerrar con llave. *Al menos podías haber escondido mejor la foto de tu amante, haberme ahorrado la humillación de ver en mi propia casa y con mis propios ojos que es más guapa y más joven que yo pero qué tontería ningún hombre engaña a su mujer con otra menos joven que ella.*

A diferencia de la de Judith, la voz de Adela permanece intacta en su memoria. La ha escuchado muchas veces, llamándolo, como lo llamaba a veces cuando tenía un mal sueño y se aferraba a él en la cama con los ojos cerrados para asegurarse de su cercanía. La ha escuchado, su espejismo sonoro, viniendo del fondo del pasillo en la casa de Madrid, tan clara en la vigilia como en los sueños, en las noches de verano en las que poco a poco se volvían habituales los sonidos de la guerra, despertándolo a veces con la convicción alarmada de que Adela había vuelto, había cruzado la línea del frente, volvía para reclamarlo y para pedirle cuentas. Qué sucia estaba la casa, qué desordenadas las habitaciones. (Pero ya no había criadas que vinieran a limpiar, no había una cocinera que se ocupara de hacerle la comida al señor de la casa, muy pronto no habría ni siquiera comida.) Qué pena que hubiera dejado morirse las plantas del balcón. Qué vergüenza que él no se hubiera esforzado más por ponerse en contacto con su mujer y sus hijos. Las quejas escritas en la carta que hubiera debido romper o al menos dejar atrás en la habitación del hotel de Nueva York, las recordadas y las imaginadas, se entretejen en el rumor monótono de una voz que es la de Adela y también la de su propia conciencia culpable. Qué raro no haber intuido anticipadamente en la voz de ella que sospechaba, que sabía. Cómo podía no haber sabido. Qué raro no ser capaz de verse a uno mismo desde fuera, desde las miradas de los otros, los que están más cerca y sospechan aunque hubieran preferido no enterarse, descubren sin comprender. El niño tan serio en los últimos meses, tan replegado en sí mismo, observando, parado en la puerta de su habitación cuando él hablaba por teléfono bajando mucho la voz en el pasillo. Ignacio Abel se volvía para decir un último adiós después de cerrar la verja en la casa de la Sierra y Miguel, parado junto a su madre y su hermana en lo alto de la escalinata, lo miraba y no lo miraba, como si no quisiera dar crédito a ese gesto de despedida, como si quisiera hacerle saber que a él no lo estaba engañando, que él, su hijo desdeñado de doce años, se daba cuenta, con una lucidez que no le correspondía, de la impaciencia del padre, de sus ganas de irse, del alivio con que subía al coche o apresuraba el paso camino de la estación, para no perder el tren que lo devolvía a Madrid. Su madre, junto a él, permanecía envuelta en una niebla de pesadumbre que raramente llegaba a disiparse del todo, y en la que Miguel no llegaba a distinguir motivos precisos, por mucho que la escrutara; Lita se entristecía, quizás algo postizamente, con un exceso femenino de ostentación sentimental, el mismo de cuando lo veía llegar y salía corriendo a abrazarlo, a contarle cuanto antes las notas que había sacado, los libros que había leído.

Con claridad retrospectiva Ignacio Abel revive ahora una escena, la imagen detenida de un documental cinematográfico: la noche en casa, el mantel blanco del comedor iluminado por la lámpara central, la luz dorada y verdosa reflejándose en los cubiertos y en la loza blanca de los platos, en el cristal de las copas. En febrero, unos días antes de las elecciones. Lo ve desde fuera, desde lejos, como una escena doméstica que vislumbra el forastero solitario en la calle, en una ciudad donde no conoce a nadie, donde no le espera otra cosa que la habitación del hotel. Él mismo en la cabecera de la mesa, y enfrente Adela, los niños a los lados, cada uno en su sitio preciso, manteniendo una conversación tranquila y trivial, mientras la criada se alejaba por el pasillo, después de servir la sopa, la criada que ahora se ponía una cofia y un mandil blanco, por indicación de la señora, que en esos detalles se volvía cada vez más estricta, y que un poco antes le había reñido a la cocinera por salir a la calle con sombrero, en vez del pañuelo de cabeza o la boina que le correspondía por su posición. Miguel movía nerviosamente la pierna izquierda debajo de la mesa y se esforzaba sin mucho éxito por no hacer ruido sorbiendo la sopa. Observaba, de soslayo, en estado permanente de alerta, detectando vagas incertidumbres y peligros con una sensibilidad mucho más aguda que su capacidad de razonamiento, y por lo tanto más desazonadora. Se imaginaba convertido en un hombre invisible como el de esa película que había visto unos sábados antes con Lita y las criadas, a escondidas de su padre, que proscribía como un monarca distraído y arbitrario las salidas al cine cada vez que alguien le contaba que había en Madrid una epidemia de algo. *¡El Hombre Invisible!* Miguel se ponía nervioso cuando le gustaba mucho una película, no sabía estarse quieto, se echaba hacia delante en el asiento como si quisiera estar más cerca de la pantalla, sumergirse en ella, se moría de risa o temblaba de miedo, pellizcaba a Lita, le daba puñetazos, tan embebido en la película que cuando salían del cine iba mareado, aturdido, y esa noche no había manera de que se callara cuando apagaban las luces, porque quería seguir comentando con Lita las escenas y los personajes, y cuando ella se quedaba dormida él ya estaba demasiado nervioso para rendirse al sueño, reviviendo la película, imaginando variaciones en las que él mismo actuaba como protagonista. ¡El escalofriante enigma de un descubrimiento científico que otorga poderes sobrehumanos a quien lo domina! Qué maravilla, espiar sin que lo vieran a uno, fijarse en todo sin peligro de ser sorprendido. Al venir de la escuela había visto en la puerta del cine destartalado al que lo dejaban ir con Lita y las criadas el cartel truculento de una película en el que se veía una silueta negra sosteniendo una carta y una gran lupa. EL SOBRE LACRADO (*El Secreto del Paso de los Dardanelos*). *Estreno Inminente.* Qué tremenda esa palabra, inminente, qué nerviosismo le desataba nada más que pensar en ella, en los días que faltaban para el estreno, en la posibilidad de ponerse malo o de volver de la escuela con un suspenso y de que lo castigaran sin ir al cine. Si su padre se daba cuenta del movimiento de la pierna iba a reñirle, pero cabía la esperanza de que el mantel no le dejara advertirlo, y en cualquier caso Miguel era incapaz de quedarse quieto, de ordenar a su pierna que dejara de moverse. «Ya estás cosiendo con la máquina Singer», diría su padre, «este niño parece que después de todo va a tener vocación de sastre». Cada cual cumplía estrictamente su papel, decía las palabras previstas, repetía los gestos, observaba Miguel, tan incapaces de no hacer o decir lo mismo de siempre como él de no mover su pierna o de no hacer ruido al sorber la sopa: pero en él era en el único en quien se fijaban, el chivo expiatorio, pensaba con lástima de sí mismo, la oveja negra. Pensaba que los Dardanelos del título de la película serían los miembros de alguna sociedad secreta de espías o de traficantes internacionales y Lita se había reído de él llamándole ignorante y le había dicho que los Dardanelos era el nombre de un estrecho. «Y a ti qué más te da que tu hijo mueva o no mueva la pierna, tampoco es algo tan grave», diría su madre, dirigiéndole al padre una mirada intranquila y a la vez resignada, distinta a la que dedicaba al niño, con quien tenía que mostrarse a la vez indulgente y severa, la severidad destinada a refutar la sospecha de una indulgencia excesiva. La cena era una serie de pruebas cada vez más difíciles, una carrera de obstáculos de exasperante lentitud, en la que Miguel veía acercarse la próxima valla sabiendo que muy probablemente tropezaría en ella, que haría un ruido inaceptable con la sopa o cortaría un trozo demasiado grande de carne o se llevaría a la boca el tenedor cargado con una montaña de puré, de modo que su padre le diría, «a ver si procuramos no comer en cantidades cuartelarias» (ellos, los adultos, podían permitirse todas las manías; podían repetir palabra por palabra las mismas frases, las bromas idénticas, y nadie los censuraba); también era posible que volcara su copa de agua por culpa de un gesto demasiado brusco, o que se atragantara y se pusiera rojo tosiendo, o que tragara el agua haciendo un sonido de deglución en el que los demás nunca incurrían, pero que por alguna fatalidad misteriosa él no tenía manera de evitar. Y mientras él se extenuaba tropezando con obstáculos, moviendo la pierna sin un segundo de sosiego debajo de la mesa, notando picores que le obligaban a rascarse y dolores en el culo que no le permitían quedarse quieto en la silla, Lita, sentada frente a él, se deslizaba como en una alfombra mágica, sonriente y segura, irreprochable y falsa, sin el menor rastro de esfuerzo, sorbiendo la sopa en silencio, manejando el tenedor y el cuchillo sin apoyar los codos en la mesa «como en una taberna» (esta observación era de su madre), cortando las porciones justas de modo que nunca se le llenaba la boca, educadamente atenta a la conversación de los mayores, en la que a veces intervenía con una pregunta o una observación que no provocaban una respuesta irónica o condescendiente, en el fondo irritada, la clase de respuesta que él se había acostumbrado a esperar de su padre. Hubiera querido salir corriendo, sin dejar la servilleta doblada junto al plato, sin pedir permiso para levantarse, tan sólo volviéndose invisible, flotando por el pasillo en dirección al territorio parcialmente prohibido y lleno de promesas del fondo de la casa, la cocina y el cuarto de la plancha y la habitación diminuta que compartían la cocinera y la criada, de donde venía ahora, con toda claridad, el clamor plebeyo de la radio, donde Angelillo cantaba una canción que a él le hacía que se le saltaran las lágrimas, la historia del enterrador Juan Simón, que un día dramático se ve obligado a dar sepultura a su propia hija, muerta en la flor de la vida:

Soy enterrador y vengo
Ay yo soy enterrador y vengo
De enterrar mi corazón.

Miguel quería ver a toda costa esta película. Quería verla porque le gustaba la canción y porque la cocinera y la criada ya la habían visto y se la habían contado con todo detalle, emocionándose las dos al recordarla, quitándose la palabra para recordar algún momento dramático. Quería verla más aún porque su padre, su madre y su hermana parecían haberse puesto de acuerdo para desdeñarla sin haberla visto, y porque le habrían hecho algún comentario sarcástico si hubieran sabido que a él le apetecía tanto verla. Su madre tal vez no, pero tampoco lo habría defendido. Su madre no se burlaría de él o no se enfadaría si lo sorprendía al lado de la radio con los ojos llenos de lágrimas. Pero tampoco se pondría de su lado, por miedo a fomentar su debilidad, o por el disgusto de que su hijo, al que llevaba a los conciertos de música clásica desde que era muy pequeño, se entusiasmara tanto por una copla de criadas. La angustiaba que fuera poco masculino. La angustiaba más aún que Miguel pudiera despertar el disgusto de su padre, un desagrado que podía parecerse al desprecio. Miguel observaba e intuía sin comprender nada, con la inmediatez física con que se percibe la humedad o el frío. Lo que más le dolía en este caso era que Lita se hubiera puesto de parte de los adultos: ella, su cómplice en la afición a las películas, en las tardes de atragantarse de risa en el cine viendo a los hermanos Marx, al Gordo y el Flaco, a Charlot, de morirse de miedo con Frankenstein y con Drácula y con el Hombre Lobo y el Hombre Invisible, también desdeñaba las películas de canciones flamencas y bailes regionales, precisamente las que a las criadas y a Miguel más les gustaban. Se había negado a ir con él a *La hija de Juan Simón*. Había escuchado con expresión aprobadora cuando su padre le dijo unas noches antes a su madre, durante la cena, en ese tono irónico que por algún motivo se volvía cada vez más frecuente, como si todo para él fuera pobre o mediocre, ligeramente ridículo, las películas y los dirigentes políticos y los vecinos de la casa y el portero con su gorra de plato y su librea azul de botones dorados:

—Mira Buñuel, que era tan surrealista y tan moderno,

y ahora no le ha dado ninguna vergüenza ganar un montón de dinero produciendo esa payasada folklórica de *La hija de Juan Simón*.

Payasada folklórica. Se le quedaron grabadas las palabras. Pero él no había podido callarse. Era su sino. Sabía que iba a decir o a hacer algo con un resultado inmediato y desastroso y precisamente por saberlo su error era más inevitable. Como el movimiento nervioso de la pierna izquierda, como la mancha que caía fatalmente sobre su camisa limpia, como el trago de agua que hacía ese ruido tremendo justo cuando él más se empeñaba por beberla en silencio o el examen para el que nunca llegaba a ponerse a estudiar y que acababa suspendiendo catastróficamente. Era como un don para profetizar los desastres que él mismo iba a cometer; para hacer exactamente aquello que más iba a importunar a su padre. No porque él se propusiera irritarlo, sino porque el hecho de saber lo que a su padre más podía disgustarle de su comportamiento era una fuerza fatal que lo empujaba. En vez de a huir, la conciencia del peligro lo llevaba derecho a sucumbir a él. Si su padre estaba diciendo algo muy serio a él le daba un ataque de risa o se le caía al suelo ruidosamente el tenedor o le venía un eructo. Si él recortaba de una revista la foto de una actriz de moda o de un galán de Hollywood con un brillo lacado en el pelo fatalmente en el reverso de la hoja estaba el artículo que su padre había querido leer. ¿Por qué no hacía los deberes o pasaba de una vez de la primera página de las *Rimas y Leyendas* de Bécquer en vez de perder el tiempo leyendo tantos embustes? TODA LA VERDAD SOBRE LA MUERTE MISTERIOSA DE THELMA TODD. ¿Y qué trabajo le habría costado callarse cuando su padre hizo ese comentario desdeñoso sobre la película y sobre ese Buñuel que aparecía de vez en cuando en las conversaciones de los adultos? Pero no pudo evitarlo; ni siquiera lo pensó; supo lo que iba a decir y lo dijo al cabo de un momento y mientras lo decía se daba cuenta de la reprimenda inevitable que iba a ganarse, y de que ni su madre ni su hermana iban a defenderlo:

—Pues la Herminia dice que es una película de llorar con canciones muy bonitas.

—La Herminia. —Su padre adoptó una seriedad burlesca—. Gran autoridad cinematográfica.

Ahora la canción venía desde el fondo del pasillo y todos hacían como que no la escuchaban. O quizás era Miguel el único que se daba cuenta, nervioso, moviendo aún más rápido la pierna debajo de la mesa, vigilando de soslayo la cara de su padre, notando que su madre, debajo de su aire de placidez un poco ausente, estaba poniéndose tensa; asombrado, casi admirado, de que Lita no percibiera nada, ajena a la posibilidad del desastre, contando algo sobre una excursión reciente con los chicos de su clase al Museo del Prado. Él la admiraba tan incondicionalmente como cuando era muy pequeño; la admiraba incluso cuando estaba resentido contra ella, cuando la despreciaba por su zalamería con el padre, cuando tenía la tentación de volcar un tintero sobre su cuaderno de ejercicios impecable, de hacer como que pisaba por accidente uno de aquellos álbumes escolares en los que Lita pegaba hojas de árboles y flores disecadas; flores que a él se le deshacían; cuadernos que llenaba de cualquier manera con dibujos que nadie le pedía y con una escritura errática en la que no eran infrecuentes las faltas. Si ella podía concentrarse tanto en todo lo que hacía y moverse con tanta serenidad y en línea recta era porque no la distraían ni la alarmaban los ruidos de peligro, porque le faltaban las antenas invisibles de percibir anticipadamente trastornos que él estaba siempre agitando. Su padre se iba a irritar porque la música de la radio estaba demasiado alta, y porque la criada, al salir del comedor, no había cerrado la puerta tras ella, y porque la puerta de la cocina estaba abierta. Por eso a él le costaba tanto concentrarse: porque estaba atento a demasiadas cosas al mismo tiempo; porque adivinaba el pensamiento de los otros o intuía los cambios en sus estados de ánimo como esos barómetros que había en la escuela y que registraban con sus veloces agujas las turbulencias atmosféricas.

Entonces sonó el timbre del teléfono, justo cuando Miguel bebía un trago de agua, tan empeñado en no hacer ruido que el primer timbrazo lo sobresaltó, haciéndole que se atragantara. Sentada frente a él Lita se tapó la mano con la boca para disimular la risa. El teléfono no paraba de sonar, un timbrazo tras otro, casi tan rápidos como la pierna de Miguel debajo de la mesa, agudos en el silencio que se había hecho cuando terminaron sus toses, viniendo desde el pasillo igual que *La hija de Juan Simón*: por culpa de la música demasiado alta ni la criada ni la cocinera lo habrían oído, aunque a Miguel le parecía que sonaba cada vez con mayor estridencia. ¿Cómo hacían su padre y su hermana para fingir que no lo estaban oyendo? Su padre, rígido de ira, se concentraba meticulosamente en la masticación. En la conciencia demasiado aguda de Miguel la aguja del sismógrafo se agitaba a toda velocidad, la del barómetro oscilaba locamente. Su madre, con un gesto brusco, dejó el tenedor y el cuchillo sobre el plato y salió del comedor, y un momento después los timbrazos habían cesado y se escuchaba su voz en el pasillo, alterada por la tensión, inquieta, porque era muy raro que llamaran tan tarde: «¿Quién llama? ¿De parte de quién? Un momento.» Volvió despacio al comedor, sus pasos acercándose, con una lentitud de mujer entrada en carnes que ya no era joven. Miguel la vio más seria y más cansada que cuando se había levantado un momento antes, mirando a su padre de una manera rara al darle el recado.

—Es para ti. De tu oficina, una mujer que parece extranjera.

—Pues vaya horas de llamar que tiene la gente —dijo Lita, sin darse cuenta de nada, de lo que los ojos de Miguel sí advertían y su conciencia no lograba descifrar, inocente de cualquier incertidumbre, de toda sospecha de peligro, segura en el mundo. Que su padre saliera tan rápido para hablar por teléfono tuvo la ventaja de que no oyó la observación impertinente de Miguel:

—Pues a papá cuando se levanta también se le cae al suelo la servilleta.

En el interior de su casa Ignacio Abel cruzaba la frontera invisible hacia la otra vida, alejándose por el pasillo en penumbra hacia el teléfono colgado en la pared, hacia la voz inesperada de Judith Biely, dejando atrás la escena familiar en el comedor, interrumpida y borrosa, al otro lado de los cristales que filtraban la luz y las voces. En pocos segundos y en un espacio tan breve, el corazón latiéndole muy fuerte en el pecho, se adaptaba a su otra identidad; dejaba de ser padre y marido para convertirse en amante traspasado por deseos; sus movimientos se hacían más sigilosos, menos confiados; hasta su voz se iba adaptando de antemano para ser la que escucharía Judith; su voz ronca, ansiosa, alterada por una mezcla de desconcierto y de felicidad; por el miedo súbito a que después de todo no fuera ella quien había llamado rompiendo por algún motivo que debería de ser serio un acuerdo no expresado. En una duración tan corta la incertidumbre adquiría una intensidad dolorosa. En lo que menos pensaba era en el desconcierto de Adela, en su segura sospecha. Le temblaba la mano cuando tomó el auricular, aún oscilante contra la pared; su voz sonó tan baja y tan ronca que Judith, igual de ansiosa en la cabina de un café que no sabía dónde estaba, al principio no la reconoció. También ella hablaba bajo, muy rápido, en inglés y un momento después en español, frases muy cortas, murmuradas tan cerca de la membrana del aparato que Ignacio Abel oía su respiración y casi podía sentir en el oído el roce de su aliento y sus labios. *«Please come and rescue me.* Casi no sé dónde estoy. Unos hombres venían siguiéndome. *I want to see you right away.»*

Añorará siempre esa voz, incluso cuando ya no pueda recordarla a voluntad y hasta haya dejado de escucharla en el azar de algunos sueños, cuando ya nunca abra los ojos despertándose o se vuelva porque ha creído oír que decía su nombre. En el verano demente y sanguinario de Madrid en el que iba de un lado para otro como un fantasma de sí mismo lo que echaba más intolerablemente de menos no era la seguridad razonable de no ser asesinado y ni siquiera la sólida rutina de una vida anterior que se había desmoronado para siempre de la noche a la mañana, sino algo más secreto, más suyo, más perdido todavía, la posibilidad de marcar un cierto número de teléfono y de escuchar al otro lado la voz de Judith Biely, la esperanza de oírla cuando el teléfono sonaba, el prodigio de que en alguna parte de Madrid, al final de un recorrido en automóvil o en tranvía, de una impaciente caminata, Judith Biely estuviera esperándolo, mucho más deseable que en su imaginación, sorprendiéndolo siempre con la felicidad de su presencia, como si por mucho empeño que pusiera nunca hubiera sabido recordar cuánto le gustaba.

—Era una secretaria, una chica nueva —dijo, de vuelta al comedor, sin mirar a nadie en particular, poniéndose la americana, atolondrado, embustero, indiferente a la mediocridad de su actuación—. Ha habido una emergencia en las obras. Un andamio que se ha derrumbado.

—Llama si ves que vas a volver tarde.

—No creo que sea para tanto.

—Papá, ¿vas a ir en el coche? ¿Me llevas contigo?

—Qué cosas tienes, niño. Tú eres el que le está haciendo falta ahora a papá.

—Iré en un taxi, para llegar antes.

Tan sólo hacía unos minutos la noche estaba clausurada para él, la noche previsible y pesada de la costumbre familiar: la cena, la conversación, la somnolencia, los ruidos distantes de la calle, la resignación sin drama a los pormenores del tedio. El calor narcótico de la calefacción, la vida aletargada y envuelta, forrada de fieltro de zapatillas caseras y tela de pijama, el confort tan tenazmente ganado de una casa protegida contra la intemperie del invierno. Y ahora, de repente, lo inesperado sucedía y lo liberaba, la lentitud se convertía en ligereza, el calor en la cuchillada del frío al salir a la calle, la resignación en temeridad, la noche de Madrid se desplegaba como un paisaje ilimitado que él iba a cruzar a toda velocidad en un taxi para reunirse con Judith Biely, para que se cumpliera la promesa enunciada no en sus palabras sino en el tono mismo de su voz: el deseo, la urgencia, la seguridad de estar abrazándola y besando su boca abierta unos minutos más tarde. Tras la ventanilla del taxi veía la ciudad como si estuviera soñándola. Una niebla ligera empañaba las luces y hacía relucir con un lustre húmedo los adoquines y los rieles de los tranvías. Miraba los escaparates solitarios de las tiendas, iluminados en las calles vacías, los ventanales de los cafés, la claridad eléctrica de los comedores en los que estaban sucediendo cenas familiares idénticas a la que él mismo acababa de abandonar, y que ahora le parecían penosos episodios de una servidumbre unánime de la que él se había escapado. No para siempre, desde luego, ni siquiera para toda una noche: pero cualquier medida de tiempo le bastaba ahora mismo, dos horas, una hora tan sólo. No habría moneda de minutos que su codicia no agradeciera; minutos y segundos que menguaban con el chasquido con el que iban cambiando las cifras del taxímetro, con el pulso cada vez más rápido de su corazón impaciente. Carteles electorales pegados los unos encima de los otros cubrían las fachadas en la Puerta del Sol; reflectores violentos alumbraban en la llovizna la cara gigante y redonda del candidato Gil Robles, ocupando una fachada entera, coronada con involuntario absurdo por un anuncio luminoso de Anís del Mono. Otorgadme Vuestro Voto y os Devolveré una España Grande. Recordó la mirada muy fija y el tono de sorna de Philip Van Doren, entre el humo y el ruido de una orquestina de jazz: «¿Cree usted, profesor Abel, como su correligionario Largo Caballero, que si las derechas ganan las elecciones el proletariado se lanzará a una guerra civil?» El viento helado agitaba los cables de los que pendían las lámparas del alumbrado público y hacía que las sombras convulsas se agrandaran contra el pavimento. El taxi avanzaba despacio en dirección a la calle Mayor sorteando un laberinto de tranvías. La imaginación anticipaba espejismos de lo que ya era inminente: los arcos y los jardines de la plaza Mayor, los faroles en las esquinas de la calle Toledo, el café en el que Judith Biely lo estaba esperando, su perfil en seguida reconocido a pesar del humo del interior y del vaho que cubría los cristales, la mujer joven, sola y extranjera a la que miraban con descaro los hombres, a la que se acercaban casi tocándola para decirle cosas en voz baja. En la ciudad en la que uno ha vivido siempre recorridos comunes pueden equivaler a hondos viajes en el tiempo: atravesando Madrid para encontrarse con su amante una noche hostil de febrero Ignacio Abel viajaba desde su vida presente hacia las calles de la infancia lejana, a las que casi nunca volvía, por las que nunca había caminado con ella. El impulso del taxi en dirección al porvenir lo devolvía al pasado; por el camino se despojaba de la claudicación de tantos años para llegar a ella tan sólo con la parte más verdadera de sí mismo. Borraba lo que en este momento no le importaba nada, lo que habría dado sin vacilación a cambio del tiempo con Judith Biely que se abría ante él: su carrera, su dignidad, su piso burgués en el barrio de Salamanca, su mujer, sus hijos. Antes del final del trayecto ya buscaba por los bolsillos las monedas para pagar al taxista en cuanto se detuviera, ya se inclinaba hacia delante para ver la esquina exacta y el café, la silueta deseada de Judith Biely. Se sorprendía de pronto moviendo la pierna izquierda tan nerviosamente como su hijo Miguel, que lo había mirado tan serio cuando salía del comedor ajustándose la corbata, atolondrado y mentiroso, asegurándose de que llevaba las llaves en el bolsillo del pantalón.

Dijo «No volveré tarde» y en la mirada neutra de Miguel vio una incredulidad más hiriente porque era del todo instintiva y le revelaba como un espejo inesperado la calidad mediocre de su impostura, los gestos de un actor que no convence a nadie. Pero esa punzada de alarma y disgusto de sí mismo quedaba suprimida muy pronto, borrada por la prisa, por la exaltación física que lo llevaba escaleras abajo sin que su voluntad interviniera, camino del frío vivificador de la calle que le llenaba los pulmones mientras cruzaba hacia la próxima esquina, demasiado impaciente para esperar quieto la llegada de un taxi. Insomne, en pijama, de pie junto a la ventana de su habitación, mientras Lita dormía, Miguel miraba luego esa misma esquina desierta de la calle Príncipe de Vergara, iluminada por un farol, escuchando a veces en el silencio el redoble de unos pasos en la acera que de lejos parecían los de su padre y eran los del sereno embozado que vigilaba los portales, golpeando el suelo a intervalos regulares con la punta herrada del chuzo. Se había despertado en la oscuridad creyendo oír el mecanismo del ascensor al detenerse, acordándose de algo que había leído antes de dormirse, escondiendo la revista bajo la almohada cuando su madre entró para darles las buenas noches, un reportaje sobre enterrados vivos en el que aprendió una palabra que en sí misma ya le daba miedo, catalepsia, palabra cuyo significado por supuesto conocía Lita. *¿Cuántas personas habrán sido enterradas en vida? ¿Cuántas habrán consumido su agonía —la más terrible de todas— en el mismo lugar de su eterno descanso?* Estuvo quieto mucho rato, intentando discernir los sonidos que le llegaban desde la calle y desde el interior de la casa, que se iban haciendo más claros a la vez que se volvían más precisos los contornos de los muebles y de los objetos en la habitación. *Catalepsia.* Le fascinaba descubrir que para los ojos y los oídos atentos no había verdadera oscuridad ni verdadero silencio. Según él la miraba la habitación en sombras se iba llenando de claridad igual que cuando unas nubes lentas van dejando de cubrir la luna llena. Había leído en una de aquellas revistas baratas de crímenes y prodigios que compraban las criadas que en un laboratorio secreto de Moscú los científicos estaban desarrollando unas gafas de rayos X que permitían ver en medio de la oscuridad más rigurosa y una pistola de ondas magnéticas que mataba en silencio. *EL ENIGMA de unos RAYOS MISTERIOSOS que llevan la MUERTE a DISTANCIA.* Lo que en el momento de despertar había sido un silencio opresivo ahora se convertía en una jungla de rumores: la respiración de Lita, los crujidos de la madera, la vibración del cristal de la ventana al paso de un motor por la calle, los golpes del chuzo del sereno, el gruñido de las tuberías de la calefacción, el eco sordo de las fuerzas enconadas entre sí que según la explicación alarmante de su padre mantenían en pie el edificio entero, nunca apaciguado, expandiéndose y contrayéndose como un gran animal que respira; y más lejos, o al menos en un espacio que le costaba mucho situar, otro sonido ronco y regular que Miguel no sabía lo que era, que cesaba y volvía al cabo de un rato, como su conciencia del rumor de la sangre cuando apoyaba un oído contra la almohada. Se incorporó en la cama, muy quieto, asegurándose de que no era el ascensor lo que había oído. Se levantó despacio, el frío de la tarima del suelo contra las plantas de los pies, el deseo molesto de orinar, que lo obligaría a salir a la intemperie hosca del pasillo. Su padre y su madre le reprochaban que no leía, pero en su cabeza, cuando no podía dormir, había un borboteo de cosas inquietantes leídas en el periódico y preservadas literalmente en su memoria. *SCOTLAND YARD INVESTIGA UN CASO DE CRÍMENES COMETIDOS POR SONÁMBULOS.* El sonido ronco volvía, una respiración difícil, entrecortada, algo que no llegaba a ser del todo el murmullo de una voz pero que contenía una queja. Al salir de la habitación era el Hombre Invisible: invisible y envuelto en silencio, pisando descalzo sin hacer ningún ruido, girando pomos dóciles que se movían por sí solos. Le dio miedo ser en realidad un sonámbulo y estar soñando ahora mismo mientras caminaba hacia una víctima que sería encontrada muerta al amanecer, *su cara desencajada de terror.* En el reloj del salón retumbaron uno tras otro cinco golpes que dejaron luego una resonancia que tardó mucho en extinguirse. Del fondo del pasillo, largo y negro como un túnel, venía el doble ronquido de la criada y la cocinera, metódico como una máquina de fuelles, con gorgoteos de cañería y acelerones bruscos de motor de coche viejo, con interrupciones de quietud en medio de las cuales seguía escuchando el otro sonido, la respiración entrecortada, la queja. Suspendido como el Hombre Invisible delante de la puerta del dormitorio de sus padres, libre de la fuerza de la gravedad en virtud de otra invención no menos decisiva *(Una tintura antigravitatoria facilitará los viajes espaciales)*, se inclinó contra ella para oír mejor, para asegurarse de que era la voz de su madre la que estaba escuchando, familiar y al mismo tiempo desconocida, más extraña que los olores en las alcobas de los adultos cuando uno entraba a ellas de pequeño. Decía palabras o se estaba quejando, tenía un gemido agudo que se volvía grave de pronto, como si procediera de la garganta de otra persona; un gemido largo, sofocado contra la almohada, una queja que se rompía en llanto o en palabras aisladas que no era posible descifrar, como las de quien está hablando en sueños. Quizás su madre dormía y moriría de un ataque de algo si él no entraba a despertarla. Quizás se quejaba de una horrible enfermedad que no había confiado a nadie. Quería quedarse y quería huir. Quería salvarla de la enfermedad o de una afrenta cuya naturaleza no imaginaba y quería no haberla oído, no estar despierto y con los pies helados cerca de la puerta, disfrutar del sosiego con el que dormía ahora mismo su hermana, ajena a todo, inmune a la desazón y al peligro. ¿Y si era que su padre había vuelto y su madre estaba discutiendo muy bajo con él? Con un golpe de pánico vio encenderse la luz del rellano bajo la puerta de entrada y escuchó el ascensor poniéndose en marcha. Sólo faltaba eso: que su padre volviera y lo sorprendiera en el pasillo, quieto en la oscuridad, a las cinco de la madrugada. Tendría que volver a toda prisa a su habitación: pero al hacerlo se acercaría a la puerta, y era posible que su mala suerte y su torpeza, siempre conspirando contra él, convirtieran la retirada en una trampa. Lo que no podía era quedarse quieto, paralizado, temblando de frío, escuchando el ascensor, el chasquido metálico al pasar por cada piso. Se lanzó a ciegas, a tientas, empujado por el miedo. Cerró tras él la puerta de su habitación justo cuando el ascensor se detenía en el rellano. El corazón le retumbaba en el pecho como los golpes de timbal en una película de miedo. Su padre giraba la llave muy despacio en la cerradura. Como el Hombre Invisible Miguel era un espía en el que nadie reparaba. Su padre avanzaba con lentitud por el pasillo, sin haber encendido la luz, dejando un intervalo anormalmente largo entre sus pasos, tan raros como los de un desconocido, un intruso que hubiera llegado al amparo de la oscuridad desde quién sabía dónde. Tieso sobre la cama, con los pies helados, las manos cruzadas sobre el pecho, con los ojos cerrados, Miguel alcanzaba un estado de perfecta catalepsia.

14

Hubo signos pero él no los vio, o más bien eligió no verlos. Tan sólo unos pasos más allá de la cercanía de Judith Biely la realidad se volvía tan borrosa como el fondo de una fotografía: más allá de los minutos o las horas o días que le faltaban para volver a verla, del tiempo fugaz que pasaba con ella. Ahora se asombra de su aturdimiento: tan lejos de Madrid y de ella, despojado sin drama de todo lo que daba por supuesto y creía suyo y se ha disuelto como sal en el agua, Ignacio Abel se obstina en ejercer una lucidez retrospectiva, más inútil aún para aliviar el remordimiento que para corregir el pasado. Hubiera querido saber en qué momento fue inevitable el desastre; cuándo lo monstruoso empezó a parecer normal y gradualmente se volvió tan invisible como los actos más comunes de la vida; cuándo las palabras que alentaban al crimen y a las que nadie daba crédito porque se repetían monótonamente y no eran más que palabras se convirtieron en crímenes; cuándo los crímenes se fueron volviendo tan habituales que ya formaban parte de la normalidad pública. Hoy el ejército es la base de sustentación y la columna vertebral de la patria. Cuando la guerra civil estalle no aceptaremos la eliminación cobarde entregando el cuello al enemigo. Hay un momento y no otro; un punto más allá del cual no existe regreso; una mano se alza sosteniendo una pistola y se acerca a la nuca de alguien y aún hay unos segundos en los que el disparo puede no producirse; incluso cuando el dedo índice empieza a oprimir el metal del gatillo aún permanece intacta la posibilidad de volver atrás, extinguida sólo un instante más tarde; el agua se infiltra poco a poco en el tejado de un edificio que nadie repara, durante meses o años, pero hay un solo momento en el que ocurre una modificación decisiva y una viga se parte por la mitad y el techo entero se hunde; en décimas de segundo la llama que estuvo a punto de extinguirse revive y prende la cortina o el puñado de papeles que van a alimentar el incendio que lo destruirá todo. En el período de transición de la sociedad capitalista a la socialista la forma de gobierno será la dictadura del proletariado con el propósito de reprimir toda resistencia de la clase explotadora. Las cosas están siempre a punto de no suceder, o de suceder de otro modo; se van acercando muy despacio o muy velozmente a su cumplimiento o alejándose hacia la imposibilidad, pero hay un instante, uno sólo, en el que todavía tienen remedio, en el que lo que se va a perder para siempre aún puede salvarse, en el que se puede detener la irrupción de la desgracia, el advenimiento del apocalipsis. Cuando se cumpla la justicia inflexible del pueblo los explotadores y sus secuaces morirán con los zapatos puestos. Un hombre sale de su casa a la misma hora todas las mañanas y una de ellas, hacia mediados de marzo, una mañana tan fría y tan oscura como de pleno invierno, alguien sentado detrás del volante de un automóvil lo ve pararse en el portal para ponerse el sombrero y ajustarse los guantes y les hace una indicación a otros hombres jóvenes que aguardan cerca de él, en silencio, en el interior del coche que tiene una ventanilla bajada a pesar del frío para que salga el humo de los cigarrillos. Aprietan las culatas de las pistolas con las manos sudorosas pero no son ejecutores expertos y aún podrían no tener el arrojo necesario para disparar; en el momento en que lo hacen un camión podría interponerse y la víctima designada tendría tiempo de huir; el policía de escolta que se da cuenta del ataque podría no interponerse con heroísmo instintivo y no acabaría muriendo boca arriba en la acera después de un vómito de sangre.

A lo largo de una primavera hosca de vendavales de lluvia que desbarataban las ramas recién florecidas de los castaños y las acacias y llenaban los pavimentos de las semillas como pétalos blancos de los olmos, el profesor Rossman le enviaba casi cada día a Ignacio Abel recortes de periódicos muy subrayados con lápices de distintos colores, marcados con interrogaciones y exclamaciones, noticias de tiroteos o asaltos amputadas a medias por la censura, afirmaciones delirantes amplificadas por el tamaño de los titulares igual que por el volumen de los altavoces retumbando en los mítines, sobre el fervor de las multitudes cóncavas en las plazas de toros. Cuando nos lancemos por segunda vez a la calle que no nos hablen de generosidad y que no nos culpen si los excesos de la revolución se extreman hasta el punto de no respetar vidas ni personas. El profesor Rossman iba por Madrid con su cartera llena de periódicos en varias lenguas y de pasquines con proclamas insensatas recogidos por las calles, obsesionado por la magnitud de los delirios colectivos y de las mentiras de la propaganda alemana o italiana o soviética que todo el mundo a excepción de él mismo parecía aceptar sin enfurecerse cuando no creer como si fueran verdades reveladas. La URSS es la atalaya luminosa que nos alumbra el camino, pueblo libre que no sufre ni explotación ni hambre, que ha liberado por completo y marcha a la cabeza de las muchedumbres de trabajadores. Se daba cuenta de que la escala misma de la mentira era tan abrumadora que volvía inverosímil la incredulidad. En los cafés entablaba conversación con cualquiera y por culpa de su erudición minuciosa y de su deficiente español se enredaba en explicaciones sobre política internacional que no entendía nadie y hacia las que nadie mostraba interés. Los españoles, había observado el profesor Rossman, tenían nociones muy vagas sobre el mundo exterior, una curiosidad muy limitada y como distraída. Pero él había visto con sus propios ojos, él conocía de primera mano las mentiras: y sin embargo nadie daba crédito a su condición de testigo, nadie le preguntaba por las cosas que él había visto primero en Alemania y después en la Unión Soviética. Lo miraban con cierta incredulidad, como máximo, con impaciencia o fastidio, con la sospecha de que era un viejo pelmazo y demente. Ignacio Abel revisaba en el vestíbulo la bandeja del correo al volver del trabajo y casi siempre encontraba un sobre con la letra del profesor Rossman que muchas veces sólo contenía el recorte de un pequeño recuadro perdido entre las columnas de algún diario español o europeo, en el que casi nadie aparte de él habría reparado: un asesinato político en alguna provincia lejana; una refriega a tiros entre pescadores socialistas y anarquistas en el puerto de Málaga; una medida administrativa contra los profesores judíos en una universidad alemana; una oscura declaración de Stalin en el Congreso del Konsomol; una noticia sobre la infiltración de los japoneses en Manchuria; un artículo de Luis Araquistáin en el diario *Claridad* augurando la caída próxima de la República burguesa en España y el advenimiento inevitable de la dictadura del proletariado; una foto del minúsculo rey Víctor Manuel III declarándose emperador de Abisinia delante de una escenografía de fastos romanos de película. A veces los sobres ni siquiera habían sido franqueados: el profesor Rossman, que tenía una malhumorada impaciencia de viejo, prefería entregarlos en persona en la portería de la casa de Ignacio Abel, para que éste los viera cuanto antes. Curas y monjas pululan por toda la superficie del país como moscas sobre un pueblo con olor a cadaverina. La bandera de las derechas españolas tiene como fundamento esencial el restaurar la espiritualidad cristiana frente a los intentos de materializar la sociedad, dominada por poderes ocultos internacionales que responden a los símbolos de la hoz y el martillo, el triángulo masónico y el becerro de oro judaico. Y al mismo tiempo el profesor Rossman se contenía las ganas de llamarlo por teléfono o de presentarse en su oficina o de subir a la casa de su antiguo discípulo cuando iba a buscar a su hija después de las clases de alemán. Armado de tijeras y lápices, se inclinaba mucho sobre la confusión de los periódicos abiertos en la mesa del café, subiéndose las gafas sobre el cráneo pelado, tan cerca de las hojas que las rozaba casi con la nariz, y al terminar lo guardaba todo de cualquier manera en su gran cartera negra y salía a la calle con una urgencia inútil por encontrarse con alguien o visitar alguna de las oficinas o de las embajadas en las que tenía trámites pendientes, por difundir su alerta sobre el estado del mundo mientras aún fuera posible hacer algo.

Pero quién detiene el incendio cuando ya ha prendido y las llamas ascienden por los muros y el calor revienta los cristales de las ventanas, quién apacigua la rabia del que ha sido injuriado o pone límite a la espiral de los muertos. Quién llevará la cuenta, la lista alfabética de los nombres, creciendo a cada minuto como la guía telefónica de una ciudad inmensa, la ciudad española de los muertos que sigue extendiéndose ahora mismo —mientras el tren avanza hacia el norte por la orilla del río Hudson, mientras suenan rítmicamente las ruedas sobre los rieles— en la noche lejana de Madrid, en los descampados y en las cunetas, a los dos lados de la desgarradura de los frentes, aunque cueste tanto imaginarlo, aunque parezca imposible mirando la anchura serena del río, la extensión de cobre y de oro de los bosques al otro lado de la ventanilla, que en este mismo momento la oscuridad y el crimen estén abatiéndose sobre un país entero donde anocheció hace varias horas. En las noches siniestras del verano de Madrid Ignacio Abel aguardaba vanamente el sueño en su dormitorio a oscuras escuchando a veces ráfagas de disparos y motores de automóviles lanzados a toda velocidad por las calles desiertas rebelándose con furia tardía y del todo inútil contra la acomodación a lo inevitable, contra el fatalismo del desastre necesario. Humillado por su propia impotencia se empeñaba en cambiar imaginariamente el curso del pasado: él solo, debatiendo con fantasmas, cambiando sus propios actos y los de las personas a las que conocía y hasta los de los figurones de la vida pública, sublevándose contra su propia ceguera y avergonzándose demasiado tarde de ella, llevándole la contraria fervorosamente a alguien con quien no había querido discutir meses atrás, alguien a quien le oyera decir lo mismo que decía todo el mundo, que en realidad no pasaba nada y la situación no era tan grave, de modo que no valía la pena preocuparse, o bien que iba a pasar algo tremendo que nadie sabía tampoco lo que era pero que ya era demasiado tarde para poder evitarlo, y que quizás fuera mejor así, porque al agobio de la tormenta inminente y que no llega y que hace a cada momento más irrespirable el aire es preferible su explosión torrencial. No se puede detener la marcha implacable de la Historia, decían; Ahora o Nunca; Ni un Paso Atrás; Revolución o Muerte; Aplastad a la Hidra Bolchevique; El Pueblo Trabajador Parirá con Sangre y Dolor una Gloriosa España Nueva; El Ejército Ha de Ser de Nuevo la Columna Vertebral de la Patria. Carteles con grandes letras rojas o negras recién pegados en los muros; brazos musculosos, mandíbulas violentas, manos abiertas o puños cerrados; esvásticas, haces y flechas, hoces y martillos, águilas con las alas desplegadas; anuncios de coñac y carteles taurinos; efigies de gigantes pintadas en grandes lonas sobre las fachadas y proclamando la proximidad de la Revolución o la del estreno de una película de bandoleros andaluces; en la radio se repetían hasta un extremo de náusea los himnos políticos, las marchas militares y una voz aflamencada y muy aguda que cantaba *Mi jaca* o *La hija de Juan Simón*, las proclamas roncas de los oradores retumbando en una plaza de toros: ¡Arrasémoslo todo para abrir el espacio limpio y anchuroso en el que florezca la Revolución Libertaria! ¡Destruyamos a los que, sólo pensando en destruirnos, se lanzaron a la pelea! De la sangre de nuestros mártires que caen bajo las balas inicuas de los sicarios bolcheviques crecerá vigorosa la semilla de una España nueva.

Él había vivido como todos, aturdido y ansioso, invadido por accesos de asco y de miedo y también de tedio, atrapado por sus obligaciones y sus deseos, sin tiempo para mirar en torno suyo, quizás viendo algunos signos pero no deteniéndose a reflexionar sobre lo que auguraban. Es la hora de las liquidaciones y éstas habrán de ser totales y absolutas. Qué iba a saber o a remediar él si no veía nada, si no había sido ni capaz de evitar que Adela encontrara la pequeña llave en la cerradura de su escritorio, si no había visto el modo en que cambiaba la cara de ella día tras día, durante varios meses, el tono de su voz, su mirada. Lo que pudo haberse evitado ya no tenía remedio. Que los traidores no esperen clemencia porque no la habrá para nadie. El 12 de marzo a las ocho y media de la mañana el policía de escolta José Gisbert se queda mirando al catedrático socialista Luis Jiménez de Asúa, al que acaba de salvarle la vida lanzándose contra él para protegerlo de las balas; antes de morir expulsando un borbotón de sangre por la boca abierta le dice, con una especie de asombro, mientras agarra con las dos manos las solapas de su abrigo: «Me han matado, don Luis.» Los muertos a los que nadie iba a devolverles la vida eran una minoría comparados con todos los que inevitablemente tendrían desde ahora que morir. El alférez Reyes es un guardia civil de cincuenta años a punto de retirarse que asiste vestido de paisano al desfile del día de la República muy cerca de la tribuna presidencial cuando de pronto sucede algo que nadie sabía lo que es, un remolino de gente tan inexplicable como los del viento en aquella primavera caprichosa; unos desconocidos lo abaten a tiros y se pierden entre la multitud sin que nadie pudiera identificarlos. En la noche ya calurosa del 7 de mayo el capitán José Faraudo, significado republicano y socialista, sale a la calle con su mujer después de cenar para dar un paseo por la calle de Lista; en la esquina de Alcántara unos individuos jóvenes se le acercan por la espalda y le disparan a quemarropa mientras la mujer cree aturdida que ha oído unos petardos y que su marido ha tropezado con algo. Un alud o un derrumbe o un corrimiento de tierras obedecen a sus propias leyes dinámicas. Pasado un cierto punto de catástrofe un incendio no se detiene hasta que no ha consumido la materia de la que se alimenta. Diminutas figurillas humanas gesticulan en los márgenes de su resplandor, arrojan agua que se evapora antes de alcanzar las llamas o incluso las aviva, gritan muy alto y el clamor del fuego borra sus voces irrisorias. El capitán Faraudo cayó de boca contra el suelo muy cerca del escaparate iluminado de una agencia de viajes en que Lita Abel y su hermano miraban cada tarde la maqueta de un transatlántico de la línea Hamburgo-New York como el que se imaginaban que los llevaría a América a principios del otoño. La sensación de alarma física ante las palabras agigantadas por la tipografía o por la amplificación de los micrófonos la había tenido por primera vez recién llegado a Alemania en 1923: las palabras escritas en los carteles y en las pancartas de las manifestaciones, llenando plazas enteras con un poderío sonoro que él no había experimentado nunca; palabras como interjecciones, como descargas de armas, despertando el bramido de una multitud o acallándolo, estallando sobre ella con la violencia metálica de los enormes altavoces, multiplicadas y omnipresentes en los aparatos de radio. Había muy pocos en España y no eran muy potentes cuando él se marchó a Alemania. En Berlín y luego en Weimar su dificultad primera con el idioma y su ignorancia de las circunstancias precisas del país convertían en espectáculos de una rudeza amenazadora y primitiva los desfiles políticos: los vendavales de banderas, los himnos bélicos tocados por las bandas de música, los millones de pisadas a paso marcial, las muchedumbres de veteranos con uniformes viejos y exhibiendo sin reparo la variedad espantosa de sus mutilaciones; y en un balcón, al fondo, casi invisible, un muñeco gesticulante que apenas se distinguía, pero cuyos gritos eran dilatados por los altavoces sobre las cabezas inmóviles y se perdían en la distancia como los ecos de una batalla lejana. Trece años más tarde Ignacio Abel veía con espanto su ciudad y su país anegados por aquella misma inundación. En la plaza de toros de Zaragoza, en el calor de un mediodía de mayo, gargantas fervorosas y roncas de oradores anarquistas proclaman la cercanía inminente del amor libre, la abolición del Estado y de los ejércitos y el comunismo libertario. En la plaza de toros de Madrid, entre un vasto torbellino de banderas rojas, delante de un gran retrato de Lenin, don Francisco Largo Caballero, aclamado por decenas de miles de gargantas como el Lenin español, vislumbra como un viejo profeta apocalíptico el advenimiento de la Unión de Repúblicas Ibéricas Soviéticas, la colectivización de la tierra y de las fábricas, la aniquilación de la burguesía y de la explotación del hombre por el hombre.

Solo en Madrid, casi furtivo, dedicado a tareas en gran parte ilusorias —durante los primeros meses de la guerra aún iba casi a diario a su oficina de la Ciudad Universitaria, examinaba planos y documentos ahora inútiles, que se cubrían poco a poco de polvo, inspeccionaba obras detenidas en las que ya no trabajaba nadie—, pasó el verano recluido en un silencio acobardado y huraño. Tampoco las palabras racionales que él hubiera querido decir con una voz serena importaban ahora, las dulces palabras comunes de la vida anterior. A veces hablaba en voz alta para escuchar una voz en su casa vacía, en su oficina abandonada; se imaginaba hablando con sus hijos, con Adela; les contaba su extraña vida solitaria en Madrid; los cambios en la calle y en la indumentaria de la gente, los nuevos hábitos que un poco antes no existían y sin embargo ya formaban parte de una normalidad alucinada. Imaginaba conversaciones con Judith Biely tan inútilmente como le escribía cartas que no sabía adónde mandar y que muchas veces ni siquiera llegaban al papel. Quizás hubo una palabra que él no dijo y que podía haber evitado que Judith se marchara de Madrid. Quizás estuvo a punto de encontrarla la noche del 19 de julio y de saltar con ella a un tren o convencerla de que no lo tomara. Las cosas están a punto de suceder y no suceden. La primera llama se extingue sin provocar el incendio. El que apretaba la pistola en el bolsillo no llega a sacarla por miedo o por nerviosismo o porque ha creído ver que alguien con aire de policía secreta se le ha quedado mirando y su víctima posible pasa de largo y no sabe que ha estado a punto de morir. El viernes 10 de julio, a la misma hora en que Ignacio Abel consigue hablar por teléfono con Judith Biely después de dos semanas sin saber nada de ella, cuando por fin logra que le prometa un encuentro, el teniente José Castillo, de la Guardia de Asalto —delgado, con el pelo tirante, con gafas redondas, con un uniforme impecable, el correaje y las botas relucientes—, está tomando café en un bar y ve al otro extremo de la barra a unos desconocidos que le parecen algo sospechosos y le hacen instintivamente llevarse la mano a la pistola. Recibe anónimos con frecuencia y sabe que en cualquier momento pueden matarlo igual que mataron hace dos meses a su amigo el capitán Faraudo pero tiene la gallardía de ir solo y a pie a su acuartelamiento cruzando el centro de Madrid. Los desconocidos apuran sus cafés y se marchan. A última hora han recibido una contraorden y no van a atentar contra el teniente Castillo.

Tampoco para sí mismo encontraba disculpa; ni haber perdido lo que más le importaba ni saber que en cualquier momento él también podía ingresar en el número de los asesinados le daba derecho a la inocencia. Cuándo empezó a mentir sin esfuerzo y sin remordimiento; cuándo se acostumbró él mismo a oír disparos y a calibrar su distancia y su peligro sin asomarse a una ventana; cuándo vio por primera vez de cerca una pistola, no en una película, no en la funda de un policía, sino en la mano de alguien conocido, abultando un bolsillo, la pechera de una chaqueta, una pistola o un revólver mostrados casi con la misma desenvoltura que un encendedor o una estilográfi-

ca. En mayo, en el café Lion, unos días después del asesinato del capitán Faraudo, el doctor Juan Negrín buscó en
los bolsillos de su chaqueta, demasiado estrecha para su
volumen hercúleo, después de limpiarse sumariamente los
dedos, manchados por el jugo rojizo de las cigalas que estaba comiendo, y en vez del paquete de tabaco que Ignacio Abel había imaginado sacó una pistola y la dejó sobre
la mesa, junto al plato de cigalas y los bocks de cerveza,
una pistola inverosímil, tan pequeña que parecía de juguete, «Mire lo que me obligan a llevar», dijo, «y eso que ya ni
puedo ir solo por la calle», y señaló al policía de paisano
que estaba sentado solo en una mesa cercana a la entrada,
chupando absorto un palillo de dientes. En las películas de
gángsters que iba a ver furtivamente con Judith Biely en
los cines de barrio donde no era probable que alguien los
reconociera las pistolas eran objetos de un brillo lacado
que tenían una cualidad simbólica, casi inmaterial, como
linternas o lámparas, que deparaban con su fulgor una inmovilidad hechizada, una muerte abstracta y sin huellas,
ni siquiera un agujero ni un desgarrón o una mancha en
el traje ceñido del personaje que recibía un disparo, en el
sedoso vestido de noche de la mujer hermosa pero trai-
cionera que merecía morir al final. Poco a poco las pistolas se habían ido volviendo reales, sin que él prestara atención, sin que supiera advertirlo. Fue al Congreso a buscar
a Negrín —se ha marchado, le dijo sonriendo una secretaria, estaba muerto de hambre y me ha pedido que le diga
que le espera a usted en el café Lion— y en el mostrador
del guardarropa vio un cajón de madera lleno de pistolas
bajo un cartel caligrafiado pulcramente: *Se recuerda a los
señores diputados que no está permitido portar armas de
fuego en el interior del recinto parlamentario*. Hojeando
Mundo Gráfico en la antesala de la modista donde Adela y
la niña se probaban vestidos vio el anuncio de pistolas As-

tra, entre cremas para el cutis y píldoras para regular la menstruación y para aumentar el volumen de los senos y polvos dentífricos para blanquear la sonrisa. *Proteja sus bienes y la seguridad de sus seres más queridos.*

En las fotografías del entierro del alférez Reyes, asesinado sin que se sepa el motivo durante el tumulto entre la multitud que presenciaba el desfile militar el día de la República, se ve que muchos de los que acompañan el féretro, militares y paisanos, llevan las pistolas desenfundadas. Aunque es el 16 de abril y las hojas han brotado en los árboles del paseo de la Castellana todos visten ropas oscuras de invierno. Desde el andamio de una obra hay disparos de pistola y de pistola ametralladora sobre el cortejo del entierro y la gente huye en todas direcciones buscando refugio en los jardines y detrás de los árboles y durante unos minutos el ataúd del alférez Reyes se queda abandonado sobre los charcos del pavimento. Cuando el entierro llega al cementerio del Este varias horas después ha dejado por las calles un rastro de más de veinte muertos. «No debiera usted ser tan confiado, don Ignacio. Si usted me da su autorización yo me encargo de que un par de compañeros del sindicato le den escolta cuando va usted de inspección por los tajos»: Eutimio, el capataz de las obras de la Facultad de Medicina, había entrado en el despacho de Ignacio Abel con la gorra en la mano y antes de hablar había cerrado la puerta. «Hay mucho demente suelto, don Ignacio, nadie estamos a salvo.» Bajo el viento y la lluvia la muchedumbre que ha acompañado el entierro del alférez Reyes sube por la calle de Alcalá y al llegar a la plaza de Manuel Becerra una formación de guardias de Asalto armados con fusiles les impide el paso. Arrecian los vivas y los mueras, los cantos del rosario, los himnos. La muchedumbre avanza sobre la barrera de uniformes y los guardias de Asalto disparan a quemarropa. Un teniente delgado y pálido con gafas redondas y uniforme muy ceñido desenfunda su pistola y le dispara al centro del pecho a un joven con aire de estudiante fascista que avanzaba hacia él con la cara enrojecida por el canto de un himno. Pero hay estado de alarma y los periódicos están censurados y al día siguiente no llega a saberse con claridad lo que sucedió ni el número de los muertos. O se publica la noticia de un entierro pero nadie la entiende porque se ha censurado un día antes la publicación del asesinato. Y además uno tiene prisa, le falta tiempo, decide no ver lo que está delante de sus ojos. Puede que uno vaya en un taxi urgido por la impaciencia de llegar a la cita con su amante y no preste atención a ese gentío que le impide el paso y ni siquiera sienta mucha curiosidad por saber de quién es el entierro, sólo irritación porque va a llegar tarde, porque a causa de ese tumulto va a perder algunos de los minutos tan valiosos del encuentro con ella. Desde la penumbra del dormitorio en la casa de Madame Mathilde, al otro lado de la espesura del jardín, de los postigos cerrados, de las cortinas, el tiroteo y el pánico al final del entierro del alférez Reyes puede haber sido para Ignacio Abel un lejano rumor de fondo mientras abraza a Judith Biely, desnuda sobre una colcha roja. Uno sale apresuradamente a las ocho y media de la mañana camino del trabajo y no ve que al otro lado de la calle hay estacionado un auto que tiene bajadas las ventanillas aunque hace mucho frío y viento, y no oye que el motor acaba de ponerse en marcha o cuando lo hace y levanta la cabeza ve los cañones de las pistolas que van a disparar. El policía de escolta se tira sobre el catedrático Jiménez de Asúa queriendo apartarlo de la trayectoria de los disparos y los recibe él mismo y agoniza en la acera mientras los asesinos huyen a pie porque el conductor es muy torpe o estaba muy nervioso y se le ha calado el motor.

Cuánto tardó Adela no en intuir, no en ir acumulando pruebas mínimas, rastros, sino en aceptar que sabía, en atreverse a ver lo que tenía delante de los ojos, cuántas veces entró en el despacho y vio que él había olvidado cerrar con llave el cajón de la mesa y no se decidió a abrirlo. Tan sólo a unos metros de donde el policía acaba de morir después de un vómito de sangre que mancha las manos y los puños de la camisa de Jiménez de Asúa los parroquianos que discuten de fútbol en la barra de un bar o el frutero que sube la persiana metálica de su tienda no se han enterado de nada. Al cabo de un mes el juez que ha sentenciado a los pistoleros falangistas a los que no costó nada detener porque huyeron a pie después de no acertar a poner en marcha el auto sale una mañana de su casa y apenas ha dado unos pasos en la acera adelantando la mano para llamar un taxi ya lo fulminan las ráfagas de una pistola ametralladora. En casa del abogado Eduardo Ortega y Gasset un niño entrega una cesta de huevos con una tapadera en forma de gallina diciendo que viene de parte de un cliente agradecido. El abogado levanta la tapadera y explota una bomba que destruye la mitad de su casa y a él lo deja ileso.

«Nadie quiere ver nada, amigo mío, y el que sí ha visto calla y hace todo lo posible por olvidar», dijo el profesor Rossman una tarde en el café Aquarium de Madrid, unos minutos después de que sonaran unos disparos en la calle, de que un hombre joven quedara muerto y descoyuntado sobre la acera de la Gran Vía, su cabeza parcialmente destrozada, sangre y masa encefálica escurriéndose despacio por el cristal de una sombrerería, «y si dice algo lo ponen en ridículo o le llaman loco o le acusan de provocar el desastre irritando a los que señala con el dedo. No es para tanto, dicen, usted exagera, y con su exageración y su alarma nos pone a todos en peligro. Yo tampoco quería ver ni entender, no piense que era más inteligente. Vi cuando ya no me quedaba más remedio. Vi y actué a tiempo y logré escapar, pero incluso entonces estaba cegado, sabía que iba a cometer otro error aún más grave pero me dejé llevar, diciéndome a mí mismo que quizás estaba equivocado, que era mi hija la que tenía razón, mi hija y sus camaradas. En ese momento, hace tres años, podríamos haber emigrado sin mucha dificultad a América, usted sabe que algunos colegas distinguidos ya están allí. O podríamos haber ido a Praga, o a París, o haber venido aquí directamente, a esta hermosa Madrid. Pensé escribirle a usted entonces, mi querido discípulo, había leído que el gobierno de la República Española le ofrecía una cátedra al profesor Einstein y abría sus brazos a otros desterrados de Alemania. Pero no hice nada, no me fié de mi instinto, peor aún, de mi inteligencia racional que me estaba avisando. No me atrevía a contrariar a mi hija. Y para no contrariarla quise no ver lo que ella no veía. Llegamos a la frontera soviética y una delegación oficial subió al tren a recibirnos. Nos abrazaban, abrieron botellas de vodka para brindar con nosotros, representantes del pueblo alemán antifascista, a mi hija le entregaron un gran ramo de rosas rojas. Pero yo miraba, yo veía, incluso en ese momento, yo veía a los mendigos en la estación, me daba cuenta del miedo de los otros pasajeros cuando se les acercaban los camaradas de mi hija que habían subido al tren a recibirnos, me daba cuenta del rencor con que nos miraban a nosotros, el pánico de cualquiera si uno le dirigía la palabra. Pero no quería saber lo que estaba viendo. Perdóneme si se lo digo yo, que soy un extranjero: ustedes tampoco quieren ver, hacen como que no oyen».

Quizás ésa fue también la tarde en la que vio el primer muerto. Por eso seguía recordando su cara, o lo que quedaba de ella, con más detalle que casi todas las caras de los muertos que ha visto a lo largo del verano, y en las primeras semanas del otoño dorado y sanguinario de Madrid, antes de la huida, de la ansiosa y avergonzada deserción. Ignacio Abel no había oído el primer disparo; no lo había reconocido, aunque sonó muy cerca, al otro lado del ventanal del café donde conversaba con el profesor Rossman, entre el ruido del tráfico, muy cerca de la confluencia de la calle de Alcalá y la Gran Vía, a la hora en que la gente empezaba a salir de las oficinas. El oído debe adiestrarse: al principio los disparos no se reconocen. Suenan más bien como pequeños cohetes, como petardos; como el estampido del escape de un coche. En una terraza de la calle Torrijos unos jóvenes disparan contra un grupo de falangistas que tomaban cañas a la sombra de un toldo y en el tiroteo muere una muchacha que estaba sola en una mesa próxima y a la que no conoce nadie. Un crujido seco, muy breve, que no se parece nada a los disparos de las películas, y menos aún al chasquido patético que se oye cuando alguien finge disparar un arma en el teatro. En venganza por el atentado de la calle Torrijos un coche se detiene en la acera delante de la puerta de la Unión General de Trabajadores y unos lecheros que salían del sindicato mueren acribillados y las cántaras volcadas forman en medio de la calle un gran charco de leche que se mezcla con el de la sangre. Ignacio Abel supo que ocurría algo cuando las cabezas se levantaron desde las otras mesas del café Aquarium: la siguiente tanda de disparos fue más reconocible por los gritos confusos que la acompañaron y porque un momento después se había quedado en suspenso el estruendo del tráfico: los motores, las bocinas de los taxis, las campanillas agudas de los tranvías. De pronto en las mesas exteriores no quedaba nadie: como si al oír un estampido una bandada tumultuosa de pájaros hubiera levantado velozmente el vuelo. Había sillas volcadas, vasos de cerveza y tazas intactas de café sobre los veladores de mármol, botellas de agua de seltz atrapando la claridad a la sombra de los toldos, cigarrillos en los ceniceros. Detrás de los cristales y en las ventanas abiertas de los edificios había gente que miraba en silencio. Atravesado en la acera un cuerpo se agitaba todavía en convulsiones débiles, una mano extendida, como arañando el suelo, una pierna temblona. Tenía algo de guiñapo o de maniquí, un maniquí caído del escaparate de cualquiera de las tiendas cercanas, con un traje impecable, de un tejido claro y ligero, con un buen zapato en el pie tembloroso, un calcetín de rombos. Una mitad de su cabeza conservaba la raya recta en el pelo alisado con brillantina: la otra era una pulpa de sangre y masa encefálica que había salpicado el escaparate donde cabezas sonrientes de cartón con cuerpos diminutos mostraban ya los sombreros de la temporada de verano. Tirados por el suelo, manchados de sangre, deshojándose al viento suave del atardecer de principios de junio, quedaban los periódicos falangistas que el hombre joven estaba voceando junto a la terraza del café cuando un automóvil se detuvo a su lado el tiempo justo para que se bajara la ventanilla por la que asomaron los cañones de dos pistolas, según contaba después uno de los pocos testigos que decía haber visto algo, un hombre que se había quedado muy pálido y al que le temblaba la voz entre trago y trago de coñac, rodeado por la atención de camareros y clientes. «Hoy le tocaba a uno de éstos», observó alguien cerca de Ignacio Abel, «ayer mismo unos señoritos de Falange mataron en la esquina a uno que vendía el periódico comunista». «Uno a uno, como en el fútbol.» «Mañana seguro que toca el desempate.» Para entonces una ambulancia se había llevado el cadáver y unos operarios municipales habían limpiado la acera con escobones y chorros de agua a presión, y una empleada de la sombrerería pasaba un paño húmedo por el cristal reluciente del escaparate, supervisada por un hombre de traje a rayas que fumaba un cigarro y se inclinaba hacia el cristal para estar seguro de que no quedaba ningún rastro. Una pareja de guardias de Asalto con botas altas y uniformes azules recorría desganadamente la acera por la que de nuevo paseaba la gente, ahora más numerosa y mejor vestida, camino de los cines o saliendo de ellos, bajo el resplandor de las farolas recién encendidas, bajo las marquesinas con letreros de películas y los escaparates recién iluminados. Ignacio Abel y el profesor Rossman volvieron a ocupar su mesa junto a la ventana. Bajo la luz eléctrica el profesor Rossman parecía de pronto más viejo y peor vestido, con el mismo traje oscuro que había llevado en invierno, más singular en su infortunio, en su destierro, en el tormento de una clarividencia a la que nadie hacía caso y que ni a él mismo le había servido para nada, para evitar ningún error, para prevenir ninguna desgracia futura. Por la acera, entre las mesas ocupadas de nuevo, falangistas jóvenes voceaban sus periódicos, algunos de ellos esgrimiendo retadoramente pistolas, ahora que los guardias se habían retirado, gritando consignas que borraba el ruido del tráfico y que la gente sentada en la terraza del café parecía no oír, igual que nadie parecía ver las camisas azules, los correajes, el brillo metálico de las armas. En las esquinas de la calle de Alcalá con la Gran Vía otros falangistas vigilaban el flujo de la gente y del tráfico, atentos para prevenir otro ataque. Aun desde lejos Ignacio Abel reconoció con desagrado al hermano de Adela.

Quizás fue ésa también la primera vez que oyó disparos tan cerca; y nunca hasta entonces había visto un muerto tirado en la calle, un muerto súbito, fulminado de golpe, no tieso y solemne en una cama con ropa de luto, a la luz de unas velas; no yaciendo cubierto con un saco vacío sobre las tablas de un carro. Ignacio Abel pagó los cafés, las dos copas de anís que se había bebido el profesor Rossman, el bocadillo de jamón que había devorado al mismo tiempo, comiendo con la boca abierta, expulsando migas de pan y restos de comida mientras hablaba, su antiguo maestro sometido a un deterioro que Ignacio Abel observaba en cada uno de sus episodios graduales, con algo de repulsión física y también de remordimiento, con una sensación opresiva de responsabilidad. Un calor de verano adelantado agravaba los signos (en Madrid el verano llegaba de golpe, irrespirable a principios o mediados de mayo, después de la lluvia y el frío de una primavera ingrata): la calva sudada, el olor a sudor rancio que emanaba de la ropa, a ácido úrico, el aliento a café agrio y anís dulce. Quizás no había hecho de verdad nada por ayudar al profesor Rossman, aparte de asistir a sus divagaciones; por mezquindad, por distracción, por pereza, uno no llega a hacer lo que no le costaría ningún trabajo por alguien que lo necesita desesperadamente. Salieron del café y en el aire de la Gran Vía casi podía rozarse la cualidad sedosa de los anocheceres de mayo. «Ustedes no quieren ver lo que está pasando en su país», dijo el profesor Rossman, indiferente como un profeta o un iluminado a las realidades sensuales del mundo, a la dulzura del aire y a la belleza de las mujeres que pasaban junto a ellos, a la caligrafía de los letreros luminosos que empezaban a encenderse, una palabra tras otra, el nombre de una tienda, el de una marca de jabón. Gesticulaba parado junto al escaparate donde sonreían las cabezas iguales de cartón sostenidas por cuerpos diminutos y cubiertas con sombreros claros de verano. También él se había ido acostumbrando sin darse mucha cuenta a la normalidad del destierro, a no ser nadie habiendo tenido un nombre respetado y un puesto eminente de profesor, a vivir con su hija en una pensión sórdida que no siempre podía pagar a tiempo. «Ustedes creen que las cosas son firmes, que lo que ha durado hasta ahora permanecerá igual para siempre. Ustedes no saben que el mundo puede hundirse. Nosotros no lo sabíamos cuando empezó la guerra el año 14, más ciegos todavía, embrutecidos y borrachos de alegría, asaltando con júbilo las oficinas de reclutamiento, marcando el paso detrás de las bandas militares que tocaban himnos patrióticos, desfilando camino del matadero, los padres empujando a los hijos para que se alistaran, las mujeres tirándoles flores desde las ventanas. ¡Los escritores más ilustres ensalzando la guerra en los periódicos, la gran cruzada de la cultura alemana!» Hablaba en alemán, como si declamara, y algunas personas que pasaban se quedaban mirándolo: la cabeza pelada y ovoide, el traje como de un luto anacrónico, entre la formalidad y la cochambre, la voz ronca y extranjera y la cartera negra apretada entre los brazos, como si contuviera algo muy valioso, sus diplomas y certificados en letra gótica, las cartas de recomendación escritas en varios idiomas, los pasaportes obsoletos, con un sello estampado en rojo en la primera página (*Juden-Juif*), los salvoconductos o papeles de tránsito mecanografiados en caracteres cirílicos, las copias de solicitudes de visados, las notificaciones desalentadoras de la embajada americana en Madrid, los fajos de periódicos internacionales desmantelados por las tijeras, llenos de subrayados y de signos de admiración y de interrogación, de notas garabateadas en los márgenes. Ignacio Abel se arrepentía de la imprudencia de haberlo invitado a las dos copas de aguardiente: probablemente había comido muy poco o nada en todo el día, aparte del bocadillo de jamón. «Usted quisiera no ver, pero sí ve, mi querido discípulo. Quisiera hacer como que

349

no escucha, igual que hacía esa gente en el café cuando empezaron a sonar los disparos. Pero usted está atento, aunque no quiera, yo hablo y hablo y la única persona que me presta algo de atención es usted. Yo llamo por teléfono y nadie más que usted me contesta. Cuando voy a una oficina siempre ha cerrado o está a punto de cerrar, y cuando busco a alguien no puede recibirme o si me da una cita es para mucho tiempo después, y cuando llego me dicen que no está o que ha habido una equivocación y tengo que volver una semana más tarde. Salvo usted, nadie está en casa o en la oficina cuando yo lo llamo por teléfono. Piensan que voy a cansarme o que no volveré o que me habré puesto enfermo pero siempre vuelvo, el día que me dijeron, a la hora exacta, no porque sea muy obstinado sino porque no tengo otra cosa que hacer. Usted, querido amigo, que está tan ocupado, no me puede entender. Usted no sabe lo que es despertarse por la mañana y tener por delante todo el día, la vida entera sin más ocupación a la que dedicarla que solicitar cosas que nadie tiene la obligación de darme o buscar a personas que no quieren verme. O peor todavía, a intentar vender cosas que nadie quiere comprar, salvo usted, mi buen amigo, que me compró por lástima no sé cuántas de aquellas estilográficas que raspaban el papel y lo manchaban todo. Al menos mi hija ahora tiene algunas clases de alemán, gracias a usted también y a su señora, a sus hijos encantadores y a los amiguitos de sus hijos a los que usted y su señora han persuadido no sé cómo para que estudien alemán. Yo también debería ofrecerme para dar clases, en lugar de ir por ahí queriendo vender estilográficas de marca falsificada y visitando oficinas y solicitando documentos, pero usted fue alumno mío y me conoce, yo no tengo paciencia para una cosa tan lenta como enseñar un idioma. ¡Parece mentira, aquellos tiempos de la Escuela! Usted se acuerda, primero en Weimar, luego en el edificio nuevo, en Dessau. Yo no quería enterarme de lo que estaba ocurriendo fuera de aquellas paredes limpias y blancas, nuestro hermoso mundo de grandes ventanas y ángulos rectos. La belleza de todas las cosas útiles, ¿se acuerda? ¡La honradez de los materiales, de las formas puras concebidas para cumplir una tarea exacta! Yo ni me acuerdo de haber leído en el periódico que Hitler había sido nombrado canciller del Reich. Otra crisis de gobierno, una de tantas, los mismos políticos yendo y viniendo, aproximadamente los mismos nombres, y yo no tenía tiempo ni ganas para leer los periódicos o para prestar atención a los discursos. Había cosas más importantes que hacer, cosas prácticas y urgentes, las clases, la administración de la Escuela, problemas técnicos que debían ser resueltos, mi esposa enferma, mi hija que me angustiaba porque no se atrevía a hablar con nadie ni a mirar a nadie a la cara, que de pronto se hizo comunista sin que yo pudiera saber quién la había contagiado. La gente obsesionada por la política me parecía tan incomprensible como la que se obsesiona por los deportes o por las carreras de caballos. Mi hija me parecía que estaba trastornada, intoxicada por aquellos libros que leía siempre, por aquellas películas soviéticas, por las reuniones eternas que muchas veces se celebraban en mi casa, horas y horas discutiendo, fumando cigarrillos, analizando los artículos de sus periódicos después de leerlos en voz alta, su vida entera desde que se levantaba hasta que se acostaba, cada vez más pálida, sonámbula, mirándome como si yo fuera habitante de otro planeta o fuera su enemigo de clase, el padre socialfascista más dañino que un nazi, el colaborador hipócrita de la explotación de la clase obrera, el burgués corrompido y partidario de la guerra imperialista. Había heredado el talento musical y la voz de su madre. Se fue del conservatorio y dejó de cantar porque la ópera

era un entretenimiento elitista y decadente. Ésa era mi hija. Dejó de cuidarse y se volvió fea. Usted la ha visto: ha conseguido ser fea y parecer mucho mayor de lo que es. Ahora se parece a las vigilantes de los hoteles soviéticos y a las mecanógrafas del Komintern. ¿Qué podemos hacer nosotros, amigo mío? ¡Qué poco está en nuestra mano! Actuar rectamente, cumpliendo nuestro deber, haciendo bien nuestro trabajo. ¿Y de qué sirve? Decir lo que nuestra conciencia nos dicta que digamos, aunque nadie quiera escucharnos y nos ganemos el odio no sólo de nuestros enemigos sino de aquellos de nuestros amigos que prefieren no saber la verdad ni ver lo que tienen delante de los ojos. Mi hija no quería ver lo que estaba a la vista de cualquiera desde que llegamos a la aduana soviética. Yo tampoco, por ella, porque si yo veía estaba siendo desleal con ella y porque esa gente nos había ofrecido asilo cuando tuvimos que irnos de Alemania. Pero cómo nos miraban, en las estaciones, a nosotros, los dos extranjeros recibidos por los dirigentes del Partido, cómo miraban fingiendo que no lo hacían, de soslayo, con cuánto miedo y cuánto odio, porque para nosotros nunca faltaban asientos en el tren ni cubiertos en las cantinas donde ellos formaban cola muriéndose de frío, camaradas proletarios en la patria soviética. Y ahora veo esos carteles en Madrid y me da miedo, las hoces y los martillos, los retratos, como si estuviera de vuelta en Moscú, o como si ellos hubieran venido hasta aquí detrás de nosotros, buscándonos. Vi ese desfile el Primero de Mayo, las camisas rojas, las milicias uniformadas, los niños marcando el paso, levantando el puño, los retratos de Lenin y Stalin, aquel escudo gigante con la hoz y el martillo alzado sobre las cabezas de la gente, en medio de las banderas rojas. Esas personas no pueden imaginar cómo serán sus vidas si alguna vez tienen la desgracia de que se cumpla lo que les han enseñado que deben soñar.

Iba con mi hija y hubiera querido marcharme de allí a toda prisa, pero ella estaba hipnotizada, usted no podría creerlo si la hubiera visto, después de todo lo que le hicieron en Moscú, se quedó quieta a mi lado, agarrada a mi brazo, se le llenaron los ojos de lágrimas cuando pasó la banda de música tocando *La Internacional*, horriblemente, por cierto, se le llenaron los ojos de lágrimas y levantó ella también el puño, ella que estuvo a punto de que la asesinaran sus camaradas soviéticos, los mismos que la habían recibido con un ramo de rosas rojas cuando cruzamos la frontera. De modo que no hay cura, que nadie está a salvo, por muy lejos que uno crea haberse escapado. Hágame caso, amigo mío, también hay que escaparse de aquí. Las camisas azules y las camisas pardas y las camisas negras y las camisas rojas ya están llegando y es sólo cuestión de tiempo antes de que lo hayan infectado todo. Mire en los mapas todo el espacio que llevan ocupado. No hay sitio para personas como nosotros. Nadie va a defendernos. Hitler ha roto el tratado de Versalles y ha invadido con sus ejércitos la zona desmilitarizada y ni los británicos ni los franceses le han hecho frente. Estoy esperando cartas de América, no de los Estados Unidos, todavía no, aunque Van der Rohe y Gropius ya están allí, y Breuer también. Les escribo y tardan mucho en contestarme. Dicen que harán lo que puedan, pero es difícil, ya sabe usted, por culpa del capricho de mi hija, porque en nuestros pasaportes consta que hemos viajado a la Unión Soviética y por lo tanto no se fían de nosotros. Quizás podamos ir primero a Cuba o a México, y desde allí será más fácil entrar en los Estados Unidos. Usted piensa que todavía hay tiempo, no quiera engañarme, oye lo que le digo y piensa que exagero o que probablemente he empezado a perder la cabeza. Usted se siente seguro porque está en su ciudad y en su país y en el fondo piensa que yo y los que son como yo pertenecemos a otra especie, a otra raza. Pero el tiempo se acaba, amigo mío, se nos va cada vez más rápido, a usted también, a los que son como nosotros...»

A veces el ruido del tráfico apagaba la voz del profesor Rossman; el tráfico, las conversaciones joviales de la gente que se cruzaba con ellos, la música de un organillo o la de la radio de un bar, la sirena de una ambulancia o la de una camioneta de guardias de Asalto, el temblor del pavimento cuando pasaba un convoy del metro, la cantinela de un vendedor ambulante de cigarrillos y corbatas, el ritmo perezoso de la caída de la noche en el centro de Madrid, cuando el verano se anunciaba en los olores del aire y en el roce sensual de una brisa que no se sabía de dónde llegaba, de polvo de verbena, de geranios recién regados, de puestos ambulantes de helados, barquillos y leche merengada. Sobre la calle y el tráfico, muy por encima de los faroles eléctricos y de los tejados, de las ventanas abiertas al aire tibio de la noche, prevalecía el edificio de la Telefónica, coronado por la esfera luminosa de un reloj. La noche, la trepidación de la ciudad, intensificaba su añoranza de Judith Biely, que estaba de viaje fuera de Madrid, en una de sus excursiones educativas con estudiantes americanas, en Toledo o en Ávila. Ignacio Abel quería escuchar al profesor Rossman y acompañarlo dócilmente a la pensión, pero lo que sentía en el fondo de sí mismo era un fastidio inconfesable. Lo que de verdad le apetecía era quedarse solo cuanto antes y dejarse ir a la deriva por las incitaciones visuales y el hormigueo humano de la calle, esperando el prodigio de que Judith apareciera a la vuelta de una esquina, también ella buscándolo, regresada anticipadamente del éxtasis obligatorio del turismo, fugitiva de sus compañeras y de sus estudiantes, apóstata por amor de su estricto sentido norteamericano del deber, de su metódico entusiasmo por el arte español. Pero se le había hecho tarde: las agujas de resplandor escarlata del reloj de la Telefónica marcaban las ocho. Ahora se acordaba con desgana de que había prometido a Adela llegar a casa no mucho después de las ocho y media, para una gran cena familiar cuya expectativa de pronto se derrumbaba sobre él como un alud de tedio, el cumpleaños o el santo de alguien. En el ascensor ya olió el perfume espeso de la madre de Adela y el linimento que su padre se aplicaba en dosis masivas para el alivio del reúma. Desde el rellano se oía el clamor de las voces familiares, el gozo colectivo de los Ponce-Cañizares Salcedo al encontrarse multitudinariamente juntos. Antes de ir al salón Ignacio Abel cruzó furtivamente el pasillo en dirección a su dormitorio, pero al ver que había luz en el cuarto de los niños entró a darles un beso. Por primera vez vio en su propia casa una pistola: su hijo sostenía la culata entre sus dos manos débiles, guiñaba el ojo y apuntaba torpemente al espejo siguiendo las instrucciones joviales de su tío Víctor, que seguía llevando la camisa azul y el correaje debajo de la chaqueta deportiva.

15

El tío Víctor le sujetaba por detrás las muñecas, porque la pistola le pesaba demasiado para mantenerla recta; con brusquedad novelera de instructor le hacía separar las piernas, explicándole que tenía que pisar firmemente para no perder el equilibrio con el retroceso del disparo; que no había que creerse las niñerías de las películas, porque el gatillo no se aprieta con la pistola junto a la cadera, sino levantada a la altura de los ojos para hacer puntería y sujetándola muy fuerte con las dos manos; impresionando a un niño de doce años por su familiaridad con las armas de fuego. El tío Víctor, a quien Miguel admiraba tanto, según se hacía un poco mayor y proyectaba sobre él un vago romanticismo de masculinidad; más ahora, en los últimos tiempos, desde que en Víctor se había hecho visible una transformación que debió de empezar años atrás, pero que Ignacio Abel no había percibido, simplemente porque no prestaba a su cuñado la atención suficiente como para advertir cambios en su variable incompetencia, o porque habían sido al principio graduales, tal vez cautelosos, vinculados con una cierta clandestinidad política, o con su mero apocamiento de hombre joven sin mucha voluntad. Un principio de vaguedad general envolvía siempre sus aspiraciones cambiantes, entre las cuales apenas había otros rasgos en común que una falta de sustancia práctica y que el ánimo indulgente y hasta cierto punto ilusionado con que las recibía Adela. Era demasiado fantasioso pero más tarde o más temprano encontraría su camino; había sido débil de niño, pasando alguna larga temporada en un preventorio de la Sierra, lo cual había afectado a su carácter y lo había rezagado en la escuela y en el instituto sin que él tuviera culpa. ¿Y no era quizás inevitable que los padres y la hermana mayor hubieran sido a veces más indulgentes o más protectores de lo necesario con un chico que pasaba tanto tiempo en la cama o en la soledad del preventorio a causa de la debilidad de sus pulmones? Había estudiado Derecho, pero al parecer no había terminado la carrera, o había tenido que prolongarla más de lo normal, porque en un determinado curso decidió que el Derecho por sí solo era demasiado árido y que sería mejor complementarlo con los estudios de Filosofía, más apropiados según su hermana mayor a su temperamento literario, o artístico en un sentido más general, aunque don Francisco de Asís, «en su fuero íntimo», como él decía, sospechaba que esa carrera, tan frecuentada por señoritas, tenía algo de poco varonil. La inmovilidad de las convalecencias favoreció en Víctor su inclinación precoz hacia la lectura y las ensoñaciones. El teatro, la poesía, iban mejor con su carácter imaginativo que los reglamentos legales; terminaría la carrera sin duda con notas brillantes y haría tal vez alguna oposición, lo cual le dejaría el tiempo libre necesario para cultivar sus aficiones artísticas sin miedo a la penuria. Delgados volúmenes de versos con la tipografía austera de *Índice* o de la *Revista de Occidente* ocupaban más espacio en el desorden literario y lleno de humo de su cuarto que los cuantiosos textos jurídicos, en otra época tan frecuentados por él que su madre, doña Cecilia, había temido un poco melodramáticamente que de tanto estudiar aquellos miles de páginas de letra diminuta se debilitara su salud y se arruinara su vista, igual que temía que la afición inmoderada a los cigarrillos acabara por perjudicarle los pulmones, haciéndole volver al fatídico preventorio en el que había pasado luctuosamente una parte tan considerable de la infancia. Parecía que había empezado a escribir versos, aunque era tímido y muy perfeccionista y ni siquiera a su hermana mayor se decidía a enseñárselos; que unos poemas suyos iban a salir publicados en *Cruz y Raya*, porque le habían gustado a Bergamín, o en *La Gaceta Literaria*, acogidos con entusiasmo lunático por Giménez Caballero; que en esas revistas era muy difícil publicar si no se tenían padrinos, y que de cualquier modo era mejor para un joven poeta conformarse con aspiraciones en apariencia más modestas, aunque en el fondo más sólidas, revistas menos conocidas pero más prestigiosas, de un ámbito más escogido. Le publicaron algún poema: pero tardó tanto en salir que en el curso de la espera Víctor se desalentó de la poesía y cobró un interés apasionado por el teatro, si bien no llegaba a saberse con exactitud por cuál de sus facetas, aunque sí, desde luego, que lo suyo no era el burdo teatro comercial, sino las nuevas corrientes poéticas, con iluminaciones y músicas audaces, con efectos escénicos sorprendentes. Con una temeridad poco adecuada para su salud siempre insegura se retiró a la casa de la Sierra durante varias semanas de invierno para escribir un drama entre simbolista y social cuyos primeros borradores había sometido a la consideración de Adela, rogándole dos cosas, dijo, que fuese sincera en su crítica y que no se los enseñara a su marido, hombre de nula sensibilidad literaria, sin más intereses que la construcción de sus edificios, como albañil evolucionado que era; informándole confidencialmente de que existía la posibilidad de que Cipriano Rivas Cherif se ofreciera a montar la obra una vez terminada. Los borradores no eran muy precisos, y la racha de inspiración teatral no duró mucho, quizás por la dureza del invierno en un pueblo desolado y en una casa difícil de caldear, o porque las perspectivas de estreno del drama de pronto se volvían inseguras, dada la zafiedad del público y la ceguera de los empresarios, interesados sólo en el dinero sin riesgo que daban los autores consagrados. ¿No había hecho García Lorca el ridículo con aquella obra demasiado poética en la que los actores salían a escena disfrazados de mariposas, de saltamontes y de grillos, provocando las bromas más groseras en el patio de butacas? Y después de todo, escribir una obra, ¿no sería la parte más anticuada del teatro, en el fondo la más previsible? Víctor llegaba a comer a casa de su hermana con revistas teatrales en alemán y en francés llenas de fotos con grandes juegos de sombras y actores de caras pintadas y luego se las dejaba olvidadas y ya no volvía por ellas. «Al fin y al cabo, tampoco entendía el idioma», observaba secamente Ignacio Abel, con un sarcasmo que hería más a Adela porque en el fondo lo sabía o lo sospechaba justificado. Miraba a su hermano y hubiera querido no advertir lo que estaba segura que su marido veía, una cierta blandura en los ademanes que se correspondía con su debilidad de carácter, con la fascinación demasiado incondicional que sentía de pronto hacia cosas que acababa de descubrir y de las que se olvidaba en poco tiempo, sin que llegara nunca a cuajar en él una ocupación tangible, un proyecto verosímil. En ese aspecto, reconocía con pesadumbre genealógica don Francisco de Asís, su único hijo varón le había salido más Salcedo que Ponce-Cañizares. Cuando parecía que a pesar de todo estaba a punto de terminar sus dos carreras a la vez, después de una temporada de encierro prodigioso con los libros, en la que de nuevo estuvo en peligro la salud de sus pulmones, por la falta de sueño y el exceso de cigarrillos, resultó que la de Derecho la había dejado temporalmente en suspenso, tan embebido en la de Filosofía que se le había olvidado comunicar su decisión a la familia; pero antes que nada le era preciso empezar a ganarse la vida — casi a los treinta años no le parecía digno seguir viviendo de su padre—; asistiría a clases nocturnas en la facultad, mientras trabajaba en la compañía de patentes de la que era dueño un amigo suyo, dueño o segundo de a bordo, eso no estaba claro, pero sí amigo de toda confianza, tanto como para ofrecerle, recién ingresado, una paga bien alta y un puesto de responsabilidad. Ignacio Abel, durante la cena, con la cabeza baja, escuchaba esas explicaciones de Adela, y ni siquiera tenía que formular una observación irónica para que su mujer se sintiera mordida por ella, contaminada en su benevolencia protectora. Contándole a él las nuevas perspectivas de su hermano descubría ella misma su vaguedad insostenible, lo cual la impulsaba aún más a defenderlo. «¿Es verdad que el tío Víctor va a ser inventor?» La pregunta cándida de Miguel provocaba un principio de sonrisa en los labios de su padre, un indicio apenas en las comisuras de la boca, y Adela temía el comentario en voz alta que pondría en ridículo a su hermano delante de los niños: otras veces iba a ser abogado de personas injustamente acusadas de algún crimen, como Perry Mason, o a escribir para las películas, en cuyo caso nada le sería más fácil que llevar a sus dos sobrinos a ver cómo se rodaban e incluso a saludar a los artistas. Pero Ignacio Abel callaba su observación hiriente, sin que por eso menguara el efecto dañino de lo que no decía, con una especie de refinamiento ya instintivo en él, despojado de verdadera malevolencia, parte del repertorio impersonal de la vida doméstica. «Inventor no», corrigió Lita, agravando sin saberlo la humillación de su madre, «Como el tío Víctor ya es casi abogado parece que va a trabajar ayudando a los inventores a que no los engañen y les roben sus descubrimientos».

El casi abogado frecuentaba a amigas con las que casi llegaba a prometerse y a través de una de las cuales era posible que hubiera estado un tiempo trabajando o a punto de trabajar para la compañía teatral La Barraca, donde predominaba un repertorio de obras clásicas y poéticas, para las cuales eran muy adecuados los conocimientos sobre escenografía e iluminación que habría adquirido estudiando revistas teatrales extranjeras, escritas en lenguas que Víctor parecía haber aprendido en vagos cursos informales con profesores nativos —era preferible la viveza informal de la conversación, más que la rutina memorística, o que la pesadez de la gramática—, sobreponiéndose a la legendaria torpeza para los idiomas que aquejaba por igual a las dos ramas de la familia, según reconocía —«¡paladinamente!»— don Francisco de Asís. Ocupado como decorador o iluminador en una gira de la compañía —de cuya significación política no había llegado a enterarse su padre, en parte por inocencia ignorante, en parte porque daba por supuesto que una compañía consagrada a los dramas de capa y espada y a los autos sacramentales estaría compuesta por gente tan sólidamente reaccionaria como él—, no había podido presentarse a los exámenes al final de curso en alguna de las dos facultades en las que seguía matriculado, o tal vez en ninguna. Pero eso importaba poco, pues una vez que empezara a trabajar no le sería tan urgente terminar la carrera para ir haciéndose una posición. Y en el caso improbable de que fallara ese puesto prácticamente seguro en la oficina de patentes —guiado por su incorregible buena fe, algunas veces Víctor confiaba más de lo que debiera en las promesas de los amigos, llevándose sinsabores amargos—, ¿no podría Ignacio Abel buscarle algo provisional en las oficinas de la Ciudad Universitaria, o en el estudio de alguno de sus amigos arquitectos, o explorando al doctor Juan Negrín o a alguno de aquellos altos cargos de la República con los que tenía confianza? ¿No dependía ahora todo en España más de la influencia política que de los méritos personales, por muy altos que fueran, especialmente cuando se provenía de una familia de significación monárquica, de «profunda raigambre española y católica», como declamaba don Francisco de Asís con su tremenda voz de órgano en la mesa familiar, expulsando en todas direcciones, a causa de su vehemencia, y de que hablaba con la boca abierta, pizcas de comida y perdigones de saliva? Pero Adela sabía que su marido no iba a decir nada, y que ella tendría que armarse del valor necesario para mencionar al principio indirectamente la situación del hermano, mucho menos airosa de lo que parecía, por ciertas deudas imprudentes que había adquirido. Él comprendería lo que Adela estaba sugiriendo, pero no iba a ceder ni a darse por enterado, no iba a ahorrarle un solo paso, la humillación de pedir. Diría con suavidad cualquier inconveniencia; la tendría preparada de antemano. Si Víctor dominaba tantos idiomas y poseía talentos tan diversos, ¿cómo era que no había encontrado trabajo ni de oficinista? ¿No lo había podido colocar don Francisco de Asís aunque fuera de botones en alguna Diputación provincial?

Ignacio Abel no veía los cambios, al principio sutiles, y no sólo de carácter indumentario. No atendía a las explicaciones de su cuñado, que seguían teniendo la misma vaguedad de siempre, pero en las que empezaba a haber un matiz político, un principio contenido de histeria. En

España todo lo controlaban los mismos. Para llegar a algo había que someterse a las directrices políticas de unos cuantos intelectuales que mangoneaban las revistas, las compañías teatrales, los periódicos, hasta la enseñanza en las aulas universitarias, a las que ni siquiera valía la pena asistir, tan dominadas estaban por agitadores de catadura soviética. Hasta las mujeres renunciaban a su feminidad. Algunas iban a la universidad con boinas y chaquetones hombrunos, y discutían más alto que los hombres sin quitarse el cigarrillo de la boca. ¿Faltaba mucho para que se manifestaran gritando, como en Rusia, «Hijos sí, maridos no»? A Víctor de nuevo lo perdía su idealismo: no se daba cuenta del precio que tendría que pagar si abrazaba abiertamente las nuevas ideas redentoras que ahora le entusiasmaban, de las puertas que tal vez ya se le estaban cerrando. Desengañado de las mezquindades de los mundillos literarios, había dejado de frecuentar las tertulias en la imprenta de Altolaguirre o aquellos tés tan finos de los domingos por la tarde en casa de María y Araceli Zambrano, a los que cada vez acudía gente de catadura más dudosa. Otros nadaban y guardaban la ropa: él se entregaba en cuerpo y alma a lo que creía, especialmente desde que asistió al mitin fundacional de la Falange en el teatro de la Comedia, quedando deslumbrado por la elocuencia y la gallardía de José Antonio. Aquel hombre no hablaba como un político, sino como un poeta. Y a los pueblos, en sus momentos de crisis más graves, no los movían los dirigentes políticos, sino los poetas y los visionarios. Que su cuñado apareciera ahora algunas veces vestido con una camisa azul le parecía a Ignacio Abel una inconsecuencia del mismo orden que sus antiguas aficiones a la capa negra y la melena de bohemio y más tarde al mono absurdo de obrero que se ponían los señoritos universitarios de La Barraca. La prosa de los manifiestos políticos que ahora se dejaba olvidados después de las visitas era tan florida y tan vacua como la de las revistas literarias que leía igual de devotamente unos años atrás. Más notable empezó siendo el tránsito desde la difusa languidez artística a un dinamismo entre marcial y deportivo que seguía teniendo un amplio componente ilusorio. Dejó de llevar anillos en las manos; de reclinarse en el sofá fumando cigarrillos. Ahora se había hecho experto en motocicletas —en cuanto tuviera el puesto fijo que le habían prometido empezaría a ahorrar para comprarse una— y le traía a su sobrino Miguel cromos de jugadores de fútbol y de estrellas del ciclismo, hablándole de deportes acerca de los que de repente lo sabía todo con un entusiasmo que irritaba un poco a Lita, dolida porque notaba que se la excluía de aquellos saberes masculinos. Caminaba ahora golpeando más fuerte el suelo con los tacones y se aplastaba el pelo muy tirante hacia atrás, revelando así la estructura ósea del cráneo, aunque también el progreso de la alopecia, que había heredado de su familia materna, las calvas Salcedo inmortalizadas en retratos al óleo y daguerrotipos desde hacía al menos un siglo. Empezó a reírse a carcajadas sonoras; a estrechar virilmente la mano, doblando oblicuamente la palma hacia abajo. Se sentaba a comer con la camisa remangada, sujetando el tenedor y el cuchillo con rudeza cuartelaria, más moreno ahora, bronceado por el ejercicio al aire libre, por las marchas y simulacros de maniobras militares a los que acudía los domingos en la Sierra, y a los que le prometía a Miguel que lo llevaría alguna vez, sin que se enterara su padre, decía bajando la voz en tono de complicidad conspirativa. Entraba por el pasillo y se oían resonar los tacones de sus botas y se olía muy pronto el cuero engrasado. Los niños se levantaban de la mesa sin pedir permiso para salir corriendo a recibirlo, y también Adela se levantaba tras ellos, conteniendo con dificultad el regocijo que le despertaba la aparición por sorpresa de su hermano, venciendo la censura perceptible y callada de Ignacio Abel, que se quedaba solo en el comedor, frente a la mesa con los platos servidos, con la sopa enfriándose. Entre los privilegios del hermano varón estaba el de presentarse sin avisar en casa de su hermana y el de hacer como que no advertía la irritación silenciosa del marido.

—Cuñado, no hace falta que disimules. Ya sé que no te gustan mis ideas.

—¿Qué ideas? No sabía que esto fuera un asunto de ideas. Uniformes más bien, ¿no? Noto que son más importantes los uniformes que las ideas, por la afición que tenéis todos a ellos.

—¿Quiénes son todos, si puede saberse?

—Todos vosotros. Camisas rojas, camisas azules, camisas pardas, camisas negras. ¿No hay unos en Cataluña que llevan camisas verdes? La edad de oro de la industria de la confección. ¿Os habéis puesto de acuerdo con los comunistas para que ellos lleven las camisas de un color azul más claro y vosotros más oscuro? Por no hablar de las botas, los correajes, los pañuelos, los desfiles marcando el paso, las banderas.

—Papá, los uniformes son bonitos.

—Tú te callas, niña, cuando hablen los mayores. ¿Ahora también jugáis a llevar uniforme en el patio de la escuela? ¿Jugáis a cantar himnos y a atacaros con porras y palos los unos a los otros cuando os encontráis por la calle?

—Ignacio, ésa no es manera de hablarle a tu hija.

—Hay que ser retrasado mental para ponerse un uniforme por gusto, por teatro. Para jugar a los ejércitos.

—Cuñado, no digas eso, que vamos a enfadarnos.

—Lo digo y no lo retiro.

—Seguro que cuando ves a los pioneros socialistas

desfilando por la calle de Argüelles un domingo al volver de la Sierra no te irritas tanto.

—Me da la misma vergüenza exactamente. El mismo asco. Todos iguales, marcando el paso, apretando los puños, apretando los dientes. Me da igual el color de la camisa. No me gustan los niños rezando como loros con las manos juntas ni me gustan levantando el puño y cantando *La Internacional* en el mismo tono que si cantaran *Con flores a María*. Las personas decentes no se esconden detrás de una masa uniformada.

—Cuando te pones así es que sería mejor dejarte solo. —Adela, que temía tanto su silencio, se asustaba más ahora de la cólera fría de sus palabras, dichas con un esfuerzo consciente por no levantar la voz, por no mirar a los ojos.

—No me parece mala idea.

—Es una cuestión de generaciones, Adela. —El esteta de pronto se volvía filosófico, hablaba con un tono inédito de ecuanimidad, repitiendo el rancho verbal del que se alimentaba—. Tu marido es un hombre muy inteligente, pero de otra época, yo lo sé y no se lo tengo en cuenta. Hay que ser joven para estar a la altura de un tiempo que pugna por ser joven, como dice siempre José Antonio. En una cosa tienes razón, Ignacio, y es que las ideas cambian igual que cambia la ropa. Hay gente que uno ve con levita antigua todavía, con barba, con botines, con lentes de pinza. Se han quedado en los tiempos del coche de caballos y no saben que estamos en la edad del automóvil y del aeroplano. No te culpo, tú eres de otra época. Estamos en el siglo XX...

—Esto es extraordinario. —Ignacio Abel se levantó apartando con un manotazo autoritario a la criada que se acercaba con la bandeja del postre—. Ahora va a resultar que yo soy un carcamal, y tú un avanzado. Esto es extraordinario.

—Carcamal o avanzado, izquierdas o derechas, todo eso son conceptos anacrónicos, cuñado. O se está con la juventud o con la vejez, con lo que nace o con lo que muere, con la fuerza o con la debilidad.

—Pues los uniformes son una moda bastante antigua...

—¡Antiguos los uniformes con condecoraciones y penachos, los que servían para marcar los privilegios de los poderosos! Ahora el uniforme nuestro lo que subraya es la igualdad, por encima de las tonterías y las mariconadas individualistas. ¡La camisa obrera, la ropa suelta y práctica del deportista, el orgullo de latir todos con el mismo corazón!

—¿Y las pistolas?

—Para defendernos, cuñado, porque nosotros seríamos gente de paz si no se nos hubiera declarado la guerra. Saludamos con la mano abierta, no con el puño cerrado. La mano abierta a todo el mundo, porque nosotros no creemos ni en los partidos ni en las clases. A los muchachos que salían a vender nuestros periódicos los mataban a tiros los comunistas hasta que nosotros también aprendimos a disparar. Este gobierno inicuo asalta nuestras sedes y encierra a los falangistas y deja mientras tanto que las milicias rojas campen por sus respetos.

—El gobierno de la República cumple la ley y mete en la cárcel a los delincuentes y a los asesinos.

—El gobierno de la República es un monigote del marxismo.

De pronto Ignacio Abel vio el ridículo de la conversación, del que él mismo se había hecho cómplice con una vehemencia innecesaria. Nada más que escuchar esa palabrería lo degradaba a uno. Vio a su cuñado no como a un fascista, sino como algo quizás peor, pero al menos familiar, lo que le había parecido siempre, un idiota. Un idiota con camisa azul y correaje negro, con unas botas absurdas como de equitación, tan beodo de lirismo barato de periódico como si lo hubiera estado de un licor bronco e innoble, de bárbara destilación hispana, coñac Picador o Anís del Mono, enfermo de arengas cuarteleras y prosas poéticas mal traducidas del alemán o del italiano. Un idiota que quizás en el fondo no era mala persona, que sentía verdadero cariño por su hermana y por los dos sobrinos a los que siempre llevaba regalos, tebeos de guerra o de vaqueros para el niño y de princesas para la niña, un balón, una muñeca que lloraba al volcarla hacia delante, que los había sentado en sus rodillas para contarles cuentos cuando eran pequeños y que se había desvivido por ayudar cuando cualquiera de los dos caía enfermo. O tal vez era un canalla de verdad y entonces Ignacio Abel cometía el error de no tomarse en serio su peligro a causa del desdén que le producía su falta de inteligencia.

Ahora el muy idiota o el muy canalla abrazaba por detrás a su hijo para sostenerle los brazos y enseñarle a apuntar con una pistola, más grande y obscena entre sus manos delicadas, casi translúcidas, como la piel de sus sienes; las manos que no tenían fuerzas para sujetar un balón de fútbol ni para agarrarse a la soga de la escalada en las clases de gimnasia; las que siendo Miguel un recién nacido eran tan insustanciales, tan tenues y blandas como las extremidades de una salamanquesa. Mirándole subir y bajar el pecho débil en noches de fiebre había temido que su hijo tuviera pulmonía o tuberculosis. Había sabido que otros niños más fuertes le pegaban en el patio del Instituto-Escuela cuando su hermana no estaba cerca para defenderlo. Tan torpe para los deportes, tan propenso a vol-

ver de las excursiones con una insolación o una magulla-
dura por haberse caído rodando por una ladera, por su
propia torpeza o porque otros le empujaban y él no sabía
defenderse; tan ensimismado, tan dependiente de Lita,
compartiendo con ella aficiones y juegos, revistas de cine,
cuando hubiera debido andar ya con chicos de su edad;
demasiado amigo de irse a las habitaciones del fondo de la
casa en las que reinaban las criadas, para enterarse de sus
historias y aficionarse a las mismas canciones aflamencadas y plebeyas que cantaban a gritos por los patios interiores, al mismo tiempo que las escuchaban en la radio. Ni
ante sí mismo reconocía el modo en que la irritación
manchaba su ternura hacia su hijo. Le desagradaba su debilidad y le provocaba al mismo tiempo un deseo insano
de protegerlo de todo. Sin darse cuenta lo vigilaba de soslayo, alarmado por algo que no sabía decirse a sí mismo lo
que era. Y en virtud de una especie de mutua telepatía Miguel era consciente de la atención de su padre, y el saberse observado por él lo volvía más inseguro y más torpe,
o se permitía un arrebato de audacia o de capricho que
parecía calculado exactamente para que su padre perdiera
la paciencia, como si a veces lo dominara una vocación de
desastre. Así que en vez de bajar la pistola cuando lo vio
aparecer en el espejo o de devolvérsela a su tío para eludir
en lo posible el cataclismo que se venía sobre él, lo que
hizo fue volverse hacia su padre y apuntarle, y un momento después dio un paso atrás y se encogió temblando
y cerró los ojos sintiendo de antemano la enormidad física de la bofetada que aún no había golpeado su cara pálida, enrojecida de repente, ardiendo como en un acceso súbito de fiebre.

Ver tan cerca la cara de su hijo y la de su cuñado le
mostraba a Ignacio Abel la desagradable evidencia del pa-

recido entre los dos. No sólo algunos rasgos, esbozados en el niño y crudamente visibles en el adulto, sino también una semejanza más profunda, tal vez la íntima debilidad, vinculada al recelo hacia él, padre exigente y cuñado desdeñoso o sarcástico, cónyuge no del todo fiable de la madre y hermana, intruso en la cercanía de los dos hacia ella, igual que en el juego que estaban compartiendo esta noche cuando él llegó tan inoportunamente. No quería que Miguel creciera pareciéndose cada vez más a su tío; teniendo la misma curvatura aguileña en la nariz; el mismo vello escaso y rizado en el labio superior; la mirada entre furtiva y miope, como si una parte de él se hubiera replegado muy adentro. Víctor le había quitado la pistola sin que el niño se diera cuenta y decía algo que Ignacio Abel no escuchaba. «Venga, hombre, no te pongas así, que sólo estaba jugando conmigo.» Ignacio sentía la ira creciendo dentro de él, incontrolada y al mismo tiempo fría como las palmas de sus manos. Vio fríamente que le iba a dar una bofetada a su hijo y una parte de él se avergonzó de hacerlo y otra siguió adelante animada por el miedo del niño, ofendida por su gesto instintivo de buscar refugio en el tío, por el agravio añadido de que confiara en él para sentirse protegido de su propio padre. Fue consciente del impulso físico que sostenía y empujaba la ira pero no hizo nada por contenerlo, y la visible debilidad del hijo, su cara roja, el temblor en su labio inferior mojado, en vez de disuadirlo lo encolerizaba más. Miguel dio uno o dos pasos hacia atrás, buscando con la mirada a su tío Víctor, que se apartaba de él, después de haber guardado la pistola en la sobaquera y abrocharse la chaqueta, como para hacerla todavía más invisible, acobardado o tal vez intuyendo que cuanto más quisiera el niño refugiarse en él mayor sería la ira de su padre. «Venga, hombre», repitió, pero Ignacio Abel le indicó que se callara con un gesto seco, y él se hizo a un lado, toda su hombría ahora anulada, medroso, a pesar de las botas y el correaje y la pistola en la funda de cuero, como inseguro de que el castigo no fuera a caer también sobre él.

Miraba a Miguel a los ojos y el niño le sostenía la mirada mientras retrocedía contra el espejo del armario en el que unos segundos antes se veía como el protagonista de una película, algo mejor aún, porque las pistolas de las películas no eran de verdad. En qué momento se traspasa un límite y ya no hay remedio, ya no se puede borrar la vileza. Enorme por encima de su hijo, levantó la mano derecha y aún estuvo a punto de bajarla de nuevo sin hacer nada; de haber salido de la habitación dando un portazo y cambiar de cara en lo posible mientras avanzaba por el pasillo para unirse con malhumorado fatalismo a la celebración familiar; pudo haberle dado un grito a su cuñado Víctor diciéndole que se marchara y que si quería volver a pisar alguna vez esa casa tendría que ser sin pistola y sin camisa azul. Pero no fue eso lo que hizo. No se ahorró la vergüenza futura ni la indignidad de ocultarle a Judith Biely ese gesto de violencia que ella no le habría perdonado, que le habría hecho ver en él la sombra de alguien a quien no conocía. Lo que hizo fue levantar la mano y no dejarla detenida. La sintió bajar, cortando el aire, abierta y violenta, pesando como un arma, la palma mucho más ancha y más dura que la cara del niño. Golpeó notando el picor en la palma de la mano al mismo tiempo que el acceso de calor que la vergüenza provocaba en su cara. La de su hijo se volvió contra la pared por efecto del golpe. Los ojos llenos de lágrimas lo miraban desde abajo, como desde el interior de una madriguera, el pánico de unos segundos atrás sustituido por el resentimiento, la mejilla escarlata, una mancha en el centro de sus pantalones cortos

y un hilo de orina bajando por una de sus piernas delga-
das. Al darse la vuelta para salir de la habitación vio que
su hija había estado observándolo todo, quieta y callada
junto al pupitre donde tenía sus libros y sus cuadernos de
estudio.

16

Disparos sueltos en la mañana fresca de mayo, en el aire perfumado con aromas de monte; tomillo, flores moradas de romero, anchos pétalos blancos con pistilos amarillos entre las hojas brillantes de la jara. El bosque arrasado unos años atrás para aplanar los terrenos de la Ciudad Universitaria revivía en los desmontes y en los taludes de las obras inacabadas, en los espacios baldíos que aún no eran campos de deportes. Silbidos de balas que hubieran podido confundirse con los de las golondrinas; disparos como huecos estallidos de petardos de feria, a lo lejos, más allá del repiqueteo de las máquinas de escribir y de los ventanales abiertos de la oficina técnica, a los que se asomaban delineantes y mecanógrafas queriendo averiguar de dónde venía el tiroteo, con una actitud más de curiosidad que de alarma. El aire todavía limpio, inundado de olores serranos, los ceniceros y las papeleras vacíos, el rojo muy vivo en los labios y en las uñas de las secretarias. Le gustaba esa hora de la mañana: el día intacto, el impulso del trabajo todavía no gastado por la fatiga o el tedio. Quizás el ordenanza encargado del correo se había distraído con el tumulto y se retrasaría en el reparto: vendría con su andar lento, su expresión pomposa y servil, su gran bandeja entre las manos y cuando entrara en el despacho pidiendo permiso ceremoniosamente Ignacio Abel reconocería tal vez entre las cartas oficiales un sobre con la caligrafía de Judith. Apenas se separaban ya empezaban a escribirse. Querían remediar con palabras escritas el vacío del tiempo en el que no estaban juntos; prolongar una conversación de la que nunca se cansaban, rompiendo el plazo angustioso del final de cada encuentro. Otra ráfaga ahora, no de pistolas, sino de fusiles. En qué momento el oído empezó a acostumbrarse, a distinguir. Mejor actuar como si no se hubiera escuchado nada: no levantar la cabeza del escritorio, del tablero de dibujo, mantener ocupado cada minuto de la mañana, dictando cartas, recibiendo llamadas, queriendo empeñarse contra viento y marea en que las obras no se detuvieran; le ordenaría a su secretaria que volviera a la máquina de escribir en vez de dispersar rumores sobre el tiroteo por las oficinas; llamaría al cuartel de la Guardia de Asalto pidiendo que enviaran refuerzos; aunque sería más práctico llamar al doctor Negrín, que pondría en juego su influencia política, su agotadora capacidad de activismo. Haría falta mucha más vigilancia de día y de noche en las obras ahora que los anarquistas de la CNT querían imponer de nuevo la huelga en la construcción.

Pero con Negrín tenía que haber hablado hacía tiempo, y lo retrasaba siempre. Tenía que haberle dicho que lo habían invitado a pasar el curso próximo en América y no lo había hecho; tenía que haberle pedido su parecer antes de aceptar la invitación pero no le había dicho nada; ahora tenía que decirle que la había aceptado, y seguía callando, y ni siquiera había solicitado el permiso oficial. Pero también callaba con Adela y sus hijos; le había llegado en un sobre alargado de color marfil la carta con la invitación

oficial de Burton College y al verla en la bandeja de la correspondencia se había apresurado a guardarla en un bolsillo y luego en el cajón con llave donde escondía las cartas
y las fotos de Judith; respondía con vaguedades cuando
los niños le preguntaban por el viaje prometido, el viaje
nocturno en coche-cama hacia París, la travesía del Atlántico, los trenes elevados, los rascacielos de Nueva York, los
restaurantes automáticos, sobre los cuales Lita se había do-
cumentado detalladamente en las enciclopedias y en las revistas ilustradas. Retrasaba el momento incómodo de contar la explicación que había elaborado, consciente de que él
mismo se había puesto en el aprieto indigno de mentir al
prometer meses antes algo que nadie le pedía: a los niños
no les convenía perder el curso, pensaba argumentar; el sa-
lario era más escaso de lo que había parecido al principio,
ni siquiera había verdadera seguridad de que fueran a en-
cargarle el edificio de la biblioteca (un claro en un bosque
al otro lado del océano: unas pocas líneas esbozadas en las
anchas hojas de un cuaderno, apenas la sombra de una
forma que tal vez nunca llegara a existir, tan en suspenso
como el porvenir de su vida). Descubría que la mentira
era un préstamo por el que se acumulaban en un plazo
muy breve intereses de usura: nuevas mentiras alargaban
los plazos a un precio todavía mayor y lo dejaban a mer-
ced de acreedores cada vez más impacientes. Las obras
avanzaban mucho más despacio de lo previsto (todo tan
difícil, tan lento, los trámites paralizados en las oficinas,
las máquinas pocas y defectuosas, los medios de carga y
transporte primitivos, los hombres desganados, trabajando al sol con pañuelos de nudos sobre la cabeza, respirando con dificultad por la nariz para no soltar de la boca
una colilla salivosa, mirando de soslayo por miedo a pistoleros y asaltantes); aunque la huelga de la construcción
no se impusiera por completo ya estaba claro que la Ciu-

dad Universitaria no podría inaugurarse en octubre. Marcharse antes del final, ¿no era una deslealtad hacia Negrín? Y además Judith Biely daba por seguro que él viajaría solo a América. Ignacio Abel no le mentía al decirle que deseaba eso tanto como ella: pero sí cuando le hacía suponer que su mujer y sus hijos estaban al tanto de una decisión ya irreversible. No era del todo mentira, quizás sólo una verdad aplazada: más tarde o más temprano acabaría inevitablemente teniendo esa conversación familiar tan difícil; la imaginaba con tanta claridad que era casi como si hubiera sucedido (la cara seria y agraviada de Miguel, el gesto de desengaño confirmado de Adela, la fe en él contrariada pero inamovible de su hija); como cuando suena el despertador y uno sueña que ya se ha levantado y acaba de ducharse y el sueño le permite la coartada de unos minutos más de pereza intranquila.

Que se le fueran los días y las semanas sin actuar ni decir nada y se acercara el verano y faltara cada vez menos tiempo para el viaje era una circunstancia menos grave porque sólo él tenía conciencia de ella: como un cajero a quien parece menos delito su desfalco porque aún no ha sido descubierto (pero había sido igual cuando iba a marcharse a Alemania, doce años atrás: el niño enfermo, casi recién nacido, el derrumbe de Adela después del parto, y él mientras tanto con la carta de confirmación de su viaje en el bolsillo, sin decir nada, esperando qué). La sólida apariencia de normalidad era por sí misma un pobre antídoto contra el desastre. Trabajar cada día, presentar a los demás un aspecto intachable, comprobar que el paisaje de los edificios y las avenidas al otro lado de los ventanales se parecía un poco más a la gran maqueta utópica de la Ciudad Universitaria, con sus edificios abstractos en medio de arboledas y campos de deportes, con sus avenidas rectas y sus senderos sinuosos por los que caminarían alguna vez grupos joviales de estudiantes: a pesar de la lentitud del trabajo, de la escasez de dinero y las dilaciones de los trámites, de los propagandistas apocalípticos de la huelga y de la revolución libertaria que se presentaban en los tajos blandiendo banderas rojas y negras y pistolas automáticas. Levantarse cada mañana y desayunar con Adela y con los niños leyendo el periódico y acordándose de Judith Biely desnuda en la impunidad de su conciencia, mientras por los balcones abiertos entraba el fresco de la mañana de mayo, perfumado por las flores de las acacias jóvenes; mientras latía en secreto su deseo por Judith (la llamaría en cuanto saliera de casa, en la primera cabina de teléfono; mejor aún, se encerraría ahora mismo en el despacho y le pediría en voz baja que se reuniera con él cuanto antes, donde fuera, en la casa de citas, en cualquier café, en el Retiro) y crecían como un tumor apenas intuido el peso de las decisiones aplazadas, los intereses de la usura. Cuanto mayor era el trastorno más le urgía no dar indicios; no perder el control de lo que los demás veían. Salir a la calle sin pensar en la posibilidad de que un pistolero estuviera aguardando cerca del portal. Permanecer en el despacho tan ocupado en un cálculo o en la corrección de un dibujo que ni siquiera unos disparos le hicieran levantar la cabeza más de un momento. No salir al pasillo en busca del ordenanza de ademanes untuosos con la bandeja del correo. No quedarse mirando el teléfono como si el simple esfuerzo de la atención pudiera suscitar un timbrazo que sería el de una llamada de Judith. Se armó de valor para llamar por teléfono al doctor Negrín al Congreso de los Diputados y una secretaria le concedió el alivio de decirle que don Juan no estaba, que le daría su recado en cuanto llegara. Había cesado el tiroteo; ahora se acercaba desde lejos la sirena de una ambulancia o de una camioneta de la Guardia de Asalto. La secretaria entró sin llamar en el despacho, muy agitada, hablando atropelladamente, y a Ignacio Abel casi no le dio tiempo a esconder la carta que había empezado a escribirle a Judith Biely bajo una carpeta de documentos.

—Los anarquistas, don Ignacio, un piquete de huelga. Han llegado en un coche, como en las películas, delante de la Facultad de Medicina, y se han liado a tiros con los obreros del turno de la mañana, llamándolos fascistas y traidores a la clase obrera. Pero les han respondido desde las ventanas unos muchachos de la milicia socialista que estaban de vigilancia...

—¿No estaba la policía?

—Qué iba a estar. Han llegado cuando los pistoleros ya habían huido, como de costumbre. Tenía usted que haber visto a los muchachos de la milicia, cómo les respondían. Los cristales del coche estaban hechos astillas. Y qué charco de sangre han dejado al marcharse. Alguno de ellos se habrá llevado lo suyo.

Hablaban del tiroteo en corrillos de los que se levantaba un rumor excitado, como hablarían el lunes por la mañana de los partidos de fútbol del domingo o de un match de boxeo: sólo un herido leve entre los trabajadores, a pesar del escándalo de los disparos y de los cristales rotos, pero seguro que uno o dos de ellos estarían muy graves, según la abundancia de la sangre que había chorreado del automóvil en el que huían; la sangre de un rojo tan brillante, no el líquido negro de las películas: oscura y densa muy pronto, absorbida por la tierra, borrada por los rastrillos de unos peones que esparcieron cemento antes de regresar a su trabajo, custodiados por esos hombres jóvenes de la milicia que llamaban con reverencia La Motorizada, nombre fantástico que procedía del hecho de que en los desfiles algunos de ellos patrullaban en motocicletas viejas con sidecar. «Uno por lo menos estará muerto, seguro», dijo el ordenanza del correo, la bandeja de cartas olvidada sobre una mesa, entre ellas tal vez una que Judith Biely hubiera escrito y franqueado ayer mismo, tan sólo una hora después de separarse de él, aún con el rescoldo de su cercanía y ya angustiada por la incertidumbre de la próxima cita, «lo llevaron al coche entre dos y no se tenía en pie, y tenía toda la cara y la camisa llenas de sangre». Si llegaba a morir lo enterrarían entre un vendaval de banderas, el ataúd cubierto con una bandera roja y negra, avanzando sobre una masa de cabezas y manos ansiosas por tocarlo, por sostenerlo en alto, llevado como una barca sobre la corriente de un río que inundaba la calle entera. Cantarían himnos, agitarían puños cerrados, gritarían roncas promesas de reparación y venganza, insultos contra los balcones clausurados de las viviendas burguesas. Pero un disparo o el petardeo de un motor podían provocar en la multitud una ondulación de ira y pánico que se abatía sobre ella como un ciclón sobre un campo de trigo: más disparos, ahora verdaderos, relinchos de caballos de la Guardia de Asalto, cristales rotos, tranvías y coches volcados. Alguien quedaba muerto sobre los adoquines y empezaba a repetirse un poco más enardecida la litúrgica colectiva de la muerte: alguien que asistía al entierro o que había tenido la mala suerte de interferir en la trayectoria de una bala; un pistolero falangista que había disparado desde un coche en marcha en torno al cual se cerraba de pronto la crecida de la muchedumbre. También este muerto tendría su entierro con un gentío idéntico, con otros himnos y otras banderas, con discursos de voces roncas y vivas y mueras delante de una fosa abierta. En los entierros de los muertos de izquierdas había bosques de banderas rojas y puños levantados y desfiles de milicianos jóvenes uniformados; de los otros entierros se levantaba el humo del incienso esparcido por los sacerdotes y el clamor del rezo del rosario. Lo asombroso era que nadie más pareciera darse cuenta de la similitud extraordinaria entre los rituales funerarios de quienes se declaraban enemigos, la celebración exaltada del coraje y del sacrificio, el agrio rechazo del mundo real y presente en nombre del Paraíso sobre la Tierra o del Reino de los Cielos: como si quisieran acelerar la llegada del Juicio Final y odiaran mucho más en el fondo a los incrédulos y a los tibios que a los iluminados del bando enemigo. Después del entierro del policía de escolta de Jiménez de Asúa la multitud que regresaba del cementerio asalta una iglesia que acaba envuelta en llamas; vienen los bomberos a apagar el fuego y son recibidos a tiros; muere un bombero de un disparo y al día siguiente hay otro entierro, esta vez con camisas azules y curas con casullas, con humo de incienso y clamores de rosario. En esos días de mayo, en el mundo remoto de hace sólo unos meses que rememora incrédulamente Ignacio Abel, Madrid es una ciudad de entierros y corridas de toros. Por la calle de Alcalá suben casi cada tarde muchedumbres camino de la plaza de toros o del cementerio del Este. De los cortejos de los entierros y de las masas de la afición taurina se levantan polvaredas idénticas, bramidos igual de sobrecogedores. Al día siguiente de una corrida en la misma plaza se celebra un mitin político y el eco metálico de los altavoces y el de los himnos y los vivas y los mueras llega con igual lejanía al domicilio familiar de Ignacio Abel y al cuarto alquilado en el que se refugia junto a Judith Biely.

—No puede usted andar desarmado por ahí, don Ignacio —dijo Eutimio, muy serio, cuando le llevó al final del día el parte del tiroteo de la mañana en las obras de Medicina: Eutimio, que sólo era unos años mayor que él pero parecía mucho más viejo, aunque también más fuerte, con su figura recta y sus grandes manos, con la cara muy morena, cruzada de arrugas horizontales como hachazos en un bloque de madera—. Se expone usted mucho viniendo solo cada mañana en su coche y yéndose por la tarde cuando ya no queda nadie.

La pistola que le mostró Eutimio después de cerrar tras él la puerta del despacho era mucho más grande que la de Negrín, más primitiva o más ruda que la del hermano de Adela. Parecía un trozo sólido de hierro al que se le hubiera dado a martillazos sobre un yunque una forma sumaria. Eutimio permanecía de pie, sin acercarse del todo al escritorio, con la gorra en la mano. Ignacio Abel sabía que era inútil pedirle que se sentara. De modo que se puso en pie él también, recostado contra la ventana, incómodo en su despacho y en su ropa a medida, en la suavidad de sus manos, delante de ese hombre que lo había conocido cuando era un niño al que su padre llevaba a trabajar con su cuadrilla de albañiles los días de fiesta y durante las vacaciones escolares. Eutimio, aprendiz de estuquista, cuidaba de él: le ponía untos de manteca en las manos desolladas por el trabajo, quemadas por el yeso y la cal; le enseñaba cómo tenía que soplarse vaho sobre las yemas de los dedos juntos para que no se le quedaran helados en los amaneceres de invierno. Él le tenía la admiración algo atemorizada que reserva un niño para el muchacho que sólo le lleva unos años y sin embargo ya se mueve entre los adultos y actúa como ellos. Eutimio había visto la cara de su padre antes de que se la taparan con un saco en el que se extendía muy rápida una mancha de sangre.

—Soy miope, Eutimio. No he disparado un tiro en mi vida.

—¿Pues no hizo usted el servicio en Marruecos?

—Era tan inútil que me destinaron a una oficina.

—Inútil no, don Ignacio, enchufado, si me permite la sinceridad. —Eutimio, tan dócil, con la gorra en la mano y la cabeza un poco inclinada, tenía en los ojos vivaces un brillo que era a la vez de simpatía y sarcasmo—. A los inútiles sin estudios ni enchufe los mandaban igual a la primera línea de fuego, y se morían antes que nadie.

—Si yo tuviera una pistola sería un peligro para todo el mundo salvo para quien viniera a matarme.

—Una pistola le puede salvar la vida.

—El capitán Faraudo llevaba la suya en el bolsillo y lo mataron igual.

—Los malnacidos se le acercaron por la espalda. Y con su mujer al lado, llevándola del brazo.

—Tiene que ser la ley la que nos defienda, Eutimio.

—No me diga usted también que no vale lo del ojo por ojo y diente por diente. Si nos matan, tenemos que defendernos. Uno de ellos por cada uno de los nuestros. Usted sabe que a mí no se me sube fácil la sangre a la cabeza, pero esto ya parece que no tiene otro remedio.

—Lo mismo dicen los otros.

—Perdóneme que se lo diga, don Ignacio, pero usted no entiende la lucha de clases.

—Hombre, Eutimio, no me diga que se ha hecho usted también leninista de un día para otro, como Largo Caballero.

—Hay cosas que usted no puede entender, dicho sea con todos los respetos. —Eutimio hablaba despacio, muy articuladamente. Había escuchado de joven los discursos de Pablo Iglesias y leía a diario los artículos de fondo de *El Socialista*, en voz alta y clara, para que los entendiera su mujer, y para asegurarse él mismo de la correcta pronunciación de cada palabra—. Tendrá carnet del Partido Socialista, y de la UGT, como los tenía su padre que en paz descanse, pero lo que cuenta en la lucha de clases no es lo que uno ha leído sino el calzado que lleva o cómo tiene las manos. Su padre de usted empezó de peón de albañil y cuando le pasó su desgracia era ya un maestro de obras, pero nosotros le llamábamos señor Miguel, no don Miguel. Usted, don Ignacio, con perdón, es un señorito. No un parásito, ni un explotador, porque se gana la vida con su trabajo y gracias a su talento. Pero usted lleva zapatos y no alpargatas y si tuviera que manejar una pala o un pico a los cinco minutos se le habrían llenado de ampollas las manos, como cuando era niño y su padre lo llevaba con nosotros al tajo.

—Pero, Eutimio, yo tenía entendido que la lucha de clases era entre patronos y obreros, no de unos obreros contra otros, como esos que se liaron a tiros esta mañana. Puestos a disparar, ¿por qué lo hacen contra los que también llevan alpargatas?

Eutimio se lo quedó mirando con algo de estupor, pero también con mucha condescendencia, como cuando era un niño torpe y gordito y tenía que empujarle para que trepara al primer tablón de un andamio.

—Lo que yo digo, don Ignacio, que usted ya no entiende. A lo mejor es que la gente cuando está desesperada deja de actuar racionalmente. Yo para discutir no sirvo mucho, pero con ésta a mano nadie va a dejarme callado.

—Callado no, Eutimio, mucho peor, muerto. Por mucha pistola que lleve, ¿tiene usted reflejos para hacerles frente a esos gángsters? Y si uno está desesperado, porque no tiene trabajo, o porque sus hijos no comen, yo comprendo que robe una tienda o atraque un banco, lo que sea. Comprendo a esa gente que espera por los pinares a que se haga de noche para robar materiales de las obras, o a los que vienen por las mañanas a los tajos aunque no los hayamos contratado, con la esperanza de que les demos un jornal. Me saca de quicio cuando los guardias se los llevan esposados, o cuando los otros obreros los ahuyentan a pedradas, para que no les disputen lo poco que tienen. Pero dígame usted qué buscaban esos pistoleros de hoy, o los que a lo mejor llegan mañana para tomarse la venganza.

—Quieren la revolución social, don Ignacio. No que suban los jornales de los trabajadores, sino que sean los trabajadores los que manden en el mundo. Que se vuelva la tortilla, por decirlo vulgarmente. Que no haya explotadores ni explotados.

También Eutimio, que había tenido siempre el habla rotunda y precisa de los barrios trabajadores de Madrid, alimentada de viveza callejera y de la lectura de novelas sociales, se expresaba ahora como recitando un folleto de propaganda, un editorial de periódico. Entró la secretaria con una carpeta de papeles para la firma y el capataz bajó los ojos y adoptó una actitud instintiva de docilidad, retrocediendo hacia la puerta, como para disipar toda sospecha de cercanía impropia hacia Ignacio Abel. «Con permiso», dijo, inclinándose, las dos manos sujetando la gorra. De su cara había desaparecido todo indicio de familiaridad: en un momento había cancelado cualquier vínculo que hubiera podido tener con el director de la oficina, parecía que hubiera borrado de su memoria la imagen del niño al que le había frotado las manos paralizadas por el frío y untado manteca en sus llagas en el tiempo remoto de los comienzos del siglo, en madrugones alumbrados por faroles de gas.

Iba después en el coche, al salir del trabajo, y lo vio caminando solo hacia la parada lejana del tranvía, la cabeza baja, el paso enérgico, la talega con la fiambrera de la comida al hombro, las manos en los bolsillos, entre los grupos de obreros que afluían desde los edificios donde sólo iban quedando los guardas y los vigilantes armados: el sol de la tarde en los cristales recién instalados de las ventanas, las máquinas inmóviles, las grúas oscilando ligeramente en el aire cruzado por golondrinas y vencejos. En algunos cruces había guardias de Asalto que pedían la documentación y cacheaban a los que salían del recinto de las obras.

—Suba usted, Eutimio, que lo llevo a casa.

Había reducido la velocidad para ponerse a su altura pero el capataz se resistía, volviendo apenas la cabeza, avivando el paso. Quizás no le gustaba que otros trabajadores lo vieran subiendo al coche del subdirector de las obras.

—Le voy a ensuciar de polvo la tapicería del coche, don Ignacio.

—No diga simplezas, hombre. ¿No me dice usted que no debo ser tan confiado? Pues tampoco me gusta verlo a usted ir solo por estos parajes.

—No hay miedo, don Ignacio, conmigo no se atreven. —Se había dejado caer en el asiento, con cansancio de viejo, y tenía la pistola en la mano, el cañón negro apuntando hacia Ignacio Abel—. Y si hay alguno que no me conozca tengo a ésta para que haga las presentaciones.

—Mejor aparta usted la pistola, no vaya a ser que además de ensuciarme de polvo la tapicería se le escape un tiro en un bache y me vuele la cabeza.

—Qué cosas tiene usted, don Ignacio. Ahora que se está haciendo mayor se va pareciendo más a su difunto padre. Yo lo digo siempre, si hubiera más señoritos como usted el mundo sería de otra manera.

—¿Pero es que no va a cansarse hoy de llamarme señorito? ¿No soy yo un trabajador? Acuérdese de lo que dice la Constitución: «España es una república de trabajadores de toda clase...»

—Qué bonito, si fuera verdad. —Eutimio se recostaba en el asiento, acariciaba apreciativamente la tapicería de cuero con las anchas yemas de los dedos, rozaba con ellas el panel de instrumentos, los botones de marfil de la radio del coche, con mucho cuidado, como si temiera dañarlos con su torpeza—. Pero de la Constitución no se come. Ya sabe usted lo que dicen los terratenientes que prefieren que se pierdan las cosechas antes de pagar jornales decentes a los trabajadores...

—«Comed República.»

—Exactamente. Pisan a las personas y luego se escandalizan si el que han pisado se revuelve y les muerde.

—Pero no era de eso de lo que estábamos hablando.

—Ahora se me ha enfadado usted, don Ignacio, porque le he llamado señorito, pero no tiene que ponerse así. No le he llamado explotador, Dios me libre. Usted no ha robado ni engañado a nadie, y es tan socialista como yo, o por lo menos como don Julián Besteiro y don Fernando de los Ríos, que tampoco tienen callos en las manos, que yo sepa. A ustedes las masas que más les gustan son las masas encefálicas, como dice Prieto. Pero las cosas son como son, y según tengo entendido Carlos Marx y Federico Engels nos enseñaron a verlas así, sin telarañas en los ojos, de acuerdo con los principios del materialismo...

—Ahora es usted quien se parece a Besteiro, con ese lenguaje.

—Y según eso, está muy claro, y usted perdone, que usted va en automóvil y yo andando, o lo más en tranvía, que usted lleva sombrero y yo gorra, don Ignacio, y si llueve usted no se moja porque además de ir en su coche lleva zapatos nuevos con unas suelas que no calan el agua, y los pies no se le enfrían como al que lleva alpargatas o botas viejas con agujeros en las suelas. Usted trabaja mucho, claro que sí, pero bajo techado, y con calefacción, y cuando hace calor trabaja a la sombra y no al sol. Si uno de sus hijos se le pone malo, Dios no lo quiera, no tiene que llevarlo al hospital de la Beneficencia, donde se le pondría peor nada más respirar ese aire que huele a miseria y a muerto, y si enflaquece un poco en seguida viene un buen médico y le receta las medicinas que hagan falta y que usted podrá pagar, y si hace falta habrá plaza para él en un sanatorio donde se le curen los pulmones nada más que con la buena comida y el aire de la Sierra. Ésa es la verdad, don Ignacio, y usted lo sabe. ¿Que a usted le gustaría que las cosas fueran de otra manera? Claro que sí. Pero por regla natural no tiene las mismas ganas ni la misma prisa que un trabajador. Perdón, que un obrero, para expresarme con propiedad. Y que conste que yo no tengo queja de usted, ni permitiría que nadie hablara mal de usted en mi presencia. Si le conozco desde que era un niño, cómo no voy a saber todo lo que tuvo que esforzarse para sacar los estudios, desamparados como se quedaron su madre y usted después de la desgracia de su padre, que en paz descanse. Está el mérito y el talento de usted, pero también el de su padre, que se sacrificó para darle estudios en vez de tenerlo trabajando con él en las obras, que es lo que habría hecho otro padre con menos ilustración, y también con menos habilidad para progresar en su oficio y ganar algo de dinero, que si no le hubiera pasado lo que pasó yo siempre lo digo, el señor Miguel habría acabado siendo uno de los grandes constructores de Madrid. Sea como sea, don Ignacio, usted es un pedazo de pan y se acuerda de lo que era trabajar con las manos, pero está del lado de los señores, y yo estoy en el de los obreros, tan claro como que usted vive en el barrio de Salamanca y yo en Cuatro Caminos. Y conste que yo no soy como otros, usted bien me conoce, yo no le tengo rencor a nadie ni creo que para traer la justicia social haga falta cortar cabezas como en

Rusia. Ojalá yo hubiera tenido un padre como el suyo, y no un pobre albañil sin luces que a los ocho años ya me había puesto a trabajar de aprendiz. Ojalá un hijo mío me hubiera salido con el talento que le dio a usted Dios, o la selección natural, que para todo hay opiniones. Pero tal como yo veo España, cosas muy tremendas pueden ocurrir, y me pregunto muchas veces de qué lado se pondrá usted cuando el dique se rompa.

—No tendría por qué romperse, Eutimio.

—Eso lo pensamos usted y yo, cada uno desde nuestro sitio en la vida, porque somos personas de razón, y perdone que me compare. Aunque yo tenga mucho menos lustre que usted algo he aprendido leyendo los periódicos y todos los libros que puedo, y estudiando la vida desde que empecé a ganármela en la cuadrilla de su padre de usted. Pero todo el mundo no es como nosotros, don Ignacio. Usted, no vamos a engañarnos, vive como lo que es, como un burgués, y yo, mal que bien, tengo cubiertas hasta el presente mis necesidades. Los dos somos personas de sangre tranquila, me parece a mí, pero otros que vienen empujando detrás tienen la sangre mucho más recia, y ni en su lado ni en el mío abunda la sensatez.

—¿No estamos en el mismo lado? ¿Hasta en el mismo partido?

—Ya ve cómo nos tiramos a muerte los unos a los otros, dentro del Partido. Abro *El Socialista* o *Claridad* y tengo que dejarlos en seguida para no leer las cosas terribles que unos compañeros escriben de los otros. Si gastamos tanta rabia en pelearnos con los nuestros, ¿cuánta nos va a quedar para hacerle frente al enemigo? Hay muy mala sangre, don Ignacio. Las cosechas se pudren en el campo porque este año ha llovido más que nunca y porque los señores prefieren que se pierdan antes que pagar unos pocos jornales. Hay hombres que nacen alimañas y otros que se vuelven así por ansia de tener más o porque los han tratado como alimañas desde que nacieron.

Según hablaba, Eutimio se iba excitando, respiraba más hondo, sin mirar a Ignacio Abel, los ojos fijos en la carretera. Este hombre le despertaba una forma de ternura que ya no sentía por nadie: lo devolvía a una región del tiempo y a una parte de sí mismo que sólo eran accesibles para él a través de la presencia de Eutimio. Su oratoria arcaica era la que él había escuchado furtivamente en las reuniones de hombres los sábados por la noche en la salita de la portería, llena de voces y de humo de tabaco. Su padre muerto tantos años atrás cobraba gracias a Eutimio una cercanía tan intensa y tan rara como la que experimentaba las pocas veces que aún lo veía en sueños; todavía su padre y él un niño en el final retardado de una infancia demasiado protegida, a pesar de que ahora él, el hijo, era unos cuantos años mayor de los que tenía su padre al morir. Eutimio pertenecía a aquel tiempo (los madrugones, el cansancio al final del día, la ruda solemnidad de las reuniones socialistas, en las que los hombres vestidos con blusones oscuros se llamaban de usted y levantaban la mano para pedir la palabra), y al revivirlo para él de algún modo trastornaba su sitio en el presente, la vida estable y sólida que parecía inevitable y que sin embargo pudo no haber sucedido, porque no había ningún vínculo entre ella y la que había tenido en aquella época de la que sólo Eutimio era ya un testigo. Nada en aquel entonces presagiaba el ahora. El niño que estudiaba en la mesa camilla a la luz de una lámpara de petróleo cuando las ruedas de un carro se detuvieron junto al ventanuco a la altura del suelo no tenía nada que ver con el hombre de pelo gris y ademanes seguros que ahora mismo conducía un automóvil por los bulevares exteriores de Madrid, en dirección a la calle Santa Engracia y a la glorieta de Cuatro Caminos. Pero Eutimio, a su lado, sabía; era capaz de establecer conexiones, con su memoria tan despejada y su inteligencia tan aguda; podía reconocer en el perfil serio de Ignacio Abel rasgos que venían de su infancia y otros que con los años habían empezado a mostrar como una resonancia en el tiempo las caras de sus padres, de quienes sólo quedaba una foto borrosa y solemne, con pálidos rastros de color, tan primitivos como sus actitudes, o como el cuello bordado y el moño de ella y el pelo aplastado de él, dividido por una raya en el centro, y su bigote de puntas engomadas. «Son vuestros abuelos paternos», les había explicado alguna vez a sus hijos, que miraban la foto con la misma extrañeza que si representara a personas no sólo de otro siglo y de otra clase social, sino de otra especie. Pero no sólo eran recuerdos lo que le traía Eutimio, también sensaciones físicas que invocaban con eficacia inmediata la presencia de su padre: la aspereza de las manos, sus gestos, el olor del pantalón de pana.

—Ya puede dejarme por aquí, don Ignacio. Usted sigue recto para su barrio y yo tomo cualquier tranvía.

—Servicio a domicilio —se encogió de hombros, sonriendo, embargado por una emoción pudorosa que no le explicaría a nadie, ni siquiera a Judith Biely—. A ver si lo corrompo con las comodidades de la vida burguesa.

—Por lo pronto los de la CNT ya me llaman esquirol.

—No será para tanto.

Subían por la calle de Santa Engracia, junto a la torre magnífica del Depósito de Aguas, que se alzaba en aquellas perspectivas horizontales de Madrid, delante del telón azulado y lejano de la Sierra, como un monumento funerario persa. Ignacio Abel conducía en silencio, escuchando a Eutimio, observando de soslayo el modo en que se modificaba su actitud según iban acercándose a su barrio: erguido incómodamente, las rodillas juntas, no queriendo abandonarse a una confianza que le podría ser retirada igual que se le concedía. Antes de llegar a sus límites Madrid ya se ensanchaba en amplitudes rurales, con hileras de casas bajas delante de las cuales las mujeres cosían al sol sentadas en sillas de anea, con grandes solares cercados por vallas de tablas sobre las que aún quedaban carteles electorales descoloridos. Una luz polvorienta y aldeana flotaba al fondo, sobre la glorieta de Cuatro Caminos: carros de traperos, rebaños de cabras, esquilas y campanillas de tranvías, girando en torno a una fuente sin agua que parecía traída de un lugar mucho más escenográfico, una fuente por algún motivo desahuciada de los paseos burgueses para los que fue construida. Las notas más poderosas de color eran el verde y el rojo de los geranios en los balcones. Un grupo de niños que pateaban una pelota hecha de trapos en medio de la calle interrumpió el juego para correr a los costados del automóvil. Hacían guiños y gestos de burla, casi pegaban las caras a las ventanillas. De cerca se distinguía su penuria: uno corría a la pata coja, apoyándose en una muleta, en la cabeza de otro blanqueaba la tiña.

—Mucho cuidado, don Ignacio, que éstos son capaces de echársele debajo de las ruedas.

Detrás de las rejas, desde los balcones, desde los umbrales de los pequeños talleres y las tabernas, de las tiendas de ultramarinos, miradas recelosas y atentas observaban el paso del coche. Tres hombres vinieron de frente, con camisas blancas y chaquetas viejas, con gorras sobre las caras, con una manera peculiar de caminar, separando mucho las piernas. En el cinturón de uno de ellos era visible la culata negra de una pistola. Se pararon delante del coche, sin hacerle señales para que se detuviera. Estaban inmóviles, en el centro de la calle, mirando a Ignacio Abel, que mantenía el motor encendido pisando suavemente el embrague y había dejado, con cautela instintiva, las dos manos quietas y visibles sobre el volante, los ojos alerta y a la vez eludiendo las miradas de interrogación y desafío.

—No se preocupe, don Ignacio, que éstos son buenos muchachos.

—¿Sabe usted lo que quieren?

—Están de vigilancia.

Eutimio bajó su ventanilla y le hizo una señal a uno de ellos, el que llevaba la pistola, que examinaba muy serio el interior del coche, con un gesto despectivo en la esquina de la boca, en la que ardía un cigarrillo. Contra cada cristal se aplastaba la nariz de un niño, bocas abiertas manchándolo de vaho, pares de grandes ojos asombrados mirando hacia adentro, como si se asomaran al cristal de un acuario.

—El señor es de toda confianza, compañero —dijo Eutimio, eludiendo la mirada del otro, tan próxima, el humo del cigarrillo que le daba en la cara—. Es mi jefe en la obra y yo respondo por él.

Los hombres hablaron brevemente entre sí y los dejaron pasar, agrupándose de nuevo para seguir vigilando el coche, el de la pistola volviendo a guardársela entre el cinturón y la camisa, los niños ahora junto a ellos, con aire de decepción, como quien mira un tren o un barco que se aleja. Atento al espejo retrovisor Ignacio Abel los vio quedarse atrás con un suspiro de alivio menos silencioso de lo que él imaginaba.

—Se ha asustado usted un poco, don Ignacio. Se ha puesto pálido. No era para tanto. Tiene usted que comprender que en este barrio, cuando se ve un coche como el suyo, es que va a pasar algo malo.

—¿Los falangistas?

—O los monárquicos. O los de las Juventudes de Acción Popular. Suben por Santa Engracia a toda velocidad y atropellan al que se ponga delante, y se lían a tiros sin mirar a quién. La semana pasada mataron a una pobre mujer que estaba barriendo la puerta de su casa. La lucha de clases, don Ignacio. Asoman la cabeza por la ventanilla, estiran el brazo y gritan *¡Arriba España!* Luego dan la vuelta en Cuatro Caminos y a ver quién los encuentra.

Ahora advertía con mayor perspicacia los gestos y las miradas: también la mezcla de incomodidad y suficiencia que experimentaba Eutimio al ser reconocido en su vecindario. El encierro en el espacio reducido del automóvil había favorecido, con la proximidad física, una soltura en el trato que estaba a punto de ser cancelada, en cuanto Eutimio bajara, haciéndole un gesto de despedida que encubriría el propósito contenido de estrecharle la mano, en vez de dar las gracias inclinando ligeramente la cabeza, de pie en la acera, con la gorra quitada. Una persiana se apartaba en un balcón; una mano de mujer ensanchada y enrojecida por el trabajo estremecía una cortina de tejido barato; unos niños que saltaban al burro interrumpieron el juego, y el que estaba agachado volvió la cabeza para mirar hacia el coche que se detenía, con una expresión de pronto seria y adulta; la cuerda a la que saltaban unas niñas con lazos de colores en el pelo se quedó inmóvil sobre la tierra apisonada; hombres jóvenes en mangas de camisa se asomaron a la puerta de una taberna.

—Lo convido a un vaso de vino, a ver si se le quita el susto del cuerpo, don Ignacio.

—Hombre, Eutimio, tampoco ha sido para tanto —haber mostrado tan visiblemente su alarma ahora avergonzaba a Ignacio Abel: afectuoso, casi paternal, Eutimio se complacía no obstante en la debilidad de un superior, más evidente porque al salir del coche se encontraba sin defen-

sas en un territorio desconocido en el que dependía de
él—. Me tomo un vaso si usted me deja que le invite.

Le sobraba tiempo: no estaba citado con Judith Biely y
no tenía ganas de volver a casa, en la tarde de mayo que
parecía detenida en una luminosidad no amortiguada todavía por el crepúsculo. Cuando volviera se permitiría el
alivio de contarle a Adela la verdad —lo cual serenaba
mucho su conciencia de embustero reciente, todavía inexperto—, pero ella probablemente pensaría que su rato de
conversación con un capataz en una taberna de Cuatro
Caminos era una mentira, una de tantas que ya no se molestaba mucho en fingir que creía. Muy distraído, contento, casi virtuoso, como si la verdad de hoy de algún modo
compensara el fraude de tantas otras veces, él ni siquiera
se daba cuenta de la incredulidad de Adela.

—Por el auto no se preocupe usted, don Ignacio, que
aquí estamos en confianza. No tiene usted ni que cerrarlo
con llave. Aquí somos pobres pero honrados, como en las
zarzuelas.

No sólo miraban el coche, el verde suave de la pintura, la capota de cuero de color manteca, las manivelas ni-
queladas, como los radios de las ruedas; lo miraban a él,
sobre todo, como a un ejemplar de otra especie, sus manos blancas, su traje a medida, el pico del pañuelo en el
bolsillo de la americana, el brillo de la corbata de seda, los
zapatos de dos colores. Los ojos negros de los niños eran
un espejo que le devolvía una versión distorsionada de sí
mismo, el hombre alto y extraño que ellos estaban viendo,
el que se había bajado del automóvil cerrando con fuerza
la puerta y mirando a su alrededor con un gesto de vigilancia instintiva, con algo de dignatario colonial en visita
de inspección, tal vez benévolo pero siempre lejano, dotado de una arrogancia que no tenía por qué ser una actitud
personal porque estaba inscrita en la naturaleza de su cas-

ta. Se acordaba de sus hijos viendo esas caras infantiles de una dignidad resplandeciente a pesar de los signos de la pobreza: las ropas viejas, desiguales, zurcidas; las alpargatas rotas, los pantalones cortos sujetos con cuerdas; las pequeñas muletas de los tullidos, que corrían jovialmente a la pata coja a la zaga de los otros. Desde la distancia en que las miradas lo situaban veía no al hombre que era ahora mismo, sino al niño que tantos años atrás sólo muy de tarde en tarde salía medrosamente a jugar en otra calle muy parecida a ésta, en su barrio del otro extremo de Madrid. Por unos segundos las voces de los niños habían resonado en una especie de cóncava eternidad, en el reino intemporal de los juegos y las canciones de la calle: los que él escuchaba tantas veces en la penumbra de la portería de su madre, viniendo por la ventana que estaba muy alta sobre su cabeza, al nivel de la acera. No había sido uno de ellos, ni siquiera entonces. Un puro instante recobrado de aquel tiempo remoto lo hizo detenerse en la puerta de la taberna, feliz y perdido, con una felicidad que se parecía mucho a la congoja, parpadeando como si al salir del coche lo hubiera deslumbrado la claridad de la tarde.

—Eso mismo le pasaba a usted de niño —estaba diciéndole Eutimio, su cara cercana y un poco desenfocada—. Se quedaba pensando en sus cosas y su padre que en paz descanse decía, «este chico parece que se me pone sonámbulo».

La taberna, más bien una bodega, era sombría y honda, con olor a serrín y a vino agrio, a barril y a arenques en salmuera. Entrar en ella era seguir avanzando por la penumbra del pasado: a tabernas como ésta lo mandaba de niño su padre a comprar un cuartillo de vino o a llevarle un recado a algunos de los albañiles o de los artesanos que trabajaban para él en las obras. Pero ahora había carteles de fútbol, de toros y de boxeo pegados a la cal de las paredes, y un gran aparato de radio detrás del mostrador. En la estampa chillona de un almanaque, bajo un letrero que proclamaba «¡Feliz 1936!», la República era una señorita desnuda con un gorro frigio ladeado sobre la cabeza y cubierta apenas con los pliegues de una bandera tricolor que moldeaban sus pechos y descubrían un muslo carnoso de corista o de bailarina de taxi-dancing.

Los hombres que bebían junto al mostrador de zinc y en las mesas saludaban a Eutimio y examinaban a Ignacio Abel de arriba abajo sin disimulo, y también sin simpatía. No eran muchos, pero sus presencias y sus voces llenaban el espacio tan densamente como el humo de sus cigarrillos, y desprendían una sensación muy fuerte de vigor áspero y cansancio del trabajo. Se sentaron en una mesa apartada y el tabernero les trajo una frasca cuadrada de vino tinto y dos vasos chatos de cristal muy grueso, mojados todavía por el agua limpia del fregadero. Al sentarse Eutimio en la silla la pistola le abultaba visiblemente en el bolsillo interior de la chaqueta.

—Parece mentira, don Ignacio, que estemos usted y yo sentados aquí, en la misma mesa, cuando en el trabajo tengo que quitarme la gorra para hablar con usted, y hasta no está bien que lo mire mucho a los ojos cuando le digo algo.

—No exagere usted, Eutimio. ¿No ha cambiado nada la vida desde los tiempos de mi padre? Y más que va a cambiar desde ahora, con el gobierno del Frente Popular.

—Un gobierno de señoritos burgueses, don Ignacio, que mandan gracias al voto obrero.

—Por culpa de nuestro partido, el de usted y el mío. El que no ha dejado que un socialista sea presidente del gobierno. Costó tanto traer la República y ya no la quieren, no les parece bastante. Ahora quieren una revolución soviética, como en Rusia. ¿No estuvo usted en la manifestación del Primero de Mayo? Desfilaban los socialistas y parecía que estuvieran en la Plaza Roja de Moscú. Banderas rojas con hoces y martillos, retratos de Lenin y de Stalin. Los nuestros sólo se distinguían de los comunistas en que llevaban camisas rojas y no azul celeste como ellos. Ni una sola bandera de la República, Eutimio, la República que pudo llegar porque los socialistas quisimos que viniera, porque los republicanos no eran nada. Pero estos socialistas del Primero de Mayo no daban vivas a la República, sino al Ejército Rojo. Con gran alegría de las derechas, como es de imaginar.

—Es que ya se lo tengo dicho, don Ignacio, la República es muy bonita pero no da de comer.

—¿Y dan de comer las huelgas a tiros y las iglesias incendiadas?

—A mí eso no me lo tiene usted que decir, don Ignacio. Yo tengo muchos años, como usted sabe, y las he visto de muchos colores, pero hasta la presente no me ha ido mal en la vida. Tengo una casita decente aquí al lado y una huertecilla en el pueblo, y mi señora y mis hijas cosen en las máquinas Singer y se ganan un jornal que no es peor que el mío. Como sé leer y escribir y tengo buena cabeza para los números pude llegar a capataz, y en mi casa se han podido pasar estrecheces, pero no miseria. Al chico menor gracias a usted lo tengo colocado de escribiente ahí al lado, en las oficinas del Canal, y aunque me gana poco es aplicado y por las noches estudia para delineante, que ojalá pueda encontrar un puesto en las oficinas de la Ciudad Universitaria el día de mañana, si usted le echa una mano. Pero hay otros que están mucho peor, don Ignacio, y no tienen paciencia ni tienen juicio, y si los tienen pueden perderlos cuando por falta de trabajo y de un poco de justicia ven morirse de hambre a sus hijos, o pierden la casa porque no pueden pagarla y se ven tirados bajo los puentes o pasando las noches en los quicios de las puertas.

—Todo no puede hacerse de golpe, Eutimio. —Ahora era su propia voz la que le sonaba falsa, aunque estuviera diciendo algo razonable: tan razonable como estéril tal vez—. La República tiene sólo cinco años, el Frente Popular ganó hace tres meses.

—¿Y quiénes somos usted o yo para decirle a nadie que tenga paciencia? ¿O que se espere unos meses para darle de comer a sus hijos, o para llevarlos al médico? Ninguno de los dos nos vamos a acostar sin cenar esta noche, y perdone que me compare.

—¿Y poniendo bombas y matando a gente se va a remediar algo? ¿Levantándose en armas contra la República, como en Asturias? ¿Amenazando cada día con romper la baraja y establecer la dictadura del proletariado?

—La clase obrera tiene que defenderse, don Ignacio. —Eutimio le hizo un gesto para que bajara la voz—. Si no fuera por esos muchachos que están de vigilancia ahí afuera a lo mejor usted y yo no podíamos tomarnos tranquilos nuestro vaso de vino.

—Parece que ustedes no entienden, Eutimio. —Nada más decirlo se dio cuenta de que ese plural era ofensivo, pero se estaba enardeciendo, y le brotaba un sentimiento desagradable pero poderoso de superioridad—. Hay leyes que están por encima de todos. Hay policía, hay jueces. No estamos en el Oeste, ni en Chicago, como parece creer todo el mundo. Uno no se levanta en armas contra el gobierno legítimo porque no le gusta el resultado de las elecciones. Uno no va por ahí con una pistola tomándose la justicia por su mano.

—Que no soy tonto, don Ignacio. —Eutimio había dejado el vaso vacío de vino sobre la mesa y lo miraba muy serio, agraviado, ladeando al mismo tiempo la cabeza para asegurarse de que nadie los oía—. Eso que dice usted de las leyes está muy bien, pero a estas alturas ya no se lo cree nadie. Dígaselo a los militares sediciosos que no paran de conspirar y a los jueces que sueltan a los pistoleros falangistas que matan obreros.

—¿Y entonces qué hacemos? ¿Armarnos todos? ¿«Un hombre, una pistola» en vez de «Un hombre, un voto»?

—Lo que podemos hacer yo no lo sé, don Ignacio. A lo mejor el remedio nos lo va a traer la gente más joven que tiene ideales más fuertes que nosotros. Cuando yo era un muchacho y oía a Pablo Iglesias y a los oradores de entonces hablando de la sociedad sin clases se me saltaban las lágrimas. Y ahora ya ve usted, en vez de la sociedad sin clases lo que me hace ilusión es mi huertecillo, y que no me falte el jornal. A lo mejor usted tampoco se imaginaba de muchacho que iba a disfrutar tanto guiando un automóvil y viviendo en un piso con ascensor del barrio de Salamanca...

—Ya estamos otra vez.

—No me pierda la paciencia, don Ignacio. Ni el respeto tampoco, si me lo permite. Y no me levante la voz, que a lo mejor dice algo que a otras personas no les guste oír. La gente joven viene empujando con un brío que nosotros ya no entendemos. Mi chico mismo, que nunca rompió un plato, que siempre fue de casa al trabajo y del trabajo a casa, se me hizo el año pasado de la Juventud Comunista. Un disgusto para un padre, pero fíjese que ahora se han unido con las Juventudes nuestras, lo cual me deja más tranquilo. A lo mejor usted y yo nos conformamos con que sea algo mejor este mundo que conocemos, que al fin y al cabo es el nuestro. Pero ellos lo que quieren es traer otro mundo. ¿No ha leído lo que ponen en los carteles? «Llevamos un mundo nuevo en nuestros corazones...»

Literatura de nuevo, pensaba, pero no lo dijo, por

miedo a ofender a Eutimio. Literatura barata, morralla de periódicos, versos de tercera, a veces cantados en himnos, para mayor efecto. Un país entero, un continente entero infectados de literatura mediocre, beodos de músicas chabacanas, de marchas de zarzuela y pasodobles taurinos. Pensaba de pronto, en la taberna con pobre luz eléctrica y olor a vino malo, con el suelo sucio de serrín mojado y colillas, que no sentía en el fondo de su alma demasiada simpatía hacia sus semejantes, que necesitaba la vaguedad y la protección de una cierta distancia para congraciarse con ellos, para emocionarse con principios y palabras de emancipación como las que había oído de niño en las reuniones de su padre. Pensaba que lo que de verdad quería era irse de España: sin preparación, sin aviso, sin remordimiento, poner tierra por medio, subir a un expreso nocturno junto a Judith Biely y despertar en una capital portuaria desde la que partiera ese mismo día un buque hacia América, desaparecer sin rastro, libre de cualquier vínculo, tan separado del mundo exterior y de toda la trama angustiosa de las obligaciones de su vida como cuando se abrazaba a ella después de haberla desnudado y hundía la cara en su cuello respirando su olor hasta lo más hondo de los pulmones, como si respirara por anticipado el aire de otro país y de otra vida, con los ojos cerrados, mientras se filtraba por los visillos la claridad laboral de la mañana y los sonidos de la ciudad llegaban debilitados a la intimidad breve y mercenaria que los acogía en casa de Madame Mathilde.

A la mañana siguiente, cuando lo vio llegar a la oficina, Eutimio bajó ligeramente la cabeza y le hizo un gesto de saludo sin mirarlo a los ojos.

17

Time on our hands, dijo Judith, antes de colgar el teléfono, de confirmar la hora del encuentro, del arranque del viaje, casi huida soñada, para que no hubiera duda ni confusión posible, y a él le gustó la poesía implícita en la expresión común, como tantas veces que aprendía nuevos giros de ella o que le explicaba alguno en español. Tiempo en nuestras manos, por una vez rebosando de ellas como el agua fresca de un caño poderoso entre las manos ahuecadas en las que se hundirá gozosamente la cara o se mojarán los labios de quien por fin puede saciar la sed; cuatro días y cuatro noches enteros de tiempo exclusivamente suyo, no compartido con nadie, no contaminado por la indignidad de esconderse, no medido en minutos o en horas, un tesoro de tiempo cuya magnitud les costaba imaginar. Pero tampoco sabían imaginarse juntos lejos de Madrid, en otro escenario que no fuera el de la ciudad que los había unido y que los apresaba, sometiéndolos al maleficio de la prisa y de la clandestinidad, horas robadas a las obligaciones, ni siquiera eso a veces, minutos furtivos arañados para hacer una llamada de teléfono o mandar una postal, un telegrama, para empezar una carta y tener que esconderla por culpa de una interrupción, deslizándola entre papeles oficiales, guardándola en ese cajón del despacho de su casa que Ignacio Abel siempre cerraba con una llave diminuta. *Time on our hands,* recuerda ahora, repite en voz baja, mirando las dos manos inertes sobre los muslos, sobre los faldones de la gabardina que no se quitó al subir al tren; las manos inútiles para otra cosa que no sea palpar bolsillos en busca de algún documento o rozar la cara cada mañana después del afeitado, para apretar el asa oscurecida de sudor de la maleta o abrochar botones o descubrir que un botón se ha caído y sólo queda de él un rastro de hilos o que los cordones de los zapatos se están deshilachando o ha empezado a descolgarse el bolsillo derecho de la chaqueta. Al menos tuvimos eso, piensa, ese regalo, no el anticipo de algo que vendría después sino un favor casi último antes de que lo inevitable sucediera, tres días enteros, casi cuatro incluyendo los largos viajes, de jueves a domingo, la carretera recta y blanca desplegándose ante el automóvil cuando salieron de Madrid hacia el sur, todavía amaneciendo, y al final del viaje la casa sobre los acantilados de arena, el olor del Atlántico entrando en ella tan poderosamente como entra ahora el del Hudson por la ventanilla del tren: las manos llenas de tiempo, llenas de la cercanía codiciosa del otro, buscando bajo la ropa en cuanto dieron unos pasos en el interior de la casa en penumbra, sin abrir todavía ninguna ventana, sin haber sacado las maletas del coche, exhaustos después de tantas horas en la carretera y sin embargo muertos de deseo, incapaces ya de seguir aplazándolo. No era lo mismo decir *tiempo de sobra*: por más que tuvieran nunca les sobraría ni un minuto, no se permitirían el lujo de desperdiciarlo, y en cualquier caso esas palabras no expresaban la sensación física de una abundancia inmerecida que llena las manos, como las monedas o los diamantes de un tesoro de cuento, *tiempo a manos llenas.* Pero por mucho que se aprieten los dedos y se junten las dos manos curvadas como un cuenco el agua siempre se escapará de ellas, segundo a segundo el tiempo escurriéndose igual que granos mínimos de arena, relucientes como cristales en la luz matinal de la playa a la que descendían por unos peldaños de madera, sin ver a nadie en toda su amplitud, supervivientes únicos de un cataclismo que los hubiera dejado solos en el mundo, desertores de todo, de sus dos vidas y hasta de sus nombres que los identificaban y los ataban a ellas, renegados de cualquier lazo o lealtad que no fueran los que los unían entre sí, padres, hijos, cónyuges, amigos, obligaciones, principios, apóstatas de cualquier creencia.

Si al menos hubieras tenido verdadero coraje, piensa ahora, mirando las dos manos baldías que no tocan a nadie, las manos de venas tortuosas y uñas mal cortadas y ligeramente sucias, si te hubieras atrevido a una verdadera apostasía y no a un simulacro, a una huida verdadera y no a una ficción. Incluso los cuatro días enteros y las cuatro noches se les deshacen rápidamente en nada a los amantes que hasta entonces no han podido pasar más que unas pocas horas seguidas juntos, no han sabido lo que era abrir los ojos con la primera luz del día y encontrar al otro, asistir a su sueño complacido y a su despertar. Tan poco tiempo siempre, las horas contadas, deshaciéndose en una arena de minutos y segundos fugaces, el reloj sonando, el mecanismo ruidoso en el despertador de la mesilla de noche o el más sutil en la muñeca, atado a ella como un cepo de cautiverio, segundo a segundo, las dentelladas diminutas socavando las casas de tiempo en las que se escondían para estar juntos, sus refugios clandestinos, casi siempre precarios, siempre en peligro de ser invadidos, por muy hondo que quisieran esconderse el uno junto al otro y el uno en el otro, cancelando el mundo exterior en el fanatismo de un abrazo con los ojos cerrados. Pasos en el corredor de la casa de citas, puertas que en cualquier momento podrían abrirse, muros demasiado livianos al otro lado de los cuales se oían voces, los gemidos de otros amantes clandestinos, habitantes como ellos de la ciudad secreta, el Madrid sumergido y venal de los reservados, las habitaciones alquiladas por horas, los parques a oscuras, el sórdido territorio fronterizo en el que confluían el adulterio y la prostitución. Vivían asediados por acreedores, por ladrones y mendigos de tiempo, por prestamistas rapaces y turbios traficantes de horas. El tiempo fosforecía en las agujas del despertador, sobre la mesa de noche, en la habitación en casa de Madame Mathilde, en la penumbra forzosa de las cortinas echadas en mitad de la mañana. El tictac sonaba como el medidor de un taxi: si se retrasaban sólo unos minutos en salir de la habitación alquilada oirían pasos en el corredor y golpes en la puerta; si querían algo más de tiempo debían comprarlo a un precio aún más abusivo. El tiempo huía en espasmos numéricos como la distancia en el cuentakilómetros del coche mientras viajaban hacia el sur como si no tuvieran que volver nunca, fugitivos de todo durante cuatro días. El tiempo de cada espera se dilataba y hasta se detenía por culpa de la incertidumbre, por la angustia de que el otro no se presentara. El relámpago de la llegada abolía durante unos minutos el paso del tiempo, dejándolo en suspenso en un espejismo de abundancia. El tiempo ilícito tenía que ser comprado, minuto tras minuto, obtenido como en dosis de opio o de morfina a través del gesto rápido con que un camarero de pajarita y chaquetilla negra les entregaba la llave de un reservado a la vez que recibía en la otra mano la propina. El bien tan escaso del tiempo se perdía esperando un taxi, viajando interminablemente en un tranvía muy lento, conduciendo en medio del tráfico, marcando un número en el teléfono y esperando a que la rueda vuelva a su punto de partida para marcar el siguiente: cuánto tiempo desperdiciado esperando una respuesta, escuchando un timbre que suena al otro lado en una habitación vacía, impacientándose porque una telefonista tarda en contestar o en pasar la llamada, los dedos inquietos tamborileando en una mesa, la mirada vigilante por si se acerca alguien al fondo del pasillo, una hemorragia de tiempo, gota a gota o a borbotones. Fue Philip Van Doren quien les regaló los cuatro días enteros al ofrecerles la casa que había comprado o estaba a punto de comprar en la costa de Cádiz, sin verla siquiera, conociéndola tan sólo por planos y fotografías; quien parecía complacerse en ampararlos, en incitarlos el uno hacia el otro desde una distancia benévola, en intervenir en nombre del azar, como había hecho al dejarlos solos en su despacho aquella tarde de octubre. La casa de tiempo que Ignacio Abel hubiera querido construir para que nada más que Judith y él mismo la habitaran existió de verdad durante sólo cuatro días; entre la tarde del jueves y la madrugada del lunes: blanca, de volúmenes cúbicos, perfilándose horizontal sobre un acantilado, sus formas variables en las fotografías que Van Doren desplegaba ante él, sobre el mantel de la mesa del Ritz en la que los había invitado a cenar, en un reservado, acatando de manera implícita la conveniencia de que Ignacio Abel no fuera visto en público con su amante, mientras que de la calle, de la plaza de Neptuno, llegaba amortiguado el estrépito de una batalla a pedradas y a tiros entre guardias de Asalto y huelguistas de la construcción: silbatos, cristales rotos, sirenas. Se había apartado de las muñecas las bocamangas del jersey con gestos impacientes y disponía las fotos sobre la mesa como en un juego de naipes, alzando las cejas depiladas, chupando con deleite un habano, una sonrisa en sus labios carnosos, en la boca demasiado pequeña, incongruente con su recia mandíbula cuadrada y sus dedos velludos. «Mi querido profesor Abel, no se sienta obligado a decir que no. No le ofrezco un favor, sino que le pido su opinión profesional. Como si le pidiera un informe sobre un cuadro antes de comprarlo. Vea la casa y dígame en qué estado se encuentra. Viva en ella unos días. Me aseguran que está plenamente abastecida de todo lo necesario, pero no creo que la haya habitado nadie todavía. Se la hizo construir un conocido mío alemán cargado de dinero que de pronto no está seguro de que le convenga seguir viviendo y haciendo negocios en España. Me atrevo a suponer que a Judith no le importará acompañarlo. Les vendrá bien escapar del calor de Madrid y del clima político todavía más irrespirable. Ahora que de nuevo hay huelga no será prudente que se le vea a usted llegar cada mañana a la Ciudad Universitaria. ¿Cree usted que se sublevarán por fin los militares, profesor Abel? ¿O se les adelantarán las izquierdas en un nuevo ensayo general de revolución bolchevique? ¿O se irá todo el mundo de veraneo y no pasará nada, como me dijo el ministro de Comunicaciones hace sólo unos días?»

Dame tiempo. Si tuviera tiempo. Es cuestión de tiempo. Aún estamos a tiempo. Ya no hay tiempo. En el comedor reservado del Ritz, Philip Van Doren los miraba con la altiva magnanimidad de un potentado, un oligarca del tiempo, ofreciéndoles la limosna tentadora y quizás humillante de lo que ellos más anhelaban, tan poderoso que no les pedía nada a cambio, ni siquiera gratitud, tal vez solamente el espectáculo de la penuria que advertía en ellos, del modo sutil en que la pasión sexual clandestina los iba envileciendo, gastando, como personas respetables sometidas a una adicción secreta, la morfina, el alcohol, llegadas a ese punto en el que el deterioro ya se hace visible. Comían en el reservado y ninguno de los tres daba muestras de estar oyendo el tumulto que llegaba amortiguado por los cortinajes y por los árboles del jardín. Necesito tiempo. Cuánto tiempo más quieres que te dé. El tiempo como un bloque sólido en el taco de hojas de un calendario, cada día una lámina imperceptible de papel, un número en rojo o en negro, el nombre de un día de la semana. Judith Biely extranjera y distinguida, inexplicablemente suya, buscando su pie debajo de la mesa mientras sonreía llevándose la copa de vino a los labios, *playing footsie*, le había enseñado a decir. El tiempo lento, fósil, empantanado, solemne, en el reloj de péndulo que hay al fondo del pasillo, el que Ignacio Abel ve brillar mientras aguarda de pie apretando el auricular del teléfono, impaciente y furtivo; el que da las horas con resonancias de bronce en mitad del insomnio, en la amplitud a oscuras de la casa, cuando él creía que había transcurrido una eternidad y cuenta los golpes y sólo son las dos de la madrugada, la cara contra la almohada y el corazón latiendo muy rápido, las oleadas rítmicas de la sangre en las sienes, mientras Adela duerme a su lado o permanece despierta y finge estar dormida igual que él y sabe también que él no duerme, los dos inmóviles, sin rozarse, sin decir nada, las dos conciencias físicamente tan cercanas como los dos cuerpos y sin embargo remotas entre sí, herméticas y sumergidas en una misma agitación, en el suplicio idéntico del tiempo. El tiempo que no pasa, abrumador como un fardo, como un baúl o una losa; el tiempo de una cena en la que los cuatro se han quedado en silencio y sólo oyen el sonido de la cuchara rozando contra la loza del plato de sopa y el que hace Miguel sorbiéndola y los golpes menudos del tacón de su zapato contra el suelo. El tiempo que me queda antes de que se acaben los plazos para solicitar el permiso en la Ciudad Universitaria o tramitar el visado en la embajada americana. El tiempo exquisito que Judith apura corriéndose cuando él ha sabido acariciarla, atento a ella con los cinco sentidos, la boca entreabierta de Judith, los ojos entornados, respirando por la nariz, el largo cuerpo desnudo tensándose, las palmas de las manos sobre los muslos, el sonido seco de las mandíbulas que él ha aprendido a esperar como un signo favorable, un aviso de que el placer de ella se avecina. El tiempo que siempre se acaba, aunque el fervor del encuentro hizo al principio que pareciera ilimitado. El nudo de la corbata delante del espejo, el peine rápido en el pelo, Judith sentada en la cama, subiéndose las medias, observando la prisa de él, el gesto furtivo con que ha consultado el reloj. El tiempo del regreso en el taxi, o en el coche de Ignacio Abel, los dos callados de pronto, lejanos en el silencio, ya replegados en la distancia que todavía no los separa, mirando los relojes iluminados en el cielo nocturno de Madrid, al otro lado de la ventanilla, que señalan una hora siempre demasiado tardía para él (pero no piensa en el otro tiempo que la aguarda a ella cuando entre en su cuarto de la pensión y mire la máquina en la que hace tanto que no escribe, las cartas de su madre a las que sólo contesta de tarde en tarde, suprimiendo una parte de su vida en Madrid, inventándola, para no contarle que se ha hecho amante de un hombre casado). El tiempo que tarda en aparecer el sereno después de las palmadas resonantes que lo llaman en el silencio nocturno de la calle Príncipe de Vergara, cada vez más angustioso, como una culpa mordiéndole los talones; el que transcurre hasta que llega el ascensor y luego sube muy despacio y él mira de nuevo el reloj y piensa incrédulamente que a esta hora Adela ya se habrá dormido, que no notará el olor a tabaco y al perfume de otra mujer, el crudo olor de las secreciones sexuales; el tiempo de salir al rellano procurando que no suenen demasiado fuertes las pisadas en el mármol del corredor y buscar la llave en el bolsillo y hacerla girar en la cerradura con la esperanza de que no haya ninguna luz encendida en la casa, a no ser la del altar de Nuestro Padre Jesús de Medinaceli con su tejadillo y sus dos diminutos faroles eléctricos. Tiempo al tiempo. El tiempo todo lo cura. Ha llegado el tiempo de salvar a España de sus enemigos ancestrales. Volverán los tiempos de gloria. Si el gobierno se lo propusiera de verdad todavía estaría a tiempo de atajar la conspiración militar. Volverán Banderas Victoriosas. Ojalá no pase el tiempo. El Tiempo de Nuestra Paciencia se ha Agotado. Ya no es Tiempo de Compromisos ni de Medias Tintas con los Enemigos de España. El tiempo que he perdido no haciendo nada, dejando para otro día o para dentro de unas horas decisiones urgentes, imaginando que la pasividad hará que el tiempo resuelva las cosas por sí solas. El tiempo que falta para que Judith decida volverse a América o para que reciba una oferta de trabajo o para que se marche sin más a otra capital de Europa menos provinciana y menos convulsa, en la que no haya tiroteos por las calles, en la que los periódicos no traigan con tanta frecuencia en primera página la noticia de un crimen político. Las semanas, los días que tal vez faltan para que estalle la sublevación militar de la que todo el mundo habla ya abiertamente, con un fatalismo suicida, con la impaciencia de que al fin llegue el desastre, la revolución social, el apocalipsis, lo que sea, cualquier cosa menos este tiempo de espera, de ver pasar entierros con ataúdes cubiertos por banderas, llevados a hombros por camaradas de aire pretoriano, con camisas rojas o camisas azul marino y correajes militares, alzando manos abiertas o puños cerrados, gritando consignas, vivas y mueras, tardando horas en llegar al cementerio (las bocas muy abiertas mostrando malas dentaduras; manchas de sudor en los sobacos de las camisas marciales). El tiempo que tarda una carta recién depositada en un buzón en ser recogida y clasificada, matasellada, entregada en la dirección que se indica en el sobre; el que tarda el ordenanza lentísimo y servil cada mañana en repartir el correo, avanzando con su bandeja en las manos entre las mesas de las mecanógrafas y los delineantes, deteniéndose con galbana inaceptable para charlar con alguien, para aceptar un cigarrillo; el tiempo que tardan los dedos ávidos en rasgar su filo, en extraer las hojas, el que emplean los ojos en moverse velozmente sobre cada línea, de izquierda a derecha, volviendo luego al punto de partida, como el carro de una máquina de escribir, como la lanzadera de un telar, bebiendo cada palabra con la misma rapidez con la que fue escrita, succionando en los hilos de tinta los rasgos de una caligrafía tan deseada y familiar como las líneas de una cara, como la mano que se deslizó por el papel escribiendo. *No puedes decirme que no. Imagina la casa, y nosotros en ella, no podemos rechazar lo que Phil nos ofrece, tengo derecho a pedírtelo, sólo unos pocos días.*

Mira el reloj y cae en la cuenta de que ha pasado mucho rato desde la última vez que lo miró, como el fumador que empieza a librarse de su adicción y descubre que ha pasado más tiempo que nunca sin la tentación de encender un cigarrillo: unos minutos después de la salida, cuando el tren acababa de pasar junto al puente George Washington. *Time on our hands.* Ha oído la voz de Judith Biely en el teléfono, reconocido nítidamente esas palabras, su tentación y su promesa, su advertencia, *We're running out of time.* Qué poco tiempo les quedaba, mucho menos de lo que él había imaginado, de lo que el miedo le había inducido a vaticinar: las manos de pronto vacías de tiempo, los dedos estériles curvándose para apresar el aire, intuyendo a veces como un recuerdo táctil del cuerpo que no acarician desde hace ya tres meses enteros, la duración baldía del tiempo sin ella. Corriendo sin sosiego, *running out of time*, dijo ella también, y él no supo comprender la advertencia, no percibió la velocidad del tiempo que ya estaba arrastrándolos. Cuánto tiempo hace que estas manos no tocan a nadie, no se curvan adaptándose a la forma delicada de un pecho de Judith Biely, no tocan el rosa tenue de sus pezones, no estrechan contra él a sus hijos, corriendo para abrazarse a él por el pasillo de la casa de Madrid o por el sendero de grava en el jardín de la Sierra; esta mano derecha que se alzó arrebatada por la ira y descendió como un rayo contra la cara de Miguel (ojalá se hubiera quedado paralizada en el aire, atravesada de dolor; ojalá se hubiera secado antes de causar dolor y vergüenza a su hijo, que tal vez no sabe ahora si su padre está vivo o muerto, que ya habrá empezado a olvidarlo). Las manos de niño que se desollaban tan fácilmente con el tacto áspero de los materiales; las que paralizaba el frío en las madrugadas de invierno y que Eutimio calentaba apretándolas entre las suyas tan ásperas, quemadas por el yeso. «Qué pena daba mirarle a usted las manos, don Ignacio. Yo las frotaba entre las mías para darle calor y eran como dos gorriones muertos.» Con estas manos no habría podido abarcar la pistola que Eutimio le enseñó una mañana de mayo en su oficina: la misma que levantó y puso en el centro del pecho de uno de los hombres que empujaban a Ignacio Abel contra un muro de ladrillo a las espaldas de la Facultad de Filosofía. Recuerda con desagrado el sudor en las palmas, tan infame como la humedad en las ingles. Tiempo en nuestras manos: el tiempo no se va agotando despacio, como un caudal que se vuelve un hilo de agua y un goteo antes de extinguirse. El tiempo se acaba de golpe y de un momento a otro uno está muerto con la cara contra la tierra, y después de un encuentro que no se sabe que es el último alguien dice adiós y no volverás a verlo nunca más. El tiempo de un encuentro que se parecía a cualquier otro concluye y ninguno de los dos amantes sabe ni sospecha que va a ser el último. O uno de los dos sí sabe y calla, ha decidido pero guarda todavía su resolución en secreto y ya calcula las palabras que escribirá en una carta, las que en voz alta no se atreve a decir.

Colgó el teléfono y la expresión que había usado Judith Biely quedó flotando en su conciencia como el metal de la voz que al cabo de unas pocas horas oiría de nuevo, ahora cerca de él, rozándolo con el aliento que daba forma a sus palabras, *Time on our hands*, por una vez no horas contadas, minutos que se deshacían como agua o arena entre los dedos, sino días, cuatro días enteros en los que no habría despedidas ni ansias postergadas, tiempo secreto o robado, ilimitado, desbordándose, recibiéndolos con la clemencia de un país de acogida, cuya frontera se abriría con sólo decir una mentira, un pasaporte falso de validez limitada pero instantánea, una mentira que ni siquiera lo es del todo, *El jueves me voy a la provincia de Cádiz y vuelvo el lunes por la mañana*. La verdad y la mentira se decían exactamente con las mismas palabras, eran tan difíciles de separar entre sí como la composición química de un líquido. *Un cliente americano está pensando comprar una casa en la costa y me ha pedido que vaya a verla antes de tomar la decisión*. Era tan fácil y la recompensa tan ilimitada que le producía anticipadamente una sensación de ebriedad, casi de vértigo, a la hora de la cena, en el letargo del comedor familiar, donde el tiempo transcurría tan despacio, tiempo como plomo sobre los hombros, al ritmo funerario del gran reloj vertical, regalo pomposo de don Francisco de Asís y doña Cecilia, con su péndulo de bronce en la caja honda como un ataúd y su leyenda en letra gótica alrededor de la esfera dorada, *Tempus fugit.* «Te estás quejando siempre de que te falta tiempo», dijo Adela, mirándolo apenas, atenta más bien al plato que tenía delante, consciente de la vigilancia ansiosa de Miguel, de la rodilla que estaría moviéndose nerviosa debajo de la mesa, «y ahora vas y te enredas en otro compromiso. Podías haber aprovechado los días de huelga para descansar con nosotros en la Sierra». «No puedo negarme», improvisaba, alentado por la facilidad, no mintiendo del todo, usando hechos comprobables como la materia dócil con que moldeaba la mentira, «es el empresario que me ofreció el encargo en los Estados Unidos». Pero la simulación de un modo u otro lo atrapaba: al oír hablar de los Estados Unidos Miguel y Lita irrumpieron abiertamente en la conversación quitándose la palabra para preguntar si de verdad irían todos a América, cuándo, en cuál de los transatlánticos que aparecían anunciados en el escaparate de la agencia de viajes de la calle de Alcalá y en la de la calle Lista, maquetas detalladas en las que se veían las ventanillas circulares y los botes salvavidas y las pistas de tenis dibujadas en la cubierta, carteles de buques con altas proas afiladas hendiendo las olas, con columnas de humo ascendiendo de las chimeneas pintadas de rojo y de blanco, con hermosos nombres internacionales inscritos en la curvatura negra del casco. Igual que su madre, Miguel advirtió el gesto de contrariedad, casi de angustia, en seguida mezclada con una irritación que no llegaba a mostrarse del todo, el contratiempo de no tener preparada una respuesta, cuando la mentira había fluido hasta entonces tan desahogadamente. Pero Miguel no sabía interpretar los datos incesantes que le suministraba su atención, y que para él se resumían en un confuso estado de alarma, la intuición de un peligro que estaba cerca pero que él no podía identificar: como en esas películas de aventuras en África que le gustaban tanto, cuando un explorador se despierta de noche y sale de la tienda y sabe que un animal salvaje o un enemigo están rondando el campamento, pero no distingue nada más que los sonidos habituales de la selva, y el leopardo está pisando ya silenciosamente muy cerca, rozando las altas hierbas con su largo cuerpo musculoso, o el guerrero traicionero y pintado se aproxima, levantando una lanza, mientras Miguel tiembla en su asiento, encoge las piernas, casi tirita, se muerde las uñas, aprieta el brazo de Lita hasta hacerle daño, podría gritar si no se controlara, podría orinarse, no de miedo, sino de la pura excitación nerviosa. Observa ese músculo que se mueve en la mandíbula muy afeitada de su padre, como un latido rápido, el que delata que se está irritando, el que temblaba tanto cuando levantó la mano y Miguel sintió el escozor y la humillación de la bofetada antes de que la palma abierta golpeara su mejilla. «Ahora no es momento de que molestéis a papá con esas preguntas. Bastante lío tiene él ya en su trabajo. ¿Irás en el coche? Lo único que te pido es que nos llames cuando llegues. Ya sabes que si estás en la carretera y no me llamas no me puedo dormir.»

Tan fácil todo de nuevo, después del contratiempo, que casi sentía gratitud hacia Adela y se le disolvía sin rastro la ira hacia su hijo, provocada por esa pregunta ansiosa, por esa expectación desmedida que sin embargo era él mismo quien había sembrado y ahora no sabía ni alimentar ni contrariar. Pero si le irritaba tanto esa expectación de Miguel, comprende ahora, de golpe, al cabo de tres meses de lejanía y remordimiento, en el tren que a cada momento lo aparta más de sus hijos, esa esperanza insensata, condenada por su propio exceso al desengaño, era porque se parecía demasiado a la suya, porque la debilidad, el nerviosismo del niño, le presentaban un espejo en el que tal vez habría preferido no mirarse. También a él lo martirizaba la impaciencia por terminar cuanto antes la representación de vida familiar de la cena, también él vivía trastornado por deseos que no sabía y no deseaba controlar, deslumbrado por expectativas que nunca se saciaban y nunca llegaban a cumplirse, incapaz de apreciar y hasta de ver lo que tenía delante de los ojos, nervioso porque acabara cuanto antes el presente y llegara el porvenir, el que fuera, cualquiera de los porvenires que había ido persiguiendo como espejismos sucesivos a lo largo de su vida, sin que la edad o la experiencia o el hábito de la decepción hubieran amortiguado el ansia, mellado su filo cortante. Que acabara cuanto antes el trámite de la cena, el fastidio rutinario de sentarse a leer el periódico sin mirar apenas los titulares mientras Adela, en el sillón contiguo, se ponía las gafas de cerca que la hacían parecer aún mayor y leía una revista o un libro mientras escuchaba el concierto de música clásica de cada noche en Unión Radio, cerca del balcón entreabierto por donde entraba un poco de brisa y también los ruidos atenuados de la calle. Desde ese balcón, si hubieran estado atentos, podrían haber escuchado los disparos que acabaron con la vida del capitán Faraudo el 7 de mayo. Que vinieran cuanto antes los hijos a dar a cada uno su beso de buenas noches, Lita ya con su pijama y sus zapatillas y su pelo alisado antes de dormir, Miguel indignado en secreto contra la obligación inapelable de irse a la cama, observando con su sexto sentido inútil, con su sismógrafo de amenazas familiares, que sus padres raramente se miraban a los ojos al hablarse, sabiendo que al cabo de un rato su madre se levantaría para ir hacia el dormitorio y su padre, en vez de acompañarla, se encerraría en su despacho, con sus planos y sus maquetas que le absorbían la vida entera, con las cartas que a veces estaba escribiendo o leyendo y guardaba en seguida en un cajón cuando alguien lo interrumpía, el cajón que nunca se olvidaba de cerrar con llave, con una llave diminuta que guardaba siempre en un bolsillo del chaleco. Porque le gustaban las películas de Arsenio Lupin y de Fantomas (en realidad no había ninguna clase de películas que no le gustara), Miguel fantaseaba con dedicarse de mayor a una distinguida carrera criminal de ladrón de guante blanco, experto en abrir cajas de caudales, criptas de bancos, cajones de escritorios idénticos al de su padre en los que se escondían bajo llave eso que llamaban en las películas y en las novelas documentos comprometedores, tal vez las cartas robadas con las que un chantajista sin escrúpulos extorsiona a una mujer hermosa de la mejor sociedad. En vez de los libros que le mandaban en la escuela, los Clásicos Castellanos cuyos áridos lomos se alineaban en la estantería de Lita, Miguel leía las novelas ilustradas que publicaba *Mundo Gráfico*. Un titular de una de ellas ahora le quitaba el sueño: *Detrás de una fachada de aparente normalidad, aquella familia escondía un secreto inconfesable.* Cavilaba, con la luz apagada, removiéndose en la cama, con el fastidio del calor, con el desasosiego de no haber hecho sus ejercicios de clase ni empezado a preparar los exámenes finales, que se acercaban a velocidad terrorífica. Al menos su padre se marchaba al día siguiente a ese vago viaje a la provincia de Cádiz y no volvería hasta el lunes: la perspectiva de su ausencia llenaba a Miguel de una mezcla ingobernable de alivio y de incertidumbre. No estaría para vigilarlo en la mesa, para llamarle la atención si hacía ruido con la sopa o movía la pierna, no haría indagaciones sobre trabajos ni exámenes, entre benevolente y sarcástico. ¿Y si se mataba en un accidente de automóvil? ¿Y si bajo su fachada aparente de normalidad escondía un secreto tan inconfesable como el del protagonista del serial de *Mundo Gráfico*? «Lita», dijo, «Lita», con la esperanza de que su hermana todavía estuviera despierta, «¿tú crees que nuestra familia esconde algún secreto inconfesable?». Pero Lita ya dormía, de modo que ahora sólo le quedaba resignarse al tedio inmenso de la oscuridad y el calor en la noche de junio, a la lentitud del tiempo, a los golpes de las horas en el reloj del pasillo, que su padre oiría igual que él, con una impaciencia que alargaba todavía más la espera, y que se mezclaba con el miedo a quedarse dormido y no oír el despertador. Sonaría a las cinco, y a las seis, un poco antes del amanecer, Judith Biely estaría esperándolo en la plaza de Santa Ana, junto al portal del edificio de su pensión, dispuesta para el viaje, como para una huida en automóvil al amparo de la noche, una maleta pequeña en una mano, y en la otra el estuche de su máquina portátil, tiritando, el cuello de la chaqueta subido contra el frío húmedo del final de la noche.

Se acordaba del repiqueteo de las teclas filtrándose en el sueño: como un ruido cercano de lluvia percutiendo sobre tejas o sobre huecos canalones de zinc; recordó haber soñado que estaba en la oficina escuchando las veloces máquinas de escribir de las secretarias. Abrió los ojos y ya era de día; Judith no estaba junto a él en la cama. Por la ventana de recios postigos entornados entraba una raya de sol y el sonido poderoso del mar. Hubiera no querido pensar tan pronto que era el último día, el domingo. Que al día siguiente muy temprano tenían que emprender el regreso a Madrid. Notaba el cuerpo dolorido por los estragos del amor: zonas donde la carne se entumecía, la piel demasiado suave y húmeda se había irritado, enrojecido. La corriente eléctrica llegaba a la casa de una manera irregular. Se acordaba del cuerpo de Judith brillando de sudor a la luz de una lámpara de petróleo posada en el suelo, un mechón de pelo húmedo muy pegado a su cara, a su boca entreabierta, los labios ligeramente tumefactos, volviéndose para encontrar su mirada por encima del hombro, las rodillas y los codos apoyándose en la cama deshecha *on all fours*. Las palabras mismas lo excitaban. *Dime cómo se llama lo que me estás haciendo*. Se enseñaban mutuamente los nombres de las cosas, las palabras comunes que designaban las prendas y las más íntimas de los actos y las sensaciones del amor y de las partes más deseadas del cuerpo. Señalaban para saber como si tuvieran que nombrarlo todo en el mundo nuevo en el que se habían escondido y la indagación del dedo índice se convertía en una caricia. Presionaban los labios, los dientes mordían con suavidad y la lengua exploraba el lugar cuyo nombre había solicitado. Palabras nuevas, nunca aplicadas antes a un cuerpo nacido y crecido en otro idioma; términos infantiles, vulgares, desvergonzados, dulcemente groseros, con una sutileza de matices que adquiría la dimensión carnal de lo que estaba nombrándose. Intercambiaban palabras como fluidos y caricias; aprendían al mismo tiempo palabras nuevas en el idioma del otro y sensaciones que no sabían que existieran. El cuerpo era un mapa poblado de nombres que era preciso ir descubriendo y que después invocaban de memoria en voz baja, cuando cada uno estaba solo y se excitaba recordando. Al decir la palabra recibían la caricia del lugar nombrado. Y estaba bien que las cosas recibieran nombres que no habían tenido hasta entonces, porque así la novedad del idioma recién aprendido se correspondía con la vida inédita que no habrían conocido si no se hubieran encontrado, y cada palabra aludía a una parte del cuerpo amado y no a ningún otro. Ignacio Abel hubiera deseado que cada caricia específica, cada atrevimiento del amor, se quedaran impresos en su conciencia igual que las palabras que ya no iban a olvidársele, que aprendía meticulosamente haciendo que ella se las repitiera despacio y se las deletreara: palabras españolas que él nunca había imaginado que pudiera decir alguna vez en voz alta se convertían en contraseñas impúdicas que bastaba pronunciar de nuevo para solicitar lo que habría tenido otro nombre menos preciso y también menos descaradamente sexual, lo que quizás ninguno de los dos se habría atrevido a decir a una persona criada en su mismo idioma.

El sonido de la máquina de escribir lo había despertado. Estaba desnudo y ni siquiera tenía el reloj en la muñeca. En esa claridad poco familiar no imaginaba la hora que podría ser. Las nueve de la mañana, mediodía, las dos de la tarde. Desde que llegaron a la casa el tiempo se dilataba ante ellos como abarcando el horizonte del mar y la extensión de una playa cuyos extremos no llegaban a precisar en la lejanía, difuminada en una niebla violeta más allá del límite de los acantilados, delimitada hacia el oeste, a la caída de la noche, por la luz intermitente de un faro. Al venir habían pasado junto a un pueblo de pescadores, tan horizontal como el paisaje. Desde lejos le había señalado a Judith la belleza de la arquitectura, las casas blancas como bloques de sal contra los azules verdosos y el relumbre plateado del mar. Sobre la playa se alzaban acantilados verticales de color de óxido, como dunas parcialmente desplomadas por la fuerza de las olas. Ahora mismo las oía, embistiendo, socavando la base de los acantilados, mientras chillaban las gaviotas y la máquina de escribir repiqueteaba muy rápido, en la habitación contigua, el salón con un ancho ventanal dividido en su mitad exacta por la línea del horizonte, donde habían encontrado al llegar un ramo inexplicable de rosas frescas. Los espacios interiores de la casa tenían una mezcla de elementalidad primitiva y ascetismo moderno; baldosas de arcilla rojiza, paredes blanqueadas de cal, anchas láminas de vidrio, barandillas de tubos niquelados de acero. Ignacio Abel revive el olor del mar y el sonido de la máquina de escribir de Judith Biely y eso le permite verla en un fogonazo involuntario y por lo tanto verdadero de recuerdo, absorta en su escritura, envuelta en una bata de seda con anchos dibujos de flores que se le ha deslizado de un hombro y revela en parte la blancura de un pecho, el pelo sujeto de cualquier modo con una cinta azul para mantenerlo apartado de la cara. Escribe muy rápido, sin mirar el teclado y apenas el papel, el carro llega en seguida al final de la línea haciendo sonar una campanilla y ella lo hace volver al punto de partida con un gesto instintivo. Aprovecha para mirarla más cuidadosamente ahora que ella no se da cuenta todavía de su presencia. Su concentración absoluta, la velocidad con que escribe, la expresión de serena inteligencia que hay en su cara, le hacen desearla más. Despeinada, descalza, la bata floja sobre los hombros, se ha pintado sin embargo los labios, no para él, sino para sí misma, igual que se habrá lavado la cara con agua muy fría para estar plenamente despejada al ponerse a escribir, aprovechando la calma del amanecer, la claridad limpia que llena la casa en la que llevan viviendo desde el jueves a media tarde como en una isla, una isla en el tiempo, cercada por el horizonte liso de los días enteros que por primera vez han podido compartir, anchurosos como las habitaciones que recorren sin hacerse del todo a la idea de que no habrá nadie más que ellos, no sonarán más voces ni más pasos ni más palabras que las suyas, parcialmente desconocidas en un lugar donde los ecos son muy nítidos, la casa en la que no parece que haya vivido ni pueda vivir nadie más, tan inmediatamente se les ha vuelto propia, tan hecha para ellos dos como cada uno fue hecho para el otro, como este momento en que Judith Biely escribe en su Smith Corona portátil de perfil contra un ventanal fue hecho para que

Ignacio Abel lo percibiera en la plenitud de sus detalles, parado en el umbral, deseándola de nuevo, aguardando el gesto con que Judith levantará la cabeza y advertirá su presencia, viendo de antemano la sonrisa que se formará en sus labios, el brillo que habrá en sus ojos. Un día entero por delante, recuerda que calculaba, incapaz de permanecer indemne durante mucho rato a la obsesión del tiempo, un día entero y una noche, y más allá lo que ahora no quería ver, lo que hay al otro lado de la bruma y del horizonte de marismas que atravesaba en línea recta la carretera, la penitencia de la mañana del lunes y del viaje de regreso, el probable silencio, él conduciendo y Judith perdida en sus pensamientos, mirando por la ventanilla con el cristal bajado, recibiendo el viento en la cara ahora más morena, la expresión hermética detrás de las gafas de sol, los residuos del tiempo agotado escurriéndose de las manos ya casi vacías.

Judith alzó los ojos y se echó a reír al verlo como probablemente nadie lo había visto nunca, aún aturdido por el sueño, sin afeitar, el pelo en desorden, procaz como un simio en celo, aquel hombre tan comedido que las primeras veces se retraía cuando ella se le acercaba, ahora desnudo, *como su madre lo había traído al mundo,* según esa rotunda expresión española que a ella le hacía acordarse de Adán, ahora desvergonzado y hasta un poco jactancioso de una bravura masculina de la que no había sabido hasta entonces que fuera capaz, porque había sido despertada por Judith y no existiría sin ella. Sólo ahora tenía la sensación de conocerlo, ahora que lo había tenido durmiendo a su lado durante noches enteras, abrazado a ella, respirando muy fuerte con la boca abierta, despatarrado sobre la cama, que era el único mueble del dormitorio aparte de un espejo vertical apoyado contra la pared, porque en la casa había un aire de provisionalidad que la volvía más hospitalaria. En el espejo se habían mirado algunas veces de soslayo, sorprendiéndose de lo que veían, desconociéndose, inseguros de ser ellos mismos el hombre y la mujer que se entrelazaban, se examinaban, se ofrecían, se limpiaban las bocas o el sudor de la cara o se apartaban el pelo de los ojos, para mirar mejor, para que nada dejara de ser observado, lamido, mordido, el espejo como el espacio más hondo en el que habían habitado y en el que sólo había lugar para ellos dos, la habitación más secreta en el laberinto de la casa, sin ventanas ni adornos, sin nada que los distrajera de ellos mismos. Por primera vez el amor no era un paréntesis traído y desbaratado por la prisa. Al quedar exhaustos y apaciguados el uno junto al otro por primera vez se habían concedido el privilegio de abandonarse dulcemente al sueño, mojados, pegajosos, dejando que la brisa tenue que venía del balcón les aliviara los cuerpos lacerados por tanto deseo, el balcón abierto al que no se asomaban. La casa era una isla desierta en la que abundaban provisiones para un largo naufragio, como en las novelas de aventuras marítimas que leía Ignacio Abel en su primera adolescencia. En la nevera de la cocina había dos barras de hielo que aún no habían empezado a fundirse, como si alguien acabara de dejarlas allí cuando ellos llegaron, el mismo visitante invisible que había dejado un ramo de rosas frescas sobre la mesa del salón en la que Judith instaló su máquina portátil. No vieron a nadie en los cuatro días. De vez en cuando a Ignacio Abel lo inquietaba el desasosiego de ir al pueblo en busca de un teléfono desde donde llamar a Madrid; pero tenía miedo de que a Judith la irritara o la descorazonara esa interferencia de su otra vida. En el fervor impúdico de la entrega mutua había una semilla de reserva, igual que había una parte de exasperación en el deseo. Cada uno revelaba al otro lo que no había mostrado nunca a nadie y hacía o se dejaba hacer lo que la vergüenza no le habría permitido concebir y sin embargo había remordimientos o quejas o brotes silenciosos de angustia que los dos ocultaban. La segunda noche Ignacio Abel se despertó y Judith estaba sentada en la cama, de espaldas a él, muy erguida, mirando en dirección a la ventana. Iba a decir su nombre o a extender la mano hacia ella pero lo detuvo la sugestión de ensimismamamiento que emanaba de su cuerpo inmóvil, de su respiración que no oía. Qué pasará cuando volvamos. Cuánto tiempo me queda. Cómo me avisarían si ocurriera algo, si la desgracia se abatiera sobre uno de mis hijos, un automóvil fuera de control en el camino hacia la escuela, los peligros atroces que acechan siempre y en los que uno no quiere pensar, una fiebre súbita, una bala perdida en el tumulto de una manifestación. Adela esperando la llamada de teléfono solicitada y prometida, la que no le habría costado tanto, la que no iba a hacer. Cuatro días y cuatro noches que iban a durar para siempre y se deshacen en nada. Estaba acodado en la ventana del dormitorio, recibiendo el fresco de la noche después del largo domingo de calor, mirando la luna llena que había emergido del mar como un gran globo amarillo, cuando advirtió que no oía la máquina de escribir en la que Judith había estado tecleando una gran parte del día. Salió al salón y vio con un sobresalto que Judith no estaba. Los insectos revoloteaban alrededor de la lámpara, encendida sobre la mesa, junto a la máquina y el puñado de hojas mecanografiadas que desordenaba la brisa. Escribía una crónica, le había dicho, en un arrebato alimentado por la felicidad sexual: la crónica de las cosas que había visto en el viaje desde Madrid, la belleza que cortaba el aliento y le hacía sentir que estaba viviendo de verdad en los paisajes fantásticos de Irving, de John Dos Passos, de las litografías románticas, y la miseria súbita de la que no era posible no apartar los ojos, los lugares donde seres humanos vivían como alimañas en sus madrigueras, chozas en medio de páramos sin agua ni árboles, cuevas a las que se asomaban seres de tez oscura y de turbios ceños sin edad, bocas colgantes, cuellos hinchados de bocio, ojos estrábicos. Salir de Madrid hacia el sur con la primera claridad del día había sido extraviarse en otro mundo para el que nada la había preparado, aunque reconociera su linaje literario. La seca amplitud sin árboles de la Mancha en la mañana primero fresca y luego candente de junio era idéntica a las descripciones de Azorín y Unamuno y a las ilustraciones en color de un *Quijote* de 1905 que había encontrado a sus quince o dieciséis años en la biblioteca pública: la habían impresionado más porque apenas entendía español y se fijaba en ellas para entender algo de la historia. Pero él, conduciendo sin apartar los ojos de la carretera polvorienta, intentaba disuadirla de esas ensoñaciones: que se olvidara de los éxtasis castellanos de Azorín y de Unamuno, de las vaguedades de Ortega; no había nada de mística, nada de belleza en la llanura pelada que tanto celebraban aquellos individuos, ningún misterio relacionado con el ser de España: había ignorancia, decisiones económicas insensatas, talas de árboles, primacía de los latifundios y de los grandes rebaños de ovejas poseídos por señores feudales, por ricachones parásitos que dependían del trabajo de campesinos aplastados por la pobreza y la ignorancia, malnutridos, sometidos a las supersticiones de la Iglesia. Lo que ella veía ahora no era la naturaleza, decía soltando una mano del volante, agitándola con una indignación que ya era un rasgo de su carácter: los páramos despoblados, las extensiones de trigales y de viñas, los horizontes estériles al fondo de los cuales un campanario se alzaba sobre un grupo de casas aplastadas del color de la tierra, eran la consecuencia del trabajo sin fruto y de la explotación del hombre por el hombre bendecida por la Iglesia. Los precipicios de Despeñaperros a Judith le traían el recuerdo de los viajes en diligencia de los cronistas románticos y de las litografías fantásticas de Gustave Doré: conduciendo muy despacio por la carretera estrecha y muy peligrosa, los neumáticos del coche chirriando sobre la grava casi al filo de los barrancos, Ignacio Abel divagaba en voz alta sobre la necesidad de que la República favoreciera menos la palabrería literaria y mucho más la ingeniería de caminos, ferrocarriles, canales y puertos. La miraba de soslayo tomar fotos con la pequeña Leica que llevaba al cuello; con vehemencia española intentaba disuadirla de las seducciones tramposas del pintoresquismo; ese niño descalzo y cubierto con un sombrero de paja que les saludaba montado en un burro diminuto probablemente estaba destinado a no pisar nunca la escuela; el tropel lento de ovejas que les obligaba a detenerse y cruzaba la carretera envuelto en una tempestad de polvo podía recordarle a Judith aquella aventura en la que don Quijote confunde en su delirio rebaños con ejércitos, ofreciéndole la idea cautivadora —para ella, nacida y criada en Nueva York— de un país tan detenido en el tiempo, en el que seguían siendo reales las cosas escritas en un libro de hacía más de tres siglos: los pastores silbando a sus perros, agitando cayados de los que colgaban zurrones de esparto y calabazas para guardar el agua; los zagales que agitaban hondas y lanzaban piedras con una destreza de ganaderos neolíticos. ¿No sería mejor que esa tierra en barbecho por la que transitaban las ovejas estuviera roturada, cultivada con la sabiduría técnica necesaria, cavada con tractores y no con azadones, repartida en parcelas de extensión suficiente entre quienes la cultivaban? Sin duda cuando cayera la noche los pastores encenderían hogueras y se contarían cuentos primitivos o canta-

rían romances transmitidos desde la Edad Media para satisfacción de don Ramón Menéndez Pidal y de los eruditos
del Centro de Estudios Históricos, a los que Judith admiraba tanto: pero quizás valdría la pena que en vez de cantar romances escucharan canciones en la radio y tuvieran
la oportunidad de dormir en una cama y de trabajar por
un sueldo razonable seis días a la semana.

Judith escuchaba muy atenta. Tenía el don de escuchar.
Hacía preguntas: quería no perderse el significado de ninguna palabra, igual que anotaba en un cuaderno los hermosos nombres de resonancia árabe o romana de los pueblos junto a los que pasaban. Revivía cálidamente en ella
la urgencia de escribir; la intuición de algo que no se parecería a lo que había hecho hasta entonces, tentativas que
casi nunca la dejaban satisfecha, sino remordida por una
sensación de fraude, de haber malogrado por algún motivo el impulso que la trajo a Europa, su propósito de darse
a sí misma una educación, de corresponder al regalo que
le había hecho su madre. La exaltación física de viajar en
coche junto a él y de tener por delante cuatro días enteros
estaba vinculada a la inminencia de escribir aquel libro
que surgía delante de ella tantas veces como una intuición
deslumbradora a punto de revelarse; la audacia del amor
la asistiría cuando se pusiera delante de una hoja en blanco y rozara con las yemas de los dedos las teclas redondas
y pulidas de la máquina, letras blancas sobre un fondo negro, la carcasa tan ligera y el mecanismo tan rápido: incitaciones añadidas a la velocidad que tendría la escritura,
tocada de una transparente agudeza, de una claridad que
sería la misma que notaba en su propia atención y en su
mirada alerta a lo largo del viaje. Tendría que contar lo
que estaba viendo con una fluidez que contuviera el tránsito de las imágenes y las sensaciones: la seca llanura, el

fondo azulado de montañas al que no parecía que fueran a llegar nunca, los precipicios en los que retumbaban los torrentes, sobre los que volaban grandes águilas en círculos lentos, las hileras rectas de olivos que se ondulaban como sobre un mar estático de colinas rojizas hasta perderse en otro horizonte más azul, más lejano todavía. Tendría que unir en el mismo flujo del relato el esplendor austero de los paisajes y la injuria del atraso y de la pobreza humana, la dignidad de las caras enjutas que se quedaban fijas al paso del coche, detenidas contra paredes blancas, asomadas a zaguanes en penumbra. A la salida de un pueblo que no parecía que tuviera ni nombre, ni árboles, ni casi habitantes, sólo perros jadeando al sol por una calle de polvo, Ignacio Abel frenó con brusquedad, forzándola a mirar hacia delante. En el muro medio desmoronado de un abrevadero había una hoz y un martillo pintados a brochazos. Frente a ellos una fila de hombres inmóviles cortaba el paso por la carretera. Se protegían del sol con boinas sucias o sombreros de paja. Llevaban alpargatas y pantalones de pana atados con correas o cuerdas. Uno o dos tenían un brazalete rojo con unas iniciales políticas, tal vez UHP. Dos de ellos, los situados en los extremos, sostenían escopetas de caza, sin apuntarlas. Pero no había hostilidad en las miradas: tal vez curiosidad, por la rareza del modelo del coche, su carrocería pintada de un verde brillante, el brillo niquelado de las manivelas y los faros, la capota medio replegada de cuero; curiosidad acentuada por el aire visiblemente extranjero de Judith. Y también una obstinación hosca, el agravio instintivo del automóvil reluciente en la desolación terrosa de las afueras del pueblo, la rabia de promesas nunca cumplidas, de ilusiones mesiánicas de revolución social. «No van a hacernos nada», dijo Ignacio Abel, mirando a los ojos del hombre que se aproximaba, apretando la mano de Judith, que se había extendido hacia el volante buscando la suya. Ella no entendió lo que el hombre decía: hablaba con un acento muy raro, la voz ronca, separando apenas los labios. No había trabajo en el pueblo, le dijo el hombre; los patronos se habían negado a sembrar; tampoco habría ahora jornales para la cosecha escasa de cebada y de trigo, que se quedaría sin recoger, también por decisión de los dueños de la tierra. No somos bandoleros, había dicho el hombre, ni tampoco mendigos. Para que sus hijos no murieran de hambre solicitaban una contribución voluntaria. Mientras él hablaba con Ignacio Abel los otros miraban a Judith. Tendría que contar el brillo de esos ojos oscuros en las caras renegridas, con los mentones sucios de barba; la sonrisa mellada de uno de los hombres, que tenía en los ojos una bruma de retraso mental; la superficie áspera de todo, bajo un sol vertical; las caras, la pana de los pantalones, la tela negra de las boinas, las manos, los cañones de las escopetas, las culatas; la sensación de una cierta amenaza; el modo en que los ojos de todos se fijaron en la cartera de piel flexible y en las manos blancas y ciudadanas de Ignacio Abel, en el brillo de su reloj de oro. Otro de los hombres dio unos pasos y le sujetó la muñeca, examinando el reloj, cuando él ya les había entregado unos billetes. Advertía con alarma que la acción directa de las proclamas libertarias se deslizaba hacia el atraco. No hizo nada, no intentó librarse de la presión de la mano. «Somos revolucionarios, no bandoleros», entendió Judith que decía el que primero se había acercado, con la escopeta ahora al hombro, tirando del otro para que soltara la muñeca de Ignacio Abel. Lo había dicho, creyó percibir, en un tono de broma, pero no del todo, una broma que no descartaba la amenaza. La sonrisa ida del hombre desdentado se ensanchó ocupando toda la cara. Tendría que contar el miedo y también el remordimiento de sentirlo; la conciencia incómoda de su condición privilegiada y ofensiva para aquellos hombres y junto a ella el deseo de salir huyendo. Pero cómo podría atreverse a escribir que su amor abstracto por la justicia era menos poderoso que el desagrado físico instintivo que le provocaron esos hombres, que el alivio de sentir que el coche aceleraba y ellos le abrían paso y se quedaban atrás, en una nube de polvo, en su pobreza de desierto, en la exasperación que los reducía a salteadores de caminos, dignificados por sus brazaletes con siglas y sus rudimentarios catecismos anarquistas.

Pero hacía un rato que no oía la máquina de escribir y sólo ahora se daba cuenta. La llamó, su bello nombre sonando en la casa que tal vez nadie había habitado hasta entonces, en la que no quedaría rastro de su presencia cuando se hubieran marchado, mañana mismo, dentro de unas horas. En el carro de la máquina había una hoja en blanco, mecida casi imperceptiblemente por el aire oloroso a algas que venía del balcón abierto. Las hojas ya escritas se apilaban ordenadamente a un lado de la máquina, las hojas en blanco al otro. Volvió a llamarla y le sonó rara su voz, su eco en las amplias habitaciones casi vacías. No funcionaba la luz eléctrica. Salió a buscarla por la casa llevando en alto la lámpara de petróleo, llamándola de nuevo, notando el paso gradual y muy rápido de la extrañeza a la angustia. No podía estar lejos, nada podría haberle sucedido, pero su ausencia lo volvía todo de repente irreal, los muros blancos y la escalera alumbrados por la lámpara, la soledad de la casa sobre el acantilado, la presencia de los dos en ella, el ruido del mar. Ahora no sabía calcular cuánto tiempo había pasado desde la última vez que la vio, cuándo dejó de oír la máquina de escribir mientras permanecía acodado en el ventanal, mirando la línea blanca y sinuosa de las olas, la luz del faro en el cielo del oeste, donde aún quedaban resplandores rojos, apagándose detrás de la bruma violeta como brasas bajo la ceniza. Recorrió una por una las habitaciones y Judith no estaba en ninguna. Sus pies descalzos pisaban silenciosamente las anchas baldosas de barro. En la cocina, sobre la mesa de madera desnuda, había un vaso mediado de agua, un plato con un cuchillo y la piel de un melocotón. Por la ventana se veían la playa y el mar iluminados por la luna llena, al fondo, más allá de las altas hierbas secas crecidas al filo del acantilado. Abajo, donde terminaba la escalerilla de madera, distinguió con incredulidad, con ilimitado alivio, la silueta de espaldas de Judith Biely, su sombra nítida proyectada por la luna contra la arena, lisa y reluciente al retirarse la marea. La llamó saliendo de la casa, desde la escalerilla que temblaba y crujía bajo su peso, pero el viento y el escándalo del mar borraban su voz. Quería llegar junto a ella y tenía, como en los sueños, una sensación de imposible lentitud, agravada cuando bajó a la arena seca y cernida al pie del acantilado, en la que se hundían sus talones. Tenía miedo de que Judith se asustara si no escuchaba su voz antes de que llegara junto a ella. Se movía y avanzaba apenas. La llamaba y ni él mismo oía su propia voz, debilitada por los golpes crecientes del mar. Cuando ya pisaba una arena más húmeda y más fría Judith se volvió despacio hacia él, sin sorpresa, como si hubiera sabido que venía, escuchado sus pasos. El viento le apartaba el pelo de la cara, ensanchando su frente, adhería a su cuerpo delgado la seda de la bata o de golpe se la abría revelando un muslo muy blanco en la claridad de la luna. En su sonrisa de bienvenida había algo a la vez frágil y remoto, que no había estado en ella sólo una hora o dos antes, cuando se ofrecía a él y lo reclamaba con una fiera determinación sexual: un aire de capitulación o de convalecencia, de lejanía, como si ese momento lo estuviera viendo ya en el pasado. Intimidado, confuso a la manera masculina, Ignacio Abel se quedó delante de ella, respirando aún el alivio de haberla encontrado. Sólo se atrevió a abrazarla al ver que tiritaba, la piel de sus brazos erizada por la humedad fría del viento. «Dónde estaremos mañana por la noche a esta misma hora», dijo Judith, temblando más al ser estrechada, su cara muy fría contra la cara de él, los altos huesos de sus caderas chocando con su vientre, «dónde estaremos mañana y pasado y el otro», pero si lo hubiera dicho en español las palabras no habrían tenido la misma monotonía de condena, *tomorrow and the day after tomorrow and the day after the day after tomorrow*.

18

—¿De dónde viene usted con ese color de cara tan extraordinario? —dijo Negrín, soltando una carcajada—. En
este Madrid de tísicos y de gente pálida parece usted más
saludable que un montañero.

Pero no era posible seguir mirando igual a alguien
cuando se sabía que llevaba una pistola. En una cartuchera ajustada al costado izquierdo, entrevista cuando se abría
la chaqueta con un gesto más brusco, o mostrando un
abultamiento que no se advertiría de no tener la certeza de
que ese hombre bien vestido y normal guardaba un arma
de fuego; o sujeta por la correa, crudamente metida entre
el pantalón y la camisa; o abultando como una piedra en
el bolsillo derecho del capataz Eutimio Gómez, junto a la
petaca de tabaco y al mechero de yesca; o guardada con
atolondramiento en cualquier parte, como la llevaba el
doctor Juan Negrín, que se palpó los bolsillos y el chaleco
para enseñarle a Ignacio Abel su pequeña pistola después
de limpiarse con una servilleta los anchos dedos manchados de jugo de langostinos y de cigalas.

—Es checa —dijo, produciendo con gesto de experto
un chasquido metálico al ajustar algo—, último modelo.

A continuación se olvidó de ella, como de un mechero con el que acabara de encender un cigarrillo, dejándola entre la bandeja de peladuras, las jarras de cerveza, el cenicero y las servilletas estrujadas, sobre el mármol mojado donde su actividad expansiva había ocupado velozmente todo el espacio, igual que ocupaba el de cualquier lugar donde estuviera, la mesa de un despacho o la de un laboratorio. El doctor Juan Negrín vivía en una perpetua discordia física con un mundo cuyas dimensiones mezquinas no se correspondían con su envergadura formidable, cuyos ritmos siempre eran inaceptablemente lentos por comparación con su energía sin fatiga. En la presencia de Negrín Ignacio Abel advertía siempre errores de escala, como en un plano o en un dibujo donde se han calculado mal las proporciones de algún elemento. Los relojes comunes eran demasiado lentos para medir su dinamismo: harían falta más bien cronómetros deportivos que calcularan las velocidades de sus tareas sucesivas y sus desplazamientos sin sosiego. Abrigos enormes se quedaban escasos si se los ponía él, trajes muy bien cortados le venían estrechos, sombreros que en su mano o colgados en la percha parecían suficientes para él e incluso rotundos se volvían pequeños sobre su cabeza. Se levantó para recibir a Ignacio Abel en una sala reservada del café Lion y el techo abovedado del sótano, hasta entonces aceptable, se volvió tan bajo para su estatura que tuvo que encorvarse; sus grandes zapatos negros parecían sometidos a una tensión que haría que le estallaran los cordones; debajo de la mesa de mármol tenía que mantener apretadas las rodillas para que le cupieran las piernas. Su voz tronaba con ricas cualidades acústicas que exigían espacios más amplios. Sus dedos hacían crujir las duras cáscaras de las cigalas con una eficacia que hubiera requerido resistencias más sólidas. Iba de un lado para otro de Madrid —a su antiguo laboratorio, al café Lion, al Congreso de los Diputados, a la

Ciudad Universitaria— revolviéndose vigorosamente contra las dimensiones reducidas de las cosas, contra caparazones sucesivos que limitaban agobiándolo su capacidad de movimiento: el traje que no era lo bastante ancho para él, los zapatos que le apretaban, el cuello de la camisa y el nudo de la corbata que lo oprimían, el abrigo en el que se quedaba atrapado cada vez que intentaba quitárselo, el automóvil del que se le veía ir saliendo con lentitud y dificultad, queriendo escurrir su corpulencia excesiva entre el asiento y el volante. Mordía los cigarros hasta deshilacharlos y golpeaba con demasiada fuerza el auricular contra la horquilla al colgar un teléfono. Lo impacientaba la duración de las películas; se aburría en los conciertos; bostezaba sin apuro durante los discursos parlamentarios; se removía en el escaño haciéndolo gruñir bajo su peso; jugaba con un lápiz entre los dedos y lo partía sin darse cuenta. Le hubiera correspondido vivir en un país más extenso, de gente más alta, con carreteras más anchas, con trenes más veloces, con ceremonias oficiales mucho más breves, con funcionarios más expeditivos, con camareros menos lentos. Viajaba en aeroplano siempre que podía, aunque solía ser en los aparatos diminutos de las Líneas Aéreas Postales Españolas, que presentaban otro desafío a su corpulencia. Acumulaba trabajos y responsabilidades políticas con el pantagruelismo con que pedía bandejas colmadas de marisco, platos de jamón, botellas de vino, jarras de cerveza desbordantes de espuma. Llamó con dos palmadas sonoras al camarero y le pidió con urgencia más cerveza para Ignacio Abel y para él y una fuente de pescado frito. Al retirar el camarero la bandeja de cáscaras de marisco y las jarras vacías la pistola resaltó más nítidamente encima de la mesa, trivial como un mechero, incongruente y tóxica como un alacrán.

—De manera que quiere usted irse a una de esas universidades opulentas de América —dijo, evitando preámbulos, el lánguido desperdicio de tiempo del rodeo español—. No seré yo quien se lo reproche.

—Es sólo por un curso. Y sólo si usted me da su autorización.

—Conmigo no hace falta que finja, Abel. No me hable como si no le importara mucho. Usted quiere quitarse de en medio, como cualquiera con un poco de sentido común. Irse de aquí por un tiempo, ver las cosas desde lejos, tener segura a la familia. Quién pudiera. Hacer bien uno su trabajo teniendo la corriente a su favor y no peleando contra ella. Todo eso sin contar con la pequeña ventaja de salir a la calle sin miedo a que un iluminado le pegue a uno un tiro en nombre de la Revolución Social o del Sagrado Corazón de Jesús, o de que se cruce uno en el camino de una bala que iba dirigida a otro, o que se le ha escapado a un policía en un momento de nerviosismo, que también puede ser.

—Las cosas se irán tranquilizando, imagino.

—O no. O se pondrán peor. ¿Oyó usted por la radio el discurso de Prieto en Cuenca el Primero de Mayo?

—Me temo que no.

—¿Ni lo leyó en el periódico? —Negrín soltó una carcajada—. Abel, me temo que hasta para un arquitecto es abusiva su estancia en la torre de marfil, o en esos balnearios en los que le dejan ese color de cara. ¿No se habrá usted ido unos días a Biarritz con alguna querida? Lo que dijo don Indalecio, aparte de muchas cosas sensatas y bastante tristes, es que un país puede soportarlo todo, hasta la revolución, pero no el desorden permanente y sin sentido. Claro que para decirlo tuvo que irse a Cuenca, y yo con él, como si fuera su escudero, porque aquí, en Madrid, como usted sabe bien, nuestros queridos compañeros de la rama bolchevique del partido lo habrían linchado. ¿Sigue usted teniendo su carnet socialista, Abel?

—Con mis cuotas al día.

—¿Y no le dan tentaciones de romperlo?

—¿Para cambiarlo por cuál?

—Usted en el fondo es un sentimental, lo mismo que yo. Con la diferencia de que usted es mucho más inteligente, y no se ha dejado arrastrar a esta vorágine en la que yo me encuentro ahora, y de la que, sinceramente, no sé cómo salir. Ni siquiera sé bien cómo empecé metiéndome en ella. Ya hasta se me está contagiando la fiebre oratoria, ahora que lo pienso. ¡Yo nunca había dicho la palabra vorágine!

—Usted tiene vocación política, don Juan.

—¿Vocación política? ¡De lo único que tengo yo vocación es de científico, mi querido amigo! La política, lo que se dice la política, me exaspera o me mata de aburrimiento, sin término medio. Vocación política tiene Azaña, o Indalecio Prieto, o el pobre don Niceto Alcalá-Zamora, al que hemos echado de la presidencia de la República de una patada indecorosa, por cierto. A mí lo que me gusta es ver que se hacen cosas, *to get things done*, como usted sabe que dicen los americanos, con ese sentido práctico que tienen hasta para el idioma. ¡Pero si aquí la política no son más que palabras, selvas de palabras, hectáreas de discursos con frases subordinadas! ¡Ha visto usted cómo se escucha Azaña a sí mismo, cómo redondea un párrafo, como si le fuera dando un capotazo muy largo a un toro? ¿Cómo se hincha, pareciéndose más todavía a un globo, conforme se le va hinchando una frase? La frase cada vez más larga y él cada vez más hinchado, como un globo en el límite de la expansión de los gases. Lo único que falta es que desde las gradas del Congreso en vez de bravo le griten olé, prolongando mucho las vocales, oooooleeeeeé, para darle tiempo a que remate la faena, y perdone el lenguaje taurino. Y eso que Azaña dice de vez en cuando cosas con alguna sustancia. Pero ¿qué dijo en todos sus discursos kilométricos don Niceto, aparte de citar a los clásicos con seseo andaluz? ¿Y el insigne don José Ortega y Gasset, cuántas tardes nos durmió en el Congreso con su prosa florida? ¡Menos mal que se desengañó de la República y no volvió a presentarse a diputado, que si no yo habría tenido la tentación de irme mucho más lejos que usted tan sólo para no seguir oyéndolo! Don José Ortega, como don Miguel de Unamuno, el peor defecto que le ve a la República es que él no fuera nombrado presidente vitalicio. Yo lo miraba hablar en su escaño como si estuviera explicándoles primero de filosofía a sus estudiantes y me imaginaba su cerebro iluminado por dentro por pequeños fogonazos eléctricos, y cubierto con ese emplasto de pelo que el muy coqueto de don José se ha dejado crecer para disimular la calva. ¿Usted cree que uno debe fiarse de un filósofo que se tiñe las canas con un tinte de no mucha calidad, y que se toma tanto trabajo en ocultar su calvicie, sin ninguna posibilidad de éxito?

—También parece que lleva alzas en las botas.

—¡Usted, como arquitecto, se fija en los detalles estructurales! Yo me quedo en la decoración.

Negrín era capaz de comer y hablar a toda velocidad y al mismo tiempo, de reír a carcajadas y adquirir un grave ceño como esculpido en piedra volcánica al imaginarse un porvenir de sombrías tormentas. Pero esa aprensión no llegaba a abatir un activismo, no menguaba su enérgico gozo de vivir: más bien los excitaba, actuaba como una rica materia combustible en las calderas a presión de su vitalidad. A su lado, Ignacio Abel se sentía fácilmente culpable de torpeza, de pasividad, de languidez. Este hombre que era una eminencia científica internacional y que en algún momento heredaría una fortuna había elegido dedicar toda su vida y su talento y todas sus asombrosas reservas de energía a mejorar un país pobre y áspero del que no era previsible que recibiera alguna vez una recompensa, una muestra de gratitud. Sin duda la generosidad estaba mezclada con una potente dosis de soberbia, como con un reactivo sin el cual no habría actuado; y en cuanto al vigor del carácter, sería tal vez tan hereditario, y tan ajeno a la voluntad, como la colosal envergadura física y los ilimitados apetitos sexuales sobre los que circulaban rumores por Madrid: aun así, Ignacio Abel encontraba en Negrín la solidez de una convicción moral que a él le faltaba, una capacidad expansiva que en ocasiones podía chocarle como histriónica pero que en el fondo le parecía mucho más saludable que su propia tendencia al disimulo y la reserva, a observar callando y alimentar por dentro una ironía rencorosa, sin riesgo alguno de refutación, y sin efecto alguno sobre la realidad de las cosas.

—Lo que yo quiero, créame, es encerrarme a investigar catorce horas al día en un buen laboratorio. ¡Voy a la Residencia y no quiero entrar en el mío para que no se me parta el corazón! O cuando voy a la Ciudad Universitaria y lo veo a usted detrás de la mampara de su oficina, inclinado delante del tablero, tan absorto que toco en el cristal para llamarle la atención y usted ni levanta la cabeza... Qué envidia, amigo mío, qué privilegio. ¡Hacer una sola cosa y hacerla muy bien, con los cinco sentidos! Me lo decía don Santiago Ramón y Cajal, con esa cara lúgubre que se le ponía en los últimos tiempos, moviendo ese dedo flaco de muerto, tan amarillo como un cirio: «Negrín, anda usted metido en demasiadas cosas. Y quien mucho abarca poco aprieta.» A mí me daba rabia, claro, pero tenía toda la razón. ¡Aunque en algunas de esas cosas yo estaba metido por culpa de él!

—Pero usted volverá a la investigación más tarde o

más temprano. No creo que vaya a quedarse en la política para siempre.

—Un investigador científico es como un *sportsman*, amigo Abel, para qué vamos a engañarnos. Tiene unos pocos años de verdadero esplendor, y luego nada, rutina. Deja un tiempo de mantenerse al tanto de lo último que va publicándose y se queda fuera de juego. Como el boxeador que deja de entrenar, el atleta que no corre. ¡Se pone barrigón, como me estoy poniendo yo! ¿No termina usted su cerveza, y pedimos otra ronda? ¿No tiene usted ninguna debilidad? Según parece, Hitler carece por completo de ellas. ¿Sabía usted que es vegetariano, y que está prohibido fumar en su presencia? Aquí a un político que no fume y que no tenga una rica tos cavernosa lo tomarían por maricón. Hablando de Hitler, ¿quiere usted saber cuál ha sido el secreto de su éxito, según me cuenta Madariaga, que es nuestro único experto internacional (aparte de la cobardía inmunda de los aliados, y de los cretinos pomposos de la Sociedad de Naciones, que le han permitido ocupar la zona desmilitarizada con toda tranquilidad)? El secreto es el aeroplano. Otros candidatos iban de un lado para otro en tren, o como máximo en automóvil. El resultado era que en una campaña electoral apenas podía verlos nadie. Hitler iba siempre en aeroplano, de modo que le daba tiempo a estar en todas partes. ¡El aeroplano, la radio y el cinematógrafo han logrado el milagro de la omnipresencia! Y mientras tanto nuestro pobre presidente Azaña se pone pálido y se agarra al asiento si el auto oficial va a más de treinta kilómetros por hora. Y no le cuento cuando sube la escalerilla de un avión y le tiemblan las carnes, que el edecán tiene que empujarle. La velocidad de la política española es de carreta de mulas. De modo que ya me dirá usted lo que podemos hacer. ¡Extender la electrificación, como decía el camarada Lenin, tan admirado ahora en amplios sectores de nuestro partido!

—¿Pero usted cree que todo ese leninismo de Largo Caballero y los suyos va en serio?

—Probablemente no, pero da lo mismo. La idea más vana o más absurda se vuelve real si hay unos cuantos insensatos que se la crean y estén dispuestos a actuar en consecuencia. ¿Alguien se tomaría en serio eso que dicen de que Largo Caballero es el Lenin español? Él mismo, por lo pronto. Y esos literatos de quinta con aliento agrio de café con leche que le llenan la cabeza de fantasías marxistas. Y por supuesto las personas católicas y asustadizas que escuchan esos discursos tremendos que da en las plazas de toros sobre la inminencia de la revolución proletaria…

—Y que le escriben otros bastante más astutos que él.

—Y más siniestros también, no lo olvide. Acuérdese de las barbaridades que decía o le hacían decir en la campaña electoral: que si ganaban las derechas sería inevitable la guerra civil… Largo se ha hecho partidario de la dictadura del proletariado porque le han hecho creerse que cuando eso llegue el dictador será él. Todo palabrería, desde luego. Pero una palabrería que no favorece en nada a nuestra causa y que sólo sirve para enconar más todavía a nuestros enemigos. Viven en la alucinación, créame, en un mundo de quimeras. Se van a la Sierra los domingos a pegar cuatro tiros con pistolas viejas y a cantar *La Internacional* marcando mal el paso y se imaginan que han constituido el Ejército Rojo y que en cuanto se les antoje podrán tomar por asalto el poder. El Palacio de Invierno. O en su defecto el Palacio de El Pardo, adonde le ha faltado tiempo para irse a veranear al presidente de la República, dado que la situación está tan calmada. No aprenden nada. No aprendieron nada del desastre de la sublevación del 34. Tienen las cabezas llenas de carteles de propaganda y de películas soviéticas. Y a los pocos de nosotros que nos atrevemos a llevarles la contraria y a pedir un poco de sensatez nos miran peor que si fuéramos fascistas. ¿Ve usted esta pistolilla que inspira tan poca confianza? La semana pasada llevé a Prieto en mi coche a un mitin en Écija. Carretera horrenda, como se puede imaginar, calor africano y muchas moscas, y Prieto y yo tan gordos que apenas cabíamos en el automóvil, y detrás de nosotros un autobús viejo con una panda de muchachos armados, por si las moscas. El mitin empezó bien, pero a los pocos minutos ya estaban abucheándonos…

—¿Era en la plaza de toros?

—¿Y dónde iba a ser, Abel? Es usted monomaníaco con la cuestión taurina.

—La arquitectura determina el ánimo de la gente, don Juan. Mire esos estadios donde da Hitler los discursos. En una plaza de toros el sol reblandece las cabezas y al público le da el instinto de ver sangre y de pedir que se corten orejas.

—Lo veo a usted muy determinista… El caso es que tuvimos que interrumpir el mitin y refugiarnos en la enfermería para que no nos lincharan nuestros queridos compañeros. Cuando ya nos íbamos, nos rodeó una chusma con palos y piedras llamándonos de todo y dando vivas a Rusia y al comunismo. Una chusma de jóvenes nuestros, mezclados con esos de las juventudes comunistas con los que se han unificado ahora, para gran alegría de las mentes más débiles de nuestro partido. ¿Querrá usted creer que tuve que disparar al aire para que aquellos compañeros nuestros nos dejaran escapar, huyendo a tumbos por aquellos caminos? ¡Si no llega a socorrernos la Guardia Civil acaban con nosotros! No hará falta subrayar la ironía histórica, como decía Prieto…

Negrín apuró su cerveza limpiándose la espuma con un gesto tan enérgico como un manotazo, dejando luego sonoramente la jarra sobre el mármol de la mesa, junto a la pistola diminuta de la que ya no se acordaba. Aún permanecía el gesto de burla en su boca pero de pronto había cambiado la expresión de sus ojos, tan rápidamente como cambiaba su conversación, o el hilo de su monólogo.

—Nos odian, amigo Abel. No me extraña que quiera usted irse. Nos odian a usted y a mí. Nos odian en nuestro partido y fuera de él. Nos odian los reaccionarios que aún no se acostumbran a haber perdido las elecciones en febrero y muchos de los que creíamos que eran de los nuestros porque apoyaban al Frente Popular. Odian a la gente que es como nosotros. Los que no creemos que arrasando el mundo presente se vaya a hacer posible otro mucho mejor, ni que con la destrucción y el asesinato pueda traerse la justicia. No es una cuestión de ideas, como piensan algunos, en nuestro lado y en el de los otros. Usted y yo sabemos que las grandes ideas generales no sirven de mucho en la vida práctica. Nos enfrentamos en cada caso a problemas específicos, y no los resolvemos con ideas gaseosas, sino con nuestro conocimiento y nuestra experiencia. Yo en mi laboratorio, usted en su tablero de dibujo. Si bajamos de la estratosfera de las ideas las cosas están bastante claras. ¿Qué hace falta para que un edificio no se caiga? ¿Qué necesitan nuestros compatriotas? No hay más que salir a la acera del café y mirar a la gente que pasa. Necesitan estar mejor alimentados. Necesitan mejor calzado, tomar más leche de niños para que no se les caigan los dientes. Necesitan tener más higiene y no traer tantos hijos al mundo. Necesitan buenas escuelas y trabajos pagados decentemente, y a ser posible calefacción en invierno. ¿Sería tan difícil de conseguir una organización racional del país que facilitara todo eso? Una vez que todo el mundo coma a diario, y que haya electricidad y agua corriente saludable, digo yo que sería el momento de ponerse a discutir sobre la sociedad sin clases o sobre las glorias de la raza española, o el esperanto, o la vida eterna, o lo que haga falta. Fíjese que no hablo del socialismo, ni de la emancipación, ni del fin de la explotación del hombre por el hombre. Yo no hago profesiones de fe, y creo que usted tampoco. Entre peregrinar a Moscú y peregrinar a La Meca o al Vaticano o a Lourdes yo no veo grandes diferencias. Al creyente de una religión lo que más le fastidia no es el creyente de otra, ni siquiera el ateo, sino alguien peor, el escéptico, el tibio. ¿Ha observado usted que en los discursos y en los artículos de fondo la palabra tibio se ha convertido en un insulto? ¡Pues claro que yo soy tibio, aunque se me suba de vez en cuando la sangre a la cabeza! No quiero quemarme y no quiero que quemen a nadie ni que arda nada. Bastantes hogueras tuvimos con la Santa Inquisición. Ahora veo a mucha gente que dice que ha perdido la fe en la República. ¡La fe en la República! ¡Como si le hubieran rezado a un santo o a una virgen pidiendo un milagro que no se les ha concedido! Le rezan al Frente Popular para que traiga no sólo la amnistía, sino también la reforma agraria, el comunismo, la felicidad sobre la tierra, y como han pasado unos meses desde las elecciones y el milagro no se ha producido, pierden la fe y quieren acabar con la legalidad de la República, como si quisieran tirar al pilón al santo que no les trajo la lluvia después de la rogativa… Por no hablar de los otros, que andan en algo más que rezos y motines. A Dios rogando y con el mazo dando. Ahí los tiene usted, conspirando con más descaro que nunca, a la vista de todo el mundo, salvo del gobierno, que hace como que no se entera de nada. Los señoritos monárquicos van a Roma a que los bendiga el Papa, presentan sus respetos a su majestad don Alfonso XIII y a continuación cobran el cheque que les da Mussolini para que compren armas. Dispuestos a la Reconquista de España, como ellos mismos dicen. Enloquecidos. Furiosos porque la República les ha expropiado unas cuantas fincas estériles o no les deja predicar en las escuelas nacionales o ha permitido que un hombre y una mujer que llevan toda la vida odiándose puedan irse cada uno por su lado. Agraviados a muerte porque esta pobre República que no tiene ni para pagar los salarios de los maestros jubiló con su paga íntegra a todos los millares de oficiales que haraganeaban en los cuarteles y tuvieron a bien solicitar el retiro, sin exigirles nada a cambio, ni siquiera un juramento de lealtad. ¿Sabe por qué he tenido que comprarme esta pistola y por qué ese hombre que usted ve tan aburrido masticando un palillo de dientes tiene que andar siempre conmigo? Y déjeme que le adivine el pensamiento, no es que ni la pistola ni el guardaespaldas tengan aspecto de ofrecer mucha seguridad, para qué vamos a engañarnos. Aunque a Jiménez de Asúa el suyo le salvó la vida… Pero éste es el país que tenemos, amigo mío, nada da mucho de sí, ni para lo bueno ni para lo malo. Media España no ha salido del feudalismo y nuestros compañeros del diario *Claridad* quieren acabar ya con la burguesía, que apenas existe. Hasta las conjuras son de medio pelo, mi querido Abel, gamberradas de señoritos que no saben ni mantener el secreto. Hay una chica, estudiante mía, no muy brillante pero muy aplicada, que estuvo investigando conmigo en el laboratorio, antes de que yo perdiera por completo la cabeza y lo dejara todo para meterme en la política. Esta chica, moderna, pero un poco pava, tenía un novio bastante cursi que iba a recogerla todas las tardes a la Residencia y me saludaba muy educado, uno de esos aspirantes a registrador o a notario que de puro lánguidos acaban teniendo que pasar varios años en un sanatorio antituberculoso de la Sierra. Nada que objetar. En cuanto se comprometieron formalmente ella dejó el laboratorio porque no era de buen tono que una señorita ya pedida, como dicen en esas familias, siguiera trabajando en un sitio lleno de hombres. En vez de a la Bioquímica, en la que podría hacer algo de provecho con los años, se dedicaría a sus labores, a parir niños y rezar rosarios, en el sopor de la provincia a donde destinaran a su marido cuando por fin recobrara las fuerzas suficientes para presentarse a las oposiciones. La había visto de tarde en tarde en los últimos tiempos, y ella nunca se olvidaba de mandarme una tarjeta para mi santo ni de felicitarme las navidades. *En el día de su onomástica le deseo toda la felicidad en compañía de los suyos y elevo mis oraciones por usted*, me escribió la pobre el año pasado. Pero hace poco, una noche, me llamó por teléfono, con la voz muy asustada, como temiendo que alguien pudiera escucharla. Le pregunté si le pasaba algo, y me dijo que a ella nada, pero que tenía que verme con urgencia, y que por favor no le dijera a nadie que me había llamado. Se presentó en casa a la mañana siguiente, domingo, antes de misa, con el velito en la cabeza, más encogida que cuando se ponía la batita blanca en el laboratorio, sin atreverse a mirarme a los ojos. Yo pensé que se habría quedado embarazada y que vendría a pedirme que la ayudara a conseguir un aborto con el máximo secreto. ¿Y sabe usted lo que quería contarme?

Negrín bebió un largo trago de cerveza y esta vez se limpió la espuma con un pañuelo que se pasó después por la ancha frente sudorosa. El policía de escolta asentía a distancia a sus explicaciones, ahora más erguido, consciente de su papel, masticando el palillo de dientes.

—¡Que el cursi de su novio, además de cuidarse los pulmones y estudiar notarías o registros, había formado con unos cuantos amigos un grupo de choque falangista, y que tenían muy avanzada la preparación de un atentado contra mí! «Todo previsto», me dijo la pobre chica con esa vocecilla que no le salía del cuerpo, como cuando tenía que contestarme a un examen: el día, la hora, el sitio, las armas que pensaban usar, el auto con el que se darían a la fuga, según han visto en las películas. Las ideas políticas son más peligrosas todavía cuando se mezclan con las tonterías del cine, no sé si estará usted de acuerdo. Pensaban matarme aquí mismo, a la salida del café, en la acera de la calle de Alcalá. Dentro de todo es un detalle que tuvieran planeado dejarme cenar antes...

—¿No los han detenido?

—¿Y cómo iba yo a denunciarlos sin perjudicarla a ella? —Negrín soltó una carcajada—. Quizás se dieron cuenta de que llevaba pistola, o de que había empezado a disfrutar de la compañía de este buen amigo que me hace ahora de ángel de la guarda. O quizás se aburrieron, o les entró miedo de pasar de las palabras a los hechos.

—¿Y qué ha sido de su discípula?

—No va usted a creerme. Al día siguiente me volvió a llamar, con un hilo de voz, deshecha en lágrimas, «dividida entre sentimientos contrapuestos», como dicen en las revistas de señoras. «Mi querido doctor Negrín, por lo que usted más quiera, olvídese de lo que le conté ayer, que no son más que chiquilladas, fantasías de muchachos.» Su novio en realidad era muy buena persona, incapaz de hacerle daño a una mosca, ni siquiera tenía una pistola de verdad, y además estaba enfermo, porque parece que los exámenes son a principios de verano y de tanto aprender de memoria ese temario monstruoso se ha descuidado y ha tenido una ligera recaída, de modo que posiblemente tenga que volver al sanatorio y no pueda presentarse este año a las oposiciones. Un drama más español que los de Calderón. Peor todavía. Que los de don Jacinto Benavente.

—Se confía usted demasiado.

—¿Y qué voy a hacer? ¿No salir de casa? ¿Quedarme encerrado como Azaña desde que es presidente de la República, dando paseos por los jardines del Pardo y pensando en lo que anotará antes de acostarse en ese diario que dicen que lleva? Yo necesito gente y movimiento, mi querido Abel, necesito venir al café caminando desde el Congreso, así hago más hambre y más sed y disfruto todavía más de la comida y la cerveza. Ya me he tomado otra y usted apenas ha probado la suya, por cierto. ¿De verdad que no tiene usted debilidades?

Negrín hincó los codos en la mesa, haciéndose sitio de cualquier manera, y extendiendo los dedos anchos de una mano fue enumerando con el índice de la otra, mirando muy de cerca de Ignacio Abel, con una fijeza irónica que lo incomodaba.

—No fuma usted. Me parece bien. Como cardiólogo no tengo nada que objetar. No bebe, o casi. No le gustan los toros. No le pierde la buena mesa, como a mí. No tiene aspecto de ir nunca de putas... ¿No tendrá usted escondida por ahí una amante voluptuosa de la que nadie sabe nada?

Quizás él, Negrín, sí sabía, tan inconteniblemente aficionado a los chismes sobre las debilidades ajenas como a la comida o a las mujeres o a las grandes operaciones políticas. Quizás había oído algo, y por eso tenía desde el principio esa media sonrisa, esa expresión como de sospechar que debajo del propósito de marcharse a una universidad extranjera Ignacio Abel escondía no sólo la urgencia de huir de los desastres de España sino un deseo menos confesable, una pasión que desmentía su aire tan digno, su apariencia sobria de dignidad burguesa y más bien puritana. Por un momento Ignacio Abel, examinado tan intensamente por los ojos de Negrín al otro lado de las gafas, temió que iba a enrojecer, sintió un calor humillante subiendo de la base del cuello, agobiado por el nudo de la corbata. Imaginó su carcajada sonora, su complacencia en una debilidad humana que haría menos excepcionales las suyas. Pero Negrín, por fortuna, había agotado su cerveza y de pronto tenía prisa, guardaba la pistola en el bolsillo, se limpiaba la frente con un pañuelo, consultaba el reloj de pulsera, llamaba al camarero con dos palmadas tan resonantes en la bóveda del reservado que herían los tímpanos.

—Cuente conmigo para lo que haga falta, Abel —le dijo cuando se despedían en la puerta del café, mientras miraba con rápida cautela a un lado y a otro de la calle—. Si usted quiere me ocuparé de que le den cuanto antes el pasaporte y el visado americano. Váyase en cuanto pueda y no tenga mucha prisa por volver.

Lo vio cruzar la calle de Alcalá, sus hombros anchos sobresaliendo por encima de las cabezas de la gente, la chaqueta clara de verano apretándole los costados, avanzando a grandes zancadas entre el tráfico, sin esperar a que el guardia diera el paso a los peatones, tan rápido que el policía de escolta se quedaba atrás.

19

Siempre ha estado yéndose, y no sólo ahora que lleva tres semanas de viaje; durante no sabe cuántos años ha sido como un huésped en su propia vida; esa figura en un cuadro que es la única de un grupo que aparta los ojos de lo que llama la atención de los otros para mirar hacia el espectador, como queriendo decirle, yo no soy uno de éstos, yo sé que tú nos miras; una presencia dudosa que apareciera desenfocada en las fotografías, o que simplemente faltara en ellas (madre, hijos, abuelos sonrientes, sólo el padre invisible: distraído, quizás aprovechando un pretexto para no posar); que alguna vez, durante unos segundos, ni siquiera se viera reflejada en los espejos. *Pensarías que no se te notaba con lo mal que tú disimulas cuando no te gusta algo, por lo menos para mí que te conozco como nadie aunque tú no te lo creas.* En realidad esa voz escrita es la única que se ha dirigido a él de verdad desde que comenzó el viaje, la voz airada y acusadora, ya no dolida, sólo llena de rabia, de una rabia enfriada por la distancia y por el acto de escribir, y quizás también por la conciencia de que era posible que el destinatario no llegara a recibir la carta, que estuviera muerto, que los servicios de correos, tan desbaratados como todo lo demás, la extraviaran, la dejaran perdida en alguna saca de cartas sin repartir; cuántas habrán desaparecido así en toda España estos meses; cuántas seguirán escribiéndose. *Tú siempre tenías que irte, estabas callado y me lo decías de golpe, te lo guardabas no sé por qué hasta el último momento, mañana me voy, o esta noche no podré venir a cenar, o aquella vez que te fuiste a Barcelona una semana entera porque decías que era una obligación de tu trabajo para ver la Exposición Universal aunque Miguel había tenido fiebres muy altas y parecía que iba a tener algo malo en los pulmones y me dejaste sola noches enteras sin dormir junto al niño que deliraba, no creas que no me acuerdo.* Podría romper la carta ahora mismo, desprenderse de ella como de tantas cosas que ha ido dejando atrás mientras viajaba, desde que cerró de un tirón la puerta de su casa en Madrid y por costumbre fue a echar la llave, pero decidió no hacerlo, para qué si era probable que no volviera a ella, que una patrulla de milicianos reventara la cerradura en cualquier momento, esa misma noche; podría haber roto la carta antes de salir de la habitación del hotel, o mejor aún, no haberla abierto cuando se la entregó el recepcionista, cuando tras una primera reacción de extrañeza y luego de ilusión y por fin anticipado desengaño reconoció una caligrafía demasiado familiar que no era la de Judith. *Pero casi era peor todavía cuando no te ibas, cuando te quedabas y era como si en realidad te hubieras ido o estuvieras a punto de decir que te ibas porque parecía que estuvieras no en tu casa sino en la de otras personas o en una sala de espera o en un hotel sobre todo cuando mis padres o mi hermano o alguien de mi familia venían de visita, que me hubiera gustado que vieras la cara que les ponías.*

Tantos agravios, archivados todos, enumerados en la carta como en las hojas de letra tupida de un sumario, trayéndole la voz cansina y ofendida de Adela como vibrando sin callarse nunca en la membrana del auricular de un teléfono que él no sabía desprenderse del oído. *Irte o quedarte solo eso era lo que querías y lo que has conseguido.* El que había sido un intruso o un huésped furtivo en su propio domicilio se convirtió durante varios meses en su único habitante; desde el sábado de julio en que volvió de la Sierra y estuvo buscando a Judith por un Madrid nocturno inundado de multitudes, alumbrado por faros de automóviles y llamaradas de incendios; hasta una medianoche de tres meses después en la que Madrid era ya una ciudad de calles deshabitadas y oscuras, disciplinada por el miedo y las sirenas de alarmas, sobrecogida por la cercanía gradual de la guerra, que iba teniendo algo de la llegada inexorable del invierno. Mucho antes, a finales de julio, en agosto, en las noches de calor y peligro en las que no era juicioso asomarse a la calle, Ignacio Abel rondaba sin objeto por la casa, solo como un náufrago, a lo largo del pasillo tan largo, de una habitación a otra, abriendo las puertas de cristales que comunicaban salones sucesivos, salones de techos demasiado altos con molduras, de una opulencia que ahora le disgustaba más, como si sólo ahora empezara a fijarse en ella. Escribía cartas; imaginaba que las escribía; componía laboriosamente en voz alta las frases en inglés que le diría a Judith Biely si volvía a verla; le daba cuerda al reloj del pasillo, que cada vez tardaba menos en quedarse parado; seguía sin destapar la mayor parte de los muebles y las lámparas, envueltos en sábanas por las criadas para librarlos del polvo al principio del veraneo, abstractos ahora como fantasmas de muebles y de lámparas; comprobaba con impotencia y desgana lo rápidamente que se imponía la suciedad en el cuarto de baño, sin nadie que se ocupara de limpiarlo; se aventuraba en la cocina para prepararse una cena sumaria, una cena de ermitaño, de asceta, cualquier cosa que hubiera, que le hubiera subido la mujer del portero o que él mismo hubiera encontrado en los puestos cada vez peor abastecidos del mercado cercano, o en la tienda de ultramarinos de la esquina, que hasta no mucho tiempo atrás había mostrado un escaparate opulento, ahora casi vacío, en parte por la escasez verdadera, en parte porque el dueño prefería esconder en la bodega los géneros que todavía guardaba, por miedo a que cualquier patrulla viniera a requisárselos a punta de pistola.

Qué raro haber aceptado uno mismo un lugar así, haberse resignado a él, haber dejado que se llenara de muebles tan ampulosos como las mismas dimensiones de la casa, como las balaustradas de mármol de los balcones o las cortinas o las alfombras, por no hablar de los testimonios del gusto depravado de don Francisco de Asís y doña Cecilia, de su pavorosa generosidad y su amor por los sucedáneos de antigüedades, o por las antigüedades directamente abominables, bargueños castellanos, el reloj de péndulo con su leyenda gótica en latín, el Cristo de Medinaceli con su tejadillo morisco y sus faroles diminutos de forja. *Soy arquitecto y vivo en una casa que me parece de otro; tengo cuarenta y ocho años y me parece de pronto que vivo por equivocación la vida de otro hombre*, le había escrito a Judith en una de sus primeras cartas, en el estupor de descubrir que sin dificultad y casi sin proponérselo podía cruzar en pocos minutos la frontera invisible hacia otra identidad y otra vida, la suya verdadera. Pero no le dijo a Judith o no quiso recordar el halago que había sentido al ver por primera vez el piso con Adela y con los chicos muy pequeños aún y al saber el precio y calcular que podía permitírselo; un edificio recién terminado, en el barrio de Salamanca, muy cerca del Retiro, con un portal de mármoles en el que dos cariátides sostenían el gran arco de entrada sobre los peldaños curvados que llegaban al ascensor, con un portero de librea con galones y guantes blancos que se quitaba la gorra de plato al saludar a los señores. «¡Ésta es una casa de verdadera magnificencia!», había declamado don Francisco de Asís con su vozarrón que retumbó en las alturas forradas de mármol del portal, y él, más que fastidio, había notado un cierto orgullo, fortalecido por el entusiasmo de Adela, que iba pasando con asombro de un salón a otro, admirándolo todo, la amplitud prometedora, las molduras de los techos, incrédula todavía de que una casa así pudiera ser para ella, casi amedrentada, más joven, mientras los chicos se perdían jugando al escondite por las habitaciones del fondo, sus pasos y sus voces agudas atronando los espacios vacíos. *Tan íntegro como eras y tan ridículo que te parecía mi padre pero bien que supiste aprovechar que gracias a él aquel amigo suyo constructor nos ofreciera el piso a un precio tan ventajoso eso sí y yo creo que ni le diste las gracias.* En las noches de calor la soledad y el encierro se hacían tan irrespirables como el aire (había que cerrar bien los postigos antes de encender la luz; por precaución contra los bombardeos decían; por miedo sobre todo a las patrullas de vigilancia, que disparaban sin miramiento a las ventanas iluminadas: que podían sentirse atraídas por la luz en una ventana y subir en busca de alguien o para hacer un registro). Oía ráfagas de disparos, motores de automóviles, neumáticos que chirriaban teatralmente en las esquinas. Oía gritos algunas veces cuando estaba adormilado sobre las sábanas que nadie cambiaba, en la cama que no sabía hacer, la gran cama de matrimonio con cabezal barroco en la que era tan raro que faltaran el peso y la sombra, la respiración de Adela. *Parece mentira no que hayas dejado de quererme sino que se te haya olvidado por completo cuánto me querías.* Dejaba entornada la puerta del dormitorio por si sonaban pasos de madrugada en el rellano o en las escaleras (nadie había reparado el ascensor desde que unos huelguistas lo sabotearon a principios de julio). Escuchaba pasos o los soñaba y se despertaba con un sobresalto, esperando golpes o culatazos en la puerta. Soñaba con Judith Biely: sueños eróticos muy precisos, más bien recuerdos revividos, que se malograban cuando estaba a punto de correrse, o cuando ella se convertía en una desconocida; su desapego, su sarcasmo, lo sumían en una amargura que perduraba intacta en el despertar. Se masturbaba sin ningún placer, con una especie de enconamiento nervioso, con un sentimiento de vejación al terminar, sin alivio, añorando la mano sabia y delicada de ella. Se lavaba procurando no mirarse en el espejo del cuarto de baño y se secaba las manos con una toalla sucia.

En un cajón del armario exhumó álbumes de fotos familiares que llevaba años sin mirar, los que Adela llenaba tan fielmente, largas horas sentada en su mesa del cuarto de lectura con las grandes hojas desplegadas, con los montones de fotografías, el pegamento, las tijeras con que recortaba pequeñas etiquetas, la pluma con la que escribía sobre ellas fechas, nombres y lugares, con su caligrafía de alumna de colegio de monjas, con una convicción que parecía empeñada no tanto en preservar los recuerdos como en construir sobre testimonios indudables un edificio sólido de vida familiar. Los álbumes eran en sí mismos cimientos más perdurables que los hechos reflejados en las fotografías. Clasificándolas, observando la regularidad con que aparecían en ellas bodas, bautizos, comuniones, cenas de Navidad, cumpleaños y onomásticas, viajes a la costa, veraneos en la Sierra, Adela se concedía precariamente la sensación confortadora de tener la vida que había deseado siempre, incluso la que no se había atrevido a desear cuando todavía muy joven empezó a sospechar que quizás no encontraría un hombre que se casara con ella, y que sus padres tampoco tenían mucha esperanza de que eso sucediera. La perspectiva de quedarse soltera la entristecía, pero la noción aceptada por todos de que si no aparecía un pretendiente su vida sería un fracaso le parecía humillante, una agresión a su sentido instintivo de la dignidad personal. Un hombre tenía en sus manos su destino completo: una mujer no era dueña ni de la mitad del suyo; sin la custodia de un hombre la única vida posible abierta para ella era la de solterona o monja, ya que su clase social le vedaba la de institutriz o maestra. Que se ocupara tanto de su hermano menor le daba un aire de maternidad no asociada a la experiencia conyugal: se veía a sí misma en el papel poco lustroso de madre delegada que no ha conocido ni siquiera el grado de soberanía personal que corresponde a una esposa. En la familia, por ambas partes, había un repertorio amplio de mujeres solteras, tías cariñosas, resignadas y beatas que muy pronto se mostraron dispuestas a acogerla en su hermandad más bien mustia, pero no del todo melancólica. Alguna anciana monja de clausura subrayaba esa tendencia familiar a la soltería femenina. Se resistía a aceptar un sino tan prematuro, pero tampoco habría tenido el raro coraje de disgustar a sus padres comunicándoles que deseaba seguir el ejemplo extravagante de aquellas pocas señoritas de buenas familias de Madrid que iban a la universidad soportando el oprobio de sentarse en las aulas separadas por un biombo de sus compañeros varones, sometidas menos al desprecio que a la burla sarcástica, a la murmuración en voz muy baja sobre una forma de rareza que iba más allá del simple capricho de ocupar en la vida posiciones masculinas. Qué habría estudiado además: de los muchos años en el internado de las monjas no

obtuvo más resultado pedagógico que una caligrafía exqui-
sita, aunque del todo anacrónica, y unas nociones insufi-
cientes de costura y francés. En los veranos de la Sierra se
aficionó de muy joven a las caminatas por el campo y a la
lectura; caminatas nunca solitarias, como ella habría deseado, en compañía siempre de familiares o de criadas; lecturas reducidas a los dramones del Siglo de Oro que declamaba su padre y a alguna rara novela moderna que mere-
ciera la aprobación del tío sacerdote (otra rama estéril del
árbol familiar), tan extremado ultramontano que ni siquiera encontraba libres de toda sospecha los tomos rancios de Ricardo León y José María de Pereda. Adela sentía
muy fuerte la humillación de esperar sin hacer nada, de
verse expuesta en visitas de sociedad y en celebraciones familiares como una joven casadera a la que ningún pretendiente se acercaba, como un loro en una jaula, como una
rareza en un barracón de circo. Pero su sentimiento de vejación personal quedaba neutralizado por su amor hacia
sus padres y por una general benevolencia o conformidad
de carácter que la inclinaba a no llevar nunca la contraria
y a preferir sin mucho esfuerzo la pasiva obediencia al
contratiempo de una escena que acabaría en lágrimas y remordimiento, y que en cualquier caso no le depararía ningún resultado. La determinación de su rebeldía interior jamás provocó ni una leve turbulencia en el aspecto dulce y
manso que presentaba a los otros, y que era interpretado
como un síntoma de su resignación cristiana a un porvenir de soledad que con el paso del tiempo la iría cubriendo de ridículo. Cuando tenía veintiuno o veintidós años el
conciliábulo de sus tías y de su madre ya había dictamina-
do que la niña se quedaría soltera, y dedicado largos y la-
boriosos análisis a la explicación de ese hecho inapelable,
más enigmático aún porque de algún modo todas lo habían dado por supuesto casi desde que salió de la infancia,

sin que hubiera razones evidentes que lo sustentaran: no era nada fea, ni estaba gorda, ni tampoco flaca, tenía los dientes bonitos, era simpática y considerada, quizás un poco triste, quizás con una gravedad que le quitaba chispa, que la hizo siempre parecer algo mayor de lo que era, elegir vestidos que no la favorecían mucho, o que exageraban sus pequeños defectos, analizados por tías y primas con sutilezas dignas de una lección de histología, aquella ciencia puesta de moda por don Santiago Ramón y Cajal. ¿No tuvo papada, desde que era muy joven? ¿Las cejas demasiado pobladas, una cierta propensión a andar como cargada de hombros, de modo que parecía menos alta? Entre las muchachas de buena familia de su generación fue una de las últimas en adoptar las modas que vinieron de Europa después de la Gran Guerra, y en este caso no por miedo a contrariar a sus padres, sino por algo que podría interpretarse como la dejadez de quien ya no pone interés en hacerse atractiva. En 1920 tenía ya treinta y cuatro años, y aún no se había cortado la larga melena propia de una mujer de otra edad y otra época ni había prescindido de corsés y moños complicados, así parecía pertenecer más a la generación de sus tías solteras que a la de sus primas no destinadas al celibato femenino que entre los Ponce Salcedo-Cañizares tenía algo de la condición sacerdotal hereditaria en algunas religiones, poniendo en peligro la continuidad del linaje. Su adaptación a los nuevos tiempos fue gradual, regida por la cautela y la timidez que eran rasgos de su carácter. En un momento dado el tono compasivo que se aplicaba al hablar de ella en la familia cobró un matiz de recelo; su timidez dejó de atribuirse a una mezcla de apocamiento y de dulzura, y se sospechó que encubría un fondo de arrogancia. Un poco antes se le había disculpado que no asistiera con la frecuencia debida a los entretenimientos femeninos organizados por las tías en razón de su extrema torpeza social, y de una propensión a la soledad cargada de romanticismo, y también, por qué no, de tristeza ante el amor que no llegaba y la juventud que pasaba de largo: ahora se comprobó que en más de una ocasión no había asistido a una novena o a una rifa benéfica no porque se quedara en casa atendiendo a sus padres o cuidando del hermano menor, sino porque había ido a una conferencia o a una función teatral con amigas dudosas. Era cierto el rumor de que se ponía gafas en casa, y leía periódicos y novelas modernas, sin esconderlas demasiado del tío sacerdote, que fue uno de los primeros en difundir sus rasgos chocantes de heterodoxia: no era cierto (y nadie que la conociera de verdad y no la mirara con malevolencia lo habría creído) que le había dado un disgusto a su padre adquiriendo el hábito de fumar cigarrillos. Ni era verdad tampoco que por influencia de los nuevos tiempos se hubiera debilitado su devoción católica. Iba a misa cada domingo del brazo de su madre y la acompañaba a sus rezos en la capilla de Jesús de Medinaceli, y confesaba y comulgaba con una convicción íntima que la colmaba de serenidad y no tenía rastros de beatería.

Aquellos atisbos de rareza se hubieran convertido en rasgos tolerables de la excentricidad de una mujer adiestrada para la soltería desde muy joven: pero quedaron en nada por comparación con el desconcierto sísmico provocado por la gran novedad de su noviazgo, que iba contra las leyes no ya de la probabilidad sino de la naturaleza. ¿Quién habría imaginado que le pudiera salir un novio a los treinta y tantos años? Habría sido menos inverosímil que le saliera una barba como a aquellas mujeres de los circos con las que ella misma se comparaba en sus años más jóvenes de mansedumbre melancólica y sorda humillación. Y no un novio cualquiera, aunque no exento él también de atributos sospechosos, empezando por un origen que una parte de la familia conjeturó indeseable, pero que don Francisco de Asís aceptó mejor que nadie, no porque a esas alturas estuviera dispuesto a dar por bueno a cualquier candidato, sino en virtud de una jovial falta de prejuicios prácticos que muchas veces no se correspondía con la cerrazón paleolítica de lo que él llamaba «su ideario». El pretendiente de la que seguían llamando «la niña» resultó ser un arquitecto algo más joven que ella, sin patrimonio personal pero según decía don Francisco de Asís con un porvenir muy prometedor, recién contratado por el Ayuntamiento, hijo único de una madre viuda, huérfano de padre desde los quince años. Que la madre viuda hubiera sido también portera en una finca plebeya de la calle Toledo y el padre poco más que un albañil avispado y ambicioso eran méritos añadidos, según el punto de vista de don Francisco de Asís, o bien inconvenientes lamentables según otros miembros de la familia, que tuvieron la oportunidad de felicitar a la recién prometida y a sus padres como si en el fondo estuvieran dándoles el pésame, con lo cual aliviaban la contrariedad de tener que aceptar en la prima y sobrina una alegría con la que ya no contaban. Era una obligación áspera, de un día para otro, sentir envidia hacia quien hasta entonces había sido destinataria de una confortable compasión, el drama de la pobre Adela que había pasado de los treinta años sin despertar el interés de ningún hombre. *Yo no sé cuánto querrás a esa mujer y tampoco me importa pero sí me acuerdo de cuánto me querías a mí y tengo guardadas todas las cartas que me escribías.* Pero no había que perder la esperanza: la buena nueva aún podía frustrarse; el novio podía no ser trigo limpio: ¿no decían que era republicano, peor aún, socialista, o incluso bolchevique, igual que lo había sido su padre, el difunto albañil ascendido a maestro de obras, y que debía su puesto en el Ayuntamiento a la influencia y no al mérito, a las maquinaciones de los concejales de izquierda, ávidos de colocar a uno de los suyos? Pero resultó que el posible réprobo o cazador de dotes tenía unos modales excelentes aprendidos no se sabía dónde y una manera extrañamente apacible de manifestar o más bien esconder su izquierdismo, porque cumplió desde el principio a satisfacción del observador más puntilloso cada una de las obligaciones y de los rituales familiares, y no tuvo la menor objeción en aceptar expresamente que sus hijos, cuando nacieran (¿pero no era Adela ya demasiado mayor para concebir, no cabía la posibilidad de que una mujer de más de treinta años y de salud nunca deslumbrante padeciera un mal parto o diera a luz a alguna aberración genética?), fueran bautizados por el tío sacerdote con la pompa requerida y se educaran en la religión católica. Y puestos a mirar las ideas, ¿no había sido Jesucristo, según argumentó don Francisco de Asís en un momento de audacia polémica, el primer socialista? ¿No era el mensaje evangélico —bien entendido y aplicado, según la doctrina social de la Iglesia— el mejor antídoto contra la revolución impía? Los padres del novio, además, estaban convenientemente muertos y él no tenía hermanos, lo cual ahorraba a todos el trámite embarazoso de encontrarse tratando a personas de una evidente inferioridad social, cuya presencia cuando menos pintoresca habría sido chocante en una petición de mano y más aún en una ceremonia de boda digna de la posición de la familia, que muy probablemente merecería una crónica social en el *ABC*; una crónica modesta, desde luego, lo más seguro sin foto, pero ya se sabía que en el *ABC* predominaba el esnobismo de los títulos nobiliarios, más aún desde que el fundador había recibido uno, aunque había empezado su carrera como fabricante de jabones. ¿Desde cuándo era más noble el jabón que el cemento y el ladrillo, se preguntaba con su voz recia don Francisco de Asís? Sin padre ni madre ni parientes cercanos, el origen de Ignacio Abel perdía gran parte de su vulgaridad y hasta proyectaba sobre él una cierta sombra de misterio, un fondo oscuro contra el que resaltaba más su figura gallarda, velada por un punto de reserva, tras el que podía esconderse el recuerdo de los años de obstinación y sacrificio que le había costado estudiar una carrera y aprender unos modales que hasta para la mirada más desconfiada y más exigente eran intachables. A los ojos de la familia Adela adquirió una luminosidad nueva y en ocasiones hiriente; exhibió desde los primeros días del noviazgo un grado casi impúdico de felicidad. Rejuveneció como diez años. Decían tías y primas que estaba tan loca de amor como aquellas artistas del cinematógrafo que suspiraban con los ojos vueltos hacia el cielo y las manos apretadas entre sí, vislumbrando en las nubes el rostro del amado gracias a un efecto óptico que por esa época era muy reproducido en las postales. *Acuérdate de cómo me buscabas y de las cosas que me decías no es posible que estuvieras mintiéndome.* La lánguida lentitud que había marcado el progreso de su soltería dio paso a una celeridad muy propia de los nuevos tiempos que corrían y de la competencia técnica del novio, que aparte de su liviana ocupación municipal estaba empezando a recibir encargos sustanciosos, muy celebrados, no sin cierta exageración, por don Francisco de Asís, que en el fondo había pecado siempre de ingenuo y hasta de fantástico cuando se entusiasmaba atolondradamente por algo. Al cabo de menos de un año de noviazgo estaba acordada la boda, aunque esa rapidez, que no habría sido malintencionado calificar de precipitación, no dejó de suscitar algunas sospechas, sólo disipadas cuando una cuidadosa contabilidad del tiempo transcurrido entre aquella fecha y el primer parto reveló la indudable legitimidad de la criatura recién nacida. Otra cosa no, pero prisa sí que se había dado Adela, que parecía tan pánfila, por compensar el tiempo perdido, con una impaciencia y hasta un apasionamiento más propios de una heroína de novela picante que de una mujer de sus años. Pero tampoco tuvo escrúpulo en irse a vivir junto a su marido a un piso pequeño de un barrio sin mucho lustre de Madrid en el que no contaba con más ayuda que la de una criada. *Yo sí me acuerdo de lo felices que éramos aunque tenía que subir a pie cuatro pisos con todo el calor que hacía aquel verano y yo embarazada de la niña que parecía imposible que me pudiera hinchar más.* Don Francisco de Asís hizo saber con admiración que su yerno no había querido aceptar la ayuda que él le ofrecía para alquilar una casa mucho más céntrica y mejor acondicionada: acostumbrado a ganárselo todo con su propio esfuerzo agradecía cualquier mano que se le tendiera pero prefería no recurrir a ella a no ser que se lo exigiera una situación crítica, en la que hubiera estado en peligro el bienestar de su esposa o el del heredero que muy pronto don Francisco de Asís tuvo el orgullo (y el alivio) de anunciar, aunque su esposa, doña Cecilia, más taimada o menos ilusa, hubiera preferido que entre la boda y el embarazo transcurriera un período no más decente, pero sí más dignamente holgado, propio de personas que no se entregaban al débito conyugal con más vehemencia de la requerida para cumplir la finalidad del sacramento. *Yo sí me acuerdo y aunque no quieras tú también cómo temblaba cuando te oía subir de dos en dos los escalones para llegar antes me decías cómo temblaba sentada esperándote cuando oía la llave en la puerta.*

Que naciera primero una niña fue un contratiempo, pero no una decepción. El hijo varón de don Francisco de

Asís era después de todo el designado para asegurar la continuación del apellido, y la niña nació fuerte y grande, saludable, si bien después de un parto difícil en el que durante dos días de angustia pareció que se confirmaban los peores vaticinios familiares sobre la edad demasiado madura de Adela. Salieron adelante, madre e hija, y pronto se vio que aquellos rumores procedentes no se sabía de dónde ni difundidos por la malevolencia de quién sobre el posible atraso de la recién nacida carecían de fundamento, aunque algunas tías, en las visitas, siguieran mirando de soslayo hacia la cuna con una expresión de condolencia anticipada. El orgulloso padre, como se decía en los natalicios del periódico, solicitó a don Francisco de Asís que fuera padrino del bautizo de su primera nieta. Delante del escrutinio siempre alarmado de la familia (y de la vigilancia cercana del tío sacerdote que oficiaba el sacramento) se comportó en la iglesia tan respetuoso con el ritual como lo había hecho en el día de su boda, en el que todos lo habían visto comulgar con unción ejemplar y arrodillarse luego con los ojos cerrados y la cabeza baja mientras la sagrada forma se le deshacía en la saliva (provocándole un recuerdo de infancia al adherírsele al cielo de la boca, dejándole en el paladar el sabor raro y olvidado de la harina sin levadura). La niña se llamaría Adela, como su madre. *Fuiste tú quien quiso que se llamara como yo porque te gustaba tanto mi nombre y me lo decías al oído.* Que al niño, cuando vino, le pusieran Miguel, por el abuelo paterno muerto, y no Francisco de Asís, sí que fue para el otro abuelo una decepción, aunque caballerosamente se sobrepuso a ella, refugiándose en la esperanza, ya un poco más débil, de que fuera el día de mañana el nieto nacido de su hijo varón el que perpetuara no sólo su apellido sino también su nombre, y en la perspectiva bastante más sólida de que su yerno y Adela continuaran ampliando la familia, y de que si les nacía un varón sin duda le llamarían Francisco de Asís. En ciertos casos que él conocía, ¿no se había autorizado en el registro civil el cambio en el orden de los apellidos, con objeto de que no se perdiera el recuerdo de algún linaje ilustre? En las fotos del bautizo sonreía con el nieto en brazos, aunque menos rotundamente que en las del bautizo de la niña, porque aún duraba la preocupación por la extrema fragilidad del bebé. Con qué cuidado las había clasificado Adela, álbum tras álbum, desde las fotos más formales de estudio de los primeros años a las tomadas con una cámara Leica que ella misma le había regalado a su marido en uno de sus cumpleaños más recientes, y que él usaba sobre todo para tomar fotografías de los proyectos en marcha (la cámara que llevó en su viaje de tres días al sur con Judith Biely; con la que hizo las fotos que guardó luego en el escritorio que cerraba siempre con llave).

Quizás Adela había tardado en darse cuenta de lo que Ignacio Abel advertía ahora pasando las hojas de dura cartulina a la luz débil de una lámpara en la casa donde él ahora era el único habitante, en la que las figuras de las fotos habían cobrado una repentina cualidad de fantasmas, como de personajes muertos hacía mucho tiempo, tan ajenos parecían al tiempo presente, al Madrid en sombras de las noches de guerra (alumbrado tan sólo por faros de automóviles veloces, solitarios, que aparecían de pronto al fondo de una calle, que se detenían con el motor en marcha junto a un portal del que se veía salir al cabo de un rato a un hombre en camiseta o en pijama, a veces descalzo, con el aturdimiento del sueño reciente y del pánico, con las manos atadas, empujado a culatazos, custodiado por pistolas y fusiles). Cegada voluntariamente por el amor, Adela no se habría fijado al principio en la expresión que él tenía en todas las fotos, incluso las primeras que le mandó como recordatorios cuando se comprometieron, o las del día de la boda, o los retratos que se hicieron juntos por capricho de ella en un estudio de la Gran Vía, al poco tiempo de casarse, cada uno acomodado en un sillón antiguo, delante de un paisaje pintado, él con las piernas cruzadas y mostrando los botines, ella con un libro en una mano y la barbilla descansando en el dorso de la otra, con una sonrisa indolente en la que podía advertirse lo que en ese momento aún no sabían ninguno de los dos, que estaba embarazada. En la cara de él había un gesto como de no estar del todo allí, la mirada vuelta hacia un lado o fija en un punto intermedio del aire, en un ensimismamiento del que ni él mismo se daba cuenta, pero que ya estaba, tan pronto, teñido de fastidio. Pero quizás se engañaba, mirando las fotos quince años más tarde; quizás, por falta de buena memoria o de la imaginación suficiente para verse a sí mismo en lo que a todos los efectos era otra vida, atribuía al hombre más joven de entonces una desgana precoz que aún tardaría en surgir, y que se iba haciendo mucho más visible según adelantaban las páginas de los álbumes. La vida entera, custodiada por Adela, por su afición a guardarlo todo, bien ordenado y en su sitio, no sólo las fotos sino también las cartas, cada una de las que él le escribió durante el noviazgo y las que le mandó durante el año en Alemania, ordenadas cronológicamente, guardadas en montones manejables sujetos con gomas, las que él no quería sacar de los sobres para no detectar en ellas las notas falsas de lo rutinario y también para evitarse el disgusto retrospectivo de encontrar expresiones de amor escritas con su propia letra indudable. *Ya no te acuerdas de cómo te quejabas si tardaba en llegarte una carta mía.* Miraba hechizado las fotos, mientras a lo lejos se oían ráfagas de disparos o motores de aviones, todavía no explosiones de bombas, repasaba la secuencia del crecimiento de sus hijos y la sucesión abrumadora de fiestas familiares, los cambios en la cara y en el cuerpo de Adela, que también había sido más grácil de lo que él recordaba (pero quién podía fiarse de la memoria: cómo estaría acordándose de él ahora mismo Judith Biely, tal vez ya corrigiendo el pasado, suprimiendo fervores, borrándolo de su nueva vida cualquiera sabía dónde, con qué hombres más jóvenes, en París o en América). En muchas fotos no aparecía él (estaría de viaje, o entregado al trabajo, o habiendo inventado un pretexto ineludible que justificara su ausencia); en algunas estaba pero tenía una expresión distinta a la de los demás, absorto, ligeramente disgustado, mirando al suelo, como preservando un espacio que lo separaba de los otros, refractario a la alegría colectiva, a la celebración que hubiera reunido a la familia, bautizo o comunión o cena de onomástica o de Navidad o de Año Nuevo; Adela a su lado, casi siempre, a veces cogida de su brazo, o un poco echada sobre él, orgullosa de su presencia masculina, sin darse cuenta de nada, sobre todo al principio, en las fotos más antiguas, quizás comprendiendo más tarde, cuando las ordenaba para pegarlas en el álbum, o mucho después, cuando volvía a ellas para buscar los signos de lo que había existido siempre o para consolarse de la soledad creciente y el sentimiento de estafa y fracaso reviviendo un tiempo que recordaba más feliz: los primeros años, el nacimiento de Lita, aquellos dos días en los que le parecía que la criatura que no llegaba a nacer la estaba desgarrando por dentro, la mudanza a la nueva casa, al edificio recién terminado en la calle Príncipe de Vergara, con sus balcones que se abrían a las anchuras ilimitadas de Madrid, el «Madrid moderno, blanco», de un poema de Juan Ramón Jiménez que le gustaba mucho. El malestar secreto aún podía disiparse, responder tan sólo a un episodio

pasajero, al exceso de trabajo de su marido, tan empeñado siempre en demostrar a los otros su propia valía, en
comprometer su inteligencia entera, su vida misma en el
cumplimiento de cada encargo, inseguro tal vez de la posición que había adquirido, temiendo que por algún defecto de su origen le fuera arrebatada, queriendo demostrar que si prosperaba no era gracias a la influencia de la
familia de su mujer, hacia la que mostraba cada vez una
frialdad más seca, que a ella le dolía tanto, sobre todo por
el cariño que les tenía a sus padres, por el miedo que sentía a que su marido los hiriera con un desplante o un comentario sarcástico, o simplemente con esa indiferencia
que era ya muy visible en la realidad pero que se manifestaba sobre todo en las fotos: incluso, se daría cuenta mucho después, en las de la boda, hasta en aquellas en las
que Ignacio Abel tenía en brazos a sus hijos recién nacidos
o les pasaba la mano por el hombro en el día de su comunión. No miraba a la cámara, como si temiera que al hacerlo quedara revelado un secreto, y tampoco establecía
relación alguna con los que le rodeaban, ni siquiera sus hijos, ni siquiera ella. Levantaba una copa en un brindis y
miraba hacia otro lado. En la hilera de los invitados a una
boda él era el único que no parecía formar parte del grupo
familiar. En una foto de la comunión de su hija la niña resplandecía de orgullo de posar junto a su padre y él permanecía erguido y lejano, como disgustado, como impaciente
porque el fotógrafo terminara cuanto antes su trabajo. Pero
Adela no había dejado de completar sus álbumes, de anotar fechas exactas, circunstancias y lugares, con una letra
siempre idéntica, al paso de los años, tan regular como su
misma apariencia en las fotografías, una mezcla de pasividad y de ilusión pueril, como si a pesar de todo las promesas pudieran acabar por cumplirse, como si la única condición para evitar el desastre y no sufrir la devastación del

desengaño y hasta de la cruda mentira fuese mantener una actitud serena, una sonrisa apenas esbozada, levantar la barbilla y erguir el torso para no incurrir en la antigua acusación familiar de que desde muy joven tendía a encorvarse, fingir que era invulnerable a la mordedura de la frialdad, que no la desvelaban las sospechas, que la rectitud era siempre el mejor camino posible. En la primera página de cada álbum Adela había inscrito las fechas del tiempo que abarcaba. El último sólo tenía la indicación del comienzo, *septiembre, 1935*. En las fotos Ignacio Abel veía no lo que fue captado por la cámara sino lo que ya estaba sucediendo en otra parte y en secreto: Adela, la niña, él mismo, la tarde de la charla en la Residencia de Estudiantes; la reunión familiar en la casa de la Sierra el día de la onomástica de don Francisco de Asís: la primera foto había sido tomada unos minutos después de que él viera de cerca y escuchara por primera vez el nombre de Judith Biely; en la segunda buscó indicios del recuerdo de ella que estaba invocando mientras alguien pulsaba el disparador de la cámara: la larga mesa llena de gente y de platos de comida, al sol cálido del mediodía de octubre, las caras ya remotas, la vida familiar que entonces parecía una sentencia a cadena perpetua y ahora había desaparecido sin rastro: don Francisco de Asís, doña Cecilia, las tías solteras, sonrientes y mustias, idiotizadas o infantilizadas por la soltería y la vejez, el tío cura, hinchado dentro de la sotana como en una tripa de embutido (qué habría sido de él: habría tenido tiempo de esconderse, si el estallido de la guerra lo sorprendió en Madrid, habría yacido corrompiéndose al sol y cubierto de moscas en alguna cuneta), el cuñado Víctor, con su cara turbia de agravio, sus dos hijos, Lita sonriendo sin reserva a la cámara y Miguel con su expresión de fragilidad y timidez, y Adela, cerca de ellos, una mujer madura de pronto, más envejecida y ancha en esa foto que en el recuerdo, inclinada hacia él, su marido, con el gesto idéntico de las fotografías más antiguas, sólo que ahora atenuado, un gesto que es una costumbre y sobrevive a los cambios irreversibles en el estado de ánimo, como si el cuerpo aún no hubiera aprendido lo que ya sabe la conciencia, que ese apoyo físico que se busca y parece encontrarse ya es ilusorio, y que las cosas han cambiado sin remedio aunque las apariencias se mantengan idénticas. Y él, en una esquina, esta vez sonriendo, no en guardia, ni del todo ausente, como en la mayor parte de las fotos, con una sonrisa indolente, bien visible a pesar de que la sombra cubre la mitad de su cara, un poco adormecido por la comida y el vino y el sol dulce de octubre, pero sobre todo porque la noche anterior apenas había dormido nada, ebrio de su primer encuentro con Judith Biely. Pero lo que muestra de verdad una fotografía no sabe verlo casi nadie. ¿Habría distinguido Adela (cuando la miró detenidamente después de pegarla en el álbum, de alisarla con la palma de la mano y anotar al pie en una etiqueta la fecha y el lugar) que en esa foto su marido tenía ya la cara del engaño, que el desahogo y hasta el afecto que mostraba y que ella tanto agradecía eran los síntomas no del regreso del amor sino de su pérdida definitiva? Había una foto más en el álbum, pero no estaba pegada, ni tenía en el reverso ninguna indicación del día y del lugar, aunque había sido tomada aquella misma tarde, junto a la laguna de la presa abandonada. Miguel y Adela se disputaban la cámara Leica, y fue Miguel quien al final prevaleció, pero Ignacio Abel no recordaba el momento en que tomó la foto, sin que ni él ni su mujer lo advirtieran, quizás escondido entre los pinos, imaginándose que era un reportero internacional: una foto borrosa, quizás porque la tarde ya declinaba y no había luz suficiente, o porque Miguel era muy atolondrado manejando los aparatos, demasiado ansioso siempre y demasiado impaciente por llegar cuanto antes al momento supremo de lo que se proponía: sus padres sentados en la hierba, muy cerca de la orilla, inclinados el uno hacia el otro, absortos en una conversación distraída y plácida que Ignacio Abel no recordaba haber tenido, ligeramente echado hacia atrás, una rodilla flexionada, un codo apoyado en el suelo, las dos figuras tan en calma como el agua en la que se reflejaban parcialmente, oscurecida por la sombra oblicua de los pinos.

20

También él había ido organizando un archivo; colec-
cionando casi desde el primer encuentro no sólo cartas y
fotos sino cualquier indicio material que aludiera a la presencia de Judith en su vida: el cartel de su charla en la Residencia de Estudiantes, el recorte del periódico con la fecha bien visible en un ángulo, un día como todos que sin
embargo brillaba para ellos con una claridad secreta que
para los demás era invisible, una hoja del calendario que le
habría gustado rescatar de la papelera de su oficina donde
él mismo la habría tirado a la mañana siguiente, sin saber
todavía, ajeno a lo que ya estaba sucediéndole; pues cada
amante busca establecer una genealogía de su amor, por
miedo a olvidar y a perder, a que no quede rastro de lo
que tanto le importa, de cada minuto memorable borrado
en seguida por la prisa del tiempo. Quería guardarlo todo;
que ningún encuentro se confundiera con otro; como
quería no olvidar ninguna de las palabras y de las expresiones en inglés que Judith le enseñaba. Las apuntaba en
una pequeña libreta de hule que llevaba en el bolsillo de la
americana; en el mismo donde cuidaba que estuviera
siempre la llave diminuta que cerraba el cajón de su escritorio. Podía dejar sin peligro las cartas de Judith en la

oficina, pero eso significaba separarse de ellas; las cartas y las fotografías; los telegramas enviados en un rapto de impaciencia o capricho, con expresiones obscenas en inglés que el telegrafista había llenado de errores; enviados desde Toledo, una mañana de visita turística con alumnas americanas, o desde la misma oficina central de Correos y Telégrafos en la plaza de Cibeles, junto a la que Judith había pasado sin poder resistirse a la tentación de hacerle llegar a él un mensaje instantáneo: la maravilla de los impulsos eléctricos en los cables del telégrafo, de los golpes diminutos traducidos en palabras, impresos en una hoja azul, entregados al cabo de una hora en el despacho donde Ignacio Abel interrumpió una seria deliberación profesional porque el ordenanza untuoso había abierto la puerta de cristal escarchado con expresión seria y con un telegrama en la mano, con la cara de quien tal vez está haciendo entrega de noticias muy graves (el ordenanza era joven pero ya se movía con la solemnidad futura de muchos trienios administrativos; inclinaba la cabeza con ceremonia, como un mayordomo legitimista). Sin que ningún signo externo lo anunciara él ya sabía que el telegrama era de Judith: pidió disculpas a los otros, un hombre ocupado que tenía que atender tantas cosas al mismo tiempo, se apartó un poco, la impaciencia en las yemas de los dedos, perdida la destreza para abrir el sobre sin rasgarlo. Y el placer de encontrar sus palabras se hacía más intenso porque las leía delante de los otros, teniendo que fingir, esforzándose porque no se trasluciera una sonrisa en su cara, por mantener un ceño de preocupación, o al menos de alta responsabilidad, *I'll be waiting for you at Old Hag's 4 p.m. please don't let me down please.*

Un poco tiempo antes no habría sabido qué significaba esa expresión, *Old Hag*. Ahora estaba apuntada con letra diminuta en su cuaderno y era un matiz del idioma y también una contraseña, porque así era como llamaba Judith a la que decía llamarse Madame Mathilde, la dueña o anfitriona del chalet al fondo de un jardín hacia el final de la calle O'Donnell, quien los recibía siempre con una ficción de solemne reserva y hospitalidad distinguida, como si en vez de una casa de citas regentara un salón literario y artístico. En el cuaderno estaba la fecha y el lugar y en muchos casos hasta la hora de cada una de las veces que había estado con Judith, con alguna palabra clave que aludía a algún rasgo específico de cada encuentro. En las mismas páginas había notas de sus citas de trabajo, observaciones técnicas, bocetos de pormenores arquitectónicos que había visto o imaginado: pero él distinguía, dueño único de su código secreto, archivero tenaz. *Dejándote papelitos en todas partes y yo encontrándolos sin querer cuando te revisaba los bolsillos de los pantalones o de la chaqueta antes de mandarlos al tinte.* Olvidar era un despilfarro, un lujo que él no podía permitirse. Olvidar era como no fijarse bien en Judith cuando estaba con ella, no esforzarse en fijar en la memoria esos rasgos que lo enamoraban y lo excitaban tanto y sin embargo luego no sabía invocar, aun con el auxilio de las fotografías. Cuál era de verdad el color de sus ojos, la forma exacta de su barbilla, cómo sonaba su voz, cómo eran las dos líneas que se formaban a los lados de su boca cuando se reía. Dejaba de verla durante unos días y a pesar de las cartas y las llamadas de teléfono la distancia tan breve lo arrasaba todo; de modo que verla de nuevo era siempre una revelación, y la expectativa resultaba tan dolorosa, tan llena de suspenso, que no parecía que la presencia real pudiera estar a la altura de lo que se había deseado tanto, o que la ansiedad por la recompensa de una espera tan larga no malograra su disfrute. Verla desnuda le quitaba el aliento. Cada vez que besaba su boca golosamente abierta lo traspasaba el mismo relámpago de deseo y asombro que la primera noche en el bar del Florida, la lengua impúdica de ella buscando la suya. Pero el sediento no saborea los primeros sorbos del agua en los labios secos, no se detiene a apreciar la forma del vaso ni el modo en que la luz atraviesa el cristal. Él podía estar distraído por algo, ella nerviosa, desmejorada por una noche de mal sueño, aturdida por el ruido que los rodeaba en un café, íntimamente vejada por tener que encontrarse con su amante en esa habitación mercenaria, con un bidet medio escondido tras un biombo de una vulgaridad mustia, con un olor a desinfectante agravado por el perfume de rosas que intentaba disimularlo, esparcido por Madame Mathilde apretando una pera de goma roja con una borla adherida al frasco, mientras sostenía en la otra un cigarrillo. En casa de Madame Mathilde se oían los pájaros del jardín, las campanillas de los tranvías, algún rumor o una risa o un gemido en alguna habitación contigua. Otros amantes se habrían mirado en ese espejo ligeramente turbio, de marco dorado y desconchado, que había enfrente de la cama. A Judith le producía una sensación de desagrado el roce de las sábanas contra su piel desnuda; las sábanas limpias pero muy ajadas, lavadas muchas veces, muchas veces humedecidas por sudores o secreciones de cuerpos idénticos a los suyos en su anonimato, en un impulso genérico de apareamiento que borraba cualquier singularidad, cualquier tentación de romanticismo.

Encuentros reducidos a garabatos crípticos: M.Mat. Vier.7.6.30; entradas de cine guardadas entre las páginas del cuaderno que aludían a una tarde precisa, la mano certera y delicada de Judith avanzando en la penumbra hacia su bragueta, Clark Gable navegando en un velero por un mar tan ficticio como su camiseta de marino; programas de mano de películas que no recordaba haber visto; mensajes escritos en cuartillas con membretes de hoteles, en el papel de la Residencia de Estudiantes, en el de la oficina técnica de la Ciudad Universitaria; la arqueología breve del pasado común, su rastro cronológico establecido por matasellos y fechas de encabezamiento, el largo río sinuoso de palabras que era el reflejo y la prolongación de las conversaciones reales, las disipadas en el aire, las que empezaban a borrarse nada más sucedidas. El tiempo de estar juntos era siempre demasiado breve; demasiado angustioso para tener plena conciencia de lo que estaban viviendo; lo restituían, le daban forma en el recuerdo y en las cartas. Sobres estrechos de color azul claro que Judith había comprado en una papelería de París; cuartillas de un azul más atenuado cubiertas por las dos caras con una letra grande de rasgos enérgicos, soliviantada por la prisa y por una disposición de audacia, las líneas curvándose como caracteres chinos, preservando el impulso del gesto que las había trazado. La inminencia de una carta tenía algo del magnetismo de la llegada de Judith, como estar esperándola con los ojos fijos en la puerta del café en el que aparecería su silueta y verla de pronto sin haber asistido a su aproximación, por culpa de un parpadeo, de una distracción momentánea. Que hubiera de nuevo huelga general cuando volvieron de la costa de Cádiz y sólo circularan camionetas de guardias de Asalto por las calles vacías era sobre todo un contratiempo porque impediría la llegada de una carta de ella. A la hora de la mañana en que sabía que el ordenanza empezaba a repartir la correspondencia Ignacio Abel ya estaba alerta, levantando de vez en cuando los ojos de los papeles de su escritorio o de su tablero de dibujo, asomándose al corredor entre las máquinas de escribir, en la sala de la ciudad utópica, de la gran maqueta del campus todavía futuro. Qué prodigio, que entre tantos millares de cartas la de Judith no se perdiera, que estuviera viniendo hacia él escondida entre las otras, pero visible para el ojo adiestrado para distinguirla, el filo azulado, el ordenanza ajeno al valioso don que traía sosteniendo la bandeja como un camarero en un festín, solemne, moviéndose con una calma administrativa, la que correspondía a su vocación precoz de funcionario y a su chaqueta galonada. Si estaba solo en la oficina Ignacio Abel cerraba la puerta de cristal escarchado que sólo su secretaria tenía autorización para abrir sin llamar primero; si había alguien con él o tenía una llamada urgente se guardaba la carta en el bolsillo, o en el cajón del escritorio, reservándola para un poco más tarde, habiendo tocado ya su superficie, palpado su grosor, el tacto grato de muchas hojas dobladas, cediendo a la presión de los dedos con una promesa de deleite seguro. Las palabras que no habían tenido tiempo de decir en la última conversación o las que se habían perdido en la fugacidad de las voces telefónicas ahora él las poseía sin incertidumbre y también sin prisa, como hubiera querido estar alguna vez con ella misma, complaciéndose en la lentitud, desabotonando, desatando; quitándole cada prenda igual que abría con cuidado el sobre y sacaba de él las cuartillas dobladas, que olían a ella no porque les hubiera puesto una gota de su colonia sino porque el olor de ese papel no se parecía al de ningún otro y estaba sólo vinculado a ella. Pero también a veces la impaciencia era demasiado poderosa: rasgaba el sobre, y luego tenía que esforzarse para recomponerlo, para guardar en él justo esa carta, que no podría estar en ningún otro, que pertenecía a un día preciso, visible en el matasellos, a una cierta hora, a un estado de ánimo particular, que agitaba o apaciguaba la letra como una brisa más o menos fuerte la superficie de un lago. Los minutos del encuentro pasaban, abreviados por el nerviosismo del principio, por la rapidez con que se iba imponiendo la proximidad del final; en la carta el tiempo estaba preservado; la conversación fantasma del papel y la tinta traslucía un sosiego que era el único alimento de la ausencia, su calmante efectivo, cuando la carta había sido leída las primeras dos veces, doblada para introducirla en el sobre, para que cupiera bien en el bolsillo interior de la americana. El momento huía y no era posible recobrarlo; para buscar su repetición aproximada habría que esperar varios días; la carta estaba siempre allí, dócil a la indagación de los dedos, a la intensidad de la mirada, capaz incluso de ser confiada a la memoria, sin ningún esfuerzo, al cabo de unas cuantas lecturas. *Iba por el pasillo y aunque no quisiera mirar veía tu chaqueta colgada en el perchero y la punta del sobre asomando por el bolsillo qué trabajo te habría costado dejarte sus cartas en la oficina si ella te las mandaba allí pero se ve que no querías separarte ni un momento de ellas.* El alimento era más bien una sustancia adictiva; nicotina de tinta; opio de palabras, alcohol que iba embriagando despacio, desdibujando las formas del mundo exterior. ¿Qué haría si de pronto las cartas cesaban? Si Judith se cansaba de lo que los dos tardaron tanto en atreverse a nombrar (pero fue ella y no él quien se atrevió): de ser la amante de un hombre casado; si encontraba a otro hombre, más joven y más accesible, con el que no fuera necesario mantener una clandestinidad que a Judith, en el fondo, le parecía vergonzosa; si decidía que ya era tiempo de regresar a América o de continuar un viaje europeo que en realidad no había completado, una educación en la que no contaba que estuvieran incluidas las habilidades necesarias para sostener un adulterio ranciamente español (pero él nunca le preguntaba por sus planes: parecía que contaba con que ella estaría siempre cerca, disponible, extinguiéndose provisionalmente cuando se separaba de él, volviendo a existir en el momento en que él abría la puerta de la habitación alquilada por horas y la encontraba en el salón junto a la cama, desplegada y carnal como una flor magnífica).

Desde muy joven su vocación de explicarse había sido tan poderosa como su deseo de aprender. Escribiendo cartas ejercía luminosamente un talento que no había encontrado su cauce verdadero hasta entonces, ni en los empeños literarios que no mostraba a nadie ni en sus cuadernos de diarios, ni tampoco en las crónicas que enviaba a aquel periódico de Brooklyn en el que siempre le pedían más análisis políticos y menos observaciones sobre la vida cotidiana de la gente en España. Escribiendo cartas sentía la exaltación nueva de tener un interlocutor con el que no habría malentendidos porque su inteligencia era un desafío y un halago para la suya y porque en el fondo los dos se parecían mucho, tanto que no habían tardado más de unos minutos en reconocerse. Todo era memorable y nuevo y merecía ser celebrado; ir por Madrid le producía una euforia semejante a la de caminar por Manhattan más allá de los límites de su barrio o a la de leer en voz alta a Walt Whitman; explicarle en una carta a ese hombre al que muy poco antes no conocía las ambiciones más secretas de su vida y los matices de la pasión sexual a la que parecía que hubieran despertado juntos era en sí misma una experiencia soberana, transida de sensualidad: volaba su mano sobre el papel, fluía la tinta de la pluma formando volutas de palabras en las que su voluntad casi no intervenía, palabras brotadas del recuerdo de algo sucedido apenas unas horas antes y del deseo que renacía en la invocación, igual que algunas veces en alguna caricia distraída que los hacía regresar inesperadamente del límite del agotamiento (el libro intuido estaba de algún modo también en aquellas cartas; el libro estaba en todo lo que hacía, y sin embargo se le escapaba cuando se ponía conscientemente a buscarlo, cuando se quedaba detenida delante de la máquina buscando una primera palabra que lo desatara todo, esperándola). Se contaban lo que habían hecho y lo que habían sentido y anticipaban lo que harían cuando volvieran a encontrarse, lo que no se habían atrevido a sugerir o a solicitar en voz alta, aun usando las palabras del otro idioma que amortiguaban la obscenidad y al mismo tiempo acentuaban su efecto. La carta era una confesión y un relato del deseo y también una forma descarada de provocarlo en el otro; haz mientras estás leyendo lo que yo imagino que te hago; que tu mano se mueva guiada por la mía, que sea mi mano la que está acariciándote aunque no estés conmigo. Qué raro que tardaran tanto en cobrar conciencia del peligro; en descubrir que había un precio y un daño y que no había remedio para la afrenta una vez cometida. Cada palabra una injuria; el hilo de tinta un rastro de veneno.

—¿Dónde guardas las cartas?

—Ya me lo has preguntado otras veces: en el cajón de mi escritorio.

—¿En tu casa o en la oficina?

—Donde las tenga más cerca.

—Tu mujer puede encontrarlas.

—Lo cierro siempre con llave.

—Un día se te olvidará.

—Adela nunca mira en mis papeles. Ni siquiera entra en mi despacho.

—Qué raro que hayas dicho su nombre.

—No me había dado cuenta de que no lo dijera.

—No te das cuenta de muchas cosas. Di otra vez el nombre de tu mujer.

—Mi mujer eres tú.

—Cuando te hayas divorciado y te cases conmigo. Mientras tanto tu mujer es Adela.

—Tú tampoco dices nunca su nombre.

—Prométeme una cosa: quema mis cartas; o guárdalas en tu oficina, en tu caja fuerte. Pero por favor no las tengas en tu casa.

—No la llames mi casa.

—No hay otra manera de llamarla.

—No quiero separarme de tus cartas. No quemaría ni una de ellas, ni una postal, ni una entrada de cine.

—¿Guardas también las entradas de cine?

—Por fin te veo reírte esta tarde.

—No quiero que ella pueda leer todas las cosas que te he escrito. Me da vergüenza. Me da miedo.

—Siempre llevo la llave conmigo.

—Cuando sospeche algo saltará la cerradura. No hará falta. Tirará del cajón y ese día tú te habrás olvidado de cerrarlo.

—La conozco muy bien: no sospecha nada.

—No la conoces. Te pregunto cosas sobre ella y no sabes contestarme. Te pones incómodo.

—Ella está en su mundo y nosotros en el nuestro. Siempre dijimos que había una barrera entre los dos.

—Fuiste tú quien lo dijo.

—Nos bastaba lo que teníamos.

—Sólo por un tiempo. Ahora te basta a ti.

—Sabes que quiero vivir siempre contigo.

—Sé que me lo dices. También sé lo que no haces.

—Voy a irme a América contigo después del verano.

—¿De verdad se lo has dicho ya a tu mujer y a tus hijos?

—Tú sabes que sí.

—Porque tú me lo has dicho. ¿Y si me estás mintiendo?

—Ya no te fías de mí.

—Voy conociendo tu voz, la manera en que miras

cuando algo te incomoda. Veo tu cara ahora mismo. Veo que no quieres seguir esta conversación.

—Voy a irme contigo a América.

—¿Y si yo no quiero volver tan pronto? ¿Y si prefiero quedarme un poco más en España?

—España está volviéndose un sitio muy peligroso.

—Aún me queda algo de dinero. Puedo seguir viajando un tiempo más por Europa.

—Será que ya no quieres estar conmigo.

—¿Y me esconderás también cuando estés en Burton College? ¿Tendré que esperar a que vayas a verme a Nueva York?

—Tú querías que yo hiciera ese viaje.

—¿Y tú no?

—Lo que yo quiero es estar contigo, no me importa dónde ni cómo.

—A mí sí. Ya sí.

—Decías que no ibas a pedirme nada.

—Ahora he cambiado de opinión.

—Tus sentimientos han cambiado.

—No quiero verte a escondidas. No quiero compartirte con nadie.

—No me compartes.

—Te acuestas con Adela todas las noches, no conmigo.

—No puedo acordarme de la última vez que la toqué.

—Me da vergüenza. Me da pena por ella. Aunque ella no lo sepa la pena que le tengo la humilla.

—Ella no sabe que existes.

—Me miró aquel día en la Residencia y se dio cuenta de algo. Nada más verme no se fió de mí.

—Pero si acabábamos de conocernos.

—Da igual. Una mujer enamorada advierte el peligro.

—¿Te pareció que estaba enamorada?

—Vi cómo te miraba mientras tú dabas tu charla. Estaba sentada a su lado. Lo pienso ahora y me parece mentira. Al lado de tu mujer y de tu hija.

—Es menos desconfiada de lo que tú imaginas.

—Vio cómo me mirabas. No guardes las cartas en tu casa, no me llames por teléfono desde allí.

—Tú me has llamado.

—Con mucha vergüenza, porque tenía miedo. Una sola vez.

—Me diste la vida esa noche.

—Pero luego volviste a tu hogar. Estábamos acostados en casa de Madame Mathilde y yo te veía en el espejo mirando el reloj.

—Tú no me dijiste que querías que pasáramos la noche entera juntos.

—No quería que me dijeras que no.

—Ojalá me lo hubieras pedido.

—Sabe que estás conmigo. Te está vigilando. Por favor, quema las cartas, escóndelas en otra parte.

—No quiero separarme de ellas.

—¿Y qué harás cuando termine el curso en América? ¿Volverás a Madrid y yo tendré que quedarme esperando que me escribas?

—Ahora no hay por qué hablar de lo que está muy lejos.

—No quiero que mi vida entera dependa de ti.

—Tú sabías cómo era la mía cuando empezamos a estar juntos.

—No sabía que iba a enamorarme tanto.

Pero antes de que llegaran la vergüenza y la culpa ya comprendían que el paraíso los había abandonado; que sin darse cuenta se habían ido de él: que habían perdido o dejado de merecer un estado de gracia del que tampoco fueron responsables mientras les sucedía, tan ajeno a la voluntad de cada uno como un viento favorable que los hubiera alzado por encima de los accidentes diarios y las limitaciones de sus vidas y que ahora, igual que vino, había cesado. El deseo no era menos intenso pero tenía ahora un filo de exasperación; apenas colmado se disolvía en soledad, no en gratitud; se contaminaba no de desgana, pero sí de una secreta decepción, de una especie de descrédito. La casa de tiempo en la que se recluían cuando estaban juntos ahora ya no les ofrecía su acostumbrado santuario: veían como una afrenta recobrada el lujo de prostíbulo de la habitación de Madame Mathilde, la vulgaridad hiriente del papel pintado en las paredes, los hilos sueltos de la alfombra; olían el desinfectante barato, la higiene insuficiente del cuarto de baño detrás del biombo oriental cubierto a medias por un mantón de Manila. Volvieron de los días tan fugaces en la casa junto al mar y el calor de junio en Madrid era irrespirable, el aire seco como el aliento de un horno; la desgana inmensa de los días sofocantes y nublados, la hostilidad de las miradas de la gente en la calle, los cuerpos hoscos sudando en el interior de los tranvías. Por primera vez el uno y el otro eran capaces de imaginar un porvenir en el que el amor ya no los iluminara: en momentos fugaces de lucidez y de remordimiento volvían a verse como si no se conocieran, secretamente avergonzados de sí mismos, gastados por el abatimiento de una excitación sostenida sin tregua durante demasiado tiempo. Quizás deberían concederse un respiro; librarse por un tiempo de la obsesión insana de estar juntos; de escribir tantas cartas y esperar siempre su llegada.

El timbre del teléfono lo sobresaltó una noche ardiente de junio al final de un día en el que se había ido apoderando de él una forma de malestar que cobraría en el recuerdo el valor dudoso de una premonición. La palabra accidente fue usada desde el principio, aunque con una inflexión rara, de algo indeterminado que se ha preferido no decir, con una sugerencia de acusación, de enigma un poco turbio. «Ven cuanto antes, Adela ha tenido un accidente.» Era la voz hostil del hermano siempre vigilante, guardián designado por sí mismo de la honra familiar puesta en peligro por el intruso advenedizo, el marido triste y transitoriamente necesario para la prolongación del linaje, pero siempre dudoso, lo mismo por sus ideas que por su comportamiento. «Está fuera de peligro, pero podía haber sido muy grave.» No dijo mucho más; al principio ni siquiera qué había pasado ni adónde se le pedía a él que fuera; le importaba sugerir con el tono de su voz y con la poca información que ellos, la familia, habían acudido en auxilio de la hija y hermana, y que una vez más el marido no sólo era irrelevante, sino también sospechoso, de modo que convenía no decirle sino lo imprescindible. Que Adela había tropezado o se había escurrido, que podía haber muerto, que la habían llevado al hospital más próximo, el sanatorio para tuberculosos. El sanatorio para tuberculosos de dónde: toda la angustia de repente, toda la culpa, la apariencia de fortaleza tan precariamente mantenida derrumbándose de golpe por la sacudida sísmica del miedo. Cuando sonó el teléfono Ignacio Abel estaba sentado en su despacho, delante de la mesa con los cajones abiertos que él se había olvidado de cerrar con llave esa mañana antes de salir hacia el trabajo, apresurado por una llamada urgente, junto al balcón abierto en el que ni un rastro de brisa estremecía las cortinas y por el que entraba en una bocanada inmóvil un calor no amortiguado por la caída de la noche. Llegó a casa cuando ya empezaban a encenderse las farolas de la calle y su hija, que se había levantado de su mesa de estudio al oír la llave en la cerradura para salir a recibirlo, le dijo que no sabía dónde estaba su madre, aunque ninguno de los dos se alarmó todavía, porque era posible que hubiera ido a misa o a una visita o a una de sus reuniones en el club de lectoras. Entró con ella al salón y la hija zalamera le trajo el periódico, que él hubiera preferido no leer, con su dosis diaria de titulares alarmantes, más aún por los espacios en blanco de las informaciones censuradas, de noticias desastrosas y opiniones ineptas. El gobierno desmentía enérgicamente que en los dispensarios de salud hubiera habido una afluencia de niños víctimas de los caramelos envenenados que según rumores sin fundamento habrían estado repartiendo las monjas a las puertas de algunas iglesias en los barrios obreros. Los trabajadores de la construcción que quisieran incorporarse a los tajos podrían hacerlo con la seguridad de que la fuerza pública no toleraría el menor quebranto de la ley por parte de elementos armados. Se quitó la americana y la corbata, desabrochó el cuello pegajoso de la camisa, reducido por el calor y el cansancio a un hastío invencible. El chico vino de su cuarto y le dio un beso con ese punto de formalidad excesiva que había ido adquiriendo en los últimos tiempos, según se alejaba de la infancia. Quizás aún le guardaba algo de rencor por la bofetada después del incidente de la pistola. Le preguntó si podía ayudarle con unos ejercicios de geometría. Para Ignacio Abel era un alivio ayudar a su hijo en asuntos que no implicaban una tensión emocional y en los que podía mostrarse generoso sin esfuerzo, intuyendo que no proyectaba sobre él una sombra excesiva. Fácilmente Miguel se sentía amedrentado, incompetente, inferior a su hermana, que obtenía sin dificultad lo que a él le costaba tanto, notas excelentes y la visible aprobación del padre. Le dio un beso al chico y le pasó distraídamente una mano por el pelo mientras abría con desgana el periódico. «Déjame unos minutos y luego vemos el cuaderno en mi despacho.» La

rueda diaria de los hábitos: su repetición confortable y te-
diosa, como la vista de los muebles del salón y de los cuadros en las paredes, del reloj sobre la repisa de la chimenea, como la entrada de la muchacha que venía de la cocina secándose las manos en el delantal para preguntarle si
deseaba tomar algo antes de la cena, con un brillo gra-
siento de sudor en la cara. Nunca le habría dicho a Judith
Biely que en el fondo de su corazón esa rutina no tenía
nada de opresiva.

—¿Tú sabes adónde ha ido la señora?

—No señor, se fue y no me dijo nada, ni la vi salir.

—¿Hace mucho que se fue?

—Bastante. Aún no habían vuelto los chicos de la escuela.

La alarma por la ausencia de Adela se filtraba muy débilmente en su conciencia. Estaba cansado, le complacía
en realidad que ella se hubiera marchado, porque así no
tenía que esforzarse en mantener una conversación o que
vigilar en ella posibles signos de infelicidad o sospecha.
Por el balcón abierto entraba un aire que tenía una densidad de vaho caliente, cargado de olor a geranios y a flores
de acacia, y con él los rumores de la calle varios pisos más
abajo, conversaciones de hombres a la puerta de una taberna, motores y bocinas de coches, la música de un aparato de radio, la textura sonora de Madrid, que le gustaba
tanto aunque reparaba pocas veces en ella, amortiguada
en este barrio todavía nuevo, todavía haciéndose, con calles anchas y rectas y filas de árboles muy jóvenes.

Eran las nueve y Adela no había vuelto aún. Su hijo lo
estaba esperando con el libro de geometría y el cuaderno
de ejercicios, parado en la puerta, sin decidirse a llamar su
atención. De camino hacia el despacho le pasó la mano
por el hombro y se dio cuenta de cuánto había crecido.

Encendió la luz y comprendió instantáneamente el motivo de que Adela se hubiera marchado sin decir nada a nadie y tardara tanto en volver. El cajón de la mesa que solía cerrar con llave estaba volcado en el suelo. Había sobres y cartas esparcidos en torno a él, cuartillas azules tupidamente cubiertas con la escritura inclinada de Judith Biely, fotografías, un puñado de las más recientes, las que se habían tomado el uno al otro en el viaje a Cádiz. Le dijo al chico con brusquedad que esperase fuera, pero notó que había visto lo mismo que él y probablemente comprendido, con su intuición fulminante para las zonas sombrías de la intimidad de sus padres, con ese instinto de alarma y reprobación que Ignacio Abel había distinguido tantas veces en sus ojos, atribuyéndole una agudeza que un niño difícilmente podía poseer, y que era sólo el pánico infantil a las turbulencias indescifrables de los adultos. Cerró la puerta al quedarse solo y examinó los pormenores del desastre, abrumado de golpe por la irrupción de lo irreparable. Las cartas, todas ellas, desde la primera, con fecha del verano pasado; las postales, los detalles triviales y obscenos, igualmente delatores; los sobres desgarrados por la impaciencia; las cuartillas llenas de escritura, de notas y exclamaciones en los márgenes, aprovechando con avaricia todo el espacio del papel. Y también las fotos de Judith en Madrid y en Nueva York y apoyada contra una barandilla blanca en la cubierta de un barco: una en el suelo, pisada, con una parte de la huella de un zapato bien visible sobre ella, otra bocabajo sobre la mesa, entre los papeles, otras dos en el suelo, cerca del cajón, como si Adela no las hubiese visto o no hubiese considerado necesario mirarlas. En el suelo, rasgada en dos mitades, estaba la carta que él había empezado a escribir la noche anterior, y que había guardado apresuradamente cuando Adela entró para darle las buenas noches. La miró por encima y se avergonzó de su vehemencia: de repente le parecía insincera, forzada; escribir cartas de amor también podía ser una tarea extenuante.

Se tocó la cara y había enrojecido. El sudor le adhería la camisa a la espalda, le humedecía desagradablemente las manos. Recogió de cualquier manera las cartas y las fotografías, devolvió el cajón a su sitio y lo cerró con llave. En un fogonazo de lucidez tardía y del todo irrelevante revivió un momento de esa mañana en el que, mientras preparaba los papeles que tenía que llevar en la cartera, había mirado el cajón con la llave puesta en la cerradura y se había propuesto mentalmente asegurarse de que lo dejaba cerrado antes de irse y de que la pequeña llave quedaba guardada donde la ponía siempre, en un pequeño bolsillo interior de su americana en el que no guardaba nada más. A veces, a lo largo del día, se cercioraba de que la tenía palpando el forro con cautela automática. Sonó el teléfono y levantó el auricular con un sobresalto: sería Adela, llamando desde la casa de su padre, tendría que esforzarse en improvisar una explicación inverosímil, que agravaría la indignidad sin resolver nada. Antes de hablar reconoció en el teléfono la voz de su cuñado, a quien la niña saludaba desde el otro teléfono, y no dijo nada. El hermano guardián llamaría para pedir cuentas del agravio, caballero andante del honor familiar. Su hija golpeó la puerta del despacho sin abrirla: «Papá, el tío Víctor, que te pongas.»

21

Lo hizo todo cuidadosamente, sin darse prisa, como poniendo en práctica un plan que hubiera tenido elaborado desde hacía tiempo, sin más síntoma de negligencia que el desorden de las cartas tiradas por el suelo y el cajón caído, todavía con la pequeña llave en la cerradura, la que Adela había advertido tal vez esa mañana, mientras supervisaba la limpieza del despacho. Las criadas tendían a quitar el polvo sin mucha eficacia y a cambiar algunas cosas de sitio, y esto último irritaba a Ignacio Abel, que mantenía en ese cuarto de trabajo un equilibrio peculiar entre la disciplina y el desorden, y con frecuencia olvidaba papeles sueltos o recortes de periódicos o fotos de revistas internacionales que luego necesitaba con urgencia. Habría visto la llave a una hora temprana, cuando las criadas recogían las habitaciones y aireaban la casa, pero tardó mucho en decidirse a abrir el cajón que él siempre dejaba cerrado, y lo cierto era que podía no haber notado la presencia de la llave, tan pequeña como era, un brillo mínimo de metal en el despacho con el balcón abierto. Podía no haber sentido el sobresalto, o haber vencido la tentación, al principio no muy poderosa, al menos no muy consciente, no tanto que persistiera como una espina o una molestia física en medio de las tareas del día. Pero no se olvidó de ella, ni siquiera cuando estaba más distraída con otras cosas, cuando revisaba con la cocinera los menús de los próximos días o cuando hablaba por teléfono con su madre —angustiada, decía doña Cecilia, con el cuerpo descompuesto, nada más que noticias terribles, las personas honradas ya no podían salir a la calle, ni ir a misa sin que las insultaran, hasta calumniaban ahora a las pobres monjitas con esa mentira de que repartían caramelos envenenados a los niños, les gritaban groserías por la calle, las amenazaban con quemarles los conventos. Oía en el teléfono el zumbido quejumbroso de la voz de su madre y no se olvidaba de la llave. Le pareció que la veía diminuta y vil brillando en la penumbra cuando se tendió en la cama con las cortinas echadas y los postigos abiertos buscando alivio para un dolor de cabeza que se hacía más agobiante en días como aquél, nublados y calientes, con una luz gris que la desorientaba en el tiempo. Qué ganas de que pasaran los pocos días que faltaban para que los chicos terminaran el curso y poder irse de Madrid, a la casa tan querida de la Sierra, al alivio de los anocheceres con una brisa perfumada de olores a pino y a jara, que le devolvían incondicionalmente una felicidad de paraíso infantil, no hecha de recuerdos sino de sensaciones instintivas, el canto de los grillos en la oscuridad húmeda del jardín, más allá de la terraza de la que aún no se habían retirado los platos de la cena, el chirrido del columpio en el que sus hijos se mecían, devolviéndole como un eco en el tiempo ese mismo chirrido y otras voces infantiles muy semejantes que sin embargo eran la de su hermano y la suya, hacía tantos años.

Había que sobreponerse al desánimo agravado por el letargo físico para organizar como una campaña militar las tareas anuales del traslado a la Sierra («cuanto antes os marchéis de Madrid, mejor, hija mía; dice tu padre que va a pasar algo muy malo y yo le pido que se calle y que no me lea más el periódico porque ya sabes cómo me pongo, que me falta tiempo para llegar al baño»): la retirada de las alfombras, la complicación colosal del lavado de toda la ropa blanca, el arreglo de los armarios, el encerado de los parqués y de los muebles y la limpieza de las lámparas antes de cubrirlo todo con las fundas para el polvo que seguiría filtrándose a pesar de que quedaran bien cerrados todos los postigos, el polvo de desierto de los veranos en Madrid. Pero de dónde sacaría las fuerzas para dar órdenes a las criadas y mantener la autoridad vigilante que le hacía falta para revisarlo todo si andaba por la casa arrastrando los pies, en bata y zapatillas a pesar de la hora, despeinada, sin ganas de mirarse, sin ánimos para reñirle a la cocinera por tener la radio tan alta, con aquellos anuncios y canciones flamencas que le retumbaban en el interior del cráneo. Como el latido del dolor en las sienes el llavín se insinuaba en sus conversaciones y en sus actos. Había momentos en los que se esforzaba en olvidarse de él y otros en los que lamentaba el azar de haberlo visto, y se reprochaba al mismo tiempo su curiosidad y su cobardía, su impaciencia por examinar el interior del cajón y su miedo a lo que pudiera encontrar en él. Pero también podía no haber nada que justificara tanto desasosiego, de modo que lo más saludable sería sentarse tranquilamente delante de la mesa del despacho y girar la llave escuchando el chasquido de su mecanismo, y encontrarse curada de incertidumbre un minuto más tarde, incluso permitirse un poco de remordimiento, por haber sucumbido a una curiosidad chismosa, por haber invadido un reducto privado que a ella no le pertenecía.

No estaba ciega, no era tonta; no habría podido no sospechar: no a causa de su desconfianza, sino de la negligencia tan masculina de él, su falta de atención a lo que él mismo revelaba con sus actos, sin que lo vigilara nadie. Si él no estaba Adela sólo entraba en el despacho para supervisar la limpieza, moviéndose con una mezcla de reverencia y sigilo, para no alterar nada y al mismo tiempo no permitir la proliferación del desorden, actuando con una diligencia invisible. Miraba las cosas, sin tocarlas, examinaba una hoja en la que había algo dibujado y volvía a dejarla en el mismo sitio, o tal vez imponía una cierta armonía geométrica en los objetos y los papeles del escritorio. (Qué envidia sentía cuando Zenobia Camprubí le contaba que era ella la mano derecha, la secretaria, la mecanógrafa, casi la editora de Juan Ramón; que él se lo leía todo y no daba nada por definitivo y ni siquiera accedía a pasarlo a máquina hasta que Zenobia no daba su aprobación.) Guardaba lápices y pinceles en un tarro, reunía notas sueltas, tarjetas de visita y hojas arrancadas de un cuaderno y las ponía bajo un pisapapeles, no esforzándose demasiado en descifrar la caligrafía diminuta que le era tan conocida, y que con los años había ido volviéndose más rápida y más cercana a lo microscópico, aunque no más difícil de comprender para ella. (Le dolía más escuchar a Zenobia hablar de sus tareas agobiantes —sonriendo, con aquella mezcla suya de queja y halago, los ojos claros muy brillantes, igual que su piel clara y su dentadura americana— porque ella también, en otros tiempos, había disfrutado pasando a máquina los artículos y notas de clase de Abel, complacida de ayudarle, de estar haciendo algo útil que la relacionaba activamente con el trabajo de él.) En la letra cada vez más pequeña parecía que hubiera una vocación instintiva de invisibilidad. Por un reflejo de cautela prefería no empeñarse en leerla, eludiendo la posibilidad de enterarse de algo que hubiera resultado doloroso; palpaba los bolsillos de sus americanas antes de mandarlas a la tintorería procurando no mirar lo que hubiera escrito en algún papel olvidado, no preguntarse por qué había dos entradas de cine de una sesión matinal en un día de trabajo, no indagar a quién pertenecía un número de teléfono anotado en el margen de un periódico. Lo que uno no sabe no puede herirlo: puede incluso no haber llegado a existir. La curiosidad era de antemano una capitulación: la señal del peligro, del pánico. Adela había sido educada para no hacer preguntas ni poner en duda el comportamiento de los hombres más allá de la esfera doméstica. La honorabilidad de las personas no se sometía a un escrutinio demasiado exigente. De otro modo se permitía y hasta se alentaba la irrupción de lo grosero y lo inaceptable, lo que una vez que se ha mostrado a plena luz ya no se puede fingir que no se ha visto. Ahora lo grosero estaba siempre a la vista en España, con una carnalidad ofensiva, sin que a nadie le importara. Un puesto de tanta responsabilidad en las obras de la Ciudad Universitaria exigía todo el tiempo de la vida diurna de un hombre inteligente y vigoroso que además intentaba no abandonar otros proyectos y que empezaba a recibir sus primeros encargos internacionales. Como tenía un alma honrada y un carácter pasivo a Adela le gustaba que las cosas fueran lo que parecían. ¿No decía siempre su marido que un edificio ha de mostrar honradamente lo que es, de qué está hecho, para qué sirve, para quién? Algunas mañanas era mayor el desorden porque él se había quedado trabajando hasta la madrugada: para no despertarla había dormido en el diván usualmente ocupado por libros y legajos de planos. Con el tiempo se fue haciendo más habitual que durmiera en el despacho. El diván era grande y cómodo; en un armario ella se aseguraba que hubiera siempre una manta y una almohada limpia. A veces ella estaba enferma y era incómodo para los dos dormir juntos. De vez en cuando, sobre todo el último año, él tenía tanto agobio por las obras de la Ciudad Universitaria que sólo volvía a casa a las dos o a las tres de la madrugada. Por muy cuidadosamente que abriera la puerta y se moviera por el pasillo ella advertía su llegada. Estaba despierta, mirando la hora en las agujas fosforescentes del reloj de la mesa de noche: o se había quedado dormida y el sueño era tan frágil que el ruido lejano del ascensor poniéndose en marcha la espabilaba, o el roce de la llave al entrar con extremado sigilo en la cerradura. Los pasos se acercaban, Adela cerraba los ojos, se quedaba rígida en la cama, procurando que su respiración tuviera la regularidad del sueño. Que él no supiera que había estado esperando despierta; que no tuviera la sospecha de estar siendo vigilado. Pero los pasos no se detenían junto al dormitorio, continuaban camino del despacho. Qué claramente se oía todo en el silencio de la casa, a pesar de su anchura, qué perceptible cada sonido familiar, catalogado en la memoria: la puerta del despacho abriéndose, luego cerrada, el clic de la lámpara que él habría encendido, el peso fatigado de su cuerpo sobre los muelles del diván. Tan agotado, tantas horas de trabajo sin tregua, tantos días sin respiro, tan sumergido en sus angustias y sus obsesiones, los plazos que se acababan, los detalles innumerables que requerían su atención, los accidentes en los tajos, andamios que se derrumbaban porque fueron levantados con prisa y con negligencia, las huelgas, los días perdidos, las amenazas en el teléfono, los anónimos recibidos en el correo. *Qué más habría querido yo que poder ayudarte si me lo hubieras permitido si hubieras tenido confianza en mí como la tenías al principio y hubieras considerado que tenía inteligencia suficiente para entender lo que me contaras.*

Cada vez más lo que la mantenía despierta por las noches era el miedo a que le hubiera sucedido algo. Por las mañanas se asomaba al balcón para verlo salir del portal y caminar hacia el garaje donde guardaba el automóvil. A un ingeniero del Canal de Lozoya lo habían esperado unos pistoleros junto al portal de su casa no muy lejos de allí, en la misma calle Príncipe de Vergara, y lo habían abatido a tiros en la parada del tranvía, rematándolo cuando ya estaba caído en el suelo, delante de la gente que esperaba, y que miró para otro lado. Zenobia le contó que la noche que mataron al capitán Faraudo ella había pasado con Juan Ramón por la esquina de Lista y de la calle Alcántara y había visto el charco de sangre que nadie había limpiado todavía y que la gente pisaba sin miramiento dejando las huellas en la acera. En otras cosas prefería no pensar, si podía evitarlo. Lo que no se pensaba era como si no existiera. Pero tenía mucho miedo por él, casi tanto como el que tenía por su hermano, sobre todo desde que el muy insensato había dado en la extravagancia de vestirse de uniforme y llevar pistola, él que era tan miope y tan torpe, que de niño se asustaba de los cohetes y de los cabezudos en las verbenas. Sonaba el teléfono a media mañana y se le detenía el corazón. Sonaban disparos o gritos en la calle y las criadas salían corriendo a asomarse a los balcones, con la misma frívola curiosidad con que se asomaban al paso de una boda o de una procesión. El día en que mataron al ingeniero la cocinera volvió de la compra asegurando que había visto con sus propios ojos el cadáver en la acera, lo cual sin duda era el motivo de que se hubiera pasado en la calle casi dos horas. «Movía la pata igual igual que un conejo», repetía, «igual igual que un conejo». Pero mejor no decirles nada, porque lo mismo les daba por encararse con ella, por murmurar por lo bajo mientras se alejaban por el pasillo hacia la cocina, qué se habrá creído ésta, que va a ser ella siempre señora y nosotras sirvientas. La gente no tenía juicio. Las criadas y el portero del edificio y el dependiente de la tienda de ultramarinos hacían tertulia en la esquina y hablaban de los muertos en un atentado como de los incidentes de un partido de fútbol. Ignacio Abel tardaba en llegar por la noche y ella pensaba en las noticias de tiroteos y asesinatos que daban a diario en la radio, aunque siempre a medias, por culpa de la censura, lo cual las hacía aún más alarmantes. La asustaba la naturalidad con que su padre o su hermano vaticinaban que muy pronto iba a ocurrir algo muy grave; que el país ya no podía seguir cayendo por aquella pendiente; que sólo después de un gran baño de sangre las cosas empezarían a enderezarse en España. Esas palabras triviales de tan repetidas le daban un escalofrío: baño de sangre; no eran abstractas para ella: imaginaba la bañera de su casa llena de sangre que rebosaba extendiendo su mancha por las baldosas blancas del suelo. Le preguntaba a él, temerosa de importunarlo, de decir algo que agravara su nerviosismo y su agotamiento, más visibles según pasaban los meses, según se acercaba el verano: «Mujer, qué va a pasar, no pasará nada, lo de siempre. Mucho ruido y pocas nueces. España es un país de charlatanes y bocazas.» Le contestaba sin mirarla a los ojos. Tan cansado que cuando llegaba pronto se quedaba dormido mientras leía el periódico esperando la cena. Tan agobiado que aun después de cenar se encerraba en el despacho para trabajar sobre el tablero de dibujo o escribir cartas o hablar por teléfono. Tardó mucho en sospechar de él. No imaginó nunca que pudiera engañarla, o que se echara una querida, como hacían tantos hombres. Le había gustado de él desde el principio que no fuera como los demás hombres: que no oliera a tabaco, que fuera siempre considerado con ella, cariñoso con los hijos, sin levantarles nunca la voz, sin levantarles la mano (salvo esa vez, en mayo, cuando salió descompuesto de la habitación y se encontró con ella en el pasillo y no le dijo nada, y el niño tenía la cara roja y estaba paralizado, congestionado, a punto de romper en llanto y temblando, la boca abierta, como si le faltara el aire, como cuando era un recién nacido y el llanto se interrumpía y se le hinchaba el pecho y parecía que iba a ahogarse); cuando su padre y su hermano, igual que casi todo el mundo, empezaron a hablar a gritos de política, él callaba sus opiniones o las expresaba en un tono irónico; no iba a los cafés; su vida entera estaba guiada por un solo propósito: que al concentrarse tanto en su trabajo pareciera que se le desdibujaran las personas y las cosas que tenía más cerca era una consecuencia de su vocación que Adela aceptaba con admiración melancólica. En su cercanía hubo cada vez más un punto de ausencia; que la ausencia envolviera un núcleo de frialdad era un descubrimiento que Adela prefería no hacer. Su educación insuficiente de señorita española le había dejado un sentimiento de inferioridad intelectual más acentuado porque su inteligencia aguda le permitía intuir la extensión de lo que no había aprendido. Cómo podría ella calibrar las energías formidables que desplegaba un hombre de voluntad y talento en el ejercicio de una profesión tan llena de dificultades y de posibles recompensas como la de su marido, tan rica de disciplinas diversas en las que había espacio por igual para la invención y para el rigor matemático, para el modelado secreto y manual de las formas (los dibujos sobre la mesa, cada mañana; las pequeñas maquetas con las que en otro tiempo jugaban los niños) y para el coraje de dar órdenes y gobernar máquinas y cuadrillas de trabajadores. Un hombre pagaba un precio por el privilegio de sumergirse en la acción, de actuar visiblemente sobre el mundo. Él, su marido, quizás no había sabido calcular al principio lo que le tocaría pagar. Él había deseado tanto que lo nombraran para ese puesto: quizás sólo ella, porque conocía mejor que nadie los signos visibles de lo que él se esforzaba en ocultar, sabía cuánto le importaba, aunque por escrúpulo masculino fingiera frialdad; con qué impaciencia había esperado llamadas que no llegaban, cartas con membrete oficial que tardaban demasiado en venir. Le importaba ser elegido entre tantos arquitectos; tener la oportunidad de trabajar en un proyecto de una originalidad y una escala inusitadas en Europa; pero también, ella lo sabía, le importaba quedar por encima de los otros: los que habían disfrutado de más oportunidades que él, los que exhibían apellidos poderosos y manejaban influencias. También él había utilizado las suyas: al mismo tiempo que hacía valer ante el doctor Negrín sus credenciales de republicano y socialista no rechazó la ayuda de amigos de su suegro, bien situados en la proximidad de los últimos gobiernos monárquicos. Quizás ni él mismo se daba cuenta en esos tiempos de la intensidad de su ambición. Los hombres, había observado Adela, no eran muy perspicaces acerca de sus propias debilidades, menos aún cuando rozaban una cierta desvergüenza en la suspensión temporal de sus principios. A ella esos principios explícitos de su marido le importaban menos que a él, así que no le costó nada observar con indulgencia su simpatía temporal hacia dos o tres carcamales de la camarilla del rey que disfrutaban cargos honorarios en la Junta de Obras de la Ciudad Universitaria y eran antiguos conocidos de don Francisco de Asís. El suegro benévolo y bien situado en el régimen cuyo colapso cercano nadie imaginaba escribió cartas, facilitó encuentros, celebró con sobreabundancia verbosa los méritos del marido de su hija. Ella lo observaba de cerca: veía aquello en lo que él mismo no reparaba, el brillo ansioso en sus ojos, su repentina facilidad para un cierto grado de adulación sincera; el ansia que había estado siempre en él y que era la causa y no la consecuencia de deseos siempre insatisfechos, no siempre formulados en su propia conciencia, menos aún comunicados a ella. Qué podía ella darle, qué satisfacción y ni siquiera qué alivio, si la habían educado para ser una criatura intelectualmente tullida, como una de esas mujeres chinas a las que desde niñas les vendaban los pies.

Si ella hubiera podido estudiar; si hubiera tenido una parte mínima de las ventajas que aguardaban a su propia hija, las que ya resplandecían en ella, con sólo catorce años; o si hubiera tenido el coraje de ir de un lado para otro vendiendo y comprando cosas y amueblando y alquilando pisos, como Zenobia Camprubí, sin que le importara la opinión de los demás, la censura de su propia familia. ¿Cuántas veces le había dicho Zenobia que por qué no le ayudaba en su tienda de artesanía popular? Ganaría algo de dinero, escaparía del tedio de los trabajos domésticos, ahora que los niños ya no necesitaban su presencia constante. Claro que hubiera querido, pero jamás iba a atreverse. Que su hijo no fuera muy brillante, o muy aplicado, no la preocupaba. Los hombres acababan encontrando su lugar en la vida. Pero la niña, Lita, ella era la que importaba que estudiara, que supiera desenvolverse en público, nunca paralizada por la timidez de su madre, nunca sumisa de antemano no ya a las órdenes expresas y ni siquiera a las miradas de censura sino incluso a los deseos no formulados de otros, a la necesidad enfermiza de despertar agrado mediante la obediencia, de saber lo que otras personas pensaban de ella. Cómo admiraba la tajante capacidad de su marido para prestar atención a las opiniones ajenas sólo en la medida en que a él le convenía. Lo había visto solicitar, halagar, incluso, en algún momento, rebajarse hasta un punto que para ella había sido incómodo de observar. Un hombre con tan alto concepto de sí mismo no podía reconocer que había actuado con hipocresía: de modo que le era preciso creerse sus propias mentiras mientras las contaba y olvidarse cuanto antes de que las había dicho. Ella no lo juzgaba. Si percibía esas flaquezas era por la atención sin descanso que el amor la impulsaba a prestarle. Le dio consuelo en períodos de incertidumbre, se quedó despierta junto a él cuando se despertaba porque no podía dormir, angustiado por la espera de una decisión que tardaba demasiado en llegar. Nadie más que ella sabía lo impúdicamente que Ignacio Abel había ansiado el nombramiento, hacia el que bien pronto manifestaría delante de los demás un educado escepticismo, el desaliento del ilustrado español ante la tarea ingente de fortalecer el bien público. El idealismo generoso podía no ser incompatible con la vanidad. Pero lo más deseado se convertía al cabo de no mucho tiempo en una carga: la trampa que uno construye voluntariosamente y en la que luego cae y queda atrapado. El ansia, brevemente apaciguada por el logro de lo que parecía haberla excitado, revivía como el microbio de una enfermedad que ha de transmutarse para seguir actuando en un medio distinto. Un hombre tenía ante sí tal abundancia de posibilidades que cualquier ambición que eligiera quedaría socavada por la conciencia de las que había descartado. Él siempre tenía que estar deseando algo: su entusiasmo y su decepción seguían veloces cursos paralelos. Por trabajar en la Ciudad Universitaria había descuidado su propia carrera de arquitecto: las obras que no hacía o las que postergaba eran oportunidades perdidas que alimentaban su ansia y no le dejaban disfrutar de lo que verdaderamente estaba haciendo. La buena vida que tenía, lo logrado con tanto esfuerzo, a lo largo de tantos años, era sobre todo el reverso tangible de las otras vidas que hubiera podido conocer. De eso tenía miedo Adela, desde siempre, no de la tentación de otras mujeres sino del ansia, la queja sorda disfrazada de insatisfacción consigo mismo, el deseo de cosas que le importaban sobre todo porque no las tenía, o porque las tenían otros que no eran mejores que él, de lugares cuyo mayor atractivo era que él no había estado en ellos. Miraba en las revistas edificios que habían proyectado otros colegas, y que hubiera podido hacer él, de no encontrarse empantanado en las obras sin fin de la Ciudad Universitaria; lo habían invitado a diseñar aquella biblioteca en los Estados Unidos y ni siquiera eso apaciguaba el disgusto: quizás no era un encargo internacional tan importante como los que recibían Lacasa o Sánchez Arcas o Sert, siendo más jóvenes que él; quizás la confirmación no llegaba, o el gobierno no le autorizaba la licencia para marcharse un año entero; quizás prefería no llevar con él a su familia, y aún no se había decidido a decirlo, y por eso cambiaba de conversación cuando los chicos le preguntaban por el viaje y eludía la mirada de ella. Pero siempre la estaba eludiendo: no la miraba a los ojos, y si lo hacía era por un instante incómodo y no llegaba a verla. Nada de lo que buscaba podía dárselo ella. De lo que le había dado en otro tiempo él ya no se acordaba. Quizás se avergonzaba de haberla querido alguna vez, o al menos de haberla necesitado. Escribía sus anotaciones con letra diminuta y las guardaba bajo llave en un cajón igual que guardaba sus pensamientos cuando estaba con ella y los niños y se quedaba un momento con la mirada perdida, o asentía a algo que le contaban de la escuela sin hacer ningún caso, o parecía recordar de pronto que tenía que hacer una llamada urgente, o que asistir a una reunión a deshoras.

Echada en la penumbra del dormitorio, en el calor opresivo de la mañana de junio, escuchando el trajín de las criadas por la casa (murmurarían algo sobre ella: qué suerte tenía la señora, que podía meterse en la cama en mitad del día, con el cuento de la jaqueca, de la mala noche: no sería porque el marido le hubiera estado dando mucha guerra; y qué iba a darle, si parecía su madre; dónde se buscaría lo que estaba claro que no le daban en casa. Les tenía miedo; levantaban las voces a propósito cuando pasaban junto a la puerta cerrada del dormitorio; también ellas decían que las monjas y las señoronas beatas regalaban caramelos envenenados a los hijos de los pobres), Adela veía con los ojos cerrados la pequeña llave en la cerradura y se veía a sí misma abriendo el cajón, y de pronto vio algo o imaginó algo más doloroso aún que la posibilidad de estar siendo engañada: tal vez no era que él ya no la quería, sino que no la había querido nunca; que se acercó a ella porque ninguna mujer del tipo y del rango que a él le atraían lo habría aceptado; que la pretendió con el mismo cálculo y la misma apariencia de sinceridad con que años más tarde supo halagar a quienes podían influir en su nombramiento; que las tías y primas decepcionadas por el fracaso de los vaticinios sobre su soltería y asombradas de que un joven bien educado y atractivo pero desoladoramente pobre quisiera casarse con ella habían tenido razón en sus primeras sospechas, las que se fueron diluyendo al paso de los años, pero nunca habían sido del todo descartadas. No había término medio en sus ambiciones de respetabilidad. Todo lo había calculado desde que era muy joven, cuando descubrió con alivio que la muerte de su padre no significaría el final de sus estudios, pero también que nada le sería regalado aparte de la pequeña cantidad que su padre había ahorrado para él y que le permitiría subsistir hasta el final de la carrera a condición de que viviese en una austeridad inflexible, cercana a la miseria. No se había concedido ninguna debilidad, ningún vicio. Su inteligencia y su obstinación lo llevaron hasta un punto en el que tenía todas las cualificaciones necesarias pero no el derecho a dar un paso más hacia el ascenso social que le importaba tanto, aunque él se viera a sí mismo como un radical desdeñoso de las formalidades burguesas, saludablemente resentido contra un sistema de castas del que tenía una experiencia de primera mano, al haber nacido y haberse criado literalmente en uno de sus escalones más bajos, en el sótano de una portería. Cómo aceptar que la vida entera había consistido en un engaño. Adela se levantó de la cama y comió algo muy ligero, desganada por el calor del día y el dolor de cabeza. Sonó el teléfono y le pareció que se le paraba el corazón. Algo le había pasado a él; un tiroteo o una bomba en las obras; alguien había disparado contra su hermano. La Herminia, la Hermi, como decía Miguel, contestó al teléfono y dejó el auricular sin colgar. Dijo que no sabía, que iba a preguntar por la señora. No sería algo muy grave. «Doña Zenobia Camprubí, que si puede usted ponerse.» «Dígale que no estoy. Que volveré esta tarde y me dará usted el recado.» A sus amigas les extrañaba mucho que ya no fuera a las conferencias del Lyceum Club, que nunca tuviera tiempo para acompañarlas al teatro o a los conciertos o simplemente para ir a tomar el té, a casa de la señora Margarita Bonmatí, que vivía sólo unos portales más allá, o a la de Zenobia, a un paso, todavía más cerca, casi en la esquina de Príncipe de Vergara con Padilla. Pero salía cada vez menos y se daba cuenta de que le daba miedo la gente, la gente hostil que gritaba pero también las personas conocidas, las que eran más afectuosas con ella; de pronto sentía una vergüenza que la paralizaba; una necesidad de no ser vista, de no mirarse ni siquiera al espejo. Tan sólo quería quedarse quieta, sin ver a nadie, echada en la cama, en la penumbra; pero también el miedo la perseguía hasta ese refugio, la alarma de unos pasos acercándose o del timbrazo del teléfono, o la inquietud de que sus hijos tardaran al volver de la escuela, o de que se hiciera de noche y no hubiera llegado todavía su marido: mejor cerrar los ojos y no escuchar nada ni sentir nada, no morir pero sí quedarse a salvo de cualquier sobresalto. Después contaron las criadas que desde la mañana ya le habían notado a la señora que estaba rara, que le pasaba algo. Se levantó de la mesa sin reparar en que la servilleta se le había caído al suelo y la cocinera vio que en lugar de retirarse al cuarto donde bordaba y leía entró en el despacho del señor, cuidándose de dejar cerrada la puerta.

Ya no la vieron cuando volvió a salir. Se marchó de casa sin decir que se iba, sin poner de nuevo en su sitio el cajón que se le había caído de las manos cuando encontró las cartas y las fotografías. Sólo algunas de ellas estaban fuera de los sobres, como si Adela no hubiera sentido curiosidad por leerlas todas, o como si hubiera tenido la sangre fría de doblarlas de nuevo después de leerlas y guardar cada una en su sitio. El cajón quedó volcado en el suelo, aún con la llave diminuta en la cerradura. Lo que más la hería no era la cara joven y el cuerpo grácil de la amante extranjera, sino la cara de él en algunas de las fotos, la sonrisa franca y jovial que ella no había recibido nunca, la que ponía al posar para la otra. Adela debió cruzar el pasillo hasta su dormitorio, donde se vistió de calle, y salió de casa sin que la vieran las criadas, que sólo la echaron de menos cuando los dos hijos volvieron de la escuela y no la encontraron en el cuarto de costura, donde solía estar sentada cada tarde mirando hacia la calle, porque le gustaba verlos venir y asegurarse de que cruzaban la calle de la manera adecuada, mirando a ver si venía algún automóvil. Así había esperado también en otra época el regreso de su marido, cuando los dos eran más jóvenes, y cuando él trabajaba en una oficina municipal y mantenía horarios más regulares (lo veía llegar asomada al balcón y él saltaba del tranvía en la esquina y levantaba los ojos hacia ella). Probablemente quiso evitar el riesgo de que sus hijos se encontraran con ella, frustrando su propósito, si es que al salir de la casa ya lo había concebido y sabía adónde iba. Fue el portero el único que la vio salir, y quien contó luego que le pareció que la señora de Abel iba más distraída que de costumbre, y que no se paró ni a cruzar con él unas breves palabras, dirigiéndole tan sólo un gesto de la cabeza, como si tuviera prisa por llegar a alguna parte, como cuando salía apurada los domingos para la misa de las doce. El dueño del ultramarino de la esquina la vio cruzar la calle y esperar un rato la llegada de un taxi, alzando ligeramente la mano enguantada cada vez que se aproximaba uno, con aquella especie de distinguida timidez que solía haber en sus gestos, como insegura de que fuese adecuado para una señora estar sola en la calle en la media tarde caliente de principios de verano y alargar la mano para reclamar un taxi. Llevaba un pequeño sombrero con un velo corto, un bolso de mano, un vestido claro, unos zapatos blancos, unos guantes cortos de encaje. La pesada neblina debilitaba las sombras de las cosas sin llegar a difuminarlas: las siluetas de los árboles sobre el pavimento, su propia sombra extraña que la precedía. El dueño de la tienda la vio subir al taxi y al cabo de un rato vio llegar a sus hijos de la escuela, empujándose y discutiendo como tantas veces, el niño tan serio, parecido a la madre, la niña algo mayor pero bastante desastrosa, despeinada, riéndose a carcajadas, con el uniforme en desorden, con las rodillas sucias. En una esquina de la calle de Alcalá, frente a las verjas del Retiro, Adela le pidió de golpe al taxista que se detuviera. Le dio un billete y le dijo que mantuviera el taxímetro en marcha, que sólo tardaría unos minutos en volver. Le daba miedo la cara de ese hombre, su manera brusca de volverse hacia ella y de preguntarle adónde iba. No había nadie ya que no la intimidara. En la puerta de la pequeña iglesia a la que venía muchas veces no para rezar sino para quedarse sentada en silencio, en la penumbra fresca, tintada por la luz de las vidrieras, había siempre un violinista ciego acompañado por un perro. Cuando pasaban chicas jóvenes con redobles veloces de tacones el ciego tocaba aires de zarzuela o de music-hall; cuando escuchaba los pasos más lentos de una señora y olía su perfume ponía una expresión de arrobo religioso y alargaba las notas del *Ave María* de Schubert o el de Gounod echado hacia delante, el perro entre sus piernas, como vigilando la caja de cartón en la que recibía las limosnas. Aquí estaba, a pesar de la hora, a la puerta de la iglesia donde no entraría nadie más hasta mucho más tarde. «Ave María Purísima», le dijo a Adela, quizás reconociendo sus pasos o su perfume, y ella contestó «Sin pecado concebida», asustada por el gesto con que adelantó hacia ella los brazos que sostenían el violín y se inclinaba en una reverencia paródica, pero no cayó en la cuenta de dejarle una moneda, tan aturdida iba, tan impaciente por entrar en la iglesia, por disfrutar de la sensación bienhechora de fresco y de sombra, de refugio, de una quietud que durante unos minutos no sería alterada. Se había aficionado a visitar esa iglesia porque casi nunca había nadie y porque el cura no la conocía. El de su parroquia la llamaba doña Adela o señora de Abel y le sugería de vez en cuando que se uniera a los grupos de damas piadosas, al ropero de la caridad, a las novenas. En las homilías tronaba contra la impiedad de los tiempos y pedía enfáticamente que se rezara por la salvación de la afligida España. En febrero, el domingo antes de las elecciones, cuando Adela salía de la iglesia, el párroco se le había acercado con mucho misterio, llevando unos sobres en la mano. Sabía que ella era una dama católica ejemplar, le dijo, y que podía hablarle en confianza. Había que dar al César lo que era del César y a Dios lo que era de Dios, ése era el mandato evangélico, y a la Iglesia, hija de Cristo, sólo le correspondía seguir su doctrina, sin entrometerse en los negocios del mundo. Mientras hablaba la mano que sostenía los sobres se adelantaba hacia ella, aunque no tanto que Adela se sintiera obligada a tomarlos. Pero cuando la Iglesia sufría persecución, ¿no sería tarea de los buenos católicos hacer todo lo posible por salir en su defensa? Ahora Adela entendía, y no dejaba de sonreír, de asentir, todavía confortada por la misa y la comunión, el velo negro y bordado sobre la cabeza. Ella, como buena católica, seguro que sabría decidir en conciencia a la hora de votar en las próximas elecciones, ¿pero quién podía asegurar que sus criadas, jóvenes, de poca cultura, no sucumbirían a la propaganda demagógica, al hechizo de las fuerzas impías? ¿O simplemente, en su ignorancia, en su inocencia, dejarían de votar, privando a los defensores de la Iglesia y de su Doctrina Social de un apoyo humilde, pero inapreciable? Con suavidad, con una sonrisa, Adela adelantó su mano derecha, y el párroco la suya, creyendo que iba a tomar los sobres con las papeletas electorales, pero lo que hizo Adela fue empujar suavemente la mano que se le ofrecía, tocándola apenas, inclinándose ligeramente, sonriendo un momento antes de darse la vuelta, diciendo con toda la educación que cabía en su voz, «No se preocupe, padre, seguro que todos sabremos votar lo que nos dicte nuestra conciencia, con la ayuda de Dios». Qué pensaría el párroco si supiera que ella había votado una candidatura del Frente Popular, y además socialista, la de Julián Besteiro, sin decírselo a nadie, no ya a sus padres ni a su hermano, tampoco a Ignacio, que no le había preguntado, que probablemente daba por supuesto que ella votaría a las derechas. *Tú crees que no eres tan intransigente como otros pero también piensas que si una persona tiene fe ha de ser reaccionaria y hasta un poco retrasada mental.* Se sentó casi en un rincón, en la última fila de bancos, después de mojar los dedos en la pila del agua bendita —la piedra tan fría, rezumando humedad— y de arrodillarse brevemente ante el Santísimo mientras se persignaba. Le pesaba el cuerpo, sin fuerzas por el calor, le dolían las rodillas hinchadas. La iglesia era pequeña, sin mucho mérito, vagamente gótica, de finales del siglo pasado, con las paredes pintadas de un azul pálido, con imágenes sentimentales de Cristo, de la Virgen María, de San José con su vara de nardos, su expresión de nulidad bondadosa y su barba rizada, más alguna santa vestida de monja y con los ojos vueltos hacia el cielo. La imagen más grande era la de un Crucificado delante del cual siempre había velas encendidas. Le gustaba su expresión de noble sufrimiento humano, de aceptación del dolor y la injusticia que se habían cebado en su cuerpo mortal. Le gustaba el nombre escrito bajo el crucifijo: *Santísimo Cristo del Olvido.* Podía imaginar el comentario sarcástico de su marido si viera esas capillas ojivales con cielos pintados de purpurina, esas imágenes. Pero a ella le gustaban las baldosas como de sala de clase media y la mezcla de olor a cera y a incienso que había en el aire, la delicada penumbra que hacía más pálidas las caras de las imágenes y en la que brillaban los ojos arrobados de vidrio, el temblor de la lámpara encendida en el altar mayor, encima del oro probablemente falso del sagrario. *Dios te salve María, llena eres de gracia.* Rezaba en voz baja no pidiendo perdón sino con el sentimiento de que la envolvía una misericordia melancólica tan apaciguadora como la penumbra. *Bendita tú eres entre todas las mujeres y bendito es el fruto de tu vientre.* Bastaría la evidencia de su dolor intolerable para que el perdón le fuera concedido. Lo único que ella quería era que no acabaran nunca la quietud y el silencio, que no le hiriera los ojos la luz cruenta del sol, que se le borrara de la conciencia el brillo de esa llave diminuta, el resplandor de esa sonrisa joven y extranjera en las fotos, la desenvoltura jovial de esa caligrafía, tan distinta de la suya, de la letra de colegio de monjas en la que ella también había escrito cartas de amor hacía muchos años. Descansar era lo único que solicitaba; librarse de un agotamiento tan profundo que necesitaría años enteros para notar algo de alivio; sumergirse en ese olvido que parecía estar deseando para sí mismo el Crucificado, el olvido que era la única absolución del dolor. Las palabras de las oraciones venían sin esfuerzo a sus labios, igual que habían ido los dedos hacia el agua bendita y luego hacia la frente, la barbilla, el pecho. *Y perdónanos nuestras deudas así como nosotros perdonamos a nuestros deudores.* Pero por ahora no había descanso. El taxista se impacientaba y estaba haciendo sonar la bocina. Cada golpe de claxon, aun debilitado por los muros y por la cortina recia de la iglesia, la sacudía como un grito. Peor sería que se marchara, porque no le iba a ser fácil encontrar otro taxi a esta hora de siesta. Con infinita desgana se puso en pie y volvió a santiguarse al pasar frente al Santísimo. Encendió una lamparilla de aceite delante de la alta Virgen de escayola —tenía una sombra tenue de color en los pómulos amarillos como cera— y deslizó una moneda en la ranura del cepillo. El golpe metálico en el interior de la caja de latón resonó en el silencio. *Vuelve a nosotros estos tus ojos misericordiosos.* Por algo tenía que pedir perdón, no del deseo de disolverse en una dulce oscuridad sin memoria: tenía que pedir perdón por el rencor que había alimentado hacia su hija a causa de la devoción incondicional de la niña por su padre, de lo que a Adela le había parecido injustamente un agravio. Hasta qué punto el dolor le había hecho perder la dignidad (era mentira que el dolor ennobleciera): hasta el punto de tener celos de su hija, de guardarle rencor cada vez que la veía salir al encuentro de su padre cada vez que sonaba la llave en la cerradura en el piso de Madrid, o los goznes oxidados de la cancela en la casa de la Sierra. Los pies hinchados le dolían en el interior de los zapatos de tacón. Al oír que salía, el ciego apagó la colilla que estaba fumando y se la puso detrás de la oreja antes de emprender algo tortuosamente el *Ave María*. El taxista, acodado en la ventanilla, con la gorra de plato echada hacia atrás, la vio venir más con cara de burla indulgente que de impaciencia. Que no le hablara tan alto cuando volviera a subir al taxi, que no dijera nada en el trayecto hacia la estación del Norte. Ya estaba abriendo la puerta trasera cuando cayó en la cuenta de que tampoco ahora le había dejado nada al ciego del violín. Volvió sobre sus pasos, abrió el bolso y luego el monedero y eligió una moneda, más generosa que otras veces. El ciego se quitó la gorra al distinguir la cuantía por el sonido y le hizo una reverencia exagerada, pero esta vez se olvidó de quitarse la colilla de los labios.

Dos horas más tarde, hacia las seis, la vieron bajar de un tren en la estación del pueblo al otro lado de la Sierra en el que veraneaba la familia. El cielo estaba igual de encapotado que en Madrid pero el calor no agobiaba tanto. Al jefe de estación, que la conocía desde que era niño, le extrañó verla vestida tan de ciudad, pero más todavía verla sola, y sin ninguna maleta, con aquellos zapatos de tacón sobre los que le sería tan difícil avanzar por el atajo que cruzaba de la estación hasta el camino de su casa, que se adentraba pronto en los pinares a la salida del pueblo. También debieron de verla algunos de los hombres que jugaban las cartas y bebían vino en la cantina, los que se quedaban callados un momento y miraban por la ventana cada vez que llegaba algún tren. Aunque hacía calor no habían empezado a llegar las familias de veraneantes. La vieron alejarse por el sendero estrecho entre las matas de jara —ahora recién florecidas, con pistilos amarillos entre los pétalos blancos y hojas de un brillo pegajoso—, manteniendo con dificultad la regularidad de sus pasos sobre la tierra áspera y los guijarros menudos. Debieron de suponer que había venido para inspeccionar la casa antes de que se trasladara a ella la familia, aunque era raro que viniese sola, sin las criadas que solían ayudarla, y vestida de aquella manera tan formal. Pero se detuvo quizás un momento delante de la verja y no llegó a entrar. O si entró volvió a salir muy pronto y dejándolo todo como estaba, sin abrir siquiera los postigos, como si hubiera decidido que no tocaría nada, que no alteraría la quietud de las cosas guardadas en la oscuridad durante todo el invierno.

Continuó por el camino cansada de los tacones, muy digna todavía, con su sombrero de ciudad y su bolso bien apretado en la mano, aunque después se vio que no llevaba casi nada dentro de él, aparte del monedero, vacío después de la limosna para el ciego del violín y el importe del taxi, sólo el billete de tren casi deshecho por el agua, aunque no tanto que no pudiera verse que había comprado sólo un billete de ida. El camino ascendía suavemente hacia el oeste, hacia las lomas de pinos y encinas y las dehesas separadas entre sí por muros bajos de piedra en las que pastaban las vacas. Era el mismo camino hacia la presa que habían seguido desde que sus hijos eran pequeños. Por las mañanas, después del desayuno, o cuando habían terminado la siesta y el calor empezaba a suavizarse, aunque a aquella altura era raro que no soplara al menos un poco de brisa. Los niños primero de la mano, luego, año tras año, corriendo por delante de ellos, impacientes por llegar a la presa y tirarse al agua transparente y helada, detenidos en apariencia en la duración estática de los veraneos y sin embargo alejándose de la infancia a una velocidad que ahora era increíble no haber advertido. Y ellos, Ignacio Abel y Adela, vigilándolos cada vez más desde lejos, cada verano más expertos en la tarea de pasar mucho tiempo juntos sin hablar demasiado, sin salir cada uno de sus pensamientos, conversando de una manera impersonal sobre cosas neutras, llevando la cesta de mimbre con la merienda, las sillas plegables para sentarse a la orilla, a la sombra de los pinos, dormitando mientras los niños chapoteaban en el agua o se zambullían saltando desde el ancho muro de contención hacia la parte más profunda. Los niños ya eran mayores, y nadaban y se sumergían y surgían saltando entre chorros de espuma brillantes y veloces como delfines, pero Adela había seguido yendo a la presa con ellos cada día del verano, hasta que a principios de septiembre, cuando ya eran más cortos los días y se acercaba tristemente el regreso a Madrid, el agua ya estaba tan helada que dolía el cuerpo entero nada más entrar en ella. No recordaba cuándo fue el último verano que su marido los acompañó regularmente en aquellas excursiones. Cada año tenía más obligaciones en Madrid, y si llegaba al pueblo el sábado por la mañana se volvía el domingo por la tarde. Diligente, a pesar del calor, como si se hubiera desprendido de una parte del peso que la hacía caminar cada vez más despacio en los últimos años, Adela seguía el sendero cada vez más desdibujado entre los pinos, complacida en el olor de la resina, en la perduración serena de las cosas, indiferentes a los sobresaltos de las presencias humanas, enajenada y a la vez completamente dueña de sí misma, por fin armada de un propósito, apretando el bolso en el que sólo había un billete de ida y un monedero vacío como esas mujeres que avanzaban con tanta decisión por las aceras de Madrid. El aire de la Sierra la sumergía en su dulzura de rememoraciones, en oleadas cálidas de veranos que se remontaban más allá de la niñez de sus hijos hasta la lejanía de su propia infancia. Llegó a la presa y le pareció que la profundidad del agua inmóvil hacía más denso el silencio. En la superficie lisa se reflejaba el cielo gris claro más allá del arco sombrío de las copas de los pinos. Por un momento temió no estar sola: pero no había nadie en las ventanas sin postigos del edificio abandonado donde estuvieron las turbinas de la central eléctrica. Hacia el sur, más allá del límite de la bruma, estaba Madrid. Hacia el oeste distinguió entre las rocas y los encinares las siluetas esfumadas de las cúpulas de El Escorial. Ni un solo pormenor había cambiado en el paisaje de líneas tenues y manchas apagadas de color que había estado mirando desde niña. Dio unos pasos por el muro de contención y se quedó quieta en el filo del agua, mirando sin melancolía su reflejo, sus rodillas gruesas, las caderas ensanchadas, el vestido claro que nunca había sabido llevar con elegancia, el sombrero. Cerró los ojos y no dio un salto para tirarse al agua, sólo un paso más, en el vacío, apretando el bolso entre las manos, como si temiera perderlo.

22

Nada más verla sentada en la mesa de siempre al fondo del café comprendió que su cara ya no era la misma, que sus ojos no iban a mirarlo de la misma manera. Judith no advirtió que él había llegado. No había estado atenta, como otras veces, impaciente, la mirada fija en la claridad que venía de la entrada y se debilitaba en penumbra hacia los rincones donde ellos solían refugiarse, incapaz de hacer caso al periódico o al libro o a los papeles que tenía delante. Era ella quien había propuesto que se encontraran en el café: la idea de ir esa mañana a casa de Madame Mathilde le producía repulsión física. No levantó la cabeza aunque debió de oír la puerta de cristales abriéndose en el café casi vacío. No estaba leyendo el libro abierto que tenía en las manos. Fumaba, lo que era muy raro en ella a esa hora. No había tocado el café con leche que tenía delante, y que ya no humeaba cuando Ignacio Abel se acercó a la mesa. Por un instante doloroso fue una extraña: una mujer a la que no reconocería cuando levantara la cabeza, ante la que murmuraría una disculpa por haberla confundido con otra. Antes de que Judith alzara por fin los ojos Ignacio Abel tuvo tiempo de verse en el espejo que había detrás del diván rojo donde ella estaba sentada. Tampoco su cara era ya la misma, y no sólo porque no hubiera dormido nada la noche anterior, que había pasado casi entera en el corredor del sanatorio, sentado delante de una puerta cerrada detrás de la cual no distinguía ningún sonido por mucha atención que prestara. Daba vueltas por el corredor, desierto a esas horas, esperando, oyendo rumores de voces, vagas quejas de enfermos emitidas en sueños. Algunas veces la puerta de la habitación se abrió para dejar paso a una enfermera, que cerraba en seguida, nada más salir, para asegurarse de que él no entraba, o al médico de expresión sombría que al principio no le había dado ninguna esperanza y sólo mucho más tarde, ya amaneciendo, le dijo que la paciente había respondido al tratamiento de reanimación. Probablemente, aunque todavía era pronto para afirmarlo con seguridad, se recuperaría sin que le quedaran secuelas. En ningún momento el médico preguntó qué había ocurrido: ni siquiera dijo la palabra accidente. Sólo miraba con un aire de reserva que tal vez escondía una acusación, la misma que brillaba en los ojos fatigados de la enfermera, la sugerida por el modo tajante con que cerraban la puerta sin dejar que se asomara, que se acercara a ella. En medio del silencio Ignacio Abel creyó oír arcadas muy fuertes, ruidos guturales que luego le parecieron, en la extrañeza de la noche sin sueño en un corredor de azulejos sanitarios y puertas numeradas bajo la luz eléctrica, producto de su imaginación. Pero al cabo de unos minutos salió la enfermera llevando un cubo medio lleno de algo que parecía agua sucia y olía a cañería y a vómito y un aparato clínico terminado en un tubo de goma negra.

—El doctor le ha inyectado un calmante. Ahora lo que necesita es descansar.

—¿Cuándo me dejarán verla?

—Eso se lo pregunta usted al doctor.

La claridad del día ya inundaba las ventanas cuando le permitieron entrar en la habitación. No sin sorpresa se encontró frente al hermano de Adela, que montaba guardia junto a la cabecera de la cama, muy pálido, las pupilas brillantes, los párpados enrojecidos, las quijadas más descarnadas que nunca, oscuras de barba, la expresión reprobadora, la mirada fija en él y acusándolo de algo, tal vez no una falta concreta que hubiera causado la desgracia de su hermana (el accidente, decidieron llamarla) sino de una vileza general, anterior a los pormenores más o menos censurables de su comportamiento, una condición maléfica que él, el hermano pequeño y sin embargo protector, desde muy joven había estado esperando que se manifestara, desde que el pretendiente improbable se insinuó en la vida de Adela. De modo que el médico y la enfermera estaban confabulados con él.

—Tendrás que explicarme cómo has hecho para que no me dejaran entrar.

—Tú eres el que tienes que explicarme esto.

Señaló a su hermana, dormida, bajo el efecto de los sedantes, la cara ancha casi gris por contraste con la blancura del embozo, más pálida aún en la habitación que se llenaba con la primera claridad dorada del día. Tenía la boca abierta y los labios hinchados, con un tinte violáceo. El pelo todavía húmedo se esparcía desordenado y canoso encima de la almohada. Ignacio Abel permaneció callado, igual que la noche anterior en el teléfono, cuando Víctor empezó a acusarlo de algo que no sabía lo que era sin explicarle qué le había sucedido a Adela y dónde estaba.

—Tú tienes la culpa. A mí no me engañas.

—La culpa de qué.

—Mi hermana ha estado a punto de ahogarse.

Pensó, hipnotizado por un acceso de frío y de náuseas,

el sudor de la noche irrespirable de junio quedándose frío en su espalda y en la mano que sostenía el teléfono: sabe lo que ha ocurrido; sabe que Adela encontró las cartas y las fotos. Pero eso era imposible, comprendió un poco después, al enterarse de que ella estaba inconsciente en una habitación del sanatorio para tuberculosos. El guarda de la central eléctrica abandonada, que hacía su ronda hacia esa hora de la tarde, oyó que un cuerpo caía al agua y se asomó a la ventana. No vio a nadie, al principio: sólo la ondulación que se expandía sobre la superficie casi siempre inmóvil. Alguien o algo, tal vez un animal que se inclinaba para beber, había caído al agua muy profunda, pero era muy raro que no manoteara para subir a la superficie. Bajó corriendo a la orilla, cerca de donde afloraba una hilera vertical de burbujas. Un sol neblinoso de media tarde traspasaba oblicuamente las capas intermedias del agua: vio a la mujer hundiéndose, o ya hundida hasta el fondo y empezando a ascender y quedando suspendida y como atrapada en la vegetación subacuática, el pelo flotando como una maraña de algas, los brazos inmóviles a lo largo del cuerpo. Saltó al agua, intentó alzarla hacia la superficie, pero pesaba mucho y parecía que tiraba de él hacia abajo, que luchaba no para apoyarse en él sino resistiéndose a ser salvada. «Podíamos habernos ahogado los dos», contó luego, en la cantina de la estación, a los mismos hombres que habían visto a Adela caminar por el andén a la hora más calurosa y deshabitada de la tarde, con su bolso y sus guantes, con su pequeño sombrero torcido, con su ropa de ciudad, avanzando torpemente sobre sus zapatos de tacón. Al principio el guarda no supo quién era, no reconoció a la mujer a la que había conocido hacía muchos veranos: la cara amoratada, los ojos cerrados, el pelo pegado y chorreante. Salió al camino sin saber qué haría y de puro milagro vio venir la camioneta de los guardas forestales. El único lugar cercano donde podrían atenderla era el sanatorio antituberculoso. Un médico vinculado a la familia la había reconocido cuando vio entrar la camilla: un médico que había tratado a Víctor en uno de sus períodos de reposo y que tenía cierta amistad con él, quizás alguna conexión falangista, pensó Ignacio Abel, observando con recelo su aire un poco chulesco, casi de desafío, imaginando una camisa azul bajo la bata blanca.

El timbre del teléfono había estallado la noche anterior sobre la mesa del despacho donde él aún permanecía de pie, mirando el cajón abierto y el desastre de los papeles y las fotos en el suelo, sin inclinarse todavía para recoger nada. Lo dejó que sonara sin levantar el auricular, imaginando cobardemente que sería Adela quien llamara, tal vez desde la casa de sus padres, digna y vengativa, la voz temblándole, atragantada por las lágrimas de su definitiva humillación. Fue Lita quien cogió el teléfono del pasillo, quien abrió la puerta (Miguel estaba allí, con el cuaderno de ejercicios) y vio a su padre de pie, muy pálido, con una expresión desconcertante de impotencia, como si hubiera descubierto un robo al entrar en el despacho, una súbita catástrofe natural que lo hubiera trastocado todo. Desde dondequiera que llamara esa noche el hermano guardián se reservaba el privilegio de no contestar ciertas preguntas: dónde habían encontrado a Adela, quién, por qué estaba en ese sanatorio. «Está entre la vida y la muerte. Si le pasa algo a mi hermana te hago responsable y tendrás que responder ante mí.» La forzada jactancia, la mala literatura, el caballero andante protector de la honra de su hermana, vengador de sus agravios, la coraza de acero debajo de la camisa azul despechugada, o viceversa, el pecho hinchado, débil a pesar de la chulería y el ejercicio físico, la coraza reluciente al sol. Las cartas y las fotos seguían esparcidas por el suelo, el cajón volcado, derramando su contenido de dulces palabras súbitamente transmutadas en veneno. La realidad de unos minutos antes pertenecía ahora a una época remota. Ignacio Abel apretaba con fuerza el auricular repitiendo preguntas que su hermano político no contestaba y el sudor de la mano hacía que se le resbalara. De la calle venía una musiquilla de verbena, una de tantas verbenas del comienzo del verano en Madrid, a las que Judith se había hecho muy aficionada (sólo unos días antes la había llevado a la verbena de San Antonio; había cumplido por fin la antigua promesa de enseñarle de cerca los frescos de Goya en la cúpula de la ermita; la había estrechado contra él y le había besado la boca abierta aprovechando un hueco de penumbra). El sudor le empapaba la camisa y se quedaba frío en mitad de la espalda. Alzó los ojos y Miguel y Lita estaban en la puerta del despacho, mirando con alarma y recelo a su padre, como si también ellos supieran y acusaran, cómplices de la vigilancia de su tío, reparando en el desorden de papeles y de fotos que había por el suelo, cada uno de aquellos dones (los sobres azulados, la caligrafía reconocida como una sonrisa a lo lejos, el alivio de una fotografía que lo consolaba de no estar con ella y no acordarse de su cara) convertido en parte de una infección que ya había abatido a Adela no sabía cómo ni dónde y que tal vez dañaría irreparablemente toda su vida futura, enfrentándolo al vértigo de las consecuencias letales de sus actos. «Dónde está», repitió, temiendo que los chicos pudieran enterarse de algo, «desde dónde me llamas». La línea parecía haberse cortado: pero Víctor seguía allí, callando, sometiéndolo a sus propias normas temporales, el principio del castigo que sin la menor duda caería sobre él, con más crudeza porque ni siquiera lo había anticipado. Había preferido creer que su impunidad sería ilimitada y que entre el mundo en el que estaba con Adela y sus hijos y el que compartía con Judith habría siempre una separación tan radical como la de esos universos paralelos y simultáneos sobre los que especulaban los científicos. Ahora presenciaba atónito la magnitud del desastre sin aceptar del todo que hubiera sucedido, como una inundación o un hundimiento causado por un terremoto, una calamidad que nadie sabe prever, incluir luego en el orden de las cosas reales.

—Yo te lo dije muchas veces —dijo Judith, apartando los ojos que se habían encontrado sólo un instante con los suyos y que ya no miraban igual, detrás del humo del cigarrillo que no se llevaba a los labios, de la taza de café con leche que no había tocado: separada de él por un muro invisible que había levantado ella misma—. Te dije que rompieras las cartas, o que me dejaras guardarlas a mí. Que no las tuvieras en tu casa. No hacía ninguna falta. No era decente.

De modo que ella también lo acusaba. Hosca frente a él, muy cerca y sin embargo fuera de su alcance, de la casa de tiempo que había edificado imaginariamente para ella, sentada en el mismo rincón del café donde se habían encontrado tantas veces, discreto pero no muy escondido, no tanto que no permitiera ver a quien entraba. Bajo la mesa muchas veces se habían buscado las manos y rozado las rodillas. Habían dejado propinas cuantiosas para que el camarero habitual les reservara ese diván evitando que otros clientes se sentaran cerca, el camarero que les traía sus cafés y no volvía a no ser que lo llamaran, y que tenía ya costumbre de tratar a otras parejas clandestinas o al menos muy dudosas, caballeros maduros con señoritas jóvenes a las que habían encontrado gracias a los anuncios por palabras, parejas de novios rancios o de amantes atrapados en una rutina tan espesa como la del matrimonio que no tenían dinero para alquilar una habitación en una casa de citas. Una mañana el mismo lugar ya es otro; la cara conocida y amada es la misma y es también la de una extraña. Ignacio Abel había visto la suya en el espejo del café y era la cara de la mala noche en el hospital y la de la vergüenza y el remordimiento; la que sus hijos habían mirado la noche anterior antes de reparar en las cartas y las fotografías de alguien que sus ojos no identificaban; la que miró su cuñado en el hospital identificando en ella los estigmas de una deslealtad que por fin se había revelado, al cabo de tantos años en los que él no había cedido en su vigilancia ni se había dejado engañar por un aire de rectitud que todos los demás aceptaban, que su propia hermana reverenciaba sin desconfianza. Adelantó la mano sobre el mármol de la mesa y Judith apartó la suya. Había preferido no levantar los ojos hacia él mientras avanzaba hacia el fondo del café o tal vez no había advertido que venía, ensimismada en su propio remordimiento; no se había levantado para estrecharse contra él como si llevaran mucho tiempo sin verse y ofrecerle su boca, adelantando tentadoramente una pierna que él apresaba entre sus muslos durante un segundo. Un tiempo se había acabado, una especie de inocencia que ahora empezaban a preguntarse cómo había durado tanto, a qué precio: la cara que él había visto durante varios meses, tan limpia de culpa como de toda sombra del mundo exterior a ellos dos, quizás ya no volvería a mirarlo, los ojos tendrían siempre esa nueva expresión. En este mismo lugar donde otras veces se habían refugiado como amantes ahora se veían con el aire receloso y furtivo de cómplices de un delito sórdido: en ese café tan apartado del centro, en ese rincón de penumbra mal iluminada por una lámpara eléctrica débil y amarilla como una llama de gas. Para Judith no era menor la vergüenza: venía de una educación con las más firmes exi-

gencias morales. Ahora caía sobre ella de golpe el estupor ante su propia inconsecuencia, su ceguera voluntaria sostenida durante tanto tiempo sin que pareciera dañarla, sin que se despertara nunca en ella, desbaratando toda la niebla y la embriaguez de palabras y deseos en la que había vivido envuelta en los últimos meses, todo el escándalo de su propia integridad acusadora. En otro país y en otro idioma la realidad habría parecido sujeta a leyes más benévolas; lo que deseaba, lo que se atrevía a hacer, habría tenido una parte entre ensoñada y conjetural de ficción (el libro que no llegaba a empezar a escribir, y que sin embargo parecía estar siendo recordado o vivido). Percibía signos, avisos; había preferido no verlos. Había acatado normas humillantes —la simulación, la clandestinidad, la mentira: las había envuelto en literatura para volver aceptable su capitulación. Sin ningún esfuerzo había dejado en suspenso sus principios de mujer emancipada, imaginando puerilmente que vivía un amor de novela, sumergiéndose en una tiniebla tan poblada de fantasmas y ecos como una sala de cine, tan ajena a la realidad como ella. Las luces del techo se encendían de pronto, forzándola a parpadear, incrédula, a salir a la luz desabrida de la calle; a esta mañana de junio en la que después de recibir la noticia por teléfono —desde que descolgó y oyó la voz de él comprendió que le iba a decir algo irreparable— había cruzado Madrid en taxi para acudir a este café despoblado y tétrico donde la esperaba la confirmación de lo ya anticipado; y junto a ella, el descrédito de las mismas cosas que antes la habían acogido, un decorado de teatro en el que se proyectara por error la claridad destructiva del día, revelando arcos falsos, pintados de cualquier manera, tarimas polvorientas, plantas artificiales, cortinas ajadas. En un sanatorio permanecía en estado de coma una mujer a la que ella, Judith, había empujado suavemente hacia el filo del estan-

que en el que se hundió después sin ofrecer resistencia. Se acordaba muy bien de la única vez que la había visto, fijándose en ella con una atención que tenía algo de anticipadora; observando que parecía mayor que su marido, que ni su figura ni su edad se correspondían con esa hija tan vivaz que había corrido a abrazarse a la cintura del padre al bajar éste de la tarima donde había dado su conferencia. Qué días tan lejanos, principios de octubre, envueltos ahora en gran parte en esa bruma de imprecisión con la que se recuerdan fronteras en el tiempo, cuando se está al filo de algo y aún no se sabe, en el primer paso más allá de un umbral que no se ha advertido mientras se cruzaba. Había algo que no cuadraba entre esa mujer y ese hombre, al que su mirada ávida hacía parecer más joven, su mirada y el cuidado visible que ponía en su apariencia física, su tensión alerta y sin sosiego, la de alguien que no se conforma con lo que ha obtenido, que se resiste sordamente a dar por terminada la forma de su vida. En eso no cuadraban: el fatalismo de ella, endulzado por su complacencia, alimentado por su melancolía; la disposición de expectativa que había en él, su vanagloria no del todo consciente, su aleación tan inestable de inseguridad y arrogancia, un hombre que aún esperaba algo o lo esperaba todo, que se asentaba incómodamente en lo ya logrado y se levantaba muy rápido como un huésped inquieto que espera algo o a alguien y no sabe qué, quién. Y la hija, ya casi una muchacha pero todavía con ademanes infantiles, a medio camino entre una vida y otra, abrazándose a su padre con la desenvoltura de una niña, con una naturalidad y un talento para la seducción que la madre nunca tendría. Acariciando la cabeza de su hija él ya buscaba a Judith con la cautela del que prefiere que otros no sigan la dirección de sus ojos: había en ellos algo muy descarado y muy furtivo, un examen muy rápido y sin embargo com-

pleto, del que ella tuvo una conciencia tan física como la habría tenido de una mano o de un aliento que le rozaran la piel. Todo parecía inevitable aun antes de haber sucedido; todo era de algún modo irreal, parte de la vida en suspenso que le regalaba su condición de extranjera, absuelta de la gravitación del propio país, enaltecida por la ebriedad parcial de sumergirse en una lengua extranjera, como en una atmósfera demasiado rica en oxígeno, tan limpia de memoria que todas las cosas brillaban en ella con colores excesivos. Antes de escribir una sola palabra en la reluciente Smith Corona portátil que estaba siempre sobre su mesa en el cuarto de la pensión ya había vivido como si soñara con todo detalle una novela: la del viaje europeo de una heroína de Henry James que era ella misma; quien ella había imaginado que sería leyendo esas novelas en la biblioteca pública, cerca de una ventana por la que entraban todos los ruidos y las voces de su barrio, aunque ella dejaba de oírlos, los gritos en yiddish y en ruso y en italiano de los vendedores callejeros, los relinchos de los caballos, las bocinas de los coches. Pero a diferencia de las mujeres inteligentes y generosas de James ella podría viajar sola sin rendir cuentas a nadie, ganarse activamente la vida, sentarse sola en un café sin que la señalara nadie, sin que nadie estuviera autorizado a ponerle límites. Pero qué había hecho con su libertad tan duramente conquistada, con la fantasía delegada en ella por su madre, con su novela europea: las veía disolverse esta mañana en un café grande y triste del extrarradio de Madrid, con el suelo sucio de serrín y colillas y un olor vago a urinario y a leche rancia, con divanes de peluche gastado y espejos turbios, delante de un hombre casado y mayor que ella con el que había mantenido no un amor de heroína intrépida de Henry James sino un mezquino adulterio. Desde niña se había forjado una idea de libertad que era el reverso de la amargura apática de su madre: durante los últimos meses había participado sin remordimiento en el engaño a una mujer en la que su madre se habría reconocido. Quizás fue esa semejanza lo que notó de manera inconsciente la única vez que vio a Adela, detrás de sus modales de señora culta y burguesa de Madrid, entrada en años, más de lo que le hubiera correspondido según la edad de su hija, según la disposición mundana de un marido con el que el tiempo estaba siendo menos cruel que con ella.

Había escuchado el temblor de los cristales mal ajustados de la puerta del café y sabido que era él quien entraba pero prefirió no levantar todavía la cabeza, imaginando que cuando lo mirara encontraría en sus ojos el remordimiento y la fatiga de la mala noche, y sobre todo el descrédito de un fervor que en el fondo ya había empezado a abandonarlos en los últimos tiempos, aunque ninguno de los dos lo aceptara. Su mutua entrega sexual había tenido un reverso de sacrificio humano. El tiempo se había acabado, se había desmoronado para ellos como una torre o un acantilado de arena desde la última noche que pasaron en la casa junto al mar. Huyendo de la angustia al deseo revivido, del deseo al insomnio, a la espera del amanecer de un lunes en el que la despedida sería más cruel que otras precisamente porque habían estado más tiempo juntos. Era necesario pagar pero no sabían cuánto; el amor se erigía sobre la destrucción de alguien. Sentada en el café, los ojos fijos en el mármol del velador, el humo del cigarrillo subiendo a un lado de su cara, Judith imaginaba el dolor de la otra mujer como un cuchillo que ella le hincaba con tosca obstinación en el vientre. Ignacio Abel estaba delante de ella, con la corbata torcida, con el sombrero en la mano, como si no se atreviera a sentarse, como dudando que aún le perteneciera ese derecho. Lo que se ganó en un solo minuto de deslumbramiento se pierde igual de fácil. El brillo del deseo en unos ojos se apaga igual que los iluminó. Después de pasar la noche en vela en el sanatorio de la Sierra Ignacio Abel había vuelto conduciendo a Madrid y no había tenido tiempo de ducharse ni de cambiarse de ropa. Tenía el pelo sucio, pegado al cráneo, las mejillas sombrías de barba, la papada floja bajo el mentón, la marca del sombrero en mitad de la frente, reblandecida por el calor.

—¿Llevabas mucho tiempo esperando?

—Ni me acuerdo. No he mirado el reloj.

—No pude venir antes.

—¿No deberías haberte quedado con ella?

—Está fuera de peligro. Volveré esta tarde. Todavía estaba inconsciente.

—Casi la hemos matado nosotros, tú y yo. La empujamos para que se ahogara.

—Todavía no es seguro que no fuera un accidente. Nadie la vio tirarse al agua. Iba con tacones y la piedra del filo estaba mojada. Se resbalaría.

—¿De verdad quieres pensar eso? —Ahora sí que Judith lo miraba, sus claros ojos muy dilatados, sin un parpadeo, joven y extraña a él, sin ninguna paciencia para aceptar la mentira, la atenuación de la justa vergüenza—. ¿Puedes convencerte a ti mismo o sólo lo haces para convencerme a mí?

Esa voz también era nueva: más aguda, con un filo de estridencia o sarcasmo, tan frío como el brillo extranjero de sus ojos, como su nueva rigidez física, que excluía toda proximidad. Pero ya había escuchado él ese tono otras veces, pasajeramente, cuando ella se irritaba, había visto esa mirada: la ausencia repentina de familiaridad de una mujer de otro país y de otra lengua que se repliega en ellos como cerrando una puerta con llave. Quizás no era justo ahora cuando ocurría lo que había temido tanto, cuando empezaba a perderla a causa de su culpa por la desgracia de Adela: quizás habían empezado a perderse el uno al otro algún tiempo atrás, gastados por la clandestinidad y la simulación, por el simple curso y el roce de las cosas, indignos de un amor que los abandonaba tan sin motivo como un pájaro que de repente levanta el vuelo en una tarde en calma, el mismo amor que unos meses atrás se posó en ellos sin que lo hubieran buscado ni hubieran hecho nada para merecerlo. De pronto era intolerable seguir viviendo: salir al cabo de un rato del café, como dos desconocidos, enfrentarse a la mañana inhóspita de Madrid, doblar una esquina y tal vez no verse nunca más.

—Tú no tienes la culpa de nada.

—Claro que la tengo, tanta como tú. Más que tú porque soy una mujer. Ella no me ha hecho nada y yo he estado a punto de matarla.

—Fue ella la que eligió tomar ese tren y tirarse a la presa. No fue un arrebato. Tuvo tiempo de pensarlo muy bien. Se cambió de ropa. Se puso sus guantes y su collar de perlas. Se pintó los labios.

—¿Habría sido menos grave que se tirara por el balcón vestida con su bata de casa?

—Podía haber pensado en sus hijos.

—¿Pensaste tú en ellos?

—Yo no he hecho nada para dejarlos sin padre.

—¿Saben algo?

—Sus abuelos vinieron anoche a quedarse con ellos. Les hemos dicho que su madre tuvo un desmayo en medio de la calle y que ahora mismo no la pueden visitar porque los médicos todavía la tienen en observación.

—Son muy despiertos. Sospecharán algo. ¿Qué hiciste con las cartas?

—No hay peligro. Las guardé bajo llave.

—Lo mismo decías antes.

—No volverá a ocurrir.

—Quiero que las quemes. Quiero que me prometas que las vas a quemar. Las cartas y las fotos.

—Y entonces qué me quedaría de ti.

Oyó su propia voz: estaba hablando como si ya la hubiera perdido. Adelantó la mano y la mano de Judith retrocedió contrayéndose con un gesto automático. Si la dejaba irse no volvería a verla nunca. Si se levantaba en ese momento del diván y él no la sujetaba la perdería para siempre. La vio mirar de soslayo su reloj de pulsera, midiendo el tiempo que aún le concedía, calculando la huida. *Time on our hands.* En la próxima media hora él tenía que ir a su casa, llamar a la oficina, hablar con sus hijos, someterse a la mirada de interrogatorio y agravio de sus suegros, darse una ducha, ponerse ropa limpia, conducir de regreso a la Sierra, al sanatorio donde Adela tal vez ya se habría despertado, donde el hermano montaba guardia, insomne, los pulmones débiles bajo la musculatura gimnástica, armado de rencor, mirando él también de vez en cuando su reloj de pulsera para medir el agravio añadido.

—Tengo que irme. Mis estudiantes me están esperando. Esperan sus calificaciones de final de curso.

—Dime cuándo volveré a verte.

—Tendrás que ocuparte de tu mujer.

—No la llames mi mujer.

—La llamaré así mientras estés casado con ella.

—Ha querido vengarse. Ha querido hacernos daño.

—Está loca por ti. ¿No tienes ojos en la cara? Tú decías que no le importaba nada, sólo el matrimonio y la apariencia. No te fijas en nada.

—Si me dejas me muero.

—No seas pueril.

Dijo *childish*: la mujer de treinta y dos años miraba al hombre de casi cincuenta con la incredulidad irónica que habría dedicado al arrebato teatral de un alumno literariamente enamorado de ella. Repitió, con su voz extranjera, replegada en su idioma, en los gestos veloces de la otra vida en la que él no existía: *I really have to go*, apagando el cigarrillo en el cenicero, recogiendo sus cosas, como si ya no estuviera en Madrid, sino en Nueva York, de regreso, habituada a un ritmo más veloz, sin lentitudes ni contemplaciones, a una franqueza seca y un poco descarnada que era uno de los muchos rasgos dejados en suspenso en los últimos tiempos, igual que el acento callejero y sincopado al que renunciaba para que él pudiera entenderla. La perdía, viéndola ponerse en pie con un gesto enérgico que disuadía de antemano de intentar retenerla, el pelo sobre los pómulos al apartar la cara para que él no la besara, tan ajena a él como al escenario mustio del café, a los camareros que la miraban alejarse con su paso enérgico aprendido para caminar por una metrópolis sin las languideces de una capital provinciana, a los funcionarios pálidos y a las parejas de amantes venales o apocados que se repartían por las otras mesas. Al levantarse le dedicó una sonrisa que era más hiriente porque en ella sólo participaban sus labios, no sus ojos, una sonrisa que cancelaba su condición de amante accesible, la posibilidad de encontrarse esta misma tarde con ella en casa de Madame Mathilde, de verla venir entre la sombra ahora esmeralda de las arboledas del Jardín Botánico.

—Cuándo volveré a verte.

—Déjame un poco de tiempo. No me llames. No me persigas.

—No puedo vivir sin ti.

—No digas cosas que no son verdad.

—Dime qué quieres que haga.

—Vuelve al sanatorio y cuida a Adela.

El nombre pronunciado en voz alta resaltaba la presencia que ya no podían hacer como que no existía. Vio salir a Judith, su espalda muy recta, el vestido ciñendo su figura delgada y ensanchándose en el vuelo de la falda un poco más debajo de las rodillas, la cabeza inclinada, los tacones de sus zapatos blancos y negros resonando en el entarimado sucio del café: no vio el mentón que temblaba ni la mano que apartaba el pelo de la cara, los ojos húmedos, heridos en la calle, después de tanta penumbra, por la claridad violenta de la mañana de verano, tan cerca del final y el desastre, piensa ahora, en el tren, río Hudson arriba, la cara contra la vibración del cristal de la ventanilla, tan sin remedio, sin saber ninguno de los dos que esa agria despedida sin ceremonia iba a ser la última.

23

Tal vez la espera y el tránsito serán desde ahora el estado natural de su vida. Ya no tiene la sensación de que el viaje haya sido una fase provisional, una línea de puntos más o menos quebrada entre un lugar de partida y otro de llegada, sólidos en el mapa aunque los separe una gran distancia, Madrid y esa pequeña ciudad que en menos de una hora dejará de ser sólo un nombre, Rhineberg, donde unos desconocidos lo estarán esperando en el andén: dispuestos a acogerlo, aunque sea provisionalmente, a devolverle parte de la identidad que se le ha ido disolviendo al paso de los días, gastándose por el roce con la intemperie como un material de mala calidad. En uno de los atlas escolares que a su hija Lita le gustaban tanto Ignacio Abel había trazado para ella y para Miguel los itinerarios que deberían seguir en la aventura que él les había prometido para el curso siguiente, sabiendo ya que si se iba a América lo haría él solo y para encontrarse allí con Judith Biely, incapaz todavía de desbaratar el engaño que él mismo había alimentado. Sus dos hijos inclinados sobre él, disputándose su cercanía, en el salón con los balcones abiertos al aire del atardecer y a los sonidos de la calle, mientras su dedo índice recorría en línea recta, sobre la hoja satinada del atlas, la distancia entre Madrid y París, entre París y Saint-Nazaire o Burdeos, los puertos atlánticos de los que salían buques regulares para Nueva York, cuyos nombres Lita y Miguel ya se sabían de memoria, después de averiguarlos en las agencias de viajes cercanas, la agencia Cook de la calle de Alcalá, la otra que había en la calle Lista casi esquina a Alcántara: el *Île de France*, el *S.S. Normandie*, tan tentadores como el nombre del tren en el que viajarían a París, con sus vagones pintados de azul oscuro con letras doradas, *L'Étoile du Sud*, que era casi un título de novela de Julio Verne, el faro de la locomotora iluminando la noche. En el escaparate de la agencia Cook, junto a los carteles en color de paisajes litorales del norte de España y de la Costa Azul, había un modelo formidable de un transatlántico, tan detallado como las maquetas de la Ciudad Universitaria, y Miguel y Lita miraban sus detalles pegando mucho las caras al cristal, los botes salvavidas, las chimeneas, las hamacas en la cubierta de primera clase, la piscina, las pistas de tenis con sus líneas bien marcadas sobre el suelo verde y su redes diminutas. Postergando el momento de decirles la verdad, Ignacio Abel alimentaba en sus hijos un sueño que era un fraude y que acabaría en una decepción a la que no era capaz de enfrentarse. La yema del dedo índice cruzaba sin esfuerzo los espacios planos y pintados de colores, dejaba atrás fronteras que eran líneas de tinta y ciudades reducidas a un círculo diminuto y un nombre, navegaba por el luminoso azul del océano Atlántico. El mundo exterior era entonces una tentadora geografía de postales con matasellos exóticos y de carteles a todo color de ferrocarriles internacionales y travesías marítimas desplegados en el escaparate de la agencia de viajes. Lita, siempre escrupulosa, experta en novelas de aventuras, hacía mediciones con una regla y calculaba según la escala distancias verdaderas, con gran fastidio de Miguel, que se aburría con aquella deriva aritmética del juego, y más aún con la permanente exhibición de conocimientos que hacía su hermana delante del padre. Ahora la muy empollona estaba demostrándole que no sólo se le daban bien la lengua y la historia y la literatura sino también las matemáticas, qué sería lo próximo.

Esa distancia de los mapas lleva Ignacio Abel recorriéndola más de dos semanas, tan solo como si hubiera tenido que atravesar un desierto, asaltado por espejismos y voces, por el deseo de una mujer a la que está siempre buscando entre las caras extranjeras y a la que tal vez ya ha perdido, remordido por el malestar de saber que en el fondo no hizo todo lo posible por entrar en contacto con Adela y sus hijos, a pesar de que estuvieran al otro lado de las líneas del frente. Podría haberlas cruzado, al menos en los primeros días, cuando todo era aún impreciso, cuando aún se pasaba con relativa facilidad de una zona a otra, antes de que los frentes estuvieran de verdad definidos, de que la guerra fuera algo más que terror, incertidumbre y confusión, cuando esa palabra ni siquiera era pronunciada todavía, con su extraña obscenidad primitiva, guerra. Las guerras, como las desgracias, les suceden a otros; las guerras están en los libros de historia o en las páginas internacionales de los periódicos, no en la calle a la que uno baja todas las mañanas y en la que ahora puede encontrarse un cadáver o el socavón de una bomba o los escombros negros de un incendio. Apoya la cara en la ventanilla y nota en las cuencas de los ojos el cansancio de tantos paisajes que ha visto deslizarse desde que salió de Madrid, todos unidos ahora en una sola secuencia, como una película de duración inabarcable que no dejara de proyectarse ni siquiera en los sueños. Está viendo los bosques otoñales de los que Judith le habló tanto y no tiene ánimo para fijar de verdad su atención en ellos: los rojos, los amarillos vibrando al sol como llamaradas inmóviles, las hojas levantadas por el viento de la locomotora que flotan en el aire como mariposas enloquecidas y chocan contra el cristal y desaparecen; los cañaverales surgiendo del agua color cobalto, las bandadas de aves acuáticas que levantan el vuelo con un brillo metálico en las alas. Recuerda algo que Judith le había dicho la primera tarde que estuvieron juntos, bebiendo y conversando en el bar del hotel Florida hasta que perdieron la conciencia del tiempo: que esos colores eran lo que más añoraba de América en el otoño de Madrid. Porque los ha imaginado tanto a través de las palabras de ella ahora que por fin está viéndolos le parece que forman parte de su catálogo personal de las cosas perdidas. A lo largo de la orilla del río los bosques se extienden hacia el horizonte en oleadas de colinas, en cuyas cimas se distingue con frecuencia una casa de campo, aislada y solemne como un templo antiguo en una pintura de Poussin, los cristales heridos por el sol suave de octubre. Cómo habría sido esconderse en una casa semejante junto a Judith Biely, no durante cuatro días, sino durante mucho tiempo, la vida entera; cómo se verá desde lejos el edificio de la biblioteca de Burton College si de verdad llega a existir (pero en las últimas cartas y telegramas nadie ha vuelto a mencionar el encargo: quizás está viajando tan lejos para no llegar a nada, para no tener siquiera una disculpa que otorgue un poco de dignidad a su huida). Le falta muy poco para llegar a su destino y se le hace imposible imaginar la antigua vida sedentaria, recordar siquiera con algo de certeza ese tiempo anterior en el que no andaba siempre de un lado para otro, en el que su estado permanente no era la soledad y su medio natural no eran los trenes, las estaciones, los pasos fronterizos, los amaneceres en ciudades desconocidas, las habitaciones de hotel, la provisionalidad siempre renovada, la vida en suspenso cada día y casi cada minuto. Qué raro será tener de nuevo un oficio, horarios, un estudio, un tablero de dibujo. Pero más raro aún haber sido ese hombre que volvía cada tarde a su casa aproximadamente a la misma hora y se sentaba a leer el periódico en el mismo sillón moldeado por la forma y el peso de su cuerpo y gastado por el roce de sus codos; el que una tarde había abierto un atlas sobre sus rodillas para imaginar junto a sus hijos el itinerario de un viaje futuro, aunque también ficticio, con horarios ciertos y fecha de regreso.

Tan desconcertante como la facilidad con la que todo lo que parecía más sólido se derrumbó en Madrid en el curso de dos o tres días de julio era su propia destreza para acomodarse sin queja y sin mucha esperanza a este estado de tránsito. Qué rápido se acostumbra uno a no ser nadie y a no tener casi nada, ser tan sólo la cara y el nombre en el pasaporte y en el visado y no poseer nada más que lo que cabe en sus bolsillos y lo que lleva en la maleta, un desorden de papeles y de ropa sucia al cabo de unos días, aparte de su estuche de aseo, único vestigio indudable de otra existencia anterior, de otra manera de viajar, descansada y burguesa, un paréntesis confortable de movilidad entre dos puntos fijos. El estuche de cuero, regalo de Adela, hace juego con la maleta: de piel, con resortes cromados, con compartimentos donde se ajustaban sujetos por correas los útiles de aseo, la brocha de pelo de tejón, el cuenco plateado para la espuma, la maquinilla de afeitar con su mango de marfil y un repuesto de hojas de acero inoxidable, el frasco plano de colonia, el peine, el calzador, un cepillo para la ropa. Cada cosa en su lugar preciso, en su bolsillo o su hueco de cuero, el orden cuidadoso de los viejos tiempos, de la vida cancelada, borrosa en el recuerdo.

Tan cerca del final del viaje no siente alivio sino miedo, miedo y cansancio, como si toda la distancia recorrida en las últimas semanas, las malas noches, la vibración de los trenes, el fragor de las turbinas del barco, el mareo en un camarote poco ventilado en el que el aire caliente cobraba una consistencia aceitosa, el esfuerzo de arrastrar de un lado a otro la maleta, cayeran de pronto sobre sus hombros en un alud de extenuación. En vez de la impaciencia de llegar lo agobia otra vez el miedo a lo desconocido, la necesidad de adaptarse a nuevas circunstancias que también serán provisionales, la desgana de mantener fatigosas conversaciones con extraños, fingir interés, agradecer el favor de la hospitalidad precaria, humillante en el fondo, porque no tiene modo de corresponder a ella (quizás Van Doren no maneja tantas influencias como él decía: quizás el encargo no llegará a nada porque era el pretexto elegido casi caritativamente para ofrecerle temporalmente un refugio, para influir desde cierta distancia sobre su vida, como cuando les concedió a Judith y a él, como una divinidad benévola que controlara el tiempo, los únicos cuatro días seguidos que pasaron juntos). Es el mismo miedo que ha tenido al aproximarse al final de cada una de las etapas del viaje, la desgana de quien empieza a salir del sueño bajo una luz inhóspita y quisiera no despertar. El tren nocturno acercándose a París mientras amanecía sobre un horizonte gris de suburbios industriales y torres y muros de ladrillo ennegrecidos de hollín; la extrañeza de abrir los ojos en el camarote del barco y comprender que era el silencio de las máquinas al cabo de siete días de estrépito incesante lo que lo había despertado; y mucho antes (o no tanto, apenas dos semanas, pero los días del viaje cobran en el recuerdo duraciones desiguales, se disuelven en instantes o se dilatan en eternidades), después de la primera noche, la sorpresa de llegar a Valencia y encontrar el aturdimiento de una luz matinal excesiva, una especie de insensata primavera de octubre tan ajena al orden de los calendarios como al hosco invierno anticipado de la guerra en Madrid.

En Valencia los cafés estaban llenos de gente y las calles de tráfico, y si no hubiera sido por algunos uniformes aún más desaliñados que en Madrid y por los titulares mentirosos que voceaban los vendedores de periódicos uno podría haber pensado que la guerra sucedía en otro país o era una pesadilla de su imaginación, disipada al contacto de la primera luz húmeda del día. En Valencia les escribió la primera postal a sus hijos: una vista de la playa en colores pastel, con casas blancas y palmeras. Escribió la postal sentado en el velador de un café, mientras tomaba una cerveza fresca a la sombra de un toldo, cerca de la estación, de donde saldría en pocas horas su tren hacia Barcelona y la frontera. Le puso un sello, la echó en un buzón, queriendo no pensar que lo más probable sería que no llegara a su destino, y que sin duda no tendría respuesta. En los vestíbulos y los andenes de la estación había banderas rojas y negras y enfáticas pancartas anarquistas, pero en los coches de primera clase los revisores eran tan serviciales y llevaban los uniformes azules tan abotonados como si ni la guerra ni la revolución existieran; hasta los milicianos que pedían la documentación con gestos de amenaza conservaban el reflejo de quitarse la gorra ante los viajeros bien vestidos, a los que un momento después podían llevarse presos o expulsar del tren a culatazos. Zonas inesperadas de la antigua normalidad se mantenían intactas en medio del colapso: como ese balcón que había visto al pasar una mañana junto a un edificio bombardeado, un balcón casi suspendido en el aire, sujeto por una barra invisible al único muro que se mantenía en pie, sus filigranas de hierro perfectamente conservadas, igual que las macetas de geranios colgadas de la barandilla. ¿No decía Negrín que en España faltaba seriedad hasta para hacer las revoluciones? ¿Que todo se hacía a medias o de cualquier manera o aterradoramente mal, desde un tendido de ferrocarril al fusilamiento de un desgraciado? Ahora comprende Ignacio Abel que en esa primera mañana de viaje en Valencia aún no se había desprendido de la antigua identidad, preservada tan asombrosamente como el balcón con geranios suspendido en el aire, en el único muro de una casa que había quedado en pie después de un bombardeo. Aún era alguien; aún llevaba los zapatos lustrados y conservaba la raya del pantalón; aún hablaba con voz clara y autoridad instintiva a revisores y mozos de equipaje, a los vendedores de las ventanillas, a las que muy pronto se acercaría tan medrosamente como a los controles de documentos en las fronteras; en el interior de su maleta la ropa estaba limpia y ordenada; aún no había desarrollado el gesto nervioso de llevarse cada poco rato la mano al bolsillo interior de la chaqueta para comprobar que el pasaporte y la cartera seguían allí; aún percibía cuando apretaba la cartera el espesor confortable de los billetes de banco, recién sacados de su cuenta, cambiados parcialmente en francos y dólares en una oficina bancaria de la calle de Alcalá donde se le reconocía nada más entrar y se le trataba con cierta reverencia.

Mientras esperaba a que el director volviera de la caja con su dinero guardado discretamente en un sobre Ignacio Abel pensaba, mirando a su alrededor, en el milenarismo primitivo de las revoluciones españolas: tantas iglesias habían ardido en Madrid y sin embargo a nadie se le había ocurrido quemar o ni siquiera asaltar alguna de aquellas elefantiásicas sedes bancarias de la calle de Alcalá, que a él lo sumían en un pavor arquitectónico. La puerta estaba protegida con sacos terreros y la fachada cubierta por truculentos carteles revolucionarios; por la calle pasaban camiones de milicianos y carros de refugiados que afluían desde los pueblos del sur recién conquistados por las tropas enemigas: pero en el interior del banco perduraba la misma penumbra un poco eclesiástica de siempre, y los empleados se inclinaban sobre sus escritorios o murmuraban entre sí contra un fondo amortiguado de máquinas de escribir. Indiferente al desaliño indumentario que se había vuelto preceptivo en Madrid el director vestía el traje gris y la corbata negra de siempre, el cuello almidonado. «Así que nos deja usted, señor Abel. Otros clientes muy apreciados han tenido también que ausentarse, como usted sabe. Esperemos que esto no dure. Y que su ausencia no tenga que ser por mucho tiempo.» Sonreía y se frotaba las manos pálidas, como bruñidas por el tacto de los billetes de banco. Al decir «como usted sabe» y «esperemos que esto no dure» había mirado a Ignacio Abel con una astucia cautelosa, como tanteando una posible complicidad con ese cliente que había tenido durante años una cuenta cada vez más sólida y que también llevaba corbata. «No durará, ya verá usted»: Ignacio Abel se oyó a sí mismo hablando con una convicción militante de la que carecía, ofendido por la insinuación del director del banco, por su esperanza impúdica de que las tropas de Franco entraran pronto en Madrid. «La República acabará pronto con esos facciosos.» La media sonrisa del director del banco se le quedó helada en la cara de cera, tan eclesiástica como la claridad que se filtraba por los vitrales del techo. «Esperemos que sea así. En cualquier caso ya sabe usted dónde nos tiene.» Lo acompañó a la puerta, ahora desconfiado pero todavía deferente, satisfecho de haberle probado su influencia incluso en los nuevos tiempos al entregarle, con prudente sigilo, una cantidad de dinero muy superior a lo que estaba permitido sacar del país en las circunstancias excepcionales de la guerra.

Se quitó la corbata al salir a la calle. No convenía llamar la atención y arriesgarse a un registro llevando tanto dinero en la cartera; llevando el pasaporte con el visado, la carta de invitación de Burton College; escondiendo en el bolsillo las credenciales frágiles de una huida que se le volvía más irreal según se acercaba. Como una corriente que se acelera al volcarse sobre un plano inclinado la proximidad de la partida hacía más rápido y más sobresaltado el tiempo, sometía su pecho a una presión dolorosa, le debilitaba las rodillas, le hacía mirar más intensamente las cosas comunes que muy pronto ya no vería, las calles de Madrid, el portal de su casa, donde el ascensor ya no funcionaba nunca. El portero había cambiado por un mono azul su antigua librea con botones dorados, aunque seguía inclinándose obsequioso y venal, esperando una propina, estudiando tal vez la posibilidad de denunciar como emboscado o espía a algún vecino contra el que albergara un antiguo rencor. En cada detalle trivial en el que detenía sus ojos Ignacio Abel veía la señal indeleble del tiempo que iba a pasar antes del regreso; de lo que tal vez no volvería a ver nunca. No sentía exaltación ni tristeza, sino una abrumadora congoja física, la presión en el pecho, el peso de los hombros, el hueco en el estómago, la debilidad de las piernas. Andaba por su casa deshabitada como un aparecido, como si estuviera viendo las habitaciones y los muebles no en el momento presente ni en los recuerdos sino en el futuro de su ausencia, que empezaría justo cuando él cerrara la puerta desde fuera y echara la llave por última vez, en la tenaz duración de lo que permanece en penumbra y no mira nadie. Antes de encender las luces había cerrado uno por uno todos los postigos. Desde la ventana de su dormitorio había mirado por última vez el perfil a oscuras de los tejados de Madrid, las calles sumidas en el abismo de sombras donde sólo se escucharían los automóviles veloces de las patrullas de vigilancia y las ráfagas distantes de alguna ejecución; y tal vez, hacia la medianoche, los motores de invisibles aviones enemigos, volando omnipotentes sobre una ciudad sin reflectores de búsqueda ni defensas antiaéreas. Había empezado a hacer frío y la calefacción no funcionaba. El suministro eléctrico era tan débil que las bombillas daban una claridad amarillenta que no llegaba a disipar las sombras en los ángulos de las habitaciones y al fondo del pasillo, de donde ya no venían desde hacía varios meses las voces de las criadas ni su trajín en la cocina mezclado con las canciones y los anuncios de la radio. En su última noche en la casa donde llevaba tanto tiempo solo Ignacio Abel iba aturdidamente de una habitación a otra, escuchando sus propios pasos en el parquet y encontrando su cara en la turbia luz de los espejos. La maleta estaba abierta sobre la cama que en los últimos días ya no se había molestado en hacer (pero nunca antes había hecho una cama, igual que apenas había entrado en la cocina y tenía una idea sumaria de cómo se encendía el fuego en la hornilla de gas). Los trajes suyos y los vestidos de Adela colgados en el hondo armario eran fantasmas o encarnaciones sucesivas de la vida anterior, reconocibles en sus formas pero tan faltos de sustancia y de realidad como ella. Doblaba con torpeza la ropa al guardarla en la maleta. Escogía cuadernos de dibujos, algún libro, una foto de los niños tomada uno o dos veranos atrás; quitó de un marco y guardó en un tubo de cartón su título de arquitecto. Pero le habían aconsejado que no llevara demasiado equipaje: que documentos y salvoconductos podrían no servir de nada y tal vez le sería preciso cruzar a pie la frontera de Francia por algún paso clandestino. Nada era seguro ya. Ni siquiera, aunque decían que temporalmente, salían trenes de la estación de Mediodía (pero los periódicos contaban que las milicias siempre victoriosas habían desbaratado un intento del enemigo de cortar la línea férrea entre Madrid y Levante): tendría que viajar en un camión hasta Alcázar de San Juan, por donde pasaría a alguna hora incierta el expreso de Valencia. Cerró la maleta, apagó la luz, decidió echarse un rato en la cama, aunque sólo fuera para descansar con los ojos cerrados durante unos minutos; por culpa de las alarmas y los bombardeos, por el nerviosismo de la cercanía del viaje, llevaba dos o tres noches sin dormir. Al momento de tenderse sobre la cama revuelta que se quedaría sin hacer cuando él se marchara se hundió en el sueño como una piedra en el agua. Supo que se había dormido porque lo despertaron los golpes en la puerta, la voz que decía su nombre en la oscuridad.

Ignacio, por lo que más quieras, ábreme.

Cuánta distancia cabía en el espacio coloreado y liso de un mapa sobre el que se deslizaba el dedo índice: el frío en la caja del camión, las solapas del abrigo subidas y el sombrero calado, el motor achacoso, caras iluminadas fugazmente por la brasa de un cigarrillo, la llanura sin luces al fondo de la cual a veces se distinguía la vaga mancha blanca de un pueblo. En algún momento se escucharon motores de aviones y el camión avanzó muy despacio con los faros apagados. Pero Ignacio Abel tardó mucho en empezar a darse cuenta de la verdadera escala del espacio, de la extensión del mundo que atravesaría en su viaje, más desmedida aún porque le faltaban los puntos de referencia de Judith Biely y de sus hijos. Lo intuía quizás, no con su inteligencia sino con su miedo anticipado, la víspera de la partida, la última noche, mientras hacía la maleta, mientras se quedaba inmóvil en una habitación o en medio del pasillo sin recordar adónde iba, en la casa demasiado grande que en realidad nunca había sentido como suya, mientras revisaba una y otra vez los documentos y el dinero, sin decidirse a esconder una parte en el forro del abrigo o en el doble fondo de la maleta; clandestino de pronto, amenazado, asustado, desertor de su ciudad y de su país, fugitivo de la guerra en la que otros luchaban y morían por la misma causa que nominalmente era la suya, aunque ya no supiera cómo llamarla sin sentir que las palabras eran un fraude y que él mismo se contagiaba de su mentira al pronunciarlas, con o sin mayúsculas, la República, la democracia, el socialismo, la resistencia antifascista; todo desenfocado a no ser que pensara en los otros, en el enemigo, los que venían avanzando en dirección a Madrid desde el sur, el oeste, el norte, no con banderas y palabras y uniformes desastrados y fantásticos sino con una eficiente determinación de matar, con carniceros mercenarios, con capellanes castrenses de pistola al cinto y crucifijo levantado, con ametralladoras bien engrasadas, con la disciplina sin misericordia de las máquinas; los que cazaban a caballo a los campesinos igual que si exterminaran alimañas; los que después violaban y rapaban las cabezas a las mujeres de los fusilados; los que bombardearon primero y luego asaltaron a la bayoneta los arrabales obreros de Granada y Sevilla; los que ametrallaban desde los aviones las columnas de fugitivos aterrados que lo abandonaban todo para no caer bajo su dominio sanguinario. Los periódicos de Madrid publicaban mentiras triunfales y en las emisoras de radio los locutores declamaban el arrojo de las milicias populares pero la única verdad era que los otros seguían avanzando. El viento traía a veces en las últimas noches el retumbar de los cañones en el frente cada vez más próximo. Con fatalismo, con dolor y vergüenza, con el alivio de escapar y de que sus hijos estuvieran seguramente lejos del peligro, Ignacio Abel hacía la maleta y ya veía en el fervor de su imaginación el tren que lo llevaba a la frontera, el que tomaría para llegar a París, el que lo llevaría hacia la ciudad portuaria en la que el casco reluciente y curvado de un transatlántico surgiría al final de la perspectiva de una calle arbolada, agigantado por comparación con los almacenes y las filas de árboles, con las últimas esquinas en las que se iluminaría de noche el letrero de un café o de un hotel. Su voluntad trastornada ya no intervenía. Mecánicamente guardaba camisas en la maleta, corbatas, ropa interior, calcetines, las cosas en las que nunca hasta ahora había reparado, las que aparecían como por milagro dobladas y planchadas en el interior de sus cajones, en las maletas de sus viajes de otros tiempos. No había cenado, y no tenía hambre. Los platos cocinados ya no aparecían mágicamente en la mesa ante él y no le apetecía bajar a tomar algo en una taberna próxima, en la que de todos modos la comida ya era mucho peor y estaba volviéndose escasa. Bebió con desgana un poco de coñac y en seguida tuvo náuseas y se sintió todavía más aturdido, más acosado de fantasmas en la casa de la que al cabo de unas horas se habría marchado tal vez para siempre, la pesada puerta resonando al cerrarse en las habitaciones clausuradas y a oscuras. Amor mío, hija mía, hijo mío, esposa mía traicionada y humillada, sombras olvidadas de mis padres muertos. El coñac en el estómago vacío exageraba el vértigo. Se echó en la cama y se quedó dormido unos minutos y lo que ocurrió después cuando los golpes en la puerta lo despertaron tuvo una calidad de mal sueño de la que prefería no acordarse, aunque la voz siguiera sonando en su conciencia. *Ábreme, Ignacio, por lo que más quieras.* A las doce de la noche el camión estaría esperando junto a la estación de Atocha. Sabía que era una insensatez y sin embargo cruzó Madrid a pie por calles secundarias en las que no era probable que aparecieran los automóviles de las patrullas. A punto de salir, la maleta ya cerrada junto a la puerta, el abrigo y el sombrero puestos, recorrió una por una todas las habitaciones, fue apagando todas las luces, asegurándose de que los grifos quedaban cerrados, como si se marchara para unas vacaciones. Lo que parece que viene durando toda la vida y que durará para siempre se interrumpe de un día para otro y no deja ni rastro. En el cuarto de sus hijos, sobre el pupitre de Lita, estaba el atlas que había examinado junto a ellos a finales de mayo o principios de junio, cuando ya hacía calor en Madrid y los balcones se abrían de par en par al fresco del atardecer, dejando entrar los ruidos del tráfico y las voces agudas de los chicos vendedores de periódicos, el silbido de las golondrinas que habían anidado bajo los aleros. En el espejo del armario se vio de pronto como un intruso y se acordó con una vergüenza sin consuelo de la bofetada que le había dado a Miguel. Hijo mío, remordimiento mío. Los cuadernos y los libros de Lita estaban ordenados en una estantería encima del pupitre: en los títulos podía seguirse la secuencia de su aprendizaje de lectora en los últimos años, los libros de Celia, después Verne y Salgari, muy pronto Jane Eyre y *Cumbres borrascosas.* Rozaba los lomos de los libros, la madera de los dos pupitres gemelos. Abría los pequeños cajones percibiendo una exhalación largo tiempo guardada de olores escolares: a tinta, a madera de lápices. En el cajón de Miguel había papeles y cuadernos amontonados de cualquier manera, señales de la prisa de última hora para dejarlo todo recogido antes de salir hacia la casa de la Sierra; al fondo de todo, Ignacio Abel encontró programas de mano de películas y fotografías de actores recortadas de revistas de cine, una de ellas del joven Sabú con el torso desnudo, con un turbante como de Las mil y una noches. ESCÁNDALOS EN LA MECA DEL CINEMA: TODO SOBRE LA MUERTE MISTERIOSA DE THELMA TODD. Recortando fotos de artistas de cine y repasando sus cromos de colores brillantes y sus programas de mano de películas para las que su padre no le había dado permiso habría pasado Miguel muchas de las horas en las que se castigaba inapelablemente a quedarse estudiando en su cuarto. SHIRLEY TEMPLE HA CUMPLIDO SIETE AÑOS Y GANA DOS MILLONES DE PESETAS AL MES. Se acordaba de entrar a él y de ver que el chico guardaba algo rápidamente en el cajón o entre las páginas del libro, la cabeza inclinada en un simulacro poco efectivo de concentración y perseverancia, la pierna derecha moviéndose bajo el pupitre. Con qué inútil aspereza lo había tratado muchas veces, con qué sorda crueldad, más aún por comparación con la niña, hacia la que había disimulado tan poco su favoritismo inaceptable. Pero quizás su hijo, en quien él pensaba tanto, no se acordaría demasiado de él, habituado ya a su ausencia, a la nueva vida familiar y escolar que llevaría al otro lado de la frontera de la guerra, en el otro país enemigo al que era tan difícil que llegaran las cartas y las postales. Quizás a él le seguía doliendo su promesa incumplida y desde el principio falsa del viaje a América mucho más que a sus hijos, los receptores del engaño.

Apagó las lámparas gemelas de los dos pupitres y salió de la habitación con el sigilo antiguo de cuando esperaba a que se hubieran dormido. De pronto se le volvía irrespirable la densidad de tantas ausencias que llenaban la casa, alzándose en torno a él en los últimos minutos antes de la partida, al mismo tiempo expulsándolo y cerrándole el paso, tan visibles como las formas de los muebles y de las lámparas debajo de las sábanas que las cubrían. Durante los últimos meses la casa había sido un espacio inerte, un escenario abandonado, regido por la soledad y el desorden, dominado poco a poco por la invasión del polvo y el olor a cerrado. Ahora se convertía en un teatro de sombras, agigantadas y móviles como las que proyecta contra las paredes el círculo de claridad de una linterna. Con la cautela de un ladrón se marchaba ahora de ella; con la inquietud de haber olvidado algo de una importancia decisiva; cerrando la puerta despacio y en silencio; no echando la llave; bajando los escalones de mármol casi en la oscuridad, porque hacía mucho que se había fundido la luz de la escalera y nadie la reponía, igual que nadie había venido a reparar el ascensor; temiendo cruzarse con alguien, o ser visto por el portero, que se extrañaría de verlo salir a esas horas con una maleta, que quizás daría el aviso a alguna de las patrullas que de vez en cuando venían a registrar los pisos, en busca de sospechosos y de emboscados, en ese barrio burgués donde la mayor parte de los vecinos habían tenido la suerte de encontrarse de vacaciones cuando estalló la revolución.

Una figura solitaria, caminando muy cerca de las paredes, a la claridad escasa de la noche de luna, en la ciudad con las ventanas cerradas y los faroles apagados, retraída contra el peligro, aguardando en un silencio hosco y cargado de tensión la llegada del frío y tal vez la de los invasores: el sombrero sobre los ojos, la gabardina de viaje, la maleta en la mano, los pasos resueltos y a la vez llenos de cautela, la atención alerta a cualquier ruido alarmante, a las campanadas del reloj de una torre que le indicaban que tenía tiempo de sobra para llegar a la cita junto a la estación de Atocha, donde un salvoconducto firmado por el doctor Juan Negrín le permitiría ocupar un sitio en un camión que partía hacia Valencia llevando una carga no especificada de documentos oficiales, custodiada por hombres de uniforme. Al principio le costó acostumbrarse a la permanente incertidumbre; a la incomodidad de buscar el sueño arrebujándose de cualquier manera contra el frío, apoyando la cabeza en la maleta, el cuerpo entero sujeto a vibraciones y frenazos, o tendido sobre la madera de un banco, o sobre el mármol frío de la sala de espera de una estación a la que no llegaba un tren; a abrir los ojos al amanecer y no saber dónde estaba; a no saber si sus documentos recibirían la aprobación del vigilante o el policía o el gendarme o el guarda fronterizo o el empleado de aduana que los escrutaba durante un tiempo interminable. Cada partida era un alivio, el final de una espera de duración casi siempre imprevisible; cada llegada, cada aproximación a un nuevo punto de destino, una inquietud que poco a poco se convertía en angustia. La paciencia era una pura inercia física acentuada por el cansancio: colas de gente esperando a que se abriera una ventanilla, a que un viajero terminara de ser interrogado, a que un guardia examinara uno por uno cada prenda de ropa y cada objeto de aseo y cada recuerdo trivial contenido en una maleta. En salas de espera, barreras de control y puestos fronterizos Ignacio Abel se iba agregando a una nueva variedad de la especie humana que hasta entonces le había sido ajena, a no ser por su trato con el profesor Rossman, la de los pasajeros en tránsito, la de los portadores de maletas muy rozadas y credenciales dudosas, nómadas con zapatos de tacones torcidos y documentos de identidad con muchos sellos y con un aire evidente de falsificaciones. El tren que lo había traído de Barcelona al segundo o tercer día de su viaje se detuvo en Port-Bou a la caída de la noche y los pasajeros avanzaron en silencio y se pusieron en fila delante de una caseta que estaba junto a la barrera fronteriza. Al otro lado paseaba un gendarme francés que se protegía contra la llovizna con una capa corta de hule. Unos pasos más acá de la bandera francesa no estaba la de la República Española, sino la roja y negra, enorme, con las iniciales anarquistas cosidas en el centro. Qué pensaría Negrín si viera esa usurpación: si tuviera que someter su carnet de diputado y su pasaporte diplomático al examen de los dos milicianos armados con fusiles máuser, con pistolas al cinto, con cananas de munición sobre el pecho, con pañuelos rojos y negros atados al cuello, con patillas de bandoleros de litografía romántica, que interrogaban uno por uno a los pasajeros. Por precaución Ignacio Abel se había quitado la corbata antes de bajar del tren y había guardado el sombrero en la maleta. Aún no se había adiestrado en el nuevo oficio de la espera y la paciencia, de la humillada mansedumbre. Entregó el pasaporte abierto por la página de la fotografía, mirando un momento a los ojos al miliciano, pequeños y muy enrojecidos. Chupaba una colilla, tan aburrido o tan cansado que no se molestaba en volver a encenderla. Sentada en un banco contra la pared lloraba una mujer a la que le habían negado el paso, bajo un cartel en el que un pie calzado con una alpargata campesina aplastaba una serpiente de tres cabezas, la de Hitler, la de Mussolini y la de un obispo. Los otros viajeros la miraban sin decir nada, sin un rastro de simpatía en ninguna de las caras, apartando los ojos cuando la mujer levantaba la cabeza, como para no contaminarse con su desgracia. El miliciano fatigado escupió la colilla y fue pasando las hojas del pasaporte de Ignacio Abel, humedeciéndose el pulgar con la punta de la lengua. No imaginaba cuántas inspecciones semejantes tendría que pasar en las próximas semanas, cuántas veces una mirada inquisidora se levantaría de la foto en el pasaporte para examinar su cara, como si fuera preciso establecer la veracidad de cada rasgo, como si ni siquiera la fotografía más exacta ni la absoluta claridad de los datos inscritos en un documento todavía no desgastado por manos negligentes o sucias eliminaran del todo la posibilidad de la impostura, la conveniencia de una detención, o tal vez tan sólo de una demora, el tiempo suficiente para que el extranjero sospechoso perdiera el próximo tren o se retrasara y se agotara un poco más en su viaje de huida. Con el tiempo fue observando variantes, rasgos comunes: una actitud de cansancio que de algún modo resultaba amenazadora, una complacencia en la lentitud, una violencia seca en el gesto de imprimir un sello, una fecha de entrada o salida, una manera de interrogar en voz baja, para que la dificultad del idioma fuera más grave. En cada paso fronterizo sentía que su cara estaba cambiando, al confrontarse una vez más con la inquisición de los guardias; que también se iba modificando la cara de la fotografía, al volverse cada vez más lejana, la cara de otro tiempo, la de alguien insensatamente ajeno a las tormentas del más cercano porvenir.

La aspereza desganada y agresiva de los milicianos españoles fue menos hiriente que la frialdad de los gendarmes franceses, pulcramente uniformados, gritando con grosería a las campesinas españolas que les tenían tanto miedo y no comprendían sus órdenes. Más alto que la gente a su alrededor, mejor vestido, capaz de contestar a los gendarmes en francés, Ignacio Abel se sabía incluido en el mismo desprecio, y esa conciencia le daba un sentimiento amargo de fraternidad. También él era un *sale espagnol*: con la única diferencia de que él sí entendía los insultos; el mayor de todos los cuales no necesitaba ser formulado, porque saltaba a la vista nada más cruzar la frontera: la estación limpia, los gendarmes afeitados, con cuellos duros impecables, con un brillo de buena alimentación en las mejillas, los carteles de playas de la Costa Azul y de viajes transatlánticos y no de consignas revolucionarias o guerreras, el ventanal de un restaurante, el letrero luminoso de un hotel. Cruzando la frontera descubría de golpe la pesadumbre de su enfermedad española, de la que podría escaparse pero para la que tal vez no habría cura, aunque a él sí le fuera posible disimular los síntomas: sobre todo si se alejaba cuanto antes de sus compatriotas, los que no podían eludir las miradas hostiles ni esconder los estigmas de su extranjería y su pobreza: las boinas, las caras mal afeitadas, los pañolones negros, los refajos de luto, los grandes líos de ropa sobre las espaldas, los bebés mamando de pechos colgantes, los refugiados españoles saliendo de los vagones de tercera y acampando como zíngaros en los andenes de la estación. Pero él había viajado en primera clase; podría entrar en el restaurante de la plaza y cenar junto a la ventana, bebiendo una botella de vino excelente; tras los visillos del restaurante podía distraer el tiempo que faltaba para que saliera el tren hacia París paladeando una copa de coñac, mirando a sus compatriotas que compartían trozos de tocino, panes oscuros y latas de sardinas agrupados en los escalones de la estación. Porque había perdido a lo largo de los años el instinto de la frugalidad y el miedo al mañana no se acostumbraba aún a medir el dinero; no sabía renunciar a los privilegios que durante tanto tiempo le habían hecho confortable la vida. La distancia social aún lo protegía. Empezó a saberse despojado de ella esa misma noche, en el expreso hacia París, donde no había billetes disponibles de primera clase, donde tuvo que ocupar un asiento de segunda sin reserva del que fue expulsado con brusquedad humillante en la primera parada, cuando entró en el compartimento el viajero irritado que reclamó su derecho ante el revisor y le dedicó una mirada de desdén mientras Ignacio Abel se cruzaba con él para salir al pasillo, despeinado, con su maleta en la mano, el usurpador expulsado a codazos del sueño y del asiento que no le correspondía, que era el derecho intangible de un ciudadano francés con unas greñas escasas aplastadas sobre la calva y con una insignia de algo en la solapa. Aún no había aprendido a que no lo hirieran esos contratiempos; a dormir en cualquier sitio de cualquier manera; a no recibir el trato deferente que había dado por supuesto en su vida anterior. El pasillo del tren también estaba lleno de gente y tardó varias horas en poder sentarse en el suelo, en quedarse medio dormido sobre la maleta. La patada indiferente del gendarme que lo despertó siguió doliéndole en su orgullo muchos días, tal vez la primera lección seria de su aprendizaje: pero aún no había aprendido a aceptar la humillación y a no rebelarse contra ella, a agradecer la benevolencia del que podía hacerle daño en vez de escandalizarse por su mezquina tiranía.

Y en las primeras noches del viaje aprendió algo que tampoco habría sabido imaginar: que su amor hacia Judith Biely, aletargado en Madrid por el fatalismo de la pérdida, por la extrañeza acuciante del nuevo mundo traído por la guerra, revivía intacto nada más salir de España. No de golpe: primero en los sueños, luego en la conciencia, en la melancolía de los despertares en los que se encontraba de pronto sin ella, cuando un segundo antes la había abrazado en un sueño, la había visto alta y desnuda frente a él, acercándose, rozándole la piel primero con su pelo rizado, después con los labios. En esos trenes en los que él viajaba ahora Judith había recorrido Europa antes de conocerlo; y por lo que él sabía, o lo que no sabía, no era imposible que se la encontrara en el tumulto de una estación o en una calle de París, o en un café de una ciudad portuaria de la que salieran buques hacia América. Judith Biely saltaba de la tristeza de la memoria a la inminencia del porvenir: el que se desplegaba ahora ante él, y también el otro porvenir fantasma que no había sucedido, el del viaje a América que planearon juntos y no llegó a cumplirse, suspendido ahora entre el recuerdo y la imaginación con el resplandor de un espejismo sin tiempo. El deseo avivado en los sueños alimentaba los celos como un devastador efecto secundario: con qué hombres habría estado antes de encontrarse con él, una mujer joven y libre deslumbrada por Europa, tan olvidadiza de su propio atractivo como ignorante de las ideas que podrían hacerse sobre ella los varones que tomaban su desenvoltura americana por disponibilidad sexual; con qué hombres se habría encontrado ahora, después de marcharse de Madrid, aliviada no sólo del amor, sino también de la culpa y de la indignidad del engaño. *Si tu mujer hubiera muerto yo nunca me lo habría perdonado, si se hubiera ahogado en ese estanque por culpa nuestra.*

En los sueños luminosos y frágiles de las noches del viaje Ignacio Abel volvía a encontrarse con ella en la inocencia adánica de las primeras veces, cuando les parecía que el mundo, aparte de ellos, estaba tan deshabitado de otras presencias humanas como el paraíso terrenal. A medida que iba perdiéndolo todo, que se le acababa el dinero, que se le deterioraba la ropa y hasta iba perdiendo las costumbres más exigentes de la higiene; a medida que se acostumbraba o se resignaba a la idea de que el viaje no terminaría nunca, Ignacio Abel recobraba más nítida la presencia fantasma de Judith Biely; despertaba de unos minutos de sueño agitado en una estación o en el camarote del barco con el trofeo valioso de su voz recién escuchada o de la sensación exacta del roce de sus pezones sonrosados; durante unos segundos la veía viniendo hacia él en dos tiempos simultáneos, en el recuerdo superpuesto al presente como una doble placa fotográfica. Despertó una noche y no sabía dónde estaba. Mecido en la oscuridad, muy suavemente, en el silencio, con la certeza de haber estado a punto de eyacular, con el recuerdo de uno de aquellos intercambios de palabras en inglés y en español que eran tan gustosos como la mezcla de sudores, de salivas y flujos: «*I'm coming*, córrete, cómo lo dices tú, *I'm coming now*.» La luminosidad tenue en el ojo de buey sobre su litera lo situó en el espacio, pero no en el tiempo. Podía haber despertado al cabo de varias horas de sueño o llevar dormido unos pocos minutos. No tenía sueño y no estaba cansado. Por primera vez las planchas metálicas no vibraban, no llegaba a sus oídos el ritmo pesado de las máquinas. Se puso la gabardina sobre el pijama y subió a la cubierta, siguiendo pasillos estrechos y poco iluminados en los que no había nadie. Una sensación de lucidez aguda y ligereza física era tan intensa como el aire de sueño que el silencio y la soledad otorgaban a las cosas. Se apoyó en una barandilla y no vio nada, salvo las guirnaldas de luces suspendidas sobre la cubierta, difuminadas en una niebla espesa, aunque nada fría, inmóvil en la noche sin viento. De vez en cuando se escuchaba al fondo el chapoteo débil del agua contra el casco, y llegaba de lejos la sirena grave de otro buque, revelando acústicamente la anchura del espacio invisible. También oía cerca un sonido idéntico al de una campana de iglesia, una campana que repetía monótonamente una cierta cadencia, como la de la llamada a misa o al rezo del rosario en los atardeceres de una capital de provincia española. El oído se iba ajustando a las lejanas impresiones sonoras como la pupila a la llegada muy lenta de la claridad. Oyó voces muy cerca pero aún no distinguía a nadie. Sólo un poco después empezó a distinguir formas acodadas en la barandilla que la niebla y la oscuridad le habían ocultado hasta entonces. Abrigos echados sobre camisones y pijamas; manos que se extendían en una dirección en la que él no distinguía nada. Poco a poco fue consciente de un sonido ronco y continuo que parecía venir de las bodegas más profundas del barco. Pero se apagaba, y volvía el silencio, y con él las voces más claras y los golpes del agua contra el casco; las voces haciéndose más precisas, como las caras iluminadas por mecheros que se encendían un instante, por brasas de cigarrillos, caras familiares después de una semana de travesía. Hacia un lado se veía una línea larga de luces que parpadeaban; hacia el otro, una sombra alta y compacta, como un acantilado basáltico, destacando apenas en la niebla, casi negro contra el gris muy oscuro en el que se disolvía, punteado ahora de constelaciones, al mismo tiempo que el rumor se volvía más poderoso, poco a poco discordante. El oído y no la vista le reveló primero que al fondo de la niebla estaba Nueva York; que había notas agudas de cláxones en el zumbido formidable; tableteos súbitos de trenes sobre puentes de hierro; sirenas de barcos y de fábricas. En la niebla cada vez más clara descubría los perfiles verticales de la ciudad como si estuviera viendo definirse los rasgos de una presencia deseada. Estar llegando a Nueva York era, insensatamente, sentir otra vez el estremecimiento de la cercanía física de Judith Biely; imaginar contra toda expectativa racional que ella estaría esperándolo a la salida del muelle; que aparecería en el vestíbulo del hotel, o al fondo de una calle, o en el sendero de un parque, como había aparecido tantas veces en Madrid. La ciudad estaba tan asociada a ella que no era posible llegar a Nueva York y no encontrarse con Judith Biely. Y junto al deseo regresaba el miedo ante aquel abismo poderoso en el que sería tan fácil perderse, ante la escala de un mundo que se hacía más desmedido según la niebla se aclaraba. La campana de iglesia era la de una boya que oscilaba con las olas y el viento, una alarma en la bruma. Esos acantilados de torres surgiendo de las aguas eran una ciudad: ese mar de aguas color de acero y orillas perdidas en la distancia era un río. Habría que revisar de nuevo los documentos, que prepararse para el nuevo escrutinio, para las miradas desdeñosas y hostiles y los posibles gestos groseros, para la paciencia y la indignidad. En las caras estragadas por la noche tan breve que ahora llenaban la cubierta Ignacio Abel reconocía a los que ya eran sus semejantes: los fugitivos de Europa, los mal afeitados, los que llevaban maletas sujetas con cuerdas, los que manoseaban nerviosamente carteras de documentos. Cómo los distinguía de los otros, los viajeros por gusto y los hombres de negocios, los que tenían un pasaporte sólido, una credencial indiscutible. Quizás cuando uno pasaba al otro lado de la frontera entre los unos y los otros ya no había la posibilidad del regreso. Quizás él mismo, cuando sometiera sus papeles al escrutinio de los aduaneros americanos, descubriría que en el tiempo de su viaje la República Española había sido ya derrotada y por lo tanto él era ciudadano de un país inexistente. Bajó al camarote a vestirse y a preparar una vez más la maleta y cuando subió con ella a la cubierta la niebla se había disipado: con estupor descubrió los colores todavía débiles que cobraban las cosas, los bronces de las cornisas, los azules del cielo, los verdes sombríos del agua en los muelles, los rojos y ocres del ladrillo, punteados a la primera luz del día por resplandores de azulejos en las terrazas de los edificios más altos, en los que a veces también se distinguían manchas verdes de árboles, oros y burdeos de enredaderas otoñales. Judith Biely no le había advertido y él no había sabido imaginar que Nueva York no era una ciudad en blanco y negro como en las películas.

24

El revisor ha entrado anunciando el nombre de la próxima estación con una voz grave y poderosa que retumba por encima del ruido del tren. Otros viajeros se levantan ya, poniéndose sombreros y gabardinas, abrigos ligeros, inclinándose para mirar por las ventanillas, con un aire de fatiga y monotonía, hombres cansados del día entero de trabajo que vuelven a casa a la caída de la tarde, recogiendo carteras, guardando periódicos, mirando un paisaje tan familiar que apenas lo ven aunque lo tengan delante de los ojos, la anchura inmensa del río, la orilla por la que corre el tren, tan cerca del agua que olas débiles golpean contra el talud de las vías, el paisaje opresivo o tranquilizador de la vida diaria que parece no cambiar nunca, o sólo en la medida previsible en que cambian las estaciones, en que se adelanta o se atrasa la hora del anochecer o los ocres y rojos sustituyen a los verdes intensos en las copas de los árboles unas semanas antes de que las ramas se queden desnudas. Hay un final para cada viaje y hasta para cada huida, pero dónde termina una deserción, cuándo. La corriente del río tiene una textura oleosa manchada de rojo en la luz declinante. Se puede ir huyendo de la desgracia y del miedo tan lejos como sea posible pero dónde se esconderá uno del remordimiento. En las colinas de la otra orilla los bosques adquieren un color de óxido más oscuro y más denso, interrumpido por manchas blancas de casas en las que ya se van encendiendo las luces aunque todavía falta para que se haga de noche. Lugares perfectos donde refugiarse; para que dos amantes se encuentren a salvo de cualquier mirada espía; para que alguien vuelva cansado y en paz y ni siquiera cierre la puerta con llave ni tenga miedo de los ruidos nocturnos. Con sus carteras o sus pequeñas maletas en la mano, con las solapas de los abrigos subidas contra el frío húmedo de los bosques y el río, los pasajeros que ahora se disponen a bajar del tren caminarán por senderos de grava al fondo de los cuales brillará una lámpara encendida tras una ventana grande sin cortinas. Él también caminó así otras veces, saliendo de la pequeña estación a la que había llegado al pueblo de la Sierra en el tren de Madrid, alguna tarde perdida de finales de septiembre o principios de octubre, no un recuerdo preciso sino una impresión general y muy poderosa de otoño recién comenzado: el anochecer prematuro, la novedad del olor hondo de la tierra más húmeda y de los pinos, después del verano todavía tan próximo, el gruñido de la verja de hierro y la sensación de frío en las manos al empujar los barrotes, mientras del interior de la casa, al fondo del jardín ya ganado por las sombras, venían las voces atenuadas de sus hijos, como envueltas en el humo de leña de encina que ascendía de la chimenea contra el cielo todavía azul claro, atravesado por bandadas de pájaros migratorios. Habían terminado las vacaciones pero la familia demoraba perezosamente el regreso a Madrid, o tal vez uno de los niños estaba malo y era aconsejable que siguiera respirando el aire de la Sierra o había en Madrid una de aquellas epidemias infantiles más o menos imaginarias e Ignacio Abel había decretado que no era prudente que los niños volvieran a la escuela. Sería la época en la que aún no tenía coche. Habría vuelto en el tren disfrutando del viaje, revisando papeles, o dejando la mirada perdida en los encinares que tenían un brillo de oro polvoriento al sol de la tarde (entre las encinas se distinguía a veces la silueta nerviosa de un ciervo, el relámpago de una liebre). Pisaría hojas recién caídas en el sendero de grava del jardín mientras se acercaba a la casa, a la ventana iluminada contra la que se aplastaba una cara infantil, y luego otra, las dos muy juntas, redondas como melocotones o manzanas, las narices pegadas al cristal, los chicos y Adela alertados de que el padre venía por el silbido del tren, cuyos vagones ya con las luces encendidas verían pasar desde el mirador, tan cerca que el suelo de la casa vibraba.

Se prepara de nuevo, para otra llegada, amedrentado por el uniforme del revisor que grita el nombre de la próxima estación alargando mucho la primera sílaba, como un pregonero o un vendedor ambulante, *Rhine... berg*, urgiendo con brusquedad afable a los pasajeros para que se preparen y no olviden nada al bajar del tren, un empleado de uniforme y con gorra de plato que por una vez no da órdenes ni exige documentos. La maleta ya dispuesta, la cartera en su sitio, segura en el bolsillo interior, el pasaporte en el otro, su tacto flexible reconocido debajo de la tela, la rodilla izquierda que se mueve en el nerviosismo de la anticipación, la mano derecha que roza la cara, comprobando una aspereza de barba, agudizando en Ignacio Abel la inseguridad acerca de su aspecto, ahora que va a ser examinado por las miradas objetivas de los desconocidos que vendrán a recogerlo: el traje sin lustre, la gabardina arrugada, la camisa en la que no consiguió borrar del todo una mancha de café, los zapatos que debió hacerse lustrar esta mañana, cuando al salir del hotel lo interpeló con una gran sonrisa sarcástica un limpiabotas negro, diciéndole algo que tardó unos segundos en descifrar, *You should be ashamed of them shoes, man.* Algunos pasajeros ya se han levantado y van hacia la salida al fondo del vagón, pero otros permanecen sentados, como si aún quedara tiempo de sobra, aunque tal vez no bajarán aquí, de modo que lo más seguro es ir levantándose también, porque las paradas han sido muy breves. La desgana, de pronto, el cansancio en los hombros y en la nuca, en los dedos que deberán otra vez asir la maleta, en los pies que después de más de dos horas de inmovilidad se han hinchado dentro de los zapatos cuarteados (irreconocibles, y sin embargo hechos a mano y a medida, en la existencia anterior), el desánimo en el filo mismo de una llegada que se ha postergado tanto, que es el final transitorio del viaje pero tal vez no de la huida y desde luego no de la deserción. Tanto empeño para llegar aquí y ahora lo que desearía es que durara un poco más el viaje, unas horas, tal vez la noche entera, para evitarse así todo movimiento, la necesidad de hablar, de restablecer el contacto humano cancelado y convertirse de nuevo en quien casi ha dejado de ser en las últimas semanas, en los últimos meses, el suplicio de contestar preguntas, qué tal su viaje, estará muy cansado, cómo era vivir en Madrid, es la primera vez que visita los Estados Unidos. Daría cualquier cosa para que ésta no fuera todavía su estación; para quedarse sentado un poco más, la nuca en el respaldo, la cara cerca del cristal, viendo pasar los bosques otoñales y el río, sólo eso, distinguiendo de vez en cuando una luz en un embarcadero, en la ventana de una casa solitaria, protegida del mundo a pesar de sus grandes ventanas sin rejas y ni siquiera cortinas, una casa donde los amantes pueden esconderse o donde una mujer y sus hijos han escuchado el silbido del tren y saben que el padre llegará dentro de unos minutos por la vereda entre los árboles.

Puede calcular los días que ha durado el viaje, la huida. Pero él sabe que la deserción no empezó hace tres semanas, en Madrid, cuando cerró la puerta de su casa sin molestarse en echar la llave —la llave que tintinea ahora en uno de los bolsillos de su pantalón junto a algunas monedas españolas, francesas y americanas, el mismo bolsillo en el que guarda el billete del tren y el recibo de la cafetería donde tomó esta mañana una taza de café y una porción de tarta—, sino mucho antes, más de dos meses atrás, exactamente el domingo 19 de julio, unos minutos antes de las cinco de la tarde, en el momento preciso en el que su mano derecha asió el metal ardiente de uno de los barrotes de la verja, en la casa de la Sierra, para asegurarse de que quedaba cerrada, justo cuando se oyó ya muy cerca el silbido del tren. Débil, casi un silbato, con arreglo a la escala, a la penuria española de las cosas, no con la honda vibración de sirena de barco con que este tren americano advierte de su cercanía, retumbando en el río y en los bosques, los bosques que a un paso de las vías tienen ya una espesura ingobernable de jungla. Miró el reloj; las cinco menos dos minutos; por una vez el tren iba a ser puntual; echó a andar deprisa por el camino de tierra, a lo largo de las tapias de otras casas de veraneantes, bajo el sol vertical de la siesta de julio, aunque tenía tiempo de sobra, ya que la estación estaba muy cerca, la pequeña estación a la que Adela había llegado hacia esa misma hora en el tren de Madrid, dos o tres semanas antes, cuando los hombres que jugaban a las cartas en la cantina se extrañaron de verla aparecer en el andén, sola, vestida de calle, con zapatos de tacón y un sombrero de visera corta ladeado sobre la cara. Los mismos hombres se fijarían en él cuando llegara al andén, casi desierto todavía, en el letargo de la siesta, porque aún no empezaban a volver los excursionistas que pasaban el domingo en el campo, este domingo igual que cualquier otro, a pesar de las noticias sobre la sublevación militar que no habían dejado de sucederse en la radio a lo largo del sábado, de los titulares que voceaban los vendedores de periódicos. Pero en el pueblo había muy pocos receptores y la radio apenas podía escucharse: ráfagas de voces o de músicas distorsionadas entre la confusión de los pitidos y los ruidos estáticos. Una pareja de guardias civiles recorría desganadamente el andén, los uniformes viejos, los rudos mosquetones al hombro, las oscuras facciones campesinas contrayéndose por el calor bajo los tricornios charolados. Uno de ellos le pidió a Ignacio Abel la cédula y le preguntó si iba a Madrid. Él quiso indagar si sabían alguna noticia reciente pero eludieron contestarle y cuando ya se había apartado de ellos y les daba la espalda se dijeron algo señalando hacia él. Bajo la marquesina el reloj de la estación estaba parado y tenía un cristal roto. En la lista de horarios de llegada y salida de trenes escrita a mano con tiza en una pizarra había dos o tres faltas de ortografía. El calor de julio abatía la voluntad y desfibraba las cosas, anestesiando la conciencia bajo la luz excesiva y el clamor de las chicharras. Llegó el tren y la locomotora de carbón inundó el aire de humo negro y de un olor a hollín que a los pocos minutos ya se había adherido a la ropa. Temblaba por dentro de impaciencia, de deseo, de incredulidad, miraba el reloj al acomodarse en el duro asiento de madera y le costaba prestar atención a las conversaciones excitadas de la gente, a los rumores y las noticias fantásticas que se contaban los unos a los otros, como niños que se atropellan contando películas. Por primera vez al cabo de muchos días iba a encontrarse con Judith Biely, no en un café, no en el rincón furtivo de un parque, sino en casa de Madame Mathilde, en el dormitorio alquilado donde estarían echadas las cortinas para permitirles que se escondieran de la luz del día, donde la vería desnuda viniendo hacia él, inclinándose en la penumbra, Judith recobrada, ofrecida de nuevo, resistiéndose a cumplir su propia decisión, atada a él por una necesidad más poderosa que el remordimiento o la decencia. *A pesar de todo lo que estaba pasando te morías de ganas de volver a Madrid sin que te importara qué pudiera ser de tus hijos y menos todavía de mí y mira qué suerte tuviste porque ése fue ya el último tren que pasó hacia Madrid. Qué raro se nos hace no escucharlos nunca yendo y viniendo seguro que no te acuerdas de cómo les gustaba a los chicos verlos pasar cuando eran más pequeños aunque ahora al menos como no los oyen no piensan que tú puedas venir en uno de ellos. Aunque mal que me pese sé que si no te hubieras ido te habría pasado algo muy malo y tú me entenderás sin que yo tenga que explicártelo.*

Se había alejado por el sendero del jardín, rozando las hojas grasientas de la jara, el sombrero sobre los ojos, el maletín en la mano, resistiendo la tentación de mirar otra vez el reloj, de apresurar el paso cuando todavía estaba a la vista de todos, el grupo familiar que reanudaría el zumbido de la conversación a la sombra de la parra en cuanto él se hubiera marchado, el transeúnte o el huésped que raramente aparecía en las fotos, conteniendo su impaciencia y su prisa hasta llegar a la verja y cerrarla por fuera, cuando sonara una vez más el silbido del tren, el silbato escuálido de su locomotora. Antes de salir, ya con la mano en la cancela abierta, se volvió hacia la casa, y por un momento los vio a todos como si ya se hubieran olvidado de su existencia, como si nada más irse se hubiera borrado su presencia entre ellos. La escena familiar no habría sido más lejana, más cerrada sobre sí misma, si la estuviera viendo en una foto, la foto de un veraneo indeterminado, de varios años atrás, el veraneo intemporal de una familia de desconocidos en una casa de la Sierra. Como en una foto de otros tiempos cada personaje permanecía inmóvil en una actitud casual pero significativa que lo aislaba de los otros al mismo tiempo que sugería sus vínculos con ellos: el hombre mayor en camiseta de tirantes que en cualquier momento, cuando deje de hablar, se quedará dormitando en una mecedora, con un sombrero de paja o un pañuelo caído sobre los ojos; la mujer de pelo blanco y mandil oscuro, visiblemente la matriarca de la casa, sentada en una silla baja, cosiendo o bordando algo o sosteniendo en las manos algo que podría ser un rosario; el cura corpulento con las piernas muy separadas y el cuello de la sotana desabrochado; las quebradizas señoritas solteras, peinadas melancólicamente a la moda de muchos años atrás; la otra mujer, más joven pero ya entrada en años, carnal todavía, a pesar de los mechones entreverados de pelo gris, de las gafas demasiado serias para su cara ancha y plácida que se ha puesto no para coser sino para leer un libro; para fingir que se ha sumergido en su lectura y que no mira al hombre de traje claro que se aleja ahora mismo por el sendero, de espaldas a ella, intentando no apresurar el paso de una manera demasiado visible, demasiado impúdica; yendo hacia dónde, hacia quién, a pesar de sus promesas tan torpemente formuladas, de su contrición que es falsa no porque él finja sino porque no hay remedio, porque lo irreparable ya ha sucedido. Lo ha mirado irse, y como lo conoce bien y puede predecir cada uno de sus gestos ha sabido que iba a volverse al llegar a la cancela y ha sido entonces cuando ella ha bajado los ojos hacia el libro. Entre la sombra y la luz, una figura de espaldas, con una bandeja en las manos: para quien vea la foto al cabo de los años esa cara permanecerá siempre oculta; la criada joven, con el mandil blanco sobre el vestido oscuro, con la cofia que la señora se empeña en que lleve aunque están en la Sierra, trayendo una gran jarra de limonada fresca y unos vasos: al moverse entre las zonas de sombra y de luz que proyecta el emparrado el sol hiere durante unos segundos el líquido amarillo y verdoso, volviéndolo dorado, un poco antes de que al llegar a otra sombra parezca turbio y translúcido. Hubiera debido beber un vaso de limonada antes de marcharse: se lo ofreció Adela, mirándolo de soslayo, diciéndole que la limonada estaría dispuesta en un momento, pero él no podía arriesgarse, ya había escuchado el pitido del tren, ya tenía preparada la cartera y guardadas las llaves del piso de Madrid. Ahora le dio sed (pero no había tiempo de beber esa limonada) y al volverse desde la cancela sintió que le apretaba la piel el cuello flexible de la camisa de verano (olería a sudor cuando se abrazara a Judith; olería al hollín de la locomotora). En la foto tal vez aparecerá movida, como una ráfaga blanca, la figura de la hija que después de acompañar al padre hasta la mitad del jardín y darle dos besos y decirle que tenga cuidado y vuelva pronto se habrá sentado en el columpio y empezado a mecerse dándose impulso ella misma, más infantil en la casa de la Sierra que en Madrid, porque aquí está más cerca de sus recuerdos de niña, de la memoria atesorada de tantos veraneos idénticos, el mismo jardín y el mismo columpio de goznes oxidados, su padre alejándose por el sendero con la cartera en la mano y el paso decidido porque ya ha sonado el pitido del tren, las voces adormecidas de la tertulia familiar a su espalda, mientras empieza a mecerse, la voz grave del abuelo, las risitas de pájaro de las tías solteras. Llamará a su hermano para que venga a empujarla, aunque ahora ya no se pelearán como hace sólo unos años por ocupar el columpio, no contarán en voz alta las veces que cada uno empuja al otro ni será necesario que la madre o el padre vengan a imponer turnos rigurosos. En la foto, en el recuerdo, el niño es una figura apartada de las otras, situada en el peldaño más alto de la entrada a la casa, junto a una de las chatas columnas de granito que sostienen la terraza del piso superior, delante de la zona de sombra más densa del zaguán en el que zumban las moscas. El hijo no hace nada, sólo mira hacia su padre que se va, hacia el espectador futuro de la fotografía; crecido de pronto, taciturno, con una sombra de bozo en el labio superior, ingresado en una edad más oscura que la infancia; muy serio, como cada vez que ve irse a su padre, agraviado porque se marche hacia una vida que él no conoce y que ni su madre ni su hermana comparten; viéndolo irse con la antigua mezcla enconada de alivio y de resentimiento, y de anticipada añoranza; el hijo que no ha dejado de observar a su madre desde que la trajeron del hospital donde había pasado una semana por culpa de un accidente que nadie explicó; y del que él sólo sabe, imagina, que tiene que ver con su padre, con la cara desconocida y aterrada que tenía su padre aquella noche en que lo vio de pie en el centro de su despacho, delante del cajón volcado, en medio de los papeles y fotos en desorden que cubrían el suelo. Hay cosas que él ve con toda claridad y los demás parece que no advierten, y eso lo desconcierta y le da ese aire de ensimismamiento contrariado que no está en las fotos de los veraneos anteriores, tan parecidas sin embargo a ésta que en realidad sólo existe indeleble en la conciencia de Ignacio Abel, fijada en ella por la culpa. Un niño cambia tan rápido a esa edad, habrán empezado a salirle granos, se le estará oscureciendo la voz y si su padre la escuchara ahora tal vez no la reconocería, al cabo tan sólo de tres meses. Pero dónde habrá empezado este curso, si es que hay escuelas o institutos abiertos en el otro lado, en la zona enemiga, su hijo perezoso y demasiado aficionado a las fantasías del cine y de las revistas que suspendió en junio la mitad de las asignaturas, aunque ni el padre ni la madre prestaron demasiada atención a ese contratiempo que en otras circunstancias los habría disgustado tanto, la madre en aquel hospital y luego convaleciente de algo que no se sabía lo que era en el dormitorio donde las cortinas estaban siempre echadas para que no entrara la luz del día, el padre tan agitado por su trabajo en la Ciudad Universitaria, saliendo de casa casi al amanecer y volviendo a veces de madrugada, recogido en el portal del edificio por un automóvil en el que viajaba junto a él un hombre de su confianza del que Miguel y Lita sabían que llevaba una pistola, un guardaespaldas como los de las películas, aunque con una gorra de albañil y no un sombrero de gángster, con una colilla en un ángulo de la boca.

Cómo será haber vivido ese domingo, esa semana entera. Cuántas personas quedarán que todavía recuerden, que conserven como una frágil reliquia una imagen precisa, no agregada retrospectivamente, no inducida por el conocimiento de lo que estaba a punto de ocurrir, lo que nadie preveía en su escala monstruosa, en su sanguinaria sinrazón, prolongada durante tanto tiempo que ya nadie se acordaría de la vida normal y ni siquiera tendría capacidad de añorarla, la vida ya trastornada sin remedio aunque no hay ni un solo signo de cambio en las cosas que Ignacio Abel ha visto al salir de la casa, después de haber cerrado la cancela chirriante y de limpiarse con un pañuelo la palma de la mano, a la que por culpa del sudor se le ha adherido un poco de óxido. Quiero imaginar con la precisión de lo vivido lo que ha sucedido veinte años antes de que yo naciera y lo que dentro de no muchos años ya no recordará nadie: el brillo de esos pocos días de julio en la distancia y la negrura del tiempo, esa tarde precisa, los días que la han precedido; y para hacerlo de verdad necesitaría algo casi tan imposible como la clarividencia de un pasado muy anterior a la propia memoria: necesitaría la inocencia sobre el porvenir, la ignorancia absoluta sobre lo que es ya inminente en la que viven cada una de esas personas, su ceguera asombrosa y unánime, como una de esas epidemias arcaicas de las que morían en oleadas millones de seres humanos. Pero quién podrá adelantar la mano traspasando la frontera del tiempo; tocar las cosas, no sólo imaginarlas, no sólo verlas en vitrinas de museos o fijándose mucho en los pormenores de las fotografías: tocar la superficie fresca de esa jarra de agua que un camarero acaba de dejar sobre el velador de un café de Madrid; ir por una acera de la Gran Vía o de la calle de Alcalá y pasar de la claridad del sol a esa zona de sombra que dan los toldos listados, cuyos colores no permite distinguir el blanco y negro de las fotos; tocar las hojas carnosas de los geranios que se ven en el quicio de una ventana, en la foto de una estación de la Sierra muy parecida a la que hay tan cerca de la casa en la que veranea la familia de Ignacio Abel. Lo más trivial sería un tesoro: subir a un taxi, por ejemplo, percibir los olores que habría en el interior de un taxi de Madrid un día de julio de 1936, a cuero gastado y sudado, sin duda, a la brillantina que se echaban entonces los hombres en el pelo, y de la que habrían quedado rastros en el respaldo, a tabaco, un olor a tabaco que será muy distinto del que pueda respirarse ahora, porque todo es minuciosamente específico y todo ha desaparecido, o casi todo, igual que ha desaparecido casi todo lo que podría ver si se me fuera concedido el don de ir en ese taxi asomado a la ventanilla, salvo la topografía de las calles y la arquitectura de un cierto número de edificios: todo arrasado por un gran cataclismo que está sucediendo a cada minuto, más eficiente y más tenaz que la guerra, que se ha llevado todos los automóviles, todos los tranvías con sus anuncios descoloridos por la intemperie, todos los toldos y todos los letreros de las tiendas, que ha sumergido en asfalto los adoquines y antes arrancó de ellos los rieles de los tranvías, todas las maniquíes de los escaparates con sus vestidos de verano y sus bañadores y los cabezones sonrientes de las sombrererías, todos los carteles pegados por las fachadas, desvaídos por la lluvia y el sol, arrancados a jirones, carteles de mítines políticos y de corridas de toros y partidos de fútbol y combates de boxeo, carteles de concursos para elegir a la señorita más guapa en la verbena del Carmen, carteles electorales que habrán durado desde la campaña de febrero y en los que tendrán expresiones rotundas de triunfo candidatos luego derrotados. Ver y tocar, oler: una mañana de calina a finales de mayo me llega al pasar junto a la verja de un palacete medio en ruinas el olor denso y delicado de las flores de un álamo gigante que ha prosperado en el abandono y la maleza y ese olor es sin duda idéntico al que hubiera percibido alguien al pasar por este mismo lugar hace setenta y tres años. Toco las hojas de un periódico —un volumen encuadernado del diario *Ahora* de julio de 1936— y me parece que ahora sí estoy tocando algo que pertenece a la materia de aquel tiempo; pero el papel deja, en las yemas de los dedos, un tacto de polvo, como de polen muy seco, y las hojas se quiebran en los ángulos si no las paso con la cautela necesaria. No me cuesta nada conjeturar que Ignacio Abel leería ese periódico, republicano y moderno, templado políticamente, con excelente información gráfica, con una pululación de noticias breves en letra diminuta que siguen transmitiendo al cabo de casi tres cuartos de siglo como un zumbido de panal, un rumor poderoso y lejano de palabras perdidas, de voces que se extinguieron hace mucho tiempo. Compró el periódico el domingo 12 de julio al bajarse del tren en la estación, a la caída de la tarde, cuando volvió de la Sierra, y probablemente le echó una ojeada y lo guardó en el bolsillo o lo dejó olvidado en el taxi que lo llevaba al centro, a la plaza de Santa Ana, con el descuido con que se manejan y se pierden las cosas más usuales, las que están en todas partes y todos los días y sin embargo desaparecen sin huella al cabo de muy poco tiempo, o se conservan por puro azar, porque alguien usó las hojas del periódico de ese día para forrar un cajón, o porque el periódico quedó guardado en un baúl que nadie vuelve a abrir en setenta años, junto a un librillo de notas con unas cuantas fechas apuntadas, un fajo de postales, una caja de cerillas, un posavasos de un cabaret en el que hay dibujado un búho de color rojo, semillas intactas de ese tiempo que fructificarán en la imaginación de alguien todavía no nacido. Iba a la plaza de Santa Ana con la esperanza de ver a Judith. Tres días antes ella había accedido por teléfono a encontrarse con él cuando regresara de su viaje tantas veces postergado a Granada, a condición de que él no la buscara, de que no la llamara ni le escribiera ni intentara verla: no le dijo cuándo iría a Granada ni cuándo volvería, no tenía por qué darle esa información; estaría esperándolo en casa de Madame Mathilde el domingo 19; quizás se iría después a asistir a unos cursos de literatura en la Universidad Internacional de Santander. Ignacio Abel aceptó el trato con la avidez de un adicto dispuesto a malbaratarlo todo a cambio de una sola dosis de asegurada delicia. Colgó el teléfono y empezó a contar el tiempo que faltaba para encontrarse con ella. El sábado día 11 por la mañana dejó el coche en un taller mecánico de la calle Jorge Juan y fue en tren a la Sierra. Conversó con don Francisco de Asís, con el tío sacerdote, con las tías solteras; explicó que la huelga de la construcción ya no podía durar demasiado y que no era cierto que cuadrillas de huelguistas amenazadores estuvieran asaltando las tiendas de ultramarinos; desmintió que él mismo se encontrara en peligro: había recibido algunos anónimos, como todo el mundo, pero la policía aseguraba que no tenía que seguir preocupándose, de modo que había prescindido del escolta armado que venía a recogerlo cada mañana, no sin cierta decepción de Miguel, que encontraba muy novelesco a aquel hombre joven y serio del que nadie habría podido decir que guardaba una pistola automática bajo la americana; el cuñado Víctor había avisado que ese domingo le iba a ser imposible asistir a la comida familiar, de modo que el arroz con pollo de doña Cecilia —calificado de inmarcesible por don Francisco de Asís— pudo ser disfrutado sin las incertidumbres y los sobresaltos de casi todos los domingos de verano, aunque doña Cecilia no dejó de preguntarse no sin desaliento dónde habría comido ese muchacho, en cualquier fonda o taberna y de cualquier manera, con lo que a él le gustaba ese arroz, que a juicio de don Francisco de Asís no tenía parangón en los mejores restaurantes de Madrid. Adela asistía a todo entre apaciguada y ausente, un poco adormecida por las pastillas que le habían recetado al darle el alta en la clínica. Aceptaba con una media sonrisa la nueva actitud de deferencia de su marido; a Miguel, observándola, le sorprendía que la sonrisa fuera tan afectada, que hubiera en ella una convicción de verosimilitud aún más escasa que en las atenciones conyugales de su padre: ponerle bien el cojín en el respaldo de la silla de mimbre, llenarle el vaso de agua. El sábado, al llegar, Ignacio Abel había traído para ella un ramo de flores. Adela le dio las gracias diciendo que eran muy bonitas y Miguel se fijó en que no las había mirado ni una sola vez cuando se las pasó a la criada para que las pusiera en un jarrón. Debajo de su apariencia de normalidad aquella familia escondía un secreto inconfesable. Después del arroz y del café a la sombra del emparrado Ignacio Abel pareció quedarse dormido un rato en la mecedora pero en realidad las manos apoyadas en los brazos curvados no llegaban a abandonarse al descanso. Miguel veía la tensión de los nudillos bajo la piel, el movimiento de los globos oculares bajo los párpados. Detectives de Scotland Yard resuelven misterios en apariencia insolubles estudiando los detalles más nimios en la escena de un crimen. Bastaba que se acercara el sonido de un tren para que su padre entreabriera los ojos; para que consultara con disimulo el reloj. Era asombrosa la poca capacidad de fingir que tenían los adultos; tan predecibles y sin embargo tan pomposos, tan seguros de que hicieran lo que hicieran no despertarían sospechas. Unos minutos antes de que llegara el tren de las seis hacia Madrid Miguel vio a su padre cruzar el jardín con su traje claro y su sombrero de verano, con su maleta bajo el brazo, caminando hacia la verja desde la que se volvería para decir adiós antes de desaparecer durante cinco días enteros. Aprieta la cartera para hacernos saber que es muy importante lo que lleva en ella y que no tiene más remedio que irse; se vuelve cuando ya ha abierto la verja y ni siquiera aguarda a haberse perdido de vista para borrar de su cara cualquier indicio de que todavía está aquí.

En la casa de la Sierra la privación de Judith había sido más tolerable porque parecía formar parte del orden de las cosas. Nada más salir de la estación y respirar en el atardecer de julio el aire caliente de Madrid ya no podía no buscarla. No tendría paciencia para leer el periódico, más grueso en la edición del domingo. Se bajó del taxi en la esquina de la calle del Prado y de la plaza de Santa Ana con la premonición de que alguna de aquellas mujeres de melenas cortas y vestidos estampados de verano iba a ser Judith, de que iba a verla saliendo del portal de su pensión o detrás del cristal de esa heladería en la que le gustaba tanto tomarse vasos de horchata y helados de leche merengada, sus dos nuevas pasiones españolas. Buscarla intensamente era una forma de propiciar que apareciera. En la sensualidad del roce del aire cálido en el atardecer había ya algo de ella; en el azul todavía luminoso del cielo sobre el torreón fantástico del hotel Victoria, que a ella le gustaba tanto, porque lo había visto nada más abrir la ventana de su habitación la primera mañana que pasó en Madrid. Pero tal vez estaba en Granada y la sensación de inminencia era un espejismo, y la búsqueda estéril. Ignacio Abel ronda las aceras de plaza de Santa Ana, llenas de terrazas en las que la gente toma cervezas y refrescos agradeciendo los primeros signos de tibieza nocturna después del domingo de calor. Por los balcones abiertos se ven los interiores iluminados de las casas; conversaciones familiares y tintineo de platos se confunden a veces con la música de los aparatos de radio, que emiten en directo el concierto de la Banda Municipal de Madrid, dirigida por el maestro Sorozábal. La imaginación estremecida se alía al conocimiento de los datos exactos y por unos segundos casi de alucinación una noche de julio de hace setenta y tres años está cayendo ahora mismo. La Banda Municipal de Madrid toca en el paseo de Rosales, y quien la esté escuchando olerá al mismo tiempo la humedad del césped recién regado en el Parque del Oeste. Consultando en el periódico el programa de Unión Radio para la noche del domingo 12 de julio se podrá saber qué pieza musical puede oírse viniendo de los balcones abiertos mientras Ignacio Abel se detiene desalentadamente en un banco de piedra todavía recalentado de la plaza de Santa Ana, el periódico doblado sobre las rodillas, la mano que lo sujetaba pegajosa de tinta por culpa del calor. En su casa de la calle Velázquez número 89, el diputado José Calvo Sotelo, que también ha pasado el día en la Sierra, escucha el concierto en la radio en un salón que imagino ampuloso, junto a su mujer y sus hijos; un salón con cuadros religiosos antiguos y muebles españoles, como los que le gustan a don Francisco de Asís. El teniente José Castillo sube por la acera de la calle de Augusto Figueroa muy erguido en el interior de su uniforme negro de oficial de la Guardia de Asalto, braceando ligeramente, rozando con la mano derecha la cartuchera donde lleva la pistola, con un gesto de cautela instintiva, porque en los últimos meses no ha parado de recibir anónimos con amenazas de muerte, desde que disparó en la plaza de Manuel Becerra contra los fascistas que acompañaban el ataúd del alférez Reyes. Calvo Sotelo es un hombre con un gesto de solemne altivez, con una cara ancha y carnal, con la apostura de quien ha ocupado siempre sin incertidumbre su lugar de primacía en el mundo; tiene cara de hijo y yerno ejemplar de una dama católica del barrio de Salamanca; habla con la voz cálida y con una retórica entre de exaltación y apocalipsis que arrebata a las señoras y provoca la admiración ilimitada de don Francisco de Asís cuando le lee en voz alta sus discursos parlamentarios a doña Cecilia. El teniente Castillo es delgado, menudo, muy recto, rígido cuando lleva el uniforme, con gafas redondas, con el pelo escaso y aplastado. Se ha despedido de su mujer en el portal de la casa de Augusto Figueroa en la que los dos viven con los padres de ella, recién casados jóvenes que aún no pueden costearse una vivienda propia. Solo en medio del tumulto festivo de la noche del domingo en la plaza de Santa Ana Ignacio Abel capitula y decide que volverá a su casa en Príncipe de Vergara dando un largo paseo a través de Madrid; dormirá mejor si llega muy cansado; tomará cualquier cosa de pie en la cocina y recorrerá camino del dormitorio los salones en penumbra donde los muebles y las lámparas están cubiertos de lienzos blancos desde que la familia se trasladó a la Sierra a principios de julio. Mientras baja por la calle de Alcalá camino de Cibeles el teniente Castillo está cruzando Augusto Figueroa hacia Fuencarral y ha mirado un momento su reloj de pulsera para asegurarse de que le queda tiempo para entrar puntualmente de servicio en el cuartel de la Guardia de Asalto que está detrás del Ministerio de la Gobernación. Cruzará la Puerta del Sol y aún faltarán unos minutos para las diez en el gran reloj del ministerio. En casa de Calvo Sotelo alguien ha apagado las luces del salón para aliviar el calor y para escuchar más placenteramente el concierto de la Banda Municipal en el Parque del Oeste. En el salón en penumbra brilla más nítidamente el dial del aparato de radio, iluminando las caras, la cara recia de párpados pesados de Calvo Sotelo. Cuando el teniente Castillo está cruzando la calle hay un tumulto brusco que no llega a entender porque las cosas que suceden muy rápido sólo producen confusión y estupor aunque el corazón parece que se le contrae en el pecho y la mano derecha palpa la culata de la pistola y ni siquiera llega a sacarla de la funda. Al teniente Castillo lo aturde un torbellino de bultos humanos y golpes secos que tan cerca no parecen disparos y cuando abre los ojos sólo ve formas borrosas que se deslizan velozmente porque ha perdido las gafas y está desangrándose y lo marea el olor a gasolina en el taxi donde lo llevan a la Casa de Socorro. Cuando el público aplaude al final del concierto de la Banda Municipal y los músicos ya empiezan a guardar con un aire laboral de fatiga sus partituras y sus instrumentos el teniente José Castillo está muerto. José Calvo Sotelo no se ha cruzado nunca con él y no llegará a saber que lo han asesinado y que a causa de ese crimen él va a morir tan sólo dentro de unas horas. Antes de acostarse Calvo Sotelo se arrodilla en pijama delante del crucifijo que hay sobre la cama de su dormitorio. Entre la casa de Calvo Sotelo en la calle Velázquez esquina Maldonado y la de Ignacio Abel en Príncipe de Vergara se tardarían no más de quince minutos caminando. A las dos de la mañana Ignacio Abel se revuelve en la cama sin poder dormir escuchando a veces, por el balcón abierto, motores lejanos de automóviles que cruzan la ciudad vacía, acordándose de Judith Biely y contando los días que le faltan para verla, sólo una semana, imaginando las cartas que le escribiría si ella no se lo hubiera prohibido. «Mejor nos callamos los dos durante un tiempo. Demasiado hemos dicho ya, demasiado hemos escrito.» En medio de la noche, en el gran rumor de la ciudad que se extiende más allá de los postigos entornados por los que entra a veces un soplo de brisa, cada vida parece alojada en la órbita de un sistema solar muy distante de los otros. José Calvo Sotelo estaba durmiendo tan profundamente en su cama conyugal bajo un gran crucifijo que tardó en oír los golpes violentos de culatas, las voces que ordenaban que se abriera la puerta. El martes 14 por la mañana Ignacio Abel compra el diario *Ahora* y la cara de José Calvo Sotelo llena entera la portada, la cara ancha y solemne que es ahora la de un muerto. Día tras día esa semana compra periódicos y escucha conversaciones excitadas en los cafés y noticias insustanciales en la radio y calcula el tiempo que le falta para que se cumpla el plazo, para que pueda encontrarse con Judith Biely. En los libros de historia los nombres tienen una rotundidad abrumadora y los hechos se suceden como cadenas inapelables de causas y efectos. En el presente puro que uno quisiera saber imaginar, en el pulso íntimo y verdadero del tiempo, todo es una agitación minuciosa, un aturdimiento de voces que se superponen, de páginas de periódico pasadas apresuradamente y leídas a medias, olvidadas en seguida, mezcladas entre sí, disgregándose casi en el momento en que parecía que se ordenaban para cobrar un sentido inteligible, un día y otro día, olas de palabras viniendo una y otra vez a romper contra el límite de lo desconocido, lo que sucederá mañana mismo y nadie puede predecir.

Dos crímenes abominables en el transcurso de unas pocas horas. Un teniente de Asalto y el señor Calvo Sotelo asesinados en Madrid. El teniente Castillo fue agredido a tiros cuando salía de su casa a las diez de la noche del domingo. El jefe de Renovación Española fue secuestrado en las primeras horas de la madrugada, muerto de un balazo y su cadáver depositado, por sus mismos agresores, en el cementerio municipal. El cadáver del teniente Castillo es trasladado a la Dirección General de Seguridad. Los familiares del señor Calvo Sotelo explican cómo fue éste sacado con engaños de su domicilio. El señor Calvo Sotelo había pasado el domingo en Galapagar. Minutos antes de ser asesinado el teniente Castillo se despidió de su joven esposa en el portal de su domicilio. Numerosos turistas alemanes visitan Ceuta y Tetuán. Un automóvil arrolla a una moto y resultan gravemente heridos el conductor de ésta y su acompañante. En Detroit y Michigan los depósitos judiciales están atestados de personas muertas víctimas de la ola de calor que azota los Estados Unidos y los médicos forenses aseguran que jamás han conocido tal número de asfixiados. En Murcia fueron detenidas numerosas personas de filiación derechista. Un incendio destruye una barraca y resulta herido el trapero que la habitaba. Se tira desde un trampolín a una charca y se destroza la cara contra una piedra. Rafael Díaz Rivera, de trece años de edad, desesperado por haber perdido, jugando, noventa céntimos que se le habían dado para un encargo, se suicida en Priego ahorcándose de un árbol. Centenares de atletas, representantes de veintidós países, se congregarán en Barcelona el próximo domingo 19 de julio para celebrar la gran Olimpiada Popular. Un niño de once años asesta a otro una puñalada y lo deja gravísimo. El fantasma que creyeron ver algunos vecinos en Tarragona era una anciana que tenía perturbadas sus facultades mentales. Cuatro individuos armados asaltan la radio valenciana y amordazan al locutor para pronunciar un discurso en tono fascista en el que dicen que la hora está próxima y anuncian para una fecha cercana el movimiento salvador. Un grupo de gitanos tirotea y hiere gravemente a un labrador con el propósito de robarle. Ante el monumento a los muertos en Verdún los excombatientes alemanes fraternizan con los franceses en un homenaje que causó emoción profunda. Un camión atropella a un niño y el padre del muchacho hiere gravemente a uno de los conductores del vehículo. El pacto de paz germano-austríaco puede abrir camino a una alianza entre Alemania, Austria e Italia. Mussolini dice que el acuerdo debe ser saludado con satisfacción por los amantes de la paz. Con motivo del quinto aniversario de la fundación del Club de Natación de Sevilla se celebró un festival humorístico en el que los participantes lucían grotescos trajes de bañistas. El pasado domingo tuvo lugar en la embajada de Brasil una comida en honor del presidente de la República y señora de Azaña a la que asistieron miembros del gobierno, insignes diplomáticos y otras destacadas personalidades. El público forma cola a las puertas de la Dirección General de Seguridad para desfilar ante el cadáver del teniente Castillo. En la becerrada celebrada en Madrid a beneficio del Montepío de Ferroviarios hizo su presentación la señorita torera Julita Alocén. Todas las minorías parlamentarias del Frente Popular condenan los asesinatos de los señores Castillo y Calvo Sotelo y ratifican su adhesión y apoyo al gobierno de la República. Tres individuos atacan a un campesino y le extraen sangre después de anestesiarle. Con motivo de su cumpleaños le ha sido concedida a Litvinoff la Orden de Lenin. En la pensión donde se hospedaba intentó poner fin a su vida disparándose un tiro de pistola la señorita Lidia Margarita Corbette de nacionalidad suiza. El presidente de la República veraneará en Santander. Consideran que el Duce tiene la misión pacífica de organizar Europa. Cuatro vagones de un tren procedente de Bilbao caen por un terraplén y resultan cuatro personas muertas y sesenta heridos. La policía de Barcelona sorprende una reunión clandestina de afiliados a Falange Española. Por pescar truchas durante el baño perecen en el río. Una expedición soviética perdida en el desierto de Cazakstán. El director general de Seguridad ha manifestado que se trabaja con grandísimo interés para descubrir a los autores de los asesinatos del teniente Castillo y del señor Calvo Sotelo. Un motorista embriagado extrema la velocidad de su máquina y se estrella contra un muro. El herrero de Coria del Río José Palma León «Oselito» va desde Sevilla hasta Barcelona corriendo dentro de un aro de carreta para participar en la Olimpiada Popular. Para efectuar la autopsia del cadáver del señor Calvo Sotelo se procedió al afeitado de la región occipital revelando dos orificios de entrada de dos balas disparadas a muy corta distancia. Con motivo de la fiesta de la Virgen del Carmen se han celebrado en el pintoresco pueblo de Santurce animadísimas fiestas, entre ellas una novillada. En la capilla ardiente el cadáver de don José Calvo Sotelo, amortajado con un hábito de franciscano y sosteniendo un crucifijo, se hallaba en una caja de caoba con herrajes de plata. Ejecutan en Londres por envenenar a su esposo a una mujer de treinta y tres años que era madre de cinco hijos. La hipopótama del Jardín Zoológico de Barcelona ha dado a luz felizmente un robusto vástago. La Diputación permanente de las Cortes prorroga el estado de Alarma. En la terraza del hotel Nacional ha tenido lugar el banquete homenaje al doctor don Guillermo Angulo, especialista de niños, por su reciente triunfo al ganar en reñidísima oposición la plaza de director del servicio de Puericultura del Instituto Nacional de Previsión Social. Ha sido entregado el sumario por la muerte del teniente Castillo al juez especial señor Fernández Orbeta, quien actúa con gran actividad. Un labrador penetra por una ventana en la habitación donde dormía una joven y es muerto por ella de un disparo. Los secuestradores del señor Calvo Sotelo cortaron los cables del teléfono para evitar que hiciera llamadas avisando de su detención. Gran auge de las fiestas medievales en la Alemania de Hitler. Una ciudad de Anatolia, pasto de las llamas. A partir de la próxima semana quedan suspendidas las audiencias en el Palacio Nacional hasta después del veraneo de su excelencia el presidente de la República. Los familiares del señor Calvo Sotelo explican cómo fue éste sacado de su domicilio con el pretexto de una investigación oficial. El ilustre astrónomo señor Comas y Solá nos relata las posibilidades de grandes perturbaciones electromagnéticas para el año 1938. El director general de Seguridad felicita a la policía de Murcia por la captura de un peligroso fascista fugado de la cárcel. El teniente Castillo y su joven esposa habían contraído matrimonio en Madrid el pasado mes de mayo. El ilustre profesor español señor García y Marín pronuncia el discurso inaugural en la solemne sesión de apertura del Congreso Internacional de Ciencias Administrativas de Varsovia. Cuando examinaba una pistola encasquillada el comandante militar de Las Palmas general Balmes se le dispara ésta penetrando el proyectil por el vientre y saliendo por la espalda. Un ingeniero catalán descubre un carburante a base de vino que sustituye ventajosamente a la gasolina. Las diligencias del juzgado especial logran determinar la persona que al frente de los secuestradores se presentó en el domicilio del señor Calvo Sotelo el pasado domingo. A bordo de un yate español fondeado en Gibraltar a una señorita se le dispara el revólver que manejaba dejándola gravemente herida. Cuando el soberano británico se dirigía a Hyde Park para entregar las nuevas banderas al regimiento de Guardia un individuo rompió el cordón policial y se precipitó revólver en mano hacia el monarca. No aparecen los autores de la muerte del capitán Faraudo y el fiscal pide siete años de cárcel para los cómplices detenidos. En el avión correo de Madrid a Lisboa ha partido en dirección a la capital de la vecina República el ilustre doctor Marañón acompañado por su familia. El autor del atentado contra el rey Eduardo VIII de Inglaterra es un reformador social que participó en campañas contra la pena de muerte. En el popularísimo teatro de la Latina se ha estrenado con éxito realmente extraordinario *Crimen en los barrios bajos*, melodrama de honda raigambre popular y bien estudiados ambientes de los notables literatos Antonio Casas y Manuel García Nogales. Un individuo que dio muerte a su madre y a su tía en Barcelona ha sido condenado a sesenta años de prisión. La viuda del señor Calvo Sotelo llegó ayer a Lisboa y se propone veranear con su familia en Estoril. Una parte del ejército que representa a España en Marruecos se ha sublevado contra la República, volviéndose contra su propia patria, realizando actos vergonzosos contra el poder nacional. El número de víctimas por la ola de calor en los Estados Unidos se eleva ya a 4.600. En este momento las fuerzas de aire, mar y tierra, salvo la triste excepción señalada, permanecen fieles al cumplimiento del deber y se dirigen contra los sediciosos para reducir este movimiento insensato y vergonzoso. El gobierno de la República domina la situación y afirma que no tardará muchas horas en dar cuenta al país.

«Volveré el jueves por la noche, el viernes por la mañana como más tardar», había dicho, no exactamente a Adela, sino en dirección a ella, porque Adela, aunque estuviera cerca de él, ahora no lo miraba a los ojos, desde que volvió del hospital, o no registraba del todo su presencia, y si era ella quien le hablaba lo hacía en un tono neutro que parecía eludir cualquier emoción. Sólo él lo notaba, y si acaso también su hijo demasiado sensible y siempre vigilante, esa actitud de desapego, de desquite sin huella, una herida hecha con un filo que no dejaba ningún rastro, como una sugerencia de descrédito hacia cualquier cosa que hiciera o dijera él, el marido adúltero cuya traición sólo ella conocía, el agobiado por una culpabilidad que sólo ella administraba, pues no se dispersaba en melodrama ni en escándalo, en oprobio público y ni siquiera familiar. Adela, contra lo que Ignacio Abel cobardemente esperaba, no dijo nada a nadie, no buscó refugio en sus padres ni tampoco en su hermano, que alimentaba tantas sospechas, que la interrogó con la seguridad ansiosa y vengativa de que la razón de que hubiera intentado quitarse la vida era la infidelidad del esposo, en quien él nunca había confiado. Ni siquiera delante del hermano reconoció que ésa hubiera sido su intención. Recobró la conciencia en la cama del hospital y al principio no recordaba nada ni sabía dónde estaba, y sin premeditarlo, mientras iba poco a poco acordándose, en fogonazos inconexos, de las cartas y las fotos, de la llave en la cerradura del cajón, de caminar con los tacones sobre el sendero mullido por agujas de pino, del sofoco del agua entrando por su nariz, decidió que no iba a explicar nada, al principio sólo por cansancio, luego para no dejar que nadie más interfiriera en un resentimiento que prefería volcar íntegro sobre quien la había humillado, porque pertenecería al secreto de su intimidad conyugal en la misma medida que el amor de otros tiempos, que su pasión sexual de mujer tímida y ya no joven a la que nadie imaginaba poseída por un arrebato. No levantaría la voz. No haría ninguna acusación. No rebajaría a espectáculo de despecho el agravio que el hombre en quien había confiado durante dieciséis años (a pesar de su rareza, de su desapego, de sus largos períodos de frialdad) le había infligido. No le daría a nadie, y menos a él, la ocasión de sentir lástima de ella; tampoco le ofrecería el espectáculo de una histeria que le permitiera a él sentirse justificado en el impulso de huir de una situación asfixiante. Ni siquiera le concedería el alivio de rechazar y luego poco a poco admitir sus explicaciones mentirosas, las promesas de enmienda que estarían provocadas tan sólo por la cobardía masculina, por el remordimiento más o menos transitorio. Lo único que hizo fue callar. Asentir distraídamente si él le hablaba, o mirar hacia otra parte, o indicarle con algún gesto sutil que ya no se creería nada que viniera de él, rebajándolo de la categoría de marido adúltero a la de mediocre impostor, de comediante trapacero y algo indigno. El domingo por la mañana, cuando ya estaban puestos los platos y los cubiertos en la mesa y se retrasaba la hora de la comida porque ella y sus padres aún tenían la esperanza de que Víctor llegara de Madrid (se lo había prometido a don Francisco de Asís y a doña Cecilia) vio que Ignacio Abel se acercaba a ella y a los chicos y comprendió que iba a decirles que se volvía a Madrid en cuanto terminaran de comer, y no por la noche, o a la mañana siguiente, como había asegurado el sábado por la mañana al llegar (el coche estaba averiado en un taller;

el lunes o el martes le habían dicho que podría recogerlo; uno hace continuamente planes en la vida dando por su- puesto el porvenir inmediato). Vio que se acercaba, pero que no se atrevía. Con algo de sarcasmo, con una clarivi- dencia fría, casi con lástima (estaba tan desmejorado, tan ansioso en los últimos tiempos), Adela notó su nerviosis- mo, ella que lo conocía tan bien, mejor que nadie, el modo en que sin que él se diera cuenta sus gestos lo delataban, tan torpe para mentir, tan poco valiente siempre para decir con claridad lo que le apetecía. Hizo como que no se daba cuenta, como que dedicaba toda su atención a revisar el modo en que las criadas, siempre negligentes, habían dis- puesto cubiertos y servilletas a los lados de los platos, bajo el emparrado, en el lado norte del jardín, que era el menos caluroso, donde un hilo de agua que manaba sobre una pila de piedra cubierta de musgo acentuaba la sensación de frescor. Estando solos era más incómoda la ficción que representaban habitualmente delante de los otros. Sin tes- tigos no sabían cómo dirigirse la palabra. Él retrasaba el momento de decir que iba a marcharse después de comer; Adela le adivinaba el agobio de que se siguiera posterga n- do la comida porque el hermano no venía; el tiempo para- lizado y a la vez huyendo; la hora del tren acercándose sin que llegara la comida, sin que él dijera nada. Que don Francisco de Asís saliera al jardín con su anticuado reloj de cadena en la mano fue un alivio para Ignacio Abel. Quería asegurarse de que su reloj no atrasaba. También él espe- rando, preguntándose el motivo por el cual su hijo atolon- drado y temerario tardaba tanto en llegar de Madrid. «Con lo que sabe que su madre se preocupa», decía don Francis- co de Asís, ya sin teatro, más envejecido, la camisa sin cue- llo, los tirantes colgando a los lados del pantalón. «No será nada. Siempre llega tarde. Lo mejor será que empecemos nosotros a comer sin contar con él.» Adela se dirigía a su padre pero a quien le hablaba era a Ignacio Abel, a quien ni siquiera estaba mirando: le concedía un alivio para su impaciencia, le decía que a ella no le importaba que se volviera a Madrid esa misma tarde; que le importaba tan poco que ella misma hacía lo posible para que la comida estuviera lista cuanto antes y a él le sobrara tiempo para tomar ese tren en el que aún no había avisado que se iba.

Empezaron a comer y Víctor no se había presentado. Su plato estaba dispuesto y vacío, en su lado habitual de la mesa, la servilleta doblada, la cuchara, el tenedor, el vaso para el vino.

—Qué disgusto. Con lo que le gusta a él mi arroz con pollo. Algo le tiene que haber pasado.

—Le exigí que me diera su palabra de hijo y de caballero de que no iba a asistir al entierro de Calvo Sotelo.

—Que Dios tenga en su gloria.

—Y también al pobre teniente de Asalto.

—Más pena me da de su viuda, tan joven, que no tenía culpa de nada.

—Dicen que estaba embarazada.

—Gran mérito para el que cometiera el crimen, dejar huérfano a un niño que no ha nacido todavía.

—Me prometió que hoy sí que vendría. Algo le ha pasado a este chico.

—Le habrá pasado lo que le pasa todos los domingos, mamá, que se distrae en Madrid y siempre llega tarde.

—Igual con tanto jaleo no funcionan los trenes.

—Claro que funcionan. Toda la mañana los he oído pasar a su hora.

—Señal de que no ocurre nada grave y de que no tienes que preocuparte.

—Teníamos que haber esperado un poco más para echar el arroz. No había ninguna prisa.

—Pero, mamá, estábamos todos desfallecidos.

—Ese chico no come bien cuando está solo en Madrid. Por lo menos si lo veo alimentarse bien el domingo me quedo más tranquila.

—Se le guarda un plato tapado y cuando vuelva verás con qué hambre se lo come.

—Pero, Adela, tú sabes que el arroz se pasa y ya no tiene ninguna gracia.

—Tu arroz con pollo es un clásico, mamá. El tiempo lo mejora.

—Papá, qué cosas tienes.

Don Francisco de Asís y doña Cecilia se llamaban papá y mamá el uno al otro. Ignacio Abel escuchaba la conversación y podía predecir infaliblemente cada réplica, casi palabra por palabra, igual que predecía el sabor muy azafranado del guiso de arroz de doña Cecilia y los diversos ruidos de succión de cada uno de los comensales, empezando por el *paterfamilias*, como se llamaba a sí mismo don Francisco de Asís. Tantos domingos, uno tras otro, exactamente iguales, tantos veranos en torno a esta misma mesa, el presente idéntico al pasado y sin duda al porvenir, la persistencia de la monotonía sobreponiéndose a cualquier posibilidad de variación. Llegaría Víctor en el último momento y doña Cecilia urgiría a la criada a que le sirviera su plato de arroz, lamentando que ya se hubiera pasado, que es una lástima pero que el arroz no tiene espera; Víctor lo devoraría desmintiendo con la boca llena los vaticinios tristes de la madre, porque el arroz estaba riquísimo, a él le gustaba así todavía más, un poco pasadito; doña Cecilia diría, ves, está pasado, me lo reconoces, pero quién te manda venir tan tarde de Madrid, qué habrás estado haciendo; don Francisco de Asís apuntaría (con una esperanza que él mismo sabía infundada, y una sospecha que nunca se atrevería a formular) que el chico estaba en edad de interesarse por alguna señorita, era ley de vida, la dulce tiranía del amor. Pero ese domingo terminó la comida y Víctor no había llegado, y doña Cecilia, como tantas veces, le encargó a la criada que guardara bien tapado el plato de arroz del señorito en la alacena, lamentando de nuevo la circunstancia deplorable de que el arroz, si no se comía cuando estaba a punto, se pasaba, quedándose atenta al oír que un automóvil se acercaba por el camino, o que un silbato anunciaba la llegada de un tren.

—Seguro que es él. Con un poco que hubiéramos esperado para echar el arroz habría podido comérselo como Dios manda.

Recuerda la urgencia de la huida, él intocado por el sopor de la digestión, por el estado de catalepsia en que el calor de la siesta de julio y la densidad del guiso de arroz con pollo de doña Cecilia sumían en la sobremesa de cada domingo de verano a los habitantes de la casa. «Si tenemos tanto calor aquí», decía siempre alguien, abanicándose, a punto de sucumbir al sueño, «no quiero imaginarme el que estarán pasando en Madrid». «Hay una diferencia mínima de tres grados centígrados.» Ayer sábado había comprado el periódico antes de tomar el tren y en la información sobre el Consejo de Ministros no se decía nada sobre los rumores de golpe militar. «El mundo entero envidia la noble institución española de la siesta.» «No se me quita de la cabeza el disgusto de que ese chico no haya probado el arroz de hoy.» Después de una privación tan larga no sabía imaginar que en unas pocas horas estaría abrazando a Judith, viendo su boca y sus ojos, escuchando su voz. «Todavía puede venir y se lo toma de merienda.» Llamaría temblando de impaciencia y deseo al timbre de la casa de Madame Mathilde, que difundía un sonido de campanas. «No es lo mismo. El arroz se pasa y ya no tiene gracia.»

Cruzaría una penumbra caliente con olor a perfume y a desinfectante, empujaría la puerta. «Tu arroz es inconmensurable, mamá.» El sonido de las voces era tan letárgico como el de las chicharras en esa hora de máximo calor. Ignacio Abel entró en el dormitorio, fresco de penumbra; se puso la camisa limpia, la corbata; se frotó bien las manos con jabón de lavanda, las manos que dentro de menos de dos horas estarían acariciando a Judith Biely. Miraba el reloj una y otra vez con un gesto reflejo. Por la ventana entornada entraba el sonido del columpio herrumbroso en el que sus hijos se mecían. ¿Había escuchado, todavía muy lejos, el silbido del tren? No era posible, faltaba más de media hora. Tendría tiempo de esperar, voluptuosamente solo, en un banco del andén. No le importaba nada en ese momento. Sólo sentía la segura expectación del encuentro carnal con Judith, más real según los minutos lo iban haciendo más cercano. Llegaría a Madrid y la tensión agobiante del viernes por la noche se habría disipado, anulada por el calor de julio, por el glaciar invencible de la normalidad. Llegaría a Madrid y tomaría un taxi en la explanada desierta de la estación y viajaría temblando de deseo por la ciudad deshabitada en el domingo de verano hacia el chalet de Madame Mathilde. Alguien había entrado en el dormitorio y se volvió con pesadumbre pensando que encontraría la cara indiferente o agraviada de Adela. Era don Francisco de Asís, con su camisa sin cuello, con sus zapatillas viejas de casa y sus tirantes colgando a los costados. Desconoció su cara tan seria, de viejo desvalido. No era el mismo hombre que un rato antes sorbía tan sonoramente el caldo del arroz y chupaba los huesos más diminutos del pollo.

—Ignacio, no deberías irte esta tarde a Madrid. Esto te lo debería decir mi hija pero te lo digo yo. No te vayas. Espera unos días.

—Tengo trabajo mañana, muy temprano. Usted sabe que no puedo quedarme.

—Cualquiera sabe lo que estará pasando mañana.

Cerró su maletín, que estaba sobre la cama. Guardó la cartera en un bolsillo del pantalón, las llaves del piso de Madrid. Tenía algo de tiempo pero no podía desperdiciar ni un minuto. Tiempo en nuestras manos. Fue a salir y don Francisco de Asís estaba delante de la puerta, desconocido, sin rastro de farsa en los rasgos flojos de su cara, más bajo que él, solicitándole algo. De pronto había desaparecido el personaje que llevaba interpretando tantos años, y en su lugar Ignacio Abel veía a un anciano muerto de miedo, la voz grave convertida en un rumor de súplica.

—Tú sabrás cuidar de ti mismo, pero mi hijo no. Mi hijo se estará buscando una desgracia, si no le ha pasado ya y por eso no ha venido hoy. Tú tienes juicio y él no, tú lo sabes. Prométeme que si le pasa algo vas a ayudarle. Tú eres mi hijo, igual que él. Tú has sido como mi hijo desde la primera vez que entraste en mi casa. Lo que pensemos o lo que no pensemos cada uno a mí no me importa nada. Tú eres un buen hombre. Tú sabes igual que yo que matando a las personas a tiros como si fueran alimañas no se arregla nada. Lo único que te pido es que cuando estés en Madrid si sabes que mi hijo se ha metido en algún disparate le eches una mano. Tú sabrás cómo. ¿Cuándo vuelves?

—El jueves por la noche. El viernes como más tardar.

—Tú eres un buen hombre. Tráelo contigo. Mi hijo tiene cerca de cuarenta años y es peor que un niño. No tiene cabeza. Para qué nos vamos a engañar. No sacará nunca nada en limpio. Pero por lo menos que no le pase nada. Que no me lo maten. O que él no haga ninguna barbaridad. Tú no lo dejes.

—Y yo qué puedo hacer.

—Puedes darme tu palabra, Ignacio. No te pido más que eso. Dame tu palabra y yo me quedaré tranquilo y seré capaz de tranquilizar a su madre.

—Le doy mi palabra.

Ignacio Abel, impaciente, hacía ademán de salir de la habitación con el maletín en una mano y el sombrero en la otra y don Francisco de Asís no se movía del hueco de la puerta. Le agarró el cuello con las dos manos y se abrazó a él, transmitiéndole su olor a vejez y a linimento aceitoso, le dio dos besos húmedos en la cara. Camino de la estación Ignacio Abel aún se limpiaba instintivamente las mejillas, apresurándose porque había oído el silbato del tren ya mucho más cerca.

25

No volvería a verla nunca. Lo supo con la certeza física de un pinchazo o una contracción en el estómago; con la sensación de vértigo de no encontrar un peldaño en la oscuridad: como el sobresalto de esas veces en que a punto de dormirse el corazón parecía pararse durante un segundo o saltar un latido. Lo supo según la expectación segura del deseo se fue convirtiendo en incertidumbre cuando el tren ya entraba en Madrid; cuando bajó del vagón apenas chirriaron los frenos y apresuró el paso entre el gentío del andén buscando la salida más cercana y la parada de taxis. Judith le había prometido un encuentro que él no sabía si era una despedida o una reconciliación y hasta unos minutos antes de la hora no se le ocurrió pensar que ella pudiera no presentarse. La deseaba tanto que no aceptaba la idea intolerable de no verla, después de tantos días separado de ella, de llamadas de teléfono en vano y cartas sin respuesta. Chocaba con la gente por el vestíbulo en el que los grandes ventiladores del techo no disipaban la densidad caliente del aire. La bullanga de los excursionistas de cada domingo por la tarde tenía un ingrediente bronco de insolencia y motín: pañuelos rojos al cuello, camisas vagamente marciales con grandes cercos de sudor en los sobacos, hombres y mujeres muy jóvenes mezclados en un descaro de fraternidad entre sexual y revolucionaria, coreando consignas, enardecidos por su condición de multitud. Notaba miradas de desafío dirigidas a su corbata o a sus zapatos, a su visible condición de burgués. Hasta su edad lo volvería sospechoso para ellos. Qué lejos estaba de aquella gente tan joven que había ido invadiendo el tren en cada una de las paradas de la Sierra: lejos no de su jactancia o de su extremismo político sino de su misma juventud. Oía gritos de vendedores, silbidos de trenes, himnos, fragmentos de conversaciones al pasar. Todo era mucho más borroso que el pinchazo en el estómago y en el costado, la presión en las sienes, el sudor que le empapaba la camisa, el filo interior del sombrero oprimiendo la frente, el nudo de la corbata apretándole el cuello. Niños con gorras y harapos de mendigos voceaban los periódicos de la tarde, agitando las anchas hojas recién impresas, tinta negra corrida en titulares enormes. En los altavoces resonaban las llamadas para las salidas de los trenes. Veía borrosamente grupos de guardias en los vestíbulos de la estación y paisanos armados. Si lo hacían detenerse para pedirle la documentación o para preguntarle algo perdería la oportunidad de encontrar un taxi. Los taxis son lo primero que desaparece cuando hay un tumulto. Tantos hombres armados y muy pocos de ellos vestían uniforme. Hombres con fusiles, con alpargatas, gritando órdenes sin quitarse los cigarros de la boca. Hombres jóvenes con fusiles en las manos y pistolas terciadas en la correa del pantalón, con pañuelos rojos o rojos y negros al cuello. El tren había venido tan despacio que ya eran más de las siete y Judith estaría empezando a impacientarse. Con suerte, si encontraba un taxi, podría llegar a casa de Madame Mathilde antes de las siete y media. Quizás debería llamar desde una cabina o desde el teléfono del café de la estación para avisar de que iba a retrasarse pero estaba en camino. Palpaba la cartera, buscaba monedas sueltas por los bolsillos mientras seguía avanzando hacia la salida. Pero si se paraba a llamar y el teléfono estaba ocupado o no funcionaba perdería en vano un tiempo decisivo. A un hombre gordo y bien vestido que caminaba delante de él y que había venido en su mismo vagón lo habían hecho detenerse y lo zarandeaban registrándole la ropa. Una cartera y un puñado de monedas y llaves se le cayeron ruidosamente al suelo y una nube de golfos empezó a pelearse para recogerlas mientras los hombres armados reían a carcajadas. Los guardias, muy cerca, miraban sin hacer nada. «Esto es un atropello», repetía el hombre, congestionado, cuando Ignacio Abel pasó junto a él, procurando no encontrar la mirada de nadie. «Un atropello incalificable.» Apretó el paso, las mandíbulas, el corazón golpeando en la oquedad del pecho. Si lo hacían pararse perdería para siempre a Judith Biely, si no encontraba un taxi. La vida entera puede depender de un minuto. De una furgoneta que había frenado bruscamente vendedores veloces y ansiosos descargaban grandes paquetes de periódicos. Logró comprar uno y lo miró por encima mientras salía a toda prisa. El gobierno de la República domina la situación y afirma que no tardará muchas horas en dar cuenta al país de estar dominada la situación. Por lo pronto no parecía que dominaran la sintaxis. Pero quizás Judith tampoco había podido llegar a tiempo. Andaría perdida como él en otro extremo de la ciudad, sin tranvías ni taxis, interrumpida en su caminata por uno de aquellos grupos armados, asustada tal vez. *Las Fuerzas de Seguridad y de la Guardia Civil Ovacionadas en las Calles de Madrid.* Pero no tenía miedo de nada y además era extranjera. Querría verlo todo y escribir una crónica de lo que estaba pasando. O quizás se había marchado de Madrid. Sus amigos de la embajada le habían dicho que durante un tiempo iba a ser peligroso seguir en España. Philip Van Doren la había invitado a unirse a él en Biarritz a finales de julio. *Lo que yo habría querido era irme contigo pero ya no puedo seguir deseando cosas imposibles.* Van Doren sonreía, con un gesto despectivo y no del todo masculino de la mano que descartaba cualquier peligro serio como si apartara una nube de humo de tabaco. «Mientras se maten uno a uno y por turnos no pasará nada. Un comunista, un falangista; una obrera, un patrono; en los países católicos hay un talento para los entierros elocuentes; hasta los anarquistas imitan la pompa católica cuando van a dar sepultura a uno de los suyos; ¿y no hablan todos de mártires, profesor Abel? Un derramamiento de sangre bien administrado garantiza la paz social.» Recordaba la sangre derramada del falangista o comunista que vendía periódicos una tarde de mayo en la acera de la calle de Alcalá: el charco escarlata, brillante al sol, pegajoso, manchándolo todo, brotando de un agujero negro. La sangre de los mártires. Hasta la última gota de sangre. La sangre que lavará las injurias. Salió de la estación sin que lo detuviera nadie, los ojos bajos, la cartera apretada bajo el brazo, el periódico entre las manos sudadas. El general Queipo de Llano ha decretado facciosamente el estado de guerra en Sevilla. Pero no había ningún taxi en la parada. Al amanecer se emprenderá una acción enérgica sobre aquellos lugares en que existan núcleos rebeldes. El tiempo huyendo, minuto a minuto, Judith sentada en el sillón del dormitorio, no en la cama, no desnuda como otras veces en que para aprovechar cada minuto ya se había quitado la ropa cuando él entraba en la habitación, desconcertado por la penumbra. Nunca más volvería a verla desnuda. La idea tenía la consistencia seca de un golpe, la materialidad de un espasmo de dolor. La Unión General de Trabajadores ordena huelga general en todos

aquellos sitios donde se haya declarado el estado de guerra. La imaginación lo atormentaba ofreciéndole los pormenores visuales de lo que no iba a encontrar. La melena
rubia de Judith en el contraluz de la ventana con los postigos entornados, su figura en el gran espejo que hay delante de la cama, las piernas cruzadas, un hilo de humo
subiendo del cigarrillo que ha encendido mecánicamente
pero que no fuma, malhumorada por el calor, cansada de
la espera. Se incendia un yate y para evitar que el fuego se
propague tratan de hundirlo con un submarino. Estará
mirando el reloj, con su impaciencia americana, arrepintiéndose de haber accedido a este encuentro que tal vez no
deseaba. En la explanada batida por el sol de la tarde de
julio sonó un estrépito como de petardos y alguien le gritó algo a Ignacio Abel haciéndole un gesto desde el quicio
de una puerta. Se tiró al suelo sin darse mucha cuenta de
lo que hacía, sin soltar la cartera, el cuerpo aplastado contra las aristas candentes de los adoquines. Delante de él un
hombre se tapaba la cabeza con las dos manos. Notaba en
el pecho la vibración de un tren subterráneo. Un poco más
allá, a la sombra del toldo de un café, varias personas se
protegían detrás de un hombre en camiseta que apuntaba
un fusil hacia las terrazas de enfrente. Miraban como si se
hubieran refugiado de un chaparrón repentino y buscaran
en el cielo los signos de que iba a escampar. Los disparos
aislados se convirtieron en ráfagas, luego se hizo el silencio. Como obedeciendo una consigna Ignacio Abel y el
hombre que se había tendido en el suelo delante de él se
levantaron, limpiándose la ropa, y la gente protegida bajo
el toldo del café se dispersó, dejando solo al que seguía
apuntando el fusil, ahora en otra dirección. Volvían a circular coches. Una mujer no se levantaba. No estaba tendi-
da boca abajo, sino de costado, como si se hubiera echado
un momento a dormir en medio de la explanada frente a

la estación. El otro hombre se acercó a ella, con una curiosidad sin alarma. Era el gordo al que había estado cacheando la patrulla en la estación. Parado junto a la mujer sacó un pañuelo blanco: absurdamente Ignacio Abel pensó que iba a limpiarse el sudor de la papada. Agitó el pañuelo pidiendo ayuda, sin lograr que se detuviera ninguno de los automóviles que pasaban cerca del cuerpo caído. Sus ojos encontraron los de Ignacio Abel: reconociéndolo del tren, imaginando que sería uno de los suyos, porque llevaba traje y corbata, porque tenía más o menos su edad; que podía contar con su ayuda. Pero Ignacio Abel apartó la mirada, deteniendo a un taxi que venía, súbitamente aparecido, urgiendo al conductor para que acelerara. Vio los ojos observándolo en el retrovisor. Se palpó la cara y tenía un poco de sangre en los dedos, el escozor de un arañazo en un pómulo. Se lo había desollado al aplastar la cara contra los adoquines. Si no tenía cuidado se mancharía la camisa, el lino claro de la chaqueta de verano. Llevaba consigo la cartera de mano pero había perdido el sombrero y el periódico. El hombre gordo lo había visto tomar el taxi y alejarse con un gesto de decepción en los brazos caídos, el pañuelo colgando inútil de su mano derecha. «Si no se me pone usted delante no le habría parado. Le hago a usted el servicio y me quito de en medio. Tal como están las cosas o me pegan un tiro o me roban el coche, que no sabe uno qué es peor. Pero he visto que usted es una persona de orden y me ha dado apuro, y tampoco era cosa de llevárselo por delante...» A Ignacio Abel se le desvanecían en el aire las palabras del taxista, igual que las imágenes al otro lado de la ventanilla, o la impresión del tiroteo y de yacer tirado y vulnerable en un gran espacio abierto. «... lo mismo que en el 32, con Sanjurjo, y que en el 34, cuando lo de Asturias. Se ve que toca cirio cada dos años...» El taxista no claudicaba, buscando en el retrovisor la cara del pasajero obstinadamente silencioso, tan bien vestido que probablemente simpatizaría con los sublevados, y por eso callaba. «... por la parte de O'Donnell la cosa estará más tranquila, pero nunca se sabe. Yo por si acaso me voy para casita y mañana Dios dirá, a lo mejor mañana ya se ha pasado todo, aunque yo esto lo veo más negro que un nublado, ¿no le parece a usted?...» Palabras deshaciéndose, grumos de sensaciones desapareciendo mientras miraba una y otra vez el reloj y lo dominaba la alarma cada vez que el taxi daba un frenazo y parecía a punto de quedar atrapado: lo rodeaban grupos confusos de gente; el taxista hacía sonar la bocina y retumbaban golpes furiosos contra las chapas; una camioneta descubierta llena de hombres que agitaban banderas les impedía el paso (hacían ademanes fatigados, como en los tiempos muertos de un desfile de carnaval); no iba a salir nunca de las calles del centro hacia las amplitudes despejadas del barrio de Salamanca, más allá del Retiro, de los hotelitos con jardines de la calle O'Donnell, que habían sido siempre, desde el otoño pasado, la anticipación de sus encuentros con Judith Biely, el territorio fronterizo y escasamente edificado del final de Madrid donde no era probable que alguien pudiera sorprenderlos cuando entraban a casa de Madame Mathilde o salían de ella, furtivos, por separado, impacientes de deseo o desconcertados por la luz del día después de una o dos horas de penumbra.

Cuanto más cerca estaba tenía más miedo. Quería adelantarse al tiempo y se echaba hacia delante en el asiento del taxi, la pierna derecha moviéndose rítmicamente, recibiendo en la cara el aire caliente que entraba por la ventanilla cuando empezaron a avanzar más rápido. Buscaba signos de lo que iba a sucederle al cabo de unos pocos minutos, profecías del porvenir inminente. Su imaginación escenificaba agotadoramente desenlaces posibles. Entraba en la casa y Judith acababa de marcharse. Caminaba por el corredor de paneles de maderas oscuras poco iluminado detrás de la criada sigilosa y en el último momento se adelantaba a ella para abrir cuanto antes la puerta de la habitación y ver a Judith sentada en la cama, con sus zapatos de tacón y su vestido de calle, como recién llegada a un hotel. Salía del taxi y al empujar la verja con el mismo gesto de otras veces la descubría cerrada. Tiraba de la campanilla cuyo eco débil le llegaba desde el interior de la casa y en el sonido que tantas veces había sido el preludio de su encuentro con Judith había ahora algo nuevo que no sabía lo que era pero que le advertía de antemano que no iba a encontrarla. La sirvienta le abría y antes de que tuviera tiempo de decirle nada o de mover la cabeza negativamente él comprendía que Judith no había venido. El pánico y el deseo le tomaban la delantera haciéndole asistir a espejismos de lo que aún no había sucedido. Una mujer sola y joven a la que vio por la ventanilla cuando el taxi ya aminoraba la marcha fue por un momento Judith, que se marchaba de casa de Madame Mathilde después de esperar durante una hora. Los rasgos deseados se disolvieron tan rápido como la palabrería del taxista o el espectáculo borroso de la agitación en las calles del centro. Pagó a toda prisa con un billete arrugado y tardó un poco más en salir porque estuvo buscando el sombrero hasta caer en la cuenta de que lo había perdido. En el final de la calle O'Donnell, ancha y despejada, con un horizonte abierto en el que iban a perderse las filas de árboles y los rieles y los tendidos eléctricos del tranvía, Madrid era de nuevo la ciudad deshabitada de las tardes de domingo en verano, paralizada por un calor polvoriento que no aliviaban las hileras de árboles demasiado jóvenes, sumida en un silencio de balcones clausurados. Sin sombrero se sentía inseguro y desprotegido en la calle. Se pasó la mano por el pelo, se ajustó la corbata, se limpió el pantalón, manchado al tirarse boca abajo en la explanada. En cuanto la sirvienta de Madame Mathilde lo viera con la cabeza descubierta y con un moretón en la cara tendría un gesto instintivo de reprobación. Tardaría unos segundos más en franquearle la puerta. Cada paso que daba iba acercándolo a una revelación indudable; fuera la que fuera aboliría el tormento minucioso de la incertidumbre. La verja cedió sin resistencia a su empuje excesivo. En el jardín había una fuente de taza sin agua coronada por una ninfa de yeso. Los postigos de las ventanas parecían más hostiles que nunca a la claridad exterior, a la posible indagación de quienes pasaran junto a la verja sospechando que la casa de apariencia tan digna no era la residencia de una familia próspera. En cuanto subiera unos pocos peldaños y pulsara el timbre eléctrico que provocaba en el interior de la casa una resonancia amortiguada de campanas sabría cuál iba a ser la forma definitiva de su vida. Pero no solicitaba un porvenir duradero y sin angustia, tan sólo una hora, el encuentro más breve, tan sólo la posibilidad de mirar de cerca a Judith Biely, de oír su voz; tal vez cuanto más limitada fuera su petición más esperanza habría de que le fuera concedida; humillándose facilitaría la benevolencia del azar; no intentaría abrazarla siquiera; le bastaría con estar a su lado y tener los minutos suficientes para decirle lo que era necesario y lo que no había dicho con claridad hasta entonces. Apretó el timbre y nadie venía a abrirle. El eco de campanas que Madame Mathilde debía de encontrar distinguido se desvaneció sin respuesta. La casa no estaba vacía porque en alguna parte se escuchaba una confusa emisión radiofónica. Pulsó de nuevo y la cara desconfiada de la sirvienta apareció en una apertura más estrecha que otras veces entre el marco y la puerta. Si no le decía nada y lo guiaba hacia la habitación de siempre era que Judith estaba esperándolo. La sirvienta llevaba un vestido negro y una cofia y por indicación expresa de Madame Mathilde no se pintaba los ojos ni los labios. Cerró la puerta y con la misma sonrisa débil y la docilidad silenciosa de otras veces le indicó que la siguiera, aunque él sabía bien el camino hacia la habitación. No le preguntó si Judith había venido: decir algo habría sido arriesgarse a ahuyentar una esperanza frágil. Al abrir la puerta la sirvienta bajó la cabeza y se hizo a un lado. Cuando él no se atrevía aún a mirar hacia el interior la voz de la sirvienta desmintió de antemano la posibilidad de que Judith ya estuviera esperándolo. «Si el señor lo desea mientras llega la señorita puedo servirle una bebida.»

El hielo se había disuelto del todo en el vaso de whisky cuando unos pasos que no eran los de Judith se acercaron a la puerta y unos golpes espaciados sonaron en ella. Había esperado en el sillón rojo que estaba junto a la ventana, sin moverse, o tan sólo lo justo para beber de vez en cuando un sorbo, notando con desagrado la tibieza gradual y el regusto alcohólico, asistiendo al progreso del anochecer. Igual que el hielo en el vaso su agitación se había disuelto poco a poco en abatimiento, en la simple inercia no de esperar lo que ya no sucedería sino de mantener la inmovilidad de la espera, por fatalismo o por desgana, por la incapacidad de tomar una decisión o de hacer algo que no fuera seguir sentado con el vaso en la mano, sumiéndose en la crecida de la oscuridad, viéndose a veces de costado en el espejo, si doblaba un poco la cabeza. Podía haber oprimido el timbre junto a la mesa de noche para pedir que le trajeran más hielo o preguntar si había alguna llamada, algún mensaje de Judith. Pero no hacía nada, sólo prolongaba la espera, aplazando la aceptación de lo que en realidad había sabido, adivinado no con la lucidez de su inteligencia sino con la punzada en el estómago, con la presión de la congoja en la garganta y en el pecho, los síntomas del miedo, el aviso de lo inaceptable. Seguía esperando como si su pura obstinación fuera un imán que influiría desde lejos sobre los actos y la voluntad de Judith. Inmóvil y alerta, sentado frente a la cama, escuchaba los rumores en el interior de la casa, más silenciosa que nunca, con un silencio de lugar abandonado que no se parecía al sigilo habitual de conspiraciones adúlteras y citas sexuales con duración estipulada. No oía campanillas amortiguadas, timbrazos breves, pasos junto a la puerta o en el techo. De las habitaciones contiguas no venían estertores demasiado cercanos, golpes de risa, palabras sueltas o gritos ahogados. Sólo la radio, en alguna parte, emitiendo voces y músicas confusas, anuncios. Y de fondo el clamor remoto de Madrid, más allá del primer plano sonoro de los pájaros entre las frondas del jardín, entrando por los postigos entornados al mismo tiempo que un aire tan caliente como una respiración, el que se desprendía de la tierra y del pavimento con la llegada del anochecer. Quedaban rescoldos de claridad en el rojo venal de la colcha, en el espejo, en la porcelana del bidet y el lavabo. En el recuerdo el cuerpo elástico y desnudo de Judith tenía la misma cualidad fantasmal que esa luz deshaciéndose. Qué mezquindad haberla traído tantas veces a un lugar así, no haber reparado en la vileza que había casi en cada objeto de la habitación, en su vulgaridad ostentosa, de un gusto depravado, de dormitorio burgués de principios de siglo revendido a un prostíbulo. Su piel joven había debido rozarse con esos tejidos brillosos, deshilachados, impregnados de olor a tabaco y a colonia barata; sus pies descalzos habían pisado esa alfombra con una gastada escena pastoril; cuando se echaba hacia atrás sentada en la cama su cabeza despeinada se había apoyado en esa pared con dibujos de flores en la que había un rastro oscuro de grasa. Contra el lujo decrépito de la casa de Madame Mathilde Judith Biely resaltaba como una presencia fulgurante que lo hubiera atravesado con una velocidad de nadadora, inmune a su contagio. La veía encabalgada sobre él, el pelo sobre la cara y el torso brillante de sudor, a la luz rojiza de una lámpara que convertía en nocturna la hora laboral de un lunes por la mañana. La veía arrodillada, todavía vestida, quitándole los zapatos, él sentado en este mismo sillón, alguno de los días que llegaba agotado del trabajo. Le dolían los pies y en los zapatos llevaba el polvo de las caminatas por las obras. Judith le desataba los cordones, le quitaba despacio un zapato, lo dejaba caer al suelo, luego el otro. Le quitaba los calcetines y le acariciaba los pies, aliviando el cansancio con el tacto de sus manos. Con las dos manos levantaba uno de los pies que el abandono y la fatiga volvían más pesado y lo apoyaba contra sus pechos, inclinándose para besarlo. Él iba a decir algo y Judith le ponía un dedo índice en los labios.

Los pasos acercándose que no eran los de Judith le hicieron despertar de su ensimismamiento. Cuánto tiempo llevaría en la oscuridad. Encendió una luz, aturdido, se puso de pie, tanteando para ajustarse la corbata, el cuello de la camisa. Después de unos golpes cortos de nudillos en la puerta, apareció la cara vieja y pintada de Madame Mathilde, pero lo que vio instintivamente Ignacio Abel fue el sobre que traía en la mano. En la hoja de papel que había en su interior estaría su condena, entre las manos rugosas con pulseras y anillos. *Aunque mucho quisiera no puedo ser tu amante dócil ni una querida española que tú guardas a una distancia mientras sigues viviendo con tu familia regular así que mejor me marcho e intento fuerte olvidarme de ti.* (La ira le había estropeado su español tan cuidadoso y esa caligrafía suya tan enérgica como su manera de caminar.) Madame Mathilde inspeccionó en un segundo la habitación con una mirada experta y fría y puso en seguida su cara afable, de complicidad discreta, ahora dolorida, portadora tal vez y muy a su pesar de noticias tristes, la carta entre sus dedos curvos de uñas tan rojas como el mohín arrugado de los labios. «Disculpe la confusión de la doncella, tiene torpezas de novata.» Madame Mathilde hablaba como si regentara una casa particular y honorable, con doncellas y no con sirvientas, de mucho protocolo, un internado o club social estricto en el que sin embargo se pronunciaban muy pocos nombres, y ningún apellido. «Tenía orden de avisarme cuando llegara usted, para que no se le hiciera esperar sin motivo. Vino la señorita esta tarde y me confió esta carta para usted, y me pidió le dijera que lamentándolo mucho no podría volver más tarde como sería su deseo porque le urgía ausentarse de Madrid. Lo cual no me extraña nada, tal como parece que están poniéndose las cosas, si me permite el comentario.» Ignacio Abel la miraba aturdido, asentía, sin reparar en que Madame Mathilde le estaba tendiendo la carta, impregnándola del olor del perfume pesado que usaba, y que desmentía por sí solo todo el simulacro de distinción de la casa de citas, como el carmín excesivo en sus labios de vieja. La leía luego sentado en la cama, a la luz insuficiente de la mesa de noche, bebiendo un whisky con hielo y soda que no recordaba haber pedido, frente al espejo en el que había visto tantas veces a Judith Biely desnuda, su cuerpo blanco relumbrando en la penumbra, sobre la colcha roja. *Porque si no podemos tenernos siempre el uno al otro sin escondernos y si debo compartirte con ella que no quieres pero hemos hecho sufrir y casi morir prefiero quedarme sola.* Gritos y cláxones sonaban lejos, como la verbena de un barrio apartado, músicas militares y sintonías de anuncios llegaban desde una radio encendida en el interior de la misma casa, lo cual no recordaba que hubiera ocurrido nunca. El hielo se había derretido en el vaso y el whisky estaba de nuevo tibio y aguado. El aire de la noche ya no se movía entre los postigos entornados. El sudor le humedecía el filo del cuello de la camisa, muy apretado contra la piel, y el whisky, en vez de embriagarlo, le había dejado una palpitación de dolor en las sienes. *Qué sirve que me digas que estabas pensando en mí si anoche habrás dormido con ella en la misma cama y esta tarde le das un beso de adiós cuando vayas a tomar el tren para venir conmigo.*

Se marcharía en tren esa misma noche de Madrid, pensó con la claridad dolorosa de una revelación: mientras él la esperaba lleno de impaciencia y deseo en casa de Madame Mathilde y aún no sabía que no iba a venir y mientras descifraba con dificultad su letra a la luz pobre y rosada de la lámpara que tantas veces los había envuelto a los dos en una penumbra cálida Judith Biely estaba subiendo a un tren en la estación de Mediodía o en la del Norte, camino de La Coruña o de Cádiz, porque ésos eran los dos puertos de donde podrían salir buques hacia América, a no ser que viajara hacia la frontera de Irún para tomar un barco en la costa atlántica de Francia. Madame Mathilde lo había retenido a propósito, lo había dejado esperar sin darle la carta para cubrir la huida de Judith, de modo que él no tuviera tiempo de ir a buscarla. *I can't manage to keep on writing in Spanish so I'll do it faster and clearer in English.* Había escrito muy a prisa, sabiendo ya que se iba, fríamente resuelta a cumplir un plan tal vez calculado hacía tiempo. *I'll miss you but I will eventually get over it provided I don't have a chance to meet you.* Dobló la carta de cualquier manera y se la guardó en un bolsillo de la americana y sin llamar al timbre que avisaba de su intención de dejar la habitación y permitía asegurar que no se cruzaría con ningún otro cliente fantasmal de Madame Mathilde salió al pasillo, donde la vieja apareció ante él surgiendo de un rincón de sombra como si lo hubiera estado esperando. «La bebida va por cuenta de la casa, no se preocupe usted, que a un señor de verdad siempre me gusta tenerlo contento, quedando tan pocos como quedan, y menos van a quedar si esto no se arregla pronto, ¿no ha oído la radio?» Ignacio Abel casi apartó de un empujón a la madame obsequiosa, mientras le tendía unos pocos billetes. «No, la señorita no me dio ningún otro encargo ni me dijo nada, aunque ahora que lo pienso iba vestida como para salir de viaje.» Apretó su mano mientras se guardaba los billetes, comprensiva, alcahueta, casi maternal, acercándole la cara pintada mientras le hablaba en voz baja. «Y permítame que le diga una cosa, en toda confianza. Si la señorita, como parece, va a ausentarse por algún tiempo, y usted quiere cubrir la plaza, por así decirlo, con discreción e higiene, no tiene más que decírmelo, que yo le puedo presentar a una chica limpia y guapa, dispuesta a aceptar la amistad de un caballero de su categoría. En esta casa está de más decir que tiene usted las puertas abiertas de par en par.» Al salir a la calle Ignacio Abel seguía llevando la carta de Judith en la mano. Veía ante sí la sonrisa que torcía ligeramente la boca de Madame Mathilde y el brillo en el fondo de sus ojos pequeños y sagaces, bajo los párpados pintados. Entonces tuvo una intuición que casi era una certeza y también una afrenta, y que explicaba el aire de sarcasmo en la mirada de la dueña de la casa de citas. Recordó nebulosamente haber oído el timbre de la puerta mientras esperaba en la habitación, dejándose sumir poco a poco en la oscuridad, en un trance de ensoñación y letargo: era Judith quien había llamado, quien había entrado en la casa sabiendo que él estaba en la habitación; parada en el vestíbulo desde donde se veía, al fondo del pasillo, la puerta detrás de la cual él aguardaba, Judith le había entregado la carta a Madame Mathilde hablándole en voz baja y se había marchado, tan cerca de él y sin embargo ya resuelta a perderse en una distancia en la cual él siente ahora que no la encontrará nunca, aunque haya venido a su país no para huir de España ni para edificar una biblioteca cerca del gran río junto al que está deteniéndose el tren sino para seguir buscándola.

26

Salió a la calle y de pronto no parecía que estuviera en la misma ciudad a la que había llegado unas horas antes en la tarde del domingo. Si había tenido a Judith tan cerca hacía menos de una hora aún estaba a tiempo de encontrarla y evitar que se fuera. Ahora era de noche y las calles que bajaban hacia Cibeles y el paseo del Prado estaban llenas de automóviles y de gente, las ventanas abiertas, las casas iluminadas mostrando dormitorios y comedores de los que salía un estrépito multiplicado y discordante de aparatos de radio, siluetas asomadas a los balcones. La sospecha se convertía en acusadora certeza; el rencor de amante despechado daba una realidad tangible a las suposiciones: Judith había llamado a la casa de Madame Mathilde sabiendo que él la estaba esperando; había tenido la sangre fría de dejar la carta y marcharse y la astucia de hablar en voz baja y tal vez de asegurarse la complicidad de la respetable alcahueta con algo de dinero; en el bolsillo del batón amplio de viuda donde la vieja se había guardado los billetes que él acababa de darle estaban también los que un poco antes le había entregado Judith. Por la calle de Alcalá lo empujaba una multitud entre hosca y bullanguera en la que se agitaban puños levantados, pancartas, banderas rojas, banderas rojas y negras. Al fondo, hacia las cúpulas de la Gran Vía, se levantaba un resplandor movedizo que tenía un dramatismo de crepúsculo rojo. Olía a humo y a ceniza y a gasolina mal quemada y llovían cenizas sobre las cabezas descubiertas. Quizás Judith le había pedido al taxista que la llevó a casa de Madame Mathilde que la esperase junto a la verja, que no tardaría más que un momento; ahora Ignacio Abel creía recordar que había escuchado el ruido del motor esperando, estaba seguro de haber sentido el sobresalto de una puerta que se abría y cerraba; ¿no había percibido al salir al vestíbulo un rastro débil de la colonia de Judith? Vanamente indagaba el pasado inmediato tan sólo por la superstición de confirmar que la había tenido casi al alcance de su mano, como si eso aliviara en algo la realidad inaceptable de su desaparición. Sin sombrero y con la cartera absurdamente en la mano lo veo desde la otra acera bajando por la calle de Alcalá, muy deprisa, sin fijarse en el escaparate de la agencia de viajes en el que está el modelo a escala de un transatlántico que miran siempre sus hijos, como si se dirigiera a alguna parte, a una cita urgente, barajando los itinerarios posibles que habrá seguido Judith hace sólo unos minutos, porque ya está convencido de haberla tenido muy cerca y por tanto de que si se da prisa y actúa con inteligencia podrá encontrarla. Había llegado y estaba ya en la estación de Mediodía o en la del Norte o quizás había vuelto a la pensión de la plaza de Santa Ana cerrando las maletas, el taxi con el motor en marcha esperando junto al portal, la plaza también con todos los balcones iluminados, las tabernas llenas. Cualquier posibilidad que él eligiera eliminaría irremediablemente las otras. Si tuviera su coche, si apareciera un taxi libre, si no hubiera tal confusión de tráfico, tanta gente llenando las aceras, entorpeciéndole el paso, desbordándose sobre las calzadas. Sin taxis ni tranvías se ensanchaban las distancias de Madrid. En veinte o veinticinco minutos podía llegar a la estación de Mediodía. Veía anticipadamente las bóvedas de hierro, la cristalera iluminando la plaza como un gran globo de luz. Atado al suelo como en sueños por la lentitud inevitable de los pasos se veía a sí mismo corriendo por el vestíbulo hacia una Judith vestida de viaje y a punto de subir al tren. Pero lo más probable sería tomar la decisión equivocada y seguir yendo de una estación a otra extenuándose inútilmente mientras Judith ya no estaba en Madrid. En la terraza del café Lion habían sacado a la calle unos altavoces y la gente se agrupaba en torno a ellos y se subía a las sillas de hierro y a los veladores para escuchar las proclamas confusas que repetía una voz con acentos metálicos, el optimismo imbécil de los comunicados oficiales. El gobierno tiene la seguridad de contar con recursos suficientes para acogotar el intento criminal a que han osado los enemigos del régimen y de la clase trabajadora. Miró hacia el interior, imaginando que tal vez Negrín estaría allí, pero una premura que su voluntad no controlaba seguía empujándolo. Un público enfebrecido bebía jarras de cerveza y fumaba y tomaba raciones de marisco mientras los camareros sudorosos se abrían paso con dificultad levantando las bandejas sobre las cabezas. Las caras enrojecidas y las luces eléctricas se duplicaban en los espejos. Las fuerzas leales a la República se baten denodadamente para aplastar de una vez por todas a los insurrectos. La voz del locutor vibraba con el timbre enfático de una retransmisión deportiva. Una columna de heroicos mineros asturianos se acerca en estos momentos a Madrid para ofrecer su ayuda al pueblo de la capital. De modo que era verdad que iban a sublevarse, pensaba fríamente, casi con alivio, con un desapego de irrealidad y lejanía hacia las voces que escuchaba, hacia el tumulto de cuerpos sudados que tenía que atravesar para seguir avanzando. Después del comunicado oficial sonaba el Himno de Riego y a continuación una voz femenina muy aguda rompía a cantar *Échale guindas al pavo* con una bulla de palmas y guitarras. Las noticias repetidas a gritos sobre la derrota de la sublevación o sobre fantásticos acontecimientos militares se mezclaban con las voces roncas de los parroquianos pidiendo más rondas de cerveza y raciones de gambas a la plancha o de calamares fritos. Marchando media de gambas. El felón Queipo de Llano huye acorralado por el pueblo en armas de Sevilla y los soldados empiezan a desertar de las filas rebeldes dando vítores a la República. De nuevo la siniestra charlotada española, pensaba, la interjección cuartelera y el cornetín de órdenes, los desfiles castrenses a ritmo de pasodoble, la mugre eterna de la fiesta nacional. Camiones llenos de paisanos armados giraban en lento remolino entre la multitud alrededor de la fuente de Cibeles y subían luego como una marea por el otro tramo de Alcalá, en dirección a la Puerta del Sol. Entre los árboles del jardín los ventanales del Ministerio de la Guerra brillaban iluminados como en una noche de baile oficial. Delante de las verjas de entrada montaba guardia una tanqueta con un cañón irrisorio. Los soldados de guardia se cuadraban cada vez que entraba o salía un automóvil oficial. En alguna parte estallaban cohetes o disparos y el gentío se ondulaba como un trigal batido por el viento. Por encima de los edificios de la Gran Vía Ignacio Abel distinguió la cúpula de una iglesia envuelta en llamas. Pavesas rojas caían sobre los tejados con un resplandor veloz de fuegos de artificio. Dobló hacia el paseo del Prado en la esquina de Correos, donde había estacionada una camioneta de guardias de Asalto, impasibles bajo las viseras de las gorras de plato, que brillaban como charol en la penumbra. Al filo de la acera pasó rozándolo como un vendaval un automóvil del que vinieron gritos de advertencia y carcajadas de hombres jóvenes que sacaban fusiles y pistolas por las ventanillas, una bandera roja y negra restallando en el aire como la vela suelta de un navío. Cada coche, cada camión erizado de banderas, puños en alto y fusiles, cada grupo humano, parecía avanzar vigorosamente en una dirección, pero la dirección de cada uno era distinta a la de todos los demás, y el efecto general era como de varios desfiles complicándose en un atasco de tráfico, de una contienda entre bandas de música. Del gran remolino de Cibeles se levantaba una discordancia de motores y cláxones, de ráfagas de himnos y clamores de abucheo y de furia. Había luz en todos los balcones del Banco de España. Algo iba a ocurrir muy pronto y aún no se sabía lo que era; algo habría ocurrido ya y era irreparable; algo deseado y algo temido. Judith Biely había desaparecido para siempre o podía aparecer entre la gente a la vuelta de cualquier esquina; el entusiasmo y el pánico vibraban como oleadas simultáneas en el calor de la noche, en una fiebre de carnaval y de catástrofe.

Pero el paseo del Prado estaba oscuro y silencioso; era como haber llegado de repente a otra ciudad de otra época, con enormes árboles sombríos y fachadas clásicas de grandes columnas y cornisas de granito, una ciudad indiferente a los trastornos de un porvenir lejano y plebeyo. Ignacio Abel bajaba por el paseo central, explorando siempre la calle en busca de un tranvía o de un taxi. Caminaba tan deprisa hacia la estación que el sudor le humedecía la camisa. Judith podía estar en la estación del Norte y si era así él habría desperdiciado la ocasión de encontrarla. También podía haberse marchado en automóvil. Una corazonada lo detuvo por un momento: quizás Judith había buscado refugio en casa de Philip Van Doren; ¿no sería mejor que volviera sobre sus pasos para encaminarse a la Gran

Vía? ¿O que fuera a buscarla a la pensión en la plaza de Santa Ana? El mapa entero de Madrid se dilataba en un laberinto de itinerarios posibles, en puntos de salida. Por la carretera de La Coruña y la de Burgos salían los automóviles cargados de maletas, con las cortinas de las ventanillas echadas, de quienes viajaban hacia los largos veraneos señoriales del norte, de quienes huían con miedo anticipado de la ciudad y del país, muchos de ellos sabiendo con plena certeza lo que todo el mundo murmuraba y temía, algo que iba a suceder, que a estas alturas habría sucedido ya, la tormenta que hará crujir el aire con su primer estallido sin que nadie sepa predecir el momento en que sobrevendrá el diluvio que lo anegue todo. Pero nadie sabe imaginar lo que vendrá: nadie predice la escala del desastre, ni siquiera quien ha ayudado a desatarlo. Ahora Ignacio Abel iba hacia Atocha llevado por la inercia de su decisión sin fundamento —el expreso a punto de partir, el silbido y el vapor de la locomotora, Judith Biely hermosa y alta en el estribo, con su sombrero y su vestido de viaje, saltando al andén cuando el tren ya se ponía en marcha para caer en sus brazos— y su conciencia trastornada se agitaba en una discordia de impulsos y de figuraciones; Judith huyendo de él y de Madrid en esta noche de fulgores de incendios y multitudes encrespadas; Adela y sus hijos aislados en la casa de verano, entre los pinares de la otra ladera de la Sierra, buscando noticias en un pueblo donde la luz eléctrica se apagaba a las once de la noche y a donde no llegaba bien la señal de las emisiones de radio, donde el único teléfono era el de la estación; y él mismo apretando en un bolsillo del pantalón la carta de despedida de Judith Biely, el papel húmedo por el roce de su mano, apresurándose entre los automóviles que pasaban a toda velocidad por la plaza de Neptuno, que hacían sonar las bocinas al mismo ritmo de clamor de la gente excitada y sudorosa, congregada en toda la anchura de la Carrera de San Jerónimo, delante del Congreso de los Diputados, donde estaban iluminados y abiertos todos los ventanales, aunque el portón permanecía cerrado. No entendía qué gritaban, la palabra unánime que repetían todas las gargantas, cuál podría ser el principio físico que regía los movimientos de la multitud ordenando sus corrientes poderosas, el brío desbordado de su inundación. En la fuente de Neptuno chapoteaba un grupo de muchachos que treparon sobre la estatua para colgarle una bandera roja del tridente. La realidad se quebraba en imágenes inverosímiles que de pronto se volvían comunes, con la súbita discontinuidad de una película en la que faltan fotogramas: de dónde habían salido las armas que ahora parecía agitar todo el mundo, con un aire más de fiesta que de guerra, o los automóviles de lujo con siglas de sindicatos obreros pintadas a brochazos en los laterales, ahora no conducidos solemnemente por chóferes con gorras de plato y uniforme sino por jóvenes de camisa abierta o mono proletario que mordían cigarrillos y gritaban al pisar el acelerador como jinetes lanzados al galope. Pero bastaba seguir bajando por el paseo del Prado para ingresar de nuevo en la oscuridad y el silencio: la luz de las farolas revelaba débilmente la mole y la columnata del museo. Él había paseado por ese mismo lugar con Judith, entre los setos de arrayán y los canteros de césped, bajo los cedros gigantes; la había llevado a conocer el Jardín Botánico, ahora sumido en una oscuridad olorosa de tierra fértil y vegetación tras las altas verjas cerradas. Entre los jardines del paseo veía moverse sombras furtivas, brasas de cigarrillos. Prostitutas de saldo y clientes pobres buscaban rincones propicios para la lujuria de la noche. La ancha bóveda ojival de la estación surgía al fondo de una explanada polvorienta en la que giraban vacíos los tiovivos de una verbena abandonada. Farolillos y banderitas tricolores de papel, barracas con dibujos bárbaros y colores muy fuertes, casetas de tiro con animadoras que miraban tristemente al vacío o se repasaban el carmín de los labios fruncidos, con altavoces en los que sonaban para nadie pasodobles taurinos y piezas de organillo. Un cartel anunciaba el prodigio de los hermanos siameses unidos por la cabeza y el de la mujer tortuga que tenía manos y pies pero no brazos ni piernas. Bajo el toldo de un puesto de bebidas hombres ceñudos fumaban agrupados en torno a un aparato de radio que transmitía marchas militares y música de baile. La fachada de hierro y cristal de la estación brillaba como un fanal en la frontera de la noche, más allá de la cual se extendían los descampados y los últimos suburbios de Madrid, las líneas débiles de luces en el cercano horizonte rural. Con todas las ventanas iluminadas los edificios eran láminas de cartón negro recortándose contra el intenso azul marino de la noche de julio.

Por la calle de Atocha bajaba un tranvía incendiado, que iba dejando atrás una estela de humo negro sobre la melena de las llamas y un fulgor de chispazos azules en los cables eléctricos. Otra hoguera se levantaba por encima de las casas, una columna de humo iluminada desde dentro por las llamas que devoraban la techumbre de una iglesia. Si Judith iba a irse en un tren él ya no podría detenerla: en el pináculo de la estación un reloj marcaba las diez y diez. Pero quizás no saldrían trenes esa noche, o se retrasarían mucho, apresados en la convulsión de la ciudad. ¿No debería tomar un tren él mismo, volver al pueblo donde Adela y sus hijos esperaban, aislados de todo, en la casa donde la luz eléctrica se apagaría muy pronto, alumbrados por velas y lámparas de petróleo? Demasiados deseos, demasiadas lealtades y urgencias, el pensamiento disociado de los actos, la conciencia descomponiéndose como las astillas de un espejo roto mientras cruzaba vestíbulos y recorría andenes en la estación que no parecía afectada por el sobresalto y el desorden de las calles, en la que los expresos nocturnos se ponían en marcha con la misma indiferencia con la que giraban los caballitos y las carrozas del tiovivo en la verbena próxima. Gente bien vestida se asomaba a las ventanillas de los coches azules de la Compañía Wagon-Lits, empleados de uniforme empujaban carritos con equipajes opulentos, baúles de ángulos herrados con letreros adhesivos de hoteles internacionales. Para viajes de veraneo la Compañía de los Caminos de Hierro del Norte ha establecido como todos los años diversas combinaciones de billetes de ida y vuelta accesibles a todos los bolsillos. Las mejores familias de Madrid tomaban el expreso nocturno con destino a Lisboa. Buscaba entre la gente; miraba una por una las caras asomadas a las ventanillas, las que se veían pasar por los pasillos iluminados, las que miraban tras el cristal de la cantina; distinguía de lejos una figura de espaldas que por un momento era Judith y luego una desconocida que no se parecía en nada a ella. «No se ha marchado aún, no ha tenido tiempo, le ha faltado el coraje, no ha encontrado un billete de tren, si vuelvo ahora a mi casa encontraré un mensaje suyo, sonará el teléfono y será ella que se atreve a llamarme porque sabe que estoy solo.» Tres hombres de paisano armados con fusiles vinieron hacia él. Rechinó el metal de un cerrojo y la boca fría de un cañón se le clavó en el pecho. Uno de los hombres llevaba un gorro militar ladeado sobre la frente. El que le apuntaba tenía un cigarrillo en la boca y guiñaba los ojos para eludir el humo. El otro se había ajustado sobre el faldón de la chaqueta desfondada un cinturón con una pistola.

—A ver, papeles.

Al principio Ignacio Abel no entendía: quiénes eran esos hombres armados y sin uniforme, por qué motivo le reclamaban tan perentoriamente la documentación. Por casualidad llevaba su cédula en la cartera; la cédula y el carnet de la UGT.

—Un señorito con carnet sindical. —Miraban el carnet a la luz de una farola, dudando de su autenticidad: el que le había apuntado al principio seguía encañonándolo. El fusil, tan cerca, era una cosa enorme, ruda, pesada, un leño con herrajes. Podía disparársele a ese hombre joven y nervioso que visiblemente no lo manejaba con mucha destreza y la bala le reventaría el pecho o la cabeza. Podía morir ahora mismo, sin aviso, en esta noche de verano, a un paso de los viajeros bien vestidos que miraban el reloj con la impaciencia de que saliera pronto el tren hacia Lisboa, en un acto desconectado por completo de la secuencia de su vida, en un andén de la estación de Mediodía. Se oyeron cerca gritos y disparos: las balas resonaron contra las vigas de hierro y cayó de la bóveda una lluvia de cristales pulverizados. Los tres hombres perdieron todo interés en Ignacio Abel y se marcharon corriendo, reclamados por alguien, con un dramatismo como de personajes de película en los gestos, agachándose, volviéndose hacia un lado y otro con las armas en la mano.

Salió de la estación limpiándose con un pañuelo el sudor de la cara. La parada de los taxis estaba desierta. Le temblaban las piernas y el corazón le latía muy rápido, pero esa instintiva alarma física no llegaba a transmitirse del todo a su conciencia. Quizás ahora mismo estaba sonando en su casa desierta y oscura el teléfono y era Judith que lo llamaba, sabiendo que sólo él podría contestar porque su familia estaba en la Sierra, quizás arrepentida, tal vez asustada y buscando refugio. *Demasiadas veces me faltó la*

fuerza para hacer lo que debía y apartarme de ti. Abriría a
toda prisa la puerta porque desde el rellano habría oído el
teléfono y cuando al fin levantara sin aliento el auricular
la voz que escuchara sería la de Adela, llamando desde la
cantina de la estación de la Sierra, angustiada por no saber
nada de él. El tranvía incendiado había volcado al final de
la calle de Atocha y seguía ardiendo muy cerca de los tiovivos y las casetas de la verbena, rodeado por un grupo de
niños que tiraban cosas a las llamas, saltando como en
torno a las hogueras de la Noche de San Juan. Sobre una
barraca un cartelón de lona iluminado por un cerco de
bombillas anunciaba en grandes letras rojas el espectáculo
de la Mujer Araña y el del Hombre Caimán. Veía ahora a
Judith llamando por teléfono, insistiendo a pesar de que
no obtenía respuesta, el auricular negro pegado a la cara
muy seria, el timbre sonando para nadie en el pasillo en
sombras al que llegaba como un rumor muy vago el estrépito de la ciudad. Veía lo que no estaba delante de él y se
le hacían borrosas y espectrales como máscaras las caras
iluminadas por las llamas del tranvía en la acera de la glorieta de Atocha, detrás de las cristaleras de los bares, en la
hondura sombría de las tabernas de borrachos, en las aceras donde los vecinos discutían a gritos, levantando las
voces sobre la discordancia de los cláxones y los aparatos
de radio. Vio como una revelación, como una certeza, que
Judith estaba llamando por teléfono no desde su pensión
en la plaza de Santa Ana ni en una cabina al fondo de un
café, sino en casa de Van Doren, junto a los ventanales que
dominaban el horizonte de tejados e incendios de Madrid.
Estaría allí, sin la menor duda. Lo veía todo: Van Doren
preparándose para el viaje al que ella habría decidido sumarse, los baúles de lujo preparados en el centro del salón, los criados cuidando los últimos detalles, y Judith de
pronto resuelta a llamarlo para pedirle que viniera con

ellos, por amor y por miedo a que le ocurriera algo. *Me dolerá tanto como si me arrancara una parte de mí but this is the only decent sensible thing for me to do.* La letra casi no se entendía, de lo rápidamente que había escrito, tal vez no porque tuviera prisa para salir de viaje sino porque quería acabar cuanto antes una tarea dolorosa. Motos rugientes de la Guardia de Asalto subían en formación por la calle de Atocha abriéndole paso a un camión de bomberos con la campana sonando frenéticamente y todas las luces encendidas. Cuanto más avanzaba Ignacio Abel más irrespirable se hacía la densidad del humo y el olor a gasolina y a maderas quemadas. Grupos de niños corrían entre las piernas de la gente con la excitación de una noche de verbena en la que se han podido quedar en la calle hasta muy tarde. Subiendo por Atocha atravesaría en diagonal el corazón de Madrid para llegar a la Gran Vía, a la torre del Palacio de la Prensa en la que había visto por segunda vez a Judith y había terminado de enamorarse de ella. Pero se vio atrapado, empujado en la acera, contra la pared, cuando el camión de bomberos fue a torcer hacia una calle más estrecha y no pudo seguir avanzando porque había demasiada gente o porque se le ponían delante para impedirle el paso. En un balcón un hombre gordo en camiseta y pantalón de pijama fumaba un cigarrillo y se abanicaba con una hoja de periódico acodado en la baranda. Gritos de mujeres se mezclaban a los acelerones del motor del camión y al ruido inútil de la campana. Un hombre joven que llevaba una escopeta de madera o un palo de escoba se subió al estribo y empezó a golpear los cristales, que saltaron en esquirlas. El camión avanzó con un espasmo y el hombre joven cayó al suelo de espaldas. El ruido de los motores y el de la campana apagaban las voces: Ignacio Abel veía bocas abiertas moviéndose bajo el resplandor cercano de la iglesia que ardía. Si no se apartaba pronto sería estrujado por

el aluvión de gente entre la pared y el camión de bomberos. Tragaba saliva con olor a gasolina y a ceniza y notaba
en la piel la irradiación cercana de las llamas. Pero sólo
podía avanzar en la dirección del fuego. *Si me muriera esta
noche, si no volviera a verte nunca.* Adelantó al camión todavía atascado, a los guardias que se habían bajado de las
motocicletas y braceaban soplando silbatos o gritando órdenes que nadie oía y a las que nadie hacía caso. Mareado
por el humo tardó en reconocer el lugar a donde había llegado; en un quiebro súbito retrocedía en el tiempo hacia
una visión de la infancia: en esa iglesia envuelta en llamas
él había hecho la primera comunión; en su nave lóbrega, a
la luz de unas velas, había yacido el ataúd de su padre. En
el colegio contiguo había estudiado los años del bachillerato, su duración triste alejándose en la memoria como la
perspectiva de los corredores que había transitado tantas
veces, camino de las aulas o de la iglesia o de los patios de
juegos, marcado por su pesadumbre de alumno predilecto,
hijo de viuda. En las buhardillas, en los balcones, en las
ventanas que daban a la plaza, el resplandor del fuego enrojecía y daba un aire de hipnotismo y hechizo a las caras
absortas. Las llamas ascendían por la cúpula. Torrentes de
plomo derretido corrían como lava sobre los tejados. Una
mujer en camisón estaba tirada en una esquina de la plaza, tapándose la cara con las manos llenas de sangre. Del
camión de bomberos salió un chorro de agua que se deshacía en vapor sobre la fachada de la iglesia. «Han tirado
desde el campanario», dijo alguien junto a la mujer herida, que ahora se apoyaba en la pared, limpiándose la sangre en el mandil. «Hay que matarlos a todos.» Desde un
balcón varios hombres armados disparaban contra la torre
de la iglesia, haciendo repicar violentamente las campanas.
Las llamas salieron por las ventanas más altas del colegio
después de un estallido de cristales. No sólo estarían ar-

diendo los polvorientos retablos barrocos, las estatuas de santos de escayola pintada, los confesionarios de celosía siniestra junto a los que Ignacio Abel se había arrodillado tantas veces, hacía tanto tiempo: ardería la biblioteca, las bancas de las aulas, las largas mesas del laboratorio, los mapamundis de hule, reventarían en esquirlas las vasijas de vidrio y los tubos de ensayo (una vez había estado con Judith en esa plaza, una mañana soleada de invierno: le señaló esas ventanas, a una de las cuales él solía asomarse; se quedaron un momento en silencio y oyeron el clamor de los niños en el recreo, tan lejano como si sonara en el fondo del tiempo). El fuego prendería en los armazones de vigas viejas y cañizo de las casas tan apretadas del barrio con que sólo una astilla saltara demasiado lejos, con que se levantara un poco de viento. Pero la gente se arracimaba en torno al camión de bomberos para evitar que se acercara a la iglesia y con palos y piedras rompían los cristales de la cabina y trepaban al remolque para rajar las mangueras a navajazos. Sobre el techo de la cabina un niño hacía ademanes de marcar el paso con una escoba al hombro y un casco de bombero en el interior del cual desaparecía su cabeza. Junto a sus motos volcadas los guardias de Asalto agitaban en vano porras y pistolas, mucho más altos y más fornidos que quienes los acosaban dando saltos para intentar arrebatárselas.

Pero se le confunden en el recuerdo lugares y tiempos, caras de esa noche, fotogramas discontinuos en la ciudad fantástica por la que va buscando a Judith como por los escenarios de un sueño. Resplandores de incendios y calles vacías igual que túneles de oscuridad se suceden; sirenas y disparos, campanas de vehículos de emergencia; altavoces de radio colgados en las puertas de los cafés emitiendo comunicados urgentes y triunfales del gobierno o repitiendo infatigablemente *Échele guindas al pavo* y la musiquilla de orquestina aflamencada de *Mi jaca*. Mi jaca galopa y corta el viento cuando pasa por el Puerto caminito de Jerez. Se convoca urgentemente a todos los miembros de los sindicatos obreros a presentarse de inmediato en las sedes de sus organizaciones. Galoparía si pudiera. Apresuraba el paso pero no quería ir demasiado deprisa por miedo a provocar sospechas, un hombre tan bien vestido que no podía vivir en esos barrios, llevando a esas horas de la noche una cartera negra en la mano. Logró salir de la plaza donde ardía la iglesia tapándose con un pañuelo la nariz y la boca y se encontró mareado y perdido en callejones familiares que sin embargo no reconocía. En sueños parecidos a esa noche real ha transitado en busca de Judith Biely por laberintos de ciudades al mismo tiempo conocidas e imposibles. Por una calle de repente desierta venía hacia él un ciego guiado por un perro, tanteando la pared con un bastón que más de cerca era el arco de un violín. Sonaban chisporroteos de disparos y el perro arqueó el lomo y empezó a gemir de miedo, tensando la cuerda que le sujetaba el cuello como un dogal áspero. Desde la plaza de Jacinto Benavente se podía ver ya por encima de los tejados el reloj iluminado en lo alto del edificio de la Telefónica. Un escuadrón de guardias civiles a caballo bajaba al trote por la calle Carretas, los cascos resonando sobre los adoquines en un paréntesis inesperado de soledad y silencio, más allá del cual se alzaba un tumulto que venía sin duda de la Puerta del Sol. El escaparate de una tienda de libros y objetos religiosos estaba reventado. Libros, estampas de santos, figuras de escayola eran recogidos por un hombre y una mujer con aire de luto que se volvieron asustados al oír que alguien venía. Las aceras de la calle Carretas estaban llenándose de gente que iba hacia la Puerta del Sol, como recién llegada a Madrid desde regiones mucho más pobres y tórridas, habitantes de los últimos suburbios, de chozas y cuevas junto a muladares y ríos de aguas fétidas, de pozos de una miseria primitiva, avanzando en grandes grupos tribales hacia el centro de una ciudad en la que nunca hasta entonces fueron admitidos, boinas sucias, cabezas tiñosas, bocas desdentadas, ojos estrábicos, pies descalzos o envueltos en trapos, una bronca humanidad anterior a la política, tan deslumbrada por las luces de la ciudad y por los incendios como si acabara de llegar desde el centro de África. Los cierres metálicos de las tabernas de banderilleros y flamencos se echaban a su paso. Los jóvenes colgados en racimos de los camiones que pasaban con gran chirrido de frenos y oscilando en las curvas saludaban agitando banderas y levantando los puños cerrados pero esa gente miraba atónita y no contestaba, ajena a cualquier adoctrinamiento, observando con recelo sarcástico las costumbres pueriles de los civilizados. Habían subido desde sus barrancos de cuevas y chabolas como respondiendo a un impulso colectivo y arcaico despertado por los resplandores del fuego. Venían con sus hatos y sus harapos de nómadas, sus manadas de perros, las mujeres con los niños a la espalda o colgados de los pechos. Nunca hasta esta noche se habían aventurado a invadir en grupos numerosos y visibles las calles que les estaban prohibidas. En la esquina de la calle Cádiz se formó de pronto una estampida que arrastró a Ignacio Abel. Mujeres desgreñadas y una nube de niños asaltaban una tienda de ultramarinos abierta de par en par. Se volcaba contra el mostrador una alta vitrina de tarros de cristal y latas de conservas. Las mujeres se guardaban en los bolsillos puñados de lentejas y garbanzos, salían corriendo con brazadas de barras de pan y ristras de embutidos. Alguien tiró la balanza contra el suelo de un manotazo. Una navaja desgarró un saco de harina y los niños jugaban esparciéndola al aire, revolcándose en ella, los ojos muy grandes en las caras blanqueadas. Una mano se introducía en un bolsillo del pantalón de Ignacio Abel; otras tiraban de su cartera, queriendo arrancársela. Al final de la escalera apareció el dueño de la tienda, gritando maldiciones, los dos puños contra la cara. El cañón de una escopeta se apoyó en su pecho. La tienda daba a un pasaje angosto que olía a orines y a humo de frituras, y en el que se alineaban los cubos de desperdicios de un restaurante. Ignacio Abel se limpiaba el sudor de la cara y se sacudía la harina de la ropa cuando una voz le habló muy cerca, a su espalda.

—Cuñado, dichosos los ojos.

El hermano de Adela lo tomó del brazo y le hizo subir casi a tientas por una escalera estrecha muy poco iluminada. Al final había un corredor y una sala de la que procedía una claridad verdosa y golpes secos de bolas de billar. Alguien apareció en el quicio al oír pasos que venían: un hombre mucho más joven que Víctor que sostenía en una mano una pistola brillante de grasa y en otra el trapo con el que había estado limpiándola.

—Ignacio, qué haces tú por la calle, precisamente esta noche.

—Tus padres y tu hermana se quedaron hoy esperándote para comer.

—Qué manera de hablarme. Ni que fuera yo un chico.

—¿Quién es éste que viene contigo, camarada?

—Mi cuñado. No hay peligro. Entra y tómate algo con nosotros, Ignacio. No está la noche para andar por ahí.

—Tengo prisa. Deberías irte a la Sierra, con la familia. Déjate ahora de fantasías y pistolas. Tu padre me ha pedido esta misma tarde que mire por ti.

Hablaban en voz baja, muy cerca el uno del otro, en el corredor, cerca de la puerta entornada por la que ahora venía, junto a los golpes del billar, la sintonía de un programa de radio. Pero no era una emisora de Madrid sino de Sevilla. Entre el crepitar de los ruidos estáticos se escuchó un cornetín y luego una voz cuartelaria. Ignacio Abel iba a decir algo y Víctor le indicó silencio con el dedo índice. Ignacio Abel no distinguía bien las palabras.

—Un militar con dos cojones, cuñado. Esto se acaba en dos días. Los mejores están con nosotros. Mira la chusma que ha salido a defender vuestra República. A defender vuestra República quemando iglesias y asaltando las tiendas.

—Como te pillen escuchando esa emisora te vas a meter en un lío muy grande. Tú y tus amigos.

—Cómo me hablas, cuñado, parece mentira, como si fuera un chico.

—Te van a matar si te encuentran esa pistola.

—Qué pistola.

—La que llevas en el bolsillo de la chaqueta. ¿Llevas también el carnet de Falange?

—¿Tanto preguntar y tú no dices nada?

—Vuélvete esta noche mismo a la Sierra. Quédate allí con la familia hasta que esto se calme.

—Esto no se va a calmar, cuñado. Esto ya no tiene vuelta atrás. ¿No has oído a Queipo en la radio? En dos días hay varias columnas de legionarios limpiando Madrid, como limpiaron Asturias en el 34. Van a faltar farolas para colgar a tanto malnacido. Va a correr la sangre como una riada por el Manzanares. Acuérdate de lo que te digo. España no se limpia más que con un diluvio de sangre.

—¿Esa frase es tuya?

—Si no fuera por lo que es te metía un tiro ahora mismo.

—No te prives.

El mismo hombre joven de antes se asomó al corredor, todavía con la pistola y el trapo en la mano. Llevaba botas de militar debajo del pantalón civil.

—¿Pasa algo, camarada?

—Nada, camarada. Este amigo y yo, que estamos charlando.

—Pues corta pronto, que hay mucho que hacer.

—¿Tú crees que porque seas el marido de mi hermana y el padre de mis sobrinos voy a estar aguantando siempre que te burles de mí?

—Aparta. Tengo que irme.

—¿Que irte adónde? ¿A ponerle los cuernos a mi hermana?

—Si necesitas algo ven a casa. Allí estarás seguro.

—¿Quieres decir que si tengo miedo puedo esconderme en tu casa?

—Si fuera sólo mía no, pero es también la casa de Adela.

—Mira que si eres tú quien tiene que pedirme que le esconda.

—Difícil lo veo. Los tuyos se han rendido en Barcelona.

—¿Todavía te crees lo que dice el gobierno?

—Es el gobierno legítimo. Siempre será más de fiar que una banda de militares perjuros.

—Un gobierno legítimo no reparte armas a los facinerosos ni abre las cárceles para dejar libres a todos los asesinos. Mira lo que están haciendo tus amigos del Frente Popular. Matando gente como a perros por la calle. Quemando iglesias. Aprovechando el barullo para robar a mano armada.

—Tengo que irme, Víctor.

—Yo que tú no andaría mucho por la calle esta noche. No pensarás que estás seguro por ser socialista. A los socialistas como tú también se los llevan por delante. Hasta los vuestros os llaman traidores.

—Traidores son los que juran lealtad a la República y se levantan contra ella.

—Vete a tu casa y no salgas. Esta juerga de tus amigos revolucionarios va a acabarse en seguida. La Guardia Civil está con nosotros. Lo mejor del ejército. Antes de medianoche se habrán echado a la calle todas las guarniciones de Madrid.

—¿No te estarás yendo demasiado de la lengua?

Víctor, sudando, el pelo escaso muy pegado al cráneo, le cerraba el paso en el corredor. Respiraba con un ruido de agitación excesiva en sus pulmones débiles. La pistola le abultaba a un lado del pecho, bajo la chaqueta de verano. Hizo ademán de llevarse una mano hacia ella, tal vez para refutar el sarcasmo del marido de su hermana con una prueba visible de hombría. Ignacio Abel lo apartó sin tocarlo y buscó la salida en la penumbra turbia. Oyó a su espalda el chasquido del cargador de una pistola y contuvo la tentación de volverse. Bajó las escaleras a tientas y al llegar al portal pisó garbanzos o lentejas derramadas o granos de arroz, cristales de botellas rotas, de tarros que desprendían un fuerte olor a vinagre. La persiana metálica del almacén de ultramarinos estaba ahora echada, y los asaltantes habían desaparecido. Salió a la calle sin encontrar ningún alivio en el aire caliente, en la multitud que bajaba hacia la Puerta del Sol. Hubiera debido volver sobre sus pasos o tomar por una calle lateral pero ya era imposible. Casi no caminaba, era empujado, arrastrado, en dirección al gran estruendo que se levantaba de la plaza, no un clamor de voces humanas sino un prolongado retumbar de tormenta, un alud despeñándose, arrasándolo todo, atravesado por bocinas de coches, por sirenas de ambulancias o de camiones de bomberos o furgones de la Guardia de Asalto. Tenía extraviado por completo el sentido del tiempo. El encuentro con el hermano de Adela, la absurda conversación medio en sombras, le habían dejado un sentimiento de pegajosa dilación. Contó las campanadas muy cercanas del reloj del Ministerio de la Gobernación y sólo eran las once. En diez minutos como máximo podría atravesar la Puerta del Sol, subir por la calle del Carmen o la de Preciados hasta Callao, llegar a casa de Van Doren (no esperaría a que bajara el ascensor, iría corriendo y jadeando por las escaleras, cruzaría en línea recta el pasillo en el que una vez había escuchado la música que le anunciaba sin saberlo la presencia de Judith). Con determinación sonámbula se dio de plazo hasta la medianoche para seguir buscándola. Si no se rendía hasta entonces aún podría recobrarla. Si conseguía ahora mismo abrirse paso entre los cuerpos apretados, las cabezas muy juntas y las caras desfiguradas por las bocas muy abiertas que gritaban, al mismo tiempo que los puños se agitaban rítmicamente en el aire, llevando el compás de las sílabas repetidas como golpes de percusión que resonaban contra la línea cóncava de fachadas de la plaza con un fragor seco y violento de oleaje, contra la mole cúbica del Ministerio de la Gobernación, donde estaban abiertos de par en par todos los balcones, revelando interiores con grandes arañas de cristal refulgentes de luz y salones tapizados en rojo. Armas, armas, armas, armas, armas, armas. Los faros de coches y camiones atrapados entre la multitud iluminaban las caras en ángulos dramáticos; los conductores hacían sonar inútilmente los cláxones. Armas, armas, armas, armas, armas. Había gente trepando a los techos de los tranvías detenidos y a los plintos de las farolas, subiéndose a las ventanas enrejadas de la planta baja del ministerio, como buscando escapar de la crecida de una inundación. Sobre los tejados parpadeaban los letreros luminosos de Anís del Mono y de Tío Pepe, Sol de Andalucía Embotellado, la botella de fino cubierta con un sombrero de ala ancha y vestida con chaquetilla de picador o de flamenco. Un solo grito se levantaba unánime, ritmado por pisotones contra el suelo y gestos de ira de los puños alzados sobre las cabezas, algunos sosteniendo pistolas, fusiles, palos, escopetas de caza, sables robados quién sabía dónde, no en armerías sino en tiendas de antigüedades falsas para turistas. *Armas*, gritaban todas las bocas abiertas, separando las sílabas, agigantándolas en una ronca trepidación que hacía vibrar el aire de la plaza igual que el paso de los trenes bajo el pavimento. La palabra sonaba como una exigencia y también como una invocación. Armas, armas, armas, armas. El ritmo se hacía más rápido, como un pataleo furioso, una sílaba detrás de la otra, o se volvía más lento y solemne, un oleaje chocando contra la fachada granítica del ministerio, donde se distinguían figuras asomadas a los balcones, alguna de ellas gesticulando, con ademanes de oratoria, como empeñada vanamente en un discurso que no podía llegar a nadie, aunque de lejos parecía que hubiera un micrófono enganchado a la barandilla. Con su traje claro y su cartera bien abrazada contra el pecho Ignacio Abel se me pierde en el mar de cabezas y puños levantados que ocupa la Puerta del Sol, sumergidas unas veces en las sombras, otras iluminadas por el resplandor azulado de las farolas o el de los faros de los coches que no logran avanzar. Igual que las voces se confunden las caras. Empuja, de costado, logra adelantar unos pasos y el flujo de una corriente humana lo hace retroceder de nuevo, como si se extenuara nadando hacia una orilla que cada vez le parece más lejana, la esquina de la calle del Carmen, aunque ahora hay como un remolino que de repente lo arrastra hacia ella, mientras un vendaval de aplausos estremece toda la plaza, quizás porque en el balcón del ministerio ha aparecido otra figura que clama y gesticula igual que la anterior sin que nadie la oiga; los aplausos se transforman en una vibración de palmadas, y encima de ellas asciende otro grito, ahora no dos sílabas sino tres, *UHP*, retumbando en la concavidad del estómago como los golpes de las ruedas de un tren bajo una gran bóveda de hierro, *U, Hache, Pe.* Pero quizás a quien aclaman no es a la figura que hace aspavientos en el balcón del ministerio sino a unos guardias a los que han levantado en hombros y se yerguen sobre las cabezas con ademanes inestables de triunfo, como toreros que un rato antes hubieran sido revolcados en la plaza, las gorras de lado, las guerreras abiertas sobre camisetas sudadas, gritando cosas que nadie puede oír, y un momento después ya los han bajado o se han caído en un sobresalto de la ondulación de hombros que los sostenían. Justo entonces el remolino que zarandeaba a Ignacio Abel deja en su centro un espacio vacío en el que acaba de romperse en astillas un armario o un aparador tirado desde un balcón, ya tan cerca de la esquina que si empuja un poco más sin miramiento casi podrá rozarla. La colisión del mueble contra los adoquines ensancha el espacio circular en el que siguen cayendo y destrozándose cosas, cada choque recibido con una exclamación de júbilo y una ronda de aplausos. Desde los balcones de un segundo piso hombres con monos azules y picudos gorros cuarteleros, con fusiles terciados y cananas de balas, tiran a la plaza un gran escritorio que han levantado entre varios sobre la barandilla, y del que sale un vendaval de papeles que se queda un rato volando sobre las cabezas; tiran sillas, percheros, un sofá demasiado grande que al principio se les queda atascado en el balcón, y que terminan de empujar hacia fuera entre gritos de aliento; un miliciano aparece sosteniendo un gran retrato de Alejandro Lerroux y la gente, desde la plaza, lo recibe con gritos de fascista y traidor, y cuando por fin cae al suelo se pelean para pisotearlo. Ignacio Abel ya ha llegado a la esquina y casi respira anticipadamente el alivio de la calle despejada cuando lo deslumbran los faros de un camión que ha frenado delante de él.

El camión da marcha atrás rugiendo, empieza a girar y la gente lo rodea, cortándole de nuevo el paso a Ignacio Abel. En la trasera se levanta una lona y un grupo de hombres de paisano que llevan gorros y cascos militares empiezan a desclavar cajas alargadas. Ahora Ignacio Abel es empujado contra el camión, y cuando quiere apartarse caras ansiosas y manos extendidas se lo impiden. *Armas*, dicen, no gritan ahora, la palabra se multiplica, se extiende, y cada vez que alguien la dice el grupo se hace más denso y su empuje más fuerte. Tendrá que apartarse si no quiere que lo aplasten contra la trasera del camión. Oye el crujido de las tablas al ser desclavadas, la voz de alguien que grita con acento de mando, *al que no presente un carnet sindical no le damos nada*, pero las palabras son tan vacuas como los gestos. El que parecía que hablaba con la seguridad de ser obedecido ahora da un traspiés y está a punto de caerse, sujetándose el casco demasiado grande sobre la cabeza. La gente trepa al camión, desclava las cajas, saca de ellas fusiles, pistolas, granadas, y el camión parece que se mueve, que se desplaza un poco, bajo la presión de los cuerpos que se arriman a él, de las manos y los hombros que empujan, queriendo abrirse paso, queriendo llegar a las cajas ahora volcadas de las que caen las armas al suelo con un estrépito de metal, pistolas y cerrojos de fusil y tablas pisoteadas, cajas más pequeñas de balas que ruedan hacia el suelo, y que manos veloces buscan tanteando. Ignacio Abel ha pisado algo que cruje bajo sus zapatos, pero no se vuelve para mirar lo que es, tal vez la mano de alguien, pero ya ha logrado desprenderse, ya deja atrás el camión y se encuentra ante la perspectiva de repente despoblada de la calle del Carmen.

No llegará nunca. A la altura de la iglesia del Carmen, junto a su portalón abierto, milicianos armados montan una barricada o una barrera de control con largos bancos y reclinatorios. Entre varios intentan arrastrar escaleras abajo un confesionario, dándose ánimos a gritos. Será una barricada o una barrera de control o simplemente amontonan bancos y paneles dorados de retablos para encender una hoguera. «¿Dónde vas tú tan deprisa? Papeles, camarada.» De la noche a la mañana parece que se han establecido normas rigurosas que ayer mismo no existían y hoy ya acata todo el mundo con la cabeza baja, con el automatismo de una costumbre. De nuevo el carnet buscado atropelladamente por los bolsillos, la impaciencia contenida, el miedo a los cañones de los fusiles en manos inexpertas, a las miradas de soslayo. Si lo dejan pasar en menos de cinco minutos podría estar llamando al timbre en casa de Van Doren. El que mira ahora el carnet sindical a la luz de una farola no sabe leer ni tiene costumbre de manejar papeles. Reconoce tal vez el sello, las siglas en tinta roja, UGT. Una mujer pequeña, vestida con un mono azul del que cuelga una canana, le pide que abra la cartera: documentos, planos. «Soy arquitecto», dice Ignacio Abel, mirándola brevemente a los ojos, no demasiado, temiendo provocarla. «Trabajo en la Ciudad Universitaria.» Qué poco hace falta para que la dignidad quede cancelada; para que uno mueva la cabeza y sonría y se deshaga por dentro de gratitud a quien pudiendo haberlo detenido o ejecutado le devuelve el carnet, le hace un gesto con la mano y lo deja pasar. En la plaza de Callao hay camiones con los motores en marcha, con blindajes laterales de chapas sujetas de cualquier manera y colchones sobre los techos, atados con cuerdas. En el cine Callao parpadea el letrero luminoso de una película de estreno. 6.45 y 10.45, numerada, gran éxito, *El misterio de Edwin Drood*. En la puerta del hotel Florida una pareja de turistas extranjeros miran con apacible curiosidad las idas y venidas de los milicianos, el desfile de automóviles que bajan a toda velocidad hacia la plaza de España, hundiéndose en la oscuridad del último tramo de la Gran Vía, donde hay edificios espectrales en construcción y anchos solares vacíos, cerrados por tapias de tablas cubiertas de carteles políticos. Oleadas de grupos con banderas que van hacia la Puerta del Sol cantando himnos con las voces ya fatigadas y roncas confluyen sin mezclarse con la gente que sale un poco aturdida de la última sesión en el cine de la Prensa. Refrigerado, ¡¡14 semanas!! *Morena Clara*, con Imperio Argentina y Miguel Ligero. En la acera, delante de la entrada al edificio, hay un espacio aislado por dos automóviles que forman un corredor hacia el lugar de la calzada donde espera una furgoneta con las puertas de atrás abiertas. Sobre el capot de cada uno de los coches hay una bandera americana. Los automóviles y las pequeñas banderas delimitan un paréntesis de quietud laboriosa que nadie interrumpe. Entre la furgoneta y el portal van y vienen doncellas con cofias y los criados de uniforme de Philip Van Doren, cargando cosas empaquetadas, cajas y baúles, sosteniendo con manos enguantadas embalajes de cuadros, sin premura, como si prepararan el viaje de los señores a la puerta de una casa de campo. En el portal, a cada lado del ascensor, hay dos hombres jóvenes de aire marcial vestidos de paisano, los brazos cruzados, las piernas ligeramente abiertas. Inspeccionan a Ignacio Abel de arriba abajo con miradas rápidas y expertas indicándole con un gesto que puede tomar el ascensor: otro americano joven, con el pelo muy corto, lo maneja. Tampoco la huelga de ascensoristas tiene efecto aquí. En este mismo ascensor subió sin saber que iba a encontrarse con ella, por este pasillo avanzó escuchando de lejos la música del clarinete y el piano. Criados y doncellas van y vienen, con sigilo metódico, llevando cosas embaladas muy cuidadosamente, cuadros, esculturas, lámparas, cada uno tan seguro de su cometido que apenas se oye a nadie dar instrucciones. Sobre la puerta del piso hay clavada una bandera americana. Ignacio Abel entra sin que nadie le impida el paso o parezca reparar en él. El espacio ya casi vacío es más amplio y más blanco. Delante de ese ventanal estaba Judith, de pie junto al gramófono, con un disco reluciente en las manos. El gramófono acaba de ser embalado y una doncella, de rodillas sobre la alfombra, termina de guardar en una caja hecha a medida una pila de discos. Un hombre con mono de mecánico desmonta una complicada lámpara de pie de tubos cromados y pantalla esférica de cristal blanco. Los ventanales están abiertos pero el ruido de la calle llega como un oleaje distante. En el umbral de cualquier puerta puede aparecer ahora mismo Judith. Ignacio Abel se ve de pronto en uno de los altos espejos y no reconoce su propio aspecto: la cara sudorosa, la corbata floja, la cartera apretada contra el pecho. Al fondo del salón, junto a un ventanal desde el que se ve muy cerca la torre afilada como una proa del edificio Capitol, atravesada por el letrero luminoso de Paramount Pictures, Philip Van Doren mira por unos prismáticos y habla rápidamente en inglés por teléfono, vestido con una camisa de manga corta y un pantalón claro, con zapatos blancos deportivos, su cabeza afeitada brillando bajo los focos del techo. Ha visto a Ignacio Abel reflejado en el cristal y se vuelve sonriendo hacia él cuando cuelga el teléfono. En la mano sigue llevando los prismáticos. Huele a jabón y a colonia fresca, a ducha reciente. No sabe dónde está Judith o si lo sabe callará porque le ha prometido a ella no decírselo. En la cara de Ignacio Abel ve los signos de una decepción que agrava de golpe el cansancio; la cara parcialmente desconocida que el propio Abel ha visto hace un momento en el espejo. Su español se ha vuelto todavía más preciso y flexible en los últimos meses.

—Profesor Abel, llega usted a tiempo. Véngase conmigo. Salgo en media hora para Francia. Lamentablemente habrá que dar un rodeo y dejar Madrid por la carretera de Valencia porque a estas horas ya no es seguro que haya salida hacia el norte. Los sublevados se acercarán por ahí. La pregunta es si el gobierno contará con las suficientes unidades leales como para defender los pasos del Guadarrama. ¿Ha venido usted esta tarde de la Sierra, como cada domingo? ¿Circulaban todavía los trenes?

Sin esperar la respuesta se volvió hacia el ventanal, haciéndole a Ignacio Abel un gesto para que se acercara. En la pregunta sobre la Sierra había implícita una alusión a posibles confidencias de Judith, tal vez a la doble vida adúltera en la que él ya no actuaría como encubridor, sabiendo que ella la había cancelado. La vanidad de mostrar o sugerir que sabía cosas sobre los demás sin revelar el origen de su conocimiento le deparaba una satisfacción intensamente sensual. Miró por los prismáticos, señalando hacia el largo túnel casi oscuro del final de la Gran Vía, por el que bajaban ahora relámpagos de faros. Al fondo, más allá del vago rectángulo poco iluminado de la plaza de España, el Cuartel de la Montaña era un gran bloque de sombras punteado por pequeñas ventanas. Van Doren le tendió los prismáticos a Ignacio Abel. Muy lejos, a una distancia que el tamaño diminuto de las figuras hacía remota, hombres armados se apostaban en las esquinas, detrás de las farolas, deteniéndose en su acecho con una inmovilidad de soldados de plomo.

—La otra pregunta es por qué los militares rebeldes no han salido del Cuartel de la Montaña cuando todavía estaban a tiempo de tomar la ciudad. Ahora ya es demasiado tarde. ¿Ha visto el cañón en la esquina, a la derecha? Vigilarán que nadie salga y en cuanto se haga de día empezarán a disparar. Será como matar truchas a tiros en un barril. Pero seguro que nuestra Judith habría encontrado una expresión mejor en español.

El nombre de Judith dicho en voz alta le provocó a Ignacio Abel un sobresalto de corazón. Había venido a casa de Van Doren buscándola y ahora no se atrevía a preguntar por ella.

—Habla usted como si lamentara que la sublevación haya fracasado.

—¿Y qué le hace a usted pensar eso? ¿Cree que esos milicianos armados con escopetas viejas van a derrotar al ejército? Como puede ver han empezado a dedicarse a la revolución. Lo extraño es que pongan tanto esfuerzo en quemar esas iglesias de Madrid, tan lamentables casi todas desde un punto de vista arquitectónico. Ganarán los militares, pero son muy torpes y tardarán demasiado, y mientras tanto las personas como usted o como yo no tenemos nada que hacer aquí. Yo al menos cuento con la protección de mi embajada. Pero usted, profesor Abel, ¿qué va a hacer? ¿Está a tiempo todavía de volver a la Sierra, con su familia? Mejor venga conmigo, hasta que pase el peligro. Usted sabe que en Madrid no está a salvo. Basta mirar la cara que tenía cuando ha entrado aquí para darse cuenta de que lo sabe. Desde Biarritz podemos arreglar con la embajada y con Burton College los trámites de su viaje a América. Sólo tendrá que decirnos quién va a viajar con usted.

El timbre del teléfono resonó agudamente en el salón vacío, donde operarios con monos acababan de enrollar las alfombras de piel de vaca y de cebra. Más allá de los ventanales resplandecía sobre los tejados un horizonte de incendios. Una criada le acercó el teléfono a Van Doren, que se apartó de Ignacio Abel escuchando con la cabeza baja, respondiendo con monosílabos en inglés. Sería Judith quien llamaba y él se lo ocultaría, le advertiría a ella que no subiera, que se quedara esperando en alguna parte. Van Doren colgó y miró su reloj de pulsera haciendo el ademán automático de subirse las mangas como para entrar en faena.

—Cosas que nadie ha visto van a pasar aquí, profesor. Ahora es el turno de los que se han hecho dueños de Madrid, pero después vendrán los otros, y no me refiero a esos militares viejos que no se han atrevido ni a salir de los cuarteles y ahora están esperando a que entren a matarlos. Me refiero al ejército de África, profesor Abel. Ni usted ni yo, si estuviéramos todavía vivos cuando ellos entraran, queremos ver lo que hacen en Madrid. Entrarán como los legionarios italianos en Abisinia. Tendrán todavía menos piedad que los otros, con la diferencia de que ellos sí saben matar. Saben y les gusta.

—El ejército de África no puede salir de Marruecos. La Marina no se ha unido a la sublevación. ¿Con qué barcos van a cruzar el Estrecho?

De pie en medio del salón vacío Philip Van Doren miraba a Ignacio Abel como compadeciéndose de su inocencia incurable, de su incapacidad de saber las cosas que importaban, las que él descubría gracias a fuentes que no iba a revelar. En todo el espacio blanco lo único que quedaba era el teléfono en el suelo. Un criado cerró los ventanales y fue bajando las persianas y al terminar se acercó a Van Doren y le dijo algo al oído, mirando a Ignacio Abel de soslayo.

—Por última vez, profesor, venga conmigo. Para qué va a quedarse. Usted ya no tiene a nadie en Madrid.

27

Recuerda de esos días la sensación permanente de realidad en suspenso y de actos frustrados; Madrid como una burbuja de cristal turbulenta de palabras gritadas o impresas y de músicas y ráfagas secas de disparos; una burbuja parcialmente turbia que no dejaba ver lo que había fuera y más allá de ella y de golpe se volvía inaccesible, un país conjetural de ciudades sometidas por los rebeldes y un minuto después reconquistadas por las fuerzas leales y al cabo de un rato perdidas de nuevo pero a punto de caer ante el empuje de nuestras milicias siempre heroicas; y él mismo de un día para otro desgajado por golpes diversos de la mayor parte de su vida, Adela y sus hijos en la Sierra y Judith no sabía dónde y las obras en la Ciudad Universitaria interrumpidas y las oficinas vacías, el viento que entraba por las ventanas rotas a causa de explosiones y disparos que cubrían de polvo los escritorios y dispersaban por los suelos planos y documentos olvidados. Córdoba ha quedado en poder de las milicias leales. La rendición de Sevilla es inminente. Aplastada la sublevación en Barcelona, las columnas leales de Cataluña están a la vista de Zaragoza. Escribía cartas que no llegaba a enviar porque no sabía adónde o porque descubría que ya no era posible. Columnas gubernamentales circundan Córdoba, esperándose la rápida rendición de las fuerzas rebeldes. Ponía la radio y volvía a apagarla sin haber reconocido ni una brizna sólida de información entre un oleaje de palabras interrumpido de vez en cuando por anuncios y marchas militares que de pronto era el mismo que anegaba todos los periódicos. El gobierno impone su autoridad sobre toda la península salvo en las escasas capitales donde los rebeldes todavía resisten y confirma que la sublevación, yugulada desde el principio, está derrotada. El estanco donde se abastecía de papel de cartas y sellos tenía rotos los cristales del escaparate y había sido saqueado; en un estanco unas esquinas más allá un dependiente calvo y untuoso que parecía agazapado en la penumbra detrás del mostrador le atendía como si no hubiera pasado nada, aunque le decía que el suministro de sellos estaba interrumpido, y que si las islas Canarias estaban de nuevo en poder del gobierno cómo era que no llegaban de ellas envíos de tabaco. El gobierno confirma que el movimiento insurreccional en Cataluña ha sido dominado a poco de iniciarse. La topografía de los actos diarios en parte estaba desbaratada y en parte seguía indemne, igual que la geografía del país entero se había vuelto fantástica, con regiones enteras tan inaccesibles como si de golpe hubieran sido tragadas por el mar y fronteras tan cambiantes que nadie sabía dónde estaban. Sobre los traidores cabecillas de esta inicua intentona destinada al fracaso caerá implacable y enérgica la justicia popular. En una esquina de la calle de Alcalá la pequeña iglesia delante de la cual había siempre un ciego tocando un violín había empezado a arder y desde la acera de enfrente el perro del ciego les ladraba a los incendiarios que apilaban bancos y reclinatorios sobre la hoguera de la puerta. Por momentos se acentúa la impresión de que toca a su fin el dramático episodio que vivimos desde el domingo pasado. Marcaba un número de teléfono y la señal de llamada se repetía interminablemente sin que hubiera respuesta; volvía a levantar el auricular un rato después y ya no había línea. *Radio Sevilla lanza las últimas proclamas de los facciosos, llenas de falsedad y desesperación, destinadas a levantar el decaído ánimo de los que se han lanzado en armas contra el pueblo y su legítimo gobierno.* Empezaba cartas y a las pocas líneas la pluma le resbalaba entre los dedos por culpa del calor y ya no seguía escribiendo; algunas se escribían completas en su imaginación y no llegaban al papel. *Queridos Lita y Miguel me encuentro bien y espero reunirme con vosotros en cuanto la situación se tranquilice, que por lo que parece no tardará más de unos días.* Varias columnas de fuerzas leales y milicias avanzan contra los sublevados en Sevilla, y los soldados facciosos empiezan a desertar. Escrutaba el periódico buscando en las informaciones sobre la lucha en la Sierra el nombre del pueblo y no lo veía mencionado. *El asalto de las milicias republicanas sobre Córdoba es inminente.* Igual que la censura dejaba en blanco columnas enteras había ciudades y provincias borradas del mapa y cuyos nombres no se pronunciaban ni se escribían. *Varias columnas procedentes de Cataluña se hallan ante Zaragoza, donde los rebeldes se encuentran en una situación crítica.* Se quedaba inmóvil en su casa ahora más grande porque no la habitaba nadie más que él y sentía el remordimiento de no estar haciendo algo, de no ir a reunirse con sus hijos, de no estar buscando con suficiente empeño y astucia el paradero de Judith. *La heroica columna del glorioso coronel Mangada desborda al enemigo en las cumbres de la Sierra de Guadarrama y con ímpetu arrasador e irresistible avanza hacia Ávila.* Salía a la calle sin propósito verdadero y tenía miedo de que durante su ausencia rompiera a sonar el timbre del teléfono porque alguien quería transmitirle un mensaje urgente. Según noticias llegadas a nuestra redacción en la tarde de ayer las fuerzas del coronel Mangada se encuentran a las puertas de Burgos y se disponen al ataque final contra los insurrectos. Sentado en un banco del paseo central en la calle Príncipe de Vergara el profesor Rossman sudaba en la tarde de julio bajo las sombras breves de las acacias y rebuscaba en su cartera hojas de periódicos y recortes que se le enredaban entre las manos. «No quería molestarle, querido profesor Abel, pero quería asegurarme de que usted está bien y de que volvió a tiempo de la Sierra. ¿Cómo se explica usted que según el periódico de ayer la columna del coronel Mangada avanzara hacia Ávila y en el de hoy digan que ya se encuentra a las puertas de Burgos?» Carros blindados y cañones se disponen a tomar el Alcázar de Toledo, que está en llamas. Telefoneaba a la estación para preguntar si continuaba interrumpido el servicio de trenes y nadie contestaba al teléfono, o si contestaba alguien no le podía dar una respuesta segura. Columnas gubernamentales circundan Córdoba, asegurándose la rápida rendición de las desmoralizadas fuerzas rebeldes. El número de la estación comunicaba siempre o al marcarlo no se producía ningún sonido. Se practican en Madrid numerosas detenciones de elementos fascistas, religiosos y oficiales del ejército traidores a la República. Quería mandar un telegrama y estaba cerrada la oficina de Correos, pero aunque hubiera podido mandarlo cómo sabría si llegaba a su destino. El gobierno tiene impresiones optimistas sobre una rápida dominación del movimiento subversivo. *Querida Judith no sé dónde estás pero no puedo dejar de escribirte y no puedo vivir sin ti.* En el frente de Aragón los facciosos, en su desordenada huida, dejan sobre el campo numerosos muertos y heridos, así como camiones, ametralladoras y fusiles. En la confusión extrema del Palacio de Comunicaciones no había nadie que atendiera las ventanillas de telégrafos y la estridencia de los teléfonos que nadie contestaba se mezclaba con los gritos y las órdenes de los milicianos y el estrépito de los cerrojos de los fusiles, porque en la planta principal se había improvisado un centro de reclutamiento de milicias. Zaragoza empieza a sentir los rigores del asedio al que la tienen sometida las fuerzas leales. Consiguió hablar con un empleado y pudo enterarse de que estaba suspendido indefinidamente el servicio con el otro lado de la Sierra, y de que el mapa de España lleno de súbitos espacios en blanco con los que estaba prohibido o no era posible establecer comunicación cambiaba cada día y casi cada hora según los bulos y las noticias fantásticas de ofensivas y victorias. Un grupo de frailes armados alevosamente con navajas asaltan a los milicianos que se disponían a efectuar un registro. *Querida Adela diles a tus padres que vi hace unos días a tu hermano y que me pareció que se encontraba bien.* La situación de los rebeldes en Sevilla es tan desesperada que el general traidor Queipo de Llano prepara su fuga a Portugal. Se levantaba antes del amanecer para ir a la embajada americana y aunque todavía era de noche ya había en la acera una cola de hoscos aspirantes a fugitivos, que intentaban no hacer visible su rango social: señoras de clase alta sin pulseras ni joyas; hombres sin corbata o con una gorra o una boina y una chaqueta vieja que no llegaban a disimular su origen, revelado, sin que ellos se dieran cuenta, por la suavidad del afeitado, por el buen corte del pantalón o el color rosado de las uñas. En el campo cerca de Pozuelo de Alarcón descubren entre unos matorrales el cadáver de una mujer joven y bella, elegantemente vestida, con traje de crespón negro, medias claras de seda, zapatos de piel blanca con ribetes negros y ropas interiores valiosas. Para obtener el visado tenía que presentar antes la carta de invitación y el contrato de Burton College, pero el correo internacional no funcionaba, o los carteros se habían alistado en las milicias y tardaban en incorporarse los sustitutos. Las tropas de la República ocupan las cercanías de Huesca y dejan sin fluido eléctrico a Zaragoza, donde la situación de los rebeldes es ya desesperada. *Dear Mr. President, Burton College, Rhineberg, N.Y., it is an honor for me to accept your kind invitation and as soon as current circumstances improve in Spain I will send you the documents you have requested from me.* Las columnas procedentes de Cataluña, con moral elevadísima, continúan su avance victorioso por tierras de Aragón y se acercan irrefrenablemente a Zaragoza, nuevamente bombardeada por nuestra aviación. Sólo quería estar lejos, poner tierra por medio, marcharse y no volver nunca, sumergirse en un silencio en el que no zumbaran día tras día no ya los disparos y las explosiones sino las mismas palabras, repetidas siempre, obtusas y triunfales, vengativas y tóxicas, casi igual de temibles que los actos. Las bestias carlistas marchan como manadas de hienas y les acompañan más feroces todavía las sotanas pavorosas de los curas. Las mismas palabras en un asedio sin descanso, en las emisoras leales y en las del enemigo, en los periódicos y en los carteles pegados en todas las paredes, inmunes a la evidencia de la mentira, imponiéndose por la fuerza bruta de la repetición. Día a día crece el entusiasmo entre los luchadores que defienden en los frentes de combate la causa de la República y de la libertad haciendo inútiles los esfuerzos desesperados de los rebeldes. Cómo sería posible no escucharlas, no ser contagiado e infectado por ellas, las borracheras de palabras que sostenían la alucinación colectiva. Es de lamentar que la excesiva velocidad de los automóviles requisados por los grupos y milicias del Frente Popular ocasione numerosos accidentes, que podrán ser fácilmente remediados si los conductores de los mismos se atienen a cumplir las normas de la circulación. Esperaba cada mañana y cada tarde el silbato del cartero pero muchos días ni siquiera llegaba, y al día siguiente esperaba sin embargo con la misma dolorosa intensidad, una carta de Judith, de sus hijos, de Burton College, de la embajada americana. Un gran número de milicias de Lérida desfila por la ciudad entre delirantes ovaciones antes de marchar hacia la reconquista de Zaragoza. Bajó a preguntarle al portero si había llegado alguna carta para él y vio que había cambiado la librea azul con galones dorados por un mono abierto sobre la camiseta y que ahora no se afeitaba. La rendición de los facciosos del Alcázar de Toledo se considera inminente. Por consejo de un chófer del vecindario el portero se había afiliado a la CNT y aunque seguía llevando la gorra de plato que tanto lo enorgullecía porque le daba un cierto aire de guardia de Asalto ahora se había atado al cuello un pañuelo rojo y negro y le colgaba del cinturón en el costado derecho una pistola, tan abultada como el manojo de llaves que le había colgado siempre del costado izquierdo. Las columnas leales que marchan hacia Zaragoza no encuentran resistencia. Decía que le habían dado la pistola en un reparto de armas incautadas a los militares fascistas derrotados por el pueblo en el asalto al Cuartel de la Montaña. Tanques de las fuerzas leales marchan desde Guadalajara en dirección a Zaragoza protegiendo el avance incontenible de la Infantería. El portero lustraba su pistola con la misma concentración con la que en otro tiempo sacaba brillo a los zapatos de algún vecino pudiente pero no había conseguido que le dieran munición y la solicitaba cada día a su amigo el chófer libertario, asegurando que al fin y al cabo él también era autoridad y vigilaba con eficacia en busca de posibles emboscados o saboteadores que se refugiaran en la casa. De cinco en cinco, con los brazos en alto, abandonan el Alcázar de Toledo los rebeldes que lo defendían. Ignacio Abel salía por la mañana y el portero, con su mono proletario y su pistolón al cinto, le abría la puerta inclinándose al mismo tiempo que se quitaba la gorra y alargaba discretamente la mano para recibir una propina. «Usted no tiene que preocuparse de nada, don Ignacio, que en este barrio la gente trabajadora lo conoce a usted bien, y además si hace falta yo pongo la mano en el fuego por usted.» Granada está a punto de rendirse a las fuerzas del gobierno y según noticias de la máxima fiabilidad los soldados desertan o se alzan en rebeldía contra los jefes facciosos que los han llevado a la deshonra y a la derrota. Llamó a la pensión de la plaza de Santa Ana con la esperanza insensata de que Judith no se hubiera marchado y una voz airada que hablaba a gritos en medio de un gran tumulto le dijo que allí no había ningún huésped con ese nombre, pero a él lo conmovió el solo hecho de repetirlo en voz alta en el teléfono, como si de ese modo conjurara su presencia. La escuadrilla de aeroplanos salida esta mañana de Barcelona reconoce el terreno y protege el avance de las columnas leales que deben apoderarse de Zaragoza, las cuales se hallan ya casi delante de la ciudad. Asegúrese, por favor, Judith Biely, con b, una señorita extranjera, americana. Subió en un tranvía por la calle de Alcalá camino de la plaza de Sevilla y sobre el torreón del Círculo de Bellas Artes y la Minerva de bronce ondeaba una gran bandera roja. En las inmediaciones de Córdoba nuestras tropas esperan el momento decisivo para lanzarse al ataque. Cuando ya estaba más cerca, si no de Judith al menos de la casa y de la habitación en la que había vivido, seguir avanzando fue imposible: en la esquina de la calle del Príncipe estalló un tiroteo tan súbito como un remolino de verano; salió del portal en el que se había refugiado y en la claridad del sol que venía desde la plaza de Santa Ana le pareció que veía cruzar a Judith. Se encarece a todos los conductores de vehículos incautados al enemigo a que respeten las señales de tráfico colocadas en las vías públicas de Madrid en evitación de los accidentes que vienen produciéndose por no ser aquéllas respetadas.

Recuerda su empeño obstinado de no creer al principio, la sensación como de tocar cosas conocidas y firmes que se deshacían inmediatamente en arena. El lunes 20 de julio, al día siguiente de su cita fracasada con Judith, Ignacio Abel salió a las ocho y media de la mañana a la calle con la convicción absurda de que si repetía los gestos habituales de cualquier otro lunes alguna forma inteligible de normalidad se habría restablecido. Hacia el oeste retumbaban disparos lejanos de cañón. Un avión pequeño sobrevolaba la ciudad con la persistencia molesta y la falta de propósito visible de un moscardón. En las proclamas triunfales de la radio había un filo de histeria, chirriante como los himnos tocados a un volumen excesivo y los pasodobles y las musiquillas de los anuncios intercalados sin apuro entre proclamas y amenazas. María de la O qué desgraciada gitana tú eres teniéndolo to. Con la sangre de los heroicos milicianos y de las fuerzas armadas leales a la República, con el valor y el sacrificio de todos los antifascistas y la colaboración entusiasta de los valientes aviadores se están escribiendo estos días las páginas más gloriosas de la historia de nuestro pueblo. Salió del portal y hacía un poco de fresco. En los disparos espaciados de cañón había una cierta desgana, como si cualquiera de ellos pudiera ser el último. Así había sido en 1932, en 1934. Tiroteos y calles vacías y tiendas con las persianas echadas, gente que levantaba los brazos por precaución al doblar las esquinas, y luego nada. De todos los lugares de España, con vibrante y unánime fervor republicano, salen fuertes columnas de voluntarios populares para combatir a los insurrectos.

Fresco, recién duchado, un poco aturdido por la noche de insomnio, sin desayunar todavía (no había criadas en la casa y él no se preparaba nunca el desayuno), recordando con la rareza de un sueño sus caminatas por Madrid de la noche anterior, Ignacio Abel apretó el asa de su cartera mientras cruzaba Príncipe de Vergara, camino del taller donde le habían prometido que esa mañana a primera hora tendrían reparado su coche. El dueño de la lechería en la esquina de don Ramón de la Cruz le hizo un gesto amistoso desde detrás del mostrador (quizás volvería para desayunar allí en cuanto recogiera el coche); un vendedor de hielo pasaba adormilado en el pescante de un carro tirado por un caballo flaco, que dejaba sobre los adoquines un rastro de agua; la tienda de ultramarinos tenía echado el cierre metálico, pero podía ser porque en verano, en este barrio despoblado de veraneantes, abría un poco más tarde. La desbandada de los rebeldes en la Sierra de Guadarrama confirma la proximidad de la victoria conquistada por la sangre y el arrojo de las milicias populares. Si uno actuaba repitiendo sus gestos usuales la vida que había estado siempre vinculada a ellos se perpetuaría automáticamente. Si se vestía y se peinaba ante el espejo y se ajustaba el nudo de la corbata y no ponía la radio y bajaba por las escaleras resonantes de mármol con su paso veloz de todas las mañanas el glaciar poderoso de la normalidad muy difícilmente podría alterarse. Lo único extraordinario, aunque irrelevante, eran los lejanos cañonazos repetidos con parsimonia y el vuelo del avión demasiado pequeño, anticuado, brillando a veces en la distancia, cuando le daba directamente el sol de la mañana, con tornasoles de ala de insecto. En el asalto victorioso de las fuerzas populares al Cuartel de la Montaña, donde habían querido hacerse fuertes cobardemente los conspiradores, la aviación de la República ha escrito una vez más una página gloriosa.

«Están derrotados», le dijo el portero, acercándose mucho a él para franquearle la puerta, y también para hablarle sin peligro de que lo escucharan otros vecinos, que podían estar a favor de los sublevados, en ese barrio burgués. «En Barcelona han tenido que rendirse. Y en Madrid ya ve usted, ni se han atrevido a echarse a la calle. Pero ande usted con cuidado, don Ignacio, dicen que hay fascistas tirando desde las terrazas, los muy malnacidos.» Como un pormenor recobrado del mal sueño de la noche anterior vio la cara sudorosa de su cuñado Víctor brillando a la luz de un pasillo al fondo del cual había un rumor de confabulación de hombres armados. En una vibrante alocución radiofónica la popular diputada del Partido Comunista Dolores Ibárruri arenga al pueblo trabajador de Madrid para que persiga sin cuartel a los chacales de la reacción que disparan cobardemente desde balcones y campanarios a las fuerzas obreras. Había salido de su casa con un aire impecable de determinación pero en realidad no sabía adónde iba a dirigirse cuando tuviera el coche. A la Ciudad Universitaria, a la plaza de Santa Ana, a la carretera de La Coruña, si era verdad que una heroica escuadrilla de aviones leales salidos de la base de Cuatro Vientos había puesto en fuga a la columna facciosa que avanzaba desde el norte en un intento inútil de hacerse dueña de las cumbres y los pasos de la Sierra. Pero sólo unos minutos antes de salir de casa había logrado comunicación telefónica con el cuartelillo de la Guardia Civil del pueblo y una voz había respondido antes de colgar: «¡Arriba España!» Hora tras hora se confirma el pronto restablecimiento de la legalidad republicana a todo lo largo y ancho del país y la derrota humillante de los sublevados que esta vez no podrán esperar clemencia. Camino del taller de automóviles en el callejón de Jorge Juan pasó delante de un hotel de lujo, donde un portero de estatura imponente y librea casi hasta los pies escrutaba el fondo de la calle con un silbato en la boca, esperando que apareciera un taxi para una pareja de extranjeros vestidos de viaje que aguardaban bajo la marquesina, junto a una pila de baúles, maletas y cajas de sombreros. Cuarenta oficiales rebeldes se suicidan en Burgos al darse cuenta de la inevitabilidad de su derrota. Al cruzar bajo la doble fila de árboles del paseo central de la calle Velázquez percibió de pronto un escándalo de pájaros y una brisa fresca casi de amanecer que perduraba a la sombra de las acacias. Sin quitarse el silbato de la boca el portero del hotel se hacía visera con la mano enguantada para mirar hacia el avión que ahora volaba mucho más bajo y a más velocidad. Girando en la esquina de Jorge Juan en dirección a Alcalá apareció de pronto una columna ruidosa de automóviles, tan inesperadamente que Ignacio Abel retrocedió casi de un salto hacia la acera para no ser atropellado, viendo caras de hombres jóvenes en las ventanillas. El último de los coches, que llevaba la capota bajada, era un Fiat de color verde idéntico al suyo. Ya eran casi las nueve y la mayor parte de los portales y las tiendas de Jorge Juan permanecían cerrados: las lecherías, las tiendas pequeñas, la carbonería, la panadería. Al menos la persiana metálica del taller de automóviles estaba levantada del todo. El cañón volvió a retumbar en la lejanía, seguido por una traca como de cohetes traída por el viento desde una verbena en otro barrio. Junto a la entrada del taller un chico de catorce o quince años, vestido con un mono, el hijo del dueño, estaba sentado en el suelo, la espalda apoyada contra la pared, la cabeza entre las rodillas, como si después de haber madrugado mucho se hubiera quedado dormido. Al acercarse más vio que las rodillas chocaban entre sí y la cabeza, tapada con las manos, tenía un temblor convulsivo, echándose una y otra vez hacia delante, como en los espasmos de un vómito que no llegara a salir. Pero había babas colgando de la barbilla del chico y un charco de vómitos entre sus piernas. En el vasto espacio del taller, iluminado desde arriba por la luz gris de una claraboya de cristales muy sucios, un olor fuerte a gasolina se mezclaba con el de los vómitos, pero no había ningún automóvil. Boca arriba, sobre el suelo de cemento manchado de grasa, con las piernas abiertas y los brazos en cruz, estaba tirado el dueño del taller, y el rojo fresco de la sangre en la boca y en el centro del pecho resaltaba más contra el gris ceniza de la cara, más empalidecida aún por la claridad sucia que fluía del techo de cristal. Sobre el peto del mono habían dejado un trozo de cartón que estaba parcialmente empapado de sangre: *Por facista.* «Él no quería que se llevaran los coches», dijo el chico a su espalda, ahora de pie, temblando todavía, con pucheros de niño que le quebraban la voz, «les decía que no eran suyos, que cómo iba él luego a responder delante de los clientes. Hoy me había hecho venir más temprano para tener lavado el coche de usted».

Recuerda el miedo primitivo, el miedo recobrado a la noche, la oscuridad más honda y más llena de peligros que en los cuentos que le contaban de niño. No sólo retirarse cuando aún quedaba luz del día y cerrar las puertas asegurando pestillos y cerrojos: también cobijarse como el niño miedoso debajo de las mantas y cerrar los ojos apretando los párpados y taparse los oídos para no escuchar, como si bastara haber oído o visto algo para atraer la desgracia. En las habitaciones donde los vecinos tengan los aparatos de radio deberán abrir las ventanas y poner los altavoces al máximo de potencia. Gritos lejanos; disparos sueltos; motores que se acercaban, que parecían a punto de detenerse, que pasaban de largo y se perdían poco a poco en la distancia; la puerta de la calle abriéndose, su vibración poderosa cuando se cerraba, la resonancia de pasos y voces en los mármoles del vestíbulo, luego en las escaleras; el sonido de las anillas en las correas de los fusiles y el del gran manojo de llaves del portero. Se informa a los serenos y a los porteros de fincas urbanas que sólo están autorizados a realizar registros domiciliarios los miembros de las fuerzas de orden y de las milicias a las que se haya encargado oficialmente esa misión y que deberán mostrar en todo momento sus correspondientes credenciales. Por la mirilla vio una noche cómo unos hombres armados sacaban al vecino del piso al otro lado del rellano. El Ministerio de la Gobernación recuerda que sólo pueden practicar detenciones la Policía, la Guardia de Asalto y la Guardia Civil. El vecino iba en pijama y no ofrecía resistencia. Casi nunca había cruzado con él algo más que un gesto de saludo. No sintió compasión sino alivio. A los pocos días su mujer apareció vestida de luto. La vida en Madrid se desenvuelve con la tranquilidad habitual en todos los órdenes, acrecentado el ánimo de la población por las noticias de los diarios avances de las fuerzas defensoras de la República y los constantes fracasos de los insurrectos. En las calles deshabitadas y sin tráfico desde la caída de la noche se podía distinguir con anticipación cualquier coche que se acercara. Estaba en el estudio revisando vanamente unos planos cuando un coche se detuvo justo debajo de la ventana, delante del portal. Los que aprovechando la transitoria confusión de las circunstancias actuales se dediquen a realizar actos contra la vida o la propiedad ajenas serán considerados como facciosos y se les aplicará inmediatamente la máxima pena establecida por la ley. Dejó el lápiz sobre la ancha hoja de papel azulado y se quitó las gafas de cerca. Se aseguró de que los postigos estaban bien cerrados, de acuerdo con las instrucciones oficiales, y la luz de la lámpara no se filtraba hacia la calle. Es deber de las milicias y de los ciudadanos leales mantenerse alerta frente a los cobardes manejos de los emboscados que con inmundas astucias se empeñan en conspirar queriendo arrebatarle al pueblo trabajador la victoria ganada heroicamente en las calles y en los campos de batalla. Salió al pasillo, notando en el suelo la vibración familiar de la puerta de la calle al cerrarse. Recordó que en todo el edificio, según el portero, quedaban ya muy pocas viviendas habitadas. Permaneció en pie, en medio del recibidor, de su pomposa amplitud. Los pasos podían quedarse en algún piso más abajo o llegar a este rellano y pasar de largo escaleras arriba, quizás porque los milicianos quisieran asegurarse de que se cumplían las órdenes de mantener cerrados los accesos a las terrazas, para evitar que el enemigo disparara desde ellas. Gritos, súplicas, órdenes, sollozos, golpes de culatas de fusiles, resonaban con una rica amplificación en las concavidades de estas escaleras forradas de mármoles. Pero esta vez sólo se escuchaban pasos y él esperaba con un sentimiento de lejanía, casi de serenidad, su carnet del Partido Socialista y el del sindicato ya preparados, las fotos enmarcadas con Fernando de los Ríos, con el presidente Azaña, con don Juan Negrín, bien visibles sobre la mesa del recibidor, donde también estaba la de su boda con Adela, enmarcada en plata, las de Miguel y Lita vestidos de comunión. Sin moverse de donde estaba podía ver en el pasillo el Cristo de Medinaceli con su tejado andaluz y sus farolillos de forja, ahora apagados. En el cuarto de los niños había un cuadro del Ángel de la Guarda, también regalo de don Francisco de Asís y de doña Cecilia. No por dignidad sino por dejadez no se había molestado en quitar de la casa los adornos religiosos. Ahora sería peligroso intentar esconderlos. Voces normales, no gritos, sonaron en el recibidor. Entre ellas distinguía la del portero, que hacía sonar su gran manojo de llaves. «Usted no debe preocuparse de nada, don Ignacio. Ya hubieran querido algunos que antes no se molestaban en decir buenos días tener el cartel que tiene usted entre la gente trabajadora del barrio. Y si hiciera falta, que no hará, se lo digo yo, aquí me tiene usted a mí para avalarle.» Pero si por un motivo u otro decidían llevárselo el portero no haría nada por disuadirlos, y hasta era posible que les echara una mano, siempre servicial, la gorra de plato ladeada al estilo de las milicias y el gesto instintivo de abrir puertas para recibir una propina, el puño cerrado junto a la sien y la inclinación untuosa, «muy bien, camaradas, ya era hora de hacer una limpia en esta finca, que estaba llena de carcas y facciosos, como todo el barrio». Ignacio Abel aguardaba, delante de la puerta, bajo la araña excesiva envuelta en un lienzo blanco, el corazón extrañamente apaciguado, escuchando las voces, el sonido del manojo de llaves. Suponía que iban a llamar golpeando con los puños y las culatas de los fusiles; tocaron al timbre, con cierta urgencia, aunque no demasiada, como lo habría hecho un repartidor impaciente. Prefirió esperar un poco antes de abrir. Mejor que no pensaran que había permanecido ansioso cerca de la puerta, que tenía motivos para saber que vendrían por él desde que el motor se detuvo en la calle, en el raro silencio de una noche de verano sin musiquillas de verbenas y aparatos de radio escuchándose por los balcones abiertos, sin conversaciones de vecinos en las aceras. Pero tampoco había que dar motivo para que se impacientaran: para que pudieran pensar que ganaba tiempo quemando o escondiendo cosas, queriendo huir hacia los desvanes o los tejados por la puerta de servicio. Abrió después del segundo timbrazo, más largo y más insistente que el anterior, y decidió que no iba a pedirles que se identificaran. Eran sólo tres hombres, aparte del portero, vestidos con una uniformidad confusa, jóvenes, con mosquetones y pistolas, velozmente individualizados por la atención alerta de Ignacio Abel, que identificó en seguida al que iba al mando, el menos alto, con unas gafas redondas, con una camisa aseada y no una camiseta de color dudoso debajo del mono, el único que no llevaba mosquetón, sólo pistola, el que fumaba, dando cortas chupadas y sosteniendo luego el cigarrillo a media altura, apartándolo para que no le diera en los ojos. De los otros dos uno tenía una expresión remota, como de disfrutar de algo bajo los párpados entornados, un gorro cuartelero con una borla roja oscilando sobre la frente, casi entre los ojos, y el tercero fue inmediatamente familiar para Ignacio Abel, la cara grande y colgante de alguien a quien conocía, a quien había visto muchas veces y ahora no podía recordar, un hombre joven y sin embargo lento y fondón que andaba sin separar casi los pies del suelo, ahora se acordaba, no sabía si con más motivo para el alivio o para la alarma, el ordenanza de la oficina técnica, el que le llevaba todas las mañanas la bandeja del correo avanzando con los pies planos hacia su despacho, las pilas de cartas entre las cuales sus ojos adiestrados distinguían los sobres azulados de Judith Biely. De modo que no han venido por azar, que saben quién soy, en casa de quién van a hacer el registro. Pero el ordenanza ahora llevaba unas patillas largas y en sus mofletes temblones de hacía muy poco tiempo negreaba una barba de varios días, y la papada, en vez de estar comprimida por el cuello de la chaqueta azul marino con galones, bajaba hacia una pechera peluda, enmarcada por la sucia media luna de una camiseta, encima de la cual vestía una guerrera desabrochada, sin duda a causa del calor, con las insignias de la Infantería en la bocamanga. El portero, más rezagado, lo saludó con una efusión algo huidiza.

—Don Ignacio, estos camaradas, que vienen para un registro de trámite.

El que estaba al mando lo miró de soslayo con desagrado: el portero no era quién para calificar la naturaleza o la gravedad del registro.

—Papeles —dijo. Pero el ordenanza o ex ordenanza les habría informado bien acerca de su identidad y de su trabajo.

—Ya os tengo dicho que el señor es de toda confianza —oyó decir al portero.

—Aquí ya se han acabado los señores, a ver si te enteras.

Miraban con asombro la amplitud del espacio, como si hubieran entrado en una iglesia, los marcos tan elevados de las puertas, la perspectiva de los salones que se perdían hacia el fondo, los techos altos con molduras de guirnaldas. Con alpargatas, con zapatos gastados, pisaban el parquet, bruñido a pesar de las semanas que habían pasado desde la última vez que le dieron cera las criadas ausentes. El ex ordenanza le había hecho un leve gesto de reconocimiento a Ignacio Abel, casi había inclinado la cabeza como cuando dejaba el correo sobre su mesa y le preguntaba dócilmente si mandaba alguna cosa más. El que parecía más directamente a las órdenes del jefe de la patrulla se quitó la gorra con borla para limpiarse el sudor y al girar la cabeza Ignacio Abel vio que se había hecho afeitar en la ancha nuca rapada las iniciales FAI. A causa de las miradas de los tres milicianos veía él mismo su propia casa con incomodidad, con disgusto, casi con miedo, la amplitud innecesaria de un recibidor en el que en realidad nunca se había celebrado ninguna recepción, los ricos pliegues de las cortinas que caían lujosamente hacia el suelo, las habitaciones que se sucedían una tras otra a través de las puertas de cristales de doble hoja pintadas de blanco. Pero no parecía que buscaran con mucho ahínco, que tuvieran prisa por encontrar algo comprometedor.

—Tú te quedas aquí —le dijo el jefe al portero, que ya no se movió del recibidor, como una visita incómoda, sin sentarse siquiera mientras los esperaba, mirando los cuadros, las lámparas, su pistola tan inútil como el gran manojo de llaves, mientras Ignacio Abel iba mostrando a los milicianos cada una de las habitaciones, abriendo armarios empotrados que los sorprendían por su profundidad, y cuyos últimos rincones, detrás de la ropa colgada, examinaban con linternas.

—¿Una casa tan grande, para ti solo?

—No vivo solo. Mi mujer y mis hijos están veraneando en la Sierra.

—¿En nuestro lado o en el de los otros?

—En el de los otros, creo.

—Pues no te preocupes que no vas a tardar mucho en poder reunirte con ellos. Esto va muy rápido.

—Eso espero.

—No esperarás a que ganen ellos.

—Ya han visto ustedes los carnets que tengo.

—Un carnet sindical se lo puede agenciar cualquiera en estos tiempos. Una casa como ésta no tantos.

Hablaba el pequeño, el de las gafas redondas y la camisa limpia, fumaba sosteniendo el cigarrillo en la mano izquierda, mantenía la derecha en el bolsillo; los otros miraban y asentían. Ignacio Abel buscaba la mirada del ex ordenanza y le inquietaba no encontrarla. Quería acordarse de su nombre y no lo lograba. Absurdamente le contrariaba que vieran el desorden de la cocina, los platos apilados en el fregadero. Comía cualquier cosa y no se decidía a lavarlos, mientras siguieran quedando platos limpios en las alacenas. Olía mal y por los rincones, cuando encendía la luz después de medianoche porque entraba para beber un vaso de agua, había grandes cucarachas rubias que se quedaban quietas, moviendo las antenas. Registraron el cuarto de las criadas, el jefe supervisando a los otros desde fuera, indicándoles con gestos que levantaran los colchones, que abrieran un baúl arrimado a la pared. En realidad él no se acordaba de haberse asomado nunca a esa habitación. Al encenderse la bombilla pelada que colgaba del techo le sorprendió que fuera tan angosta: dos literas, una sobre otra, el baúl, una repisa forrada con papel de periódico, un ventanuco con una cortinilla de flores, fotos de artistas de cine pegadas con chinchetas en la pared, programas de mano de películas, una mesita de noche vieja que debió haber sido descartada hacía muchos años por don Francisco de Asís y doña Cecilia, y sobre ella una pequeña Virgen de cobre. Sintió algo de vergüenza, más que de remordimiento; pero comprendía que no la habría sentido si no hubiera tenido miedo. El jefe de la patrulla miraba sin decir nada, fumando. Terminó el cigarrillo y lo aplastó contra las baldosas de la cocina. Había encendido otro cuando Ignacio Abel los guió a su despacho y se hizo a un lado después de encender la luz.

—¿Y esta habitación de quién es?

—Mi despacho.

—Parece el despacho de un ministro.

—Trabajo aquí. Es mi estudio.

—A cualquier cosa se le llama trabajo.

—¿Y éstos del retrato? ¿Criados viejos de la casa?

—Son mis padres.

—Nadie lo diría. ¿También están en la Sierra con los facciosos?

—Murieron hace muchos años.

—¿Y todos estos mapas? No los usarás para saber si está cerca el enemigo.

—No son mapas. Son planos. Trabajo en la Ciudad Universitaria. Ustedes lo saben.

—A nosotros no nos hables de usted, que hay confianza.

Se impacientaban o se aburrían, al menos los dos subordinados, el ex ordenanza y el otro, el que llevaba las siglas afeitadas en la nuca, por la que se pasaba de vez en cuando un pañuelo muy estrujado para limpiarse el sudor. Hacía mucho calor en la casa con todos los postigos cerrados. El ex ordenanza, con un rasgo calculado de impertinencia, revisó papeles que había sobre el escritorio y los dejó caer al suelo; cuando Ignacio Abel lo miró apartó los ojos y cruzó con el otro una mirada sonriente. Luego abrió uno por uno los cajones y los fue dejando caer al suelo, sin revisar lo que había dentro. Al encontrar cerrado el último llamó la atención a su jefe.

—¿Y ése por qué lo tienes cerrado?

—Por nada en particular. Aquí está la llave.

—¿No te estarás poniendo nervioso?

—No tengo por qué.

—¿Un pitillo?

—No, muchas gracias.

—Tú estás acostumbrado a tabacos más selectos.

—Es que no fumo.

—Venga, nos vamos.

Por un momento sintió alivio, una flojera general de los músculos más acusada de lo que su dignidad le habría permitido reconocer. Luego vio la mirada del jefe de la patrulla y la sonrisa del ex ordenanza que eludía sus ojos y comprendió que el plural lo incluía a él. Venga, nos vamos. Los tres hombres no hicieron nada. No se le acercaron amenazadoramente. El del gorro con borla pisó algo y se oyó un cristal que se rompía y algo de madera crujiendo. La foto enmarcada de Lita y Miguel en el columpio ya no estaba sobre su escritorio.

—Un momento —dijo, se escuchó con desagrado decir, notando la alteración del miedo en su voz—, aquí tiene que haber un malentendido.

—Malentendido ninguno —dijo el jefe, el cigarrillo en la mano izquierda, la derecha en el bolsillo, en la muñeca un reloj de pulsera valioso en el que por algún motivo Ignacio Abel no había reparado hasta este momento—. No te vayas a creer que nos engañas con todos tus carnets y todas tus fotos con la carcundia republicana. En nosotros no manda nadie. Para nosotros tú no eres nadie. Eres peor que nadie. Los compañeros de la construcción se acuerdan bien de ti. Te faltaba tiempo para contratar esquiroles y para llamar a los guardias de Asalto cada vez que se convocaba una huelga. Ahora vas a pagar.

Se le quebró desagradablemente la voz cuando quiso decir que no tenían ningún derecho ni ninguna autoridad para detenerlo; el jefe de la patrulla le contestó que la autoridad eran ellos; el ex ordenanza lo tomó del brazo izquierdo y el del gorro con borla del derecho; bajo esas manos grandes y extrañas sintió la vergüenza de sus músculos débiles; sin empujarlo ni tirar de él le hicieron cruzar el recibidor y pasaron junto al portero, que aún estaba de pie, como una visita llena de mansedumbre. Pensó en Calvo Sotelo la noche de tan sólo unas semanas atrás en la que habían ido a buscarlo: en que contaban con extrañeza que no se resistió, que no hizo valer ante quienes lo detenían su inmunidad de diputado; se acordó del vecino del piso de enfrente, diminuto en la mirilla, saliendo en pijama, y de la mujer que se había arrodillado agarrándose desmañadamente al pantalón de uno de los que se lo llevaban. Aún estaba en su casa y ya estaba muy lejos. Al pasar por el rellano de uno de los pisos más bajos escuchó una puerta que se cerraba y comprendió que algún vecino estaría asomado a la mirilla, agradecido de no ser él quien iba detenido, embriagado por la sensación de impunidad. El coche negro en que iban a llevárselo se puso en marcha en cuanto se abrió el portal. Era más bien una camioneta ligera y encima del techo llevaba un panel en el que había un dibujo de una pastilla de jabón de la que ascendían burbujas. JABONES LÓPEZ. El ex ordenanza, al forzarlo a que se inclinara para entrar en el coche, le apretó muy fuerte la cabeza con una ancha mano extendida, presionando con los dedos sobre los huesos del cráneo. *Queridos Miguel y Lita; querida Judith; querida Adela.* Con los faroles apagados y las ventanas a oscuras la calle Príncipe de Vergara era un túnel de oscuridad que se iba abriendo delante de los faros del coche. Él iba en el asiento de atrás: nadie le dispararía en la nuca sin que se diera cuenta, sin saber que moría, como había recibido los dos tiros Calvo Sotelo. Preguntó que adónde lo llevaban. Lo preguntó tan bajo que el ruido del motor borró su voz y tuvo que tragar saliva y aclararse la garganta para repetirlo.

—¿No estabas tan orgulloso de tu cargo? ¿No tenías tanta prisa porque se terminaran las obras? Adónde mejor que a tu Ciudad Universitaria.

Iba muy apretado en el asiento de atrás, entre dos milicianos, el ex ordenanza a su izquierda, sonriendo con su boca carnosa, temblona por las desigualdades del camino, la borla de la gorra del otro moviéndose a su derecha. Después de un viaje por calles y descampados a oscuras cuya duración no supo medir reconoció más allá de la luz de los faros las siluetas de los primeros edificios de la Ciudad Universitaria. Había un control antes de llegar a ella. Milicianos con linternas y fusiles hacían señales para que el coche se detuviera.

—¿Éstos de quién serán?

—De la UGT, por las pintas, por los fusiles tan nuevos.

—Tú con la boca cerrada, que te trae más cuenta.

Habían cruzado unos largos bancos de aula en el camino de tierra. Reconoció la forma de los bancos de la Facultad de Filosofía. El jefe de la patrulla sacó una identificación y los que montaban guardia la estudiaron con sus linternas. Ignacio Abel quería pedir auxilio y tenía las mandíbulas como encajadas entre sí, las piernas encogidas y paralizadas, las manos muy frías sobre los muslos. El haz de luz de una linterna le dio de lleno en la cara y se quedó unos segundos fija, forzándole a cerrar los ojos. Estar a punto de morir era inconcebible. Era mucho más humillante la posibilidad de mearse y que se dieran cuenta los que lo llevaban, o peor aún, cagarse y que lo olieran, que estallaran en risas y en gestos de asco, en el espacio tan reducido del coche. Pensó esas palabras exactas: cagarse de miedo. Judith estaba en ese momento en un lugar preciso, haciendo algo, diciendo algo a alguien. Sus hijos se habrían ido a la cama pero aún no estarían durmiendo, habitando ya sin sospecharlo siquiera el mundo no modificado en el que su padre no existía.

—¿Y ese que lleváis quién es?

—Un fascista. Cosa nuestra.

Se quedaron dudando pero al final el que había sostenido más rato la linterna hizo una señal y otros milicianos apartaron los bancos para hacerles paso, levantando al arrastrarlos una nube de polvo que relució como una gasa flotante en el cono de luz de los faros. El coche frenó de golpe e Ignacio Abel sintió un dolor muy agudo en la rodilla derecha, que se había golpeado contra un filo metálico. Cojeaba cuando lo sacaron del coche. Quería andar y se le desmoronaban las piernas. Lo empujaron contra una pared y reconoció con extrañeza uno de los muros laterales de la Facultad de Filosofía, las hileras de ladrillo picoteadas de disparos, de salpicaduras y chorreones de sangre. Ni siquiera lo habían esposado. Pensó que cuando lo encontraran por la mañana el juez y el oficial encargados de levantar los cadáveres antes de que pasaran los camiones municipales de basura no tendrían ninguna dificultad en identificarlo porque llevaba en el bolsillo previsoramente su carnet de la UGT y el del Partido Socialista. Entonces llegó otro coche con unos faros todavía más poderosos que le forzaron a taparse los ojos y levantando una polvareda que lo sofocaba. Oyó gritos broncos de pelea a su alrededor y no comprendía las palabras. No se dio cuenta de que se había deslizado hacia el suelo cuando unas manos ásperas le separaron con dificultad las suyas de la cara y reconoció en la confusión de sombras moviéndose y gritos y luces de faros la voz de Eutimio Gómez, la figura enjuta que se inclinaba sobre él.

—Venga, don Ignacio, tranquilo, que ya no pasa nada.

28

Antes de que se vea el tren saliendo de la curva que sigue el recodo del río ha sonado su llamada grave como la sirena de niebla de un buque y han empezado a vibrar los cables del tendido eléctrico y las planchas metálicas y los pilares de hierro del paso elevado sobre los andenes, donde una figura masculina se distingue al otro lado de una cristalera. El edificio principal de la estación que verá el viajero nervioso cuando el tren salga de la curva tiene un aire de castillo alpino, en la cima de una pared de roca desnuda, al pie de la cual están las vías, tan cerca del agua que casi las salpican las olas débiles provocadas por el paso de una lancha motora. Rhineberg: alguien se acordó de los acantilados boscosos sobre el Rin al elegir ese nombre y esa nostalgia perduró luego en los torreones picudos de la estación. El paso elevado que cruza sobre las vías como un puente cubierto y una alta escalera metálica unen el edificio principal y los andenes. En uno de ellos, el más cercano al río, un hombre que acaba de subirse las solapas del abrigo ha mirado el reloj al escuchar que el tren se aproxima y ha levantado los ojos hacia la cristalera desde donde sabe que está el otro, el que ha venido con él pero prefiere observar las cosas desde lejos, a ser posible desde arriba, dar instrucciones con gestos rápidos y terminantes aunque también ambiguos y a veces de interpretación difícil: pero no llega a verlo porque lo deslumbra el reflejo del sol poniente, que aún tardará algún tiempo en desaparecer detrás de las cimas arboladas de la otra orilla, muy lejana aquí, donde el río se ensancha tanto. En el centro de la corriente hay una isla alargada y cubierta de árboles, con un pequeño embarcadero. Con el sol ya más débil los amarillos y los rojos de los árboles irradian un rescoldo poderoso de luz; un viento húmedo que viene del río da de repente una frialdad de invierno a la tarde hasta ahora templada y arrastra con un rumor seco oleadas de hojas sobre los andenes y las vías. El suelo tiembla bajo los pies cuando el tren surge con el faro encendido en el morro de la locomotora eléctrica y se detiene con un largo chirrido de frenos. Permanece unos largos segundos quieto, hermético, ocupando todo el andén, con una sugestión de energía formidable en suspenso, sin que se abra ninguna puerta, el sol poniente hiriendo los cristales de las ventanillas en el lado del río. El único viajero que desciende por fin lleva un abrigo de severo corte europeo y una maleta demasiado pequeña para quien ha venido de tan lejos. Se queda algo aturdido mientras el tren se pone de nuevo en movimiento con lentitud, la maleta en una mano, el sombrero en la otra, desconcertado al no ver a nadie, temiendo haberse equivocado de estación, a pesar de todas las precauciones, confrontado con la amplitud y la soledad de la orilla del río, con el silencio del bosque que se impone en cuanto el tren ha desaparecido. Oye a su espalda la voz que dice su nombre y teme haberla imaginado, volverse y no encontrar a nadie. Detrás del ventanal en el pasadizo elevado, Philip Van Doren sonríe al reconocerlo, lo ve volverse hacia el otro, el profesor Stevens, director del departamento de Fine Arts and Architecture, que le recuerda su nombre y su título (se conocieron brevemente en Madrid, el año pasado) y le da la bienvenida estrechándole con energía la mano, la primera persona con la que habla de verdad desde hace no sabe cuántos días, la primera vez que alguien lo recibe y lo mira otorgándole una plena existencia en cualquiera de los lugares a los que ha ido llegando en las últimas semanas. Dos hombres vistos desde lejos, desde arriba, unidos por una vaga semejanza de época, en una estación muy secundaria, en la orilla del río Hudson, una tarde de octubre de hace setenta y tres años.

Se ha preparado nada más salir el tren de la estación anterior, nervioso por una cercanía en la que ya no habrá más dilaciones, agitado de nuevo, después de la breve tregua del viaje, dominado por una creciente desgana de llegar, casi rechazo instintivo, agravado por la fatiga que le afloja los músculos, que lo hace consciente del peso de las manos, de los pies hinchados en el interior de zapatos como con suelas de plomo. Uno por uno, antes de levantarse, ha revisado todos los bolsillos, asegurándose neuróticamente de su contenido, el catálogo de las cosas mínimas a las que a estas alturas ha quedado reducida la certeza de su identidad, el pasaporte y la cartera con documentos y fotografías, la última carta de Judith Biely, la carta de Adela, *no sé dónde estarás ni qué estarás haciendo ahora mismo aunque me lo imagino pero si quieres volver conmigo y con tus hijos cuando todo esto termine que alguna vez terminará aquí tienes la puerta abierta.* Ha ido al cuarto de aseo y se ha lavado precariamente la cara delante del espejo, entre las sacudidas del tren, se ha peinado, ajustado la corbata, limpiado las solapas de pelos caídos y motas de caspa, enjuagado la boca, por miedo a que quien venga a recogerlo a la estación le huela el aliento, examinado las uñas, que no están limpias y que debería haberse cortado. Ha visto sus ojeras, el temblor de la carne aflojada bajo la barbilla y la mandíbula por culpa de la vibración del tren: la papada que cuelga y desde luego no colgaba hace sólo unos meses, aunque entonces no se fijaba y no lo hubiera advertido. Se ha acordado de estar afeitándose delante de un espejo y levantar los ojos del grifo donde aclaraba la cuchilla y ver junto a su cara la cara mucho más joven de Judith, el pelo rozando sus pómulos mientras el cuerpo desnudo se adhería por sorpresa a su espalda, en la casa frente al mar donde por primera vez se habían despertado juntos. Pero ha sido un fogonazo de memoria tan rápido que se extingue sin amargura, sin despertar una conexión verdadera entre el pasado y el presente. Ni ese momento existe ni es él ese hombre que se da la vuelta hacia la mujer desnuda sin terminar de afeitarse, en un cuarto de aseo de baldosas rojas y paredes encaladas al que entra por la ventana el olor del Atlántico. Él examina el punto donde el cuello gastado y algo sucio de la camisa aprieta la carne aflojada y lamenta no tener ninguna limpia para cambiarse, no haber advertido antes que le falta un botón (pero si tiene cuidado la corbata disimulará su ausencia). Se fijarán en esos detalles igual que él mismo los veía con íntimo disgusto en otros hace sólo unos meses, en el profesor Rossman, por ejemplo, que podía analizar durante una hora la sutileza de diseño de una aguja y remontarse a las más antiguas agujas de hueso exhumadas en yacimientos paleolíticos y usadas para coser pieles (y dar un salto en el tiempo para celebrar la velocidad de las máquinas Singer), pero que era incapaz de enhebrar una, de modo que iba en los últimos tiempos con los ojales sin botones y los bolsillos descolgados. La idea de encontrarse delante de un desconocido dentro de unos minutos, de someterse al escrutinio de una mirada demasiado cercana y de emprender una conversación en inglés le da casi miedo después de tanto silencio; pero le da más miedo todavía pensar que llegará a la estación y bajará del tren y no habrá nadie esperándolo. El revisor ha pasado pregonando el nombre de la estación con una voz vibrante de bajo y le ha hecho un gesto confirmándole que esta vez sí tiene que bajarse. El tren ha acelerado con un estrépito creciente de ruedas y engranajes metálicos avanzando al filo del agua, provocando desbandadas de aves entre cañaverales amarillos. Pierde velocidad al tomar una curva pronunciada, y por la ventanilla de la plataforma Ignacio Abel ve el nombre en grandes letras negras, Rhineberg, un momento antes de que el tren se detenga del todo.

Pero no ve a nadie, al principio. Baja y se encuentra al final de un andén muy largo, delante de la anchura del río, de una hilera de altas columnas y arcos de hierro que sostienen lo que parece un pasadizo cubierto, donde hay alguien que mira hacia abajo y que tal vez le hace una señal. El olor marítimo del río y el de las hojas y la tierra húmeda del bosque le inundan los pulmones al mismo tiempo que siente descender sobre él un silencio en el que se apaga el fragor lejano del tren, el eco del silbido de la locomotora. Alguien dice su nombre entonces, pero casi no lo reconoce, casi teme que sea un engaño de la imaginación, su nombre y su apellido pronunciados con una fonética improbable, con algo de reverencia admirativa, *Professor Ignacio Abel, it's great to have you here with us at long last.* Asiente, torpe, adaptándose con dificultad a la cercanía humana, queriendo atrapar palabras demasiado rápidas en inglés, huraño por instinto, su mano cautiva del apretón cálido del profesor Stevens, que se ha apoderado con la misma determinación de su maleta: muy alto, de gestos desordenados, los brazos y las piernas muy largos, un flequillo tan móvil como sus gestos, juvenil aunque su cara ya no lo es, menos aún tan de cerca, la piel de arrugas muy finas y de un color seco de ladrillo rojizo, los ojos bulbosos de un azul muy claro tras los cristales de las gafas. Stevens lo aturde con su energía excesiva, con la velocidad de sus elogios y de sus preguntas, de sus peticiones de disculpas por retrasos y malentendidos cuyas explicaciones Ignacio Abel no llega a entender (secretarias, oficinas, telegramas, el hotel que no era, imperdonables descuidos); qué honor increíble tenerlo por fin con nosotros, después de tantas dificultades, cómo ha sido el viaje en el tren, estará muy cansado después de la travesía desde Europa. No acierta a ver en sí mismo a la persona a la que están destinados los agasajos y las excusas de Stevens, como si a causa de algún error lo estuvieran tomando por otro y él careciera del dominio del idioma necesario para deshacer el equívoco, o simplemente de las fuerzas para sobreponerse al despliegue de energía fresca del otro, el director del departamento, con su jersey de cuadros bajo la chaqueta y su pajarita verde con lunares, con la mano de largos dedos que se niega a devolverle la maleta, *don't even mention it,* y tira vigorosamente de ella cuando sube delante de él los peldaños de hierro hacia el paso elevado, que tiemblan bajo las pisadas de sus grandes zapatos de aire deportivo con las suelas de goma. Siguiéndolo, escaleras arriba, delante de la amplitud del Hudson, teñido de resplandores rojizos por el sol declinante, Ignacio Abel siente una forma de cansancio que no recuerda haber experimentado hasta ahora, el que se hace más visible por la comparación con la fuerza intacta de alguien más joven (pero él no reparó en la diferencia de edad mientras estaba con Judith: qué raro haber vivido tanto tiempo en un estado de perfecta inconsciencia, haberse creído invulnerable a los años, a la fragilidad, a la muerte). Recostado contra la cristalera que da a las vías, con los brazos cruzados, con el mismo gesto que tenía una noche de hace tres meses junto al ventanal de un último piso en Madrid, Philip Van Doren lo examina de arriba abajo con una sonrisa ecuánime antes de dar unos pasos hacia él, como si observara algo, los signos del paso acelerado del tiempo, el resultado de un experimento. Pero luego cambia, en un instante, después de indicarle a Stevens con una mirada, con un breve giro del mentón, que se quede atrás. Se aparta de la cristalera, y por un momento a Ignacio Abel le parece incómodamente que viene a abrazarlo, pero está observándolo todo, tomando nota de indicios laterales de su experimento, tal vez conteniendo su asombro, no queriendo mostrar que se fija en el estado de los zapatos o en el de la camisa o la corbata, en la diferencia entre la cara que está viendo ahora y la del hombre a quien conoció en Madrid hace algo más de un año, a quien vio alejarse por una acera de la Gran Vía una medianoche de hace tres meses. No lo abraza, pero extiende las manos hacia él, estrecha las dos suyas, él también sutilmente cambiado en este lugar donde no es extranjero, donde su figura no resalta contra un fondo ajeno a ella, algo más corpulento tal vez, más carnoso, el mismo lustre en la cabeza afeitada y en el mentón que se alza sobre un cuello alto. «Querido Ignacio, dichosos los ojos», dice, en español, resaltando con una sonrisa la propiedad de la expresión, su vanidad de saber usarla, él que le pedía ayuda siempre a Judith para encontrar equivalencias de giros en inglés. «Tiene usted que contarme tantas cosas. Ya pensábamos que no podría venir. Telegrafiaba a la embajada en Madrid cada día. Llamaba por teléfono. Intenté llamar a su casa, pero era imposible lograr comunicación. Querido Ignacio. Querido profesor. Bienvenido por fin. Stevens se encargará de todo. Está impresionado con tenerlo a usted aquí. No acaba de creérselo. Conoce todas sus obras, sus escritos. Fue la primera persona que me habló de usted.» Da órdenes, igual que en Madrid. Signos breves, miradas: Stevens se adelanta a ellos con la maleta de Ignacio Abel en la mano, les va abriendo puertas para que pasen, haciéndose a un lado, adelantándose, quedándose atrás: flexible, físicamente desorganizado, consciente de su posición, más subordinada hacia Van Doren que hacia el invitado extranjero al que admira tanto. Sin levantar la voz Van Doren le da instrucciones en un inglés muy rápido, y Stevens escucha y asiente, ocupándose de todo, poniéndose rojo. En los asientos de atrás hay una amplitud confortable y un sutil olor a cuero, otro mundo de olores en el que Ignacio Abel ahora se encuentra extraño, y en el que ya casi no recordaba haber habitado él también, no hace tanto tiempo. Se sienta incómodo, rígido, sin apoyar la espalda, las rodillas juntas, el sombrero en el regazo. Ha perdido tan completamente la costumbre del confort como la del halago. Van Doren saca un cigarrillo y Stevens, que ya había puesto en marcha el motor, lo apaga para buscar un mechero y darle fuego. Van Doren se echa hacia atrás, moviendo apenas la mano derecha para apartar el humo o para indicarle a Stevens con cierta impaciencia que arranque de una vez. «Pasará usted los primeros días en la casa de invitados de la universidad, si no le importa. En una semana como máximo tendrá su propia vivienda, en un sitio muy conveniente, cerca del campus y del sitio donde estará la biblioteca. *Within walking distance.* ¿Cómo es el giro en español? Espere, no me lo diga. ¿A un tiro de piedra? Nuestra querida Judith no habría dudado ni un momento. Aunque "sitio" tal vez no es tampoco una traducción correcta para *site*…» Qué poco ha tardado en decir el nombre, en invocar la presencia; observando la cara de Ignacio Abel, buscando en ella indicios del sobresalto, el nombre dicho en voz alta delante de él por primera vez en tanto tiempo. Estará esperando a que Abel se atreva a preguntar si sabe algo de ella, como esa

noche en Madrid, delante del ventanal en el que se reflejaba la claridad de los incendios; urdiendo su pequeño experimento, decir un nombre como si se vierte una gota de
cierta sustancia en un líquido. Pero ahora mira hacia fuera, de perfil junto a la ventanilla, recostado en el asiento de
cuero. Toma aire, va a decir algo, tal vez que sabe dónde
está Judith. «Imagino que no ha tenido usted tiempo de
enterarse de las últimas noticias de España. El ejército de
los otros tomó ayer Navalcarnero. No creo que vaya a salir mañana en los periódicos. Qué bellos son los nombres
de los pueblos españoles, y qué difíciles de pronunciar.
Miro el mapa y los leo en voz alta. Lo más difícil es saber
dónde va el acento en palabras tan largas. Veo los nombres
y echo de menos los viajes en automóvil por aquellas carreteras. Illescas lo tomaron sólo tres días antes. ¿A cuánto está Navalcarnero de Madrid? ¿A quince millas, a veinte? ¿Cuánto tiempo cree que tardarán en llegar?»

El automóvil avanza por una carretera estrecha, flan-
queada de árboles enormes, más allá de los cuales ve deslizarse bosques otoñales, praderas en las que pastaban
caballos, granjas aisladas y vallas pintadas de blanco, relumbrando en la claridad declinante de la tarde. Sobre las
ondulaciones de los prados la luz oblicua revela un vapor
tenue de tierra humedecida y fertilizada por la lluvia,
abrigada bajo la capa de las hojas del otoño que se irán
pudriendo lentamente hasta convertirse en abono. Se
acuerda de sus primeros viajes por las llanuras fértiles y llu-
viosas de Europa, amaneceres de niebla desde la ventanilla
de un tren, la luz del día revelándole arboledas rectas en las
orillas suntuosas de ríos, campos de cultivos. Qué injuria
venir de los páramos españoles, de las llanuras de secano,
de las serranías de roca desnuda, habitadas por cabras y por
seres humanos que se refugiaban en cuevas, que tenían,

hombres y mujeres, la piel tan renegrida y áspera como el paisaje en el que malvivían arañando la tierra, las caras deformadas por bultos de bocio, los ojos estrábicos, la injusticia encorvándolos como una maldición sin remedio. «No hay que desesperar, amigo Abel, como esos señores cenicientos del 98, Unamuno y Baroja, todos ellos», decía Negrín, riéndose; «bastarán dos generaciones para mejorar la raza, y nada de eugenesia, ni de planes quinquenales. Reforma agraria y alimentación saludable. Leche fresca, pan blanco, naranjas, agua corriente, ropa interior limpia; si nos dejaran tiempo, los otros y los nuestros...»

Pero no nos lo han dejado. Nunca hubo tiempo, tal vez; nunca existió la posibilidad verdadera de eludir el desastre; el porvenir que parecía abrirse por delante de nosotros el año 31 era un espejismo tan insensato como nuestra ilusión de racionalidad; en las cunetas de las avenidas recién asfaltadas de la Ciudad Universitaria ahora hay montones de cadáveres; en las aulas que tanta prisa nos dábamos para que estuvieran listas a principios de curso no ha venido a estudiar nadie; todo dispuesto, las bancas nuevas, las pizarras no manchadas todavía de tiza, los corredores resonantes donde ya se habrán roto algunos cristales, donde retumbarán muy pronto los cañonazos del enemigo que avanza, igual que ahora, desde la medianoche hasta el amanecer, las descargas de los fusiles en las ejecuciones. Mañana mismo, dentro de unas horas, en cuanto amanezca sobre la llanura, seguirán acercándose, camino de Madrid, igual que a lo largo del verano, subiendo desde el sur, por las carreteras desoladas y rectas, como una epidemia maléfica contra la que no hay antídoto, resistencia posible, sólo la inmolación o la huida, milicianos aturdidos y mal armados arrojándose a cuerpo limpio contra la metralla o escapando a campo través y tirando los fusiles para correr más rápido sin haber visto ni siquiera al enemigo, aterrorizados por sombras de jinetes a caballo entre remolinos de humo o por los gritos de pánico de otros tan extraviados como ellos. Con la uña de un dedo índice rosada de manicura (el dedo que ahora golpea distraídamente el cigarrillo para sacudir la ceniza mientras por la ventanilla del automóvil se sucede ordenadamente un paisaje de praderas, casas y vallas blancas, manchas rojas, ocres y amarillas de bosque) Philip Van Doren ha seguido en un mapa la línea trazada por los nombres que leía en los periódicos o en quién sabe qué noticias que llegan a él antes siquiera de que se publiquen: nombres sonoros y abstractos, Badajoz, Talavera de la Reina, Torrijos, Illescas, resaltando con sus duras consonantes y sus vocales nítidas en la música del idioma inglés igual que su grafía exótica en las columnas impresas con letra diminuta o en los titulares. Pero qué sabe él de lo que hay detrás de esos nombres; qué puede imaginar, menos aún, el profesor Stevens cuando los lea o los oiga, leyendo el periódico o escuchando la radio por la mañana mientras desayuna junto a uno de estos ventanales en los que no hay postigos ni visillos, delante de estos paisajes limpios de aristas, de huellas de pobreza y sequía o cicatrices de torrentes secos, bañados en una luz apacible que parece rozar tan delicadamente las cosas, ahora mismo, cuando la tarde sigue extinguiéndose muy despacio, perdurando en el azul muy claro del cielo y de las montañas lejanas, en el oro polvoriento de las colinas cubiertas de arces y robles, en los costados de las casas pintadas de blanco que dan al oeste. Nombres, recuerda, lugares por los que él mismo pasó alguna vez yendo de viaje, pueblos en los que se detuvo para estudiar la torre de una iglesia o tomar fotografías de un edificio popular, un molino, un lavadero, una casa de labor, ni siquiera eso, un bardal coronado de tejas, el arco de un puente sobre un arroyo. Día tras día, desde el amanecer, en el calor terrible de las siestas de verano, en la templanza de los atardeceres, los invasores armados han seguido avanzando por esos paisajes despojados de árboles en los que nadie puede esconderse, han asaltado los pueblos, cada uno un nombre tachado al poco tiempo en los mapas, dejando tras de sí una cosecha metódica de cadáveres, un horizonte de casas incendiadas, a lo largo de la mancha blanca de la carretera, de las líneas de postes y cables de telégrafos. Avanzan en camiones militares, en automóviles requisados, en escuadrones de jinetes que aterrorizan a los fugitivos desarmados enarbolando sables y lanzando gritos de una furia primitiva. Turbantes y alfanjes mezclados con ametralladoras; trofeos de manos y de orejas cortadas y telémetros para la artillería que derriba a cañonazos una torre de iglesia en la que han buscado refugio unos campesinos armados con escopetas viejas, resueltos a morir; una barbarie ejecutada con la solvente planificación de un proyecto moderno: como hubieran querido ustedes realizar el proyecto de la Ciudad Universitaria, dice Philip Van Doren, inseguro acerca del verbo que ha usado, demasiado pobre o general. «¿Cómo se dice bien en español *to carry out*?», pregunta, se consulta a sí mismo sin mirar a Ignacio Abel, o mirándolo un poco de soslayo, para hacerle saber que quien podría darle una respuesta indudable no está allí, aunque los dos piensan en ella. «Llevar a cabo», dice, satisfecho ahora, aliviado, la sombra de Judith invocada entre los dos, igual de presente que la guerra invocada en los nombres de los lugares que ha ido tomando el enemigo, los que caerán mañana, dentro de unas horas, cuando sea todavía de noche aquí pero ya esté amaneciendo en España: motores poniéndose en marcha; relinchos de caballos; el estrépito de las armas y el de las botas militares sobre la grava de la carretera (pero ellos tampoco llevan botas, o sólo los oficiales: calzan alpargatas, igual que los nuestros, unidos a ellos en la penuria, en el destino probable de ser carne de cañón); la matanza como una tarea extenuante pero embriagadora, como una cacería humana en la que se multiplica sin esfuerzo el número asombroso de las piezas cobradas, unánimes en el pavor de la huida y el desvalimiento. Los hermosos nombres en los mapas ahora designan cementerios. El otro país ahora ocupado y enemigo se extiende como una mancha según avanzan las columnas militares reforzadas por un séquito de matarifes con camisas azules que atraviesan los pueblos manejando listas de condenados metódicamente copiadas a máquina y dejando tras de sí un rastro de cadáveres. Mientras él esperaba y no hacía nada en Madrid ellos seguían acercándose; mientras él viajaba en tren hacia París disimulando la huida y tomaba el barco y se quedaba hipnotizado mirando el océano gris como una lámina de acero, escribiendo postales que no llegarían a su destino, imaginando cartas que dejaría sin escribir. Desde Navalcarnero la carretera continúa casi en línea recta hacia las afueras de Madrid; mucho antes de llegar los invasores verán a lo lejos la mancha blanca del Palacio Nacional sobre las barrancas del Manzanares: verán el perfil rojizo y pueblerino de los tejados interrumpido por la torre de la Telefónica, bajo el cielo inmenso de Castilla.

—El presidente de la República ha abandonado Madrid, como usted ya sabrá —dice Van Doren, observando a Ignacio Abel para asegurarse de lo que sospecha, que no lo sabía.

—Probablemente el gobierno se marchará también, si no lo ha hecho ya, en secreto. ¿Su familia de usted está segura, lejos de Madrid? Creo recordar que la última vez que nos vimos me dijo que los había dejado en la Sierra. Si usted lo desea quizás podamos arreglar que se reúnan con

usted aquí al cabo de un cierto tiempo. Otros profesores
que hemos traído de Europa, de Alemania sobre todo, están en una situación parecida. ¿Qué fue de su amigo, por
cierto, el profesor Rossman?

Al oír el nombre Stevens vuelve un momento la cabeza hacia ellos, la cara enrojecida.

—¿El profesor Karl Ludwig Rossman? ¿Es amigo suyo,
profesor Abel?

—Era —dice, en voz tan baja que Stevens no lo oye,
por culpa del ruido del motor, pero sí Van Doren, que inmediatamente olfatea algo, excitado por la posibilidad de
averiguar, de saber.

—¿Ha muerto? ¿Hace poco? No sabía que estuviera
enfermo.

—En nuestro departamento lo admiramos tanto como
a Breuer, como a Van der Rohe. —Stevens aparta nerviosamente los ojos de la carretera, volviendo el cuello hacia Ignacio Abel, con torsiones rápidas de pájaro—. ¿De verdad
trabajó usted con él? Qué emocionante. ¿En Weimar, en
Dessau? Sus escritos de entonces son incomparables. Sus
análisis de los objetos, sus dibujos. Ahora que lo pienso,
profesor Abel, con el respeto debido, a usted se le nota en
algunos de sus proyectos la influencia de Rossman.

Van Doren no hace caso a Stevens, ni siquiera lo escucha: mira a Ignacio Abel, la cabeza un poco inclinada, alzando una ceja, el cigarrillo entre los dedos rectos, sabiendo de antemano.

—¿Lo han asesinado? ¿En Madrid?

Comprende con desgana que puede contar y que probablemente sea inútil; intuye (recién llegado a su destino,
ni siquiera acomodado todavía al refugio provisional en el
que pasará al menos unos meses, la parte precaria del porvenir que cubre su visado) el cansancio de las explicaciones

sin fruto, de la imposibilidad de hacer que otros entiendan, lleguen a imaginar lo que él ha visto, lo que no transmitirán sus torpes palabras en inglés y menos aún las crónicas que publiquen los periódicos, las confusas fotografías en las que casi todo es remoto y abstracto. Qué entenderá Stevens, con su cara jovial que sigue pareciendo joven a una cierta distancia, con su fatigosa disposición a admirar; cómo explicarle a él o a Van Doren el miedo a morir que le hace a uno orinarse en los pantalones o la náusea de ver por primera vez un cadáver con los ojos saltones y la lengua hinchada y ennegrecida sobresaliendo entre los dientes. Haber visto o no haber visto es la diferencia: marcharse y seguir viendo; cerrar los ojos apretando los párpados y que no importe; seguir viendo con los ojos cerrados la cara de un muerto desconocido que poco a poco se va convirtiendo en la del profesor Rossman, aunque sólo aproximadamente, de modo que es más fácil identificarlo por el cuello duro medio desprendido de la camisa o por la insignia de su regimiento de Caballería en la solapa que por los rasgos borrosos, desfigurados, sometidos a distorsiones fantásticas. «Probablemente fue un error», dice, «lo confundirían con otro». El profesor Rossman estaba en el depósito de cadáveres, hediendo a formol y a putrefacción en el calor de principios de septiembre, un cartón con un número colgado de su cuello como un tosco escapulario; pero no en una de las mesas de mármol, rebosantes de cuerpos, de brazos y pies rígidos que sobresalían como ramas peladas, sino en el suelo, en una especie de corralón trasero en el que zumbaban las moscas y pululaban las hormigas. Lo ve ahora y el olor revivido es más intenso que el de la tierra otoñal y las hojas caídas que entra por la ventanilla y se mezcla con el del humo dulzón del cigarrillo de Van Doren. Lo que él ve con los ojos entornados es más real que este momento, este viaje en automóvil por colinas de praderas y bosques; tan cerca del profesor Stevens y de Philip Van Doren en el espacio recogido del coche una frontera lo separa de ellos, una zanja invisible que no pueden remediar las palabras. De pronto siente que ha vivido en la irrealidad desde la noche en que salió de Madrid; el mundo que habitan los otros para él es un espejismo; es lo que sigue viendo aunque se haya marchado lo que lo convierte en un extranjero, no los datos inscritos en un pasaporte emitido por una República que de un día para otro puede dejar de existir; no la fotografía tomada hace varios meses de un hombre que ya no es él. Ve lo que ellos no sabrán imaginar nunca: las caras grisáceas de los muertos en los descampados, en los desmontes de la Ciudad Universitaria, junto a las tapias del Museo de Ciencias Naturales, en la acera de la calle Príncipe de Vergara, junto al portal de su casa, bajo las mismas arboledas del Botánico en las que unos meses atrás se citaba con Judith Biely, en cualquier cuneta de las afueras de Madrid; los muertos tan diversos y tan singulares como los vivos, congelados en un gesto último como el que atrapa el fogonazo de una fotografía, y sin embargo poco a poco despojados de su individualidad, conservando tan sólo su condición genérica, viejos o jóvenes, hombres o mujeres, adultos o niños, gordos o flacos, oficinistas o burgueses o simples desgraciados, con zapatos o con alpargatas, con huecos de dientes perdidos o de dientes de oro arrancados por los ladrones que madrugaban para expoliar los cadáveres, algunos con las gafas todavía puestas, con las manos atadas o con las manos y los brazos abiertos y descoyuntados como los de un muñeco, con una colilla en la esquina de la boca, con un churro que algún bromista les había puesto entre los dientes, con el pelo erizado como por el pánico o en el desorden del que acaba de levantarse de la cama o con el pelo planchado de brillantina;

muertos en pijama, muertos en camiseta, muertos con corbata y cuello duro, muertos con los párpados apretados o con los ojos muy abiertos, algunos con las mandíbulas distendidas como en una carcajada, otros con una especie de sonrisa sonámbula, muertos caídos boca arriba o con la cara hincada en el suelo o echados a un lado y con las piernas encogidas, con un solo agujero en la nuca o con el tórax abierto por los disparos, muertos caídos en un charco de sangre o tan limpiamente como si un rayo o un ataque al corazón los hubieran fulminado, muertos con los vientres tan hinchados como los cadáveres de burros o de mulos, muertos solos o amontonados los unos sobre los otros, muertos irreprochablemente limpios o con los pantalones manchados de orines y de mierda y con vómitos secos sobre las camisas, todos iguales entre sí tan sólo en la grisura opaca de la piel: muertos desconocidos, fotografiados de frente y de perfil, clasificados en los registros de la Dirección General de Seguridad, donde un fotógrafo y su ayudante llegaban cada tarde para pegar en las grandes hojas de cartulina las fotos recién reveladas, las que habían tomado desde el amanecer por los descampados de Madrid. Con unas tijeras y con un bote de pegamento el ayudante iba recortando las fotografías y luego las pegaba en las hojas del álbum, encima de un recuadro que tenía al pie espacios en blanco señalados por líneas de puntos suspensivos que nunca se llenaban: nombre, domicilio, causa de la muerte. Gente medrosa se agolpaba sobre los registros, mirando fotos, pasando páginas, abriéndose paso a codazos en una habitación demasiado pequeña y poco ventilada, llena de humo, con el suelo sucio de colillas. Al cabo de un rato la mirada se embotaba y las caras de las fotos empezaban a volverse idénticas, tan genéricas en su condición de retratos en blanco y negro de muertos que era muy difícil identificar a alguien. Había un rumor de conversaciones en voz baja, de pasos; de vez en cuando se escuchaba un grito; una mujer se había desmayado; alguien rompía a llorar con una brusquedad animal, repetía un nombre en voz alta, una exclamación.

Llevaba el día entero en la calle y a las diez de la noche aún no había averiguado nada sobre el paradero del profesor Rossman. Como su coche había sido incautado y los tranvías circulaban de manera errática iba de un lado a otro de Madrid caminando bajo el sol del verano o viajando en los vagones agobiantes del metro. En su casa estaba esperándolo la señorita Rossman, demasiado asustada para volver a la pensión. Se había presentado muy temprano, antes de las ocho. «Tiene usted por favor que ayudarme, profesor Abel, unos hombres se llevaron a mi padre ayer por la tarde y me dijeron que volvería en cuanto contestara a unas preguntas, pero no me quisieron decir adónde lo llevaban. Usted conoce a mucha gente en Madrid, seguro que le dirán qué ha sido de mi padre. Usted ya sabe cómo es: habla con cualquiera. Bajaba a ese café que hay al lado de la pensión y decía lo que se le pasaba por la cabeza. Le decía a todo el mundo que una guerra no es una fiesta y que si no había más disciplina y menos discursos y desfiles los fascistas iban a tomar Madrid antes de que termine el verano. Usted lo conoce, le ha oído las mismas cosas mil veces. Esa gente apenas lo entendía y él les hablaba de Marco Aurelio y de los bárbaros, los bárbaros de fuera y los de dentro, esas teorías suyas. Discutía con la dueña de la pensión, que tiene un hijo anarquista. Quizás alguien le ha oído el acento y ha pensado que era un espía.» Pero también tenía miedo por ella misma; tenía miedo de que los hombres que habían venido a buscar a su padre regresaran para llevársela a ella. Había pasado la noche en vela en su cuarto. Se acordaba de que el profesor

Rossman, como hacía calor, llevaba desabrochado el cuello duro de la camisa, y de que estaba adormilado en una mecedora, junto al balcón que daba a la calle de la Luna, donde había un cuartel de milicianos o una sede anarquista. Vinieron a buscarlo y lo único que se le ocurrió fue pedirles que le dejaran abrocharse el cuello y ponerse la chaqueta y la corbata y cambiarse las zapatillas por sus botines. Pero se lo llevaron con la camisa abierta y sin chaqueta, con las zapatillas viejas de paño. Al menos le dio tiempo a ponerse las gafas, que había dejado antes de dormirse en una mesita junto a la mecedora. Eran tres hombres, de modales suaves, armados con pistolas, actuando con una cierta neutralidad policial. La señorita Rossman recordó luego que nada los alertó a ella o a su padre del peligro, porque no habían oído las usuales pisadas muy fuertes en la escalera de la casa y golpes violentos en la puerta de la pensión al mismo tiempo que sonaba el timbre de manera insistente. Ella, al principio, no entendió lo que sucedía. Recordaba que su padre se había quedado quieto en la mecedora, muy pálido, parpadeando a causa de la luz que inundó la habitación cuando uno de los recién llegados apartó las cortinas para emprender el registro. Los tres hombres ocupaban con tranquila insolencia el espacio reducido en el que la señorita Rossman y su padre habían aprendido a moverse con tanta cautela para aprovechar cada palmo: las dos camas iguales, con cabeceros de hierro, el lavabo con su espejo oval, el armario, la pequeña estantería con los pocos libros que habían podido salvar después de años sobresaltados de viajes, la repisa en la que se apoyaban por turno para escribir cartas y rellenar formularios y en la que la señorita Rossman preparaba sus clases de alemán. En pocos minutos las camas estaban deshechas y los colchones levantados, los libros por el suelo, los preciados documentos, formularios, diplomas del profesor Rossman, el contenido de su cartera insondable, la ropa que guardaban en el armario. La señorita Rossman, sentada en una silla, con las rodillas huesudas muy juntas, con los grandes pies juntos, los codos sobre los muslos, la cara flaca apoyada en las dos manos, empezó a temblar igual que había temblado algunas veces en su habitación casi tan angosta en el hotel Lux de Moscú, cuando a ella y a su padre nadie los visitaba ni parecía verlos y no sabían si iban a dejarlos salir de la URSS. Cuando se lo llevaban le dijo algo en alemán y uno de ellos le puso la pistola en el costado. «Cuidadito con dar mensajes que no se entienden.»

«Me dijo que viniera a buscarlo a usted, que usted nos ayudaría, igual que nos ha ayudado siempre. Nadie más que usted nos ha ayudado desde que vinimos. Yo no conozco a nadie más.» Los ojos incoloros de la señorita Rossman, fijos en él tras los cristales de las gafas, tan irritados por la mala noche y el llanto como la punta de su nariz, que secaba con un pañuelo guardándolo cada vez en la manga, con una especie de obstinada corrección automática. Larga, no alta, vestida con la peculiar falta de garbo de esas monjas que ahora intentaban salvarse escondiendo los hábitos, había algo en ella refractario a cualquier atractivo, una predisposición al infortunio y al error que se traslucía en su presencia física, una forma de desamparo destinada a despertar incomodidad pero no simpatía. Le había tenido que decir que pasara, que no se quedara en la puerta, como con miedo a contagiarle a él su desgracia. Se sentó en una de las sillas enfundadas para el veraneo, en el comedor donde Ignacio Abel no entraba nunca y en el que por lo tanto no era tan visible el desorden. Recuperaba el aliento, por haber subido los cinco pisos a pie. Ignacio Abel le trajo un vaso de agua y ella lo dejó en el filo de la mesa, con mucho cuidado, pero sin mirarlo siquiera, como si actuara parcialmente sumida en el sueño, viendo sólo unas pocas cosas aisladas. Los pies juntos, muy grandes, las rodillas juntas, temblando mientras hablaba, rehuyendo la mirada inquisitiva de Ignacio Abel en cuanto se encontraba con ella. Asustada, pero también culpable, agobiada no sólo por la detención de su padre sino por el remordimiento de haber sido ella quien lo arrastró a la Unión Soviética cuando tuvieron que salir de Alemania; quien estuvo a punto de atraer sobre los dos el cautiverio y tal vez la ejecución; quien finalmente fue responsable de que al profesor Rossman le fuera negado lo que más deseaba, un visado para los Estados Unidos, donde podría haber continuado su carrera igual que tantos otros compañeros de la Escuela, expatriados como él, acogidos en universidades y estudios de arquitectos mientras él daba tumbos por Madrid, donde su prestigio no existía y sus credenciales no valían nada: vendiendo a comisión por los cafés plumas estilográficas, esperando en antesalas de despachos que nunca se abrían para él, elaborando nuevos planes que no llevarían a nada: un viaje a Lisboa, donde le habían dicho que los visados para América eran menos difíciles, o donde podrían tomar él y su hija un pasaje que los llevara a algún puerto intermedio de Sudamérica, a Río de Janeiro, Santo Domingo o La Habana: donde alguien fuera lo bastante descuidado o corrupto para no ver los sellos con la hoz y el martillo estampados en su pasaporte de apátrida, no mucho menos inútil que el pasaporte caducado alemán con las letras rojas cruzando la página de la fotografía: *Juden-Juif.*

—Nos vimos hace sólo unos días —dijo Ignacio Abel, como si diera una información tranquilizadora, sentado frente a la señorita Rossman, al otro lado de la mesa formal del comedor, bajo la gran lámpara enfundada en una tela blanca—. Me dijo que estaba contento, que usted había conseguido un buen trabajo.

—Habría preferido seguir dando clases de alemán a sus hijos. —La señorita Rossman levantó los ojos, como si despertara un poco más de su sueño, aunque no del todo, reparando en los muebles enfundados y en el aire general de abandono del salón, tan distinto de lo que ella recordaba—. ¿Su señora y sus hijos no están con usted?

Había visto de lejos al profesor Rossman en la calle Bravo Murillo y como tantas veces había tenido la tentación de cambiar de acera o de pasar a su lado sin llamar su atención. No lo veía, tan miope, tan distraído entre la gente, en la acera del cine Europa, bajo las grandes banderas rojinegras y los carteles que ocupaban toda la fachada, con colores muy vivos y figuras enormes en actitudes heroicas, aunque ya no mostraban sólo propaganda de películas sino también de batallones de musculosos milicianos, de obreros con martillos y fusiles y campesinos agitando hoces contra un cielo de color rojo en el que volaban escuadrillas de aviones. ¡LA REVOLUCIÓN LIBERTARIA APLASTARÁ A LA HIDRA DEL FASCISMO! SALA REFRIGERADA, GRANDES ESTRENOS. VISITE NUESTRO SELECTO AMBIGÚ. (En el cine Europa se había citado una tarde de junio con Judith Biely; entrando del calor de horno y de la luz cegadora de la calle desierta la había buscado en el amparo de la penumbra, en el frescor benéfico de una brisa artificial.) Milicianos con fusiles al hombro, bronceados por el sol de la Sierra, bebían jarras de cerveza a la sombra de los toldos listados de un café. Conversaban en grupos ruidosos, vestidos con grados diversos de uniformidad, algunos con monos azules abiertos hasta la cintura, con guerreras y pantalones descabalados de uniformes, con alpargatas, con gorros cuarteleros echados sobre la nuca, casi todos muy jóvenes, muy morenos, con patillas largas y pañuelos sudados al cuello, embravecidos cuando pasaba cerca una muchacha, embriagados por el delirio de omnipotencia que les concedía el derrumbe de la antigua normalidad, la posesión de las armas, la mezcla de carnaval y carnicería de la guerra. Durante más de cuatro horas desfilan por Madrid en imponente manifestación las Juventudes del Frente Popular vitoreadas con entusiasmo delirante por una inmensa multitud. Del interior del cine venía la música rudimentaria de una banda que tocaba desorganizadamente himnos marciales. Sobre las mesas brillaba el metal de las pistolas igual que el de las jarras de cerveza. La guerra parecía ser tan sólo esa jovialidad bronca y nerviosa, el desaliño general y el aire de indolencia de la gente en la mañana cálida de agosto, la épica de las figuras gigantes y esquemáticas en los cartelones de la fachada del cine, en las que no daba la impresión de que reparara nadie. En los picachos de la Sierra cordobesa nuestras tropas preparan su acometida a la ciudad de la mezquita esperando impacientes la orden de avance para desplomarse sobre ella. La guerra eran los titulares triunfales y embusteros de los periódicos y entierros con puños levantados y marchas sombrías en los que la muerte siempre era algo abstracto y glorioso; los desfiles con grandes pancartas y banderas en los que nadie marcaba bien el paso y delante de los cuales, como en las procesiones religiosas ahora abolidas, avanzaban mojigangas de niños con escopetas de madera y retrasados mentales con las cabezas muy erguidas bajo las viseras de sombreros de papel de periódico. Continúa el avance irresistible de nuestras columnas sobre los abruptos terrenos de la Sierra de Guadarrama, donde día a día son desplazadas de sus posiciones las fuerzas enemigas.

—Amigo mío, mi querido profesor Abel, qué alegría encontrarlo. —El profesor Rossman, la cartera negra bien apretada contra el pecho, se limpió la mano sudada en el faldón de la chaqueta antes de estrechársela: parecía que llevara mucha prisa y que al mismo tiempo no supiera adónde iba, igual que hablaba muy rápidamente saltando de un asunto a otro como si fuera olvidándolos según dejaba de aludir a ellos—. ¿Ha leído los periódicos de hoy? El enemigo retrocede en todos los frentes, pero las líneas que defienden las gloriosas milicias están cada vez más cerca de Madrid. Créame, tengo experiencia, me pasé cuatro años estudiando mapas de posiciones en el frente occidental. ¿Ha visto que las noticias tratan no de lo que ya ha sucedido sino de lo que está a punto de ocurrir? Granada a punto de rendirse a las tropas leales, de un momento a otro se espera la caída del Alcázar de Toledo, se anuncia la toma inminente de Oviedo, o de Córdoba. ¿Y qué me dice de Zaragoza? ¿Cuántas semanas hace que avanzan sobre ella columnas que ponen en fuga al enemigo o que no encuentran resistencia, y sin embargo nunca llegan a ella? Me paso el día mirando el mapa y el diccionario español-alemán. Tengo que buscar de nuevo palabras españolas de las que estaba seguro. ¿Se encuentra usted bien, sigue en su trabajo? ¿Ha tenido noticias de su señora y de sus hijos? No tiene costumbre de vivir solo y se le ve que ha adelgazado. ¿Quiere tomar un refresco, una jarra de cerveza? Ha triunfado la revolución pero los cafés siguen abiertos, como en Berlín al terminar la guerra. Le invito yo esta vez. Tenemos que celebrar que mi hija ha encontrado un trabajo excelente…

Buscaron una mesa en el interior del café. El profesor Rossman, nada más sentarse, abrió su cartera y empezó a sacar de ella periódicos descabalados y recortes llenos de subrayados en rojo y en azul, mapas de los que se publicaban cada día con las modificaciones del territorio que ocupaban los rebeldes, y que según todos los informes no paraba de menguar, aunque las posiciones estaban cada

694

vez más próximas. El contundente avance de las tropas republicanas por el frente de Aragón se traduce en una inminente amenaza sobre los rebeldes de Zaragoza. Las fuerzas leales están a 6 km de Teruel y continúan tomando posiciones ventajosas. Las columnas que manda el heroico capitán Bayo prosiguen su avance para la reconquista de Mallorca. Los rebeldes de Huesca se encuentran en una situación desesperada.

Ignacio Abel miraba incómodamente a un lado y a otro, temiendo que alguien entendiera lo que decía el profesor Rossman, desconfiara de su aire extranjero y de su afición a los mapas de guerra.

—Tenga más cuidado, profesor —le dijo en voz baja—. Por la menor sospecha lo denuncian a uno.

—Quien debe cuidarse más es usted, mi amigo querido. Le veo desmejorado, si me permite la libertad de decírselo. ¿Tiene algo en lo que ocupar el tiempo? ¿Es verdad que las obras de la Ciudad Universitaria están temporalmente suspendidas? Me contó alguien que los sublevados piensan atacar Madrid desde ese flanco, lo cual tiene sentido, militarmente hablando. No me mire así: no tema nada. Personalmente yo no tengo miedo. Soy un viejo y soy un refugiado del hitlerismo. Los que me echaron de mi país son los mismos que están ayudando a los facciosos con armamento y con aviones. ¿Qué interés puedo tener yo en ponerme de su lado? ¿Adónde puedo huir si entran en Madrid? Pero estaba diciéndole que hay buenas noticias para nosotros, para mi hija sobre todo, excelentes.

—¿Les conceden por fin el visado para América?

—¿Quién piensa ya en el visado? Habrá que esperar a que termine todo esto en España. No antes del final del verano, si me permite el pesimismo, por mucho que digan los periódicos. ¿Los británicos y los franceses presionarán a Hitler y a Mussolini para que no ayuden a Franco? Me parece difícil. El gobierno de ustedes quiere explicarle al mundo que se ha quedado solo frente a la invasión de los bárbaros pero los periódicos de toda Europa están llenos de fotos de iglesias quemadas y sacerdotes y frailes asesinados. ¿Que los otros bárbaros matan mucho más? Probablemente, pero eso no les perjudica con Mussolini o con Hitler. ¿Y cómo van ustedes a explicarse si no hay nadie en el gobierno que hable idiomas extranjeros? No me quejo, porque gracias a eso mi hija ha encontrado por fin un trabajo excelente, ahora que todos los niños a los que daba clases de alemán están de veraneo fuera de Madrid. Y mejor pagado, si me permite usted decirlo. La han contratado como traductora en el servicio de censura de los corresponsales internacionales. Habla inglés y ruso casi igual que alemán, como usted sabe, y su español es magnífico, mucho mejor de lo que será nunca el mío. Trabaja cerca de la pensión, en un despacho de la Telefónica, tiene un salvoconducto, cupones para alimentos. Yo le ayudo en lo que puedo, como usted ve, busco para ella noticias en los periódicos, la llevo a la Telefónica y la recojo cuando sale. Siempre de su brazo. Mi pobre hija nunca ha sabido valerse sola, ni cuando se hizo fanática comunista. Iba a sus reuniones eternas y su madre se dormía porque ya estaba grave y tomaba medicinas muy fuertes para el dolor pero yo me quedaba despierto hasta que ella regresaba. ¡Mi pobre hija, enamorada de Lenin y de Stalin como se había enamorado antes de Douglas Fairbanks y Rudolf Valentino! Ahora, si me disculpa, tengo que irme, he de llegar a casa para repasar con ella la prensa del día antes de que se vaya a la oficina. Mi hija piensa que es comunista, pero en el fondo es una señorita romántica del tiempo de mis abuelos. En lugar de leer a Heine le dio por leer a Karl Marx. ¿Sabe de qué tengo miedo ahora? De que se enamore de uno de esos corresponsales americanos que llegan cada día a Madrid para ver la guerra de cerca y parecen cowboys o actores de cine. El destino de mi hija es sufrir por amor. Por amor de un hombre que no le haga caso o se aproveche de ella y la engañe con otra o por amor de una causa que le prometa la explicación total del mundo y el paraíso sobre la tierra. Lo peor ha sido cuando los dos amores se han mezclado. ¿Sabe por qué quiso ir a Rusia cuando ya no podíamos seguir viviendo en Alemania? Se iba a ir de todos modos, así que yo la seguí, aterrado de que estuviera sola en ese país espantoso. Quería ir a Rusia para ver de cerca la patria del proletariado y para seguir como un perro a ese dirigente del Partido Comunista alemán del que se había enamorado y que había tenido el capricho de acostarse con ella, aunque estaba casado y tenía hijos. Moral revolucionaria. A mi hija le dieron un puesto de mecanógrafa en las oficinas del Komintern y el camarada heroico pasaba de vez en cuando por nuestra habitación en el hotel Lux y yo tenía que irme a la calle durante varias horas aunque estuviera nevando y aunque me quedara helado dando vueltas. No hay cafés como éste en Moscú, amigo mío. No hay camareros con chaquetillas blancas que sigan sirviéndole a uno igual que antes de la revolución. De pronto el camarada dejó de venir y mi hija empezó a pasarse las noches llorando, pegando la cara contra la almohada, para que yo no la oyera. La mujer nueva soviética llorando como una señorita del siglo pasado porque su prometido ya no viene a visitarla como antes. Pero el héroe también dejó de ir a la oficina en la que mi hija le ayudaba en cuerpo y alma en la lucha propagandística que iba a derribar en poco tiempo a Hitler, ahogándolo en una marea internacional de indignación contra sus crímenes. No se había ido con otra mecanógrafa o secretaria. No había vuelto con su mujer, de la que tampoco se sabía nada. Un día supimos que estaba detenido. ¡Que lo acusaban de complicidad con los asesinos de Kirov en Leningrado! ¡Pero él no había ido nunca a Leningrado y ni siquiera estaba en la URSS cuando mataron a Kirov! A mi hija empezaron a dejar de hablarle sus compañeras de la oficina y al cabo de unas semanas ya ni siquiera la miraban. Ni a ella ni a mí. Éramos como dos fantasmas por los pasillos y por los salones del hotel Lux. Pero tampoco hablábamos entre nosotros cuando nos quedábamos solos en la habitación. Ella no me lo decía, pero yo sé qué pensaba, sentada en una silla, junto al teléfono. Que su amante había hecho algo peor que traicionarla a ella, que había traicionado a la Revolución o al Partido o al Proletariado. ¿Cómo iban a acusarlo si no fuera culpable? Pero tampoco sabía de qué lo acusaban. Le puedo leer el pensamiento aunque no me diga nada. ¿Y si lo habían detenido por culpa de ella, por alguna indiscreción que ella hubiera cometido sin darse cuenta? Mi hija siempre carga sobre sí las culpas del mundo. Por eso anda un poco encorvada. Todavía tiene la esperanza de que él aparezca, de que se deshaga el malentendido y se rehabilite su buen nombre. Un día y otro día y nadie nos hablaba, pero tampoco sucedía nada, tampoco la despedían de la oficina o nos echaban del hotel Lux o venían a detenernos. El teléfono no funcionaba, pero podía tener dentro un micrófono. Yo levantaba el auricular y algunas veces escuchaba la tos de alguien. El pobre espía que nos vigilaba sufría bronquitis. Y de pronto un día vinieron a buscarnos. No después de medianoche, como tenían por costumbre. Habíamos preparado cada uno una pequeña maleta con unas pocas cosas necesarias y la guardábamos debajo de la cama. Mi hija una maleta y yo mi cartera. Si nos detenían nos permitirían llevarla con nosotros. Eso era lo que hacía la gente. Preparaba la maleta y la guardaba debajo de la cama y esperaba meses o años a que vinieran los policías con los uniformes azules o con los chaquetones de cuero después de medianoche. Pero a nosotros vinieron a buscarnos a las ocho, un poco después de que mi hija llegara de la oficina. Oímos los pasos en la escalera, luego en el pasillo, llamaron a la puerta y mi pobre hija seguía sentada, con las piernas temblando, chocando entre sí. Yo sentí cierto alivio, si he de decirle la verdad. Si aquello iba a ocurrir de todos modos mejor sería que ocurriera cuanto antes. Hombres jóvenes, muy educados, con uniformes limpios, con botas brillantes, no como estos que se ven ahora por Madrid. Nos dijeron que teníamos que acompañarlos y mientras salíamos por el pasillo yo iba sujetando a mi pobre hija para que no se cayera. Pero pensaba, qué raro que hayan venido tan temprano, que nos lleven por el hotel a la vista de todos, no después de medianoche, cuando no hay nadie en los pasillos y todo el mundo está despierto detrás de las puertas cerradas de las habitaciones. Nos hicieron subir a una de aquellas camionetas negras que le daban tanto miedo a la gente, pero en seguida me di cuenta que no íbamos camino de la prisión Lubianka, que no estaba lejos del hotel. Frenó la camioneta y vi que estábamos delante de la estación. Nos llevaron casi a rastras por los andenes, golpeándonos contra la gente, nos empujaron al interior de un vagón y sin decirnos nada nos dieron un sobre en el que estaban nuestros pasaportes. Podían habernos matado, o habernos enviado a Siberia, pero nos expulsaron, y todavía no entiendo por qué, por qué nos dejaron vivir...

Habría asistido a la repetición de todo como a una fatalidad de la que esta vez no podría escaparse, tan lejos de Moscú, en esta otra ciudad veraniega y caótica del otro extremo de Europa: los pasos en la escalera, los golpes en la puerta, las rodillas de su hija chocando entre sí en otra habitación casi idéntica atestada de cosas, sentada en una cama debajo de la cual estaba la misma maleta que había tenido preparada en Moscú. El sonido de las rodillas, el de los muelles del somier. Pero no era su hija la elegida por la desgracia, como había temido siempre, sino él mismo, y después de tanto tiempo huyendo de un lado para otro y preparándose para lo que tanto temía y lo que estaba siempre siguiéndolo por muy lejos que se fuera, la hora de la verdad le llegaba por sorpresa, inesperadamente, con la neutralidad de una visita. Más de tres años aguardando la irrupción del desastre, desde que vio en Berlín el desfile de los hombres con camisas pardas y antorchas marcando el paso sobre los adoquines relucientes, y cuando por fin sobrevenía lo encontraba distraído, dormitando en una mecedora al calor de la siesta de agosto, en zapatillas, con el cuello desabrochado, con la camisa abierta, tan amodorrado por el sueño que le costó un poco comprender que estos hombres metódicos que no alzaban la voz y no llevaban monos de milicianos ni fusiles truculentos probablemente iban a matarlo.

—Seguro que usted hizo todo lo que pudo por salvarlo —dijo Van Doren—. Quizás puso su propia vida en peligro.

—¿Ha muerto Rossman? —Stevens los miraba en el retrovisor, las manos largas y flacas en el volante, la cara enrojecida, inquieto por no comprender bien la conversación en español—. ¿En Madrid? No he visto nada en el periódico.

—No puse en peligro nada. Estaba muerto y yo lo seguía buscando.

29

Estaba muerto y él lo buscó en vano durante varios días, a principios de septiembre, yendo sin rumbo de un lado a otro de Madrid, sospechoso él mismo, con su traje claro y su corbata y su pañuelo bien doblado en el bolsillo superior de la chaqueta, entre los hombres de camisas abiertas, caras sin afeitar y monos azules que llenaban las calles y las terrazas de los cafés, los hombres jóvenes que llevaban fusiles al hombro y pistolas y cartucheras de municiones al cinto y no se quitaban el cigarrillo de la boca cuando se dirigían a un transeúnte pidiéndole la documentación u ordenándole que levantara los brazos. Le dijo esa mañana a la señorita Rossman que se quedara esperándolo hasta que él volviera y que si averiguaba algo la llamaría por teléfono (ella tenía miedo de todo: de andar por la calle o volver al cuarto de la pensión todavía desordenado o presentarse en la oficina donde tal vez alguien la denunciaría o iría a detenerla); le indicó dónde estaba la cocina por si quería comer algo, aunque ya quedaba muy poca comida en la alacena y en la nevera eléctrica, comprada con gran júbilo de Adela y los niños cuando empezaba el calor del verano (sólo hacía dos meses, y ya en otra época), ahora casi vacía y ya oliendo mal (la corriente se interrumpía con frecuencia; el agua faltaba durante horas en los grifos; los alimentos empezaban a ser escasos en las tiendas). A lo largo del día se acordaba de ella, imaginándola inmóvil en la misma posición en que la había dejado, sentada junto a la mesa del comedor, bajo la gran lámpara del techo envuelta en una sábana, delante del vaso de agua que no había probado (las rodillas juntas, las manos en el regazo, la mirada en el suelo, como su padre la había visto en la habitación del hotel Lux de Moscú), esperando su regreso o la llamada de teléfono prometida, abrumada por una pesadumbre que al transmitirse a él se convertía en culpabilidad, en el antiguo remordimiento de no haberles ayudado a ella y al profesor Rossman tanto como hubiera debido, con verdadera convicción y no con una lástima confusa, no con la incomodidad de presenciar un infortunio que él habría podido aliviar esforzándose un poco, quizás recurriendo a tiempo a amistades influyentes. La confianza desesperada con que la señorita Rossman había acudido a él lo inducía a una determinación casi del todo imaginaria. Hojeó su agenda en busca de nombres, direcciones y números de teléfono; hizo delante de ella llamadas de teléfono que no obtuvieron respuesta (pero tampoco funcionaban bien las líneas telefónicas, o los timbrazos sonaban ahora en casas deshabitadas o en oficinas vacías). Con aire decidido se puso la americana y la corbata y se echó la cartera y las llaves en el bolsillo pero no sabía adónde ir, a quién preguntar. Había vivido, desde la noche caliente de julio en la que anduvo buscando inútilmente a Judith Biely por un Madrid que se volvía desconocido a la luz de los incendios, en un estado de pasividad y letargo semejante a una convalecencia, en el piso grande y vacío donde la mayor parte de los muebles seguían envueltos en sábanas, yendo casi cada día a su oficina de la Ciudad Universitaria, donde ya nunca había nadie, sólo patrullas de milicianos que irrumpían a veces en automóviles lanzados a toda velocidad por las avenidas rectas y vacías, o ladrones de materiales a los que ya nadie detenía, o grupos medrosos, casi siempre de mujeres, que recorrían los descampados con la primera luz del día para buscar entre los muertos de la noche anterior. En algunos edificios aún sin terminar empezaron a acampar hacia mediados de agosto familias populosas que llegaban a Madrid huyendo del avance del ejército enemigo: mareas de fugitivos, como pueblos nómadas con sus extrañas ropas y sus caras quemadas por la intemperie, con sus carros de ruedas de madera y sus burros y mulos doblados bajo el peso de las impedimentas que habían intentado salvar del pillaje de los invasores, colchones, muebles inverosímiles, armazones de camas de hierro, jaulas con gallinas. Encendían sus hogueras y hervían sus ollas de comida en los vestíbulos de las facultades sin terminar igual que en los jardines públicos del centro de Madrid o que bajo las bóvedas de las estaciones del metro. Sus rebaños de cabras y ovejas pastaban en las malezas de los futuros campos de deportes, en los que ahora aparecían cadáveres de fusilados, las manos atadas a la espalda con cuerdas o trozos de alambre o cordones de zapatos. Las mujeres tendían la ropa en las hileras racionalistas de ventanas de los edificios sin terminar. Parvas de niños pelones se perseguían por las escaleras resonantes y por los andamios abandonados y se detenían en círculos silenciosos alrededor de los cadáveres, los más audaces atreviéndose a registrarles los bolsillos o a quitarles alguna prenda en buen estado. Como en tantas mañanas en que salía hacia su oficina con una obstinación sin propósito que al menos le permitía el engaño de una cierta dosis de normalidad, Ignacio Abel le dijo a la señorita Rossman que no se preocupara y bajó a la calle con los gestos briosos de quien sabe adónde va, como si la ficción contuviera en sí misma algún efecto práctico. Aunque ahora vestía mono proletario y boina el portero lo saludó tan untuosamente como cuando llevaba librea azul y gorra de plato. La mano que había aprendido a cerrar en un puño belicoso cuando pasaba un desfile o un entierro con banderas rojas y banda de música por delante del portal ahora se extendía con la misma cauta astucia de siempre para recibir una propina. «¿Todavía sin noticias de la señora y de los niños, don Ignacio? Yo no me preocuparía. Como yo digo, más tranquilos estarán en la Sierra, aunque sea del otro lado, y más sano para los chicos. A la señora seguro que le sienta bien el verano fuera de Madrid.» Lo decía sabiendo: de algún modo había llegado a enterarse de la razón por la cual Adela había pasado inesperadamente las dos últimas semanas de junio en un sanatorio de la Sierra, aunque no tenía débiles los pulmones. Sonreía inclinándose y tal vez estaba calculando la posibilidad de una denuncia, ahora que sabía que Ignacio Abel, aunque se hubiera salvado una vez, no era invulnerable. «Veo que el señor ha tenido visita», dijo el portero, afanándose detrás de él, con su mono miliciano y sus maneras serviles. «Me preguntó la señorita extranjera por usted y la dejé subir porque me acordaba de verla cuando venía a dar clases particulares a sus hijos. La verdad es que le he visto cara de haberse llevado un disgusto, pero en estos días ya me dirá usted quién está libre de penas.» Adelantaba la insinuación igual que la mano cautelosa: cerraría la mano en torno a la moneda entregada igual que atraparía una confidencia que pudiera ser beneficiosa para él y tal vez dañina para quien la había formulado, su antigua condición de chismoso elevada en los nuevos tiempos a la de experto delator.

Buscó a Negrín en el café Lion y le dijeron que ahora andaba muy ocupado y que mejor preguntara por él en la Casa del Pueblo de la calle Piamonte o en el Ministerio de la Guerra. Con su activismo de siempre acelerado por la guerra, Negrín acababa de marcharse siempre de los lugares donde él estaba a punto de encontrarlo. «Don Juan va y viene todo el día», le dijo el limpiabotas del café Lion, que tenía por Negrín una devoción sin límites: «Lo mismo sube a la Sierra con su auto lleno de barras de pan y latas de conservas para los muchachos de las milicias que se planta en un hospital de sangre y les explica a las enfermeras cómo tienen que vendar las heridas. Usted ya lo conoce, este hombre no se cansa nunca. Y cuando le sobra un rato viene aquí a que le lustre los zapatos y se toma de un trago un bock de cerveza. ¡Lástima que ya no vengan las cigalas frescas que a él le gustan tanto! Qué hombre. Mejor nos habría ido si hubiera estado él en la presidencia cuando se levantaron los facciosos. Aunque ahora se oyen rumores de que lo van a nombrar para algo grande, ministro como mínimo. Qué eminencia. Yo le digo que me gustaría arrancarme veinte años de encima para irme al frente a pegar tiros y él me contesta: "Agapito, si lo que usted sabe hacer bien es limpiar zapatos, limpie zapatos, que es un oficio muy noble. Mejor nos iría a los españoles si en vez de hablar todos tanto cada uno hiciera bien su oficio…" ¿Quiere usted que le dé algún recado?» De la fachada de Correos colgaba un cartel enorme medio desbaratado por el viento de milicianos que avanzaban de perfil empuñando fusiles con bayonetas contra un horizonte de casas incendiadas. La revolución era una apoteosis de tipografías en colores muy fuertes; la guerra un catálogo de victorias anunciadas o vaticinadas en los periódicos por titulares mal impresos que empezaban y terminaban con signos de admiración, ilustrados por fotos en huecograbado en las que grupos de voluntarios siempre victoriosos levantaban fusiles en cimas de peñascos o torreones de pueblos recién conquistados al enemigo. El cerco irresistible que ejercen nuestras fuerzas sobre Teruel no admite demoras y la caída de la ciudad en manos de la República significará un golpe mortal para la sedición. El avance de nuestras tropas en el frente de Granada hace prever la rendición en breve plazo de la capital de la Alhambra, en la que la situación de los rebeldes es angustiosísima. En la plaza de Cibeles un lento rebaño de vacas había provocado un atasco de tranvías y de camionetas de milicianos. Delante de las vacas avanzaba una pequeña banda de trompetas y tambores presidida por una pancarta, y seguida por grupos de niños que marcaban el paso y hacían como que soplaban trompetas o tocaban tambores, alguno de ellos con un gorro de papel. Entre los cláxones de los coches y las campanillas de los tranvías los vaqueros saludaban con el puño cerrado a las cámaras de los fotógrafos, que se subían a la fuente de Cibeles para tomar ángulos audaces. Heroicos trabajadores de las granjas colectivizadas abastecen de carne al pueblo antifascista de Madrid. Ignacio Abel cruzó la Castellana invadida por un olor a estiércol que fermentaba en el calor del verano tapándose la boca y la nariz con el pañuelo. Bajo los árboles de los paseos centrales los evacuados de los pueblos habían levantado sus toldos de lona y establecido sus fogatas, atando sus burros a los árboles, mientras las cabras se comían los duros tallos de los setos. Dónde irán cuando empiece a hacer frío, si todo esto no ha terminado, cómo será posible darles alojamiento y comida si continúan subiendo en columnas cada vez más numerosas y más desastradas por las calles en las que desembocan las carreteras del sur, huyendo del enemigo al que nadie detiene salvo en la irrealidad de los titulares de los periódicos y de las crónicas de la radio amenizadas con himnos. De dónde saldrán las mantas, los uniformes de invierno, las botas para equipar a los milicianos que ahora pelean a pecho descubierto y calzando alpargatas. Descubría con estupor que al quedarse sin los vínculos que le deparaban su matrimonio con Adela y el amor de Judith Biely carecía casi por completo de conexiones sociales, aislado como un ermitaño que sale de pronto de su encierro y no sabe nada del mundo exterior. Las relaciones intensas que establecía en el trabajo no iban más allá de él ni habían devenido en amistades. Salvo con la misma Judith no recordaba haber tenido nunca una conversación íntima con nadie. La cordialidad que lo unía a Moreno Villa o a Negrín estaba delimitada por una rigurosa reserva. Una mezcla de arrogancia íntima y de aguda inseguridad de clase le había vedado siempre el trato fluido con la mayor parte de sus colegas arquitectos. Yendo por Madrid en busca del profesor Rossman, despojado de las certidumbres de normalidad que le habían dado su trabajo y su familia, hasta su amante perdida, sentía su aislamiento como una forma de impotencia, como una falta de anclaje que ya lo había enajenado de las cosas mucho antes de que la ciudad y el país entero fueran arrojados a la deriva por el trastorno de la sublevación militar y de lo que ya era, indudablemente, una guerra, aunque los cafés y los cines estuvieran llenos de gente, aunque los desfiles de milicianos tuvieran siempre una falta de marcialidad cercana a la parodia (pero de los frentes regresaban camiones cargados de muertos y los refugiados venían huyendo de pueblos cada vez más próximos; pero en el depósito judicial de la calle Santa Isabel había cada mañana una nueva cosecha de cadáveres recogidos por los camiones de la basura junto a las tapias de los cementerios, en las cunetas y en los descampados de los confines de Madrid). Qué solitariamente había vivido, qué separado de los otros, hijo único y luego huérfano tan pronto, confiado a borrosos guardianes, protegido no tanto por sus facultades intelectuales y su empeño de estudiar como por la previsión de su padre, que se sabía muy enfermo y ahorró dinero y tomó las medidas necesarias para seguir protegiéndolo cuando él ya no estuviera: para que no tuviera que dejar el bachillerato, para que pudiera sostenerse mientras estudiaba la carrera, amparado tan sólo por las sombras exigentes de los muertos, vigilado por ellos en el cumplimiento de un destino que le habían proporcionado con su sacrificio. «Qué solo te vas a quedar, hijo mío», le dijo su madre, tocándole la cara con su mano rígida, deformada por el trabajo, en la cama del hospital provincial donde agonizaba. La mano se quedó agarrada a la suya y tuvo que desprender uno por uno los dedos antes de dejarla reposar sobre el embozo de la cama. Tan solo ahora y tan ajeno a todo como entonces Ignacio Abel se vio reviviendo por un azar de la memoria la tarde de más de treinta años atrás en la que había caminado desde el cementerio del Este hasta la portería oscura y ya deshabitada de la calle Toledo después de enterrar a su madre. Caminaba con la cabeza baja y sin fijarse por dónde iba, muy aprisa, guiado por el instinto de sus pasos. Cuando llegó a la calle Toledo ya estaban encendidos los faroles de gas.

Si se daba prisa ahora, si tenía suerte o astucia tal vez podría salvar aún al profesor Rossman. Llamó a puertas de dependencias vagamente oficiales y de palacetes incautados en los que le habían dicho que había ahora cárceles clandestinas. En los patios rugían automóviles en marcha y hombres de paisano armados con fusiles y con pistolones terciados entre la camisa y la correa del pantalón le cerraban el paso y lo sometían a interrogatorios que no siempre cesaban cuando abría su cartera para mostrar sus credenciales políticas: el carnet del Partido Socialista y el de la

Unión General de Trabajadores, el salvoconducto que le habían extendido para que pudiera seguir yendo sin peligro a las obras suspendidas de la Ciudad Universitaria. Decía el nombre del profesor Rossman, explicaba su condición de eminente antifascista extranjero refugiado en España; mostraba la foto que le había dado su hija: una de las que se había hecho para tenerlas dispuestas en caso de que llegara la aprobación del visado americano. Espiaba miradas de posible reconocimiento, gestos de complicidad. Guardaba la foto después de obtener una negativa y salía de nuevo a la calle obedeciendo alguna indicación desganada: quizás debía preguntar en el Círculo de Bellas Artes, en la Dirección General de Seguridad, en la checa de la calle Fomento. «Éste tiene cara de muerto», le dijo alguien, riéndose: «a lo mejor debería buscarlo usted en el depósito, o en la pradera de San Isidro, que allí hay todas las noches romería». Empujaba verjas de palacios coronados ahora por banderas rojas o rojas y negras, con las fachadas cubiertas por capas sucesivas de carteles de propaganda. TODOS UNIDOS TRIUNFAREMOS; LA VICTORIA ES NUESTRA, ¡ADELANTE!; GRANDIOSO FESTIVAL TAURINO; ¡TODOS AL FRENTE!; ¡INGRESAD EN LOS BATALLONES DE ACERO! En los carteles los milicianos eran musculosos y altos y tenían siempre perfiles temerarios y mandíbulas cuadradas. En las oficinas hacia las que él se abría paso por corredores estrechos llenos de gritos y de humo de tabaco había hombres sin afeitar con caras de fatiga y de sueño y grupos turbulentos que rompían de pronto en carcajadas cuartelarias o bajaban como a galope por escalinatas de mármol con alfombras rojas que ahora tenían huellas polvorientas de alpargatas y quemaduras de cigarrillos. Otros de aire más grave pero igual de insomnes consultaban documentos en grandes despachos forrados de maderas nobles y adornados todavía con escudos nobiliarios, panoplias de armas, retratos pomposos. Hablaban por teléfono, dictaban listas de nombres que copiaban secretarias veloces, arrastrados todos por una urgencia nerviosa en la que la presencia de Ignacio Abel era un molesto contratiempo: su empeño en preguntar por alguien de quien no sabía nadie nada, por repetir un nombre que le era preciso deletrear una y otra vez y mostrar una foto que provocaba una negativa automática. En un salón con grandes balcones que daban al paseo de la Castellana se acercó con mansedumbre instintiva a una mesa de patas labradas en forma de garras de león detrás de la cual un grupo apretado de hombres juzgaban o daban audiencia, flanqueados por mecanógrafas en mesas más pequeñas, examinando papeles y fumando cigarrillos, alguno de ellos con traje y corbata, con un cierto aire oficial. Se fueron pasando la foto del profesor Rossman, como estudiando una autenticidad sospechosa. Hablaban entre sí en voz baja. Uno de ellos le devolvió la foto negando con la cabeza y le hizo un gesto a uno de los paisanos armados que esperaban algo o vigilaban sentados en los balcones, con las piernas colgando hacia afuera. En las últimas semanas el mundo había empezado a regirse por nuevas normas que en apariencia sólo él desconocía. El miliciano lo tomó con fuerza del brazo y lo hizo salir del salón ordenándole que se marchara cuanto antes. «Yo que tú me quitaba de en medio en vez de ir por ahí preguntando; a ver si va a resultar que este amigo tuyo es un faccioso y te compromete.» Tanto como el tirón del brazo lo agravió el tuteo del que lo expulsaba. Al bajar por la escalinata se cruzó con un grupo de milicianos que subían a golpes a un hombre esposado. Por un momento se encontró con su mirada, en la que había una petición de auxilio, y apartó los ojos. El hombre le había parecido el profesor Rossman, pero un instante después era un desconocido. Se resistía y lo sujetaban y lo empujaban haciéndole que arrastrara los pies sobre los últimos peldaños. Vio en el patio a otros que se dejaban llevar pasivamente: los hacían bajar a golpes de la caja de un camión y ellos aguardaban en silencio, pálidos, las manos atadas, despeinados, las camisas abiertas, mirando con una especie de obediente abandono, mansos como reses.

Volvió a la Casa del Pueblo y el centinela de la puerta le dijo que Negrín acababa otra vez de marcharse, pero que había ido muy cerca, al economato socialista de la calle Gravina. Cuando lo vio por fin Negrín cargaba cajas de cartón llenas de alimentos y bebidas en su automóvil, limpiándose de vez en cuando el sudor con un pañuelo que guardaba luego doblándolo de cualquier manera en el bolsillo superior de la chaqueta.

—Ayúdeme, Abel, no se quede parado —le dijo sin sorpresa nada más verlo, con un gesto terminante.

Entre los dos llenaron el maletero de latas de conservas, embutidos, sacos de patatas. En los asientos posteriores había cajas de cervezas y damajuanas de vino envueltas en mantas para protegerlas de las sacudidas.

—No piense mal de mí, Ignacio, que no me estoy incautando de todos estos víveres, ni le voy a pagar a los compañeros del economato con vales, como nuestras heroicas patrullas revolucionarias.

El encargado le entregó a Negrín una larga cuenta y él la repasó rápidamente con la punta de un lápiz diminuto entre sus grandes dedos, murmurando cifras y artículos. De una cartera sujeta con gomas sacó un puñado de billetes y le pagó al encargado. Ya se había montado en el automóvil y lo había puesto en marcha, indicándole a Ignacio Abel que lo acompañara, mientras se despedía sumariamente del encargado del economato sacando el brazo con el puño cerrado por la ventanilla, de la misma manera expeditiva con que lo sacaría para indicar una maniobra.

—¿Quiere que lo deje en algún sitio, Abel? Yo voy a la Sierra, a llevarles algo de comer y de beber a los muchachos de la columna donde se ha alistado mi hijo Rómulo. No hay suministros regulares de nada, es una vergüenza. Mandan al frente a esos muchachos valerosos y luego no se acuerdan de llevarles municiones, ni comida, ni mantas para abrigarse por la noche. Si faltan camiones para la comida y la munición, ¿cómo es que no paran de hacerlos desfilar por Madrid? —Encajado en el espacio demasiado angosto Negrín conducía gesticulando sobre el volante, con acelerones y frenazos bruscos en las calles estrechas, arrebatado por una mezcla de indignación y entusiasmo—. Así que en vez de desesperarme y de perder el tiempo yo también llamando por teléfono y pidiendo a la autoridad que haga algo he decidido cortar por lo sano y encargarme yo mismo. Poco es, pero menos es nada, y además así me mantengo ocupado. Ahora que lo pienso, ¿y si me ayudara usted con su auto?

—Me lo incautaron, don Juan. Lo dejé en el taller mecánico unos días antes de que empezara esto y no he vuelto a verlo.

—Ha usado usted la palabra exacta: «esto». ¿Qué estamos viviendo? ¿Una guerra, una revolución, un puro disparate, una variante de las tradicionales fiestas españolas de verano? «Esto». Ni siquiera sabemos qué nombre darle. ¿Leyó usted cómo lo ha llamado Juan Ramón Jiménez? Cuando se ha visto bien seguro en América, eso sí. Una «loca fiesta trájica», eso dice Juan Ramón. El gran triunfo del pueblo. Pero él y Zenobia, por si acaso, se han dado prisa en poner tierra de por medio. ¿Sabe que a él estuvieron a punto de darle el paseo, como decimos todos ahora? Pero qué vergüenza, cómo se nos contagian las palabras.

—¿A Juan Ramón Jiménez lo iban a matar? ¿Y él de qué podía ser sospechoso?

—Sospechoso de nada. Se llamaba igual que otro al que iban buscando, o se le parecía. Lo salvó su buena dentadura.

—¿Se defendió a bocados? Con su mal carácter...

—No es broma. Parece que los milicianos sólo estaban seguros de un detalle del hombre al que buscaban: que tenía dentadura postiza. Cuando Juan Ramón les repitió tanto que se equivocaban empezaron a dudar, y a uno de ellos se le ocurrió una forma de comprobar si era verdad lo que decía. Le metió la mano en la boca y le dio un tirón de los dientes. Y ya sabe usted que Juan Ramón tiene la mejor dentadura en este Madrid de bocas tan desastrosas. ¡A don Antonio Machado iba a llevárselo detenido una patrulla porque les pareció que tenía pinta de cura! Pero cuénteme, cuánto hace que detuvieron a su amigo. Será una vergüenza internacional para nosotros si le pasa algo. Otra más.

—No sé por dónde empezar a buscarlo.

—Ni usted ni nadie. Parecía que íbamos a abolir el Estado burgués y por lo pronto en Madrid cada partido y cada sindicato ya tiene su propia cárcel y su propia policía, además de sus propias milicias. Gran adelanto. Supongo que nuestros enemigos están encantados con nosotros. En las milicias anarquistas se somete a votación si conviene o no conviene atacar al enemigo y en las nuestras fusilan por sabotaje a los pocos mandos militares que nos quedan si una ofensiva resulta un desastre. Lo milagroso es que en la Sierra hayamos podido contener a los facciosos y que por el sur no hayan llegado todavía a Madrid. ¿Y qué me dice usted del frente de Aragón? Si las bravas columnas del anarquismo catalán continúan rompiendo arrolladoramente las defensas del enemigo, ¿cómo es que no llegan nunca a Zaragoza? Y si cada día estamos a punto de tomar el Alcázar de Toledo, ¿por qué al día siguiente seguimos sin tomarlo? De lo que usted me cuenta deduzco que los que se llevaron a su amigo pueden ser comunistas. Eso quiere decir que no lo habrán matado inmediatamente. Querrán interrogarlo por algo. ¿No estuvo viviendo un tiempo en la Unión Soviética? Vaya a hablar con Bergamín, en la Alianza de Intelectuales. Ya sabe usted que de un modo u otro él siempre está conectado con todo el mundo. Déjeme un recado en casa si se entera de algo. En cuanto vuelva de la Sierra esta noche me pongo a buscar con usted.

—¿Y esa Alianza dónde está?

Negrín soltó una carcajada y dio un volantazo en la esquina de la plaza de Santa Bárbara para girar hacia el oeste por los bulevares.

—Por Dios, Abel, es admirable que usted siga sin enterarse de nada. La crema de la intelectualidad antifascista se ha instalado en el palacio de los marqueses de Heredia Spínola, que parece ser uno de los mejores de Madrid. Hacen la guerra editando un periodiquillo con poesías revolucionarias y para descansar de sus rigores dan bailes de disfraces usando el vestuario de los marqueses, que no sé si están huidos o difuntos, o los ex marqueses, como hay que decir ahora... Disculpe que no lo lleve, pero me pilla en dirección contraria, y quiero llegar a la Sierra a la hora de comer.

Desde hacía mucho tiempo no caminaba tanto por Madrid; desde que era muy joven y ahorraba concienzudamente los pocos céntimos del tranvía: tal vez por eso le había venido a la memoria la caminata larguísima desde el límite entonces despoblado de la ciudad donde estaba el cementerio después del entierro de su madre; un paso tras otro, igual que ahora, la cabeza baja, la determinación solitaria de llegar a alguna parte y de llegar a ser algo; la fatiga y también la energía: la euforia maniática del oxígeno bombeado al cerebro por el esfuerzo muscular y el ritmo de los pasos; la sensación de ser un transeúnte despojado de cualquier parentesco con la gente que se cruzaba con él y nunca lo veía, solo ahora en el mundo, al menos tanto como entonces, caminando por una ciudad que era la suya y que también le era extraña, igual que cuando pasaba junto a los escaparates de las tiendas de juguetes o de las librerías o de las tiendas de ropa y miraba cosas deseadas e inaccesibles para él, como los hambrientos miraban los despliegues de comida en los escaparates de los restaurantes o de las tiendas de ultramarinos; como pegaban la cara en los días de invierno a los cristales de los cafés cuyo interior caldeado les estaba prohibido, aunque lo tuvieran tan cerca. De niño él miraba con pánico el mundo próximo y terrible de los muertos de hambre, los dañados físicamente por la miseria, los que iban descalzos en invierno y tenían las cabezas blancas de tiña, los nacidos cojos o jorobados, los que parecían pertenecer a otra especie y sin embargo vivían a unos minutos de distancia de la portería abrigada de su madre, al final de la calle Toledo, donde se terminaba Madrid, más allá de las rondas, en poblados de chozas o cuevas crecidos en los mismos terraplenes a los que se arrojaban las basuras, atravesados por ríos de cloacas. Con una vaga aprensión infantil de remordimiento, pero también de alivio, él era tan consciente de su fragilidad ante aquellos niños de aire salvaje que subían a veces del suburbio como del privilegio que lo salvaba de compartir sus destinos. Pero no se sabía menos lejano de los otros, los que recibían los trenes eléctricos, los regimientos de soldados de plomo con uniformes de colores brillantes, los teatros de juguete y las linternas mágicas:

eran los mismos a los que veía jugar, vigilados por doncellas de uniforme, en los jardines del Palacio de Oriente, o dar paseos en un carricoche tirado por una cabra con una jáquima de cascabeles; los que después empezaron a mirarlo con una sonrisa de curiosidad o de desdén cuando compartió con ellos las aulas del colegio de los Escolapios, murmurando a su espalda que era el hijo de una portera. A algunos, con el tiempo, volvió a encontrarlos en la Escuela de Arquitectura, y la sonrisa no había cambiado, o aparecía en seguida cuando alguien repetía al oído de otro la antigua confidencia, la información reveladora sobre su origen, sometida a las modificaciones y los errores de la transmisión oral: su madre había sido portera o algo peor aún, lavandera en el Manzanares (lo había sido de muy joven, mucho antes de que naciera él); su padre un maestro de obras o un albañil o uno de aquellos arrieros que transportaban a los muladares el cascajo de los derribos. Desertor del andamio, le había llamado un pariente de Adela. Desertor ahora no sabía de qué o de quién, en la acera de la glorieta de Bilbao donde lo había dejado Negrín, arrastrado por las circunstancias, como tanta gente en Madrid y en toda España, a un lado y a otro de las desgarraduras de los frentes, tan azarosas como las fracturas de un terremoto, llevado escaleras abajo hacia los túneles del metro por la multitud que se agolpaba junto a las puertas que se abrieron cuando llegó el tren, las caras brillantes de sudor en el aire viciado, bajo las bombillas amarillentas del techo, los cuerpos demasiado próximos que le repelían, amontonados obligatoriamente en un silencio hostil, contaminado de alarma, refractario a los entusiasmos de la propaganda, aún menos verosímiles en este mundo subterráneo que en el aire libre y la claridad de las calles. Era arrastrado por fuerzas ajenas a su control igual que por la gente y por la locomotora del metro y sin embargo no sentía que tuviera disculpa o que su impotencia le concediera una coartada. Desertor siempre en el fondo de su corazón pero ahora más que nunca: ansioso por recobrar a sus hijos aunque tuviera que cruzar al otro lado de las líneas (sus hijos a los que había abandonado la tarde del 19 de julio); por marcharse de España y escapar del desastre común o al menos del crimen que fulminaba a otros —al profesor Rossman tal vez, si él no lo encontraba antes— como en virtud de una lotería siniestra. Su conciencia giraba sin fruto en un monólogo acelerado por un malestar semejante a la fiebre; se agotaba dando vueltas por Madrid en una búsqueda estéril y regresaba al mismo punto: salió del metro en la esquina del Banco de España por la que había pasado sólo una hora antes, la gran fachada de granito cubierta hasta más arriba de las verjas por una inundación de carteles. ¡ALISTAOS EN EL GLORIOSO E INVENCIBLE BATALLÓN DEL CAMPESINO Y ÉL OS LLEVARÁ A LA VICTORIA! Siluetas de altos hornos soviéticos, hoces y martillos; un puño aplastando a un avión adornado con una esvástica; un pie calzado con alpargata campesina expulsando del mapa de España a un cura obeso, a un militar con entorchados, a un falangista con la boca de ogro. ¡OBRERO! INGRESANDO EN LA COLUMNA DE HIERRO FORTALECES LA REVOLUCIÓN. Junto a la boca del metro pululaba un remolino de pedigüeños, vendedores de lotería y cigarrillos y piedras de mechero, de cromos revolucionarios mezclados todavía con los antiguos cromos religiosos, de postales y manoseadas novelitas pornográficas, de chicos descalzos que pregonaban los primeros periódicos de la tarde, con la noticia habitual de la toma inminente del Alcázar de Toledo. ¡ATACAR ES VENCER! ¡TODOS AL ATAQUE COMO UN SOLO HOMBRE! ¡CON NUESTRA SANGRE ESCRIBIREMOS LA PÁGINA MÁS SUBLIME DE LA HISTORIA GLORIOSA DE MADRID! Entre el gentío que paseaba a la hora del aperitivo entre los jardines y las mesas de los cafés, bajo las copas de los plátanos, reconoció la espalda erguida y la nuca de su cuñado Víctor. Dejó de verlo un momento; creyó que se había confundido; en vez de cruzar inmediatamente hacia la entrada de la calle donde le había dicho Negrín que estaba la Alianza de Intelectuales apresuró el paso para alcanzar a Víctor, que sin la menor duda había vuelto hacia un lado la cabeza, como si hubiera presentido que alguien lo seguía. De cerca costaba más reconocerlo: muy moreno, con barba de varios días, con una camisa abierta y remangada, con pantalón de pana y alpargatas, con unas gafas de sol.

—Me has dado un susto, cuñado. No te pares. Háblame.

—¿Qué haces tú todavía en Madrid?

—¿Y qué haces tú?

—Busco a un amigo.

—Anda más rápido. ¿No vas a denunciarme?

—Pensaba que te habrías pasado.

—Ya no vale la pena. Los nuestros llegarán muy pronto. Y los que estamos aquí también tenemos mucho que hacer.

—Eres un insensato. Por lo menos podías esconderte.

—Es lo que estoy haciendo ahora mismo, si tú no me lo impides. A plena luz y entre la gente no corro ningún peligro. No querrás que me quede como un conejo en la madriguera, esperando a que vengan a cazarme.

—¿Sabes algo de la familia?

—No te pares, coño, sigue andando. No mires al frente. Hay una patrulla pidiendo papeles en la esquina.

—¿Tú tienes algunos?

—Seguro que tú sí, ahora que mandan los tuyos. Por ahora.

Ignacio Abel vio de soslayo a los milicianos al final del paseo. Darse la vuelta ahora sería muy peligroso para Víctor. Quizás si seguían avanzando y él mostraba sus credenciales no sospecharían de su acompañante. Un barullo de niños rodeaba el carrito de un vendedor de cacahuetes, tirado por un burro diminuto. Una pequeña chimenea de latón difundía el aroma suculento de los cacahuetes recién tostados. El vendedor pregonaba su mercancía cantando rimas estrambóticas mientras removía con una pala el interior del horno portátil o llenaba delgados cucuruchos de papel de estraza. Uno de los milicianos sostenía horizontalmente un fusil. El otro examinaba la documentación de una pareja tomada del brazo. El humo del puesto de cacahuetes le dio a Ignacio Abel en la cara cuando hacía el gesto anticipado de sacar la cartera. Cerró los ojos y cuando volvió a abrirlos Víctor ya no caminaba a su lado.

—La revolución es una cirugía necesaria —le dijo Bergamín, las palmas de las manos juntas y extendidas verticalmente delante de su cara enjuta, muy afeitada o lampiña, en un despacho sombrío con panoplias de armas y altos libros encuadernados en piel en estanterías de madera oscura, al que llegaba apenas, al cerrarse la puerta, el trasiego de máquinas de escribir y de voces de las oficinas y el ritmo poderoso y constante de las máquinas de imprenta. He buscado la dirección en un mapa y he subido por una calle estrecha, a espaldas de Cibeles, Marqués de Duero, hasta encontrar el número siete: una verja, un edificio de ladrillo con tejados de aire mudéjar, una marquesina de hierro y cristal encima de la escalinata de acceso, en la que Ignacio Abel, cuando entraba, vio, en medio de la confusión de gente atareada cargando paquetes de periódicos en una furgoneta, a un hombre rubio y algo carnoso, muy sonriente, que le era familiar, aunque no llegaba a identificarlo, quizás porque ahora iba vestido de miliciano, con un mono azul impoluto y un correaje brillante, con una cámara fotográfica en bandolera en vez de fusil. Al verlo más de cerca se dio cuenta de que era el poeta Alberti. Los ojos de Alberti se detuvieron un momento en él, claros y en seguida ausentes, quizás porque sabía con vaguedad quién era pero no consideraba necesario saludarlo. Al pasar a su lado olió a brillantina y a colonia. Preguntó por Bergamín mintiendo que venía de parte de su hermano arquitecto y una secretaria menuda que llevaba un cinturón con una pistola en una funda de cuero lo guió hacia su despacho. Bergamín sí se acordaba de él: le había publicado algunos artículos en los últimos años en su revista *Cruz y Raya*. Casi puedo verlo, como si fuera yo mismo quien se ha sentado delante de él, quien se aclara la garganta y traga saliva antes de explicarle, tanteando en busca del tono adecuado, el motivo de la visita, la llegada de los hombres metódicos que se llevaron al profesor Rossman después de registrar meticulosamente su habitación: está más flaco, más chupado que nunca, la nariz más afilada, la punta húmeda, rojiza, por un resfriado que le obligaba a sonarse los mocos de vez en cuando, los ojos más pequeños bajo las cejas muy peludas, la voz débil, nasal por el resfriado, la raya recta dividiendo el pelo aplastado, muy negro.

—… el corte, por fuerza, ha de ser sangriento —dice, y toma aire, respirando por la nariz—; pero lo que cuenta no es la sangre derramada en sí sino la limpieza de la operación. Sangre siempre hay de sobra, como se encargan de recordarnos nuestros enemigos, que no tienen reparo en derramarla. Ya tiene usted noticia de los ríos de sangre que están haciendo correr allí donde han triunfado, en Sevilla, en Granada, en Badajoz. Para ellos no existen los escrúpulos morales que a nosotros nos paralizan a cada momento. De modo que a nosotros lo que debe preocuparnos en esta hora gloriosa y trágica no es el volumen de la sangre que se esté derramando a cuenta de la revolución sino su eficacia, y en ese punto sí que es posible tener alguna duda. El pueblo español está actuando con un instinto justiciero muy propio del genio de la raza, pero también con una anarquía que es igual de atávica, y que puede volverse en su contra si no la encauzamos. Qué talento para la improvisación, qué instinto insuperable, incluso en el lenguaje. De pronto hay palabras y expresiones nuevas que ya parecen de toda la vida. ¿A qué genio del sainete espontáneo se le ocurrió esa maravilla verbal de «dar el paseo»? O eso que también se dice, «picar a alguien», la cantera inagotable del idioma taurino, que está en el corazón mismo de lo español irreductible. No me ponga usted mala cara. Yo lamento tanto como usted los excesos que se han producido, pero qué poco son comparados con el gran acierto del heroísmo instintivo del pueblo, y en cualquier caso no hemos sido nosotros los que empezamos esta guerra, y es justo que el peso de la sangre caiga sobre los cómplices de los que la provocaron. No se escandalice usted de la sangre, ni del fuego. Ha sido necesario. Obligado. Defensa, y no agravio de nuestra parte. Recuerdo aquel artículo de usted en el que celebraba la capacidad maravillosa de adaptación de la arquitectura popular española. ¿No está ahora ocurriendo lo mismo? El pueblo español, acostumbrado a la escasez, se arregla con lo que tiene a mano. ¿Que el ejército desleal se subleva? El pueblo se levanta en milicias y en partidas guerrilleras, igual que en 1808 contra los franceses, con el mismo instinto dormido durante más de un siglo, y toma lo que encuentra a mano, lo más común lo vuelve épico, el mono azul proletario convertido en nuevo uniforme, sin la antipatía de la uniformidad militar. Por eso quise yo que le diéramos ese nombre a nuestra revista. *El Mono Azul* ¿No es mejor que el que le puso Neruda a la suya, *Caballo Verde*? Un caballo verde, si usted se para a pensarlo, es una tontería. El mono azul es una cosa muy seria. Estaría bien, ahora que lo pienso, que usted nos escribiera algo. No le conviene andar por ahí preguntando por el paradero de un sospechoso sin hacer algún mérito visible, usted ya me entiende, sin que se le vea una disposición clara de arrimar el hombro. La hora de los intelectuales puros ha pasado, si es que existió alguna vez. Mire la vergüenza de Ortega, de Marañón, de Baroja, de ese felón miserable que ha resultado ser don Miguel de Unamuno. Le supongo enterado de lo que le han hecho al pobre Lorca en Granada...

—He oído algo pero no podía creérmelo. Se oyen tantas cosas que parecen verdad y luego resultan ser rumores.

—Veo que usted es de los que tienen dudas todavía. De los que sospechan que nuestra propaganda es exagerada y que nuestros enemigos no son tan sanguinarios como decimos nosotros. Usted conserva el escrúpulo humanista de no trazar una raya definitiva entre ellos y nosotros; usted no quiere aceptar que nosotros tenemos toda la razón y ellos toda la animalidad y toda la barbarie. ¿Cómo era esa boutade de Unamuno? ¿Los Hunos y los Hotros? El que parecía que estaba por encima de todo ladra en Salamanca contra la República lamiendo las espuelas de los militares y los anillos de los obispos, que ahora son para él los defensores de la Civilización Cristiana, con todas sus mayúsculas. Mire lo que hacen cuando entran en los pueblos de Extremadura, cómo actúan. Los servidores de la patria dan caza a sus compatriotas como los italianos a los negros en Abisinia. No buscan la victoria militar sino el exterminio. ¿Y nosotros hemos de tener todavía remordimientos de conciencia porque el pueblo, en defensa propia, se toma la justicia por su mano?

—Mi amigo no ha hecho nada, estoy seguro. Se lo han llevado como se pueden llevar a cualquiera. No creo que eso sea justicia.

—Si es inocente, y para mí que usted lo avale me sirve de plena garantía, no dude que lo pondrán en libertad.

—¿No sabrá usted dónde puedo buscarlo?

Bergamín se quedó pensativo, los codos sobre la gran mesa de caoba, las manos juntas y rectas, las puntas de los dedos muy flacos debajo de la nariz un poco húmeda, los ojos entornados, en una actitud de recogimiento que tenía algo de religioso.

—¿Está usted plenamente seguro de que su amigo no se ha significado por nada? ¿No tendría algún contacto con la embajada alemana?

—Tuvo que irse del país cuando triunfó Hitler. Si no lo metieron en la cárcel fue porque le habían dado la Cruz de Hierro en la guerra.

—¿Era un hombre de claras simpatías antifascistas?

—¿Por qué dice usted «era»?

—Una forma de hablar. ¿Algún distintivo en el auto donde se lo llevaron?

—Ninguno. A su hija tampoco le enseñaron ninguna credencial.

—En estos tiempos, ¿quién piensa en credenciales? Usted no se da cuenta de la urgencia de la lucha en que nos encontramos. No podemos permitir que en nombre de los miramientos de una legalidad caduca que se ha derrumbado se nos escape alguno de nuestros enemigos.

—El profesor Rossman no es un enemigo.

—Si de verdad no lo es, ¿por qué lo han detenido?

Ignacio Abel tragó saliva, se removió incómodo en la silla de filigranas pseudomedievales, en el despacho de maderas nobles y panoplias que habría sido el sueño de su suegro don Francisco de Asís. Notaba el peligro de seguir hablando y sin embargo no se callaba: oía su propia voz.

—Porque detienen a cualquiera. Van por ahí con esos autos incautados imaginándose que son gángsters en una película, con esos nombres de película mala que se ponen, Los Aguiluchos de la República, la Patrulla del Amanecer, los Justicieros Rojos. No me diga usted que eso es manera de hacer las cosas, Bergamín. ¿No hay policía, no hay guardias de Asalto? Lo paran a uno por la calle, le ponen en el pecho un fusil que casi no saben manejar y algunas veces no saben ni leer el nombre que pone en la cédula...

—¿Se considera usted superior a un soldado del pueblo porque usted sí tuvo el privilegio de que le enseñaran a leer y escribir? Es el pueblo el que impone ahora su ley y nosotros, la gente como usted y como yo, tenemos la opción de unirnos a ella o de desaparecer junto a la clase en la que nacimos. El pueblo es tan generoso en su victoria que nos está dando una posibilidad de redención tan radical como la que trajo en su día Jesucristo.

—Qué victoria. Cada día que pasa el enemigo está más cerca de Madrid.

Pensó añadir, casi se escuchó a sí mismo diciendo: yo no nací en la misma clase que usted; su padre era ministro del rey Alfonso XIII y el mío maestro de obras; usted nació en un principal de la plaza de la Independencia y yo en una portería de la calle Toledo. Pero no dijo nada. Tragó saliva de nuevo, erguido en la silla labrada, el nudo de la corbata apretándole el cuello. Bergamín se limpió la nariz con el mismo pañuelo arrugado, se frotó con suavidad envolvente las manos, miró un momento en silencio a Ignacio Abel, por encima de la amplitud barroca de la mesa, con su carpeta de piel y su escribanía pseudoantigua, con sus tinteros falsos y plumas de plata y abrecartas en forma de puñal toledano y sus montones de pruebas de imprenta encabezadas con el rótulo de *El Mono Azul*. Habló como si recitara uno de los artículos de fondo que dictaba cada día a una secretaria, caminando de un lado a otro del despacho, complacido por el crujir de sus botas de cuero, deteniéndose a veces ensimismadamente junto a la ventana de cristales emplomados que daba al patio del palacio, las manos rectas delante de la cara, oliéndose las uñas.

—Yo le tengo aprecio a usted, Abel. Me gustan los artículos que ha escrito para nosotros y mi hermano me ha hablado muy bien de su trabajo, y me ha asegurado que es usted un republicano cabal. Pero no se confíe. En los nuevos tiempos no caben los melindres ni las contemplaciones de la vieja política burguesa, con sus tibiezas y sus legalismos. No ha sido el pueblo el que ha prendido la brecha de la hoguera en la que arde hoy toda España, pero será el pueblo el que salga triunfante de esta batalla y el que dicte los términos de la victoria. En esta hora no hay sitio para los derrotistas ni habrá contemplaciones con los tibios. ¿Que se cometen errores, excesos? Claro que sí. Son inevitables. Se cometieron en la Revolución francesa, y en la rusa. Cuando un gran río se desborda lo arrastra todo en su camino. Esos grandes canales y esas centrales hidroeléctricas que se construyen ahora mismo en la Unión Soviética no pueden hacerse sin destruir algo. Y qué sacrificios no serán necesarios para completar la colectivización de la agricultura, que aquí todavía ni siquiera nos atrevemos a imaginar. Aquí la República intentó una modesta reforma agraria y mire cómo se han levantado contra ella los terratenientes y sus servidores de siempre, los militares y los curas. Ha sido la ceguera de su propio egoísmo la que ha desatado su ruina. Ellos empezaron a derramar la sangre y ahora la sangre cae sobre ellos. Acuérdese del pasaje evangélico: «Caiga su sangre sobre nosotros y sobre nuestros hijos...»

—Pero no se hace justicia matando a inocentes.

—Usted me habla de una justicia legalista de inocencias y culpas individuales. Pero las fuerzas históricas actúan a una escala muy superior, que es la de las grandes colisiones de clases. En la naturaleza no cuentan los individuos, sino las especies. Usted o yo no somos nada aisladamente, y nuestro destino personal significa muy poco a no ser que nos unamos a una de las grandes corrientes que ahora mismo están chocando en España. ¿Qué hacíamos todos nosotros, antes de abril del 31, cada uno embebido en sus cosas, elaborando quimeras, imaginándonos que conspirábamos contra el rey? Nos sumamos a la fuerza del pueblo el 14 de abril y fuimos parte de la inundación que derribó la Monarquía. O somos pueblo o no somos nada, residuos de especies destinadas a perecer...

Sonó el timbre del teléfono. Bergamín se puso de lado para hablar por él, asintiendo mientras escuchaba, tapándose la boca cuando respondía, durante largos minutos. Colgó y pareció que le costaba recordar quién estaba sentado frente a él. Se puso en pie, flaco y un poco encorvado, encogido en el interior de una cazadora de cuero de aviador o tanquista, incongruente en el despacho, en el calor de finales de agosto.

—¿Me ayudará usted a encontrar al profesor Rossman?

—No se preocupe por nada. Si su amigo de usted no ha hecho nada acabará apareciendo. No soy quién para hacerlo, pero le doy mi palabra.

Bergamín debió de pulsar un timbre oculto y la secretaria uniformada y con la pistola al cinto apareció en la puerta.

—Abel —dijo Bergamín, sin levantar la voz, todavía de pie, las manos posadas sobre la mesa con los flacos dedos muy abiertos—. Vuelva pronto por aquí. No podemos prescindir de hombres como usted. Tiene usted que ayudarnos a salvar el patrimonio artístico del pueblo español. Esos bárbaros lo destruyen a sangre y fuego por donde pasan. Y en esta hora de tanta confusión le conviene a usted que se sepa que está con los leales.

30

Tal vez ya estaba muerto mientras yo escuchaba a Bergamín, piensa ahora, acordándose de la voz un poco aflautada y monótona en una penumbra de cristales emplomados, acordándose de la mano alargada y fría y sin embargo sudorosa, quizás por culpa del resfriado, huesuda y al mismo tiempo blanda, la mano del hombre friolento y encogido dentro de la cazadora de aviador o de expedicionario que miraba un momento a los ojos y luego los bajaba para seguir hablando mientras sus dedos flacos jugaban con un abrecartas en forma de espada toledana que debió de pertenecer también a los dueños expropiados y fugitivos del palacio. Tal vez el profesor Rossman ya estaba muerto o estaba esperando a que lo mataran en las tinieblas de un sótano o en la bodega húmeda de alguno de aquellos palacios convertidos en cárceles y cuarteles de milicias y hasta en lugares de ejecución y yo habría llegado a tiempo a salvarlo si hubiera tenido más astucia o más empuje o no me hubiera desalentado de seguir buscando o no hubiera confiado tan vanamente en la ayuda de Bergamín, o hubiera insistido más con Negrín, que logró salvar a tanta gente, a su propio hermano, un fraile al que ayudó a escapar a Francia, «y no sin dificultad», le dijo, «como si el pobre fuera un conspirador o un quintacolumnista, mi hermano, que llevaba veinte años sin salir de su convento». Había que esperar, dijo Bergamín, mirándolo un momento a los ojos desde el cuévano de los suyos, ensombrecidos por las cejas muy peludas y diminutos y húmedos por el resfriado, pero no lo acompañó a la puerta del despacho pseudogótico y pseudomudéjar; había que tener confianza, no dar crédito a las mentiras de la propaganda enemiga, que había logrado llenar los periódicos extranjeros de noticias de crímenes y desmanes cometidos en nuestro territorio y de fotografías trucadas de profanaciones de iglesias y de milicianos apuntando con sus fusiles a curas inocentes, como si fueran mártires de una nueva persecución del cristianismo, ellos que habían sido los primeros en traicionar el mensaje evangélico, en alentar y bendecir los derramamientos de sangre inocente, dijo Bergamín. Levantó algo más la voz, aunque no demasiado, porque la tenía tomada, para dar instrucciones a la secretaria: «Mariana, tómele la dirección y el teléfono al compañero Abel, y búsqueme comunicación cuanto antes con el director general de Seguridad.» Sonrió débilmente, desde el otro lado de la mesa enorme, labrada, advirtió Abel, con el lujo depravado de los ricos españoles, con la brutal ostentación española del dinero, y se llevó de nuevo el pañuelo a la nariz, flaco como un pájaro, estornudando ahora tras la puerta cerrada, cuando Ignacio Abel ya estaba dándole su número de teléfono y su dirección a la secretaria, una mujer joven, atractiva, con una belleza severa, con los ojos muy claros y el pelo corto, peinado con raya. Quizás la había conocido en otra época y no se acordaba; quizás el pantalón y la camisa de miliciana y la pistola al cinto la volvían desconocida. «Pregunte por mí cuando llame. Mariana Ríos. Aquí le apunto mi teléfono. Aunque ya sabe usted que no siempre se consigue comunicación.» Debió de equivocarse de camino al buscar la salida y se encontró atravesando un gran salón con escudos nobiliarios y estandartes en las paredes, con una enorme chimenea de pretensiones medievales, con armaduras probablemente auténticas en las esquinas, algunas de ellas con gorros milicianos terciados sobre los morriones. Sobre una larga mesa de comedor retirada contra la pared y convertida en tablado una orquestina ensayaba un vals burlesco con quiebros sincopados de saxofón y de trompeta y redobles de tambor. Operarios jóvenes traían grandes baúles y los dejaban abiertos sobre el suelo entarimado, intercambiando bromas y cigarrillos con las chicas que se arrodillaban sobre ellos sacando con gestos fantasiosos vestidos de noche, uniformes antiguos de gala, fracs de largos faldones, sombreros con plumas de avestruz. Un miliciano marcaba el paso llevando al hombro una alabarda y un tricornio de diplomático hundido hasta las cejas, un cigarrillo humeando en la boca. La orquestina empezó a tocar un fox-trot y dos de las chicas se subieron a la tarima, marcando los pasos con taconazos sonoros que resonaban en el artesonado, una de ellas con una tiara de plumas y brillantes falsos sobre su cara redonda y menuda. De alguna parte venía un estrépito de máquinas de escribir, una cadencia poderosa de linotipias trabajando. El olor a tinta se mezclaba al del alcanfor y al polvo de los trajes recién exhumados de los grandes baúles, que tenían herrajes dorados y etiquetas de hoteles internacionales y de transatlánticos. En los pasillos había como un desorden de mudanza, cuadros apilados contra las paredes, montañas de libros que se habían derrumbado, pilas de periódicos y de carteles recién impresos. Con la ayuda de un escoplo y un martillo un miliciano reventó las puertas de un armario y de ellas cayó un gran alud de zapatos de todas clases, de hombre, de mujer, de charol, de raso, zapatos y botas, babuchas, todo nuevo, como no usado nunca, derramándose sobre el parquet sucio de polvo y papeles y colillas. En el patio del palacio, delante de la escalinata de entrada, el poeta Alberti apuntaba su pequeña cámara fotográfica hacia un grupo de dignatarios de aire intelectual y extranjero —gafas redondas, perillas muy recortadas, miradas de irritación o impaciencia. Les pedía que se agruparan más, moviendo mucho las manos, dando instrucciones en un precario francés. Uno de ellos levantaba el puño cuando parecía que Alberti ya iba a disparar la cámara, y lo bajaba al ver que la preparación de la foto seguía prolongándose.

Volvió a su casa a la caída de la tarde, después de buscar en vano a Negrín en la Casa del Pueblo y en el café Lion (le dijeron que no había vuelto de la Sierra: alguien le repitió el rumor de que iba a haber un gobierno nuevo en el que Negrín sería ministro de algo). Abrió la puerta rendido de cansancio y la señorita Rossman todavía estaba esperando, como si no se hubiera movido desde que la dejó por la mañana, sentada en el filo de la silla, las nudosas rodillas juntas, las manos en el regazo, delante del vaso de agua, mirando el declive de la luz en el comedor abandonado, cerca del balcón abierto por el que entraban los rumores de la calle y los silbidos de los vencejos, el crepitar de algún tiroteo lejano que podía ser también el petardeo de un automóvil. Inventó pistas esperanzadoras, vagas gestiones en oficinas administrativas que sin duda iban a dar un resultado favorable. Se ofreció a acompañar a la señorita Rossman a la pensión, si era que no prefería quedarse al menos esa noche en la casa, donde había dormitorios de sobra. La señorita Rossman enrojeció levemente al decir que no: gracias a su trabajo tenía un salvoconducto para circular sin peligro por Madrid, y aún le daba tiempo a volver antes de que se hiciera por completo de noche.

—No se preocupe usted —dijo Ignacio Abel, oyendo la falta de convicción en su propia voz—. No parece que sea nada grave.

—¿Pero sabe usted dónde lo tienen detenido?

La miró antes de contestarle, buscando el tono adecuado para que su negativa no fuera del todo desalentadora.

—Ya sabe usted que en una situación como la que estamos pasando las cosas son complicadas. Pero hay seguridad al menos de que su padre de usted no está en manos de incontrolados. Personas influyentes me han dado su palabra de que se hace todo lo posible por encontrarlo. Piense que su padre es una eminencia internacional.

—También lo era García Lorca.

—Pero a García Lorca lo han matado los otros. Hay una diferencia.

Ahora fue la señorita Rossman quien lo miró a él sin decir nada. Le tendió la mano fuerte y algo masculina y tenía la palma muy áspera. Salió mirando al suelo, el pelo lacio oscilando a los lados de la cara, cortado de una manera expeditiva, como de un solo tijeretazo a la altura de la barbilla. Bajó por las escaleras sin hacer ruido con sus zapatos planos y debió de mantener la mirada en el suelo mientras cruzaba el portal (sin advertir que era observada por el portero desde su garita, más atento ahora que nunca a quienes entraban y salían, siempre amigable con las patrullas de milicianos que vigilaban este barrio de gente políticamente sospechosa, despoblado por el veraneo y sobre todo por el miedo, lleno de pisos cerrados y oscuros en los que tal vez se ocultaban enemigos o se celebraban misas en secreto o se intentaban sintonizar de noche las emisoras del otro lado), mientras salía a la calle y sólo entonces levantaba los ojos con el recelo de que la estuvieran siguiendo, con la esperanza de encontrar un tranvía que la llevara hacia el centro, una mujer sola, extranjera, llamativa a pesar de su cabeza baja, sus zapatos planos, su actitud de mansedumbre, de deseada invisibilidad. Y mientras Ignacio Abel la veía alejarse asomado a un balcón (las plantas secas en él, la tierra dura en las macetas que Adela cuidaba tanto), el profesor Rossman tal vez ya estaba muerto, en el suelo de cemento de un sótano o en una cuneta o en una zanja o junto a una tapia en los límites de Madrid, muerto y sin nombre, sin ningún documento de identificación en los bolsillos, en los que sólo habría esas cosas que todo el mundo lleva en ellos y olvida y encuentra luego con cierta sorpresa cuando al cabo de un tiempo vuelve a ponerse el mismo pantalón o la misma chaqueta, las que nadie se molesta en robar a un cadáver: la mitad rasgada de una entrada de cine, una moneda de cobre como agazapada en un pliegue casi inaccesible; o una caja de cerillas o una cerilla suelta o un pequeño lápiz doble, rojo y azul, ya muy apurado pero todavía útil, de esos que sirven para subrayar y a los que se saca punta por los dos lados: uno cualquiera de los objetos triviales que seguían fascinando al profesor Rossman con el misterio humilde de su utilidad. Pero él que siempre tenía ocupados los dedos, examinando con el tacto lo que la mirada miope no le podía revelar, jugando automáticamente con cualquier cosa que hubiera en una mesa o que llevara en el bolsillo (las yemas de sus dedos extensiones táctiles que se movían con la vitalidad perpetua y autónoma con que los ciegos tocan objetos o rozan superficies), murió con las manos atadas a la espalda, con un trozo áspero de cuerda que se hundía luego en la piel muy hinchada y violácea. Qué raro haber venido a morir a un país así, pensaría, con el fatalismo manso y como hipnotizado de los que se dejan empujar hacia la caja de un camión y bajan luego de ella dócilmente y son llevados sin resistencia hacia un muro ya salpicado de disparos y de manchas de sangre o hacia el filo de una zanja, y guiñan los ojos para eludir la claridad de los faros encendidos delante de los cuales unas siluetas recortadas a contraluz preparan sus armas. Qué lugar tan ajeno lo había estado esperando para ser lo último que viera: las sombras de los pinos en la Casa de Campo, tal vez, el cielo deslumbrante de estrellas en la negrura azulada de la noche de principios de septiembre, en la que ya hacía bastante fresco.

«Si no ha hecho nada no hay nada que temer», había dicho Bergamín, con su voz aflautada y ecuánime. Se frotó las manos al ponerse de pie detrás de la mesa de su despacho y tal vez el profesor Rossman ya llevaba varias horas muerto. O estaba vivo aún y lo mataron justo esa noche en la que su hija llegó a la pensión y se encerró en el cuarto que nadie había arreglado en su ausencia y en la que Ignacio Abel cerró el balcón después de verla alejarse hacia la esquina de la calle O'Donnell. Cayó en la cuenta de que no había comido nada en todo el día mientras iba de un lado a otro de Madrid, nada más que un cartucho de cacahuetes tostados que compró al vendedor ambulante del paseo de Recoletos después de salir de la Alianza de Intelectuales. Tenía un hambre cruda, de repente. Encontró en la cocina una lata de sardinas en aceite y se la comió sentado a la mesa, poniendo debajo una doble hoja de periódico abierta, mojando trozos de pan duro en el aceite espeso, hurgando con el tenedor en el fondo de la lata, sin reparar en los lamparones que caían sobre el papel impreso, debajo de la bombilla desnuda que en otro tiempo alumbró las tareas de las criadas, en este confín de la casa donde él casi nunca se había internado antes. En el acto de comer solo había algo primitivo; en la desgana de poner un mantel y limpiar la mesa y buscar una servilleta que no estuviera sucia. Se limpió los dedos en la hoja manchada de periódico y dejó encima de ella la lata vacía y el tenedor con las puntas brillantes de aceite, que a la mañana siguiente tendrían trozos endurecidos y escamas de sardina. En realidad sólo prestaba atención a su ropa, que la mujer del portero le lavaba y planchaba una vez a la semana. El portero le había sugerido que su mujer también podía subir de vez en cuando a limpiarle la casa —provisionalmente, mientras la situación no se arreglara, aunque aquello no parecía que pudiera durar mucho, dos o tres semanas más y todo habría terminado, y la señora y los niños y las dos criadas podrían volver del otro lado de la Sierra— pero a él le desagradaba la idea de tenerlos a los dos espiando, haciendo averiguaciones que a saber a quién le contarían luego, o simplemente le avergonzaba que vieran el desorden en el que había caído rápidamente todo desde que estaba solo, el polvo, los periódicos tirados en cualquier parte, las sábanas sucias en la cama que no hacía nunca, el mal olor y la mugre en la cocina y en el cuarto de baño (si Adela entrara de pronto y lo viera, si las criadas tuvieran que ponerse a limpiar y a ordenar, cómo murmurarían). Desde el teléfono de su despacho intentó hablar con Negrín y el timbre sonó mucho rato sin que nadie contestara. Marcó el número que le había dado la secretaria de Bergamín y cuando ya iba a colgar porque tampoco había respuesta escuchó una voz de mujer que hablaba muy alto, preguntando quién llamaba, y no lograba enterarse, porque se oía un clamor de voces dominado por la música que esa mañana estaba ensayando la orquestina. No, Mariana Ríos no estaba, el compañero Bergamín tampoco, lo mejor sería que volviera a llamar mañana a primera hora, tenía que colgar porque no se oía nada. En ese auricular él había escuchado la voz de Judith Biely. En esa mesa se había sentado muchas veces para escribirle o para leer una y otra vez sus cartas y como se olvidaba de cerrar con llave la puerta Adela o Miguel o Lita entraban a veces de improviso y a él no le daba tiempo a esconder la carta debajo de un documento que fingiera estudiar o a guardarla en el cajón de la llave diminuta. Imaginaba ahora que le escribía una carta que no habría sabido adónde enviarle y le faltaban ánimos para despejar la mesa y para buscar una hoja de papel y recargar la estilográfica. Sentía rencorosamente que el olvido ya lo estaba borrando de la vida de ella: en ese momento justo, esa noche, mientras el profesor Rossman esperaba en un sótano a oscuras, entre otros condenados, a que vinieran a buscarlo, o mientras ya estaba muerto y nadie había identificado su cadáver, nadie le había puesto un nombre a la foto tamaño pasaporte o visado que un funcionario pegaría pulcramente en uno de los grandes libros del registro de muertos. Conectó la radio y un locutor de voz vibrante estaba anunciando una vez más la reconquista de Aragón y el avance irrefrenable de las milicias populares hacia Zaragoza. Bajó el volumen para buscar alguna emisora del enemigo y en Radio Sevilla otra voz muy semejante aunque mucho más lejana y cercada de pitidos proclamaba la resistencia heroica del Alcázar de Toledo, contra cuya fortaleza numantina se estrellaban en vano las oleadas de las hordas marxistas. Cuando terminara todo aquello habría que proceder a una limpieza no sólo de escombros y de cadáveres mal sepultados sino también de palabras, a un riguroso ayuno nacional de adjetivos: irrefrenable, incontenible, inmarcesible, imperdonable, insoslayable, enardecido, delirante, heroico. Sonaron pasos cerca y apagó la radio con un sobresalto de miedo. Apagó la luz, se quedó quieto en la oscuridad. Oyó voces, entre ellas la del portero. Si venían a detener a alguien caminaría al lado de los milicianos de la patrulla con la misma inclinación con que lo cortejaba a él cuando cruzaba el portal. Llamaban a una puerta, al otro lado del rellano. Recorrió el largo pasillo en penumbra pisando con sigilo. Cayó en la cuenta de que el reloj de pared estaba parado. Hacía mucho que no le había dado cuerda. Se acercó a la puerta y pegó la cara a la mirilla, pero no oyó nada y no vio luz en el rellano. De noche y en la soledad escuchaba ruidos fantasmas y voces de ausentes, el sonido de los cubiertos en el comedor al final del pasillo, la radio y las voces de las criadas y el trajín de la cocina en el otro extremo de la casa. Más allá de las rendijas de los postigos cerrados a causa de las alarmas aéreas la calle Príncipe de Vergara y el horizonte de los tejados de Madrid eran una gran oscuridad tan poblada de temores como los bosques de los cuentos antiguos que él les leía a sus hijos cuando eran pequeños. Fulgores hipnóticos de faros, sirenas. En el silencio los pasos de alguien, una conversación, hasta el chasquido de un mechero, llegaban a la oscuridad de su dormitorio con la nitidez de un experimento acústico. Se echó sobre la cama en desorden sin quitarse la ropa y ni siquiera los zapatos y despertó de pronto con regusto inmundo a sardinas en aceite y con el corazón batiendo en el pecho. Temblaba la cama, la lámpara en la mesa de noche, la casa entera, y él no comprendía nada, en la confusión angustiosa del despertar, de dónde venía esa vibración, ese trueno prolongado y cercano. Las sirenas volvieron inteligible el estruendo: aviones enemigos, volando bajo y eligiendo sin prisa los objetivos de sus bombas en una ciudad sin más defensas antiaéreas que los disparos insensatos de fusiles y hasta de pistolas desde las azoteas contra los Junkers alemanes. Inmóvil, boca arriba, con una desgana más fuerte que el miedo, sintió una tras otra sacudidas menos poderosas que el estruendo de los motores que ya se alejaba. Bombardean barrios de pobres, no éste en el que saben que viven tantos de los suyos. Y nosotros no tenemos más aviación que algunos desechos franceses de la Gran Guerra y ni siquiera alarmas potentes que suenen de verdad estremeciendo el aire, sino penosas sirenas como de atracción de feria que algunos guardias de Asalto llevan montadas en las motocicletas y hacen girar con una mano mientras sujetan el manillar con la otra, dando tumbos por las calles a oscuras. A los silbidos y al retumbar hondo de las bombas se mezclaban cascadas de disparos de fusilería. Después hubo un largo silencio del que emergían sirenas de ambulancias y campanas de coches de bomberos. En el duermevela empezó a precisarse un recuerdo inesperado y muy vívido de Judith, que le produjo una excitación inmediata, el sonido que hacía la articulación de sus mandíbulas cuando estaba empezando a correrse, acariciada por él, tensa y desnuda a su lado, casi rígida, con los ojos cerrados, los talones rozando la sábana, una mano suya guiándolo, haciendo que apaciguara el ritmo de la caricia, apretando sus dedos para que presionaran el punto necesario, con la necesaria intensidad, lubricándolo con el flujo que los humedecía. Separaba un poco las mandíbulas, aunque respiraba por la nariz, muy fuerte, gimiendo apenas, presionando los dedos, apretando los músculos sobre ellos, extendiendo las puntas de los pies. Ahora él, en la oscuridad del dormitorio conyugal en el que Judith nunca había estado, sobre las sábanas arrugadas y sucias en las que no quedaban rastros del olor de Adela, quería imaginar sin éxito que era la mano de Judith la que estaba tocándolo, que al masturbarse con una urgencia brusca y mecánica invocaba el cuerpo y la cercanía obscena y delicada de ella. Pero era en vano, un espasmo inútil y todo estaba terminado, dejándole sólo una añoranza enconada y estéril, una sensación de ridículo, casi de vergüenza, un hombre de casi cincuenta años haciéndose una paja, en el insomnio de una ciudad en guerra. Ya clareaba cuando notó que se dormía, con una gota de humedad fría en el vientre, con el remordimiento de no echarse en seguida a la calle para seguir buscando al profesor Rossman.

Despertó creyendo que sería muy tarde. El disgusto de sí mismo era casi tan masticable como el sabor a sardinas en aceite que todavía le duraba en la boca. Pero no eran ni las ocho. Se dio una ducha, se lavó con furia los dientes, se afeitó los cañones grisáceos y blancos de la barba eludiendo su propia mirada en el espejo. Al menos aún había agua corriente y seguía teniendo ropa limpia y planchada en los cajones del armario (el portero protestaba cada vez que lo veía bajar la bolsa de la ropa sucia: por qué se molestaba, a su mujer no le importaba subir a recogérsela, incluso podía hacerlo él mismo). Iría a buscar de nuevo a Bergamín. Preguntaría otra vez en las oficinas y en los palacios incautados y en los cuarteles de milicianos que había recorrido el día anterior. Iría a la Dirección General de Seguridad, a la Casa del Pueblo, al Círculo de Bellas Artes, al cine Europa, al cine Beatriz, donde le habían dicho que como los sótanos estaban llenos de presos a algunos los custodiaban, con las manos atadas, en la misma sala en la que el público veía las películas. Se estaba ajustando la corbata delante del espejo del recibidor cuando sonó el teléfono: pero era la señorita Rossman, disculpándose por llamar tan temprano, quedándose callada un momento cuando él le dijo que aún no sabía nada, pero que no se preocupara, que precisamente ahora mismo estaba a punto de salir a la calle para continuar la búsqueda. Llamó al número de la secretaria de Bergamín y nadie contestó. La urgencia de la guerra no ha adelantado el horario de las oficinas españolas. Se acordó de un cartel que le había llamado la atención en el metro: ¡TODOS AL FRENTE! ¡ANTES MORIR QUE RETROCEDER! ¡EL REGIMIENTO DE BALAS ROJAS OS LLAMA! *(Inscripción de 9 a 1 y de 4 a 7.)* Ni siquiera para morir antes que retroceder se ampliaba el horario administrativo de inscripciones. Bajó a desayunar a una lechería cercana, en la calle don Ramón de la Cruz, de mostrador de mármol reluciente, de azulejos blancos. Parecía que estaba cerrada: golpeaba de una cierta forma en la persiana metálica y el dueño, que lo conocía, lo dejaba entrar, mirando rápidamente de un lado a otro de la calle, cerrando de nuevo. En la vida antigua y sin embargo cercana había subido cada mañana temprano por la escalera de servicio llevando la leche y la mantequilla que más les gustaban a sus hijos, y en verano les vendía helados suculentos de leche merengada. El mostrador y las paredes conservaban el resplandor blanco de siempre pero de la pared había desaparecido un almanaque con la Virgen de la Almudena y una estampa enmarcada del Cristo de Medinaceli. «A usted le abro porque le conozco y es de confianza, don Ignacio, pero ya me dirá qué hago yo si se me presenta una de esas patrullas con mosquetones y se me incautan las existencias de varios días. Se llevan un bidón de cien litros de leche porque dicen que son para los milicianos del frente o para los niños huérfanos y me pagan con un vale escrito a mano en un trozo de papel que ya me dirá usted para qué me sirve, o ni siquiera eso, levantan el puño y dicen todos con el mismo vozarrón ¡UHP! y ya parece que han pagado, y a ver quién les protesta. Ellos dicen que son todos hermanos proletarios, y yo qué soy, ¿un burgués? ¿No me he estado levantando cada día a las tres o las cuatro de la mañana desde que no me llegaba la cabeza al mostrador? El que no trabaja no come, dicen siempre. ¿Y si a mí me quitan lo mío, qué he de comer, matándome yo también a trabajar? ¿Y en qué trabajan ellos, que ni siquiera se molestan en ir al frente? ¿Y mis hijos qué comité ni qué Socorro Rojo Internacional va a alimentarlos si yo tengo que cerrar el negocio porque me lo roban todo, o si les da una mañana por decir que van a colectivizarme la lechería, o que soy un faccioso, y acabo con cuatro tiros delante de una tapia del cementerio de la Almudena, o en la Pradera de San Isidro, que vaya sitios que eligen para matar a la gente? Perdóneme que me desfogue con usted, don Ignacio, pero usted es un hombre de bien, y si me quedo aquí callado todo el día sin hablar con nadie me parece que va a explotarme la cabeza… ¿Usted cree que esto puede durar mucho todavía? Porque si la cosa no se remedia pronto yo me voy a quedar sin leche ni café en unos pocos días, hasta los sobres de azúcar se me están acabando. ¿No querrá usted otro café, a cuenta de la casa?» Era un hombre gordo, apacible, con una blandura mantecosa en la papada y en los brazos, como alimentada por la misma excelente mantequilla y la nata espesa que se preciaba siempre de vender a su distinguida clientela, de la cual ahora no quedaba casi nadie, casi todos huidos o escondiéndose y algunos de ellos sacados a empujones después de la medianoche y ejecutados no muy lejos de allí, en los desmontes y solares donde terminaba el barrio, después de las últimas farolas. Hablaba con Ignacio Abel y al mismo tiempo permanecía atento al vaso de café con leche y a la expresión de agrado o disgusto con que este raro cliente que no se había ido de Madrid ni parecía asustado estuviera bebiéndolo, y cada pocos segundos los ojos inquietos se le iban hacia la puerta a medio cerrar, cuando escuchaba pasos o un motor en la calle. El comerciante gordo y tranquilo que saludaba con ceremonia a las señoras del barrio y se sabía los diminutivos de todas las criadas ahora vivía agazapándose en la tienda que no había querido abandonar ni cerrar, el reducto de mostrador blanco y azulejos blancos en el que había puesto el esfuerzo de toda su vida, los madrugones inhumanos, el ahorro céntimo a céntimo, la obligación del servilismo hacia los señores, que le exigían tratamiento de don o doña o señora de y hasta señora marquesa y sin embargo algunas veces no le pagaban las cuentas de la leche; y ahora, sin comprender por qué, él que no se había metido en nada, que no era político, tenía que vivir asustado, dijo, bajando la voz, temiendo que cualquiera viniese a quitarle lo que era suyo o a pegarle cuatro tiros. Tenía el miedo en los ojos ligeramente saltones, en el temblor de la papada: hablaba con Ignacio Abel y de pronto se veía en sus ojos que la confianza hacia el vecino bien conocido y de aspecto respetable no llegaba a eliminar la punzada del miedo, porque había quien delataba por salvarse a sí mismo, por congraciarse con una cuadrilla de verdugos, y quién sabía si este hombre seguía viviendo tan tranquilo en el barrio porque en el fondo era cómplice de los pistoleros que venían de noche a registrar las casas y a llevarse detenida a gente que ya no regresaba nunca. El gesto afable era el mismo en su cara carnosa pero ahora el miedo había pasado como una sombra por su mirada que se volvió huidiza mientras cobraba el café con leche y agradecía la propina. Había que fijarse mucho para distinguir el miedo, porque se sabía que mostrarlo abiertamente habría sido un signo delator, y más en este barrio, tanto como comprar bujías de una cierta potencia para sintonizar en habitaciones interiores cerradas las emisoras del enemigo o como deslizarse un domingo por la mañana muy temprano hacia la puerta lateral de una iglesia aún no convertida en garaje o almacén en la que se seguían diciendo misas.

Pero el miedo, si uno ponía la suficiente atención, podía distinguirlo también en las caras que mostraban una seguridad más firme o más insolente: la del portero, por ejemplo, que a pesar del mono azul, el correaje y la boina seguía inclinándose como si todavía llevara librea y gorra de plato ante los vecinos pudientes o simplemente dudosos a los que tal vez denunciaría a continuación; y que aunque ahora levantaba el puño en la acera al paso de los desfiles se acordaba bien de haber defendido en un corro de repartidores y criadas del vecindario a los partidos que él llamaba de orden y de haberse ido de la lengua celebrando en la lechería o en la tienda de ultramarinos las hazañas de la Legión contra los mineros sublevados el año 34 en Asturias. Alguien podía acordarse. Alguien daba un nombre con la esperanza de desviar hacia otro el peligro. Ignacio Abel veía acercarse una cara conocida (tal vez un vecino que se había atrevido a salir a la calle intentando con torpeza disimular su condición de burgués, yendo sin afeitar, sin corbata, con una boina y no con sombrero) y distinguía el miedo en los ojos que eludían los suyos. No podía verlo en su cara pero sentía su efecto y la imaginaba desconocida y asustada y empeñándose en un disimulo imposible cuando una patrulla armada venía hacia él o un automóvil se detenía a su lado con chirrido de neumáticos o cuando de noche sonaban pasos como subiendo a galope por las escaleras de mármol de su edificio demasiado opulento. Y aunque no hubiera visto nunca antes a su cuñado Víctor sólo al mirarlo la mañana anterior en el paseo de Recoletos habría reconocido en su cara el estigma del miedo que lo separaba de los otros, de la gente con la que tan vanamente quería confundirse, escondiéndose en la plena luz del día y en medio de la multitud: pero el miedo estaba en los ojos, en la manera en que se desviaban fugazmente hacia un lado y hacia otro, vigilando los flancos, en la tensión especial de la piel sobre los huesos de los pómulos y en el movimiento involuntario de la mandíbula. Pero quién nos iba a aceptar que tenía miedo, ni siquiera en el secreto de la intimidad, cada uno su dosis del gran miedo universal y no nombrado que era posible disimular en la claridad del día pero que se volvía tangible en cuanto anochecía y las calles se despoblaban, más ahora que oscurecía antes y que se empezaba a intuir, en el frío de los amaneceres, que acabaría el verano pero la guerra seguiría prolongándose y que la llegada del invierno la iba a hacer todavía más cruenta, dándole la realidad definitiva que ahora le faltaba, al menos para los que la veían de lejos, en las fotos de los periódicos que leían en los cafés y en los desfiles que pasaban, casi siempre con un efecto más festivo o escenográfico que militar, acompañados o precedidos a veces, como las procesiones religiosas del tiempo anterior, por grupos de niños con gorros de papel, escopetas de madera y tambores hechos con latas de conservas.

Iba por la calle en el segundo día de su búsqueda del profesor Rossman y en cada cara reconocía una modalidad y una dosis distinta del miedo, más visible cuanto más disimulada, cuanto más envuelta en euforia o en indiferencia o en chulería o en simple hosquedad. Vio el miedo en las familias de campesinos fugitivos que subían por la calle Toledo, asustados aún por el recuerdo de lo que habían visto, más asustados todavía por el estruendo y la escala de la ciudad; lo vio en la gente que salía del metro o se bajaba del tranvía en las últimas paradas, en los descampados donde él también empezó a buscar esa mañana la cara del profesor Rossman entre los cadáveres; en las caras de los muertos el miedo había desaparecido o era una mueca grotesca; le sorprendía que muchos de ellos yacieran de costado, con las piernas encogidas, la mano como a manera de almohada, como si les hubiera sobrevenido un sueño muy profundo y se hubiera tendido para dormir en cualquier sitio, a la intemperie. Pero el miedo estaba también en quienes habían ido por gusto a pasearse entre los cadáveres y señalaban con el dedo alguna actitud que les parecía cómica o ridícula y usaban el pie para darle la vuelta a una cara caída sobre la tierra. Había miedo en las carcajadas igual que lo había en el silencio; en la indiferencia fatigada de los operarios municipales que cargaban los cadáveres en los camiones de basura y limpieza y en la pulcritud de los funcionarios del juzgado que levantaban acta consultando el reloj para anotar la hora del hallazgo. *Varón sin identificar, heridas de bala en la cabeza y en el pecho, autor o autores desconocidos.* Volvió a buscar a Bergamín y aún no había llegado a su despacho y había una secretaria que no era la del día anterior y no sabía nada de las gestiones para resolver la desaparición del profesor Rossman, pero tomó nota de todo otra vez, por si acaso, también de la dirección de Ignacio Abel y de su número de teléfono. Subió en marcha a un tranvía que iba Castellana arriba y se bajó a la altura del Museo de Ciencias Naturales y del camino de acceso a la Residencia de Estudiantes. ¿Era Negrín quien le había dicho con una pesadumbre ultrajada que también allí aparecían cadáveres de ejecutados todas las mañanas? «En nuestros campos de deportes, mi querido Abel, junto a las tapias del museo, a un paso de mi pobre laboratorio, que está cerrado desde hace no sé cuánto tiempo.»

—Los oigo muy cerca desde aquí, cada noche —dijo Moreno Villa, muy pálido, envejecido y más flaco, sin afeitar, como un mendigo o un mártir de aquellos cuadros de Ribera que tanto le gustaban, porque se estaba dejando la barba.

La Residencia era ahora un cuartel de milicianos y de guardias de Asalto. Junto a la recepción estaba el cuerpo de guardia, un desorden de hombres armados que entraban y salían con fusiles al hombro, de jergones repartidos por el suelo y olor a tabaco y a rancho. Las paredes estaban llenas de carteles con consignas pintadas a mano y el suelo de colillas. En el corredor que llevaba al cuarto de Moreno Villa había camas de hospital ocupadas por milicianos heridos y el olor del aire era entonces a desinfectantes y a sangre, y había un zumbido de moscas y un rumor de conversaciones en voz baja. Caras amarillentas y mal afeitadas se volvían sin curiosidad a su paso, miradas poseídas por una forma de miedo que no se parecía a ninguna de las otras, el miedo sobrio y hermético de los que han visto la muerte.

—Oigo el motor de un auto subiendo la cuesta, y luego las puertas que se abren y se cierran, las órdenes, a veces las carcajadas, como si hubiera una juerga. Después la descarga cerrada, y los tiros de gracia. Contando los tiros de gracia sé a cuántos han matado. A veces son muy torpes o están borrachos y entonces la cosa tarda mucho más.

Moreno Villa, en su cuarto espacioso y ascético, la celda del anacoreta en que se había convertido de tanto no ver a nadie ni aventurarse muchos días ni siquiera al jardín de entrada de la Residencia, ahora ruidosamente ocupado por camiones y motocicletas de la Guardia de Asalto. Salía únicamente para acudir a su trabajo en los archivos del Palacio Nacional, con una puntualidad de funcionario cumplidor que nadie le pedía. El presidente de la República, que tenía su despacho cerca de la oficina de Moreno Villa, le había pedido que se quedara a dormir en el palacio. Él prefería volver cada tarde a la Residencia, tan incongruente ahora en ella, entre los milicianos y los heridos, como en cualquier otro lugar de Madrid, con su traje antiguo y sus botines, con la corbata de lazo que se había acostumbrado a llevar desde que volvió de los Estados Unidos, de aquel viaje sobre el que había escrito un libro breve, muy bien impreso, casi confidencial, como todos los suyos, un libro de escritor que goza de un vago prestigio pero al que no lee nadie. Estaba igual que lo había visto Ignacio Abel casi un año atrás, rodeado de libros y de láminas con dibujos preparatorios, sentado cerca de la ventana, delante de un pequeño bodegón inacabado, tal vez el mismo que acababa de comenzar entonces, a últimos de septiembre, en el pasado remoto de menos de un año.

—A estas horas ya se han llevado los cadáveres. Viene una brigada municipal en un camión de basura muy lento. Lo reconozco por el ruido del motor. Vienen al poco de amanecer, supongo que porque ya están de retirada. Si a su amigo de usted lo trajeron por aquí esta noche pasada ahora estará en el depósito. Rossman se llamaba, ¿verdad? O se llama todavía, pobre hombre, quién sabe. Me acuerdo que alguna vez hablé con él.

—El año pasado, en octubre. Vino a mi conferencia.

—Qué raro, ¿verdad? Acordarse de cualquier cosa que haya pasado antes de que empezara esto. Las cosas ocurren y ya parece que eran inevitables, y que cualquiera habría podido predecirlas. Pero quién nos iba a decir a nosotros que nuestra Residencia iba a acabar convertida en cuartel. En cuartel y también en hospital, desde hace unos días. Ahora aparte de los tiros por la noche tenemos que oír los quejidos de esos pobres muchachos. Usted no sabe cómo gritan, Abel. Parece que no hay medicinas suficientes, que no hay calmantes, ni anestesias, ni nada. Ni gasas buenas hay para sujetar las hemorragias. Salgo de la habitación y me encuentro charcos de sangre en el suelo. Nosotros no sabíamos lo pegajosa que es la sangre, lo escandalosa que es, la cantidad de sangre que cabe en un cuerpo humano. Creíamos ser hombres hechos y derechos, con experiencia, con juicio, y no éramos nada ni sabíamos nada. Y lo poco que sabíamos es ridículo y no sirve para nada. Estuvo aquí alojado don José Ortega unas semanas, antes de irse de España, como tantos otros. Estaba muy enfermo. Daba dolor verlo sentado en una hamaca al sol, como un viejo, con la boca colgando, palidísimo, amarillo, con ese mechón que él se peinaba siempre con tanto cuidado para disimular la calva pegado a ella como con saliva. Nuestro gran filósofo, el que tenía palabras tan prolijas para todo, callado como un muerto, mirando al vacío, muerto de miedo, igual que todos nosotros, o algo más, porque tenía miedo de que su fama lo perjudicara, de que no lo dejaran irse de España. No sé si sabe usted que vinieron unos cuantos a pedirle que firmara aquel manifiesto de intelectuales a favor de la República. Bergamín, Alberti, alguno más, todos ellos ya con botas y correajes, con pistolas. Pero don José no firmó. Tan enfermo como estaba, con fiebre, tan asustado. Se marcharon y se puso mucho peor. Me acercaba a él para preguntarle por su salud y ni me contestaba. Sus hijos salían disparados después del desayuno para explorar las tapias del museo y los campos de deportes buscando cadáveres.

—¿Y a usted no le pidieron que firmara el manifiesto?

—Yo no soy lo bastante famoso. Es la ventaja de la invisibilidad.

—El pobre Lorca no la tuvo.

—Se fue de Madrid porque tenía miedo de que le ocurriera algo. Tomó el expreso un día después de que mataran al teniente Castillo y a Calvo Sotelo, el trece de julio. Yo había hablado con él unos días antes. Estaba muy asustado. Como no sentía vergüenza de ser miedoso se daba más cuenta de lo que iba a pasar.

—Yo lo vi desde un taxi. Estaba sentado en la terraza de un café en Recoletos, con un traje claro, fumando un cigarrillo, como si esperara a alguien. Le hice una señal pero creo que él no me vio.

—Ahora nos pasamos la vida haciendo memoria de la última vez que hicimos algo o que vimos a un amigo. Nos da miedo pensar que de verdad fue la última. Antes nos despedíamos sin reparar en nada, como si fuéramos a vivir siempre, como si las cosas tuvieran que repetirse idénticas durante un futuro ilimitado. Cuántas veces nos habremos dicho adiós usted y yo, amigo Abel, nos habremos cruzado si llevábamos prisa sin más ceremonia que tocarnos el sombrero de una acera a otra. Ahora sabemos que cuando nos digamos adiós esta vez no es improbable que no volvamos a vernos nunca.

—Es muy peligroso que esté viviendo usted solo aquí, tan apartado de todo. Véngase a mi casa. La tengo entera para mí. Una de las criadas se quedó con mi familia en la Sierra y la otra no ha vuelto a dar señales de vida. Estará usted más protegido y nos haremos compañía.

—No se preocupe por mí, amigo Abel. ¿Quién va a querer hacerle nada a un viejo?

—Ni es usted tan viejo ni está a salvo del peligro. Nadie lo está. Yo mismo me salvé casi por casualidad, en el último momento.

Qué habrá sido de Moreno Villa, sedentario y tenaz, empeñado en vivir igual que si el mundo no se hubiera derrumbado en torno suyo, solo en la Residencia, deambulando por pasillos y aulas a los que no volverán los estudiantes extranjeros de los cursos de verano que se marcharon hacia finales de julio, donde ya no sonaban las hermosas voces exóticas que él amaba tanto. Ahora se desvelaba oyendo en la oscuridad disparos, motores de automóviles, órdenes secas, a veces carcajadas.

—¿Sabe de qué me acuerdo mucho últimamente, Moreno? De un artículo que publicó usted el año pasado, sobre las ganas que parecía tener todo el mundo de matar a su adversario. Yo pensé que usted exageraba.

—Yo también me he acordado. «Yo los mataba a todos», le puse de título. Luego lo vi en *El Sol* y casi me dio vergüenza, haber usado yo también esas palabras, aunque fuera para ponerme contra ellas. Hay palabras que no deberían escribirse, ni decirse. Se dice algo sin estar muy convencido en el fondo o pensando que no importa mucho y al haberlo dicho ya está empezando a ser verdad.

Se quedaron callados, incómodos en el silencio que no acertaban a romper. Un cornetín de órdenes vino de muy cerca, del jardín delantero de la Residencia. En los campos de deportes grupos de milicianos hacían instrucción marcando el paso al ritmo monótono de un tambor.

—Y usted, Abel, ¿piensa marcharse también?

Tardó un poco en contestar: cómo iba a creerse Moreno Villa que si se marchaba, o si intentaba hacerlo, era porque tenía previsto su viaje desde mucho antes de que comenzara lo que aún no se acostumbraban a llamar la guerra, porque en ese tiempo anterior que ya estaba tan lejos como un sueño le habían invitado a pasar un curso en una universidad americana, a dar clases y tal vez a diseñar el edificio de una biblioteca. Otros se habían ido ya, aprovechando privilegios, fingiendo misiones internacionales, enfermedades que requerían tratamiento en el extranjero. Del mismo Ortega ahora murmuraban que en realidad no estaba tan grave cuando se marchó, que en el fondo simpatizaba con los fascistas o incluso estaba de algún modo comprometido con ellos y temía las represalias. Las palabras de Ignacio Abel decían la verdad, pero sonaban a falso, incluso en sus mismos oídos; sonaban a la mentira de quien va a desertar y repite una explicación, una coartada digna, más aún cuando se oyó decir que lo peor de todo era no tener noticias de su mujer y de sus hijos, que se quedaron en el otro lado del frente de la Sierra, tan cerca y a la vez en otro mundo, en el otro país que ahora era el reverso de éste, aunque los dos compartieran una temperatura semejante de delirio, un grado idéntico de irrealidad. «Tenía previsto llevarlos conmigo», dijo, sabiendo que no era del todo verdad; sabiendo que contaminaba de mentira su dolor verdadero por la ausencia de sus hijos; imaginando que tal vez Moreno Villa sospechaba otras razones, no sólo la posible cobardía y la intención de huir de lo que sucedía en España; también lo que era probable que hubiera descubierto o le hubieran contado, en un Madrid tan enrarecido y chismoso, más aún viviendo en la Residencia, habiendo conocido a Judith, asistido con su mirada perspicaz de solterón enamoradizo a los primeros encuentros entre Ignacio Abel y ella. Por vanidad o falta de imaginación uno cree que los demás viven pendientes de él y comparten sus obsesiones. A Ignacio Abel la pregunta y la mirada triste y atenta de Moreno Villa le inquietaba como una indagación en los secretos de su conciencia, pero era probable que mientras él hablaba y percibía en su propia voz un tono de impostura o de culpa Moreno Villa estuviera pensando en otra cosa, tan preso de sus cavilaciones y de sus incertidumbres como él, igual de trastornado por la irrupción de un mundo vertiginoso y sanguinario que no comprendía, del que le era imposible huir y al que ni siquiera podía dar la espalda.

Se despidió prometiéndole que volvería y en la ladera umbrosa de la colina sobre la que se alzaba la Residencia como una torre vigía hacia las afueras de Madrid buscó rastros de cadáveres, huellas de neumáticos, algún indicio de que el doctor Karl Ludwig Rossman había sido uno de los ejecutados esa noche o alguna de las noches recientes.

El olor a jara, a tomillo y romero le hizo acordarse con dolor de sus hijos, del jardín en la casa de la Sierra y la vereda hacia la laguna. Veía a su alrededor más a los muertos que a los vivos y pasaba los días y las noches acosado por ausencias más poderosas que la cercanía de las personas tangibles. Con mucha más realidad que él mismo su casa en penumbra la habitaban las ausencias de Adela y de los niños. Al entrar en la Residencia en busca de Moreno Villa el vestíbulo convertido en cuerpo de guardia de un cuartel y las escaleras en las que resonaban sus pasos habían circundado la figura ausente de Judith Biely. Ahora buscaba rastros de cadáveres entre la hierba seca y lo que tenía en la memoria eran las pisadas gráciles de Judith que venía hacia él a la caída de la noche entre la arboleda iluminada por globos de papel mientras sonaba muy cerca una música de baile difundida por el altavoz de una radio: Judith todavía recién entregada y secretamente suya, mirándolo entre los alumnos extranjeros que conversaban en las mesas de hierro con una complicidad que sólo él advertía. Detrás de la cúpula solitaria del Museo de Ciencias Naturales circulaba la acequia que llamaban el Canalillo. Cuando llegaba el buen tiempo se instalaban allí las mesas y las sillas metálicas, las guirnaldas de bombillas de un merendero, colgadas entre las ramas de los árboles. En la pared de la caseta clausurada del merendero la cal estaba desconchada por picotazos de disparos y tenía manchas y chorretones de sangre reciente que había goteado hasta el suelo. Había zapatos tirados entre la maleza seca del verano, zapatos viudos, desparejados, algunos de mujer, algunos cuarteados por la intemperie y otros, los que más inquietaban, todavía con el brillo de una limpieza reciente. Pisaba cosas que crujían: un cartucho de escopeta de caza, los cristales de unas gafas. Examinó con cuidado la montura y no se parecía a la de las gafas del doctor Rossman. En la mañana fresca de finales de agosto el ruido de las chicharras se mezclaba al del caudal de agua en la acequia. Más allá de la sombra de los chopos Madrid se extendía como una ciudad apaciguada por el sosiego del verano, ajena al crimen y a la guerra, de la que a esa distancia, desde la colina de la Residencia, no había ni un signo visible, ni la columna de humo de un incendio.

31

Sueña de vez en cuando que está sonando un teléfono y que se despierta con demasiada lentitud y no va a levantarse a tiempo para responderlo. Los timbrazos se repiten y cada uno es más agudo y parece que será el último, y que por unos segundos no le va a ser posible contestar y por lo tanto no sabrá quién estaba llamando para pedirle ayuda o para avisarle de un peligro, o si es Judith Biely que ha regresado y al no obtener respuesta piensa que él ya no está en Madrid, y tan sólo por un retraso de unos instantes ya no vuelven a encontrarse. En el sueño hay un simulacro del despertar, perfecto en su exactitud: el primer timbrazo, el segundo, la imposibilidad de moverse porque el cuerpo todavía no se ha adaptado a obedecer a la voluntad, madera o baldosas o una alfombra bajo los pies descalzos, el desconcierto de no recordar dónde está el teléfono y luego la prisa de llegar a él, la mano que se adelanta y toca el auricular justo en el momento en que se extingue la vibración del último timbrazo. Aunque ya casi nunca sea visible en los sueños Judith Biely ronda en ellos como una ausencia imperiosa, la de quien al irse está más presente aún en la revelación del vacío que ha dejado, como está el filo de una cuchilla en una herida abierta o un desconocido en las huellas que ha dejado sobre la arena húmeda. Ignacio Abel camina por una calle cualquiera en un sueño y la sensación de ultraje que le oprime el pecho es que Judith no aparecerá en esa calle, que ya ni en sueños podrá encontrarse con ella, igual que al cabo de un cierto tiempo uno ya no se encuentra más en ellos con alguien que ha muerto, y esa ausencia es una forma última de lejanía. Si hubiera despertado más rápido y hubiera corrido sin vacilación hacia el teléfono habría podido escuchar su voz. Si su cansancio no hubiera sido tan profundo habría llegado a tiempo de levantar el auricular antes de que el timbre callara y de oír la voz de uno de sus hijos: Lita o Miguel, la voz muy distante y muy alterada por interferencias pero aun así reconocible, un poco extraña después de tanto tiempo de no oírlas, porque a una cierta edad las voces de los niños cambian tan rápido como sus caras (quizás le suenan tan lejanas porque llegan a él a través de toda la formidable longitud de un cable submarino).

Ha sido a veces un teléfono sonando en el corredor de un hotel el que provocaba el sueño y poco después le hacía despertarse de verdad; o el timbre que pulsaba alguien en la cabina contigua del barco para llamar a un servidor de guardia; en el hotel de París el timbre especialmente agudo y multiplicado resultó ser el de los silbatos de los policías que invadían escaleras empinadas y pasillos estrechos en una redada de extranjeros; las pisadas de botas eran tan fuertes como los golpes en la puerta de la habitación: un gendarme había entrado en ella cuando Ignacio Abel, sin tiempo para levantarse, le tendía desde la cama su pasaporte, que había dejado sobre la mesa de noche. Al otro lado de la puerta había un barullo de carreras y gritos, insultos en francés, voces en idiomas diversos. Abre los ojos en un estado de alarma súbita que le acelera el corazón y se da cuenta de que el teléfono que lo ha despertado sólo estaba sonando en el sueño, y no sabe si lo que siente al comprobar el silencio es decepción o alivio. En realidad sólo una vez ha coincidido la llamada telefónica del sueño y la del despertar, y le ha dejado en los nervios una marca indeleble. Abrió los ojos sabiendo que el timbre había sonado ya muchas veces y estaba tendido en la cama grande y desordenada del dormitorio conyugal, sobre las sábanas sucias que nunca cambiaba. La misma lentitud que lo había agobiado en el interior del sueño seguía pesando ahora sobre él. Se filtraban rayas de luz por los postigos cerrados pero la casa estaba tan a oscuras que no era posible calcular la hora. El pasillo que atravesó se hacía tan largo como el que había soñado hacía sólo un momento. Ya casi estaba junto al teléfono de la pared cuando le pareció que el silencio después del timbrazo anterior duraba demasiado; que la comunicación se habría cortado cuando él levantara el auricular; como un hilo que se rompe y algo cae en el vacío. Voces posibles o imposibles se le anticipaban al acercárselo al oído y preguntar quién llamaba. Una mezcla de agitación y letargo le hizo que no reconociera al principio la voz de Bergamín, débil y áspera a la vez, un poco nasal por culpa del resfriado.

—Abel, ¿por qué tardaba usted tanto en contestar? Venga a la Alianza, lo más rápido que pueda. Imagino que no lo habré despertado...

—¿Sabe usted ya dónde está el profesor Rossman?

—Venga cuanto antes. Salgo de viaje en seguida.

Ahora comprende que el miedo había estado veladamente en la voz de Bergamín, oculto detrás de la urgencia, igual que estuvo más tarde en sus ojos pequeños, llorosos por el resfriado, que le humedecía también la punta de la nariz muy fina, irritada de tanto limpiarse con el pañuelo engurruñido que guardaba en el bolsillo con una especie de sigilo, como si escondiera algo impropio. O tal vez no miedo exactamente, sino un desasosiego que él mismo no reconocería, la inquietud por formas de peligro demasiado variadas o sutiles como para mantenerlas en la conciencia: que el enemigo estuviera avanzando hacia Madrid más rápido de lo que nadie había previsto; que alguien dudara de su fidelidad ortodoxa a la causa a pesar de su trabajo sin descanso en la Alianza y de los artículos tan encendidos de rabia justiciera inflexible que escribía; que lo comprometiera ser visto con Ignacio Abel esa mañana en el patio de la Alianza o haber hecho indagaciones sobre el paradero de su amigo alemán; que se le hiciera tarde para tomar en el aeródromo de Barajas el avión que iba a llevarlo a París, desde donde viajaría inmediatamente a Ginebra, para participar en representación de los intelectuales españoles en el Congreso Internacional de la Paz. Salió a la escalinata del palacio Heredia Spínola vistiendo un traje formal de viaje vagamente inglés en vez de la camisa abierta y la cazadora de aviador o tanquista y el sol de la mañana de septiembre reveló su palidez extrema y le hizo guiñar los ojos hundidos bajo las cejas, no habituados a tanta claridad, lacrimosos por el catarro inoportuno, fatigados de tanto trabajo a la luz de la lámpara del despacho sombrío en el que podía pasarse la noche entera escribiendo artículos o romances con una letra meticulosa y diminuta, corrigiendo galeradas de *El Mono Azul*. Después de llamar a Ignacio Abel se había quedado pensativo con las dos manos juntas delante de la cara, las puntas de los dedos muy flacos rozando la nariz húmeda (con previsible insensatez Abel había preguntado por teléfono lo que no debía, lo que sólo debía ser hablado en voz baja y de tú a tú); había consultado su reloj de pulsera comprobando que retrasaba el reloj enorme y barroco de pared con las armas de los marqueses de Heredia Spínola, que se repetían en toda la decoración del palacio, en los respaldos de las sillas y en los falsos bargueños renacentistas, en los frescos de los techos y en las campanas de las chimeneas; el avión a París tenía prevista la salida a las once de la mañana; llevaba pintada bien visible sobre el fuselaje la bandera francesa de modo que no había peligro de que lo importunaran cazas del enemigo. Se aseguró con su secretaria de que en el patio estuviera dispuesto el automóvil para el aeródromo, en el que ya estaría la cartera con los documentos del viaje, pasaportes, visados, salvoconductos. Se olió con un placer distraído las uñas mientras miraba por encima los periódicos del día, desplegados sobre la mesa enorme del despacho, cada uno con su dosis habitual de noticias favorables pero casi del todo imaginarias, que en ningún momento aliviaban la inquietud, el desasosiego oculto que uno no debía mostrar ni a sí mismo, el miedo que se insinuaba sin que uno se diera cuenta en la mirada oblicua de los ojos, en el parpadeo excesivo, en el tamborileo de los dedos que no sabían quedarse tranquilos y buscaban un cigarrillo o un fósforo o contaban sílabas de versos. Miró el reloj otra vez y se puso la chaqueta de tweed adecuada para el viaje, recogió papeles y los guardó en su cartera de mano, la estilográfica en el bolsillo superior de la chaqueta, ya impaciente, sin sosiego, irritado con Ignacio Abel, que tenía en el teléfono voz de dormido, que aún tardaría mucho en llegar, aunque él bien le había advertido, que se diera prisa, que viniera cuanto antes a la Alianza. «Mariana, me marcho ya, cuando venga el arquitecto Abel le da usted misma las instrucciones. Y dígale de mi parte lo conveniente que es para él cumplir bien la misión que se le encarga.» A Mariana Ríos, por escribir a máquina más velozmente, arrancando hojas y papel de calco nada más terminarlas, se le había desabrochado un botón de la camisa de miliciana y Bergamín veía al inclinarse hacia ella el inicio de su escote. En un salón cercano ya estaba ensayando la orquestina para el baile de disfraces que el poeta Alberti y su mujer llevaban organizando varios días, en homenaje a los escritores franceses de visita en Madrid, aprovechando la abundancia innumerable de trajes de gala y de carnaval hallados en los armarios de los marqueses fugitivos. Bergamín se alegraba de eludir la fiesta gracias a la coartada del viaje. Era un hombre tímido y seco al que amedrentaban las efusiones de alegría colectiva, en las que Alberti y María Teresa León disfrutaban tanto, igual que en las lecturas de versos ante auditorios enfervorizados o en los discursos al final de los banquetes de homenaje a alguien. Alberti tenía un perfil algo aceitoso de artista de cine y un timbre en la voz como de cantor melódico; su mujer, rubia y jamona, con una boca magnífica de labios pintados de carmín y dientes muy blancos, se ponía en jarras y oscilaba ligeramente a su lado, como si de un momento a otro fuera a cantar una jota, en vez de a leer una proclama o a recitar un romance de guerra. Ahora la oía, hablando muy alto, por encima de las discordancias de los instrumentos que ensayaban, dando instrucciones. Él, Bergamín, cuando hablaba en público, separaba muy poco los labios y los acercaba demasiado al micrófono, y se encogía instintivamente de hombros en vez de sacar el pecho y levantar la barbilla como Alberti; hasta cuando levantaba el puño en el momento en que se cantaban los himnos lo hacía como encogiéndolo en vez de apretándolo, y era consciente de su propia actitud igual que de su voz débil cantando fuera de tono *La Internacional*, borrada por el clamor de las otras. ¿No lo verían un poco ridículo —ahora, cuando al salir del vestíbulo a la escalinata del palacio le dio de golpe el sol en los ojos— los milicianos y los chóferes que trajinaban en el patio, entre las camionetas que entraban y salían, los operarios que trasladaban con toda clase de miramientos cuadros, esculturas, cajas de libros, tantos objetos de valor rescatados de iglesias en peligro de ser incendiadas o de palacios abandonados por sus dueños, desiertos a veces y vulnerables al saqueo después de que los dueños hubieran sido detenidos o ejecutados? *Cirugía implacable de la justicia popular.* La frase la había escrito él mismo, con esa letra pulcra y tan diminuta que le dañaba todavía más la vista. La recordó al ver, no sin contrariedad, que Ignacio Abel estaba cruzando la verja de entrada, muy agitado, por una vez sin corbata, temiendo que él ya se hubiera marchado. Habría preferido no verlo. Un minuto más y lo habría visto apresurarse en vano detrás de la ventanilla del automóvil que ahora estaba esperándolo al pie de la escalinata, un Hispano-Suiza reluciente que tal vez había pertenecido también a los dueños del palacio, y sobre el que no había siglas pintadas a brochazos, sino un letrero moderno y discreto en semicírculo sobre el metal negro de las portezuelas, *Alianza de Intelectuales Antifascistas-Presidencia.* Ignacio Abel ya lo había visto. Bergamín le hizo un gesto para que se apartara con él al interior del vestíbulo, donde las vidrieras emplomadas difundían una claridad de ópalo teñida de colores vivos, rojos, amarillos, azules.

—¿Sabe usted ya dónde tienen al profesor Rossman?

—No tan alto, Abel, más despacio. Despacito y buena letra, según el dicho español. Se está comprometiendo usted y también me compromete a mí. Ya es una imprudencia ir preguntando por ahí por alguien que no parece trigo limpio. He averiguado algo, no mucho. Ni a su amigo de usted ni a usted mismo les conviene que se haga demasiado ruido sobre este caso.

—Lo han detenido por error, estoy seguro.

—No esté usted seguro de nada en estos tiempos. Nuestros amigos soviéticos estaban seguros de Bujarin y de Kamenev y Zinoviev y mire las conspiraciones monstruosas que andaban tramando, y que ellos mismos han acabado por confesar. Nos enfrentamos a un enemigo que no tiene compasión y que por desgracia no se encuentra sólo al otro lado de las líneas del frente. Aquí en Madrid también actúan. Ya sabe lo que dice el presuntuoso del general Varela en la radio facciosa: que tiene cuatro columnas para atacar Madrid y una quinta que le conquistará la ciudad desde dentro. Están entre nosotros y actúan impunemente aprovechándose de la confusión que ellos mismos sembraron al sublevarse y de los escrúpulos morales y los legalismos que a nosotros nos paralizan...

—De qué legalismos me habla usted, Bergamín. Ahora mismo he visto varios cadáveres junto a las verjas del Retiro cuando venía hacia aquí. Los cargan en los camiones de la basura como si fueran fardos y la gente se ríe.

—¿Y no se pregunta usted qué habrían hecho para acabar así? ¿No lee usted los periódicos, no escucha la radio? Creen que los suyos están al llegar y se preparan para facilitarles la conquista. ¿No sabe usted que disparan desde las terrazas y desde los campanarios de las iglesias? Pasan en coches a toda velocidad delante de los cuarteles y ametrallan a los milicianos de guardia, y a quien se les ponga por delante. Bombardean con sus aviones los barrios populares y no tienen ningún reparo en que mueran mujeres y niños. Se lo dije el otro día y vuelvo a repetírselo: no fue el pueblo quien empezó esta guerra. No podemos permitirnos ninguna debilidad ni ningún descuido. No podemos fiarnos ni de nuestras sombras. Hágame un favor y hágaselo usted mismo. No tengo tiempo de explicarme demasiado porque he de estar en el aeródromo dentro de media hora. Arriesgándome mucho y por consideración a usted he hecho averiguaciones y puedo asegurarle que su amigo no corre peligro inminente...

—Dígame dónde está. De qué lo acusan.

—Me pide usted demasiado. Ni yo mismo lo sé.

—Dígame quién lo tiene al menos. ¿Está en una checa comunista?

—Sea prudente con su lenguaje, Abel. Me aseguran que está retenido por una denuncia que parecía bien fundada, pero que no ha resultado demasiado grave. Lo normal será que lo suelten mañana o pasado. Incluso hoy mismo, quién sabe. Los nuestros no actúan tan a ciegas como usted imagina, hombre de poca fe.

—Dígame dónde tengo que ir y declararé en su favor. Negrín está también dispuesto a avalarlo.

—A Negrín lo acaban de nombrar ministro en el nuevo gobierno... ¿No ha escuchado usted la radio esta mañana?

—Voy a llamar a la hija del profesor Rossman. Lleva dos noches sin dormir.

—Usted no va a ninguna parte, Abel, nada más que a donde yo le diga. Me llamaron esta mañana de la Junta de Recuperación del Patrimonio Artístico pidiéndome un favor y pensé inmediatamente en usted. Están desbordados de trabajo, como se puede imaginar.

—No lo estarían si no se hubieran quemado tantas iglesias.

—¿No se ha parado a pensar, Abel, que siempre le echa usted las culpas de todo a los nuestros? ¿Que sólo ve nuestros errores?

—Los está viendo el mundo entero.

—¡El mundo entero ve lo que quiere ver! —La voz débil de Bergamín se levantó un poco más aguda—. Tienen ojos y no ven, oídos y no escuchan, dice el Evangelio. El mundo entero no ve que han sido aviones facciosos los que han bombardeado el palacio de ese traidor del duque de Alba, y que han sido los milicianos del pueblo los que han arriesgado sus vidas lanzándose en medio del fuego y de los escombros para salvar los tesoros de arte que esa familia de parásitos terratenientes lleva siglos usurpando.

Bergamín miró su reloj. Estaba incómodo y tenía prisa. Desde la esquina del vestíbulo donde conversaba con Abel, su cara pálida teñida por los colores de las vidrieras, vigilaba con miradas furtivas el flujo de gente entre la gran escalera y el patio, inquieto por ver salir a André Malraux, que iba a ir con él en el viaje.

—Hablando de tesoros. Habrá oído usted hablar del retablo del altar mayor de la capilla de la Caridad en Illescas. Tiene cuatro pinturas del Greco, nada menos. Los de la Junta nos han pedido ayuda para rescatarlo...

—¿El enemigo está ya cerca de Illescas?

—No se asuste, Abel. No vaya a oírlo alguien y a pensar que es usted un derrotista.

—Cuando no es por una cosa es por otra. Está visto que no acierto con usted, Bergamín.

—No se me enfade. Me alarma la ingenuidad política de usted, y quisiera despabilarlo, o por lo menos protegerlo. Como usted sabe, las milicias están haciendo retroceder al enemigo en todos los frentes, el de Talavera incluido. Si los fascistas no han sido capaces de tomar Talavera, con fuerzas muy superiores y mejor armadas que las nuestras, ¿cómo van a aproximarse a Illescas, que está mucho más cerca de Madrid? El problema es distinto. Nos han avisado de que en Illescas esos muchachos algo delirantes de la FAI se han hecho con el poder y han decidido proclamar el comunismo libertario. Por ahora ya han eliminado la propiedad privada y el dinero, y han convertido la capilla de la Caridad en almacén de víveres colectivizados. Un concejal socialista consiguió llamar ayer desde el único teléfono del pueblo a la Junta de Patrimonio. En la comuna se está debatiendo qué se hace con el retablo, si se vende para recaudar fondos y comprar armas, que es la postura de los más templados, o directamente se quema en una hoguera en medio de la plaza. No me mire con esa cara, Abel. No podemos reprochar al pueblo que no aprecie lo que no se le ha enseñado a admirar. Con la ayuda de nuestros amigos del Quinto Regimiento hemos preparado una pequeña expedición de rescate. Discreta pero enérgica. Unos cuantos milicianos bien armados y provistos de un decreto de la Dirección General de Bellas Artes autorizándolos a retirar del retablo las pinturas del Greco y a guardarlas temporalmente en los sótanos del Banco de España, como se está haciendo con tantas otras obras valiosas en peligro. Usted es la persona indicada para dirigir la operación. No me proteste. Se lo he dicho varias veces: hágase ver; hágase útil. Signifíquese en su lealtad a la República con actos y no sólo con palabras. Aunque con palabras también le conviene. ¿Cómo es que no firmó usted el manifiesto de adhesión al régimen de los intelectuales?

—Nadie me lo pidió.

—Todo tiene remedio. Escríbame algo para el próximo número de *El Mono Azul*. Unas cuartillas sobre lo que a usted le parezca, la arquitectura en la nueva sociedad, o algo como lo que me dio para *Cruz y Raya*, que gustó tanto. Los maestros de la arquitectura popular, tan anónimos como los autores de los romances antiguos. Y haga el favor de salir cuanto antes para Illescas. Habrá una camioneta de la Alianza esperando en la esquina de Recoletos. El tiempo apremia, Abel.

—Deme usted su palabra de que no va a pasarle nada al profesor Rossman.

—Yo no puedo prometer nada. No soy quién. Actúe usted como le aconsejo y no le hará falta ninguna promesa. Si se dan prisa pueden estar de vuelta con las pinturas esta misma tarde. Pregúntele a Mariana. Le he encargado que se ocupe de todo. Ella tendrá un recado para usted.

Esta vez no le ofreció la mano al despedirse. Vio bajar a un hombre alto, con cazadora y pantalones abolsados y botas como de equitación, con un perfil arrogante, y para ir más rápido a su encuentro se olvidó de Ignacio Abel, no sin antes avisarle de quién era:

—Ahí va Malraux.

Por qué se había dejado insensatamente llevar; aceptado una promesa de Bergamín que ni siquiera llegaba a serlo (los ojos pequeños y húmedos bajo las cejas excesivas rehuían su mirada exigente, la necesidad de una certeza); por qué en vez de subir a la camioneta que iba a llevarlo a un destino inseguro y probablemente peligroso no se marchó de la Alianza para seguir buscando al profesor Rossman, que esa mañana era posible que aún estuviera vivo. Los milicianos que tomaban el sol en la entrada en sillones de orejas sacados del palacio —fumaban plácidamente y charlaban en la acera soleada, los fusiles cruzados sobre el regazo— no habrían hecho nada por retenerlo. Las cosas tienen remedio durante un cierto tiempo casi siempre muy breve y luego suceden y ya son irreparables. Pero él se aturde muy fácilmente en cualquier situación de emergencia o de simple confusión; se queda paralizado justo cuando sería necesaria una acción inmediata. Había salido al patio y un miliciano vino a avisarle de que la camioneta ya estaba preparada y en marcha, los hombres dispuestos. La secretaria de Bergamín bajó taconeando por la escalinata de mármol para darle una carpeta con documentos cuyo contenido repasó delante de él a toda prisa, sin darle tiempo a enterarse de nada. Qué raro haber perdido con tanta facilidad la sensación casi arrogante de dominio que llegó a ser un rasgo de su carácter cuando tomaba decisiones y daba órdenes en las obras de la Ciudad Universitaria. Sonaba la orquestina en alguna parte y al mismo tiempo las linotipias con su trepidación hidráulica; había órdenes y gritos a su alrededor, motores roncos y cláxones en el patio, taconazos de botas, estrépito de armas. Por las estancias donde sólo dos meses atrás se deslizaban criados con libreas y doncellas de uniformes negros y cofias ahora hervía un desorden de hombres con alpargatas, caras sin afeitar, monos azules y fusiles al hombro; de mujeres con gorros milicianos y pistolas al cinto. La guerra era un estado de impremeditación y de prisa, una teatralidad atolondrada y convulsa en la que él era arrastrado sabiendo aturdidamente que no debería dejarse llevar y que le faltaba el coraje o la simple destreza para resistirse. Nunca ha sabido reaccionar en situaciones de trastorno. Se quedaba inmóvil como un animal delante de unos faros y al no hacer nada aumentaba el peligro; si hacía algo era fútil y erróneo y él lo sabía pero no era capaz de remediar su propia incompetencia. En alguno de los calabozos improvisados de Madrid, en un sótano oscuro donde los presos amontonados apenas podían verse las caras, el profesor Rossman tal vez esperaba todavía que se abriera una puerta y alguien dijera su nombre, consciente de que en todo Madrid Ignacio Abel era la única persona que podía salvarlo. Habría debido recurrir de nuevo a Negrín, ahora más influyente y más activista todavía, recién nombrado ministro, esa misma mañana. De un salón de grandes puertas entornadas (marcos dorados, maderas bruñidas en las que estaba tallado el escudo de los marqueses de Heredia Spínola) vino el sonido del cornetín que anunciaba en la radio los partes de la guerra y la gente vino de todas partes para congregarse alrededor de un aparato tan pomposo como los bargueños y los aparadores del palacio. Milicianos, secretarias, operarios que dejaron de trasladar cuadros y cajas de libros, músicos que interrumpieron su ensayo, unas muchachas medio vestidas con trajes de baile y pelucas del siglo XVIII. Ignacio Abel tenía a su lado el perfil atento de la secretaria de Bergamín. Sonaron los primeros compases de solemne bullanga del *Himno de la República* y la voz melodramática del locutor declamó: «¡Atención, españoles! ¡Se ha constituido el Gobierno de la Victoria!» Voces entusiastas y aplausos aclamaban cada vez que se decía el nombre de uno de los nuevos ministros, ahora socialistas y comunistas. Pero casi nadie aplaudió al oír el de Juan Negrín López como ministro de Hacienda, porque probablemente no lo conocían. Se reclamaba silencio con dificultad: la voz retórica del locutor anunció la intervención del nuevo presidente del consejo, don Francisco Largo Caballero. Como tantas veces en su vida Ignacio Abel se veía rodeado de un fervor que hubiera deseado compartir y que sin embargo acentuaba su sentimiento de distancia, su instinto de observar desde fuera. Qué raro que en esas caras tan jóvenes la tosca oratoria de Largo Caballero, su manera insegura de hablar delante del micrófono —un hombre viejo, desconcertado por los inventos modernos— despertara una atención, un entusiasmo tan unánimes. La unión inquebrantable de todas las organizaciones del Frente Popular era la garantía de la derrota inminente de los agresores fascistas. El enemigo retrocedía en todos los frentes, resistiendo a la desesperada los impetuosos ataques de las heroicas milicias obreras. El pueblo español expulsaría a los mercenarios moros y a los invasores enviados por el nazismo alemán y el fascismo italiano igual que había expulsado en la guerra de la Independencia a los ejércitos de Napoleón. A cada viva enunciado por Largo Caballero la gente agrupada en torno a la radio respondía con un viva que restallaba en el salón. Puestos en pie alzaban los puños cantando *La Internacio-*

nal, tocada por los músicos de la orquestina. También Ignacio Abel levantó el suyo, con una emoción ajena a su voluntad y sin embargo verdadera, despertada por la música y por las hermosas palabras aprendidas de niño en los mítines socialistas a los que lo llevaba su padre: *Arriba los pobres del mundo, en pie los esclavos sin pan.* «Piensan que de verdad han hecho la revolución: que han triunfado porque ahora ocupan los palacios de Madrid y desfilan marcando el paso con bandas de música y banderas rojas. Se embriagan de palabras y de himnos como si respiraran sin saberlo un aire demasiado rico en oxígeno.» Pero quizás el error estaba en él, y su incapacidad para el entusiasmo era una prueba no de lucidez sino del mezquino endurecimiento de la edad, favorecido por el privilegio, por el miedo a perderlo. Hasta le molestó que el miliciano que vino a buscarlo le hablara de tú, no sin irritación: «Dónde te metes, camarada, estábamos buscándote, ya pensábamos que habrías chaqueteado.»

Salía de la Alianza obedeciendo los modales bruscos del miliciano y hubiera debido marcharse a buscar a Negrín, que estaría en la presidencia del consejo, al comienzo de la Castellana, tan cerca que habría podido llegar caminando en menos de quince minutos. A Negrín nada lo aturdía. En condiciones excepcionales se desataba certera y enérgica su formidable capacidad de acción. Ya no había remedio: habían llegado junto a la camioneta con el motor en marcha y el miliciano que lo acompañaba subió de un salto a la caja, donde los otros aguardaban, sentados a la sombra del toldo, riendo mientras fumaban cigarrillos y se pasaban una bota de vino; sentados sobre bidones de gasolina y fumando y encendiendo cigarrillos con toda naturalidad. La guerra era una tarea de jóvenes. Los viejos que actuaban en ella lo hacían con una vileza fría de inductores o atrapados ellos mismos en un delirio de retórica imbécil y monstruosa vanidad. En la parte delantera, de pie junto a la cabina, aguardaba el conductor, todavía más joven que los otros, con una cara redonda de niño grandón, sin gorra, con gafas redondas y un pelo rizado que visiblemente intentaba aplastar peinándolo hacia atrás con fijador. Al ver a Ignacio Abel se llevó el puño a la sien en un saludo demasiado enérgico para su cuerpo redondeado y su ancha cara infantil. La guerra era un matadero inmundo de gente indefensa y de hombres muy jóvenes. Vestido con marcialidad estrafalaria —zapatos de oficinista, pantalón de obrero, chaqueta de paisano, correaje, pistola— parecía un recluta destinado al batallón de los torpes.

—Don Ignacio, ¿no se acuerda usted de mí?

En la cara muy joven distinguió signos perdurables de una infancia que le había sido familiar: el conductor enrojeció al sonreír, con la incomodidad de alguien muy tímido.

—Miguel Gómez, don Ignacio. El hijo de Eutimio, el capataz de la Facultad de Medicina...

—¿El comunista?

—¿Eso le ha dicho mi padre? De la Juventud Socialista Unificada, por ahora.

—Miguelito...

Ignacio Abel le puso las dos manos en los hombros, venciendo la tentación de atraerlo hacia él, como habría hecho no muchos años atrás. Tendría ahora veintiuno, o veintidós como máximo, pero seguía siendo gordito y no había crecido mucho. Sólo sus ojos tenían ya una intensidad de vida adulta y angustiada, de fiebres intelectuales alimentadas de lecturas hasta altas horas de la noche y de debates extenuadores sobre filosofía y política. «El chico me ha salido tan lector como le salió usted a su padre que en paz descanse», le decía Eutimio. Acordarse de que se llamaba como su padre y como su propio hijo le dio a Ignacio Abel un acceso de ternura: él había sido su padrino, y Eutimio le había pedido permiso para darle el nombre de su padre. Lo reconoció del todo al verlo subir con torpeza al asiento del conductor, la funda de la pistola enredándose con la manivela de la puerta. Había sido un niño tardío, el último de los cinco o seis de Eutimio, y de pequeño era débil y pareció varias veces que fuera a morirse de calenturas o a enfermar de los pulmones. Puso en marcha la camioneta con un acelerón brusco que provocó carcajadas y caídas en la parte de atrás, tal vez intimidado por la cercanía de Ignacio Abel, que había sido una presencia tutelar y misteriosa en su infancia, el padrino al que lo llevaban a visitar a veces a una casa con ascensor y escaleras de mármol que a él se le antojaban inmensas, aunque su padre y él no las pisaban ni tomaban el ascensor porque subían a pie por la escalera estrecha y oscura de servicio; el protector lejano del que le venían juguetes y libros en el día de su santo; el que había mediado cuando se hizo algo mayor para que en vez de ir a trabajar de aprendiz a las obras como sus otros hermanos pudiera estudiar el bachillerato (quizás porque influyó sobre los curas del colegio para que lo admitieran gratis, o porque se había encargado él mismo secretamente de pagar sin decírselo a nadie). Una criada les abría la puerta con aire de desdén y les hacía pasar a un cuarto con una ventana que daba a un patio interior. Esperaban en silencio, en penumbra, su padre muy tieso en la silla, incómodo en las botas que se ponía muy pocas veces y crujían cuando caminaba y le apretaban los pies; él sentado en una silla tan alta que los pies le colgaban rozando apenas el suelo con las puntas. Entraba una mujer vestida con un mandil blanco y él pensaba tontamente que sería la señora y hacía además de ponerse en pie, con la gorra en la mano, pero era sólo otra criada. Como cuando era niño a Miguel le costaba sostener la mirada de su antiguo padrino y hablarle con naturalidad. «Dale las gracias a don Ignacio. Bien alto, que no te sale la voz del cuerpo.» Conducía muy atento a la carretera, consciente de la mirada de Ignacio Abel, temiendo parecerle torpe o cometer algún error, el pecho adelantado sobre el volante, las gafas de miope deslizándose por la nariz a cada tumbo de la camioneta. El niño de otros tiempos era un hombre con una sombra de barba en el mentón y una pistola al cinto, con una vida autónoma y desconocida, en gran parte indescifrable, tanto al menos como el hermetismo de sus convicciones ideológicas. Le gustaba decir su nombre en voz alta, Miguel, como mi padre muerto hace tantos años, como mi hijo al que no sé cuándo veré y que si vuelvo a verlo habrá dado ya una gran zancada en el tiempo que al apartarlo de la infancia lo alejará de mí aún más irreversiblemente que la distancia física.

—Su Miguelito estará ya hecho un hombre.

—Doce años va a cumplir.

—Qué bárbaro. Usted los llevaba a él y a la niña a la Ciudad Universitaria y mi padre estaba prevenido y me llevaba a mí también para que los cuidara y jugara con ellos. Cómo se peleaban. Se arañaban como los gatos.

—Tu padre me cuidaba a mí cuando trabajaba en la cuadrilla del mío.

Habían cruzado el puente de Toledo y ahora subían la cuesta polvorienta de Carabanchel. Al ver la banderola roja del Quinto Regimiento que ondeaba a un lado de la cabina los milicianos de los controles se hacían a un lado para dejarlos pasar, levantando los puños. Grupos de hombres cavaban con desgana trincheras que eran más bien zanjas muy poco profundas a los lados del camino. Con los cigarros en la boca, los gorros cuarteleros echados hacia atrás, con un aire de gente de ciudad poco acostumbrada a esas tareas rústicas. Pensó en un cartel que ahora estaba en todas las calles, en una alta lona con letras rojas que cubría entera una fachada de la Puerta del Sol: ¡FORTIFICAD MADRID!

—Es verdad que su padre de usted fue uno de los fundadores del Partido Socialista?

—A tanto no creo que llegara. Pero se afilió muy joven, y también al sindicato. Pablo Iglesias le tenía mucho cariño. Una vez le encargó una pequeña obra que tenía en su casa.

—Mi padre me ha contado que estuvo en su entierro. ¿Usted se acuerda?

—¿Pablo Iglesias? Tu padre es un poco fantástico. Lo que hizo fue mandar una carta a mi madre, que un compañero del sindicato leyó en voz alta en el cementerio. La calle Toledo estaba llena de gente, los trabajadores de la construcción de Madrid agrupados por oficios, los directivos de la UGT. Las vecinas murmuraban porque era un entierro civil. Mi madre era muy religiosa, pero cuando llegó el párroco de San Isidro le dio las gracias y le dijo que no hacía falta que se quedara, que ya iría ella sola a rezar, pero que a su marido iba a enterrarlo como él habría querido.

Se quedaron en silencio, absortos en la carretera recta, en el paisaje horizontal y seco, aturdidos por el estruendo del motor y las sacudidas de la camioneta. Durante un largo trecho el campo deshabitado los oprimió con una sensación de intemporalidad que borraba el presente convulso, el de la guerra y Madrid. Pasaban junto a casas de labor con grandes corrales que parecían abandonadas, junto a extensiones de trigales segados y de barbechos en los que aún tardarían en empezar las labores otoñales. A lo largo de la tapia baja y encalada de un cementerio resaltaba al sol un letrero en grandes brochazos rojos: BIVA RUSIA UHP. A la entrada de un desvío hacia un camino de tierra que debía de llevar a alguna aldea invisible desde la carretera había un puesto de control custodiado por dos campesinos con sombreros de paja y escopetas de caza, con cananas de munición teatralmente cruzadas sobre el pecho. Habían atravesado un carro en el camino y a los dos lados habían dispuesto como dos espantapájaros un Cristo crucificado con una larga melena de pelo natural ondeando al viento y una Virgen con enaguas y faldones barrocos, con lágrimas de cristal y un corazón de plata que brillaban desde lejos heridos por el sol. Pero no duró mucho la impresión del desierto: un camión y un autobús de línea cargados de milicianos los adelantaron con gran estrépito de cláxones, de gritos y disparos al aire, camino de Toledo, envolviéndolos en una nube densa de polvo. Un poco más allá fueron dejando atrás una columna muy lenta de viejos vehículos militares, de automóviles con colchones atados sobre los techos y camionetas protegidas por absurdas chapas de blindaje. «Cuando éstos lleguen a Toledo ya se habrá rendido el Alcázar», dijo Miguel Gómez, sin sonreír a su propia ironía, «por aburrimiento». En el silencio había crecido la extrañeza entre los dos: la distancia de los años y la del recelo político; la ansiedad de Miguel por su propia condición, por su instinto de gratitud y a la vez de resentimiento hacia el hombre que le había costeado el bachillerato y que le habría ayudado incluso a hacer una carrera si él hubiera querido, si el deseo de no seguir agradeciendo y por lo tanto reconociendo una ofensiva inferioridad no hubiera sido más poderoso que su vocación vacilante o su ambición de ascenso social. Pero aun así no había escapado de una deuda que nunca podría pagar: estudiando por las noches se hizo delineante y aprobó los exámenes sin mucho esfuerzo y sin ayuda de nadie; pero el puesto que obtuvo en la oficina técnica del Canal de Lozoya no lo habría conseguido, a pesar de su expediente magnífico, de no ser por la ayuda discreta de su antiguo padrino, al que desde hacía años ya no visitaba, y al que ni siquiera veía. Era su padre quien se encargaba de suministrar la coartada: «Si los hijos de los que mandan se colocan por enchufe, ¿por qué no vamos a dejar que don Ignacio te eche una mano a ti, que tienes más méritos que todos ellos juntos?» Ahora lo remordía el temor a que Ignacio Abel pensara que para no ir al frente se había emboscado en las oficinas de Recuperación del Patrimonio Artístico; que como tantos otros exhibía correaje y pistola para disimular la comodidad de un puesto en la retaguardia. «Si me dejaran ir a pelear», dijo, señalando con un gesto desdeñoso de la cabeza el convoy que se había quedado atrás. «Tú no tienes la culpa de ser corto de vista», dijo Ignacio Abel. «Tu padre lo achacaba siempre a la afición por los libros.» «Y además tengo los pies planos», murmuró Miguel Gómez, con menos resignación que escarnio de sí mismo, mientras apretaba las manos sobre el volante para tomar una curva alrededor de una colina pelada de tierra caliza hendida por la erosión. Al menos conducir sí sabía, y poco a poco se le había quitado el nerviosismo de hacerlo mientras era observado por Ignacio Abel. Apretaba el volante aunque le sudaban las palmas de las manos más de lo que hubiera querido, y notaba la espalda húmeda, aunque la mañana no era muy calurosa. Sin darse cuenta adelantaba mucho el cuerpo sobre el volante como para fijarse mejor en la carretera, percibiendo con desagrado el temblor de su cara carnosa por culpa de los tumbos que iba dando la camioneta. Olió a quemado, a humo. Quizás se estaba calentando demasiado el motor: porque la camioneta era vieja y había sido muy maltratada últimamente, o porque él conducía con demasiada torpeza, con acelerones y frenazos, con un exceso de cautela. Olía a quemado pero no sólo a gasolina; en el aire había una neblina incierta que se hizo más visible según daban la vuelta a la colina y el paisaje otra vez horizontal volvía a desplegarse ante ellos. Algo temblaba ahora, retumbaba, muy hondo, como debajo de la tierra, como un trueno o como un tren subterráneo, como un mazo que golpeara un tambor inmenso, muy lejos y muy cerca, debajo de ellos y de las ruedas de la camioneta y también vibrando en el aire, algo que ninguno de los dos había escuchado nunca, que no era la conmoción de las bombas que caían de noche sobre Madrid. El retumbar se mezclaba con el silencio y la quietud del campo y el olor a humo que aún no sabían de dónde llegaba, humo de gasolina y algo más, ahora más denso y sofocante, de metal caliente, de neumáticos quemados. Uno de los milicianos que viajaban en la caja de la camioneta dio unos golpes en el cristal trasero de la cabina, diciendo algo que no llegaban a oír. «No podemos estar cerca del frente», dijo Miguel Gómez, el sudor ahora haciéndole resbalar las manos en el volante, mojándole la espalda, «no pueden haber avanzado tanto.» «¿No nos habremos equivocado de carretera?» Ignacio Abel buscaba señales de tráfico, algún indicativo de la distancia que los separaba todavía de Toledo, pero no veía ninguno, ni tampoco casas cercanas, ningún pueblo en la lejanía. Seguían avanzando, pero el olor era cada vez más intenso, aunque todavía no distinguían el humo, y esa falta de indicios visuales acentuaba la alarma. Olía más fuerte a neumáticos quemados y a algo más, y los dos tenían los ojos fijos en la carretera, que ascendía ahora, limitando mucho su campo de visión. El miliciano golpeaba el cristal con el cañón del fusil, hacía gestos, pero Miguel Gómez no se volvía, incapaz de tomar una decisión, pisando el acelerador en la cuesta arriba, con una obstinación inútil, porque el motor no daba mucho más de sí, y probablemente se estaba recalentando demasiado. Ahora el humo sí era visible: a lo que olía además de a neumáticos era a carne quemada, y el retumbar era mucho más fuerte, aunque no del todo más próximo, como más hondo todavía en el interior de la tierra.

En lo alto de la cuesta el humo los cegó del todo. Ignacio Abel le gritó a Miguel Gómez que parara y él mismo se echó hacia el volante para desviar la camioneta. El desierto se convertía de golpe en cataclismo y confusión y multitud. Delante de ellos había una hoguera enorme y algo que parecía una montaña de chatarra y era el autobús que los había adelantado menos de una hora antes, volcado en mitad de la carretera, ardiendo. Cuerpos quemados sobresalían por las ventanillas: caras derretidas a medias en las que los rasgos tenían una consistencia de goma. Entre los jirones de humo negro se movía avanzando hacia ellos una desbandada de figuras humanas que ocupaban la carretera y la desbordaban como una inundación: gesticulaban y abrían las bocas pero no se llegaban a escuchar las voces, ahogadas por el retumbar de las explosiones y los cláxones de motocicletas, automóviles, camiones, atascados entre el desorden de la gente y detenidos sin posibilidad de maniobra por el autobús incendiado. «Da marcha atrás, da media vuelta», dijo Ignacio Abel, mientras los milicianos seguían golpeando el cristal, sus caras pegadas a él, muy serias ahora, deformadas por el pánico. Pero el motor se paró y Miguel Gómez no lograba encenderlo de nuevo, girando una y otra vez la llave de contacto, resbaladiza en sus dedos húmedos, tan atolondrado que los pies le temblaban y no acertaba a saber cuándo pisaba el freno y cuándo el acelerador. Ahora oían largos silbidos de obuses y unos segundos después la tierra se levantaba en los campos de labor cercanos a la carretera como los chorros súbitos de lava de una erupción. Entre el humo distinguían las caras acercándose, milicianos que corrían en desorden y tiraban las armas para huir más aprisa, campesinos viejos, mujeres con niños en brazos, animales agobiados bajo cargas inverosímiles, colchones y camas enteras y pilas de sacos y maletas, sillas, máquinas de coser, los grandes ojos de los mulos agrandados por el pavor, las bocas abiertas que buscaban aire y respiraban humo tóxico, los cuerpos atropellándose mientras al fondo de la carretera, entre una línea de árboles, se distinguían fulgores rojizos y columnas de humo. En la luz de la mañana había ahora una opacidad de eclipse. La camioneta se puso otra vez en marcha con una sacudida pero en vez de retroceder Miguel Gómez pisó el acelerador, yendo en línea recta no sólo hacia el autobús incendiado sino también hacia la confusión de vehículos y milicianos y animales y campesinos fugitivos. Inmóvil a un lado de la carretera, con las piernas separadas, con los tacones de las botas hincados en el polvo, con la cabeza descubierta, un oficial del ejército braceaba y daba gritos agitando una pistola, amenazando a los milicianos que se apartaban de él y abandonaban la carretera para huir más rápido, tirando no sólo las armas, sino también, algunos, los viejos cascos de acero franceses de la Gran Guerra, las cantimploras, las cananas con la munición, saltando sobre cadáveres y maletas reventadas, sobre equipajes abandonados por otros fugitivos, corriendo sobre los surcos secos de la tierra de labor, tirándose al suelo con las cabezas encogidas y las manos sobre la nuca cuando oían acercarse de nuevo el silbido de un obús. Vamos a atropellar a alguien y ni siquiera nos daremos cuenta; la gente desesperada por huir va a agarrarse como sea a los lados de la camioneta y va a volcarla y ya no podremos salir de aquí; de un momento a otro el enemigo todavía invisible al otro lado de la hilera de árboles vendrá hacia nosotros y nos quedaremos fascinados e inmóviles viendo los jinetes que se aproximan, los mercenarios moros que levantan los sables y chillan en la ebriedad de un galope que los lleva a la matanza o a la muerte propia, los legionarios que saben avanzar con las bayonetas caladas o esperar en un alto con la ametralladora dispuesta y segar sin esfuerzo a los milicianos atolondrados y temerarios que no saben lo que es una guerra, que se imaginan la guerra como uno de esos desfiles por Madrid en los que marcan el paso sin marcialidad con los fusiles al hombro y el puño pegado a la sien, pisando los adoquines no con resonantes botas militares sino con alpargatas de obreros. Ignacio Abel asistía tan sonámbulamente a sus propios pensamientos como a los jirones entrecortados de imágenes que se desplegaban ante él, sumergiéndolo en una irrealidad que borraba el miedo y dejaba el tiempo en suspenso. A su lado, oliendo muy fuerte a sudor, tal vez a orines, a higiene insuficiente, Miguel Gómez conducía la camioneta dando volantazos, acelerando y frenando, limpiándose el sudor de la frente y de los ojos, los dedos gruesos debajo de los cristales de las gafas. Un carro venía hacia ellos, tirado por un mulo desbocado, un carro campesino del que iban cayendo a los lados maletas y muebles viejos y que nadie guiaba, seguido por una banda de perros furiosos que ladraban, que se enredaban entre las ruedas y entre las patas del mulo. Vamos a volcar y ya no podremos salir de aquí. Entre los árboles se vislumbraban ahora siluetas a caballo, y grupos de milicianos despavoridos corrían delante de ellas. Nadie les manda, nadie les ha enseñado a protegerse ni a retirarse con orden, probablemente muchos de ellos ni siquiera han aprendido a disparar, no hay tiempo para enseñarles, ni armas ni municiones suficientes, tan sólo les han llenado las cabezas de palabras y de himnos y los han metido en un camión y los que no han muerto segados por la metralla o no se han quedado paralizados por el miedo ahora huyen sintiendo a sus espaldas el redoble de los cascos de los caballos, el silbido de los obuses, el vendaval de la metralla que levanta cerca de ellos remolinos de tierra y sacude y hace trizas las ramas tiernas de los árboles. «A la derecha», se oyó a sí mismo gritar, girando el volante de un manotazo, «acelera, no te pares ahora»: al lado derecho de la carretera había una casa incendiada y delante de ella un caballo con el vientre abierto y las vísceras derramadas y un perro atado a un árbol que ladraba tensando la cuerda de cáñamo que lo sujetaba, y un poco más allá, visible un momento y luego borrado por el humo, el arranque de un camino, casi perpendicular a la carretera. La camioneta se inclinó al tomar el desvío y pareció por un momento que se volcaría en la cuneta, pero en seguida recuperó el equilibrio, rodando ahora sin ningún sobresalto, por un terreno deshabitado de nuevo, en el que la guerra se quedaba atrás tan repentinamente como había irrumpido ante ellos. Se amortiguaba el temblor en la tierra, y los silbidos de los obuses sonaban ya débilmente. Sobre la curva de una loma cercana resaltaba una línea de casas de color tierra y la torre de una iglesia. Del morro destartalado de la camioneta había empezado a levantarse una columna de humo.

—Habrá que parar en algún sitio, don Ignacio. Tenemos que poner agua en el radiador. El motor está ardiendo.

—¿Tienes idea de dónde estamos?

—Soy un desastre. Me he perdido.

—No te preocupes. Preguntaremos en ese pueblo. Seguro que por aquí encontramos un camino de vuelta a Madrid.

—Pero tenemos que ir a Illescas, don Ignacio. Nos han encomendado una misión.

—Primero habrá que procurar que no nos maten.

—¿Ha visto usted a los fascistas? ¿Ha visto cómo brillaban los sables de los moros?

—Ve más despacio ahora. Parece que no se ve a nadie en la entrada del pueblo.

—¿No lo habrán evacuado?

No haber llegado a saber el nombre del pueblo acentúa en la memoria de Ignacio Abel su condición de lugar fantasma. Había una fuente con varios caños a la entrada y Miguel Gómez detuvo junto a ella la camioneta. Los tres milicianos bajaron de la caja con saltos enérgicos, desentumeciéndose, gastando bromas mientras intercambiaban cigarrillos. ¿A quién se le había ocurrido mandarlos a ellos a buscar cuadros, como si trabajaran en una empresa de mudanzas, en vez de dejarlos que fueran a matar fascistas? Eran muy jóvenes y no se acordaban ya del miedo que acababan de pasar; la evidencia del peligro y el espectáculo de la muerte no parecían dejar en ellos impresiones duraderas. La guerra tenía de nuevo algo de excursión jocosa, de aventura imaginaria. Cerca de ellos Miguel Gómez estaría siempre amedrentado: el torpe contra el que fácilmente se confabularán los otros, el que será objeto de las bromas. Lo respetaban algo porque Ignacio Abel estaba delante. «¿Y ahora qué hacemos, camarada? ¿Nos vamos a volver a Madrid sin esos cuadros y sin cargarnos siquiera a unos cuantos facciosos?» Jugaban a apuntarse con los fusiles: a levantar los brazos en posturas dramáticas, con un histrionismo jovial entre de barracón de tiro y película de vaqueros. Cada uno de los tres iba vestido con aproximaciones diversas a la uniformidad militar: el que llevaba un mono completo calzaba sin embargo zapatos de dos colores; otro vestía una chaqueta y un pantalón como de oficinista pero se había puesto un picudo gorro cuartelero con una borla roja; el que un poco antes golpeaba el cristal trasero de la cabina con cara de pánico ahora chupaba pensativamente un palillo de dientes, apoyándose en un mosquetón que ya estaría en desuso cuando la guerra del 14. Más allá de la fuente se curvaba la calle única del pueblo, en dirección a una plaza pequeña con soportales donde estaba la iglesia. No había ni un árbol, ni una sombra. Ignacio Abel se lavó la cara en la fuente, secándose con el pañuelo que esa mañana no había olvidado de doblar en el bolsillo superior de su americana. Miguel Gómez había desenroscado el tapón del radiador y dejaba que el motor se enfriara antes de echar el agua. Su espalda era una gran mancha de sudor. Los milicianos habían sacado fiambreras de comida y una bota de vino. Dejaron los fusiles apoyados en el muro de la fuente y se sentaron a comer al sol, dándose codazos, arrebatándose la bota, de la que Miguel Gómez no quiso beber. Quizás se atragantaría si lo intentaba. Ignacio Abel se alejó del grupo, impaciente por quedarse solo, por encontrar a alguien que le dijera dónde estaban y cuál sería el mejor camino para volver a Madrid. Se apartaba y en el silencio seguía oyendo con claridad el chorro de la fuente y las risas de los tres milicianos. En el centro de la calle había algo tirado: una máquina de coser. Un poco más allá, un chal de mujer, una maleta abierta, llena de cubiertos que parecían de plata y de legajos que parecían documentos legales. Empujó una puerta entornada, después de golpear el llamador. Entró en una cocina cóncava como una cueva y negra de hollín en la que humeaban unas ascuas y había un puchero arrimado a ellas. En el aire quedaba un residuo de olor a garbanzos hervidos y a tocino rancio. Algo que se movía en el margen de su visión le provocó un acceso de alarma: un canario en una jaula, revoloteando torpe e inquieto, chocando con los barrotes de alambre. De nuevo en la calle le hirió los ojos el sol vertical después de la penumbra. Las voces de los milicianos se habían interrumpido. O hablaban más bajo o estaban callados, reposando, apoyados en el muro de piedra de la fuente, aletargados por la comida y el vino, mientras Miguel Gómez acarreaba el agua para el radiador o llenaba el depósito de gasolina, laborioso y culpable, íntimamente avergonzado de su incompetencia, rumiando en secreto su disgusto ideológico hacia la frívola holgazanería de los otros. Iba a volver cuando vio algo que sobresalía de la próxima esquina: una alpargata, el filo de un pantalón de pana. Se acercó sabiendo que se arrepentiría y que no era capaz de evitarlo. La alpargata pertenecía al pie de un hombre tirado a lo largo de la pared, que estaba llena de disparos y salpicaduras de sangre. El hombre tenía un pantalón de pana atado con una cuerda y una camisa blanca, y en el centro del pecho un hueco negro de carne reventada y de coágulos de sangre. Estaba tirado boca arriba pero junto a él había otro con la cara contra el suelo y un poco más allá dos o tres más apilados como fardos, y una mujer descalza con los muslos anchos y blancos y un remolino ensangrentado de ropa sobre el vientre. Las moscas zumbaban sobre las heridas, las bocas y los ojos con un rumor de panal. Las duras caras y las manos campesinas tenían una palidez grisácea. El olor a heces y a vísceras era más poderoso que el de la sangre: tan inmundo como el de los barracones de los curtidores al final del Rastro, en las fronteras últimas de los arrabales de Madrid. Una sombra vertical y oscilante se proyectó en la cal de la pared: a un hombre lo habían colgado del gancho de la polea de un pajar. Tenía los ojos abiertos y desorbitados y la lengua muy hinchada le sobresalía de la boca. Le habían cortado las dos orejas. A sus pies se secaba un charco de orines. La orina habría estado goteando de los bajos del pantalón hasta hacía pocos minutos.

El pensamiento fue como si alguien le murmurase al oído: *Están aquí; no se han marchado todavía.* Por instinto se arrimó a la pared, cerca de las piernas del hombre ahorcado. Tanteó una madera áspera: una puerta. Se deslizó hacia el interior de un zaguán. Era una cuadra. Pisó estiércol. Una gallina opulenta lo miraba con aire de severidad posada en un lecho de paja, encima de un saco de trigo. *Nos hemos perdido y hemos ido a caer al otro lado de las líneas.* Ninguna señal, ninguna frontera. Madrid era de pronto un lugar tan inalcanzable como América. Avanzan matando, metódicos y exterminadores, con una eficacia sin misericordia ni reposo que nadie puede detener. Descubrirán la camioneta y en unos pocos segundos habrán ametrallado a esos tres muchachos que juegan a la guerra y al pobre Miguel Gómez que ni siquiera acertará a llevarse la mano a la pistola. Un hilo oblicuo de sol atravesaba el suelo de la cuadra: cruzó por él una sombra, y luego otra. Ignacio Abel escuchó con toda claridad el ruido metálico peculiar de un fusil al hombro. Luego un motor que se ponía en marcha, el relincho de un caballo, unos cascos, primero sobre adoquines, luego retumbando en la tierra. En el silencio los minutos tenían la falta de consistencia del tiempo en los sueños. Le asaltó el miedo a que ese motor que había oído hubiera sido el de la camioneta. *Pero Miguel no es capaz de marcharse sin mí.* Salió a la calle, pegado al muro áspero de adobe en el que la sangre ya se había oscurecido. Al llegar a la esquina de la que sobresalían los pies de uno de los hombres muertos oyó a su espalda el mecanismo del cerrojo de un fusil y una voz bronca que le daba el alto. El miedo fue una punzada en el centro de la columna vertebral. Volvió despacio la cabeza y quien le apuntaba era uno de los tres milicianos, el que llevaba mono azul y zapatos de ciudad de dos colores, tan pálido en la luz hiriente del mediodía como uno de los muertos tirados en la calle, tan asustado como él mismo, igual de desconocido. «Don Ignacio», dijo Miguel Gómez, «dónde se había metido usted».

Avanzaron por carreteras perdidas sin saber si estaban acercándose al enemigo; si se encontraban ya al otro lado de la línea movediza del frente y de un momento a otro iban a caer en una emboscada. Los campos vacíos eran ya una amenaza. En los cruces de caminos no había ninguna indicación. Intentaban guiarse por la posición del sol y dirigirse hacia el norte pero el azar de los caminos los llevaba hacia el oeste y el sur; en esa dirección estaba Talavera de la Reina y por ahí era seguro que empujaba el enemigo. Pero dónde estaban entonces cuando llegaron a ese pueblo sin nombre: probablemente con lo que habían estado a punto de encontrarse no era con una columna regular sino con una avanzadilla, o con un destacamento también perdido. «A la mujer le han cortado la nariz y las orejas», dijo Miguel Gómez. Antes o después de violarla. Ahora era Ignacio Abel quien conducía. Miguel lo había aceptado sin resistencia, humillado, aliviado en el fondo, echado contra el asiento, sujetándose a la manivela de la puerta para amortiguar los golpes por aquellos caminos de tierra endurecida y de polvo que nunca desembocaban en la carretera de Madrid, acordándose una y otra vez con accesos repetidos de náuseas de la cara plana de la mujer sin nariz, de los pies enormes y morados del hombre que colgaba del gancho del pajar. El motor vibraba y rugía roncamente bajo la planta del pie que pisaba el acelerador. Muy pronto empezaría de nuevo a echar humo. Un poco más aprisa, aprovechando al máximo la fuerza escasa y el mecanismo tosco de la camioneta: un poco más aprisa pero en dirección adónde, por la llanura áspera en la que no se cruzaban con nadie, como un país deshabitado después de una epidemia, o abandonado en la víspera de un desastre, campos estériles y casas solitarias con los tejados hundidos, viñedos que se perdían en la distancia, sobre la tierra rojiza, bardales del mismo color que la tierra.

—No nos han visto de milagro. Y esos tres idiotas gastando bromas y haciendo ruido como si no pasara nada.

—O quizás han pensado que éramos más y han salido huyendo. Ellos no podían ser muchos.

—Qué susto me dio de pronto no verlo a usted, don Ignacio. A ver cómo me presento yo a mi padre si a usted llega a pasarle algo.

Una señal tallada en un mojón de piedra les indicó por fin el camino. *A madrid, 10 leguas.* Quieren instaurar el comunismo libertario y ni siquiera hemos llegado todavía al sistema métrico decimal. Desembocaron en la carretera nacional y el río lento de fugitivos que avanzaba en dirección a Madrid les forzó a reducir la marcha. Miraban sin interés la banderola roja con el emblema del Quinto Regimiento y no se apartaban al escuchar el claxon. Tenían el aire de pobreza fatigada y solemne de un éxodo primitivo, de una migración universal que iba dejando atrás un territorio desierto. Los mulos, los burros, los carros con toscas ruedas de madera, los viejos como patriarcas agraviados, los hombres con niños a cuestas, las mujeres con sayas y pañolones negros, como tocados aldeanos del norte de África, los rebaños de cabras, los sacos a la espalda, los cestos sobre las cabezas, el llanto agudo de un recién nacido al desprenderse del pecho flaco de su madre y el relincho de un mulo, el clamor de los pasos, de los cascos, de las ruedas, y el polvo y el silencio envolviéndolo todo, la unanimidad de la huida, la urgencia aletargada por la extenuación de haber caminado desde antes del amanecer, dejándolo todo o casi todo atrás, tirando por el camino lo que se volvía demasiado pesado o innecesario, como un muladar a lo largo de la carretera, la hilera sinuosa de rastros de naufragios entre la espuma sucia que deja el mar al retirarse. Huyen del avance de un ejército de legionarios, moros y falangistas que viene subiendo hacia Madrid desde finales de julio sin que nadie lo detenga, fatigados no de los combates en los que prevalecen siempre sino del puro ejercicio de matar: pero lo que los ha empujado a abandonar de la noche a la mañana sus casas casi siempre míseras y sus tierras de secano parece un miedo mucho más antiguo, el de las maldiciones bíblicas o el de las pestes medievales traídas por las guerras, difundidas por los esqueletos con guadañas de los capiteles de las iglesias. Y ahora alzaban los ojos y veían Madrid por primera vez en la distancia, tan fantástica como las formas de las nubes, los edificios formidables que les darían vértigo cuando los miraran desde abajo, las calles de anchura pavorosa que no se atreverían a cruzar por miedo a los automóviles, la gran torre amarillenta de la Telefónica, que Ignacio Abel y Miguel Gómez distinguen con tanto alivio, brillando al sol sobre los tejados.

Atardecía cuando entraron en la ciudad y bajo las arboledas del Prado y de Recoletos ya estaban llenas las mesas de los cafés. Había caído hacía poco una tormenta, y el aire estaba limpio y las hojas de los árboles relucientes, y sobre los adoquines húmedos brillaban los rieles de los tranvías. El sol poniente iluminaba la anchura de la calle de Alcalá con una luz polvorienta, entre dorada y violeta, hiriendo los cristales en las ventanas más altas de los edificios. Ignacio Abel se despidió de Miguel Gómez en el patio de la Alianza, desalentándolo tal vez con la brusquedad de su adiós. Estaba muerto de hambre, de cansancio, de sed, pero subió de dos en dos las escaleras del palacio en busca de la secretaria de Bergamín, cruzándose con hombres y mujeres jóvenes que iban vestidos con uniformes muy planchados de milicianos o con trajes de época. Del gran salón por el que esta vez no pasó venía un clamor de fiesta y un pasodoble enérgico, con golpes de platillos y estridencias de saxofones y trompetas. Ya estaba delante de la puerta pseudorrenacentista de la oficina de Bergamín cuando apareció en ella el poeta Alberti, vestido de domador, con una casaca roja con galones dorados, un pantalón blanco, unas botas muy altas, llevando entre las manos una carpeta llena de pruebas de imprenta. Miró a Ignacio Abel con sus ojos claros y le hizo un gesto distraído, de saludo o reconocimiento. En el antedespacho la secretaria escribía a máquina algo que le estaba dictando un hombre alto, de pie detrás de ella. Ignacio Abel observó de soslayo que al verlo entrar el hombre había levantado la mano que apoyaba en el hombro de la secretaria, o al menos muy cerca, en el respaldo de la silla. Por la mirada de Mariana Ríos, Ignacio Abel comprendió que ella iba a decirle que el profesor Rossman estaba muerto. Dejó de escribir a máquina, buscó en un cajón y le tendió un sobre cerrado. Le dijo que encontraría al profesor Rossman en el depósito de la Dirección General de Seguridad, en la calle de Víctor Hugo. Salió del palacio de Heredia Spínola dejando atrás los balcones iluminados y la música de baile, desgarrando el sobre para leer su contenido a la luz de una farola: un acta judicial escrita en caligrafía florida y detallando el hallazgo de un hombre *muerto por heridas de bala causadas por autor o autores desconocidos y provisto por todo documento de identidad de una tarjeta de lectura de la Biblioteca Nacional a nombre de don Carlos Luis Rossman.* Sobre la mesa del depósito el profesor Rossman no llevaba sus gafas pero sí una de sus zapatillas de fieltro, sujeta por una goma que le ceñía el empeine del pie derecho. Tenía un ojo abierto y el otro casi cerrado, la cara vuelta hacia un lado, el labio superior contraído, mostrando las encías con unos pocos dientes desiguales, con una expresión como de sonrisa congelada o sorpresa. El hambre y el agotamiento, la irrealidad creciente de las cosas, sumían a Ignacio Abel en un estado de sonambulismo. Por el laberinto de calles estrechas que rodeaban la Dirección General de Seguridad fue hacia la Gran Vía para buscar la pensión donde la señorita Rossman habría pasado una vez más el día entero esperando su llamada. Los cristales de los faroles, pintados de azul por una precaución contra los bombardeos nocturnos, iluminaban las esquinas con una claridad enferma de decorados de teatro. Unos milicianos le pidieron la documentación en la plaza de Vázquez de Mella y sólo vio el brillo de sus pistolas y el de las brasas de sus cigarrillos. De un portal entornado venía una claridad rojiza, un estrépito de risas, la música de un organillo, un olor a desinfectante y a perfume de prostíbulo. Qué le diría a la señorita Rossman, qué podría hacer sino quedarse callado en la puerta de su habitación, tan estrecha que su padre se iba a la calle o se pasaba las horas muertas en cualquier café para dejarle a la hija algo de intimidad, para que pudiera entregarse solitariamente al luto por su amante desaparecido en Moscú o al remordimiento por la pérdida de su fe comunista. Pero la señorita Rossman no estaba en la pensión, y la patrona le dijo que llevaba varios días sin aparecer, que habían venido a preguntar por ella de esa oficina en la que ahora trabajaba en la Telefónica y ella, la patrona, había contestado que no sabía nada, que bastantes disgustos tenía como para preocuparse por lo que hiciera o no hiciera un huésped: a lo mejor la alemana se había ido para no pagar la mensualidad, y si tardaba dos o tres días más sin aparecer, ella, sintiéndolo mucho, tendría que cobrarse la deuda incautándose de cualquier objeto de valor, aunque sólo fuera la maleta que aún estaba encima del armario. Ignacio Abel se marchó de la pensión y aún seguía escuchando la letanía quejumbrosa y chulesca de la patrona. De vez en cuando se acuerda de la señorita Rossman; suena un teléfono y piensa que será ella quien llama y antes de que cesen los timbrazos ya se ha dado cuenta de que estaba soñando. Antes de irse de Madrid llamó varias veces a la oficina de censura de prensa de la Telefónica y al principio le decían que la señorita Rossman estaba enferma, o se había ausentado sin motivo, y luego alguien contestó secamente que nadie con ese nombre trabajaba allí y él ya no volvió a llamar.

32

Parado en el centro de la habitación, delante de la ventana, Ignacio Abel ve alejarse por el sendero entre los árboles las luces posteriores del coche que lo ha traído a la casa de invitados. El sonido del motor se disuelve poco a poco en el silencio del bosque, en el que ahora oye los picotazos secos de un pájaro carpintero. Bajo las copas espesas de los árboles ya ha anochecido. Por encima de ellas dura en el cielo una claridad azul pálido en la que se distingue débilmente la estrella vespertina. Son árboles de hoja perenne, pinos o abetos de copas verticales mucho más altos que la casa. Desde la ventana no se ve ningún otro edificio. No recuerda haberse encontrado nunca sumergido en un silencio tan profundo. En un estado de estupor, de alivio, de agotamiento, de hipnosis, permanece inmóvil delante de la ventana, sin quitarse la gabardina, el sombrero en la mano izquierda, la maleta en el suelo, hacia el que se ha deslizado sin que él se diera cuenta, notando ahora en la palma de la mano izquierda el dolor de haber apretado tanto tiempo el asa, en un gesto reflejo adquirido a lo largo de su viaje, tan instintivo ahora como el de palparse los bolsillos en busca del pasaporte o el de volverse creyendo que alguien lo ha llamado por su nombre o lo está siguiendo.

No se hace a la idea de haber llegado a su destino. No es capaz de calcular los días exactos que han transcurrido desde que salió de Madrid. Ni se acuerda ahora del día de la semana que es ni de la fecha en que vive, este día cerca del final de octubre. Trenes, hoteles, camarotes, puestos fronterizos, nombres de estaciones, se le confunden en la memoria fatigada como una secuencia continua de lugares, sensaciones, rostros, días y noches, que sin embargo no tienen ninguna conexión entre sí. Ni siquiera él mismo es ya del todo quien era cuando empezó el viaje. Lo que durante tanto tiempo fue el sonido de un nombre y un pequeño círculo negro en un mapa ahora es lo que han visto sus ojos desde que llegó a la estación, lo que mira todavía de pie al otro lado de la ancha ventana: prados en los que pastan caballos o vacas, casas de madera y vallas pintadas de blanco, graneros, carreteras estrechas, bosques otoñales en los que sigue vibrando la luz a pesar del crepúsculo. No habrá refugiados harapientos huyendo por estos caminos, caballos muertos en las cunetas con los vientres hinchados y las patas tiesas, humo negro de incendios en el horizonte, maletas tiradas en la carretera, abiertas al caer, su contenido saqueado o esparcido por las ruedas, las pisadas de los animales, los pasos de los fugitivos. Rhineberg fue una promesa y un enigma y un lugar inalcanzable y tan difícil de imaginar en Madrid y ahora es esta casa con un porche de columnas de madera en un claro de un bosque, con grandes ventanas rectangulares sin visillos ni rejas, construida tal vez a finales de siglo por algún potentado con un gusto más neoclásico que victoriano. Tocó una de las columnas al salir del coche —Stevens se había apresurado a abrirles las puertas traseras, primero a él, luego a Van Doren, que no hizo ademán de moverse hasta que se abrió la de su lado— y le complació sentir en la palma de la mano, bajo la pintura lisa, que estaba hecha de madera maciza, de un tronco tan ancho y vertical como los de los árboles que cercaban el claro. Como el que acaba de bajar de un barco después de una larga travesía siente que el firme suelo entarimado vibra bajo sus pies, hinchados por el cansancio en el interior de los zapatos que ha llevado demasiado tiempo. Su cuerpo entero conserva la inercia del movimiento incesante, igual que en sus oídos zumba todavía un estruendo sordo de máquinas en marcha, ruedas de trenes, puentes de hierro, émbolos de turbinas. Qué lejana ahora la noche en que salió de Madrid en la caja de un camión que avanzaba por la carretera de Valencia con los faros apagados, rodeado por bultos de hombres que fumaban en la oscuridad o dormían recostados sobre fardos, cubriéndose con mantas viejas y abrigos, apretando igual que él asas de maletas. En el pasillo del tren nocturno atestado de viajeros que lo llevaba hacia París se durmió sentado en el suelo y un policía de paisano lo despertó de una patada, porque estorbaba el paso, y le exigió con malos modos la documentación. Se puso en pie, entumecido por el frío, aturdido de cansancio y de sueño, y al principio no lograba encontrar el pasaporte en ninguno de los bolsillos que palpaba con alarma creciente, mientras la voz grosera repetía, *papiers, papiers*. Luego el policía le acercaba mucho la linterna a la cara para compararla con la foto, y el pelo le olía a brillantina y el aliento a tabaco.

Nada más sucedidas las cosas, desconectadas del presente, retroceden a toda velocidad hacia el pasado lejano: las últimas horas en la casa a punto de ser abandonada, la salida de Madrid, el viaje por Francia a través de la noche, los seis días mirando el horizonte invariable del mar, los cuatro de espera casi inmóvil y la angustia creciente en Nueva York, las dos horas de tren de esta tarde a la orilla del Hudson. La mano palpa por instinto la libreta flexible del pasaporte en el bolsillo interior de la gabardina, como si auscultara el corazón. Nadie va a pedírselo ahora, esta noche. Nadie le pedirá sus papeles en América, le ha dicho risueñamente Van Doren cuando entraron al vestíbulo de la casa y él pensó que habría un mostrador de recepción y sacó su pasaporte. Puede vaciarse tranquilamente los bolsillos y guardar sus cosas en los cajones del escritorio o de la mesa de noche sin miedo a que le roben algo muy importante olvidado y no tener ya la ocasión de volver. Puede colgar el traje de repuesto en el armario de modo que no esté muy arrugado cuando mañana mismo tenga que ponérselo para acudir a los primeros y temidos compromisos sociales, después de sumergirse en el agua caliente de una bañera por primera vez en no recuerda cuánto tiempo y de afeitarse y peinarse delante del espejo del lavabo, respetable de nuevo, arquitecto, profesor invitado, *visiting professor*. Pero aún no hace nada: ha llegado físicamente a su destino pero en el cuerpo le dura la tensión del viaje, el instinto retráctil de no confiarse, de seguir vigilando. Parado en el centro de la habitación Ignacio Abel apura la novedad de la quietud y el silencio, mientras las luces traseras del coche se apagan como dos brasas en la oscuridad creciente de los árboles. Provisionalmente está a salvo de incertidumbres inmediatas. Ningún plazo urgente, ningún tren que tomar. En los peldaños de madera recia que suben hacia la habitación no escuchará pasos esa noche y cuando se duerma nadie lo despertará golpeando con urgencia en la puerta. La casa entera lo ha acogido desde que entró en ella con una austeridad cordial: la amplitud de los espacios, la desnudez de los muros pintados de un color crema claro, la sugestión de fortaleza de los materiales, que se transmite al tacto a través de las manos que rozaban la baranda, al cuerpo entero a través de las suelas posadas sobre planchas de madera. Vigas sólidas y pilares poderosos hechos de grandes troncos de árboles; cimientos de piedra hundiéndose en la oscura tierra fértil y en la profundidad de la roca viva. Desde el coche ha observado esa clase de piedra aflorando de la tierra y le ha gustado su tonalidad, no tan oscura como el esquisto de las rocas en Central Park: de un gris verdoso, como de bronce viejo, que se corresponde sutilmente con los colores de los árboles. Aun así perdura en sus piernas un rastro de vibración y de vértigo: en sus sienes un zumbido como de cables eléctricos. «La casa entera es para usted», le ha dicho Philip Van Doren antes de marcharse con un gesto enfático de propietario (probablemente lo es, o lo fue: alguien de su familia donó el edificio a la universidad). «Me he asegurado de que no habrá ningún invitado más en los próximos días. Encienda el fuego, use la biblioteca, toque el piano, prepárese la cena si lo desea. En la nevera y en la despensa hay comida de sobra. Hay papel de cartas y sobres y tinta en los tinteros. Hay una máquina de escribir y un buen gramófono en la biblioteca, una colección de discos. Ese piano lo tocó Rubinstein hace sólo unos meses. Ahora tendrá usted la impresión de que en Burton College vivimos como pioneros en medio de estos bosques pero ya verá cuántos invitados eminentes nos visitan. Hay un buen aparato de radio, aunque me temo que no tan bueno que pueda captar emisiones españolas...»

En la distancia oye el fragor de un tren que tarda mucho en pasar, tal vez subiendo por la orilla del Hudson, emitiendo ese sonido de sirena de buque que tienen los trenes en América. El sol poniente habrá relucido en sus ventanillas y en el morro de su locomotora, curvado como el de un aeroplano. Le parece mentira no ir él en ese tren ni en ningún otro, no tener por delante la urgencia y la incertidumbre de otro viaje. Se acostumbrará con gratitud a escuchar en mitad de la noche esos trenes que siguen pasando mucho rato, a veces durante varios minutos, los largos trenes de mercancías que vienen de los extremos del continente, revelando con su fragor lejano la anchura de los espacios que cruzan. Es muy raro ahora no anticipar ningún sobresalto, no encontrarse perdido, no saberse anónimo. Con cierta ansiedad de halagarlo Stevens le ha citado en el coche obras suyas y artículos firmados por él en algunas revistas internacionales de arquitectura y ha tenido la sensación de que oía hablar de otro. Tantos años de estudio, de trabajo, de ambición, de vanidad, se le disuelven en nada entre las manos vacías; las manos con las uñas sucias asomando de los puños gastados de una camisa que no se ha cambiado en varios días; con los pies doloridos de caminar por Nueva York se sentó una mañana al sol en un banco de Union Square y pensó que nadie podría distinguirlo de los otros hombres solitarios y dignamente pobres que leían en los periódicos las páginas de ofertas de trabajo o escarbaban con disimulo en los cestos de basura (alzó los ojos y una pancarta extendida entre dos farolas era estremecida por la brisa suave de octubre: *SUPPORT THE STRUGGLE OF THE SPANISH PEOPLE AGAINST THE FASCIST AGGRESSION*).

Ha sido un alivio que lo dejen solo tan pronto en la casa, y que no le hayan preparado ningún compromiso para esta noche. Carteles pegados en las farolas de Union Square anunciaban un mitin a favor de la República Española para esa misma tarde. Si Judith estaba en Nueva York no era improbable que asistiera a él. Mañana por la mañana Stevens le dará un paseo por el campus y si no está muy cansado le mostrará la colina y el claro en el bosque donde dentro de no mucho tiempo, esperan todos en el *college*, se levantará el nuevo edificio de la Van Doren Library (quizás no blanco, después de todo, demasiado visible: quizás del color de esa piedra que aflora en la tierra cultivada o en los bosques y de la que están hechas algunas vallas de granjas). Por la tarde el presidente del *college* dará una cena en su honor para un grupo muy restringido de invitados (Stevens sonríe, como inseguro todavía de contarse entre ellos). En unos días le será asignada una vivienda conveniente para todo el curso, mucho más cerca del campus. Pero hoy no tiene que preocuparse por nada, ha dicho Stevens, volviéndose hacia él mientras conducía con una sola mano por aquellos caminos rurales que conoce de memoria: sólo descansar bien de un viaje tan largo (Stevens lo mira y le habla como a un enfermo, piensa, inseguro del tono que debe emplear con un hombre que acaba de salir de un país en guerra, de un lejano sufrimiento europeo que para él tendrá algo de exótico). Y no tiene que asustarse si oye ruidos extraños por la noche, dice luego, cuando ya se despide, e Ignacio Abel comprende, no sólo por la expresión de impaciencia de Van Doren, que esa broma la ha repetido Stevens idéntica a otros huéspedes: la casa es antigua y de noche suele crujir la estructura de madera pero él puede asegurar que no está embrujada, *It is not a haunted house as far as we know*, aunque sí es posible que se acerque algún animal del bosque, un hurón, un ciervo. En invierno merodean a veces de noche osos y lobos. Qué descanso oír que se cerraba la puerta exterior, que el motor del coche se iba alejando al mismo tiempo que se debilitaban las luces traseras. Permanece quieto, el cansancio de las últimas horas y de tantos días disolviéndose en una lenta flojera muscular, los ojos hechizados por el paisaje en la ventana, el bosque de grandes coníferas donde ya es de noche más allá del claro en el que se levanta la casa y el cielo de un azul gradualmente más oscuro, contra el que se recortan con precisión las copas de los árboles, las ramas curvadas hacia arriba como tejados de pagodas. Ignacio Abel no ha sentido nunca un silencio como éste. El silencio es una campana de cristal, una bóveda bajo la cual hubiera resonado la pisada más cautelosa, el roce más leve. Su habitación en el hotel de Nueva York daba a un patio sombrío en el que de noche y de día retumbaban maquinarias y a intervalos regulares las paredes y el suelo se estremecían porque pasaba cerca un tren elevado (contaba en el insomnio los días de espera, la cantidad de dinero que llevaba gastado desde que salió de Madrid, el que le quedaba). El silencio tiene una hondura, una extensión oceánica, tan ilimitada como estos bosques que se extenderán hacia el frío del Círculo Polar, hacia los grandes lagos y las cataratas del Niágara, imagina, hacia las orillas en las que ahora mismo golpea el Atlántico. El silencio gravita tan poderosamente sobre él que amortigua hasta las voces que no han dejado de sonar en su memoria en los últimos tiempos. Pero su conciencia aún no se apacigua, no llega a ceder la tensión de su cuerpo. Ni siquiera ha dejado el sombrero sobre la cama ni se ha quitado la gabardina. Antes de dejarlo solo Stevens ha encendido la lámpara de la mesa de noche, como el botones de un hotel que le enseña la habitación a un huésped recién llegado: le ha mostrado el cuarto de baño, el funcionamiento de los grifos de agua fría y caliente. Al caer en la bañera el chorro de agua ha empezado en seguida a desprender vapor. Ha abierto el armario, del que viene un olor a barniz y a madera de pino. Stevens se mueve ágilmente, con un exceso de flexibilidad y activismo, con un punto de rapidez algo histérica, como la de un bailarín vestido de calle en una película musical. La cara roja, los ojos muy claros tras las gafas de montura dorada, consciente siempre de la presencia irónica o censora o sólo desdeñosa de Philip Van Doren, ante el cual actúa como sometiéndose siempre a una prueba de aptitud para la que en el fondo no está preparado; más ansioso cuando Van Doren calla que cuando dice algo, cuando sin abrir la boca hace visible su desagrado o su aprobación con un gesto muy breve, que puede no ser percibido por el observador inexperto. El profesor Stevens circula elásticamente por la habitación y explica pormenores sobre los horarios de la casa de invitados y el funcionamiento de la cafetera y de la tostadora en la cocina mientras Ignacio Abel, aturdido, muerto de cansancio, asiente sin entender demasiado, impaciente por quedarse solo, los pies doloridos bajo el peso de su cuerpo inmóvil. Después de tantos días sin tener una verdadera conversación con nadie le cuesta trabajo prestar atención a las palabras veloces de Stevens o a los comentarios de Van Doren, contestar en inglés y con algo de solvencia a sus preguntas, si bien cuando lograba urdir una respuesta Stevens ya no la escuchaba, o era que él hablaba demasiado bajo, aún no se acostumbraba a calibrar el volumen de voz requerido para una conversación. Cuando Van Doren decía algo un rubor rojizo se le extendía desigualmente a Stevens por su cara equina, por la frente alta de la que se apartaba a cada momento el flequillo.

Inspecciona la habitación, poco a poco tomando conciencia de ella, mientras en el exterior ya es de noche y a los picotazos del pájaro carpintero se agrega el aullido metódico de un búho. La cama alta, con un cabezal de madera lisa, con almohadas blancas muy mullidas, con un edredón blanco sobre el cual ha dejado la maleta todavía sin abrir, los cantos metálicos maltratados de tanto ir de un sitio a otro, durante tanto tiempo. Probar la blandura del colchón es casi como sumergir la mano en un agua honda y tibia, muy quieta. Recobra el deleite perdido de la ropa blanca bien almidonada, de las sábanas fragantes y el abrigo cálido de las cosas domésticas. Es al rozar la tela del embozo cuando advierte lo sucias que tiene las uñas. Qué rápido se pierde todo, se disgrega, se olvida. Cómo sería tener a Judith Biely con él en esta habitación: Judith que tal vez ahora mismo está en algún lugar de ese continente de bosques oscuros que se ondula más allá de la ventana (volvió por la tarde a Union Square a la hora del mitin; una multitud rodeaba una tribuna sobre la que había colgadas banderas americanas, banderas rojas, banderas de la República; se abrió paso entre la gente, mirando una cara tras otra, escuchando sin comprender demasiado los discursos en los altavoces, el antiguo clamor familiar de los himnos). Cómo habrían explorado la casa sus hijos, Miguel y Lita persiguiéndose por las escaleras, saliendo al bosque para imaginarse que vivían en una novela de Fenimore Cooper, en una película de soldados con casacas y tricornios y pieles rojas con tomahawks y crestas tiesas y caras pintadas. Hay un escritorio ancho y sólido, de madera barnizada, delante de la ventana. Cuando enciende la lámpara de latón dorado y pantalla verde que hay sobre ella la oscuridad del paisaje exterior se convierte en espejo y ve en él su cara inesperada, parcialmente en sombras, contra el fondo anchuroso de la habitación. Quién te ha visto y quién te ve: quién te reconocería si te viera ahora. La cara con una sombra áspera de barba, un filo de mugre en el cuello de la camisa, el nudo de la corbata hecho de cualquier modo. La cara que han visto Van Doren y Stevens, que él ha distinguido en las miradas de ellos, detrás de la cortesía, de la cordialidad algo reverencial y exagerada de Stevens. No se abandona al descanso, ni siquiera abre todavía la maleta, no la alza del suelo. Viene de lejos el sonido de un tren que tarda mucho en pasar: ventanillas iluminadas entre los árboles, reflejándose en la corriente marítima del río. En Madrid se hizo de noche hace varias horas y aún falta mucho para que empiece a amanecer. El temblor de la batalla persiste en la lejanía y en la oscuridad igual que el estrépito del tren. *Rebel Forces Expected to Tighten their Grip over Loyalist Capital,* decía ayer o anteayer un periódico. De pie ante la ventana Ignacio Abel se vacía los bolsillos de toda la escoria menuda del viaje, y la va dejando sobre la mesa: billetes de tren, facturas de hotel, monedas francesas y españolas, centavos americanos, recibos de restaurantes automáticos de Nueva York, cabos de lápices, el telegrama de Stevens llegado al hotel al cabo de tres días, cuando ya pensaba que lo iban a expulsar por falta de pago, billetes sueltos de un franco, uno muy arrugado de cinco pesetas, los pocos dólares a los que ahora se reduce todo su capital. Cosas olvidadas, como restos arqueológicos de un tiempo perdido: las llaves de su casa de Madrid, familiares e inútiles, dos entradas para la misma sesión de cine una tarde de principios de junio, la carta que ha decidido varias veces romper y sin embargo ha conservado, *Querido Ignacio, me permitirás que te llame así porque a pesar de todo soy tu mujer y tengo derecho y te sigo queriendo a pesar de todo.* La carta de Adela y la de Judith, la cartera hinchada y algo deforme por el uso dentro de la cual están la foto de Judith y la de sus hijos, su carnet del Partido Socialista, el de la Unión General de Trabajadores, su cédula de identidad, su cuaderno de dibujo, en el que ha traído los primeros esbozos para la biblioteca, vanas líneas y manchas a lápiz, conatos inseguros de formas que se vuelven irrelevantes por comparación con el poderío y la escala de este paisaje: qué podrá hacer él que no sea trivial y ridículo con su medrosa imaginación española, anulada aquí, igual que en Nueva York, por una desmedida amplitud que resalta igual en las obras humanas que en la naturaleza, que requiere una energía, un brío, una desmesura para las cuales él no está preparado. Lleva un largo rato solo en la habitación y aún no se acomoda a ella, ni lo serena su anchura ni su silencio. Se percibe a sí mismo como un cuerpo extraño, potencialmente infeccioso, propagando el desorden, los olores que se le han ido pegando a la ropa a lo largo del viaje, la ropa sucia rebosando ahora de la maleta abierta sobre la cama y las cosas de los bolsillos encima de la mesa, el silencio agobiándolo, la oscuridad exterior, agravando las dimensiones de la lejanía.

Un ruido metálico lo despierta, martillazos o golpes de llave inglesa, silbidos de vapor. En fracciones de segundo la conciencia alerta pero todavía aturdida va descartando lugares sucesivos: el dormitorio de Madrid, el camarote diminuto en el barco, en el que eran tan frecuentes las resonancias de metal y los gorgoteos de vapor, la habitación del hotel en Nueva York, la de París. Con sobresaltos de tuberías anticuadas la calefacción se ha puesto en marcha. Recuerda que soñaba con voces pero se disuelven antes de que pueda identificarlas. Alguna de ellas decía su nombre entre el ruido de la gente, lo murmuraba en su oído; alguna otra le pedía auxilio desde el otro lado de una puerta cerrada. *Ignacio, por lo que más quieras, ábreme.* De lo que no tiene recuerdos es de haberse acostado: encima de la colcha, sin quitarse los zapatos, tapándose de cualquier modo con la gabardina, como si se hubiera tendido a dormir en el banco de una sala de espera. Es consciente de su cuerpo pero lo percibe desde fuera. Sabe que si se lo propone puede mover una de las manos apoyadas sobre el pecho o abrir un poco más los párpados o cerrarlos otra vez del todo o contraer una pierna pero no hace nada, y en su inacción hay una forma de desapego o distancia física, como si hubiera suspendido temporalmente las conexiones nerviosas entre el cerebro y los músculos. No es que haya perdido la sensibilidad, como cuando se entumece un miembro por una mala postura. Nota la presión del cuerpo sobre el colchón muy mullido y el calor de las manos una sobre otra, hasta el peso tenue de los párpados sobre los globos oculares. El cuerpo pesa y flota al mismo tiempo, sobre el colchón de plumas, que es a la vez consistente y liviano. Pesa el cuerpo pero no el pensamiento, no el flujo de la conciencia ni la percepción de las cosas. En algún momento mientras él dormía y se adensaba la noche, el pico del pájaro carpintero ha dejado de percutir sobre el tronco, pero el grito o el silbido del búho no ha cesado, aunque regresa idéntico tras intervalos más largos de silencio. ¿Será así estar muerto, cuando ya se ha detenido el corazón pero aún queda según dicen un último destello de lucidez en el cerebro, cuando la bala acaba de desgarrar el pecho y la cabeza seccionada ha caído en el cesto de la guillotina? Si al menos el profesor Rossman hubiera conocido un último momento de piedad como éste, tirado boca arriba en el suelo, el cuerpo desmadejado reposando sobre la gran anchura de la tierra, más allá del miedo y del dolor, bajo un cielo de verano en el que estuviera empezando a clarear, aunque él no lo veía, porque le habían quitado las gafas o las había perdido. Cada pie pesa, dentro de los zapatos, apretado por ellos, hinchado ahora por la inmovilidad y más dolorido, como llevando en sí, en las plantas, la fracción de fatiga de cada paso, los millones de pasos de los itinerarios del viaje, y más allá los de los últimos meses en Madrid, desde que se quedó sin automóvil, las suelas gastadas de tantas caminatas, rozadas por adoquines y aceras, por la tierra de los descampados al final de la ciudad, manchados por el polvo, en alguna ocasión por la sangre de algún cadáver que no se había secado del todo (se sentaba en la cama y Judith arrodillada delante de él le quitaba los zapatos, con deliberación y lentitud, desatando los cordones, uno y luego el otro, quitándole los calcetines, masajeando con sus dedos expertos los pies doloridos). Percibe el aire entrando más rápido por las aletas de la nariz: saliendo un instante después, ahora más cálido, con temperatura de aliento. Con un ritmo distinto al de la respiración pero igual de ajeno a la voluntad se contrae y dilata el corazón en el pecho, sus golpes resonando en la almohada, las olas de sangre en los oídos, la pulsación en las sienes, una presión en los huesos del cráneo que no llega a ser un dolor de cabeza.

Quién te ha visto y quién te ve. Quién eres esta noche, suspendido en la nada de un lugar demasiado extraño y lejano como para haber calado todavía en la conciencia, en esta gran casa vacía, en medio de este océano de silencio, de un bosque oscuro en el que alguien que pase por la carretera distinguirá la luz de esta ventana. Mientras dormía ha escuchado pasar trenes. Así pasaban, filtrándose en el sueño, en las siestas y en las noches de verano en la Sierra, yendo y viniendo de Madrid, los expresos que iban hacia el norte a medianoche y los que se aproximaban a la capital cerca del amanecer después de una noche entera de viaje. Y también los otros, los trenes lentos de corto recorrido que no iban más allá de Segovia y de Ávila, los que tomaban los padres de familia durante los veranos para ir a trabajar a Madrid y regresar a la Sierra el sábado por la tarde, tan reconocibles con sus trajes claros y sus sombreros de paja y sus carteras bajo el brazo entre los viajeros de los pueblos, boinas y fajas, caras oscuras sin afeitar, mujeres con tocas negras y pañuelos en la cabeza, rústicas mercancías de vendedores ambulantes, cántaros de miel que pregonarían por las calles de Madrid, sacos de lona llenos de quesos, jaulas de gallinas y hasta de cochinillos recién destetados. Parecía que todo hubiera durado desde siempre y que sería siempre así, el paso y el silbido de los trenes tan regular como el curso del sol o las campanadas en la iglesia del pueblo: ahora no pasarán trenes cerca de la casa, estremeciendo el pavimento y los cristales cada hora. Ahora los trenes viejos y lentos que tomaban los veraneantes y los campesinos salen de Madrid atestados de milicianos ruidosos, con siglas pintadas a brochazos en los vagones y banderas o pancartas colgando de las locomotoras, y llegan sólo hasta la mitad de su recorrido, hasta las últimas estaciones de este lado de la Sierra, casi en la línea del frente. Sólo es octubre todavía y los milicianos ya tiritan de frío en cuanto cae la noche. No hay mantas suficientes, dijo Negrín, no hay ropa de lana, ni gorros, ni siquiera hay botas, no hay camiones suficientes para mantener la primera línea abastecida de alimentos y de munición, para asegurar los relevos. Dolor invariable de la áspera pobreza española: en las fotos de escenificado heroísmo que publican los periódicos los hombres avanzan o se tiran al suelo vestidos cada uno de cualquier manera, con alpargatas, con gorros o cascos que parecen desechos de diversos ejércitos, con chaquetas viejas. Tiritan de noche refugiados en chozas de pastores, en los huecos entre los grandes riscos graníticos. Cómo será si la guerra no ha terminado cuando de verdad entre el invierno. Ahora mismo, en la Sierra, es la hora de más frío y todavía falta para que amanezca. No encienden hogueras para no delatar sus posiciones al enemigo, que está muy cerca pero al que no ven, sólo algún fogonazo, el reflejo de un arma en las rocas más altas o entre los pinos cuando ha salido el sol. Oyen un ruido cualquiera y empiezan a disparar en la oscuridad, desperdiciando una munición escasa; el tiroteo se extiende sin motivo a lo largo de la línea del frente. Al otro lado lo oirán sus hijos. Pero según los mapas detallados que vienen en los periódicos la casa está demasiado cerca de las líneas: los nombres de la geografía de todos los veranos ahora pertenecen a otro país y al vocabulario de la guerra. Sin duda la familia se habrá ido a Segovia: otro país, casi de repente, como una imagen invertida del Madrid bolchevique y libertario que surgió de la noche a la mañana a finales de julio; militares y curas por las calles, procesiones de santos y no desfiles con banderas rojas, manos abiertas de saludo fascista y no puños cerrados, rigores eclesiásticos de provincia española del siglo pasado. Mis hijos en ese mundo, tragados sin remedio por la negrura clerical de la que yo no podré rescatarlos, por el tufo de cirios, novenas, escapularios, sotanas, en el que su familia materna los sumergía en cuanto yo me descuidaba, o en cuanto desistía, demasiado débil de voluntad, falto de la intransigencia necesaria, del grado de intransigencia que habría necesitado para resistir a la de ellos, coaccionado por Adela, por su complacencia obediente hacia todo lo que viniera de los suyos, si no es que en el fondo lo comparte también, que no lo ha mostrado abiertamente para no contrariarme, para no resaltar más aún el abismo que nos ha separado siempre, desde el mismo principio, el malentendido monstruoso al que ninguno de los dos quiso asomarse, dos extraños entre sí que sin embargo engendran hijos y duermen cada noche en la misma cama y podrán pasar la vida entera juntos, sin un solo día en el que no haya algo de suplicio, sin otro lazo en común que una resignación indistinguible del aburrimiento. *Ni te ha importado nunca que yo te quisiera ni has tenido gratitud por el cariño que te daban mis padres y sólo has sentido desprecio hacia ellos* (la carta también ahora sobre la mesa, al alcance de la mano, casi sabida de memoria, oculta en el interior del sobre y destilando tan lejos su queja y su veneno, irradiándolos, como el uranio en el laboratorio de Madame Curie, contaminando las cosas). En Segovia don Francisco de Asís es propietario de una casa con un blasón labrado en piedra sobre el dintel de la puerta de entrada; la llama «el solar de mis antepasados», aunque en realidad no es muy antigua y llegó a sus manos hace muchos años gracias a una subasta, y el blasón de piedra con un escudo coronado por un morrión y una cruz de Santiago lo compró él mismo en un derribo. Te marchas y es inútil, se te gastan las suelas caminando por ciudades y pasas una semana encerrado con náuseas en un camarote estrecho de un buque que atraviesa el Atlántico y es como si te extenuaras caminando sobre uno de esos túneles giratorios de las barracas de feria, el tubo de la risa, nunca llegas a moverte del mismo lugar. Te vas y una parte de ti se queda desgarrada por la distancia y la culpa y la otra sin embargo continúa padeciendo el agobio de no poder irse, la imposibilidad de poner tierra por medio, continentes y océanos que no llegan a aflojar los nudos de un cautiverio sin huida. *Porque has de saber que hagas lo que hagas sigues siendo mi marido y el padre de tus hijos porque esos lazos aunque la gente se empeñe no pueden romperse nunca y ni los animales tienen conciencia para abandonar a sus criaturas.* Desde tan lejos los ve, confabulados en el círculo familiar, en torno a una mesa camilla, como en esas fotos en las que él nunca aparece aunque rondara cerca, en el salón de la casa de Segovia, con cuadros tenebrosos de santos en las paredes, don Francisco de Asís y doña Cecilia y Adela y sus dos hijos y tal vez también el tío sacerdote, que no estando él se atreverá a darles estampas religiosas a los chicos y a sugerirles que recen de noche y que vayan a confesar y a comulgar, aunque sólo sea para darles una alegría a los abuelitos; los ve como un muerto que regresara invisible, como una de esas ánimas del Purgatorio en las que doña Cecilia dice creer, a las que enciende lamparillas de aceite que según ella se apagan cuando las roza el paso de un ánima, el ala de un ángel. *Pero lo más sagrado de todo no son los sacramentos y el amor que tú y yo nos hemos tenido no es un engaño mío porque dos hijos como dos soles son la prueba.* Rezan todos el rosario, murmurando, las cabezas bajas, Miguel y Lita haciéndose guiños furtivos o dándose patadas por debajo de la mesa, don Francisco de Asís y doña Cecilia y Adela ofreciendo sus oraciones y jaculatorias por el hijo y hermano que no saben si estará vivo o muerto, y quizás también por él y el yerno desaparecido desde el 19 de julio, aunque con algo de reparo, porque les desconcierta o les parece inadecuado rezar por alguien que no tiene creencias: pero han de dar ejemplo a los chicos, severos en el casi luto por dos ausentes de los que hace meses que no saben nada, el hijo y hermano, el marido y yerno al que Adela escribió esa carta atravesada de rencor que ha tardado tanto tiempo en llegar a su destino y sin embargo ha acertado con una puntería de flecha envenenada. *Qué tendrá de malo que tus hijos que son tan míos como tuyos o más todavía porque yo los he parido y los he criado y he estado con ellos y me he pasado las noches sin pegar ojo cuando se morían de fiebre qué daño puede hacerles que se eduquen en la fe católica.* Los adoctrinarán, habrán caído de nuevo en manos de curas y monjas, los forzarán a confesar y a comulgar los domingos y tal vez los señalen en la escuela siniestra en la que habrán empezado el nuevo curso, niños laicos hijos de un enemigo que no saben repetir en voz alta las oraciones ni cantar los himnos eclesiásticos, y menos aún los himnos fascistas que también les estarán enseñando.

Tendido en la cama en la que el agotamiento y el silencio lo sumen en una inmovilidad hechizada mientras que la memoria cobra una agudeza afilada por la añoranza y la culpa que tiene algo de adivinación Ignacio Abel viaja con la liviandad de los sueños a la casa de la Sierra junto a la que ya no pasan los trenes y desde la que tal vez se oyen los tiroteos del frente, entre el rumor de los pinos y las matas de jara. Quizás ha quedado abandonada o la han convertido en cuartel, igual que la Residencia de Estudiantes, un cuartel de los otros, de esa especie abstracta y no del todo humana a la que los periódicos llaman el Enemigo, con una palabra, cae ahora en la cuenta, de inspiración teológica. En su antiguo colegio ahora convertido en un solar de ruinas calcinadas los curas llamaban el Enemigo al demonio y advertían que era preciso escribirlo siempre con mayúscula. El Enemigo ocupará ahora el jardín descuidado que para sus hijos fue una selva donde escenificaban aventuras copiadas de las novelas y donde recogían insectos y plantas para sus clases prácticas de biología en el Instituto-Escuela; el jardín con el columpio herrumbroso en el que todavía estuvieron meciéndose el domingo de hace tres meses en que los vio por última vez, aunque ya no están en la edad, ninguno de los dos, Lita con su pecho perfilado, sus piernas de ciclista y sus cortos calcetines blancos a la moda, Miguel con un pantalón corto que no volverá a usar después de este verano. Está cambiando tan rápido que cuando vuelva a verlo no lo reconoceré. Tendrá una sombra de bigote, se peinará con raya, se echará hacia atrás el flequillo que le caía sobre los ojos: un adolescente que se parecerá más a su tío Víctor, sus nuevos rasgos usurpados por esa gente igual que su alma alejándolo de mí hacia una edad adulta en la que quizás yo, su padre, no existiré. Si es que no he dejado de existir ya, borrado por la distancia, por la falta de noticias, por la ausencia muy probable de las postales que les he ido mandando desde que salí de Madrid, igual que cuando eran más pequeños y hacía algún viaje: la plaza de la República en Valencia, la playa de la Malvarrosa, la torre Eiffel, el Trocadéro recién inaugurado, Nôtre-Dame desde un puente del Sena, el bulevar de Saint-Nazaire que termina en el puerto, el *S.S. Manhattan* navegando de noche por alta mar con todos los ojos de buey iluminados y guirnaldas de bombillas sobre la cubierta, la Estatua de la Libertad, las arcadas de la estación de Pennsylvania, el hotel de Nueva York donde me hospedé cuatro días (pasaba el tiempo y nadie aparecía ni llamaba; no había mensajes en recepción, ni un telegrama; el recepcionista lo miraba con aire de sospecha como si hubiera adivinado los pocos dólares que le quedaban en el bolsillo), con su letrero vertical a lo largo de toda la fachada y una pequeña marca a lápiz sobre una ventana del piso 14, *ésta es mi habitación*, el Empire State Building coronado por un dirigible (pero esa postal no ha llegado a mandarla: le puso el sello y se olvidó de ella, con la urgencia de no perder el tren). Lita tiene una caja de lata llena de postales y de cartas ordenadas por fechas. Se la llevó a la Sierra al principio de las vacaciones, en la maleta que había designado como suya para mantenerla a salvo del desorden de Miguel, junto a sus libros y sus cuadernos de diario. Miguel llevó consigo los libros de texto de las asignaturas suspendidas en junio: los cuadernos con los trabajos que habría hecho a última hora y de cualquier manera, llenos de las marcas de lápiz rojo del profesor, de faltas de ortografía subrayadas y manchas de tinta. Pero no se habrá podido presentar a los exámenes de septiembre. En ese aspecto la guerra ha sido un respiro para él. Perderá el curso, y lo perderá también Lita, si la guerra no acaba pronto.

Ya no es posible eludir la palabra: la vio en los periódicos franceses, obscena en la tinta roja y negra de los titulares, GUERRE EN ESPAGNE; la ha visto en los diarios de

Nueva York que unas veces buscaba con ansiedad al bajar de su habitación en el kiosco de cigarrillos y de prensa y otras eludía, o intentaba eludir, LATEST NEWS ON THE WAR IN SPAIN. Como una enfermedad congénita de la que él no puede curarse y a la que quienes hacían los periódicos y quienes los compraban distraídamente fuesen inmunes, igual que a nuestra pobreza y a nuestro atraso pintoresco, a nuestras vírgenes barrocas con lágrimas de cristal y corazones de plata atravesados por puñales y al colorido de bárbaro matadero de nuestra fiesta nacional. THE KILLINGS AT THE BULLFIGHTING RING IN BADAJOZ. Nuestros nombres tan sonoros y exóticos resaltando entre las palabras de otro idioma, los bardales en ruinas, los páramos, las alpargatas y los pantalones sujetos con trozos de cuerda en las fotografías de nuestra guerra de pobres, nuestras mujeres con pañolones negros y fardos sobre las cabezas a la manera de las mujeres africanas huyendo por los caminos en llanuras sin árboles, empujadas a culatazos en la frontera por los gendarmes franceses, mientras yo miraba hacia otro lado y no hacía nada y sentía el privilegio mezquino de mi traje formal y mis papeles en regla, que sin embargo no me eximían de la enfermedad española, porque los funcionarios de la aduana registraron con calculada grosería mi maleta y estuvieron un rato examinando los dibujos y los bocetos de planos, y luego, de nuevo, el pasaporte que ya habían revisado una vez, la foto a la que ya estaba empezando a no parecerme, la página con el visado para los Estados Unidos. Quién iba a aceptar sin sospecha ese título inscrito en letras doradas sobre la cubierta, sobre el escudo con su corona de almenas, República Española, si en cualquier momento esa república podía dejar de existir, y si a unos pasos de allí, en el lado español de la frontera, no había guardias y empleados de uniforme, sino milicianos con patillas de bandoleros o de figurantes de

Carmen que habían arriado la bandera tricolor para izar en el mástil una bandera roja y negra. En él, a pesar de todo, mientras intentaba esperar dignamente erguido a que los gendarmes le devolvieran su pasaporte y le permitieran cerrar la maleta, estaba el orgullo de ser ciudadano de una República española y la rabia contra la indiferencia de esos franceses y británicos que la veían revolverse torpe e indefensa contra sus agresores: pero también el sentimiento de inferioridad por pertenecer a un país así, y el deseo de escapar de él y la culpa por alimentar ese deseo y por haber salido huyendo, por no haber sabido ser útil en nada, ni remediar nada.

Se acuerda de la plaza de Oriente, una mañana, la última, cuando la huida ya era segura y fue a despedirse de Moreno Villa. Batida por el viento y la lluvia la plaza parecía más grande, el Palacio Nacional más lejano en su tamaño desmedido contra las perspectivas finales de Madrid, más agrisado que blanco sobre el fondo de los nubarrones que venían del oeste, sobre los verdes severos del campo de Moro y la Casa de Campo, desleídos en la niebla. En los jardines franceses había un campamento de refugiados que se protegían de la lluvia debajo de sus carros o de los mantones de lona tendidos entre los setos y los árboles. En la mitad de octubre el invierno anticipaba su llegada a Madrid como traído por la cercanía de la guerra, que se aproximaba poco a poco por la carretera del sudoeste, la de Extremadura, visible desde los balcones del palacio. Qué raro imaginar con tanta claridad lo que yo no he vivido, lo que sucedía hace más de setenta años, la plaza con el campamento de toldos y chabolas entre los setos, alrededor de la estatua ecuestre de Felipe IV, apoyada tan sólo en las patas traseras, ingrávida contra el cielo gris y la lluvia, esgrimiendo una bandera roja empapada; Ignacio

Abel atravesándola, una solitaria silueta burguesa bajo un paraguas, acercándose al cuerpo de guardia, donde unos soldados con uniformes impecables del batallón presidencial —cascos de acero, correajes, botas relucientes, caras bien afeitadas— lo dejarán pasar sin más formalidad que comprobar su nombre en una lista mecanografiada. Pasos y órdenes resonaban en las cavidades graníticas del vestíbulo. En una garita, detrás de una puertecilla de cristales, se escuchaba una radio y una máquina de escribir, y olía a rancho. Sin que lo acompañara o lo vigilara nadie subió amplias escalinatas de granito y luego de mármol en las que no había alfombras que amortiguaran los pasos. Cruzó salones con tapices y relojes y remolinos de mitologías pintadas en los techos y corredores desnudos que daban a patios con arcos de piedra cubiertos por bóvedas de cristal en las que repicaba la lluvia. Moreno Villa estaba en un despacho diminuto, detrás de una puerta de cuarterones con el dintel muy bajo, una oficinilla invadida de libros y legajos en medio de tanta magnificencia de espacios desiertos. Pensó que a lo largo de su vida Moreno Villa habría guardado un modelo invariable de cuarto de trabajo, idéntico en el Palacio Nacional y en la Residencia de Estudiantes, en cualquier sitio a donde lo llevara el azar de un porvenir que ahora se le había vuelto de repente inseguro. Hacía un frío insidioso, que se iba apoderando poco a poco de uno, primero de las puntas de los dedos y de la nariz, de las plantas de los pies. En un rincón del despacho había una pequeña estufa eléctrica. Pero la corriente era débil y la resistencia tenía un brillo tan enfermizo como el de la lámpara sobre el escritorio donde trabajaba Moreno, ensimismado en sus legajos, en sus indagaciones sobre los bufones y los locos que sirvieron a los reyes en los tiempos de Velázquez, tan ajeno al presente en las horas en que lo embriagaba su erudición como a la realidad de Madrid más allá de los muros del palacio, en este reino hechizado en el que sigue habiendo ujieres con patillas blancas, calzones y medias y en el que los relojes pueden marcar la hora de hace uno o dos siglos. La barba blanca le había crecido puntiaguda, como a un personaje del Greco. Estaba aún más flaco que la última vez, en verano, y ahora llevaba unas gafas de leer que le hacían mayor.

—Por fin se va usted, Abel. Le parecerá mentira tener todos los papeles en regla. A usted se le nota que es un hombre que quiere irse, que sabe irse, si me permite la expresión. Yo si pudiera no me movería nunca.

—¿Todavía duerme usted en la Residencia?

—¿Y adónde voy a ir si no, Abel? Es mi casa. Mi casa provisional, pero he vivido en ella tantos años que no me imagino en ningún otro sitio. Se llevaron la guarnición y ahora han puesto un hospital de sangre. No sabe usted cómo gritan esos pobres muchachos. Las heridas atroces que traen. Uno cree que sabe que la guerra es espantosa pero no tiene idea de nada hasta que no lo ve. La imaginación no sirve, es impotente y cobarde. Vemos a los soldados caer en las películas y nos creemos que es así, que todo acaba rápido, a lo mejor con una mancha de sangre en el pecho. Pero hay cosas peores que morir. Ve usted un muchacho que está vivo pero que le falta la mitad de la cara, que se ha quedado sin las dos piernas, sin brazos, que no tiene nariz. Dígame usted qué clase de sinrazón es ésa, para qué puede servir ese sufrimiento horrible. Uno aparta los ojos porque si mira le darán arcadas. Y el olor, Dios mío. El olor de la gangrena y el de las heces en los intestinos reventados. El olor de la sangre cuando las enfermeras le ponen encima hojas de periódicos o serrín. Me digo a veces que tendría que dibujar estas cosas, pero no sé cómo hacerlo, hasta me daría vergüenza intentarlo. Yo creo que nadie lo ha hecho, nadie se ha atrevido de verdad, ni esos alemanes de la Gran Guerra, ni siquiera Goya. Goya se acercó más que nadie, pero hasta a él le faltaba valor. Me acuerdo muchas veces de ese título que puso en uno de los Desastres: *No se puede mirar*. Usted por lo menos ya no tendrá que hacerlo.

Ya no tenía que seguir esperando. Estaba allí despidiéndose de Moreno Villa y ya era como si hubiera empezado el viaje postergado tantas veces, por culpa de trámites tortuosos, de papeles o sellos o rúbricas que faltaban, de cartas prometidas que no venían, retardadas o extraviadas en el correo por el desorden de la guerra. Antes de ir en busca de Moreno Villa había recogido el último documento necesario y lo llevaba ahora como un tesoro frágil en el bolsillo interior de la chaqueta, un salvoconducto con membrete del Ministerio de Hacienda firmado por Negrín, en su condición reciente de ministro, autorizando el viaje a Valencia y desde allí a Francia y sugiriendo una vaga misión oficial: por si surgían dificultades nuevas y no bastaba el pasaporte con el visado americano y con el visado de tránsito francés, porque el camión en el que viajaría hasta Alcázar de San Juan o el tren que tomaría allí para Valencia podían ser interceptados por patrullas de control que a veces detenían a los viajeros o los obligaban a regresar, acusándolos de desertores, de señoritos privilegiados o burgueses que huían de la revolución y no tenían coraje para luchar en la guerra; o podía ocurrir que al llegar a la frontera los milicianos anarquistas que ahora la controlaban se negaran a dejarlo salir, como hacían a veces, si les daba el capricho, dijo Negrín, a pesar de pasaportes, documentos, cartas oficiales y salvoconductos, peor aún si el sospechoso hacía ostentación de ellos. «Somos un gobierno que casi no existe», le dijo Negrín, en su gran despacho del Ministerio de Hacienda, por fin un espacio que se correspondía con su envergadura física: la mesa enorme y antigua, el ventanal a la calle de Alcalá, la alfombra espesa en la que se hundían silenciosamente los pasos (deshilachada en algunos tramos; con quemaduras de cigarrillos). «Damos órdenes a un ejército de divisiones fantasmas en el que los pocos militares que han permanecido leales a la República no tienen tropas que mandar. Al pobre Prieto le han hecho ministro de Marina pero los pocos barcos de guerra viejos que tiene la República se pierden sin que sepamos dónde están porque los marineros mataron a todos los oficiales y los tiraron al mar y no dejaron a nadie que sepa leer una carta marina o fijar un rumbo. Redactamos decretos que no cumple nadie. Ni siquiera somos capaces de controlar las fronteras de nuestro propio país. Los gobiernos que debían ser nuestros aliados no quieren saber nada de nosotros. Enviamos telegramas a nuestras embajadas o ponemos conferencias telefónicas y los embajadores y los secretarios se han pasado al enemigo. Somos el gobierno legítimo de un país miembro de la Sociedad de Naciones y hasta nuestros camaradas franceses del Frente Popular nos tratan como si fuéramos apestados. No quieren que por culpa nuestra se les malogren sus relaciones excelentes con Mussolini y con Hitler, y menos todavía con los británicos, que no sé por qué nos detestan mucho más que a los facciosos. No quieren vendernos armas. No tenemos aviones, no tenemos carros de combate, no tenemos artillería. Apenas una parte del material viejo de la Gran Guerra que esos ladrones de franceses no querían y nos estuvieron vendiendo hasta hace sólo unos meses. Pues ni siquiera eso nos venden ahora. Ni los cascos del año 14, ni los mosquetones de la guerra francoprusiana...»

Pero extrañamente la lucidez de Negrín ante la magnitud de la catástrofe no lo inducía al desánimo, sino que después de una tregua de abatimiento desataba más aún sus energías eufóricas. Cuando Abel entró en su despacho lo encontró dictando a toda velocidad una carta en francés a una secretaria; de pie, moviéndose de un lado a otro, las manos a la espalda, sacando a veces del bolsillo abultado alguna cosa que se llevaba a la boca, tan rápido que Ignacio Abel no distinguía lo que era, una píldora medicinal o una chocolatina. Se interrumpía para llamar por teléfono; se impacientaba porque tardaban en darle comunicación y aplastaba de golpe el auricular contra la horquilla. «Pero aun así no vamos a rendirnos», dijo, parándose delante de Abel, más alto, más ancho, la cara carnal y la voz ricamente timbrada. «Reconstruiremos de abajo arriba el ejército. Un ejército de verdad, valeroso y bien equipado, con disciplina, con musculatura, un ejército del pueblo y de la República. Hará falta acabar con el delirio en el que hemos vivido hasta ahora pero la realidad es el mejor antídoto contra los desvaríos mentales. Hemos vivido y vivimos en parte todavía en una casa de locos, y no es una metáfora de esas que gustan tanto a nuestros oradores, sino un diagnóstico clínico. En una casa de locos cada uno de ellos vive entregado a su propia forma de irrealidad. Se cruzan hablando a solas y haciendo aspavientos pero nadie oye a nadie y el delirio de cada uno excluye al de los demás. Sabemos por qué lucha el enemigo y por qué se sublevaron los militares, pero lo que no se acaba de saber todavía es por qué luchamos nosotros. O si hay un nosotros en el que quepamos todos los que acabaremos fusilados o desterrados si ganan los otros. Cada loco con su tema. Don Manuel Azaña quiere la Tercera República francesa. Usted y yo y unos cuantos como nosotros nos conformaríamos con una república socialdemócrata como la de Weimar. Pero nuestro correligionario y ahora presidente del gobierno dice que quiere una Unión de Repúblicas Soviéticas Ibéricas, y don Lluís Companys una república catalana, y los anarquistas se olvidan de que estamos en guerra y tenemos enfrente a un enemigo sanguinario para experimentar en todo este desbarajuste con la abolición del Estado. Y para poner en práctica su delirio particular cada partido y cada sindicato lo primero que ha hecho ha sido inventarse su propia policía, sus propias cárceles y sus propios verdugos. Pero me niego a creer que todo esté perdido. Nuestra moneda se ha hundido internacionalmente pero tenemos oro de sobra y podemos comprar al contado las mejores armas. ¿Que las democracias hermanas, como se dice en los discursos, no nos las quieren vender? Se las compramos a los soviéticos, o a los traficantes internacionales, a quien sea.» Sonó el teléfono: la comunicación que había pedido ahora era posible. Pidió algo de manera terminante y con la máxima educación y como la secretaria que había estado mecanografiando la carta tardaba mucho en sacarla de la máquina él la arrancó del rodillo con un ademán certero y revisó la ortografía levantándose las gafas y acercándola mucho a los ojos fatigados. «Por no hablar de otro problema que tenemos, amigo Abel, aparte de esas fotos que nuestros milicianos se hacen vestidos de curas en las ruinas de las iglesias quemadas, y que nos benefician tanto ante la opinión pública internacional cuando las publican los periódicos. Los mismos periódicos que no quieren publicar las fotos que les mandamos nosotros de niños reventados por los bombardeos de los aviones alemanes, porque dicen que son propaganda. ¡No tenemos gente que hable idiomas! Mandamos al extranjero a republicanos y a socialistas leales para que cubran los puestos de los diplomáticos traidores y expliquen nuestra causa y ya me dirá usted cómo van a explicarla o qué clases de negociaciones van a hacer si en el mejor de los casos no pasaron del primer curso de francés en un colegio de curas. Esta chica tan guapa que trabaja conmigo aquí es un tesoro, habla y escribe francés. Pero las cartas en inglés o en alemán las tengo que escribir yo mismo, y si vienen emisarios o periodistas extranjeros que quieren entrevistar a alguien del gobierno yo soy el único que puede hacerles de intérprete.» Un funcionario entró trayendo en una carpeta un documento que presentó con ceremonia a Negrín, llamándole «señor ministro». Negrín lo revisó velozmente antes de firmarlo con una amplia rúbrica y se lo pasó a Ignacio Abel. «Si con esto no le dejan pasar sólo se me ocurre un recurso extremo», dijo, soltando una carcajada: «que lleve usted también por si acaso una pistola y se líe a tiros». Ignacio Abel dobló cuidadosamente el salvoconducto y se lo guardó en un bolsillo interior, asegurándose de que no se arrugaba. Ahora recuerda que en el momento de salir del despacho de Negrín el alivio de saber que se iba era más poderoso que el remordimiento y hasta que la gratitud. En la antesala había un barullo de funcionarios, de milicianos y de carabineros de uniforme. Los carabineros se pusieron firmes al ver al ministro, que tomó del brazo a Ignacio Abel y lo acompañó hasta la salida, examinando las cosas con aquella vocación instintiva de observar deficiencias y buscar remedios con que en otro tiempo inspeccionaba su laboratorio de la Residencia o las obras ahora paralizadas de la Ciudad Universitaria. «Mire qué oficinas, qué ventanillas, qué funcionarios con manguitos, qué caras. ¡Aquí las máquinas de escribir son todavía una novedad! Tenemos que hacer tantas cosas que no se habían hecho nunca, y las tenemos que hacer en medio de una guerra.» Va a pedirme que no me vaya, pensó Abel, asustado de pronto, culpable, sintiendo en el brazo la presión de la mano enorme de Negrín, va a recordarme que yo sí puedo hablar idiomas extranjeros y que debería ponerme al servicio de la República igual que está haciendo él, que ha sacrificado una carrera mucho más brillante que la mía, que si quisiera conseguiría un nombramiento en cualquier universidad fuera de España, a salvo de este desastre. Pero Negrín no le pidió nada: no hizo caso de la mano extendida de Abel y le dio un abrazo, y le dijo riéndose que no tardara mucho en hacer aquel edificio en América, que haría falta que volviera muy pronto para terminar de una vez la Ciudad Universitaria: tantas ruinas habrá que levantar de nuevo, dijo, que se harán de oro ustedes los arquitectos. Estuvo parado un momento en el umbral de una puerta con dorados barrocos, y luego dio media vuelta y desapareció, camino de sus tareas urgentes, la tela de la americana tensa en la espalda, los bolsillos llenos de cosas, las hombreras abultadas por la musculatura.

Salió del Ministerio y la lluvia y el viento le dieron en la cara cuando abría el paraguas; tendido en la cama revive la sensación de las gotas mínimas y heladas en las mejillas, diminutas aristas de hielo en la mañana de un octubre que parecía diciembre. Recordaba la imagen de Negrín dándose la vuelta para volver a su despacho y pensó de pronto que tal vez también él se estaba contagiando de alguna forma de delirio. La lluvia chorreaba por las altas fachadas grises de la calle de Alcalá empapando la gruesa capa de carteles desgarrados, jirones y pulpa de papel humedecida disgregando las consignas en grandes letras rojas y las figuras de héroes milicianos y de botas que aplastaban esvásticas, mitras de obispos, chisteras de burgueses, pecheras militares con medallas, de obreros que rompían cadenas y avanzaban sobre horizontes fantásticos de chimeneas de fábricas. Con un tesón magnífico el espíritu de los luchadores de la libertad mantiene la campaña en alta tensión y va recobrando trozo a trozo la parte de España que invadieron los fascistas, traidoramente agresores del gobierno legítimo y violadores de la voluntad popular. En la esquina de la calle de Alcalá con la Puerta del Sol una bomba había abierto una zanja enorme en torno a la cual se levantaban rieles retorcidos de tranvías. Con un paraguas en la mano un empleado de la farmacia cercana se asomaba a la zanja tapándose la nariz con un pañuelo, observando el turbión de aguas fecales que brotaba de una tubería rota y había ido formando un estanque de inmundicia. Los obreros tranviarios se aprestan a la defensa de Madrid creando en cada barriada un batallón de acero que sea la catapulta que aplaste definitivamente a la hidra fascista. Los vendedores ambulantes, los limpiabotas y los haraganes habituales de la Puerta del Sol se cobijaban de la lluvia bajo los toldos de las tiendas y en los portales de los edificios. En los balcones de Gobernación las banderas de la República colgaban como viejos trapos empapados. A la entrada de la calle Arenal una gran pancarta llena de exclamaciones y mayúsculas cruzaba de balcón a balcón: ¡NO PASARÁN! ¡MORIR ANTES DE RETROCEDER! La ciudad se había vuelto hosca e invernal; hombres mal vestidos circulaban con las cabezas gachas junto a las paredes; delante de la puerta de una carbonería se había formado una cola de mujeres con tocas sobre las cabezas y capachos de esparto; Madrid olía esa mañana a hollín empapado y a hornillas alimentadas con carbón barato, a guisos de garbanzos con berza y a aire recalentado de los túneles del metro. En un discurso de encendidos tonos y gran republicanismo el alcalde de Madrid don Pedro Rico asegura que el pueblo trabajador de la capital de España sabrá defender la libertad y aplastar al fascismo. Los tranvías daban la vuelta en los ángulos de la plaza con un ruido de artefactos decrépitos, con una vibración de maderas endebles y ventanillas rotas. Con la máxima rapidez han sido provistos los luchadores de la República de los elementos necesarios para resistir convenientemente los rigores de la próxima estación invernal. Se refugió de la lluvia en un café medio vacío, esperando a que amainara detrás de los cristales opacos de vaho. El olor a serrín le hizo acordarse de otro café igual de sombrío a la misma hora de la mañana, varios meses atrás, de Judith Biely que no levantaba la cabeza mientras él se acercaba y no se levantó cuando él estuvo a su lado, su cara deseada convertida de pronto en la de una mujer que no lo conocía. No podía arriesgarse a que se le mojara el salvoconducto recién firmado por Negrín. De una hoja de papel con un membrete oficial y una firma de tinta todavía fresca que puede ser fácilmente desleída por unas gotas de agua depende el porvenir entero de una vida. Pensaba como en un tesoro clandestino en todos los papeles que ya tenía guardados en el cajón de su escritorio, el mismo que cerraba con llave para esconder las cartas de Judith: los que ha traído consigo y ha mostrado tantas veces a lo largo del viaje, conseguidos uno por uno después de trámites extenuadores y esperas que se dilataban como minuciosos tormentos: colas en las puertas de las embajadas, primero la de los Estados Unidos, luego la de Francia, entre gente que contenía mal la impaciencia y no lograba disimular el miedo, que escondía su evidente condición burguesa llevando la ropa más gastada o menos llamativa que podía; interrogatorios, inspecciones muy demoradas de cada documento, de cada sello y rúbrica y de cada carta. Para solicitar el visado de tránsito por Francia había que presentar el visado americano y el pasaje de barco, así como una certificación de solvencia económica. La carta de invitación de Burton College que hacía falta para solicitar el visado americano se retrasó durante meses; pudo haberse perdido en medio del caos de los primeros días en la central de Correos; se quedó sin repartir más tiempo aún porque el cartero se había alistado en una columna de milicianos y no había nadie que lo sustituyera. La mayor parte del personal de las embajadas había salido del país: quedaban pocos funcionarios, irritados, agobiados por las solicitudes, insolentes con la turba cada vez más nutrida de los que se acercaban cada mañana muy temprano y aguardaban durante horas delante de las puertas cerradas, cada uno con su cartera o su carpeta de documentos bien apretada contra el pecho, con su angustia de huir, o incluso, los que tenían más miedo, de encontrar refugio en las embajadas, fingiendo naturalidad, mirando de lado cada vez que pasaba un coche demasiado rápido del que asomaban cañones de fusiles o una camioneta de milicianos. Podía haberle pedido ayuda mucho antes a Negrín pero no se decidía a hacerlo: por pudor, por vergüenza de irse, por no importunarlo ahora que lo habían nombrado ministro. Empezó a reconocer a algunos habituales de las colas y de las oficinas: en un pasillo del consulado francés se cruzó con un arquitecto al que sabía derechista y ninguno de los dos hizo por saludar al otro; una señora rusa con los zapatos de tacón torcidos le mostraba cada vez que la veía un pasaporte zarista muy deteriorado y un diploma en caracteres cirílicos expedido según ella por el Conservatorio Imperial de Moscú. En Nueva York la esperaba un contrato para dar clases de piano en la Juilliard School. ¿No podría él, siendo como parecía un caballero, ayudarle con una pequeña cantidad, ya que tenía todos los documentos necesarios para la emigración y le faltaba tan sólo completar el importe de un pasaje de tercera clase?

La mano huesuda de Moreno Villa estaba muy fría cuando se la estrechó. Hacía el mismo frío afilado y húmedo que en los corredores y en las capillas lóbregas de El Escorial. «Qué envidia me da usted, Abel, irse ahora a

América, desembarcar en Nueva York. Tantos años hace que yo fui y es como si hubiera estado ayer mismo. Cuando me llamó usted para decirme que venía a despedirse me tomé la libertad de traerle un regalo.» Tenía sobre la mesa un libro y antes de dárselo escribió una dedicatoria en la primera página. En alguna parte estará ese ejemplar si no fue destruido, en el anaquel de una biblioteca o de una librería de viejo, el papel quebradizo y con un tacto polvoriento al cabo de tantos años, algo más valioso por estar dedicado, la caligrafía indecisa, como cautelosa, de Moreno Villa, tan parecida a la línea de sus dibujos, debajo de las letras rojas del título, PRUEBAS DE NEW-YORK: *para Ignacio Abel, por si le sirve algo de guía en su viaje, octubre, Madrid, 1936, de su amigo J. Moreno Villa.* «Es uno de esos libros que uno publica para que nadie los lea», dijo, como disculpándose. «La ventaja es que es muy corto. Lo escribí en el viaje de vuelta. Usted puede leerlo en el suyo de ida. No sabe la envidia que me da.» Era posible decir adiós y no volverse a ver nunca más. Se repetía la congoja, el ritual melancólico de las despedidas: como Negrín esa misma mañana, Moreno Villa lo acompañó un rato en dirección a la salida, guiándolo por pasillos desnudos y por salas de opulencia rococó en las que a veces sonaban las campanadas sucesivas de relojes de péndulo. Se cruzaron con varios lacayos de calzón corto y casaca que llevaban cajas de papeles: un momento después con un soldado de uniforme que empujaba un gran baúl con ruedas.

—El presidente se marcha —dijo Moreno Villa—. Él dice que contra su voluntad.

—¿Se marcha de Madrid? ¿Tan mal está la situación?

—Parece que el gobierno no quiere correr riesgos. Pero don Manuel es desconfiado y pensará que es una manera de quitárselo de en medio.

—Siempre han dicho que era un hombre miedoso.

—No creo que tenga miedo esta vez. Da la impresión de que está muy cansado. A veces se cruza conmigo y no me ve. No presta atención a lo que se le dice. No porque no le importe el curso de la guerra, sino porque no espera que nadie vaya a decirle la verdad. ¿Conoce usted a su ayudante, el coronel Hernández Sarabia? Un hombre civilizado, bastante leído. Me ha contado que el presidente apenas puede dormir por la noche. Que lo despiertan los tiros de las ejecuciones y los gritos en la Casa de Campo, igual que a mí hasta hace poco en la Residencia. Dice Hernández Sarabia que cuando hay mucho silencio y el viento viene de esa dirección se puede oír hasta la agonía de los que tardan mucho en morir. En el verano dejaban de sonar los tiros y al poco rato empezaban a croar de nuevo las ranas en el lago.

Al fondo de un corredor, perfilada contra los altos cristales de un balcón que daba al oeste, distingo como si yo también la hubiera visto y pudiera recordarla una figura inmóvil, envuelta en la claridad gris de la mañana lluviosa, que se parece tanto a la de una fotografía antigua en blanco y negro. A esa distancia lo primero que Ignacio Abel vio fue el gesto de la mano que sostenía con displicencia un cigarrillo, la otra mientras tanto doblada a la espalda, una mano carnosa contra la tela negra de una chaqueta ligeramente levantada por detrás por unas formas amplias. El presidente de la República había salido de su despacho donde llevaba horas escribiendo bajo la luz artificial que le gustaba tanto para estirar las piernas y fumar un cigarrillo mirando por el ventanal hacia el horizonte de los encinares y de la Sierra de Guadarrama, ahora invisible bajo las nubes, con la misma actitud con que otra vez, hacía no tanto tiempo, había mirado a la muchedumbre que llenaba la plaza de Oriente para vitorearlo coreando las sílabas de su apellido, el día de mayo en que fue elegido para la presidencia. Estaba de pie junto a la barandilla de mármol, asomándose al mar de cabezas y al estruendo de la plaza, y también fumaba un cigarrillo y parecía absorto en la contemplación de la naturaleza, y tenía una expresión entre de lejanía y de pésame. Volvió la cabeza despacio al oír los pasos.

—Venga conmigo a saludar al presidente.

—Déjelo, Moreno, no quiero importunarlo.

—Después me preguntará quién era usted y se molestará si piensa que lo he recibido a sus espaldas, que yo también estoy tramando algo.

Cuando el presidente expulsaba el humo del cigarrillo se hinchó un poco más su cara bulbosa.

—Don Manuel —dijo Moreno—, seguro que se acuerda usted de Ignacio Abel.

—Lo llevé en mi coche una vez a inspeccionar las obras de la Ciudad Universitaria. Y otra vez estuve con usted en el Ritz, en la cena que hubo cuando se inauguró el edificio de Filosofía y Letras.

—Con Negrín, ¿verdad? Entre los dos querían ustedes convencerme de que había valido la pena arrasar aquellos pinares magníficos de la Moncloa.

Los ojos de Azaña tenían un gris pálido y acuoso. Extendió la mano derecha (el cigarrillo todavía en la izquierda) y la mantuvo casi inerte mientras Ignacio Abel la estrechaba. Era una mano blanda, aún más fría que la de Moreno Villa. Visto de cerca estaba más viejo que sólo unos meses atrás y algo descuidado, con motas de caspa y algún pelo blanco en las solapas anchas de una chaqueta funeraria, que tenía el brillo de un uso excesivo. Un aire de sopor y de agotamiento extremo le aflojaba los rasgos, la piel incolora, de una palidez mantecosa.

—¿Cómo sigue su Ciudad Universitaria? ¿Han terminado ustedes por lo menos aquella facultad que inauguramos con tanto bombo hace más de tres años?

—Por ahora todo está en suspenso, me temo, don Manuel.

—Una manera elegante de decirlo. Negrín y el arquitecto López Otero y hasta el ministro de Instrucción Pública se empeñaban en decirme que para octubre de este año me llevarían a inaugurar la obra completa. Pero eso fue antes de la huelga de la construcción y de que empezara todo esto.

—El doctor Negrín ha sido siempre un optimista.

—Me imagino que habrá encontrado ya motivos para dejar de serlo. Aunque yo no podría decirlo. Tampoco él viene nunca a verme. Estará muy ocupado, siendo ministro...

—El señor Abel sale de viaje mañana para los Estados Unidos. Ha venido a despedirse de mí y de paso a presentarle a usted sus respetos.

Azaña miraba a Abel con sus ojos claros y acuosos detrás de los cristales de las gafas y en su boca se había formado un gesto sutil de sarcasmo.

—¿En otra de esas misiones oficiales que costeamos para que nuestros intelectuales más insignes puedan irse a toda prisa de España sin perder la vergüenza? En cuanto pasan la frontera y se sienten seguros empiezan a hablar mal de la República.

—Al señor Abel le han encargado un edificio en una universidad de los Estados Unidos —dijo Moreno Villa, como si improvisara una disculpa—. Una gran biblioteca.

Azaña los miraba a los dos pero ya no parecía que los viera, o era que no daba crédito a lo que estaban diciéndole, que no se fiaba. La uña del dedo índice de la mano izquierda estaba amarilla de nicotina; la yema del índice de la derecha tenía una mancha de tinta.

—Si usted cree que yo puedo hacer algo cuando esté

allí, por lo menos informar de lo que está pasando en España…

La mirada ahora se mantenía en él, fija pero ausente, bajo los párpados pesados, que acentuaban la expresión de fatiga y de agravio, de incredulidad recelosa.

—Nadie puede hacer nada. Nosotros mismos somos nuestros peores enemigos. Que tenga usted un buen viaje.

Inclinó ligeramente la cabeza y sin estrecharles la mano volvió a su despacho, al cuaderno donde escribía con una letra diminuta y regular a la luz de una lámpara, incluso cuando era de día, en una penumbra artificial en la que le gustaba envolverse como en un refugio.

Del resto de ese día casi no se acuerda; sólo de la irrealidad en que parecían sumirse todas las cosas ante la cercanía del viaje, todos los gestos que una vez cumplidos ya estaban en el pasado de lo que se hace por última vez. Quisiera no acordarse de la soledad agrandada de la casa en esa noche final, las horas acercándose a la partida, la luz debilitada por las averías sin reparar de un bombardeo reciente, el sabor desagradable del coñac que bebió para tranquilizarse, y que le duraba en la boca cuando se tendió completamente vestido sobre la cama, la maleta ya cerrada en el suelo, los documentos comprobados por última vez, en una carpeta sobre la mesa de noche. Se quitó los zapatos, apagó la luz, cerró los ojos diciéndose que permanecería inmóvil intentando descansar durante unos pocos minutos, no se dio cuenta de que se quedaba dormido. Despertó con la angustia de que era muy tarde y de que el camión se habría ido cuando él llegara a la estación. Pero en el reloj de la mesa de noche vio que habían pasado sólo unos minutos. En la oscuridad una voz repetía su nombre al fondo del pasillo, al otro lado de la puerta cerrada, asegurada por dentro con doble llave y cerrojo. Una mano golpeaba, despacio, para llamarlo a él sin despertar alarma, y alguien decía al mismo tiempo su nombre en voz baja, acercando mucho la boca al intersticio de la puerta y el marco, respirando, pronunciándolo como si su sonido bastara para vencer la resistencia de la plancha de madera, su grosor y su peso de roble, la firmeza del cerrojo de acero y de los pestillos echados. «Ignacio», decía, «Ignacio, ábreme». Esta vez no eran golpes ni pasos violentos en la escalera la razón de que hubiera despertado, no el motor de un automóvil deteniéndose en la acera en el silencio de las cuatro de la madrugada o el brillo de unos faros listando de claridad eléctrica la penumbra del dormitorio a través de los postigos. Era una voz, lenta, reiterada, conocida, identificada muy pronto, en cuanto se disipó el aturdimiento del sueño. Se sentó en el filo de la cama y hubo unos momentos de silencio, como si hubiera soñado la voz. Estuvo un rato así, alerta, la espalda erguida, las manos sobre las rodillas, queriendo creer que no volvería a oír que lo llamaban, que no se repetirían los golpes en la puerta. De no haber sido tan profundo el silencio la voz de Víctor no habría atravesado con tanta nitidez las puertas cerradas y el espacio de las habitaciones vacías. Se levantó procurando no hacer ningún ruido, no encendió ni siquiera la lámpara de la mesa de noche, por miedo a que lo delatara el clic del interruptor. Pisó con cautela, un paso y luego otro, deteniéndose después de cada movimiento, avanzando en la penumbra, de una habitación a otra, vislumbrando las manchas blancas de las sábanas que cubrían los muebles. Antes de llegar al recibidor tan sigilosamente como si se deslizara unos milímetros por encima del suelo se quedó paralizado al oír de nuevo la voz, al identificarla sin la menor incertidumbre, reconociendo en ella la impaciencia, la ira mezclada con el miedo, la aspereza ronca de alguien que lleva mucho tiempo sin hablar alto y tal vez sin beber agua, que tiene fiebre, que está herido. «Ignacio, por lo que más quieras, ábreme, sé que estás ahí y que me estás escuchando, te oigo respirar.» Pero era imposible que percibiera su presencia, si él mismo apenas notaba el aire silencioso en las aletas de la nariz, si estaba tan quieto que podía sentir los latidos del corazón en las sienes igual que en el pecho. «Ignacio, me buscan, no tengo dónde esconderme, déjame entrar y te prometo que me iré antes que sea de día. Nadie me ha visto entrar. No voy a comprometerte, Ignacio, nadie me verá salir, por lo que más quieras.» Adelantó la mano hasta rozar la puerta. Levantó con extremo cuidado la delgada tapa metálica de la mirilla, que se adhería a las yemas de sus dedos. Se asomó con cuidado, como si el otro pudiera verlo desde fuera. Pero tampoco él vio nada. El rellano estaba a oscuras. La luz del techo se había fundido hacía tiempo y el portero no la había cambiado. Pero en cualquier caso Víctor no se habría atrevido a encenderla. Escuchaba el roce de su cuerpo contra la puerta, adhiriéndose a ella, la respiración agitada, el chasquido de la lengua en la boca escasa de saliva. La palma de la mano daba golpes a la vez asiduos y llenos de cautela. El jadeo se interrumpía cuando la voz iba a repetir el nombre, «Ignacio, Ignacio, por Dios, ábreme, si tú no me escondes vas a matarme, sé que estás ahí, te oigo, aunque tú no quieras, te vi entrar y sé que no has salido». Ahora había cerrado el puño, y golpeaba con los nudillos, y con la otra mano movía el pomo de bronce, como probando la posibilidad de que cediera en su resistencia, de que la puerta se abriera permitiéndole pasar a la seguridad del otro lado con el mismo sigilo con el que pasaba la voz. Dejó de golpear un rato y se quedó en silencio. Aunque no se escucharon pasos podía pensar que se había marchado. Al otro lado de la mirilla no había más que una oscuridad cóncava. Pero seguía allí, sólo que había apoyado la espalda contra la puerta y se había deslizado poco a poco hacia el suelo. Y si no se iba nunca, si perdía el conocimiento, si se quedaba tanto tiempo que cuando Ignacio Abel pudiera salir ya se le había hecho tarde para tomar el camión hacia Valencia. Quizás lo habían herido y estaba desangrándose. Quizás llevaba muchas noches en vela huyendo de un refugio a otro y se quedaba dormido en el suelo, delante de la puerta. Pero la voz volvió a sonar, más cercana todavía, más ronca, los labios pegados a la juntura entre las dos hojas de la puerta. «Ignacio, te juro que no he matado a nadie, que no he hecho daño a ninguno de los tuyos. Ignacio, ábreme. Qué van a pensar tus hijos cuando se enteren, cuando sepan que dejaste que me mataran.» Casi le parecía que le daba el aliento en la cara, que el otro cuerpo estaba pegado al suyo y notaba el olor agrio del miedo en la transpiración, en la ropa que Víctor no debía de haberse cambiado en muchos días. Esperaba pasos y no los oía. En el reloj de pulsera tintineaban los segundos. En alguna parte del edificio una puerta se abrió de golpe y luego se cerró, llaves girando y pestillos después del retumbar de la pesada plancha de madera. Inmóvil, el frío en la cara, en las plantas de los pies, supo que la voz ahora le hablaba desde un poco más lejos, quizás sólo unos centímetros, pero ya en otro mundo, como en el reino de los muertos. «Maldito seas, Ignacio. Maldito seas. Tú no has tenido nunca corazón. Ni para ser rojo, ni para ser hombre. No te creas que no sé que me estás escuchando, Ignacio.»

33

Ha salido del Faculty Club después de comer, con el alivio de quedarse solo, sin urgencia de nada, después de pasarse toda la mañana sometido al ritmo enérgico de Stevens, a sus inagotables reservas de entusiasmo práctico, a su disposición casi implacable de amabilidad, que incluye ese punto excesivo de indulgencia con que se dirige uno a un enfermo, con que se sonríe a quien se compadece: preguntándole de manera indirecta sobre su dolencia, como si el solo hecho de mencionarla ya la agravara. A las nueve de la mañana le había dicho Stevens que vendría a buscarlo, y a las nueve menos cinco escuchó el motor del automóvil deteniéndose delante de la casa y el claxon. Estaba esperando, desde hacía rato, ya dispuesto, sentado junto a la ventana, acomodado en el silencio, observando las copas de los árboles que se pierden en la distancia, escuchando los pájaros, los que se movían en el interior del bosque y los que pasaban en altas bandadas triangulares atravesando el cielo muy limpio, con escándalos de graznidos que levantaban ecos en la distancia. Se había despertado temprano, con una conciencia de haber dormido muy profundamente, sin sueños de voces que dijeran su nombre o de timbres de teléfonos. Se había quedado un rato en la cama sin moverse apenas, complacido en la blandura cálida del colchón y la almohada, en la limpieza de las sábanas, de un blanco más puro según se afianzaba en la habitación la primera claridad del día, un poco antes de que saliera el sol por encima de las copas cónicas de los árboles. Veía su gabardina echada de cualquier modo a los pies de la cama, los zapatos y los calcetines en el suelo, los pantalones y la camisa colgados de la silla, como las trazas de la presencia de otro, la ropa deteriorada del que ha estado mucho tiempo de viaje, y en la que se quedó adherido el cansancio, igual que el olor de los restaurantes baratos y los cuartos de hotel. Se dio un baño largo, en el agua muy caliente, casi del todo sumergido en ella, en la bañera que tenía las proporciones anchurosas de todo lo que había en la casa, y al cerrar los ojos y hundir la cabeza bajo el agua conteniendo la respiración sintió que se disolvía en la ingravidez del descanso, protegido y absuelto, la piel luego apaciguada por el tacto del jabón y la esponja, el sexo reavivándose como alguna especie de planta o animal submarino, trayéndole sin ningún esfuerzo de la memoria el recuerdo de la desnudez de Judith, ni siquiera el recuerdo, la sensación física, muy intensa y fugaz, como tenerla cerca en un sueño y perderla según se iba despertando, según empezaba a enfriarse el agua en la bañera, su amante fantasma acompañándolo en lugares donde nunca ha estado con ella. Al limpiar el vaho en el cristal del espejo vio todavía la cara exhausta del viaje, los ojos inquietos de alguien que no ha llegado a su destino. Se enjabonó la cara despacio, haciendo mucha espuma con la brocha de tejón, parte del estuche de piel de cerdo con sus iniciales grabadas, regalo de Adela en el último día de su santo, cuando planeaban todavía el traslado a América de toda la familia. La cuchilla se deslizaba con suavidad y eficacia sobre la piel reblandecida por el calor del baño. Se afeitó tan meticulosamente como en su cuarto de aseo de Madrid, aunque sin la prisa que solía dominarlo entonces, prisa por llegar pronto a la oficina o por encontrarse a primera hora con Judith Biely, la cita clandestina más gustosa aún porque iba a suceder a la hora de más agitación laboral del día. Hoy era temprano y tenía tiempo de todo. El tiempo tenía la misma amplitud del espacio en la casa. La ligera flacidez de la papada hacía más difícil el afeitado. La línea de la mandíbula ya no era tan nítida como no mucho tiempo atrás. La edad, en la que pocas veces había reparado —por distracción, por soberbia, por el halago del amor de Judith—, empezaba a aflojar los músculos que antes eran firmes, ablandando la cara, borrando casi en la papada la forma de la barbilla. Pero bien afeitado, bien peinado, la raya recta en el centro del pelo, las patillas cortadas limpiamente a la altura adecuada, parecía más joven, y también más respetable, no un refugiado dudoso, un indigente digno, como los que leían las páginas de anuncios del periódico en Nueva York, en las barras de las cafeterías, en los bancos de los parques, o como los que habían empezado a llegar a Madrid desde Alemania unos años atrás, fugitivos de Hitler. Cómo habría agradecido el profesor Rossman una habitación así, la oportunidad de un baño demorado y de la ropa limpia, una placidez que no aliviaba la incertidumbre pero la dejaba en suspenso. Ahora podía por fin ponerse la ropa que había reservado con un cuidado tan extremo para este día: la camisa blanca, con los puños sin roces y el cuello sin cerco de mugre, el traje de repuesto, que había colgado en el armario antes de acostarse, el chaleco, el alfiler en la corbata, los gemelos en los puños. Limpió como pudo los zapatos, aunque no hubo manera de disimular las grietas ni las suelas demasiado gastadas, y uno de los cordones tuvo que atárselo con mucho cuidado porque se estaba deshilachando y en cualquier momento podría romperse. De lo que más aprendo es de fijarme en cómo las cosas de todos los días se gastan, le había dicho el ingeniero Torroja en Madrid: cómo van rozándose, cómo el tiempo y el uso van dándoles su verdadera forma y luego las deshacen. Las suelas de estos zapatos, cortados y cosidos a mano y ahora irreconocibles: los cordones, rozándose con los agujeros, sometidos a una erosión que en la mente científica de Torroja era semejante a la de las cuerdas de un barco o los cables de acero de un puente. Podía echar la ropa sucia en un cesto de mimbre que había en el cuarto de baño, le había indicado el meticuloso Stevens: le dio vergüenza el olor, que sólo ahora advertía, los indicios de la falta de higiene a la que poco a poco había capitulado a lo largo del viaje, en los últimos meses. En el armario había un espejo de cuerpo entero: se examinó en él, cepilló el traje y el sombrero y procuró que el ala tuviera la inclinación adecuada. Demasiado formal, tal vez, pero quizás era el efecto de no haberse arreglado de verdad desde que ir bien vestido por Madrid se había convertido en algo raro y peligroso: ahora veía en el espejo no tanto a quien era en este momento, sino el recuerdo de quien había sido, un año atrás, con este mismo traje, el día de principios de octubre en que se vistió con tanto cuidado para dar su charla en la Residencia de Estudiantes, la primera imagen de él que recordaría Judith Biely, si es que el olvido no lo ha borrado ya por completo, el olvido voluntario de quien es capaz de cancelar o de arrancarse una parte de la vida.

Demasiado formal: el traje tan bien cortado por un sastre moderno de Madrid aquí, en Burton College, es de pronto un poco rancio, casi anticuado, por comparación con la ropa deportiva de los estudiantes, de las franelas y las chaquetas a cuadros de los profesores, que afectan un aire de hacendados rurales ingleses, en concordancia con el vago mimetismo medieval de la arquitectura. Por eso es tan fácil distinguir a Ignacio Abel, cuando ha salido del Faculty Club y camina por un sendero en el rectángulo central del campus, más formal y más lento que los otros, también más desocupado, con las manos en los bolsillos, con una excesiva palidez española, recreándose en el sol de la primera hora de la tarde, sin gabardina, sin una maleta en la mano, cruzándose con grupos de hombres y mujeres muy jóvenes que llevan libros y carpetas y se apresuran camino de las clases o de la biblioteca, ese edificio pseudo-gótico en el que ya no caben los libros y en el que la humedad los llena de moho que será abandonado en cuanto esté construida la nueva biblioteca, la que por ahora sólo existe como una conjetura en su imaginación y en los bocetos de un cuaderno que ahora lleva en el bolsillo. Observa cuerpos elásticos y caras de salud que no parecen haber sido rozadas nunca por la sombra del miedo ni desfiguradas por la crueldad o la ira. Las muchachas con vestidos ligeros en la mañana cálida de octubre, con zapatos bajos y calcetines blancos, los estudiantes con jerseys de colores vivos, casi todos con las cabezas descubiertas, moviéndose los unos mezclados con los otros con una camaradería sin apariencia de esfuerzo. La calidad de los dientes facilita la risa: se acuerda del dictamen de Negrín cuando observaba en Madrid las caras de la gente con sus ojos de médico, los signos tristes de la malnutrición y la falta de higiene. ¡Leche pasteurizada y aceite de hígado de bacalao iban a ser los remedios del atraso de España, calcio abundante para las dentaduras enfermas! Tiene tiempo, hasta las seis no irán a recogerlo para la cena que da en su honor el presidente del *college*. Las horas parecen dilatarse con una amplitud fecunda desde que terminó de arreglarse esta mañana y aún le sobraba tiempo para desayunar y hasta para escribir alguna carta, para examinar la soledad resonante de la casa de invitados. En las paredes de los corredores había retratos al óleo de personajes con casacas coloniales o levitas del siglo pasado, paisajes de las orillas del Hudson, con las montañas azules al fondo y las colinas cubiertas por bosques otoñales, acuarelas con proyectos de edificios universitarios. En un cuadro de ejecución tosca y detalles muy vívidos un rótulo con la inscripción «Burton College, 1823» flotaba sobre una vista de un torreón de aire gótico levantado en un claro, con una minuciosidad de manuscrito iluminado medieval. Como un intruso o un fantasma bajó por la escalinata de peldaños de roble que daba al vestíbulo. En la claridad del día todo era diferente a lo que había visto la tarde anterior. Cruzó una gran biblioteca la mitad de cuyos estantes estaban vacíos, con un piano de cola en el centro y sillas de tijera apiladas contra una pared. Cruzó un salón que daba a un jardín, con una chimenea en la que crepitaba un fuego de leña olorosa, con hondos sillones de cuero junto a los que colgaban bastidores con periódicos. Parecía que alguien servicial e invisible hubiera estado esperando su despertar. Escuchó sonidos de platos y cubiertos. Al final de la larga mesa de un comedor había un servicio de desayuno. Una mujer negra y fornida le dio jovialmente los buenos días y le hizo varias preguntas sucesivas que él sólo poco a poco comprendió, descifrando los sonidos evidentes con un cierto retraso, con una falta de sincronía de varios segundos. Asintió a todo: quería café, quería azúcar y leche, quería zumo de naranja, quería mantequilla y mermelada y pan de centeno. La mujer era al mismo tiempo majestuosa y servicial: le dijo cosas que a él se le volvían indescifrables cuando creía estar a punto de comprenderlas y lo observó con paciencia indulgente mientras él intentaba explicarle algo y de pronto no le salía una palabra trivial, y se escuchaba torpe y lento, la boca abierta sin que ningún sonido brotara de ella. La mujer llevaba un traje de calle bajo el mandil y un sombrero con adornos brillantes y baratos de flores. Le llamaba unas veces *your excellence* y otras *your honor* y debía de pensar que era algún mandatario o algún noble europeo exiliado de alguna revolución y necesitado de mucho alimento. Lo miraba comer respetuosa y complaciente, le sirvió más leche y más café y rebanadas de pan oscuro y esponjoso y le indicó por gestos que se untara más mantequilla, que probara cada uno de los botes de mermelada dispuestos sobre la mesa. Recogió rápidamente las cosas del desayuno y le dijo con aspavientos y gestos de las manos que no se preocupara de nada, que ella volvería más tarde para arreglar la casa. Ponía expresión de pena mirándolo comer y dijo algo sobre la guerra y la falta de alimentos y luego sobre su marido o su hijo que había luchado en la guerra de Europa y vuelto de ella enfermo a causa del gas, pero Ignacio Abel no estaba seguro y se limitó a sonreír y a mover afirmativamente la cabeza. Había algo sólido y rotundo en las cosas, lo mismo en la construcción de la casa que en el grosor de las rebanadas de pan, en la rica densidad de la leche y la loza pesada del tazón, una especie de robusta cordialidad que estaba también en la presencia de la mujer y en el tamaño de sus manos con las uñas rosadas y las palmas muy blancas.

Al quedarse solo de nuevo se le multiplicaron las dimensiones y el silencio de la casa. En la presencia de las cosas, en la agudeza de sus percepciones, había un punto borroso de irrealidad. Confortado por el desayuno cruzó de nuevo espacios que parecían concebidos para que sólo él los habitara, ajenos a su vida y sin embargo tan inmediatamente hospitalarios como si hubiera vivido en ellos mucho tiempo y ahora regresara, esta mañana, encontrando las habitaciones inundadas de sol, el fuego encendido, los periódicos del día en los bastidores junto a los sillones de cuero rozado. Abrió uno, con el miedo de tantas veces, con el ansia y la repulsión simultánea de encontrar noticias sobre España. Era un *New York Times* de dos semanas atrás, y al comprobar la fecha estuvo a punto de dejarlo, pero la impaciencia lo atraía hacia sus anchas páginas con la letra diminuta, con una anticipación de desagrado, aunque lo que pudiera encontrar ya no tendría importancia, habría caído en el anacronismo inmediato. Y allí estaba, en una página interior, el maleficio eterno de la palabrería y la crueldad taurinas: DEATH IN THE AFTERNOON— AND AT DAWN. Sólo vio esas palabras y ya supo que se referían a España. No podían faltar, la muerte ni la tarde, como si la crónica fuera de una corrida y no de una guerra, y tampoco podía faltar el sol, la claridad candente exagerando los colores de la fiesta nacional para gozo del turismo, DEATH UNDER THE SPANISH SUN-MURDER STALKS BEHIND THE FIGHTING LINES-BOTH SIDES RUTHLESS IN SPAIN. Los dos lados iguales para ellos en su exotismo y en su gusto por la sangre, *Elimination of Enemies by Execution is the Rule*. Quién habría leído el periódico hace dos semanas, quién, recostado en el sillón de anchos brazos rozados, de cuero tan noble como los troncos que arderían en la chimenea o como la repisa de mármol, se habría interesado por esas noticias sobre ejecuciones en paisajes desérticos castigados por el sol mientras en el ventanal que da al jardín habría una brisa suave de principios de otoño que removería no sólo el rumor de las hojas sino también los olores de la tierra fertilizada por la lluvia, el suelo grumoso y rico por las hojas acumuladas a lo largo de otoños solemnes. Cómo era el país en guerra que uno imaginaba leyendo el periódico después de haber desayunado: remoto, sanguinario, predestinado al infortunio, provocando si acaso una virtuosa simpatía que no cuesta nada y fortalece la sensación confortable de estar a salvo, protegido por la distancia y por la civilización que le permite a uno dar por supuestos los placeres de la mañana, el aseo después de una noche de sueño, la abundancia sacramental del desayuno en una habitación espaciosa, iluminada por la claridad limpia del día, el olor del café y el de la tinta del periódico, del pan tostado y la mantequilla fresca fundiéndose ligeramente sobre él. Así había leído él mismo las noticias sobre Abisinia no muchos meses antes, mirado en *Ahora* y en *Mundo Gráfico* las fotos de los etíopes indefensos con sus lanzas y sus túnicas tribales y las de los insolentes expedicionarios italianos, con su burda épica colonial copiada de malas películas de aventuras y sus eficaces aviones Fiat armados de ametralladoras y bombas incendiarias. Ahora los abisinios somos nosotros; nosotros mismos las víctimas de los eficientes invasores y los encargados de la parte más rudimentaria de la carnicería.

Murder stalks behind fighting lines. Dejó el periódico sin haber leído entera la crónica y salió de la casa, las aletas de la nariz dilatadas por el aire fresco, con una humedad de rocío, con un olor a tierra y a hojas caídas, a la resina y a la savia de los grandes cedros o abetos que limitaban el claro, las ramas como tejados sucesivos de pagodas, sus extremos oscilando suavemente en el aire. Los picotazos del pájaro carpintero resonaban con la misma poderosa nitidez que si fueran golpes o pasos bajo una bóveda, el tronco entero vibrando, la madera recia y fresca. El suelo forrado de hojas cedía mullido bajo sus pisadas y el rocío de la hierba le mojaba los zapatos y los bajos del pantalón. Hacia un lado el camino se perdía en el bosque. Hacia otro, desde el costado de la casa, herido ahora por los rayos del sol, se abría un paisaje ondulado de pastos y campos de cultivo, interrumpidos por vallas blancas y granjas, por altos graneros pintados de colores vivos. Hubiera querido seguir uno cualquiera de aquellos caminos. Pero tenía miedo de perderse o de que se hiciera tarde y volvió a la casa, no sólo por precaución, también porque se veía incongruente en su traje y sus zapatos de ciudad europea. Admiró atentamente desde fuera la forma del edificio, la sugestión de arraigo con que se posaba sobre la tierra, en el claro del bosque, midiéndose con la escala de los árboles, firme y cerrada sobre sí misma para resistir los inviernos y para no quedar anulada por la amplitud del paisaje y a la vez abierta a él, la balaustrada de la terraza sobre las columnas del pórtico, las amplias ventanas que daban a todos los puntos cardinales, al bosque y a los campos de cultivo y a la distancia en la que estaba el río y más allá de la cual se elevaba una línea de montañas azules. Volvió a la casa y a su habitación para limpiarse de nuevo los zapatos y la cama ya estaba hecha, el embozo recto, las almohadas mullidas con una consistencia ingrávida de plumón, el orden restablecido. Sentado ante la ventana, la espalda recta en la silla muy sólida, la mano apoyada en la mesa, en la carpeta de bocetos y acuarelas que había traído de Madrid, imaginó cartas para sus hijos y para Judith Biely, calculó con desgana la hora que sería en España, escuchó poco a poco acercarse el motor del automóvil de Stevens.

Estaba rojo, recién duchado, resplandeciente, como si le hubiera sacado brillo no sólo a la montura dorada y a los cristales de sus gafas sino también a sus ojos muy claros, a sus uñas pulidas, a su dentadura, a los zapatos de cuero crujiente que lo transportaban de un lado a otro cuando bajaba del coche casi a la misma velocidad que cuando iba conduciéndolo. Olía a colonia y a dentífrico de menta.

Arrancó en cuanto Ignacio Abel se instaló a su lado, mirando el reloj, impaciente por aprovechar el tiempo, por completar cada una de las tareas que había planeado para esa mañana, casi todas ellas administrativas, saltando arbitrariamente del inglés a un español con tanto acento que se volvía ininteligible, gesticulando para mostrarle los lugares de mérito de los alrededores del campus, más desahogado esta mañana y más seguro de sí mismo porque no estaba sometido a la vigilancia intimidadora y fácilmente sarcástica de Philip Van Doren. Había que parar en edificios de aire entre gótico y rural que albergaban insospechadas oficinas en las que hacía siempre un calor agobiante y en las que secretarias o mecanógrafas sonreían al estrechar la mano de Ignacio Abel y prestaban mucha atención para escuchar bien su nombre extranjero, mostrando con entonaciones agudas el entusiasmo que les producía conocerle, sobre todo cuando Stevens repetía sucesivamente ante cada una de ellas la lista de sus méritos, adoptando luego una mímica inversa de dolorida compasión cuando Stevens mencionaba la guerra en España y las dificultades que el profesor Abel había tenido que superar para salir del país: ojos muy abiertos, exclamaciones, suspiros. Había que rellenar impresos, mostrar documentos, contestar a preguntas, asentir moviendo mucho la cabeza aunque no se entendiera gran cosa, aunque las palabras se perdieran entre el ruido de las máquinas de escribir (se confundía, no entendía lo que le habían preguntado, no encontraba el pasaporte con el número de visado o el papel que había guardado en un bolsillo un momento antes, en otra oficina, en esta misma). Había que subir de nuevo al automóvil y que recorrer carreteras y desviarse por caminos que al principio provocaban en Ignacio Abel el desconcierto de travesías al azar por parajes siempre desconocidos y poco a poco cobraron la forma mucho más restringida de unos pocos itinerarios: prados, edificios góticos, zonas de bosque, senderos rurales, iglesias, pabellones de aulas o de dormitorios, campos de deportes, más oficinas de un aire tan caliente que se hacía irrespirable, de nuevo el aire fresco con olor a bosque y a césped, el automóvil arrancando con brusquedad y Stevens mirando el reloj, el laberinto de idas y venidas reduciéndose, tranquilizadoramente, a un solo escenario, o casi, el rectángulo irregular en torno al cual se organizaban los edificios principales del campus: otra Ciudad Universitaria, no medio en proyecto y dejada en suspenso y abandonada antes de haber llegado a existir, no erigida sobre una tabla rasa de campos desérticos y pinares abolidos, sino crecida poco a poco, al principio como asentamientos de pioneros en los claros de aquellos bosques inmemoriales, luego cobrando una forma entre azarosa y orgánica, con resonancias visuales de universidades inglesas, torres góticas, extensiones de césped y paredes de hiedra: y siempre —le parecía a Ignacio Abel, huésped recién llegado en la lentitud peculiar del tiempo, en la cualidad de retiro y de isla, convaleciente de incertidumbres y cataclismos españoles— con un sosiego que se correspondía con los ciclos solemnes del mundo, el tránsito de las estaciones y el curso del río tan cercano, la acumulación gradual y no los arrebatos tan súbitos como los desastres, la conciencia tranquila de una protección o de un privilegio cuyos signos él apreciaba en todas partes y a los que se sentía al mismo tiempo atraído y ajeno. En una de las paradas Stevens abrió a toda prisa una puerta y subió delante de él por una escalera de caracol y cruzó un corredor de techo bajo y nervaduras de piedra y abrió una puerta que daba a una habitación pequeña y confortable y le dijo, ante su incredulidad, que ese iba a ser su despacho. En otra varias personas le fueron presentadas y todas celebraron *how exciting it is finally ha-*

ving you here as part of our faculty y un momento más tarde Stevens le tiró sin ceremonia de la manga y lo llevó escaleras abajo hacia una sala sin ventanas que era un estudio fotográfico. En los minutos escasos que quedaban antes de la siguiente tarea debía aprovechar para que le hicieran la foto de su tarjeta de identidad universitaria. El fotógrafo lo hizo sentarse en un taburete delante de un lienzo negro y lo zarandeó para que adoptara la posición adecuada, gastando bromas que Ignacio Abel no entendía pero que a él mismo le provocaban una hilaridad resonante, no compartida del todo con Stevens, que miraba de soslayo el reloj, porque un poco más tarde tenían que almorzar con un grupo de profesores del departamento en el Faculty Club, y antes de eso estaba previsto que visitaran el solar de la futura biblioteca. Era un deseo especial del señor Van Doren, le había llamado esa misma mañana para insistirle, que por ningún motivo el profesor Abel se quedara sin ver el lugar exacto y pudiera tomar sus primeras notas sobre el terreno. El fotógrafo tenía una cara albina y congestionada y sujetaba a Ignacio Abel por la barbilla para que se detuviera en el ángulo que él quería, y cuando ya iba a disparar le dijo que sonriera, primero en un tono afectuoso, casi fraternal, y luego lleno de impaciencia, como de decepción ante la cara que seguía tan seria, la cara española inhábil para la sonrisa abierta que él estaba exigiendo, y a la que al final renunció, aunque Stevens, a su lado, miraba a Abel como dándole ánimo, ofreciéndole el ejemplo de su propia sonrisa exagerada. En algún archivo de Burton College estará esa foto, la ficha de cartulina con el nombre mecanografiado, la tinta ya muy desvaída por el paso del tiempo y las esquinas gastadas o dobladas, la tentativa de sonrisa de un hombre demasiado serio que aquella mañana parecía mayor de su edad verdadera, su cara desconcertada, ansiosa, desconocida o chocante para él mismo si la hubiera podido ver en ese momento, los labios curvándose rígidamente en los extremos.

Ahora no tiene que sonreír, que mover afirmativamente la cabeza o esforzarse por comprender lo que le dicen o seguir el ritmo incesante de Stevens, sus largas zancadas en las que hay a veces como un vuelo caprichoso de pasos de baile. Stevens se ha disculpado por dejarlo solo y se ha levantado tragando el último bocado de su sándwich y el último sorbo de agua porque tenía que dar una clase. Hasta el final los signos de su preocupación han tenido algo de parodia. ¿Se las arreglará bien solo las próximas horas Ignacio Abel? ¿Seguro que no prefiere que un estudiante lo acompañe o lo lleve en automóvil de vuelta a la casa de invitados? Pero nada le apetece más que quedarse solo y adquirir caminando el sentido del espacio, despejando la confusión de las idas y venidas en coche y el aturdimiento de las presentaciones y los saludos sucesivos. Ha descubierto que todo está en realidad muy cerca: que el automóvil convertía en inconexos y lejanos los itinerarios. A la casa de invitados, que esta mañana le parecía tan perdida en el bosque, ahora sabe que puede volver en menos de quince minutos. Esta mañana las ramas de los árboles azotaban los cristales del coche de Stevens cuando ascendía por el camino estrecho, casi un sendero, que lleva al claro donde está la primera excavación abandonada hace años de la futura biblioteca. Un viaje tan largo para llegar a este destino: una oquedad en la tierra, medio tapada por malezas y troncos caídos y hojas secas acumuladas durante varios otoños, los márgenes hendidos por los dientes de las palas de las excavadoras. Observado por Stevens, consciente de su cercanía ansiosa y habladora —se apresuraría a informar a Van Doren de la visita, a contar o inventar detalles reveladores sobre la reacción del invitado—, Ignacio Abel no había sabido mirar plenamente lo que tenía por fin delante de los ojos, después de haberlo imaginado tanto. Para ver algo de verdad siempre ha necesitado estar solo. Únicamente la compañía de Judith ha dilatado su capacidad de mirar, le ha abierto los ojos a cosas que sin ella no habría visto. Madrid fue otra ciudad porque la había descubierto a través de los ojos de ella. Tenía al lado a Stevens y su sola presencia lo distraía y lo irritaba, aun cuando se quedaba callado. La zanja se extendía desde la cima de la colina hasta la mitad de la ladera. Hacia un lado estaban los edificios del campus, al final del camino, agrupados contra la amplitud del paisaje que se extendía hacia el horizonte y a la vez dispersos, con una apariencia de azar que sólo observada despacio revelaba un eje, un principio organizativo, en torno al rectángulo que Stevens llamaba *The Commons*. Hacia el oeste, más allá de la ondulación roja y ocre y amarilla de las copas de los árboles, el río era una ancha lámina metálica atenuada por una bruma azul en la que reverberaba el sol, las lonas blancas de los veleros suspendidas en ella como mariposas o cometas inmóviles. Stevens, a su lado, señalaba montañas o edificios en la distancia, y decía sus nombres, enumeraba fechas de construcción, las medidas exactas del solar en el que se levantaría la biblioteca. «Y la vista del río», dijo, como un guía ansioso por convencer a un grupo de turistas del mérito del paraje al que los había llevado. Pero miraba el reloj, impaciente porque la visita se ajustara al tiempo reglamentado para ella, con la inhabilidad de las personas muy activas para quedarse quietas y calladas. Eran las doce y cuarto, dijo, a las doce y media tenían mesa reservada en el Faculty Club, seguro que al profesor Abel le iba a encantar conocer a algunos colegas del departamento.

Sigue ahora el camino, ladera arriba, a la sombra enorme de los árboles, arces y robles sobre todo, cree reconocer, y otros cuyos nombres ignora, no sólo en inglés, sino también en español, y se acuerda de las etiquetas que tienen los árboles en el Botánico de Madrid, y de la sorpresa con que Judith Biely reconocía algunos, como amigos a los que se encuentra inesperadamente en un país extranjero, sus lujosos colores de otoño resaltando más en la ciudad sobre todo propicia a los tonos terrosos y a los verdes polvorientos. Pero aquí son mucho más grandes, en esta tierra oscura, fertilizada por lluvias, cubierta por las hojas caídas y luego por la nieve en los largos inviernos, atravesada por delgados hilos secretos de agua en cuanto empieza el deshielo. Piensa con nostalgia, con melancolía, en los arbolillos plantados en las avenidas de la Ciudad Universitaria, tan frágiles en las temperaturas extremas de Madrid, amenazados siempre, unas veces por los fríos que bajan de las cumbres nevadas del Guadarrama y otras por el calor polvoriento de los veranos, cuando no por las patadas de los gamberros; los troncos casi tan delgados como los de esos árboles de alambre que él mismo puso algunas veces en las maquetas, recortándoles copas de cartón pintadas de verde con un lápiz escolar. Algunas mañanas, cuando conducía hacia la oficina y daba una vuelta para repasar el estado de las obras, los encontraba tronchados, abatidos por saboteadores nocturnos, por el rencor contra el árbol de la gente de secano, que teme que sus raíces les roben el agua ya escasa. Pero ahora sabe que basta la debilidad misma de algo para animar a su destrucción, y quizás por eso lo sobrecogen más estos árboles que llevan varios siglos creciendo, más antiguos que los edificios que ahora se distinguen entre ellos, tal vez más perdurables que su biblioteca futura, aún no imaginada plenamente, con ramas tan largas que se entrecruzan sobre su cabeza como las nervaduras de una bóveda que filtra apenas los rayos del sol y de la cual desciende, al menor soplo de viento, una oleada de hojas; ramas que nadie poda, al menos no con esa tosca saña de amputación con que él ha visto tantas veces blandirse las hachas contra los árboles de Madrid. Demasiado secano, tanta vehemencia innecesaria, tanta energía enconada que se disuelve en aspavientos y palabras, en exabruptos de caras congestionadas. Pero a mí tampoco me importó que se cortaran los árboles de la Moncloa al principio de las obras de la Ciudad Universitaria, los pinos de largos troncos inclinados y copas redondas que sucumbieron a las hachas y a las sierras mecánicas, las cabelleras de raíces arrancadas de cuajo por las excavadoras, los arroyos cegados por los movimientos de tierras, ocultos luego por las canalizaciones subterráneas. Nosotros lo arrasamos todo para empezar de nuevo como sobre un espacio en blanco, sobre las cicatrices aplanadas de lo que había existido antes. Subiendo por el camino entre los árboles que brillan cuando les da el sol con rojos y amarillos de incendio Ignacio Abel se acuerda de pronto de la cara de Manuel Azaña, no el día reciente en que se despidió de él, sino una tarde de hace tiempo, no tanto como en las perspectivas engañosas de la memoria, hace no más de cuatro años. Una tarde fría, en noviembre, nublada, la Sierra sumergida en una niebla entre gris y azul de lluvia cercana. Azaña era entonces presidente del consejo, y había venido casi de improviso a visitar las obras, probablemente convencido por Negrín, que lo trajo en su propio automóvil. Él los estaba esperando, junto al director de la Ciudad Universitaria, el arquitecto López Otero, que había sido amigo de Alfonso XIII y no tenía muchas simpatías por la República y menos por el primer ministro. «No se vaya usted esta tarde, Abel», le había pedido, «que tenemos gran visita oficial». Pero la visita ofi-

cial, a la que recibieron al pie del pabellón provisional de
la dirección de obras, llegó con mucho retraso y reducida
a un pequeño automóvil de color amarillo que se detuvo
con un frenazo sin que al principio saliera nadie, quizás
porque los dos pasajeros, demasiado corpulentos para el
tamaño escaso del vehículo, no acertaban a levantarse de
los asientos. Salió primero Negrín, por el lado del conductor, y dio la vuelta rápidamente para abrir la porte-
zuela del otro lado, sosteniéndola como un chófer, con el
sombrero en la mano, mientras iba emergiendo del interior del coche, con torpeza y lentitud, el presidente del
consejo, su cara habitualmente incolora enrojecida por el
esfuerzo, envuelto en un abrigo aparatoso, tan pesado que
no podía desprenderse sin ayuda del asiento demasiado
hundido. Se incorporó sustentándose en la mano fuerte
de Negrín, y cuando por fin estuvo en pie se peinó con los
dedos el pelo escaso y desordenado antes de ponerse el
sombrero, la dignidad ministerial recobrada poco a poco,
estrechándoles brevemente la mano, o más bien adelantán-
dola para que ellos la apretaran, tibia y carnosa, un poco
húmeda, tan carnosa como los párpados o las mejillas, en
las que había raras protuberancias y verrugas. Caminaron
un rato entre desmontes y armazones de edificios, obser-
vados de lejos, en silencio y de soslayo, por algunos obreros rezagados que abandonaban los tajos. Mientras López
Otero y Negrín daban explicaciones al primer ministro,
accionaban los brazos para conjurar en el vacío las instalaciones completas que alguna vez se levantarían en aquella
amplitud todavía casi despojada de perfiles reconocibles,
Ignacio Abel, un poco apartado, observaba la expresión de
Azaña, entre de aburrimiento y agravio, la mirada de los
ojos acuosos que seguían sin mucho interés las indicaciones y luego se quedaba perdida, o se encontraba con la
suya, buscando tal vez el alivio de alguien que no le ha-

blaba y no parecía empeñado en convencerle de algo o en llamar su atención. Se quedó parado, mirando a su alrededor, y los otros se detuvieron junto a él, muy cerca del socavón con los cimientos de lo que iba a ser la Facultad de Filosofía y Letras. «Pero qué han hecho ustedes con todos los pinares que había por aquí. Media España es un desierto. ¿Por qué han tenido ustedes que construir su Ciudad Universitaria precisamente donde había un bosque?» El arquitecto López Otero se aclaró la garganta y tragó saliva antes de hablar. «Recordará su excelencia que fue su majestad don Alfonso XIII quien cedió gratuitamente esta finca que pertenecía a la Corona.» Ignacio Abel notó la tensión en Negrín, la vibración en la poderosa mandíbula apretada. Bajo los párpados que le velaban a medias los ojos Azaña tal vez calibraba la inconveniencia de las palabras de López Otero, la posible falta de respeto. ¿Era necesario que dijera «su majestad», y no «Alfonso XIII», sin el «don» ceremonioso, o simplemente «el rey», o «el ex rey»? «Tendremos un campus como los de las universidades americanas, don Manuel. La gente vendrá a pasearse como se paseaba antes por los pinares de la Moncloa. Habrá arboledas mucho mejores.» Azaña tenía una manera de mirar fijo mientras escuchaba y al mismo tiempo permanecer ajeno, como si sólo viera vagamente a su interlocutor. «Insisto en mi observación, don Juan, y créame que tengo tanto empeño como usted en que se termine la Ciudad Universitaria. Que empezara como un capricho de Alfonso XIII, de su majestad, como le llama el señor López Otero, no le quita mérito. ¿Pero qué falta hacía talar los mejores árboles de Madrid para plantar otros? A lo mejor es sólo egoísmo por mi parte. Por muy rápido que crezcan yo ya no los veré.»

Qué difícil el primer paso en la concepción de lo que todavía no existe: el primer trazo de un boceto que podría contener en germen la obra final, un ángulo o una sola línea que engendrará el dibujo completo, no obedeciendo un propósito exterior a ella, sino guiada por un impulso de crecimiento orgánico. Donde no hay nada tiene que haber algo. De una hoja en blanco ha de surgir la forma primera de una biblioteca. De un foso excavado hace tiempo en la ladera de una colina y velozmente cubierto por una vegetación que sustituye a la que fue arrancada o talada se levantarán muros, escalinatas, balaustradas, ventanas. La forma esbozada en el cuaderno se distinguirá entre las arboledas y podrá ser vista desde uno de esos veleros de recreo o una de las barcazas de proa roma y casco oxidado que pasan por el río. Ignacio Abel tiene el cuaderno abierto sobre las rodillas y el lápiz en la mano pero no ha dibujado nada todavía. Se ha sentado en el tronco parcialmente hueco de un árbol caído tal vez hace muchos años, con las raíces al aire, con la superficie horadada por galerías de insectos que en algunas zonas han reducido la madera a un polvo suave. Oye chasquidos cercanos, ruidos de animales que no llega a ver, aleteos de pájaros sobre su cabeza, que provocan breves remolinos de hojas caídas. No parece que esa zona del bosque haya sido limpiada en mucho tiempo. Fragmentos de troncos, ramas secas pisadas, láminas de cortezas, se mezclan en el suelo con el tapiz de las hojas que se han ido acumulando a lo largo de los otoños, las más antiguas del color de la tierra, ya en parte confundidas con ella, desmenuzadas por el trabajo de los insectos que se ven moverse en cuanto se fija un poco la mirada, las más recientes yuxtaponiendo sus formas y sus colores como piezas desordenadas de un mosaico, con nervaduras y simetrías diversas que él quisiera descifrar dibujándolas en el cuaderno, o ni siquiera eso, recogiéndolas y dejándolas prensadas entre sus páginas. De la dirección del río viene el fragor amortiguado de un tren, el sonido como de sirena de niebla que esta noche pasada ha escuchado en sueños. Los troncos volcados, carcomidos de insectos, cubiertos de líquenes o de plantas trepadoras, le traen el recuerdo de los solares de ruinas en el Foro de Roma: las columnas rotas, el mármol de los capiteles tan erosionado y poroso que ya es puro escombro, anegado por la hierba y los jaramagos, con una blancura calcárea de osamentas animales. Comprende que los bocetos que ha hecho hasta ahora no le servirán de nada. El edificio no puede haber existido de antemano en su imaginación de arquitecto, con aquella perfección como de diamante que había admirado casi dolorosamente cuando vio en Barcelona el pabellón de Mies Van der Rohe: admirado con la envidia hacia algo que uno sabe que no sería capaz de lograr, con la sospecha amarga de ser mediocre, limitado, provincial. Cómo sería un prisma de acero y cristal surgiendo de pronto ante la mirada de quien ascendiera por el camino entre los árboles, brillando como un faro iluminado en la distancia, cuando se hiciera de noche, desde los otros edificios del campus. La inminencia del trabajo le produce a la vez excitación y abatimiento; pereza, casi pánico, el vértigo de un vacío al que no está seguro de que sepa hacer frente. Una ardilla de formas redondeadas y pelambre lustrosa se ha acercado a él con un sigilo de breves movimientos sucesivos y ha recogido una bellota que examina a conciencia sosteniéndola entre las uñas de sus patas delanteras. No se mueve, para no espantarla, y la ardilla le da la espalda rozándole uno de los zapatos con su cola tan suave y abultada como una brocha de afeitar, y se aleja a saltos silenciosos, despojada de peso, dejando un rumor en las hojas casi tan tenue como el de la brisa húmeda que ha empezado a estremecerlas. Estaba tan ensimismado que no se ha dado cuenta de que alguien venía. Se ha nublado y el aire es ahora más fresco, y las hojas descienden en ráfagas más numerosas. Una gota redonda humedece el centro de la hoja del cuaderno en el que no ha dibujado nada todavía. Levanta la cabeza y Philip Van Doren lo mira sonriendo, con los brazos cruzados, recostado en un árbol.

—Veo que consiguió librarse de Stevens. Pero debe usted tener cuidado con estos bosques, Ignacio. Como habitante de ciudad no conoce sus peligros.

—¿Hay animales salvajes?

—Hay algo peor, que no creo que ustedes tengan en España: *poison ivy.*

—¿Hiedra venenosa?

—Está usted sentado ahora mismo muy cerca de ella. No se imagina los picores, la intoxicación. Pero es fantástico verlo, con su traje de Madrid, en nuestra *American wilderness.* Me gustaría que Judith lo viera.

Se miran sin decir nada, de un lado a otro en el claro del bosque, ahora que el nombre ha sido pronunciado. Una lluvia muy tenue ha empezado a caer, su sonido todavía imperceptible en las hojas. De un campo de deportes llega una ráfaga de aplausos dispersos y el sonido reiterado y agudo de un silbato. Ignacio Abel ha cerrado el cuaderno y se lo ha guardado en un bolsillo de la americana, esperanzado sin motivo, alarmado, tan sólo por escuchar el nombre de Judith, la constancia de su existencia objetiva.

—Usted quiere preguntarme si sé algo de Judith, pero no se decide. Como aquella noche en Madrid, ¿no se acuerda? La ciudad ardía y usted sólo pensaba en buscarla. Es usted muy reservado, cosa que apruebo. Dada mi educación luterana yo también lo soy. Pero no me gusta que usted desconfíe de mí. Le he dado pruebas de mi lealtad. No fue fácil sacarlo de España y conseguir que viniera a América, a Burton College.

—Lamento no haberle dado las gracias.

—No le pido que lo haga.

Una brisa más fuerte había disipado las gotas de lluvia, haciendo que las hojas cayeran más copiosamente, con un rumor de roces de puntas secas arrastradas por el suelo. El cielo era ahora de un gris más oscuro que acentuaba las sombras en la hondura del bosque. No tardaría en llover muy fuerte. Antes de hablar Ignacio Abel tragó saliva notando una presión áspera en la garganta.

—¿Fue usted su amante cuando vivían en París?

—Espléndidos celos españoles. —Van Doren lo miró sonriendo, con simpatía, casi condescendencia—. Yo imaginaba que usted daba por supuesto que a mí no me atraen las mujeres.

—A lo mejor sólo le atraía Judith.

—No lo diga en pasado. Judith me atrae mucho. Más que ninguna otra mujer y más que muchos hombres. Me gustó desde la primera vez que la vi, desde el primer minuto en la cubierta de aquel barco, recién salida de América. En eso usted y yo nos parecemos. Me gustó su deseo de disfrutar de todo, de verlo todo, sin ironía, como una estudiante modelo, que es lo que debió de ser. Hace falta mucha nobleza para sentir verdadero entusiasmo. El doctorado de Judith era Europa. Todo lo que hay en Europa, toda la arquitectura, todos los museos y cada uno de los cuadros que hay en ellos. No creo que nadie haya pasado más tiempo que ella o haya sido más feliz en el Louvre, o en el Jeu de Paume, o en los Ufizzi, o en el Prado. Pero le causaba el mismo éxtasis sentarse en un café y escribir una postal o una carta poniendo en el remite una dirección de París. Aquellas cartas que le estaba escribiendo siempre a su madre, ¿se acuerda? Páginas y páginas, contándoselo todo, como ejercicios de clase en los que le demostraba cuánto había aprendido. Los americanos que llegan a París se instalan cuanto antes en un café de Saint-Germain-des-Prés y ponen el gesto fatigado de que ya lo han visto todo y no tienen que seguir haciendo de turistas. Ser turistas es una condición humillante, terrible. Pero Judith no tenía esas reservas. Quería subir a la torre Eiffel y asistir a una misa gregoriana en Nôtre-Dame y pasearse de noche en un *bateau mouche* por el Sena. También quería ir a Shakespeare and Company y quedarse horas mirando todos los libros que deseaba leer y haciendo guardia a ver si aparecían James Joyce o Hemingway. Judith es la gran entusiasta americana. Más americana todavía porque sus padres son judíos rusos que hablan inglés con un acento terrible. Su madre, como usted sabe, lo sacrificó todo para que ella pudiera hacer ese viaje a Europa y Judith tenía que demostrarle que sacaba provecho hasta del último céntimo. Uno invierte el dinero ganado con mucha dificultad y espera un beneficio. *To squeeze dry every penny.* Ella se escandalizaría si me oyera decirlo, pero es una idea muy judía del rendimiento del dinero. Muy judía y muy americana. A nosotros el dinero no nos provoca ese pudor que tienen ustedes en Europa, más aún en España. Cada centavo que su madre había guardado en una caja de lata, escondiéndola en la cocina, era una pequeña proeza, si usted piensa en lo que han sido estos últimos años en mi país, para la gente de la clase a la que pertenece Judith. Céntimo a céntimo, el sonido del cobre en la caja de lata, los billetes muy manoseados de un dólar. Pero quizás la vida de usted no fue muy distinta cuando era joven, si no me equivoco. Tengo el don de imaginar lo que viven o lo que han vivido otros. Ése es mi único talento. Igual que usted tiene el don de ver anticipadamente lo que todavía no existe.

—No ha contestado usted a mi pregunta.

—¿Amantes, Judith y yo? De haber sido así, usted no necesitaría preguntarlo. Judith se lo habría dicho. Honestidad americana. *Full disclosure*, decimos nosotros. *Just to set the record straight*. En París lo que me gustaba más de Judith no era tanto ella misma como el entusiasmo que irradiaba, el resplandor que había en ella. Andaba tan rápido que el viento le apartaba el pelo de la cara. Entraba en un café lleno de humo una de esas horribles tardes negras de lluvia y parecía que la iluminaba la *search light* de un teatro. Pero me enamoré más en Madrid. No de Judith sino del amor de usted por ella, de lo que usted estaba viendo al mirarla, y de lo que ella vio en seguida en usted. Yo quería ser usted cuando la veía mirarlo. Me acuerdo bien de todo. Usted no me vio a mí pero yo vi cómo entraba en mi apartamento de Madrid y casi enrojecía al descubrir a Judith entre mis invitados de aquella tarde. Un *coup de foudre* si alguna vez he visto uno. Supondrá usted que es inevitable que me guste la ópera, con toda su falsedad que es más verdadera cuanto más exagerada y más inverosímil. Usted era Tristán en el momento en que se aparta la copa de los labios y mira a Isolda. Habría que hacer las óperas en trajes de calle y en lugares normales, Tristán e Isolda o Pélleas y Melisande encontrándose en un café después de cruzar la puerta giratoria. Bebiendo un martini helado en vez de una copa medieval de veneno. Pero entenderé si el ejemplo de Wagner se le ha vuelto a usted antipático. Quizás el de Debussy le sea más tolerable. Estuve en Bayreuth viendo *Tristán* hace dos años. Cuando ya todo el mundo estaba sentado para escuchar el preludio se formó un gran barullo de uniformes y de trajes de gala porque al parecer acababa de entrar el canciller Hitler en el palco de honor, pero yo no llegué a verlo. Da igual. Carezco de la habilidad para contar algo en línea recta. Uno no se disciplina como narrador si lleva toda la vida rodeado de gente que tiene la obligación de escucharlo. Ni usted ni Judith lo sabían aún, pero en el momento en que se vieron los dos estaban perdidos. Me moría de envidia. La corriente magnética que iba del uno al otro pasaba por mí, atravesaba el aire de mi casa. Quería verlos desde fuera y quería ser cada uno de ustedes. Pocas cosas que me hayan ocurrido a mí me han sacudido tanto. En realidad ninguna. El mundo me parece una producción de teatro carísima montada exclusivamente para que yo la vea. Yo solo, en un palco de un teatro enorme y vacío, como Ludwig de Baviera asistiendo al estreno de una ópera de Wagner. Él no podía permitírselo y acabó en quiebra. Yo sí puedo. Y lo que me gusta no es presenciar una representación sino la vida real. Los actores son vanidosos y venales y si uno se acerca a ellos ve esos maquillajes desagradables que se les derriten en las caras por el calor de los focos y por el sudor. Observando vidas verdaderas no hago daño ni fuerzo a nadie. No me rebajo a pagar para que otros finjan amor hacia mí. Prefiero ver el amor no fingido de otros, o cualquier pasión que los haga más nobles. Judith en París, mirando muy de cerca la *Olympia* de Manet, o cuando asistía en Madrid a uno de esos bailes flamencos tan fatigosos, o cuando me enseñó una vez ese museo desierto al que usted la había llevado un poco antes, la Academia de San Fernando, feliz de mostrarme algo que era casi un secreto, no esas salas del Prado llenas de extranjeros. O usted, hace un momento, tan sumergido en su cuaderno que no me escuchó llegar. Yo nunca he aprendido a hacer nada. Mi pasión es observar las pasiones de otros. Si ellos consienten, o si no lo saben, ¿quién sufre algún prejuicio?

—Usted nos espió en la casa de la playa. Nos la ofreció para poder seguirnos.

—No me dé tan poco crédito, Ignacio. No me imagine babeando en el cuarto de al lado, mirando por un agujero. Tenía bastante con imaginarlos esos días. Con verlos desde una cierta distancia. Un catalejo es la más conveniente de las invenciones.

Pero está volviendo a llover. Gotas diminutas brillan en la cabeza afeitada de Van Doren, que sigue mirando fijo a Ignacio Abel, indiferente a ellas, sus facciones móviles pasando de la ironía a la apariencia del afecto o de complicidad o a una especie de tristeza.

—Espero que no se ofenda. Judith no me lo pidió pero yo hice todo lo que pude por traerlo aquí. No es que fuera difícil. *Your name carries weight even this far into the woods.* Había que buscar una solución, aunque fuera provisional, un respiro para ustedes dos. Yo ya conocía su trabajo y por eso lo invité aquella tarde a mi casa, pero entonces no era más que un proyecto, como tantos otros que pueden no llegar a nada. En cuanto a Judith, ya no podía seguir retrasando su regreso a América. Los ahorros de su madre no iban a durar siempre. Había que traerlos a ustedes dos aquí.

—¿Para seguir espiándonos?

—Para que tuvieran una parte de la vida que se merecían. Para que gracias a su talento de usted Burton College tenga la biblioteca moderna más bella. Algo que yo pueda hacer beneficiará objetivamente el orden del mundo.

Indiferente a la lluvia que arrecia Van Doren se vuelve al escuchar el motor ronco de un automóvil que sube por el camino ya embarrado. Con aire de consternación, de ilimitado alivio, Stevens asoma la cabeza por la ventanilla, toca el claxon con una vehemencia triunfal, como si hiciera sonar unas trompetas. Los llevaba buscando a los dos desde hace no sabe cuánto tiempo, dice, saliendo del coche con un paraguas abierto, ha estado en todas partes, hasta temía que hubiera sucedido alguna desgracia, que el profesor Abel se hubiera perdido. Escolta primero a Van Doren, le abre la puerta de atrás, vuelve hacia Ignacio Abel, le recuerda que dentro de menos de una hora han de estar en casa del presidente del *college*, que por ningún motivo pueden retrasarse. La lluvia azota el parabrisas cuando Stevens ha dado la vuelta al automóvil para regresar hacia el campus y las hojas se quedan un instante adheridas al cristal y luego son barridas por las varillas de limpieza. Gotas gruesas redoblan en el techo de cuero. Ignacio Abel se vuelve hacia Van Doren, que se está secando el cráneo y la cara con un pañuelo oloroso a colonia y mira por la ventanilla hacia el bosque, como si no recordara su presencia. Pero tiene que decidirse, a pesar de la aspereza en la garganta, de la cobardía, del miedo a no saber, y también del miedo a saber.

—¿Sabe usted dónde está ahora Judith?

—Por fin me lo pregunta. Es usted un hombre lleno de orgullo.

—Se lo pediré por favor si usted quiere.

—Me enteré de que su madre murió de cáncer este verano. Luego me contaron que obtuvo un puesto de *assistant professor* en Wellesley College. No muy lejos de aquí, a unas horas de viaje. Le escribí para decirle que usted venía, pero no ha contestado a mi carta. Se parece a usted. También está llena de orgullo.

34

Se acordará del temporal de esta noche; de la lluvia como una oleada chocando contra el parabrisas y rebotando en el techo del coche en el que Stevens lo llevaba de vuelta a la casa de invitados, después de la cena con el presidente de Burton College, durante la cual había bebido demasiado, por nerviosismo sobre todo, por no saber bien qué decir o qué hacer con sus manos, por darse ánimos para hablar inglés y encarar la presencia de los desconocidos; recordará el mareo que le producían las curvas y que las varillas se movían a toda velocidad en un vaivén de abanico, aunque todo lo que veía por delante era la cortina de la lluvia y el reflejo en ella de los faros del coche, y un poco más allá, a los lados, las grandes ramas de los árboles retorcidas por el viento, las copas volcándose hacia la carretera en sacudidas que arrancaban remolinos de hojas mezclándolas con los chorros de lluvia. Él no ha oído nunca un viento así. No ha visto árboles tan fieramente estremecidos ni una lluvia que siga durando tantas horas, sus gotas violentas rebotando como metralla contra cristales, tejados, paredes de madera, sus oleadas verticales abatiendo las espesuras de los árboles como golpes de mar. Stevens conducía muy cautelosamente: de vez en cuando una racha de viento sacudía el coche como si fuera a volcarlo y Stevens apretaba con más fuerza el volante y adelantaba la cara queriendo atisbar la línea de la carretera entre la oscuridad y la lluvia. Pero ahora recordaba haber visto que Stevens bebía antes de la cena no menos ávidamente que él, y que en la mesa daba tragos sonoros a los vasos de vino, quizás nervioso él también, doblemente inseguro, en presencia no sólo de Van Doren sino también de la otra máxima autoridad ante la que se inclinaba con ademanes tan asiduos, un hombre destinado congénitamente a servir sufriendo la ansiedad de no saber hasta qué punto sus actos merecían la benevolencia inescrutable de sus superiores. *You take this from me,* le dijo cuando iban hacia el coche y ya estaban a una cierta distancia de la casa, obsequiosamente adelantando el paraguas para que Ignacio Abel no se mojara, *You have made quite an impression on the President.* Solidario, identificándose con él en la precariedad de una posición que dependía del favor de los omnipotentes, casi protegiéndolo, con la vehemencia añadida de haber bebido más de la cuenta, él también, de la digestión de la cena, carnes rojas y salsas en una abundancia a la que Ignacio Abel ya no estaba acostumbrado, platos con nombres en francés pronunciados con puntillosa corrección por la esposa del presidente, a cuya derecha estuvo él sentado en la mesa, enterándose de menos de la mitad de lo que la mujer le decía, aunque compensando la falta de comprensión con la energía de los movimientos afirmativos de cabeza, mientras los ventanales del comedor vibraban con la fuerza del viento, con las oleadas de la lluvia que rompían contra la casa. Se mareaba en el coche tan sólo acordándose de las conversaciones, de las caras que se habían acercado a él desconocidas y obsequiosas, los nombres que oía y olvidaba en el momento o que ni siquiera llegaba a descifrar, a no ser que su titular lo resumiera en un diminutivo, como había hecho el presidente nada más verlo: se llamaba, suntuosamente, Jonathan Joseph Almeida, pero le pidió que le llamara Jon, estrechándole enérgicamente la mano y poniendo encima la otra como para confirmar su bienvenida, la admiración por su trabajo, tal vez también la condolencia anticipada por la aflicción de la República Española, a la que según otro de los invitados a la cena, un profesor lúgubre de literatura inglesa medieval, no le quedaban mucho más de cuarenta y ocho horas. Había oído en la radio o leído en el periódico algo que repetía como si hubiera memorizado un titular, *The Rebels Appear to Be within Less than a Day's March from Madrid.* Al decirlo miraba a Ignacio Abel muy fijamente y muy de cerca, como desconfiando de que fuera de verdad quien decía ser o intrigado por inspeccionar con detalle la cara de alguien que en muy poco tiempo no tendría un país al que regresar. Entre humo de cigarrillos y neblina creciente de alcohol las caras se aproximaban a Ignacio Abel y retrocedían o más bien se difuminaban, igual que los nombres y las frases cordiales que le decían y las tarjetas de visita que le eran ofrecidas y que él miraba apreciativamente un momento y luego se guardaba en el bolsillo, disculpándose porque no podía corresponder. Había dejado sus tarjetas en España, se excusaba, pero al decirlo imaginaba que no sería creído, que nadie, no sólo el medievalista fúnebre, tomaba en serio de verdad el papel que esa noche le había tocado interpretar, con incompetencia tan visible, en un torpe inglés que la bebida no agilizaba, más bien volvía más densa la confusión de las palabras que no llegaba a comprender, o las que a él se le quedaban sin decir porque a mitad de una frase no las encontraba. Desde el otro lado de la mesa, cerca y lejos, con su aire a medias de protección y de ironía, Van Doren lo observaba, interviniendo a veces para sacarlo de un aprieto lingüístico, repitiendo las credenciales de Ignacio Abel como si también él tuviera dudas sobre su solvencia, o sobre su misma identidad de posible impostor, venido al fin y al cabo de tan lejos, de un país trastornado y en guerra, provisto de documentos y méritos cuya autenticidad no sería fácil comprobar: el profesor Abel, explicaba Van Doren en su ángulo de la mesa, con la aprobación vehemente y tal vez algo beoda de Stevens, llevaba años dirigiendo el proyecto de construcción universitaria más ambicioso de Europa, había estudiado con Bruno Taut y Walter Gropius en Alemania. Y aunque lo que decía era aproximadamente verdad su parte de calculada exageración lo volvía sospechoso, al menos para los oídos vigilantes del propio Abel, más alerta y más inseguro porque lo envolvían varias conversaciones al mismo tiempo y porque se sentía observado por pares de ojos de cuyo escrutinio dependía su porvenir; los ojos sobre todo del presidente Almeida, muy poderosos detrás de unas gafas redondas de carey, su mirada arrogante y ecuánime, tan sólidamente protegida contra la incertidumbre como su gran cuerpo saludable y su casa de cimientos de piedra y muros firmes contra el temporal. Se acordó de una expresión que le había enseñado Judith Biely, *to step on thin ice*. Andaba a tientas y pisaba un hielo muy delgado. Examinado por los otros lo inquietaba la congoja de que pudieran descubrir su íntima falta de sustancia, de que advirtieran la incomodidad de su sonrisa o el miedo que poco a poco se había convertido en su estado natural. El profesor lúgubre de inglés medieval y un pastor o capellán de traje negro y alzacuellos lo miraban como sospechando en él una tara de carácter o un vicio secreto o alguna forma de complicidad con los incendios de iglesias y las matanzas de sacerdotes en los primeros días de la guerra, acerca de los cuales parecían manejar una información ilimitada, tan abundante en cifras como en pormenores sanguinarios o macabros. La señora del presidente suspiraba llevándose la mano al pecho al recordar las fotos de los niños de Madrid muertos a consecuencia de los bombardeos. Había que sonreír ante los gestos excesivos, que erguirse para dar una impresión de integridad personal, que aceptar la lástima como una limosna, sabiendo que en algún momento la gratitud podría ser inseparable de la humillación (adónde iría cuando acabara el curso, si era verdad que Madrid estaba a punto de caer). Había que buscar en vano palabras claras y enérgicas para explicarle al pastor de traje negro y alzacuellos y cara muy roja que el gobierno de la República no perseguía a los sacerdotes y que aunque había en él varios ministros comunistas no estaba planeando la colectivización de la agricultura. Hablaba notando el calor en la cara, la ansiedad del impostor que en cualquier momento puede ser descubierto; tragaba saliva y cuando iba a beber un poco más el vaso estaba vacío. Llegaba por detrás una camarera negra y se lo llenaba de vino y el pastor y el erudito en inglés medieval lo miraban beber como advirtiendo otro síntoma de su escasa catadura moral. Por encima del rumor de la conversación general el presidente Almeida le hacía una pregunta con su vozarrón bien timbrado, con la misma expresión que si lo sometiera a un examen: Si Hitler y Mussolini estaban ayudando tan descaradamente a los rebeldes, ¿creía él que las democracias intervendrían en el último momento para salvar a la República, o al menos para garantizar un armisticio? «Pero ya no hay tiempo», dijo no sin satisfacción el erudito medieval, sacudiendo la servilleta con un gesto como inapelable, «ya están perdidos», y repitió el titular que se había aprendido de memoria, que había leído en el periódico o escuchado en la radio. Sin limpiarse la salsa de los labios se inclinó sobre el otro lado de la mesa para mirar más de cerca a Ignacio Abel, para observar el efecto de su pregunta: *Do you picture yourself being allowed to return to Spain any time soon, Professor?*

Y mientras tanto, en el fondo de su conciencia, se repetían como un latido secreto las palabras, los nombres dichos unas horas antes por Van Doren, y luego ya no repetidos, las dos o tres gotas suficientes para alterar la composición química de un líquido, invisibles al disolverse en él y sin embargo actuando, el nombre de Judith y el de ese lugar al que podría llegar en unas pocas horas, al cabo de un viaje no muy largo en tren, según le dijo alguien en la cena, otra de las caras y de las identidades que fueron adquiriendo un contorno preciso a pesar de su aturdimiento agravado por la falta de costumbre de beber alcohol, una mujer incolora que parecía americana y hablaba español con un acento raro pero era española: Miss Santos, informó Stevens, siempre servicial, y se corrigió a sí mismo, *doctor* Santos, la directora del departamento de Lenguas Romances, que se alegraba tanto de saludar a un compatriota, dijo, aunque ella llevaba tantos años en América que ya no estaba segura de dónde era. Van Doren había dicho el nombre de Judith Biely y el de Wellesley College como si oprimiera cuidadosamente el capuchón de goma de un dispensador de líquidos para administrar sólo unas gotas, y después había guardado silencio y se había dedicado a observar el efecto de su confidencia, estudiando a Ignacio Abel desde una cierta distancia, en el salón de la casa del presidente mientras bebían los cócteles los invitados y luego desde su ángulo de la mesa de la cena, en la cual Ignacio Abel tenía a su derecha a la doctora Santos, más aséptica y americana en sus gestos que cualquiera de los demás invitados, los hombros rectos, un poco encogidos, la boca de pájaro engullendo breves sorbos de agua, nunca de vino. Fue ella la que nombró ese lugar, no porque Ignacio Abel le hubiera preguntado, sino porque alguien hablaba de los muchos profesores europeos, alemanes sobre todo, que estaban llegando a las universidades en América. Hablaron de Einstein, que estaba en Princeton; de Thomas Mann, instalado en California; y la pálida directora del departamento de español dijo, sólo para Ignacio Abel, suponiendo que nadie más que él reconocería el nombre que iba a mencionar: «Pues no sé si sabe usted que Pedro Salinas está cerca de aquí, en Wellesley College. ¿Usted lo conoce personalmente?»

Las palabras, los nombres dichos ahora sin intención, actuaban sobre el momento presente con su aguda eficacia química. Sólo unas gotas y todo se volvía más irreal, como desenfocado, la cena y el comedor iluminado por un gran candelabro y las caras y las voces y el temporal que hacía vibrar los ventanales de la casa, por comparación con el efecto de esas gotas de una sustancia adictiva, más poderosa porque el organismo llevaba mucho tiempo privado de ella, y reacciona de golpe con toda su formidable apetencia, intacta de nuevo, desbaratando en unos segundos la inercia de la conformidad acumulada durante tanto tiempo, sacudido hasta las puntas de las terminaciones nerviosas no por la expectativa cercana de la satisfacción sino tan sólo por la enunciación de su posibilidad: Judith Biely no pertenece irrecuperablemente al pasado; no es una figura inventada por el recuerdo; ha seguido teniendo una vida ajena a él, ha regresado a América, ha asistido tal vez a la agonía y a la muerte de su madre; de manera del todo verosímil podría estar asistiendo a una cena como ésta, con su tedio de caras muy repetidas y de cortesías académicas; está ahora mismo en un lugar al que podría llegarse en tren o en automóvil al cabo de unas horas; es tan real que se encuentra en el mismo plano de existencia que el poeta Salinas, al que la doctora Santos ha mencionado con tanta naturalidad, sin saber que al hacerlo tiende un nuevo hilo de cercanía hacia Judith, alumna suya el curso pasado en la Facultad de Filosofía y Letras. Tenía un libro de sus poemas firmado por él y le pedía a veces a Ignacio Abel que le leyera versos en voz alta para aprender la entonación y le preguntaba el significado de palabras difíciles. (Y qué raro era leer esos poemas y pensar que hubiera podido inspirarlos la señora de Salinas, tan amiga de Adela, aunque algo mayor que ella, igual de aficionada a los tés a la inglesa y a las conferencias para damas en el Lyceum Club; más raro todavía acordarse del Lyceum Club y creer que alguna vez haya existido, no en otro país y en una época remota, sino tan sólo hace un año, ni siquiera eso, unos meses, en Madrid, en la misma ciudad sobre la que esta noche vuelan los aviones de Hitler y de Mussolini, que tal vez será asaltada por un ejército enemigo un poco antes de que rompa el amanecer, *Franco's rebel troops seem to be tightening their grip around three sides of Madrid,* decía el periódico que hojeó nerviosamente esta misma mañana Ignacio Abel en el Faculty Club, no informando de algo sino más bien enunciando secamente el curso del destino.) «Mi mujer y la suya son buenas amigas», dijo, volviendo a la conversación, consciente de la ausencia que la doctora Santos habría advertido, y para compensarla se esforzó en seguir hablando, con el alivio de descansar del inglés: desde su ventana en la oficina de las obras de la Ciudad Universitaria veía pasar cada mañana al profesor Salinas en su coche, camino de la Facultad de Filosofía, y más de una vez se habían encontrado en el edificio. La doctora Santos lo escuchaba inclinándose hacia él con su descolorida cara española y sus gestos americanos, el tenedor y el cuchillo suspendidos sobre el plato, en una actitud americana de atención entusiasta, sin sospechar que Ignacio Abel no hablaba para ella sino para sí mismo, para seguir abandonándose en secreto a su dependencia recobrada, el nombre de Judith ahora casi en los labios, porque al contar sus encuentros con Pedro Salinas en la Facultad de Filosofía lo que estaba haciendo era invocarla a ella en voz alta sin nombrarla, acordándose de una de aquellas veces en que la resignación y la decencia y el orden de la vida normal quedaban trastornados porque en medio de una tarea cualquiera había sonado el timbre del teléfono y era Judith que lo llamaba. De golpe, con un redoble de trastorno, porque estaba muy cerca, en la facultad. Había salido de uno de los seminarios de Salinas y al ver la fila reluciente de cabinas de teléfonos recién instaladas en el vestíbulo no había sabido resistir la tentación. Le dijo que en ese mismo momento iría a buscarla y colgó tan rápido para ganar tiempo que no se acordó de preguntarle en qué lugar de la facultad lo estaría esperando. Le contó cualquier embuste a su secretaria, se puso la americana y cruzó la oficina eludiendo con una ficción de propósito urgente a quienes se acercaban para consultarle algo. Qué disculpa inventaría si se encontraba a algún conocido; vería a Judith en un vestíbulo lleno de gente o en el tumulto de la cafetería y tendría que contenerse para no abrazarla. El impulso que guiaba sus pasos escaleras abajo no tenía nada que ver con su voluntad; el modo en que el aire cálido de primavera con olores de sierra estremecía las aletas de su nariz pertenecía a una vida que no era la que había quedado interrumpida, congelada como una imagen fija, en el momento en que contestó al teléfono. Recorrió en coche en pocos minutos la distancia entre el pabellón de las oficinas y la facultad y al subir la escalinata vio de lejos al decano, García Morente, con sus gafas de búho y sus patillas absurdas como de bandolero, y miró sin disimulo hacia el otro lado para no tener que pararse a saludarlo. En la alta vidriera translúcida el sol de la mañana se convertía en un resplandor plateado que llenaba el vestíbulo, reflejando las hermosas superficies pulidas, los azulejos de los muros y los pasamanos de las escaleras, las losas de mármol en las que resonaban las pisadas de los estudiantes, los martillazos de los operarios, el clamor vago de las voces, todavía con una intensidad de edificio nuevo, inundado por los olores frescos de los materiales. Después de buscar a Judith en la cafetería volvió al vestíbulo y por un golpe de intuición saltó a uno de los ascensores automáticos que estaban siempre en marcha. La encontró en la terraza, apoyada contra la barandilla, el pelo echado hacia atrás y la cara vuelta hacia el sol todavía suave de marzo, de espaldas al horizonte del Guadarrama, agigantado por el efecto óptico de la lejanía, las cumbres cubiertas todavía de nieve, las piernas desnudas, los cortos calcetines blancos. *Me gusta que me busques pero que no estés seguro de que vas a encontrarme.*

Podría levantarse ahora mismo de la mesa, doblar la servilleta y salir a buscarla, sin esperanza y hasta sin dignidad, no alentado por ninguna promesa sino tan sólo por la inoculación de las palabras que han seguido actuando sobre él como esas gotas de una sustancia que entra en el flujo de la sangre y de él pasa al cerebro, mientras quien las administró aguarda los primeros signos de que han hecho efecto. Desde el otro lado de la mesa Philip Van Doren lo observa, fumando, sin haber probado casi la cena, su cuello musculoso inquieto por la molestia de la corbata, velando por él y al mismo tiempo vigilándolo, intrigado por las consecuencias de sus palabras, de la dosis de información que le dio antes de venir, impaciente por saber de qué estará hablándole ahora mismo la esposa del presidente a

Ignacio Abel, que se ha vuelto hacia ella después de los minutos preceptivos de conversación con la doctora Santos. Podría levantarse sin remordimiento y dejándola con la palabra en la boca para marcharse en busca de Judith con la misma desvergüenza con que abandonó otras veces una reunión en la oficina o una cena familiar: aunque Judith no lo haya llamado, aunque no quiera verlo, reclamado no por el deseo de ella sino por el imán de su misma existencia. *Si me llamaras,* leía ella en voz alta, en el libro de tapas austeras firmado por Salinas en el que había subrayado tantas palabras que no sabía y anotado cosas en los márgenes. Pero Ignacio Abel no acababa de creerse esos versos, en parte por una indiferencia general hacia la poesía, y también porque si no asociaba esos arrebatos de amor con la señora Bonmatí de Salinas menos aún le parecían verosímiles viniendo de su marido, que no tenía aspecto de estar esperando a que una mujer lo llamara ni de abandonarlo todo, como aseguraba el poema, si eso sucedía. Demasiado catedrático, le dijo él a Judith, atenuando su escepticismo para no contrariarla, demasiado satisfecho de sí mismo como para perder la cabeza por una mujer, falto de tiempo, con todas aquellas tareas oficiales en las que andaba siempre. *Lo dejaría todo, todo lo tiraría.* Y ella le dijo: si estás tan seguro de que Salinas miente es porque tú eres igual, irritada de pronto, en casa de Madame Mathilde, una mañana ya muy calurosa, a finales de mayo, cerca del final, dándole la espalda, su piel brillante de sudor. Ahora no tiene nada, no hay nada que le hiciera falta dejar para irse con ella. La esposa del presidente pone cara de compasión, casi de temerosa simpatía, para preguntarle si es verdad que por culpa de la guerra se vio separado de su mujer y de sus hijos, que no sabe nada de ellos y tal vez están en peligro. Él asiente con la cabeza y pone la debida expresión de pena y al mismo tiempo está sintiendo en los talones, en los latidos del corazón, en la boca del estómago, que podría marcharse ahora mismo y conducir durante horas para ir en busca de Judith o sentarse en un banco de la estación esperando un tren que lo llevara a Wellesley College. Sin ninguna esperanza, casi sin propósito, tan sólo dejándose llevar, sobrecogido por el hecho indudable de la presencia de Judith Biely en el mundo. «Estoy segura de que podremos encontrar la manera de que se reúnan con usted cuanto antes. Imagino cómo se sentirá, tanto tiempo sin poder abrazar a sus hijos, a su esposa.» El alcohol volvía fácil la compasión de sí mismo, la parte de impostura que Van Doren no dejaba de advertir desde su distancia benévola, atrapando hilos sueltos de la conversación, sumándose voluntariosamente a ella, los puños de la camisa replegados sobre las muñecas peludas, los músculos del cuello agobiados por la presión de la corbata: habría que buscar influencias en la Cruz Roja Internacional, dijo, mirando a Ignacio Abel a los ojos, secundado con entusiasmo por Stevens, si era preciso él recurriría a sus contactos en el Departamento de Estado. Y mientras decía todo eso le estaba preguntando en silencio a Ignacio Abel si de verdad quería reunirse con su mujer y con sus hijos o si era capaz de reconocer ante sí mismo que lo único que deseaba era ver de nuevo a Judith Biely.

El tintineo de la punta del tenedor sobre el cristal tallado de la copa de vino del presidente Almeida lo despertó de su ensimismamiento. Van Doren le hizo un gesto, levantando una ceja, con su cara benévola de asistente a una larga representación teatral, interesado pero siempre al filo del aburrimiento, ahora viene el discurso inevitable, el brindis, dándole ánimos, desde su distancia. Se apagaron poco a poco las voces y los sonidos de los cubiertos y los vasos y por un momento sólo se escuchó el fragor del temporal, el viento en la campana de la chimenea. El presidente había encendido un habano y le dio pensativamente una larga chupada antes de empezar su discurso, la copa de vino en la mano derecha, alzándose hacia Ignacio Abel, hinchado por la seguridad de su supremacía. Tenía el pelo escaso, rubio, casi blanco, muy tenue, la cara de un rojo de manzana, con finas venas rojas visibles en las mejillas y en la punta de la nariz, irradiando un brillo de salud rebosante, de abundancia orgánica cercana a la congestión, como la mesa llena de grandes porciones de comida que nadie había terminado y la casa entera opulenta de muebles coloniales, estanterías con lomos en piel de ediciones valiosas, de cuadros y lámparas y alfombras y fotografías sobre los aparadores y sobre la repisa de la chimenea en las que el presidente Almeida posaba en compañía de eminencias públicas, sonriendo a la cámara mientras les estrechaba la mano (entre ellas, bien visibles, a la primera dama y al presidente Roosevelt, en una de sus visitas, nada inusuales, a Burton College, que estaba tan cerca de su residencia familiar en Hyde Park). Un retrato al óleo del presidente Almeida presidía el comedor. Encima de la repisa de la chimenea había un busto en bronce del presidente Almeida. En el pasillo, entre antiguas vistas al óleo de las orillas del Hudson, había un dibujo que era claramente un boceto del retrato al óleo. Había que escuchar el discurso con la expresión adecuada, de asentimiento, de interés, de complacencia, con la risa dispuesta para las bromas que el presidente intercalaba, y que habría repetido en muchas cenas semejantes, con la seriedad necesaria cuando enunció las perspectivas tan oscuras de Europa y mencionó la tradición de hospitalidad del *college*, idéntica a la del país, tierra de acogida para disidentes desde hacía tres siglos, moldeada por ellos, hecha grande por espíritus a los que se les quedaban pequeñas las fronteras de los viejos países.

Miraba a su alrededor, en esta misma mesa —lo hizo, girando despacio la cabeza, sus ojos agrandados tras los cristales de las gafas—, y qué veía, dijo, sino a hijos o nietos o biznietos de emigrantes, con sus apellidos que declaraban orígenes tan diversos, holandeses, escoceses, hugonotes, portugueses, como sus propios antepasados, Almeida. Y españoles, dijo, mirando primero a la doctora Santos, y como llevaba un rato hablando con demasiada seriedad ahora hizo un quiebro de burla educada, esperemos que la doctora Santos no sea descendiente de un Gran Inquisidor, provocando un coro de risas y un rubor incómodo en la aludida. Y por fin, cerrando el círculo de sus miradas y sus alusiones, el presidente Almeida se dirigió a Ignacio Abel, no sin mostrar que sabía cómo se pronunciaba su apellido y en qué sílaba caía el acento: la cara roja, el cigarro entre los dedos gruesos de una mano y la copa de vino levantada un poco más en la otra, el brillo del fuego y el de la gran lámpara de brazos de cristal reflejándose en su piel lisa y rotunda, en la pechera de su camisa estirada por el tamaño de los hombros y la musculatura del pecho. Cree que es inmortal, pensó Abel en una ráfaga furtiva de clarividencia, mientras sonreía y esperaba el final del discurso para dar las gracias y atreverse a decir unas cuantas frases a las que llevaba dando vueltas mucho rato; cree que no envejecerá nunca, que no le sobrevendrá de golpe ninguna desgracia, que su casa no será asaltada nunca ni incendiada, que a él no lo despertarán a medianoche para llevárselo en pijama a un descampado y matarlo delante de unos faros encendidos. Volvió a prestar atención y el presidente Almeida hablaba de él llamándole *our new colleague, distinguished guest, outstanding, leading, accomplished*: pero miraba de soslayo a Van Doren y a Stevens como pidiéndoles confirmación de que eran de fiar los calificativos que ellos habían puesto en su boca, y una de las veces que iba a decir el nombre de Abel tuvo un momento de duda. Después del brindis, del breve aplauso, el invitado se puso en pie, mareado por la bebida, tragando saliva, de nuevo un principiante a sus años, un huésped de crédito más bien dudoso, acordándose de la dulce voz añorada de Judith Biely, su deseo por ella tan inmediato y físico como un dolor en las articulaciones del que fuera consciente mientras se disponía a decir algo, con la boca seca, *stepping on thin ice*.

Se acordará de que a la salida de una curva el parabrisas se quedó despejado unos segundos y los faros iluminaron una casa delante de la cual un árbol recién caído había aplastado un automóvil: un corro de personas miraban con aire atónito, azotadas por el viento, bajo las luces giratorias de una ambulancia. Sin apartar los ojos de la carretera Stevens hablaba animosamente, para no alarmarlo o para quitarse el miedo él mismo: ya había oído al presidente Almeida, tenía que empezar sus clases de inmediato, que ponerse a trabajar cuanto antes en el proyecto de la biblioteca, en unos días estaría lista la casa y tendría una oficina y un estudio, el trabajo era el mejor remedio contra el desaliento. Como se le habla a un enfermo sin comprometerse a darle esperanzas de curación, a asegurarle nada más allá de cierto punto, no vaya a olvidarse de su condición verdadera, de la distancia que lo separa de los sanos, los cuales tienen buen cuidado de no dejar de marcarla (como si ellos nunca fueran a caer enfermos, no estuvieran destinados a morir). Llegaron a la casa de invitados y cuando Ignacio Abel salió del coche lo sorprendió que hubiera cesado tan de repente la lluvia. El viento ahora apaciguado difundía entre las copas de los árboles un rumor como de respiración. Servicial, implacable, gradualmente odioso, Stevens se despidió de él recordándole que a las nueve de la mañana vendría a buscarlo, diligente como un corneta militar, *blowing off my bugle right under your window,* inmune al cansancio y a la previsible resaca.

Se acordará de que al entrar en el vestíbulo el silencio y la oscuridad lo acogieron como las dimensiones de un gran espacio abstracto. Tanteó en busca de la llave de porcelana del interruptor y cuando al fin dio con ella la hizo girar varias veces en vano. El viento que una hora antes arrancaba árboles de raíz habría derribado sin dificultad los postes del tendido eléctrico. La casa era mucho más grande teniendo que moverse a tientas por ella. Como por el piso de Madrid en las noches de los bombardeos. Las manos rozando las paredes, los pasos inciertos, las pupilas acostumbrándose poco a poco, distinguiendo bultos, manchas de claridad. El estado de aguda agitación nerviosa en que se encontraba no le dejaría dormir en toda la noche: los nervios y el peso de la digestión, el efecto del alcohol en la concavidad interior de la nuca. Un tren estaba pasando interminablemente por la orilla del río. Previsor, clarividente, atento a cualquier eventualidad, Stevens le había enseñado la tarde anterior el armario junto a la cocina en el que se guardaban escobas y viejos aparatos domésticos y una lámpara de petróleo, así como una provisión de cerillas y velas. Stevens no parecía tolerar ni un mínimo margen de incertidumbre sobre el inmediato porvenir. Ignacio Abel cruzó rozando las paredes y las estanterías la amplitud desconocida de la biblioteca y al llegar a la cocina hizo memoria para recordar en qué dirección estaba el armario de las escobas. Al terminar la cena —expeditivamente, para su sorpresa, a las nueve en punto, los invitados cancelando las efusiones de la conversación y marchándose tan rápido como si desmontaran los decorados de una función teatral en la que ellos mismos hubieran participado como actores, el presidente Almeida apartando los ojos

de él nada más estrecharle la mano— Philip Van Doren le
había deseado *a good night's sleep* alejándose en seguida
hacia su automóvil, junto al cual un chófer de uniforme lo
estaba esperando. ¿Parecía decepcionado por algo, finalmente aburrido de una representación que ya duraba demasiado? Pero quizás estaba dolido porque Ignacio Abel
no le hubiera preguntado más detalles sobre el paradero
de Judith, no hubiera dado muestras más visibles de su debilidad, de su no amortiguada dependencia. Durante no
sabe cuánto tiempo tendrá que aprender a vivir entre desconocidos cuyos resortes de comportamiento le serán in-
teligibles sólo de una manera muy imperfecta, como los
gestos que hacen y el idioma que hablan, toda la malla de
signos que uno interpreta de manera automática cuando
está en el mundo donde ha crecido y al que pertenece, con
la misma desenvoltura con que habla y escucha su idioma
y no se pierde ni un matiz, ni un sobrentendido. Aquí en
las cosas más obvias habrá siempre una zona de incertidumbre, de niebla, como en las palabras que de pronto dejan de serlo para convertirse en sonidos sin contorno. Junto al rastro de claridad que entra por un ventanal de la cocina ha encendido casi a tientas la lámpara de petróleo. El
temporal se oye ahora tan lejano como las sirenas de los
trenes, dispersándose sobre las colinas de los bosques y el
río. Al pasar de nuevo por la biblioteca se ve con un sobresalto en el espejo que hay sobre la repisa de la chimenea, un hombre de mediana edad y pelo gris, de rasgos
exagerados por los contrastes de la sombra y de la luz aceitosa. El piano de cola, los libros en las estanterías, las sillas
plegadas contra la pared, el periódico abandonado desde
esa mañana en un brazo del sillón, formulan los términos
de una expectativa, tensos en su inmovilidad como la figura masculina sorprendida en el espejo. He venido tan lejos para dar vueltas de noche por una casa tan deshabita-

da y en tinieblas como la que dejé en Madrid: ahora mismo vacía tal vez, acumulando silenciosamente polvo, abandonada a la misteriosa decrepitud gradual de los lugares donde no habita nadie; o destruida por una bomba, obscenamente revelada a la luz de la calle en el edificio medio en ruinas, mostrando las intimidades que nadie ve, la mitad de un dormitorio, los barrotes retorcidos de una cama; o tal vez saqueada, ocupada por milicianos, o por desplazados de los pueblos cercanos a Madrid, de los barrios obreros en los que se ensañan cada noche los bombardeos, con una letal puntería de clase. Estaba parado una noche en la negrura del pasillo y de pronto sonaron golpes en la puerta. Suenan ahora y él está tan ensimismado, tan perdido en el tiempo, en el túnel cavernoso de sombras que la luz de la lámpara ha abierto en el espejo, que tarda en darse cuenta de que los oye de verdad, no en el pasado, no en Madrid, sino aquí mismo, en la puerta de esta casa, en el silencio casi tangible que el final de la tempestad ha dejado en los bosques, punteado de gotas que el viento suave desprende de los extremos de las hojas, de roces de hojas sobre el suelo esponjoso y fértil en la oscuridad, ahíto de agua. Y con la conciencia de los golpes en la puerta sobresaltándole los latidos del corazón le sobreviene la certeza insensata de que es Judith Biely quien ha venido y lo está llamando, no en un sueño ni en un desvarío del deseo, sino en el vértigo literal de la realidad, del presente, ahora mismo, a la distancia de unos pasos.

35

Está parada frente a él, alumbrada por la lámpara que él sostiene en la mano izquierda. Ha usado la derecha para abrir la puerta, y al hacerlo le ha dado en la cara el aire húmedo del bosque y le han herido los ojos los faros del automóvil con el motor en marcha que hay detrás de ella, justo delante de los escalones y las dos columnas de la fachada. Ignacio Abel no ha oído el motor acercándose, ni tampoco los primeros golpes de Judith en la puerta. Ha surgido ante él casi sin aviso, en un fulgor de segundos que cancela de golpe la duración de la ausencia, casi sin dejarle tiempo para la esperanza o el miedo a la decepción: sólo la sorpresa, unos segundos antes, al escuchar los golpes resonando en el interior de la casa, la alarma instintiva, incluso la duda de si abrir o no, la sensación de peligro, agravada por la ligera irrealidad del alcohol. Quién puede haberse acercado en una noche así a una casa tan aislada en medio de un bosque y llamar con esa urgencia (pero ya no estás en Madrid y unos golpes en medio de la noche no tienen por qué ser una amenaza). Ahora la mira y todavía no dice nada, no dicen nada ninguno de los dos, mientras el borboteo del motor continúa y el chasquido de las varillas del limpiaparabrisas, aunque ha dejado de llover. La luz brilla en los ángulos de su cara, en sus ojos, en el pelo húmedo que ahora lleva de otra manera, mucho más corto, y no peinado hacia atrás, sino con raya y un mechón hacia un lado, que se aparta de la cara con un gesto familiar de la mano, instintivo, como para afirmar que es ella misma, Judith Biely, reconocida y a la vez extraña, aparecida de pronto, cambiada en unos pocos meses, no muchos, sólo tres, un poco más, y sin embargo parece que hubieran pasado varias vidas enteras, las vidas hostiles de las que él no sabe nada, las que él ha atravesado solo desde que se despidió de ella en aquel café que en la memoria se ha ido enturbiando con una media luz siniestra, de final de todo, de augurio de desastre. Se miran sin moverse y las manos de los dos permanecen inútiles o torpes, la mano izquierda de él sujetando la lámpara, la derecha todavía en el pomo de la puerta, las manos que en otro tiempo sabían buscar bajo la ropa con tanta destreza, los dedos ahora indecisos de Judith peinando el flequillo, apartándolo, como si acabara de cortarse el pelo y no hubiera acabado de acostumbrarse al nuevo peinado, como mirándose en un espejo para comprobar cómo le queda. Él aparta los ojos hacia el automóvil, que sigue con el motor y los faros encendidos y en el que teme instantáneamente que haya alguien, un hombre, que ha venido con ella y que de un momento a otro la reclamará haciendo sonar el claxon. «Pensé que no había nadie», dice Judith. «No veía ninguna luz.» Lo ha dicho en español. Su voz un poco más oscura que en el recuerdo tiene un acento americano más pronunciado. *Pensé que no había nadie*: tanto tiempo añorando esta voz, los labios que forman las palabras, no sabiendo invocarla, creyendo a veces haberla escuchado decir su nombre en el tumulto de una calle, de una estación, murmurándolo muy cerca de su oído, un momento antes de despertar. Da un paso hacia ella, o sólo desprende su mano del pomo de la puerta, y nota que Judith retrocede, un gesto casi invisible. Teme que si se mueve o dice algo va a perderla; teme que vuelva sobre sus pasos y suba de nuevo al automóvil o se desvanezca en medio de la noche y del bosque igual que ha surgido de ellos, en compañía del posible desconocido que observa, detrás del volante, a la luz de los faros. Judith hace un ademán de volverse, pero sigue quieta, mirándolo, una esquina de la boca curvándose en el principio de una sonrisa. A la luz escasa y cercana de la lámpara su cara es menos familiar porque el pelo tan corto exagera sus rasgos: la boca grande, el triángulo de los pómulos y la barbilla, la línea de la mandíbula. Ignacio Abel no mueve la mano que hubiera querido acariciarla pero la mirada les transmite a los dedos la sensación de rozar esa piel. Judith indica el coche con un gesto y cuando vuelve a hablar, ahora en inglés, se da cuenta de que él no la ha entendido. «*I'd better turn it off.*»

Ha pasado horas conduciendo por carreteras secundarias y se ha perdido buscando Rhineberg y el campus de Burton College y luego el camino en el bosque que lleva a la casa de invitados. La lluvia cada vez más violenta no le permitía ver bien los indicadores ni las desviaciones y no había nadie a quien preguntar. Se supo completamente perdida cuando pasó por segunda vez junto a una casa aplastada bajo un árbol, bañada por resplandores de faros y por las luces móviles de una ambulancia y un camión de bomberos. Se detuvo para preguntar: un bombero le dio indicaciones a gritos limpiándose la lluvia de la cara, manoteando para urgirla a que se apartara cuanto antes. No hubiera debido venir y sin embargo ha venido. Arreciaba la lluvia y se daba cuenta de que sería más sensato no seguir avanzando por carreteras desconocidas y se proponía

parar en cuanto viese las luces de una gasolinera, el letrero intermitente y rojizo de un restaurante o de un hotel
para automovilistas. Tenía hambre, tenía sed, miedo a perderse o a ser deslumbrada por los faros de un automóvil
que viniera demasiado rápido en dirección contraria, tenía
ganas de orinar. Pero cuando al fin distinguía las luces de
una gasolinera entre la lluvia y la negrura de la noche miraba la aguja en el indicador del depósito y pasaba de largo,
diciéndose que pararía la próxima vez, o ni siquiera eso,
echándose hacia atrás en el asiento para aliviar el dolor de
los músculos y pisando un poco más el acelerador, como si
no hubiera conexión entre su voluntad y sus actos, entre el
pensamiento y las manos que seguían apretando el volante
o el pie derecho que no cambiaba al pedal del freno. Durante la primera parte del camino, aún a la luz del día, no
tuvo necesidad de acallar el remordimiento, porque estaba
viajando en la dirección de Nueva York, y por lo tanto podía decirse a sí misma que no lo hacía para acercarse a
donde él estaba. Era para ir a Nueva York para lo que había salido de Wellesley College, no para tomar una carretera secundaria en un cierto momento y desviarse por una
ruta que antes de salir había estudiado cuidadosamente en
el mapa, aunque de una manera sólo conjetural, separando su voluntad de sus actos, o al menos dejándola en suspenso, mientras extendía el mapa sobre una mesa y trazaba con un lápiz el camino que debería tomar en caso que
decidiera ir a Burton College, casi tan quiméricamente
como cuando estudiaba en su adolescencia los mapas de
Europa para inventarse viajes. Que el destino de su viaje
era Nueva York no admitía duda ninguna. Precisamente
que su decisión fuera tan firme le permitía concederse la
posibilidad de un desvío que no iba a ponerla en peligro,
que como máximo retrasaría su cumplimiento en unas
pocas horas. Había cosas en la vida que ya sabía que no

volvería nunca a hacer: no regresaría nunca con su primer marido ni se dejaría arrastrar por el remolino de la egolatría de ningún otro hombre; jamás se rebajaría de nuevo a hacerse amante de un hombre casado. Por encima de sus propios impulsos y de los recuerdos que no tenía necesidad de borrar estaban sus principios morales, que debían ser tanto más firmes porque se correspondían con su orgullo de mujer emancipada. Porque estaba segura de sí misma y de la secuencia inflexible del porvenir que había elegido no arriesgaba nada si en el último momento, al llegar al indicador de la desviación hacia Rhineberg, abandonaba la carretera principal y seguía un itinerario que sin proponérselo exactamente había memorizado consultando el mapa, y que en cualquier caso no era un cambio de rumbo, sino tan sólo un rodeo. El tiempo irresponsable de las ensoñaciones y de los viajes en busca de una vaga educación europea que se parecía demasiado al cumplimiento de un destino literario había terminado para ella. Los últimos dólares de los ahorros de su madre los había gastado en el pasaje de regreso a América. Volvió a tiempo de acompañarla en los episodios finales de una enfermedad que había estado consumiéndola mientras Judith, en Madrid, le escribía cartas con mucha menos frecuencia que antes, aturdida por el amor, incómoda por la necesidad de una omisión que equivalía a una mentira, a un fraude. No era posible vivir en otro país y en otro idioma sin habituarse a una ficción de la que más tarde o más temprano era inevitable despertar, a no ser que se dispusiera de la herencia ilimitada de una heroína de Henry James. El dinero, la enfermedad, la muerte, eran los emisarios eficientes de la realidad. Europa no era un espacio encantado de ensoñaciones novelescas ni el paisaje de fondo para la búsqueda de una vocación sino un territorio progresivamente más sombrío en el que se multiplicaban los ejércitos, las multitudes fanatizadas, de carteles con grandes letreros ofensivos pegados por las calles. Las severas responsabilidades terrenales de quien tiene que ganarse la vida no le permiten perseguir indefinidamente el espejismo de una vocación que no acaba de cristalizar en nada. Lo que había ido a buscar en Europa y lo que parecía a punto de revelársele en sus fervorosos paseos solitarios por Madrid quedaría por ahora en suspenso; las páginas mecanografiadas y los cuadernos llenos de anotaciones en su letra impetuosa permanecerían guardados en una maleta que no tenía prisa por abrir; si la promesa de su talento era verdadera el regreso a las obligaciones de la realidad no podría dañarla: la fortalecería tal vez, le daría la intensidad de la renuncia, la disciplina de la paciencia. Lo que hiciera desde ahora tendría la solidez de lo necesario, de lo racionalmente decidido, de lo inevitable. Junto al mapa de carreteras, encima de su escritorio, en el pequeño despacho del departamento de Español que llevaba ocupando menos de dos meses y ahora iba a abandonar —pero no en un arrebato, sino a consecuencia de una reflexión larga y obsesiva— estaba la postal que le había mandado Philip Van Doren, en la que se veía, en colores pastel, la casa de invitados de Burton College, con sus dos columnas blancas y su frontón neoclásico contra el fondo verde oscuro de un bosque, bajo un cielo azul pálido y rosado de atardecer. No era tan grande cuando por fin la vio a la luz de los faros, al final de un camino embarrado en el que resbalaban las ruedas del coche y en el que las ramas bajas de los árboles azotaban los cristales y el techo. Apenas caían unas gotas aisladas pero ella no se acordó de desconectar el limpiaparabrisas. Al no ver ninguna luz tuvo un momento de decepción mezclada con alivio. Si no había nadie en la casa aún estaba a tiempo de no llegar al final de su irresponsabilidad. Aprovechando que la tormenta se había alejado seguiría conduciendo hacia Nueva York y estaría tan a salvo del arrepentimiento como de la tentación, de nuevo invulnerable al peligro, con su dignidad intacta, más aún porque nadie sabría que había venido, porque todavía estaba a tiempo de borrar las últimas horas tan sin rastro como si no hubieran sucedido, como si ella nunca hubiera llegado a este claro en un bosque delante de una casa desde cuyas ventanas no la habrá visto nadie. Los primeros pasos de una claudicación que no conduce a nada tampoco dejan huella. Mirándose en el retrovisor se repasó el carmín de los labios, se echó el pelo hacia un lado. Subió enérgicamente la palanca del freno y salió del automóvil sin acordarse de apagar el motor. El cono amarillo de los faros iluminaba los peldaños de piedra y proyectaba su sombra alargada contra la puerta antes de que Judith llegara a ella, las articulaciones doloridas después de tanta inmovilidad, la boca ligeramente abierta, la respiración en calma, con la sensación de no estar del todo en el lugar donde estaba, de verse en un sueño, sabiendo que lo es. No había ninguna luz, pero aun así iba a llamar. Precisamente por eso. Sin traicionarse a sí misma podía permitirse actos que no tendrían consecuencias. Tiró de la argolla de una anticuada campanilla pero no le llegó ningún sonido. Había un timbre eléctrico: pero tampoco escuchó nada al pulsarlo. Golpeó la puerta y en la madera demasiado recia no resonaba su llamada. Después de un silencio apretó más fuerte el puño y cuando iba a golpear otra vez se detuvo. Entonces vio la raya de luz insinuándose bajo la puerta. Se quedó inmóvil, erguida, el aire húmedo y el olor a hojas empapadas y a tierra entrando ahora muy rápido por las aletas de su nariz, la mano levantada, abriéndose.

Lo que más le ha sorprendido de Ignacio Abel es el traje oscuro, tan europeo y anticuado, y lo delgado que está. Quizás a causa de la luz de la lámpara que exagera las sombras los ojos se le hunden en las cuencas de una manera que ella no recordaba. Un conato de ademán de cada uno provoca en el otro un retroceso imperceptible. No del todo un paso atrás, pero sí un gesto, poco más que la dilatación de la pupila, el temblor de un párpado. Qué raro haber tenido alguna vez confianza física con este desconocido de aire extranjero y de mediana edad con el que habría podido cruzarse sin volver la cabeza en cualquier calle de Madrid, de la lejana Europa. La mano de Judith que no ha llegado a golpear de nuevo la puerta se abre en el ademán de peinar el flequillo con los dedos, apartándolo de la parte derecha de la cara. El gesto involuntario es tan íntegramente ella misma como su principio de sonrisa o como su firma rápida al final de una carta. No saben moverse el uno delante del otro, encontrar un tono natural de voz. Nada desaparece más rápido que la intimidad física. El foso que había entre ellos en el café de Madrid donde se encontraron la última vez se ha trasladado intacto al umbral de esta casa, como una cuchillada en el espacio, entre los dos cuerpos.

«*I'd better turn it off*»: Ignacio Abel ha descifrado las palabras sólo al verlas ilustradas por el movimiento de ella, unos segundos después de escucharlas sin entender nada. Cuando Judith le da la espalda y avanza hacia el coche reconoce la desenvoltura gimnástica, el gesto de los hombros, igual que ha reconocido el de la mano un poco antes. Su conciencia registra la cara y la presencia de Judith tan lentamente como las palabras que le ha dicho. La altivez en los hombros, la ligera inclinación de la cabeza, las caderas ceñidas por los pantalones. El corte de pelo modifica su cara como cuando la veía aparecer llevándolo recogido y era más ella misma y a la vez otra Judith posible que él deseaba todavía más por ser inesperada. Sólo al apagarse el motor y los faros se le disipa el miedo a una presencia masculina vigilante e intrusa. Judith vuelve hacia él y al subir los peldaños de piedra ingresa de nuevo en el círculo de claridad de la lámpara. Ahora casi le sonríe al decirle algo que él traduce un poco después de haberlo escuchado: «*Aren't you going to ask me in?*» Se da cuenta de que él no ha dicho nada todavía. La mira como reconociendo gradualmente sus facciones al tocarlas en la oscuridad, como cuando respiraba su aliento y el olor de piel y su pelo con los ojos cerrados. Huele a ella misma y a la antigua colonia y al cansancio y la tensión de tantas horas de viaje, a sudor y al cuero del asiento del coche. Huele al carmín que se ha puesto en los labios hace unos minutos. Ignacio Abel mira cada rasgo de su cara olvidada, lo que no preservó el recuerdo ni estaba reflejado en la mentira parcial de las fotografías: y ve también como un agravio lo que ahora es nuevo, los síntomas de la vida ignorada que ha tenido estos últimos meses, la afrenta de una existencia plena en la que él no ha contado. La posibilidad de que Judith haya estado con otro hombre, que se haya cortado el pelo para ser mirada por él y recibir su aprobación, es demasiado dolorosa para permitir que cobre la forma de un pensamiento articulado. Debajo de la camisa, del pantalón ancho en los bajos que se estrecha para ceñirle la cintura, su hermoso cuerpo cansado ahora es inaccesible para sus manos y para su mirada codiciosa, estando tan cerca. El botón desabrochado de la camisa, el escote en penumbra, el temblor visible de la respiración, los labios separados, rojos, brillando en la luz, la cara de fatiga que ella observó en el retrovisor un momento antes de salir del coche, inmóvil todavía detrás del volante, sintiendo todo el cansancio, el abatimiento de haber llegado, de la gran casa sin luces que se levantaba delante de ella, contra el fondo oscuro del bosque. Un sentimiento de piedad hacia él la ha tomado por sorpresa, con la guardia baja, una debilidad favorecida por la extenuación del viaje. Piedad incómoda que a él le ofendería tanto si llegara a sospecharla y un principio de ternura que no se parece a la de los tiempos antiguos, al pasado más bien inexplicable de hace sólo unos meses. Entonces Ignacio Abel no aparentaba más de cuarenta años. Al abrirse la puerta, y más ahora, al regresar del coche, ha visto a un hombre mucho mayor que ella, torpe, como asustado, mirándola muy fijo mientras sostenía rígidamente la lámpara de petróleo. El traje oscuro de rayas, la chaqueta cruzada y de solapas anchas que ella recordaba bien —¿no era el que llevaba el día de su charla en la Residencia, o cuando volvió a verlo en casa de Van Doren?—, ahora parece de segunda mano. La corbata floja ciñe un cuello casi de viejo. Ve su torpeza, su expectación incondicional y alarmada, en lugar de la proximidad ansiosa de entonces, la contundencia física del deseo masculino, la arrogancia instintiva. Hasta le parece menos alto: pero es que ahora, a diferencia de entonces, tiene un poco encorvados los hombros, o una actitud de fatiga que antes no había en él, y que sin duda es exagerada por la holgura del traje. Le dan ganas de decirle que no se encoja, que yerga los hombros. Podría extender la mano y tocarle la cara, notando los puntos de aspereza de la barba que cuando se encontraban a media tarde ya no estaba bien afeitada. Recobra en las yemas de los dedos la sensación de hundirlos en el pelo recio de él, que ahora es más gris y ha perdido el brillo que tenía cuando se lo peinaba muy tirante hacia atrás. «¿Me dejarás pasar?», le dice ahora, saltando al español, y la sonrisa franca en su cara es una tregua, casi una bienvenida a este lado del mundo en el que se encuentran ahora, «me estoy muriendo de ganas de ir al cuarto de baño».

Oye los pasos, en el piso de arriba, sobre su cabeza. Presta atención: la oye orinar largamente, luego el agua en las tuberías, en el grifo del lavabo. Tendido en la cama la escuchaba lavarse en el aseo mezquino en casa de Madame Mathilde, y luego volvía la cara para verla aparecer desnuda en el quicio de la puerta, oliendo al jabón y la colonia que había traído en su bolsa de aseo, para no usar el que había en la casa, aunque la asistenta de Madame Mathilde ponía una barra nueva antes de que ellos entraran en la habitación, de Heno de Pravia. No quería que los olores de ese lugar se le quedaran en la piel ni en la ropa. Cerraba la puerta y abría el grifo antes de sentarse a orinar: le dijo que le daba vergüenza que él la oyera. La excitación sexual vuelve como una sorpresa, traída a la vez por el recuerdo y por la presencia de Judith en el piso de arriba, en esta casa tan grande en la que hace sólo unos minutos no parecía posible ninguna cercanía humana, sólo los crujidos y los roces en la madera, los gorgoteos del vapor de la calefacción en las tuberías, nunca el redoble de unos tacones femeninos o la inminencia de una voz. Le ha dicho que tenía frío, que estaba muerta de hambre. Mientras la oye en el cuarto de aseo ha reavivado el fuego en la chimenea de la biblioteca y ha buscado algo de comer por las alacenas y en la nevera. A pesar de su torpeza la leña ha prendido muy rápido porque seguía habiendo brasas muy rojas debajo de las cenizas del fuego que la mujer de la limpieza dejó encendido esta mañana. Las llamas han llenado la biblioteca de un gran resplandor rojizo en el que las sombras oscilan como plantas bajo el agua. Ahora no se ve el bosque. Los cristales de las ventanas son espejos en los que Ignacio Abel se mueve acompañado por su sombra, buscando cosas con una falta masculina de desenvoltura acentuada por la luz tan escasa: lonchas de salami, pan de centeno, una manzana olorosa, el mantel que la criada le puso para su desayuno, un tenedor y un cuchillo, una servilleta, un vaso de agua. Luego encuentra en la nevera una cerveza fría y se pone nervioso buscando por los cajones un abridor. Pero hacer algo lo ha serenado; le concede un cierto sentido de la realidad, mientras espera a que Judith vuelva de la planta de arriba escuchando el itinerario de sus pasos: deja de oírse el agua en el lavabo y se cierra la puerta del cuarto de baño; avanza por el corredor, más despacio de lo que es habitual en ella, porque va alumbrándose con una palmatoria; baja por la escalera. Lo ve de pie junto al fuego y quisiera sacudirlo, hacer que se despertara, aunque sólo sea para ver al hombre del que fue capaz de apartarse con un esfuerzo tan grande de coraje y orgullo, el que le contaba mentiras o verdades a medias que ella elegía creerse, cerrando los ojos con la misma deliberación con que se dejaba llevar por él en su automóvil, la vergüenza en suspenso, igual que los proyectos de su vida, el cuerpo abandonado en el asiento mientras la mano derecha de él buscaba la suya o la acariciaba entre los muslos, mientras sonaba una música en aquel aparato de radio del que él estaba tan puerilmente orgulloso, igual que del empuje del motor o del tacto del cuero de la tapicería, instalada por encargo, hecha tan a la medida de sus indicaciones específicas como su traje o sus zapatos, como las camisas con sus iniciales bordadas. La ira contra él le daba una seguridad que ahora echa de menos. Si en él ahora no hay rastro de peligro a ella sola le corresponden la responsabilidad y el remordimiento por sus propios actos del pasado, por lo que estuvo a punto de ocurrir, la mujer de caderas anchas y hebras grises en el pelo ahogándose por propia voluntad en las aguas turbias de una laguna, la ofensa en carne viva del descubrimiento de un engaño del que ella, Judith, era cómplice, al que había accedido con una conciencia plena de su equivocación no amortiguada ni siquiera por el enamoramiento. Al verlos juntos aquella vez en la Residencia había pensado que Ignacio Abel era más joven que Adela: ahora entra en la biblioteca y lo ve en la claridad del fuego y le parece que por un raro atajo del tiempo ha igualado la edad de su mujer, y que pertenece al mismo mundo, la clase media administrativa y católica de Madrid que ella veía salir de las iglesias los domingos por la mañana, acudir a las confiterías de la Carrera de San Jerónimo, los matrimonios tan severos, los hombres y las mujeres vestidos de oscuro, ellas con velos en la cabeza, con escapularios. Quiere sacudirlo para sentir de nuevo el peligro y ser capaz de rechazarlo; o para ahorrarse un sentimiento de lástima, para no intuir en él una sorda pesadumbre de humillación sexual. La humillación de haberla perdido y no ser deseado por ella: el hilo tan precario del que pendía la ficción de su masculinidad, minada además por el miedo y el sufrimiento de la guerra. Es también la guerra lo que ve en su mirada, piensa, en su falta de empuje y de lustre, la otra humillación añadida, la pérdida de la coquetería, tan chocante como el debilitamiento de los hombros y los brazos, el principio de flojera de la piel bajo la barbilla.

—Te miro y no puedo creerme que estés aquí.

—Me marcho en seguida.

—Entonces para qué has hecho el viaje.

—Iba casi de paso. Sólo tuve que tomar una desviación.

—Te quedarás a pasar la noche. Hay habitaciones de sobra.

—Y qué pensarían tus colegas si me vieran salir de aquí por la mañana. Tú no sabes cómo son estos sitios pequeños. Wellesley es igual. Se sabe todo, todo se comenta. Como en una novela de Galdós, pero con profesores.

—Entonces no tendrías que haber venido.

—Me iré en cuanto cene algo y descanse un poco. En dos horas puedo estar en Nueva York.

—¿No tienes que dar clases ahora?

—Lo he dejado.

—Pero yo creía que acababan de contratarte.

—Phil Van Doren sigue informándote de todo.

—¿Es verdad que trabajas con Salinas?

—Trabajaba. Ya sé que no te es muy simpático, pero me recuerda mucho a ti.

—¿Van a reunirse pronto con él su mujer y sus hijos?

—No lo sabe. No sabe si le renovarán el contrato el año que viene. Se desespera cuando no le llegan cartas o noticias de España y se desespera más cuando le llegan. En estos sitios es fácil quedarse muy aislado.

—Yo llegué sólo ayer y ya me parece que llevo aquí mucho tiempo.

—El pobre profesor Salinas me dice que echa mucho de menos Madrid. En cuanto puede se escapa a Nueva York un fin de semana. Pero dice que lo que más le cuesta es acostumbrarse a comer sin vino...

—¿Tiene esperanza de volver a España?

—¿Y tú? Tú saliste hace muy poco. Estás mejor informado que él.

—Leo los periódicos de aquí y escucho la radio y todo el mundo parece convencido de que Franco está a punto de entrar en Madrid.

—Todavía no ha entrado. Con un poco de suerte no entrará nunca.

—Y qué puedes saber tú. Cómo estás tan segura.

—Porque no creo que los periódicos ni las cadenas de radio en América estén diciendo la verdad. Están en manos de las grandes corporaciones y sus dueños han apoyado a Franco desde el primer día, igual que la Iglesia Católica.

—Esa manera de hablar no me parece tuya. Hablas como los que daban un mitin el otro día en Nueva York.

—¿Tú estabas allí? ¿El sábado pasado? ¿En Union Square?

—Miraba las caras de todas las mujeres con la esperanza de ver la tuya.

—Lo último que yo hubiera esperado habría sido encontrarme contigo.

—Yo no he dejado de esperar encontrarme contigo desde aquel día que te fuiste del café.

—Fue emocionante, toda esa gente llenando la plaza, hasta se habían subido a los árboles y a la estatua de George Washington. Veía la bandera de la República y escuchaba el Himno de Riego y *La Internacional* y no paraba de llorar.

—Buenas intenciones, pero nadie nos ayuda. Nos miran como apestados, como a leprosos. En un hotel de París no me quisieron dar habitación cuando vieron mi pasaporte español. Pensarían que iba a llenarles la cama de piojos. La opinión civilizada parece ser que conviene dejarnos solos para que sigamos matándonos entre nosotros hasta que nos cansemos. Nos miran como esos turistas que iban a las corridas de toros, dispuestos a entusiasmarse o a horrorizarse, a disfrutar horrorizándose para sentirse más civilizados que nosotros. Y el caso es que no les falta su parte de razón, dado el espectáculo que les estamos ofreciendo.

—No está bien que tú digas eso. Los militares y los falangistas se han levantado contra la República. Sólo porque tienen la ayuda de Mussolini y de Hitler no han sido derrotados todavía.

—Vuelves a hablar como en la tribuna de un mitin.

—¿No estoy diciendo la verdad?

—La verdad es tan complicada que nadie quiere oírla.

—Si la sabes explícamela tú.

—A lo mejor me he ido para no verla yo tampoco. La verdad vista de cerca es una cosa muy fea.

—No creo que tú pudieras vivir cerrando los ojos.

—Y por qué no. La mayor parte de la gente lo hace y no le cuesta nada. No te hablo ya de la gente fuera de España, que al fin y al cabo puede no enterarse de la guerra, o leer sobre ella en el periódico y que le importe menos que un partido de fútbol. Hasta en Madrid conozco a muchas personas que han conseguido no enterarse de lo que está pasando, o por lo menos hacen como si no se enteraran. Viven vidas perfectamente normales, lo creas o no. Adoptan la nueva moda y los nuevos lenguajes. Pero imagino que yo también me acostumbraría si me hubiera quedado, al menos si tenía suerte y no me mataban.

—¿Por qué iban a matarte a ti?

—Por cualquier cosa. Por capricho, o por equivocación, o por nada, por casualidad. Matar a una persona desarmada y pacífica es la cosa más fácil del mundo. Tú no sabes qué fácil. Nadie lo sabe hasta que no lo ha visto. Como apagar esa vela. A no ser que el verdugo sea torpe, o se ponga nervioso, o no sepa manejar bien el fusil. Entonces puede no acabar nunca. Como en las corridas cuando esos carniceros no aciertan con el estoque ni con la puntilla.

—Los periódicos publican aquí mentiras tremendas sobre lo que está pasando en Madrid.

—Algunas de esas mentiras son verdad. Algunas de las peores.

—Crímenes más terribles cometen los otros. Ellos empezaron. Ellos tienen la culpa.

—Ellos tienen su culpa y nosotros la nuestra.

—La razón y la justicia están de vuestra parte.

—No me gustan esas palabras tan abstractas. Tú antes no las usabas.

—Tú sí. Aquella tarde que hablamos tantas horas, en el bar del hotel Florida. Me llamó mucho la atención la seriedad con que te explicabas. Te había irritado que Phil Van Doren hablara desdeñosamente de la República y elogiara de esa manera suya tan esnob a la Unión Soviética y a Alemania. Dijiste que eras republicano porque creías en la razón y en la justicia. Me gustó tu vehemencia.

—No recordaba que hubiéramos hablado de cosas así.

—¿Ya no piensas como entonces?

—Lo que pienso es que la razón y la justicia no se imponen matando.

—Si a uno lo atacan, tiene derecho a defenderse.

—¿Y a matar inocentes también tiene uno derecho?

—Tenía miedo de que a ti pudiera pasarte algo.

—Entonces no pensabas que todo lo que contaban era mentira.

—¿Has estado en peligro?

—Podrías haberme escrito para preguntármelo.

—Te lo pregunto ahora.

—Fueron por mí para matarme. Me salvé por casualidad en el último momento. Comprenderás que no tenga muchas ganas de volver.

Tienen que aprender de nuevo a hablarse, a ajustar el tono de las voces para limar la extrañeza, a moverse el uno cerca del otro con una gradual naturalidad, lentamente, como se aprende a caminar de nuevo después de la convalecencia de un accidente, cuando se descubre que ha bastado un tiempo tan breve para que las piernas hayan perdido el tono muscular y el hábito de los pasos. Los ojos huidizos no saben ya sostener la mirada; la boca forma con más dificultad palabras del otro idioma que fueron habituales y ahora faltan cuando se está a punto de decirlas. Quizás no es que ya se hayan vuelto extraños el uno para el otro en tan poco tiempo sino que ahora se ven por primera vez bajo una sobria luz no enturbiada por la ansiedad del deseo. Lo que cada uno de los dos desconoce en el otro es la realidad que no vio cuando la tenía casi a diario delante de los ojos, no los cambios sucedidos durante la ausencia. Tanteaban, al principio, hacían preguntas neutras. Veo que te has cortado el pelo; esta mañana, antes de salir de viaje, ¿te gusta?; claro que sí; no te gusta; tengo que acostumbrarme; tú lo llevabas siempre más largo, y más rizado; no he tenido tiempo de ir a una peluquería. Ninguno de los dos ha dicho todavía el nombre del otro. Parece que la conversación se afianza y sin motivo sobreviene el silencio; casi cuentan los segundos que tardan en surgir de nuevo las palabras, como si no dependieran de la voluntad de ninguno de los dos. Un matiz, un tono de confianza apenas insinuado se malogra. Una frase aislada suena como aprendida de memoria para ser dicha en una representación, en un ejercicio demasiado literal de buenos modales en una clase de idiomas. «*May I use the bathroom?*», dijo ella cuando por fin entró, cuando él cerró la puerta y se encontraron solos dentro de la casa. Mientras comía él la ha observado en silencio, sentado al otro lado de la mesa de la biblioteca, con la formalidad algo incongruente del traje oscuro y la corbata, aliviado de que ella no estuviera mirándolo, una mujer joven, saludable, saciando sin apuro el hambre después de haber conducido durante varias horas, bebiendo directamente de la botella de cerveza, más americana de lo que la recordaba, ahora que la ve en su país. Ha puesto el salami entre dos rebanadas de pan y lo come a bocados enérgicos. El deseo por ella tiene más de dolor que de pura apetencia sexual, que ahora mismo no siente. Es un principio de dolor en las articulaciones, en la boca del estómago, el aguijón de una imposibilidad. Como no le ha puesto una servilleta Judith se limpia la boca con el dorso de la mano. Lo que encuentra de desconocido y de lejano en ella tendrá que ver con la presencia usurpadora de otro. La sensación de los celos es una mordedura física, una sustancia tóxica circulando en la sangre. En las fotos, en los recuerdos, la belleza de Judith tenía un punto esfumado, como si la viera tras un tenue filtro de gasa. La palabra belleza no puede exactamente aplicarse a la mujer que Ignacio Abel tiene ahora mismo delante, con su pelo no muy bien cortado y una simple camisa, con las manos sin anillos que sostienen el sándwich de pan de centeno y salami y que han abierto con tanta desenvoltura la botella de cerveza. Hay algo más carnal, inacabado, excesivo, en la rotundidad de los rasgos: la nariz, la boca grande, la barbilla pronunciada, la forma dura del hueso bajo la piel. Le gusta más todavía y más que nunca. Le gusta sobre todo lo que lo ha cogido por sorpresa porque no lo supo recordar, lo que antes no veía y ve ahora. La falta de esperanza, la seguridad de haberla perdido, le permiten recrearse en una dolorosa objetividad. Le basta su existencia: el regalo inesperado de tenerla cerca. Si ha venido tan lejos ha sido sólo para verla.

—No me mires así.
—¿Cómo te miro?
—Como si fuera un fantasma. O como si hiciera ruido comiendo.
—Te miro porque no me canso de mirarte. Porque te he echado tanto de menos que no puedo creerme que estés delante de mí.
—Yo no estoy segura de que me veas a mí cuando me miras. No lo he estado casi nunca, ni siquiera al principio. Me mirabas muy fijo y sin embargo me parecía que estabas en otra parte, perdido en tu mundo, a lo mejor pensando en tu trabajo o en que tu hijo o tu hija tenían fie-

bre, o en tu mujer, o en la mentira que ibas a contar cuando volvieras a tu casa, o en el remordimiento que te daba engañarla. Me estabas mirando y los ojos se apartaban de mí aunque fuera un segundo, y yo lo notaba. Estábamos besándonos en aquel cuarto de Madame Mathilde y te veía en el espejo que había enfrente de la cama mirando un momento el reloj de la mesa de noche. Un gesto nada más, pero yo me daba cuenta. Yo me he fijado siempre en ti. Creo en quien tú eres de verdad, no en quien yo hubiera podido soñar que eras. Y cuando leía tus cartas, me daban ganas de salir corriendo y meterme contigo en la cama, sentía el mismo mareo que cuando nos tomábamos en los merenderos aquellas cervezas frías que nos gustaban tanto. Pero luego, volviendo a leerlas, me entraba la misma duda que cuando te veía mirarme, no estaba segura de que fuera a mí a quien le escribías. Eran siempre tan vagas. Me hablabas de lo que sentías por mí y de nuestro amor como si viviéramos en un mundo abstracto en el que no había nada más, ni nadie más que nosotros. Llenabas dos páginas contándome la casa que querías hacer para nosotros y yo me preguntaba dónde, cuándo. Prométeme que no vas a enfadarte con lo que te diga.

—Prometido.

—Te vas a enfadar. Algunas veces pensaba que me escribías con desgana, por compromiso, porque yo te lo estaba pidiendo. Te burlabas tanto de esos artículos verbosos que publicaban los intelectuales en *El Sol* y sin que tú te dieras cuenta en tus cartas había algo que me los recordaba. Me contabas lo que sentías por mí pero no contestabas a lo que yo te había preguntado. Pensé en una expresión que me habías enseñado tú: «dar largas». Me dabas largas para no referirte nunca a nuestra vida real, la tuya y la mía. Y la verdad era que aunque hablábamos tanto y nos escribíamos tanto no hablábamos nunca realmente de nada concreto. Sólo de nosotros dos, flotando en el espacio, flotando en el tiempo. Nunca del futuro, y al cabo de un poco tiempo casi nunca del pasado. Decías que estabas enamorado de mí pero te distraías en cuanto llevaba un rato contándote algo de mi vida. Y si empezaba a hablarte de mi ex marido cambiabas de conversación.

—Me da celos pensar que has estado con otros.

—Tendrías menos celos si me hubieras dejado contarte que ni mi marido ni los otros hombres nunca me importaron ni la mitad que tú.

—Ha habido más hombres.

—Claro que los hubo. ¿Querías que hubiera estado en un convento, esperando tu aparición?

—No podía soportar la idea de imaginarte con otro. Tampoco puedo ahora.

—Yo tenía que soportar no la idea sino la realidad de que después de estar conmigo fueras capaz de disimular sin dificultad y acostarte con tu mujer.

—Hacía mucho que ni siquiera nos tocábamos.

—Pero estabas con ella y no conmigo. En la misma habitación y en la misma cama. Mientras yo volvía sola a mi cuarto de la pensión y no podía dormir y si encendía la luz era incapaz de leer, y me sentaba delante de la máquina y no podía escribir, ni siquiera una carta. Y si le escribía a mi madre no podía contarle que todo su sacrificio por mí había servido para que un hombre casado español tuviera una amante americana más joven que él.

—Me dijo Van Doren que tu madre había muerto.

—Qué raro que me preguntes por ella.

—Yo siempre quería que me contaras cosas de tu vida.

—Pero te distraías en cuanto llevaba un rato contándotelas. Tú no te dabas cuenta, y no te acuerdas, pero eras un hombre impaciente. Tenías siempre prisa, por un motivo u otro, estabas nervioso. Lo hacías todo con ansia. Te echabas sobre mí en la cama algunas veces y parecía que se te olvidaba que yo estaba contigo. Abrías los ojos después de correrte y me mirabas como si te hubieras despertado.

—¿Ése es todo el recuerdo que tienes?

—No sólo ése. También sabías ser muy dulce otras veces. Otros hombres no hacen nada por aprender.

—Estaba loco por ti.

—O por alguien que tú te imaginabas y que no era yo. Empecé a pensar leyendo tus cartas que podrían estar igual dirigidas a otra. Me halagaba ser yo quien te inspiraba esas palabras, pero algunas veces no me las creía. Me mirabas y no sabía si era a mí exactamente a quien estabas viendo.

—A quién iba a ver si no.

—A una extranjera, una americana. Como esas mujeres de las películas y de los anuncios que según me contabas te habían gustado siempre. Te gustaba mirarme pero no siempre parecía que te hiciera mucha falta conversar conmigo. Por carta podías ser mucho más expresivo.

—¿Ahora te miro igual que entonces?

—Ahora han cambiado tus ojos. Cuando abriste la puerta no me parecías tú. Ahora vuelvo a reconocerte poco a poco, aunque no del todo. No te veo mirar de soslayo el reloj.

—¿Por qué vas a Nueva York?

—El hombre español, haciendo sus preguntas.

—¿Vas a ver a tu amante?

—No me hables así.

—Me decías que no podías imaginarte acostándote con otro.

—Si yo te recordara todas las cosas que tú me decías.

—Yo no fui quien desapareció. Yo no fui quien prometió ir a una cita y luego no se presentó.

—¿De verdad quieres discutir ahora de eso? No desaparecí. Te dejé una carta explicándote exactamente cómo me sentía, qué pensaba. Por qué no podía volver a verte. No te escondí nada. No te conté ninguna mentira.

—Dejaste la carta sabiendo que yo estaba esperándote en la habitación.

—Eso no importa ahora.

—Podías haberte quedado conmigo al menos esa tarde. Sabías que te estaba esperando y tuviste la frialdad de dejarme solo. Hablarías muy bajo para que yo no te oyera. Seguro que le diste una buena propina a Madame Mathilde para que no me avisara.

—Si entraba en la habitación a lo mejor no tendría fuerzas para irme.

—Si llego a verte esa tarde lo habría dejado todo para irme contigo.

—¿Como en ese poema que no te creías? No me digas cosas que no son verdad. Eso era lo que me ofendía de ti. Que me contaras mentiras. Que me dijeras a algo que sí sabiendo los dos que iba a ser que no. Ya no hay razones para mentir. Estamos solos en esta casa y yo voy a irme dentro de un rato.

—¿Te marchaste de Madrid esa misma noche? Estuviste en casa de Van Doren?

—Me asusté mucho. Me paraban casi en cada esquina para pedirme la documentación y yo no llevaba el pasaporte, cómo iba a llevarlo. No había manera de llegar a la pensión. No sé cómo logré subir a un tranvía, colgada del estribo. Quería irme y quería ir a buscarte para que me protegieras. Mira en lo que habían quedado mi decisión de dejarte y mi vocación de aventura. Llegué a la pensión y quise llamar a Phil o a la embajada pero no funcionaban los teléfonos, o unas veces sí y otras no. Llamé a tu casa varias veces, pero tú nunca contestabas.

—Yo estaba buscándote por todo Madrid.

—Fue mejor para mí que no me encontraras.

—¿De verdad te habrías quedado conmigo?

—Vuelves a ser tú mismo. Quieres que te halague contestando que sí.

—Ahora no me quieres decir a qué vas a Nueva York.

—Me marcho de viaje, fuera de América.

—Vas a encontrarte con otro hombre.

—¿Eso es lo único que puedes imaginar en mi vida? ¿No sientes curiosidad por saber nada más de lo que hay en ella?

—¿Y tu trabajo en la universidad?

—Lo he dejado.

—¿Para irte adónde?

—A España.

Ha contestado tan rápido que se sorprende a sí misma escuchando las palabras que no pensaba decir, que no ha dicho a nadie todavía. El silencio inmediato tiene otra cualidad, de resonancia y espera, de alerta, mientras las miradas se mantienen fijas, trabadas entre sí, cada uno percibiendo los menores gestos en la cara del otro, los dos conscientes por igual del silencio y de los sonidos que hay detrás, el crepitar del fuego en la chimenea, las primeras gotas todavía esporádicas de una lluvia mansa que ha vuelto y que va a durar toda la noche, ya sin los rugidos del viento, las dos respiraciones, cada uno aguardando ese aviso de que el otro va a hablar cuando tome aire, cuando trague saliva. Sin darse cuenta han ido bajando el tono de sus voces, al mismo tiempo que se quedaban inmóviles, Judith ya sin tocar la cena inacabada, irguiéndose con determinación instintiva ahora que ha dicho lo que tal vez hubiera debido callar, lo que es mejor que se sepa cuando la intención se ha cumplido y ya no hay lugar para tentativas de disuasión, Ignacio Abel muy serio, una mano sobre la otra, en el filo de la mesa, las manos huesudas que ya parecen tan poco propicias a la sensualidad como su cuerpo enflaquecido y rígido, como su actitud general de digna capitulación. Un pasajero del tren que oyen pasar ahora interminablemente sin decir nada todavía verá a lo lejos, entre las sombras sucesivas del bosque, una ancha ventana iluminada, pero no llegará a distinguir las dos siluetas en ella. Alguien que se acercara bajo la lluvia menuda que multiplica su rumor en las hojas vería con extrañeza las dos figuras quietas a los dos lados de una gran mesa solemne, un poco inclinadas la una hacia la otra, como a punto de decir o de escuchar un secreto. Entraría en la casa y avanzaría con sigilo por el corredor a oscuras, y aunque llegara muy cerca de la puerta entornada de la biblioteca por la que vienen la claridad y la corriente de aire cálido provocadas por el fuego no lograría escuchar nada, si acaso las voces indistintas, interrumpidas por silencios, superponiéndose luego, palabras aisladas, en español o en inglés, el secreto de las dos vidas y del encuentro con el que ninguno de los dos contaba hace muy poco protegido por los muros de la casa, por la soledad del bosque y la negrura de la noche, la intimidad inviolable en la que sólo hay lugar para los dos amantes y a la que sin saberlo todavía han regresado, aunque no se toquen, aunque al mirarse intuyan cada uno en el brillo de los ojos del otro un hermetismo sin remedio que ni la confesión más impúdica podría quebrar. Se rondan con miradas y palabras, se asedian, se ponen a prueba guardando silencio. Entre el chasquido de los labios al separarse y el sonido de la primera palabra hay un espacio en blanco de expectación. De lo que sea dicho o lo que se quede sin decir dentro de un instante dependerán los próximos pasos de tu vida, tu porvenir entero. Judith ha respirado hondo y ha cerrado un momento los ojos como para darse coraje, para atesorar el aire que le será necesario si quiere que sus palabras suenen tan claras y rápidas como en el interior de su conciencia.

—Tendría que haberlo imaginado.

—No intentes disuadirme. No me digas nada. Cualquier razón que puedas darme para que no vaya ya la he pensado yo misma y la he oído muchas veces. No voy a cambiar de opinión. En cuanto empieces a decirme lo que ya sé que vas a decirme me levantaré de aquí y me iré por donde he venido. Uno ha de vivir de acuerdo con sus principios. Yo no puedo tranquilizar mi conciencia asistiendo de vez en cuando a un acto a favor de la República Española o saliendo a la calle con una hucha para recoger donativos. No quiero pensar de una manera y actuar de otra. No quiero leer el periódico o escuchar la radio o ver las noticias en el cine y morirme de rabia viendo lo que los fascistas están haciendo en España y luego seguir viviendo como si no pasara nada. Es así de simple.

—Y qué vas a hacer tú. Madrid está a punto de caer.

—¿Cómo estás tan seguro? ¿Para sentir menos remordimientos por haberte marchado? La Unión Soviética ha empezado a mandar ayuda. Esta mañana mismo escuché en la radio que los franceses van a abrir la frontera para que pasen armamentos. Hay cosas que los periódicos no publican. Hay miles y miles de voluntarios que están viajando ahora mismo hacia España.

—Y qué van a hacer cuando lleguen. Tú no sabes lo que es aquello. Mi país no es ahora mismo nada más que un manicomio y un gran matadero. No tenemos ejército, ni disciplina. Casi no tenemos gobierno.

—Nunca te había oído usar la primera persona del plural hablando de política...

—No me había dado cuenta. Habré empezado al salir de España.

—No está todo perdido.

—Tú no sabes lo que es una guerra.

—Deja de decirme las cosas que no sé. Voy para averiguarlo.

—¿Piensas unirte a las milicias?

—No me hables en ese tono.

—No sé en qué tono estoy hablándote.

—Como si no entendiera nada. Como si actuara por capricho. Yo sé muy bien lo que voy a hacer.

—Nadie lo sabe. En la guerra nadie entiende nada. Los que parecen entender algo son los más farsantes de todos, los más dementes o los más peligrosos. Yo he visto la guerra. Nadie me lo ha contado. La vi en Marruecos cuando era joven y ahora he vuelto a verla en Madrid, y es lo mismo, nada de un ejército y otro y una batalla con avances y retrocesos y luego suena una corneta y se ha acabado todo y hay que recoger a los muertos. En la guerra no sabe nadie lo que está pasando. Los militares profesionales fingen que lo saben pero no es verdad. A lo único que han aprendido en el mejor de los casos es a disimular, o a empujar a otros para que vayan por delante. Estalla una bomba y te matan o te quedas desangrándote y sujetándote los intestinos con las manos, o te quedas ciego, o sin las piernas, o sin la mitad de la cara. Y ni siquiera hace falta que vayas al frente. Vas a un café o a un cine de la Gran Vía y cuando sales cae un obús o una bomba incendiaria y si tienes suerte ni siquiera te das cuenta de que ibas a morir. O alguien te denuncia porque le caes mal o porque cree que te vio una vez saliendo de misa o leyendo el *ABC* y te llevan en un coche a la Casa de Campo y a la mañana siguiente los niños se divierten con tu cadáver poniéndole un cigarro encendido en la boca y llamándole besugo. Ésa es la guerra. O la revolución, si te parece más apropiada esa palabra. Todo lo demás que te cuenten es mentira. Todos esos desfiles que quedan tan bien en las películas y en las revistas ilustradas, las pancartas, las consignas, No Pasarán. Los valientes y los honrados se montan en una camioneta vieja para ir al frente y los del otro lado los siegan con sus ametralladoras sin darles tiempo ni a apuntar los fusiles, que en la mayor parte de los casos no han aprendido bien a manejar, o tienen poca munición, o no es la munición adecuada. En media hora pueden estar muertos o haber perdido los dos brazos o las dos piernas. Los que parecen más bravos y más revolucionarios se quedan en la retaguardia y usan el fusil y el puño cerrado para no pagar en los bares o en las casas de putas. Los fascistas llevan ametralladoras montadas en sus aviones y se divierten disparándolas contra las columnas de campesinos y de milicianos que huyen hacia Madrid. Los milicianos desperdician la munición disparando contra los aviones porque no saben que aunque tuvieran puntería lo que no tienen es la potencia de tiro suficiente para alcanzarlos. El piloto del avión se pica con ellos y en vez de seguir su camino se da la vuelta y los ametralla a campo descubierto como si fueran hormigas. A la guerra, a los sitios donde de verdad se está expuesto a morir, no van más que los que no tienen más remedio porque los llevan a la fuerza o porque se han creído la propaganda y los han emborrachado con las banderas y los himnos. Todo el que puede se escapa, salvo esos inocentes o esos alucinados que son los primeros en morir o en quedar mutilados o desfigurados. No en el primer día, sino en el primer minuto. A algunos no les da tiempo a enterarse ni de que están en el frente. Algunos no llevan ni armas. Se creen que ir a la guerra es ponerse en fila y marcar el paso siguiendo a una banda de música que toca *La Internacional* o *A las barricadas*. Ven venir al enemigo y ni siquiera pueden correr porque les tiemblan las piernas y se cagan de miedo. No es una forma de hablar. El miedo extremo da diarrea. Los otros les dan caza sin la menor dificultad. Igual que si cazaran conejos. ¿Sabes lo que les gusta hacer? Se aburren de que sea tan fácil matar tanto y buscan entretenimiento. A las mujeres ya puedes imaginar qué les hacen. A los hombres muchas veces les cortan la nariz y las orejas y luego les cortan el cuello. Les cortan los testículos y se los embuten en la boca. Clavan una cabeza con las orejas y la nariz cortadas en el palo de una escoba y la pasean en procesión. Pero eso también lo hacen de vez en cuando los nuestros. No me mires así. No es propaganda enemiga. Yo he visto cómo llevaban por Madrid la cabeza cortada del general López Ochoa. En los partidos de izquierda y en los sindicatos había mucho odio contra él porque mandó las tropas en Asturias el año treinta y cuatro. El dieciocho de julio estaba en el hospital militar de Carabanchel porque lo habían operado de algo y a algún valiente se le ocurrió ir a matarlo allí mismo. Lo mataron, arrastraron el cadáver por la calle y le cortaron la cabeza, las orejas y los testículos. Era como una procesión de gigantes y cabezudos, con una nube de niños corriendo detrás. Yo vi lo que llevaban y al principio no sabía lo que era. Los ojos y la boca los tenía llenos de moscas. La boca la tenía muy hinchada porque le habían embutido en ella los testículos. Como una máscara de carnaval, o como una de esas cabezas pintadas de cartón. La sangre chorreaba por el palo y al que lo sostenía le llegaba a los codos. Tenía que defenderse de los que se lo querían quitar para llevarlo ellos. Vas a decirme que los otros son mucho peores. No me cabe la menor duda. También he visto lo que hacen ellos. Ellos se sublevaron y ellos tienen la culpa de que empezara la matanza. Ellos merecen perder pero nosotros hemos cometido tantas barbaridades y tantas estupideces que no nos merecemos ganar.

—¿Y tú estás por encima de todo?

—Yo estoy donde me han empujado. Podían haberme matado en Madrid y me habrían matado seguro los del otro bando si me hubiera quedado con mis hijos aquel domingo en la Sierra. Yo no soy un hombre valiente. Ni siquiera soy muy apasionado. Casi nunca he tenido emociones muy fuertes, salvo estando contigo, o algunas veces haciendo mi trabajo, imaginándomelo. No soy un revolucionario. No creo que la historia tenga una dirección, ni que se pueda construir el paraíso sobre la tierra. Y aunque se pudiera, si el precio es un gran baño de sangre y una tiranía, no me parece que valga la pena pagarlo. Y si aun así estoy equivocado y para traer la justicia es necesaria la revolución y la matanza yo prefiero apartarme, si tengo la oportunidad, al menos para salvar mi vida. No tengo otra. Ni siquiera soy un hombre de acción, como mi amigo el doctor Negrín. Me he dado cuenta estos meses atrás, pasando tanto tiempo solo. No hablaba casi con nadie y muchas veces no podía dormir y pensaba en las cosas que me gustan de verdad, en lo que yo necesito. Necesito hacer bien algo que tenga alguna utilidad y sea duradero y sólido. La gente dominada por pasiones políticas me da miedo, o me parece ridícula, como los que se ponen rojos gritando en un partido de fútbol, o en el hipódromo o en los toros. Ahora también me da asco. Yo creo que hay muchos más canallas de lo que yo imaginaba. Los viejos intoxican a los jóvenes para vengarse de su juventud mandándolos al matadero. Muchas personas parecen normales y se vuelven salvajes cuando ven la sangre y la huelen. Ven fusilado a un vecino al que hasta ayer mismo le daban los buenos días todas las mañanas y si pueden le roban la cartera o los zapatos. Mi pobre amigo el profesor Rossman era un santo. Jamás tuvo una brusquedad o un mal gesto con nadie.

Entraba en el tranvía y se quitaba el sombrero si había delante una señora. Hacía la cama todas las mañanas en su cuarto de la pensión para ahorrarle trabajo a la criada. Había sido una eminencia en Alemania y en España se ganaba malamente la vida vendiendo estilográficas por los cafés pero nunca lo oí quejarse del país ni perder la paciencia. Tú lo conociste. Pues fueron por él y lo mataron como a un animal porque a algún cretino debió de parecerle que era un espía porque hablaba con acento alemán o porque llevaba la cartera llena de recortes de periódico y de mapas del frente. Antes de matarlo le machacaron la cara a golpes. Y a su hija tampoco volví a verla. No sabían nada de ella en la pensión ni en la oficina donde trabajaba. Como si se la hubiera tragado la tierra. No fui capaz de ayudarles a ninguno de los dos. A lo mejor es que no tuve suerte o que me dio miedo insistir demasiado y ponerme yo también en peligro. Ésa es la verdad. El hermano de mi mujer fue una noche a pedirme que lo escondiera porque estaban buscándolo y no le abrí la puerta. Si lo dejaba entrar igual se complicaban las cosas y yo no podía marcharme, o me veía obligado a retrasar otra vez el viaje, o me encerraban por haberle ayudado. Quizás lo mataron esa misma noche. Era un falangista y además era un tonto, pero nadie se merece ir por ahí escondiéndose por los portales como una alimaña. Y no sólo eso. También quería de verdad a mis hijos y ellos a él, sobre todo el niño. Quería tanto a su tío que a mí me daban celos. Y si a pesar de todo consiguió escapar y pasarse al otro lado ahora tendrá tanto rencor que se habrá convertido en un matarife. Y hasta es posible que vaya a ver a mis hijos y ellos le tengan todavía más admiración viéndolo convertido en un héroe de guerra, y que les cuente que su padre cometió la vileza de no darle refugio, ni siquiera para una sola noche. Podía haberle dicho que se quedara y haberlo denunciado. Habría cumplido con mi deber, porque mi cuñado formaba parte de uno de esos grupos falangistas que disparan desde los tejados contra los milicianos o pasan en un coche a toda velocidad ametrallando a la gente que hace cola para conseguir el pan o el carbón. Un sedicioso. Un saboteador. Pero no es que tuviera compasión de él. Es que no quería que por culpa suya se me estropeara el viaje.

Habla sin moverse y sin apartar los ojos de Judith. Las palabras brotan de su boca con una determinación sin pausa, aunque apenas separa los labios. Habla y no piensa en lo que va a decir y el sonido de su propia voz lo incita a seguir hablando. En las palabras está la furia, no en él. Él mantiene una especie de monótona neutralidad, como si testificara en un juicio, o como si hiciera una declaración teniendo cuidado de no hablar demasiado rápido para el mecanógrafo que la está transcribiendo. Hablar lo alivia y lo exalta. Le devuelve en oleadas la vergüenza y la lucidez y le restituye sin que se dé cuenta todavía una sombra maltratada pero no abolida de integridad personal. No ha de ser sólo el que ha huido, el que se esconde tras una cortesía sumisa, el que antes de hablar deberá calcular que no ofende ni importuna a nadie. Las manos siguen posadas sobre la mesa, la una encima de la otra, y los músculos de la cara tampoco se mueven, aunque los resplandores desiguales del fuego y de la lámpara de petróleo modifiquen la distribución de las sombras. Pero se ha ido irguiendo a medida que hablaba, imperceptiblemente, ha ido levantando un poco más la voz o quizás es que ha pronunciado las palabras con más precisión y con otra energía, igual que no ha bajado la mirada en ningún momento, ni se ha interrumpido cuando Judith separaba los labios y aspiraba el aire y parecía que iba a decir algo.

Tanto tiempo ha callado que aunque quisiera no podría dejar de contar. Es ahora, acuciado por sus propias palabras, cuando empieza a darse cuenta de la duración de su silencio, del volumen ingente de lo que ha callado, su proliferación monstruosa, el silencio como un hábito y un refugio y una manera de acomodarse en el mundo y luego transformado en el espacio mismo que lo circundaba, la celda y la campana de cristal en la que ha vivido durante los últimos meses. El silencio en su casa de Madrid, en las noches de insomnio y luces apagadas y postigos cerrados, yendo por las habitaciones con los muebles y las lámparas cubiertos por sábanas; el silencio en la oficina de la Ciudad Universitaria, delante de la gran maqueta que empezaba a estar cubierta de polvo, como las máquinas de escribir tapadas con sus fundas y los teléfonos que no sonaban, la extensión plana de las obras más allá de los ventanales, las máquinas paradas, los edificios recién terminados y todavía sin cristales ni puertas deteriorándose antes de que nadie hubiera llegado a usarlos; mirar y callar, apartar los ojos, no decir nada, viajar en silencio en los trenes y no hablar con nadie ni escuchar ninguna voz en las habitaciones de los hoteles, en la cabina del barco que cruzaba el Atlántico, en las cafeterías de Nueva York en las que se sentaba a mirar la calle detrás de una cristalera con rótulos pintados en colores vivos. Tanto ha callado y ahora vienen las palabras a su boca sin que él tenga que pensarlas, sin que hayan existido antes en el pensamiento, las unas traídas por las otras, como las imágenes de lo que ha visto y lo que quisiera contarle con toda exactitud a Judith aunque sospecha que no va a lograrlo, que ninguna explicación podrá transmitir la experiencia, la verdad horrible y absurda que sólo puede conocer quien la ha vivido, aunque quiera vanamente convertirla en palabras, aunque mueva los labios como si boqueara y se empeñe en no apartar ni un momento los ojos de Judith; mirándola ahora con una franqueza que al principio no ha tenido, poco a poco complaciéndose en los pormenores de cada una de sus facciones rescatadas, en el hecho de su cercanía, en la maravilla de que exista, ahora que no tiene esperanza y que el deseo ya parece proscrito por el hermetismo físico de ella, por la inercia de una amarga capitulación masculina, vanidad herida y humillación sexual. Pero es la falta de esperanza lo que le permite ver a Judith con más claridad que nunca, su atención por primera vez despejada de los turbiones y las fantasmagorías, de la exasperación del antiguo deseo, que no se apaciguaba nunca, que en la plenitud de su cumplimiento estaba siendo minado por el miedo a la fugacidad y a la pérdida. Está viendo a Judith exactamente tal como es. Su voz le llega con tanta precisión como el roce de una mano en los párpados.

—Entonces, si tú sabes tanto, dime cuál es la manera recta de actuar. A lo mejor no me daba cuenta y he venido aquí sólo para eso. Dime si tú crees que hay una forma justa de acción.

—Yo no sé nada. Yo no sé si soy tan farsante como los otros. Cada uno justifica como puede su comportamiento vergonzoso. Los únicos sin culpa son los inocentes sacrificados, y uno tampoco quiere ser uno de ellos. El profesor Rossman, o Lorca.

—No podía creérmelo, cuando lo leí en el periódico. El profesor Salinas estaba descompuesto. Quería pensar que sería un rumor, una noticia falsa. ¿Por qué lo matarían?

—Por nada, Judith. Porque era inocente. ¿Te parece poco delito? A los inocentes no los quiere nadie.

—Por fin has dicho mi nombre.

—Tú todavía no has dicho el mío.

—«Vivir en los pronombres». ¿Te acuerdas? Yo no entendía bien el sentido de ese poema y tú me lo explicaste. Los amantes sólo se pueden llamar tú y yo para que no los descubran.

—No te vayas. Quédate conmigo.

—Ya tengo comprado el pasaje. El barco sale mañana de Nueva York. Vamos más de trescientos. Vendrán muchos más en los días siguientes. Por grupos, para no llamar la atención. Unos irán primero a Francia y otros a Inglaterra.

—Estarán cerradas las fronteras.

—Iremos por pasos de contrabandistas.

—No es una novela, Judith. No es una película de aventuras.

—Ya vuelves a hablarme con ese tono de burla.

—No quiero que te maten.

—Te he pedido que me digas lo que se puede hacer y no me has contestado.

—No hay nada que tú puedas o debas hacer. Tienes la suerte de que no sea tu país. Olvídate de él, tú que puedes. En Abisinia ha habido muchos más muertos que en España y ni a ti ni a mí nos han quitado el sueño. Ni a las democracias, ni a la Sociedad de Naciones. Hitler quiere expulsar de Alemania a todos los judíos y ha encerrado en campos a los socialdemócratas y a los comunistas y no ha habido una sola protesta internacional. ¿Se va a escandalizar alguien porque ahora le ayude a Franco en España? En Rusia se mueren de hambre por millones y no le importa a nadie, y todas las personas generosas y amantes de la justicia se emocionan con la propaganda soviética. Tampoco es tan difícil. Con excepciones, el mundo entero es un lugar espantoso, y lo más normal es el sufrimiento y el crimen. ¿No linchan en el sur de tu país a los negros? ¿Cuán-

tos muertos hubo hace tres o cuatro años en Paraguay por
la guerra del Chaco? Centenares de miles. Puede que ni
hayas oído hablar de ella. ¿Eres tan vanidosa que crees que
tus actos, justos o injustos, pueden servir de algo? Si quieres tranquilizar la conciencia apúntate a un comité de solidaridad con la República Española. Haz colectas por la
calle, recoge ropa de abrigo. Los milicianos ya la están ne-
cesitando en la Sierra. Con que les mandes un jersey o una
manta ya les habrás sido de más utilidad que dejándote
matar. Con que recojas para ellos una sola lata de leche
condensada o un paquete de cigarrillos.

—Te oigo hablar y no te conozco.
—No estoy aquí para decirte lo que quieres oír.
—No debería haber venido. Ahora podría estar ya en
Nueva York.
—Adelante. Igual cuando consigáis llegar a España
aún no se ha hundido la República. Os recibirán con pancartas y con bandas de música. Os llevarán a hacer turismo por algún frente tranquilo. En Madrid os darán un
banquete y un baile en el palacio de la Alianza de Intelectuales. La comida que os sirvan en ese banquete será mucho mejor y más abundante que el rancho que les dan a
los soldados en el frente, si es que hay camiones para llevarles el rancho, o si hay gasolina para esos camiones, porque puede ser que falte para ellos y la estén gastando en
desfiles o en llevar gente al matadero. Alberti y toda su
banda de poetas con monos azules bien planchados os re-
citarán kilómetros de versos. Os llevarán a una corrida y a
un tablao flamenco. Os harán fotos y saldréis en los periódicos. Os presentarán como una prueba más de que en
todo el mundo crece la simpatía por la lucha del pueblo
español contra el fascismo. A continuación os pondrán en
la frontera y podréis volver a vuestro país con la concien-

cia tranquila y con la alegría de haber vivido una aventura peligrosa y exótica. Hasta volveréis bronceados, como los turistas.

—Me voy para no seguir oyéndote. Me avergüenzo de ti.

Se ha levantado y ahora lo mira desde arriba, como desafiándolo a que diga algo más, a que se levante él también y quiera cerrarle el paso. Ignacio Abel no se acordaba de lo fácilmente que enrojece su piel tan clara. Las dos manos están ahora separadas, paralelas sobre la mesa, pero ése ha sido el único movimiento que ha hecho. Ha alzado hacia ella los ojos y luego se ha quedado mirando hacia el fuego, hacia el lugar donde Judith estaba hace sólo un momento. Se irá y cada paso que dé será un adiós definitivo. Se acuerda de Moreno Villa, este verano, en su cuarto de la Residencia: ahora hemos aprendido que hay cosas que nos están sucediendo por última vez; que no hay despedida casual que no pueda ser para siempre. Atravesará la biblioteca en sombras, el vestíbulo. Él oirá la puerta resonando en toda la estructura de la casa al cerrarse de golpe y luego deberá poner más atención y esperar a que se encienda el motor del automóvil. Irritada y nerviosa Judith tardará en ponerlo en marcha. El sonido del motor se volverá regular después de dos o tres tentativas. Sin moverse de la posición en la que se encuentra ahora, sin apartar los ojos del fuego, oirá cómo el sonido va debilitándose hasta que llegue un momento en el que se haya perdido: las luces rojas traseras apagándose como ascuas débiles en la oscuridad al fondo del camino, del túnel que forman las ramas entreveradas de los árboles. En el silencio volverá el repicar de la lluvia, los chasquidos del fuego, un breve alud de troncos ardiendo. Al cabo de un rato no quedarán indicios de que Judith ha venido: sólo el plato con la cena sin terminar, la botella de cerveza mediada. Subirá a acostarse alumbrándose con la lámpara de petróleo y buscará en vano el olor de Judith en una toalla. Se mirará en el espejo para lavarse los dientes, la mitad de la cara borrada por la oscuridad, sus propios ojos eludiéndole. No alza una mano para retenerla, ahora que todavía la tiene a su alcance. Judith habla enmarcada por la puerta que acaba de abrir y que de un momento a otro va a cruzar y la ira no le hace levantar la voz.

—Crees que lo sabes todo y no sabes nada. Los voluntarios que yo conozco no van a España a hacer turismo, puedo asegurártelo. Muchos de ellos ya están allí y reciben entrenamiento militar para unirse al ejército de la República. Muchos más van a seguir llegando de América y de medio mundo. Si todo estuviera tan perdido como tú dices creer no seríamos tantos. Si hubiera tan poca diferencia entre un lado y otro y todo fuera nada más que salvajismo y sinsentido no habría tantas personas inteligentes y valerosas dispuestas a jugarse la vida en España. Tú sabes que yo no soy una fanática. Ni siquiera siento mucha simpatía por los comunistas. Pero son ellos los que están organizando el reclutamiento y por ese motivo voy a ir a España con ellos, y con otros muchos que tampoco lo son. Si no me hubiera enamorado tanto de ti a lo mejor no me habría enamorado tampoco de España. Pero ya es mi otro país y lo que está pasando allí me rompe el corazón. Sólo cuando leo en el periódico los nombres de los pueblos o los escucho en la radio, tan mal pronunciados. Cuando dicen «Madrid». Es mi ciudad porque tú me la enseñabas. Viví dos años en Londres y en París y nunca dejé de sentirme extranjera. Una extranjera que visitaba museos extraordinarios con la mala conciencia de aburrirse demasiado pronto en ellos y no ser europea. Llegué a Madrid y en cuanto me di el primer paseo por la plaza de Santa Ana entre los limpiabotas y las verduleras fue como si me encontrara en Nueva York. Me gustan los españoles. Me caen bien, como vosotros decís. Me gustan los tranvías tan lentos y destartalados y me gustan las macetas de geranios rojos en los balcones. Me gusta lo mismo el Rastro que el Museo del Prado. Pero no es romanticismo de americana, aunque tú lo pienses. Es sentido común político. Me emocionaba la gente pobre haciendo cola con tanta dignidad para votar el día de las últimas elecciones. Me gustaba ir por tu barrio y ver a la gente entrando y saliendo de ese mercado nuevo tan moderno que tú hiciste, con su bandera en la fachada. Si Hitler y Mussolini les ayudan a los militares a ganar en España qué va a pasar a continuación en el mundo. Yo no quiero que esa gente entre en Madrid.

—Y qué harás para evitarlo.

—Lo que sea. Lo que yo pueda. Puedo conducir una ambulancia y ayudar en un hospital. Hablo francés, yiddish y bastante ruso, aparte de inglés y español. Puedo hacer de intérprete. Alguien tendrá que ayudar a que toda esa gente que llega se entienda con los españoles. Tú dices que no eres valiente ni eres un revolucionario y yo tampoco lo soy. Dices que lo que te gusta es hacer algo muy bien y eso es lo que quiero yo. Tampoco voy a decir esas palabras abstractas que ahora te desagradan. No pienso discutir de política con nadie. Desde que estuve casada tengo horror a aquellas discusiones tan agresivas sobre Stalin y Trotsky y los kulaks y los planes quinquenales y la revolución mundial y el socialismo en un solo país. Quiero trabajar para la República Española. Quiero traducir bien o conducir tan rápido como pueda una ambulancia, sin que sufran mucho los heridos que vayan en ella. Quiero estar en Madrid, igual que estaba el año pasado por ahora.

—Ese Madrid ya no existe.

—No puede haber desaparecido en tan poco tiempo.

—Cuando vayas no lo reconocerás.

—Prefiero comprobarlo yo misma.

—Quédate conmigo. Si te vas ahora yo sé que no volveré a verte nunca.

—Tampoco ahora contabas con volver a verme. No va a pasarme nada en España.

—Aunque no te pase nada. Si te vas ahora ya no volverás. Piensa en lo grande que es el mundo, lo complicado que es que dos personas se encuentren. Si hemos tenido esa suerte dos veces ya no habrá otra ocasión. Si has venido esta noche es por algo.

—Sólo he venido para despedirme.

—Podías no haberlo hecho.

—Me pillaba de camino.

—No es verdad. Has tenido que dar un rodeo muy largo. Lo he visto en un mapa.

—Tengo que irme ahora.

—Quédate sólo esta noche. No te pido nada más.

—Ya no soy tu amante.

—No te estoy pidiendo que te acuestes conmigo. Lo único que te pido es que no te vayas esta noche. En alguna parte tendrás que dormir.

—Qué quieres de mí.

—Quiero que sigamos hablando. Estoy aquí contigo y no puedo creerme que sea verdad. Me he imaginado tantas veces que volvía a verte y hablábamos y hablábamos, sin cansarnos, sin quedarnos callados. No he parado de imaginarme todo lo que te diría cuando volviera a verte, todo lo que tenía que contarte. Pensar era estar hablando contigo. En el mismo momento en que veía algo o me pasaba algo te lo estaba contando. Yo no sé cuántas cartas te habré escrito mentalmente, estos tres meses en Madrid, y mientras estaba de viaje. Viniendo en el barco, cuando llegamos a Nueva York. Había mucha gente esperando al final de la pasarela y a mí me pareció una o dos veces que veía tu cara. Oí tu voz llamándome.

Ha salido y ha vuelto a entrar en la casa al cabo de unos minutos trayendo una maleta que parece demasiado ligera para el viaje tan largo que está a punto de emprender. Tardaba demasiado. Ignacio Abel ha permanecido atento temiendo escuchar el sonido del motor. Sólo ha escuchado la lluvia menuda en los cristales, en los canalones de zinc, en la pizarra de los aleros, en el techo de vidrio del invernadero abandonado que hay detrás de la casa. Judith se ha sentado detrás del volante y mira las gotas deslizarse por el limpiaparabrisas, haciendo borrosa la visión del porche y de la puerta que ha dejado entreabierta al salir. Tiene las dos manos en el volante y la nuca apoyada en el respaldo, notando en ella el cansancio. Sabe la intensidad con que él espera en el interior de la gran casa en sombras, tal vez inmóvil todavía junto a la mesa de la biblioteca, la vela casi extinguiéndose, la cara enflaquecida iluminada por el resplandor del fuego en la chimenea. Lo conoce con una exactitud de adivinación. Ve las largas manos sobre la mesa, con los nudillos prominentes, las manos que no se han adelantado en ningún momento hacia ella, que ni siquiera han hecho una tentativa de tocarla. Piensa que si se queda ahora es sobre todo porque le faltan ánimos para hacer frente a dos horas más de carretera, a la idea de llegar a Nueva York a una hora demasiado tardía y de tener que buscarse habitación en un hotel barato. Él calculará que está tardando demasiado, pero seguirá sin moverse, fatalista y alerta, erguido junto a la mesa de la biblioteca, menguado en el interior de su traje que ahora tiene las hombreras demasiado anchas. La espera y no la espera. Su desasosiego de otro tiempo ahora es un ensimismamiento que tiene algo de negligencia física. En sus ojos cuando la han visto dirigirse hacia la puerta había una mezcla en dosis iguales de angustia y de aceptación. Entonces algo sucede. El vestíbulo y varias ventanas de la casa se llenan de luz. Judith regresa con la maleta en la mano, pesándole muy poco, gotas templadas de lluvia mojándole la cara y el pelo. Sabe que él ha prestado atención a los pasos que vuelven y a la puerta que se cierra. El vestíbulo ahora es desconocido, mucho más grande. La luz eléctrica brilla en la tarima encerada del suelo y en la balaustrada de la escalera. Pero el pasillo que lleva a la biblioteca sigue en penumbra. Judith empuja la puerta escuchando fragmentos de música y voces en la radio. Ignacio Abel está sentado delante del receptor, la cara iluminada por la luz de las bujías. Según gira los botones de marfil se suceden ráfagas de música de baile, de anuncios, de un concierto romántico de piano, de boletines de noticias. Por un momento ha creído que en una emisora de Canadá que se capta muy débilmente estaban hablando de España, habían dicho la palabra «Madrid» intercalándola en un monólogo muy rápido en francés. Judith deja la maleta en el suelo y va hacia él. La mira y con un sobresalto de incredulidad y ternura descubre en sus ojos algo que un momento antes no estaba, un brillo inesperado, un indicio en el que reconoce a la Judith de otro tiempo. Le da miedo de golpe desearla tanto, sentirse tan empujado sin remedio hacia ella, el antiguo imán actuando sobre él aunque ahora no pueda o no le sea permitido tocarla. Se fue hace unos minutos y ahora llega como en un regreso corregido, no el de la vez anterior, cuando llamó a la puerta y no traía la maleta en la mano, cuando sólo la alumbraba la lámpara de petróleo. Ahora le parece que vuelve de Madrid y de hace un año, del pasado no tan lejano en el que se supo inexplicablemente agraciado, elegido por ella.

36

Sube los peldaños deliberadamente, parándose un momento en cada uno, deslizando la mano derecha extendida por la baranda, que sigue el trazado enfático de la escalera, concebida para el vuelo de los vestidos de gala de otro siglo. Ha apagado antes de subir la gran araña del vestíbulo y ahora la mano lo guía con más precisión que la claridad que viene vagamente de un corredor o una habitación en el piso de arriba, de donde le llega desde hace unos minutos, amplificado por las extrañas leyes acústicas de la casa, el ruido enérgico del agua de un grifo que llena una bañera. Es tan consciente del modo en que ese ruido varía según la bañera va llenándose como de cada paso que da y de cada latido del corazón rebotando en el interior del pecho; del aliento que roza las aletas de la nariz y el aire que no le llena del todo los pulmones, dejándole una sensación de principio de ahogo tan poderosa como la opresión y el vacío en el estómago. En un relámpago de la imaginación ve a Judith desnuda, detrás de la puerta tal vez cerrada del cuarto de baño, adelantando una mano para probar la temperatura del agua. Muertos antiguos parece que lo miran subir desde la penumbra de los retratos al óleo; muertos solemnes examinando reprobadoramente desde arriba a un intruso, un ladrón sigiloso al que no pueden expulsar, igual que no pueden dar la alarma sobre su presencia; los que estaban vivos y subían y bajaban por estas mismas escaleras hace cincuenta años o un siglo y tuvieron conversaciones en voz baja a la luz del fuego, y se alumbraron con velas y lámparas de petróleo o globos de gas y gastaron con sus pisadas los filos de estos mismos peldaños. Han pasado horas sumergidos en una luz así y cuando volvió la violenta claridad eléctrica sus ojos no se acostumbraban a ella. El tiempo se dilata esta noche, tan densa de palabras, y lo sucedido hace rato ya tiene una cualidad brumosa de recuerdo. Judith volvió a la biblioteca con gotas de lluvia brillando en su cara y su pelo y se quedó parada en el umbral sin reconocer del todo el lugar de donde había salido sólo unos minutos atrás, tan largos para él. Las estanterías hasta el techo, el piano de cola, la larga mesa, las sillas de tijera apiladas contra la pared, la gran bola del mundo, eran el inhóspito escenario de un teatro. Giró la llave de porcelana del interruptor y los dos se encontraron de nuevo en el espacio que las palabras y las dos presencias habían modelado en la misma medida que las llamas de la chimenea y la luz de las velas y de la lámpara de petróleo, la habitación recóndita duplicada en los cristales de las ventanas, contra el reverso frío y húmedo de la oscuridad exterior. Le pidió que no apagara la radio, ahora que había dado con una emisora que transmitía la pulsación lejana de una música de baile, punteada por los solos de un clarinete y de una voz femenina melodiosa y aguda, interrumpida por aplausos, por el locutor que anunciaba el título de la próxima canción. Al fondo de la conversación la música y las voces de la radio han seguido sonando, aunque ellos apenas la han oído, igual que sólo de manera intermitente han oído la lluvia, cuando se quedaban callados un momento, más cerca ahora el uno del otro, el foso invisible no abolido, pero al menos ya no la frontera hostil a cada lado de la cual los dos se miraban, las palabras formándose como cristales de hielo en la tierra de nadie, en el espacio entre quienes ya no se tocan. Judith tirité un poco al entrar en la biblioteca, viniendo del frío, la tela húmeda y ligera de la camisa rozándole la piel. Otras veces, en las noches de primavera de Madrid, frías de pronto a la intemperie, había tiritado así y se había cobijado en los brazos de él mientras paseaban, a la salida del reservado en un merendero, en la humedad de las orillas del Manzanares, o él le había puesto su chaqueta sobre los hombros. Ahora veía en ella ese ligero temblor y no hacía nada, sentado junto al fuego, cerca de la radio que ella le había pedido que dejara encendida y a la que no prestaba atención, sus manos apoyadas sobre el cuero gastado de los brazos del sillón, tan incapaz de moverse y de ir hacia ella como si hubiera perdido el uso de las piernas, tan impotente como cuando la oyó salir y pensó que no volvería. Al menos Judith no se había marchado. Echó unos troncos al fuego y se sentó en el suelo, las piernas cruzadas con desenvoltura, mirando las llamas mientras se abrazaba a sí misma para quitarse el frío, mirándolo a él, tan formal en el sillón, tan grave como el fantasma de alguno de los antiguos habitantes de la casa, percibiendo un cambio sutil en ella, como en la temperatura del aire o en la luz, pero sin atreverse a tener algo de esperanza. Judith se quitó los zapatos y los calcetines húmedos. Le habría gustado tanto acariciarle los pies hasta que entraran en calor. El talón fuerte, el pulso tenue en la moldura del tobillo, el largo empeine con la sinuosidad azulada de las venas, los dedos con las uñas pintadas. Abrió la boca para decir algo queriendo abreviar el silencio y Judith lo interrumpió. Ahora que se inclinaba hacia él podía verle con delicia furtiva el principio de los pechos en la penumbra de la camisa entreabierta. A la luz del fuego tenía el mismo brillo ligeramente oleoso y dorado en el pelo y en los pómulos.

—Por qué nos hablamos así, como si no nos conociéramos —dijo Judith, y él no fue capaz de sostenerle la mirada, abrumado por el deseo, por la imposibilidad de ir hacia ella en ese mismo momento y besarla en la boca y abrir del todo la camisa y que los dos pechos le llenaran las manos, avergonzado de una excitación que se haría visible en cuanto se moviera un poco, en cuanto Judith se fijara, su cuerpo más descarado y menos cobarde que él mismo—. Oigo tu voz y no me parece que sea la tuya. Y la mía la reconozco menos aún. Durante todo este tiempo he pensado mucho en las cosas que te diría si volviera a verte, pero ahora no me gusta haberte dicho algunas de ellas. Empezamos a hablar y las palabras nos traicionan. Uno las piensa y cuando las oye al decirlas en voz alta ya significan otra cosa. Lo que las palabras dicen de pronto no tienen nada que ver con nosotros. Se vuelven más ásperas y menos verdaderas. Aunque digan la verdad sería preferible haberlas callado. Tú sabes quién soy yo y yo quién eres tú. Hablamos como si no nos conociéramos, pero lo que hemos vivido juntos no ha podido borrarse tan pronto, de modo que algo de mentira tiene que haber en lo que nos hemos dicho.

—Pero tú has decidido romper conmigo.

—No lo he decidido. He mirado de frente los hechos. Yo estaba disponible para irme a vivir contigo. Lo único que tenías que hacer para no perderme era actuar según los sentimientos que tú decías tener hacia mí. Pero no estoy reprochándote nada. Creo que te conozco bien y que sé ver las cosas a través de tus ojos. ¿Te acuerdas del poema de Salinas? Yo no sé cuánto tiempo me costó descifrar la sintaxis: *Que hay otro ser por el que miro el mundo...*

—*... porque me está queriendo con sus ojos...*

—Es la primera vez que te oigo citar un poema.

—Sólo esos versos. Me los aprendí escuchándote.

—Te pedía que me los leyeras para estar segura de los acentos. ¿Te acuerdas?

—Me acuerdo de todo. Tengo apuntadas en una agenda todas las veces que estuvimos juntos. El día, el lugar, la hora.

—Yo comprendo el amor que sientes por tus hijos y la dificultad de separarte de ellos. Pero en tu país hay una ley del divorcio. Las personas que están enamoradas y están seguras de su amor se casan. Y para hacerlo algunas veces tienen que divorciarse antes. Es doloroso, pero es justo. Para ganar algo hay que perder algo. El daño que habrías hecho quedándote puede ser mayor que el que has hecho al irte. No quiero imaginarme en quién me habría convertido si no me hubiera divorciado, en el veneno que tendría dentro. Peor que el que ya tenía. Yo no quiero pensar y sentir de una manera y actuar de otra. Me gustaba acostarme contigo pero me habría gustado mucho más si después de acostarnos hubiera podido pasearme tranquilamente de tu brazo por Madrid o ir a buscarte a tu oficina al salir de la facultad. A ti te parecía romántico que nos encontráramos a escondidas. Dices que no te interesa mucho la literatura pero en eso eras mucho más literario que yo. Me llamó la atención que a eso que nosotros hacíamos se le llamara en español «tener una aventura». A mí no me gustaba esconderme. No veía ninguna aventura en ir a aquella casa de citas, o a aquellos cafés tristes y vacíos a los que me llevabas para estar seguro de que no te conocería nadie. O quizás sólo al principio, porque todo aquello también era nuevo para mí, y estaba muy enamorada.

—Estabas.

—Lo estoy todavía. Más de lo que yo pensaba. Me he dado cuenta esta noche. Si hubiera sabido lo vulnerable que era no habría venido. Ya ves que no te oculto nada. Pero se pasará con el tiempo. Empezará a pasarse de nuevo cuando me vaya de aquí y no tenga ninguna expectativa de verte.

—De modo que sí puedes pensar y sentir de una manera y actuar de otra.

—Lo que pienso y lo que siento es que no quiero tener una aventura con un hombre casado, aunque esté enamorada de él. Pero tampoco quiero estropearme el recuerdo de lo que he vivido. No puedo reprocharte nada. Tú no me hiciste hacer nada que yo no quisiera. Si hubiéramos seguido siendo amantes un poco más de tiempo todo habría empezado a degradarse. Ya estaba empezando, y tú y yo lo sabíamos. Acuérdate de aquella mañana, en aquel café horrendo, cuando viniste del hospital y tu mujer todavía estaba en coma. Ya no éramos dignos de lo que habíamos sido. Éramos como aquellas parejas sórdidas que veíamos a veces en otras mesas. Los viejos con muchachas jóvenes. Los amantes que ya parecían tan amargados y tan aburridos como matrimonios. Nos mirábamos como hace un rato, sin conocernos, nos hacíamos reproches. Era más sucio que acostarse en aquella cama de Madame Mathilde, que se había puesto ese nombre y ni siquiera se molestaba en imitar el acento francés. Si no podía tenerte para mí lo mejor era irme y que por lo menos me quedara intacto el recuerdo.

Comprendió con sorpresa, con un extraño alivio, volviendo a mirarla a los ojos, que Judith tenía toda la razón: que ya no había ningún motivo, ninguna excusa para no decir la verdad. Creyendo que examinaban lúcidamente el pasado lo que hacían era restituirlo buscando abrigo en él. Lo que no dijeran ahora probablemente ya no lo dirían nunca. Y antes de decir algo deberían tener mucho cuidado de que sus palabras verdaderas no significaran algo que ellos no querían, o adquirieran por sí mismas un filo de rencor o de daño. La maleta de ella estaba en el suelo, junto a la entrada de la biblioteca. Tan fácil como le había sido traerla le sería mañana ponerla de nuevo en el asiento trasero del coche. Erguida, con una desenvoltura que él nunca tendría si se sentara en el suelo, Judith se abrazaba ahora las rodillas y apoyaba en ellas el mentón, los dos pies juntos sobresaliendo de los pantalones anchos. No ha conocido a nadie que mire y escuche con tanta atención, con tanta ansia de saber, tan alerta a las palabras como a los silencios y a los gestos mínimos, ejerciendo con la misma apasionada intensidad la intuición y el razonamiento, preguntando, adivinando, examinándose a sí misma con una lucidez tan incorruptible como su curiosidad. Pero ahora la mirada, la interrogación, no lo amedrentaban. Una ventaja de haberlo perdido todo era que ya no había nada que ocultar. Como en otro tiempo la conversación no sólo estaba hecha de palabras: las miradas eran una parte decisiva de ella, la cercanía de los cuerpos, la pura presencia física, su imán, el metal de las voces y la oscuridad que los circundaba, el gesto de la boca de Judith, en la comisura de los labios, la música débil en la radio y la lluvia en los cristales de la ventana, la noche que avanzaba y sin embargo ahora les parecía detenida, comenzada mucho tiempo atrás y sin final visible, sin un amanecer que pudiera cancelarla.

Le contó que a lo largo del verano en Madrid su añoranza de ella había sido mucho más intolerable que la de sus hijos; que rememoraba cada encuentro en las diminutas anotaciones cifradas para que parecieran citas de trabajo y recorría los lugares en los que habían estado juntos tan humillado como un perro en busca de rastros perdidos; que dentro de todo y a pesar de la culpa había sido un alivio no tener que enfrentarse a la expresión permanente de sacrificio y agravio de Adela; que en el desorden y la irresponsabilidad de la guerra había encontrado una especie de inconfesable liberación; que casi a los cuarenta y ocho años se masturbaba casi cada noche en la gran cama de matrimonio con las sábanas sucias acordándose de ella, mirando sus fotos y hasta leyendo sus cartas para sostener la excitación (*to jerk off*, le había enseñado ella, en sus intercambios de desvergüenzas lingüísticas, y él había correspondido: hacerse una paja). Le contó que cuando aquellos milicianos lo detuvieron en la Ciudad Universitaria y lo llevaban hacia un muro de la Facultad de Filosofía para fusilarlo tuvieron que levantarlo en volandas porque las piernas no lo sostenían y que se meó por los pantalones abajo y los orines le empaparon uno de los zapatos, y que al marcharse oía el chasquido líquido a cada paso que daba; y que al llegar a casa se metió en la ducha y por mucho que se enjabonaba seguía percibiendo el olor inmundo a meados y a miedo; y que mientras le registraban la cartera llena de planos y de informes técnicos y le preguntaban si no eran mapas del frente destinados a guiar al enemigo en su avance hacia Madrid lo que él temía era que le descubrieran las cartas y las fotos de ella y se las quitaran; y que aunque se hubiera meado y se le hubieran debilitado las piernas no sentía el terror de estar a punto de morir, sino una indiferencia pasiva, una aceptación sólo alterada por la congoja de pensar que ya no volvería a verla a ella, que no vería hacerse adultos a sus hijos. Judith lo miraba, de perfil contra el fuego, los ojos muy brillantes, la claridad cambiante de las llamas modelándole la delicada osamenta bajo la piel, y él tragaba saliva y seguía hablando; detrás de él en la radio sonaba la música de baile, como en un salón lejano, muy grande, casi vacío, la orquesta tocando y las filigranas rápidas del clarinete seguidas por la voz cándida y aguda de la cantante, los aplausos dispersos y el entusiasmo excesivo del locutor, recitando títulos de canciones y marcas comerciales. Le contó que él había dado por supuesto que el trastorno sexual que había conocido por primera vez en Weimar a los treinta y tantos años con aquella amante húngara nunca volvería a repetirse; que hasta entonces, y después de entonces, no se había visto a sí mismo como alguien dotado para la sensualidad. Las mujeres que se ofrecían pintadas y lívidas bajo los faroles de gas en ciertos callejones de Madrid cuando él era muy joven lo habían excitado y a la vez le habían producido pánico, y una repulsión que no era tanto hacia ellas como hacia sí mismo, hacia su instinto de desearlas y el pudor que le hacía enrojecer y apresurar el paso si ellas lo llamaban. Tampoco había creído que una mujer pudiera disfrutar verdaderamente con él; ni siquiera lo había echado de menos: casi no pensaba que existiera de verdad esa posibilidad. Adela le pedía que apagara la luz, se quedaba inmóvil, tal vez gemía débilmente en la pesada tiniebla del dormitorio conyugal; la amante húngara apretaba los párpados y se acariciaba rítmicamente a sí misma mientras él se afanaba encima de ella, irrelevante como el insecto que poliniza una flor carnosa, adheridos el uno al otro y cada uno ausente y atareado en su propia lujuria. Le contó que desde la primera vez que la había tocado notó en ella una vibración a la vez tenue y poderosa que no sabía que existiera: encontró la mano de Judith y ella en vez de apartarla apretó la suya y ya era como si estuvieran abrazándose (se acordaron los dos: en el coche, él conduciendo Castellana arriba, la radio encendida, la mano izquierda en el volante, la derecha rozando los muslos de Judith, los faros alumbrando

arboledas y verjas y fachadas de palacios); descubriéndola
a ella se había ido descubriendo simultáneamente a sí mismo; siendo tocado, besado, mordido, explorado, guiado
por ella. Nunca había tenido amigos, le dijo, ni verdaderas
conversaciones con nadie, menos aún las conversaciones
sexuales a las que observaba que eran tan aficionados
otros hombres: sólo al encontrarse con ella se dio cuenta
de la vida tan solitaria que había llevado desde siempre;
desde que era un niño y sus padres no lo dejaban salir de
la portería sino para ir a la escuela, por miedo a que se
perdiera en el tumulto del barrio, a que le pegaran los niños violentos de los suburbios, a que se le contagiara alguna enfermedad. Hijo único de padres demasiado mayores; huérfano de padre a los trece años; velando a su madre muerta cuando tenía veintiuno y regresando a pie a la
portería ahora deshabitada de la calle Toledo desde el remoto cementerio del Este, los pies doloridos en las botas
demasiado estrechas, tapado con el sombrero hongo y la
capa negra que había pertenecido a su padre; tan joven y
una figura de otro siglo, y un agobio de responsabilidades
excesivas que no le serían aliviadas nunca; la carrera, las
privaciones inhumanas para terminarla, el legado de su
padre que se iba agotando; luego las oposiciones, la pesadumbre del noviazgo, la carga nueva de responsabilidad,
agravada tan pronto por los hijos. Extrañamente era ahora cuando por primera vez sentía algo parecido al alivio,
aunque fuera inseparable de la sensación de despojo. No
iba a callarse nada, le dijo a Judith, sentado frente a ella,
hundido como un inválido en el sillón de cuero, las palmas de las manos rozando la parte gastada de la tapicería.
Sólo con ella había descubierto y recobraba ahora lo que
nunca había sabido que pudiera ser tan gozoso, el hábito
de conversar explicándose a sí mismo, comprobando afinidades inmediatas en lo que hasta entonces había creído

que eran sensaciones y pensamientos congénitamente solitarios. Siempre el miedo a incomodar, la torpeza para encontrar las palabras justas y el coraje de decirlas, siempre la tentación del silencio y de la conformidad, el fastidio permanente de sentirse como un huésped en su propia casa y en una vida que era la única que tenía y sin embargo nunca fue la suya. Porque Judith lo escuchaba había aprendido a explicarse de corazón en voz alta. Cuando ella desapareció, tan opresiva como su ausencia y como la privación sexual fue la gran campana del silencio cayendo de nuevo sobre él, que ya había perdido la costumbre de habitar en ella, de mirarlo todo detrás de un cristal de indiferencia, lejanía y disgusto. Pero ahora hasta había perdido el escrúpulo más o menos inconsciente de decir las cosas que a ella le gustaría escuchar, las que harían que se enamorara. Sin esperanza de seducirla de nuevo, casi convencido no sólo de la inutilidad sino también de la bajeza moral de intentarlo, decía lo que pensaba, lo que él era y lo que muchas veces no reconocía ni ante sí mismo. El remordimiento de haberse ido no era lo bastante poderoso como para provocarle una verdadera añoranza de España, le dijo. El peso de la responsabilidad había sido durante demasiados años tan opresivo como el de la ambición, incluso de la turbia y no confesada vanidad, y de los tres —la vanidad, la responsabilidad, la ambición— le dijo que en ese momento, esa noche, se sentía relevado, aunque no supiera por cuánto tiempo, cuándo la culpa o la nostalgia se habrían apoderado de él y le harían tergiversar por igual recuerdos y deseos. No quería dar pena. No quería fingir que hubiera preferido estar ahora mismo en Madrid, asistiendo impotente a la destrucción de su ciudad, al desastre de una revolución fantasmagórica que incendiaba las iglesias y dejaba intactos los bancos, al carnaval de los desfiles y de los asesinatos, de la vileza fría y el heroísmo desperdiciado. No creía que Salinas, en su puesto confortable de profesor visitante en Wellesley College, sintiera tanto desgarro como mostraba cuando conversaba con ella, halagado en el fondo por la cordialidad de una mujer tan joven y atractiva, que hablaba español con ese acento tan claro entre americano y madrileño y le regalaba una admiración que actuaría como un calmante para su vanidad de catedrático y de literato tan alejado ahora de su antiguo brillo. Claro que prefería que ganara la República, le dijo: pero no estaba seguro de la clase de República que habría en España al final de la guerra, y menos aún de si a él le sería permitido regresar a ella, o si lo desearía. Todo lo destruido con tanta saña debería ser levantado de nuevo; plantados los árboles arrancados de cuajo por las bombas o talados para hacer leña; restablecidas las tuberías reventadas, los rieles de ferrocarril retorcidos en el aire sobre las montañas de adoquines; reconstruidos los puentes dinamitados por ejércitos que se retiraban; alzados de nuevo los postes y cables de teléfonos que había costado tanto tender. Pero quién iba a resucitar a los muertos o a devolver los brazos o las piernas a los mutilados, a pintar los cuadros o imprimir los libros únicos quemados en las hogueras, a mitigar el luto o el odio, a reconstruir las bibliotecas y las iglesias y los laboratorios y las casas de vecindad que costó tanto levantar y que fueron arrasadas en el curso de una tarde, de una sola noche. Y cómo iban a gobernar España los mismos insensatos, los mismos criminales, los mismos alucinados que la habían arrastrado al desastre, cada uno con su grado de irresponsabilidad y sinrazón, todos, salvo unos cuantos, inmunes al remordimiento y a la amarga cordura del que ha escarmentado. Había algo que su oficio le había enseñado: en lograr que un edificio llegue a su culminación se tarda mucho tiempo, porque las cosas crecen, por mucho esfuerzo que se ponga en ellas, con una lentitud orgánica; pero la instantaneidad de la destrucción es resplandeciente: el chorro de gasolina y la llama que se alza devorándolo todo, el disparo que derriba a un hombre fuerte como un árbol. Le dijo que lo que más le asombraba era haberse equivocado tanto, en todo, especialmente en las cosas de las que estaba más seguro; haber confiado en la solidez de todo lo que se hundió de un día para otro, sin drama, casi sin esfuerzo; haberse equivocado tanto sobre sí mismo: creyéndose un racionalista, un pragmático, asistiendo con sarcasmo a los desvaríos ideológicos de quienes vaticinaban con perfecta seriedad la inminencia de la dictadura del proletariado o del comunismo libertario, los convencidos de que aboliendo el dinero y practicando el desnudismo o el esperanto o el amor libre el paraíso quedaría instaurado sobre la tierra, los idólatras de Stalin o de Mussolini, los que rugían con el puño cerrado o con la mano abierta; creyéndose un escéptico, él había sido más iluso que cualquiera de ellos; imaginando que sólo se ocupaba de lo que podía ser calculado y medido, lo que producía un beneficio modesto pero también indiscutible, un progreso. Pero el progreso era justamente lo que estaba siendo desmentido en España: no la abolición de la propiedad y del dinero, al parecer instaurada con éxito en ciertos pueblos de Aragón; no el gran teatro soviético de carteles gigantes de Lenin y Stalin colgados en las calles y batallones proletarios desfilando con una disciplina arrogante y unánime. El progreso tangible, el desarrollo metódico y gradual de las invenciones técnicas, todo lo que a él le había parecido terrenal e indiscutible, ajeno a los desvaríos verbosos de los iluminados, lo que había discutido tantas veces con Negrín, la buena alimentación, la leche diaria en las escuelas para fortalecer los huesos de los hijos de los pobres, las viviendas espaciosas y aireadas, la educación higiénica para que las mujeres no se cargaran de hijos. Ningún otro sueño había resultado más insensato; el sentido común era la más desacreditada de las utopías. Pero cómo no haber creído en el progreso, en que el presente y el porvenir eran el país luminoso al que uno pertenecía, a diferencia de los habitantes tristes del pasado, confinados en ese reino decrépito, que él conocía muy bien porque pasó allí la primera parte de su vida. Tú no sabes las cosas que yo recuerdo, le dijo: el Madrid de otro siglo, con mujeres de chales negros y hombres de barbas y grandes bigotes y capas cubriéndoles la boca en invierno y sombreros de hongo; con tranvías de mulas y carretones de chirriantes ruedas de madera que subían despacio la cuesta de la calle Toledo, viniendo de los caminos polvorientos. El progreso no había sido un espejismo de cerebros recalentados por vapores verbales: él había asistido a la irrupción de los tranvías eléctricos y los automóviles, de los teléfonos y los barracones del cinematógrafo, de todas las cosas que a sus padres los desconcertaban o los aterraban, al fin y al cabo habitantes del país sombrío del pasado, su madre sobre todo, que había vivido unos cuantos años más, que al final de su vida no se atrevía a cruzar la calle por miedo a los tranvías y a los automóviles, que se espantaba cada vez que sonaba el timbre del teléfono instalado en la portería, que no se aventuraba más allá de la plaza Mayor, por miedo a todo, hasta a los resplandores de los letreros luminosos, que le daban vértigo, que nunca se montó en un automóvil ni tomó un ascensor. El progreso había tenido la inevitabilidad de la corriente caudalosa de un río. Los edificios eran más altos y gracias a la luz eléctrica la noche no sumergía a la ciudad en las tinieblas. El progreso era más indudable porque él lo había visto con sus propios ojos cuando viajó por Europa. Lo que ya existía en París o en Berlín no tardaría mucho en llegar a Madrid. Había descreído de los fervores políticos y visionarios de algunos de sus maestros en Weimar pero no de la luminosa realidad de las arquitecturas y las formas que aprendía de ellos. Las posibilidades mejores de la inteligencia humana estallaban serenamente en la maqueta austera de una casa o en alguno de aquellos objetos comunes cuyas leyes interiores les revelaba el profesor Rossman, o en los dibujos en apariencia desleídos como sueños y sin embargo tan precisos como tipografías que trazaba en sus clases Paul Klee. Mis hijos iban a tener una vida mejor que la mía, igual que yo la había tenido mejor que mis padres, le dijo. La República había venido no gracias a ninguna conspiración sino al impulso natural de las cosas, en virtud del cual la monarquía era una antigualla tan decrépita como el cinema mudo o como los carretones de los arrieros que fueron barridos de la Cava Baja por la irrupción de los camiones y de los autobuses de línea. Pero ahora Madrid, cuando caía la noche, era más oscuro y más peligroso y más deshabitado que un bosque medieval y los seres humanos actuaban como chacales, como hordas primitivas armadas no de palos o hachas o piedras sino de fusiles. Le contó la sensación de emerger a la Gran Vía desde una boca de metro después de un bombardeo y de encontrarse perdido como entre dos desfiladeros de negrura, pisando cristales rotos, tropezando en escombros, viendo sombras asustadas en los quicios de las puertas; de la extrañeza de encontrar a personas bien conocidas y normales transformadas en alimañas fugitivas o en cazadores y verdugos. Se había equivocado acerca de todo, pero más que nada sobre sí mismo, sobre su lugar en el tiempo. Toda su vida pensando que pertenecía al presente y al porvenir, y ahora empezaba a comprender que si se sentía tan fuera de lugar era porque su país era el pasado.

Tragó saliva otra vez y se acordó de algo, mirando fijamente los ojos muy abiertos de Judith, en los que se reflejaba el brillo del fuego: había una iglesia en el barrio de Salamanca, frente al Retiro, junto a la que él pasaba casi todas las mañanas, le dijo; un ciego con un perro tocaba el violín en la puerta, siempre las mismas melodías tortuosamente reproducidas, el *Ave María* de Schubert o el de Gounod, el *Himno al Sagrado Corazón de Jesús*, una gorra a sus pies en la que las beatas le echaban la limosna, vigilada por el perro, que movía la cola al oír las monedas; cuando en vez de beatas sabía por el taconeo que se acercaban muchachas tocaba aires modernos; un día de finales de julio la iglesia había sido incendiada y sólo quedaban de ella los muros; el ciego desapareció, y él pensó que ya no volvería a verlo; pero una mañana, antes de llegar a las ruinas de la iglesia, escuchó el chirrido piadoso del violín; el ciego tocaba las mismas melodías religiosas, y el perro estaba a sus pies, vigilando la gorra en la que difícilmente caería ya alguna moneda; pero el ciego seguía acudiendo cada mañana a la puerta de la iglesia en ruinas, como si no se hubiera enterado de su destrucción o no le importara; ahora, algunas veces, entre un *Ave María* y otro atacaba *La Internacional*, con la misma mezcla de dulzura y desafinación, o el *Himno de Riego*, o *A las barricadas*; un día, mientras él bajaba por la calle, acercándose al ciego por la acera opuesta a la de la iglesia, un automóvil lanzado a toda velocidad lo adelantó: un coche de lujo, anticuado, con la parte del chófer descubierta, con un brillo plateado en los radios de las ruedas, con cabezas y fusiles saliendo por las ventanillas; procuró seguir caminando con naturalidad; la mantuvo incluso cuando el coche dio ruidosamente marcha atrás, los neumáticos chirriando sobre los adoquines, el motor forzado por un conductor inexperto; el cañón de un fusil apuntó hacia donde estaba el ciego; sonó una ráfaga de disparos y de carcajadas, y el perro saltó por los aires convertido en un pingajo de sangre; con el violín en una mano y el arco en la otra el ciego temblaba sin entender nada; se arrodilló a tientas y palpó con los dedos extendidos el charco de sangre, mientras el automóvil giraba con una violencia de película al fondo de la calle. Pero esto no te lo cuento para desanimarte, le dijo. Tú harás lo que tengas que hacer. Te lo cuento para que te hagas una idea de cómo son las cosas. Porque era verdad que ahora no quería disuadirla; lo que más lo excitaba de Judith en este momento era lo que había visto resplandecer en ella y lo había desconcertado tanto y hasta asustado algunas veces cuando empezó a conocerla, la visión de una mujer intensamente deseable que al mismo tiempo parecía dotada de una soberanía de acción y de una forma irónica y aguda de inteligencia más propias de un hombre: como las mujeres solas a las que había visto cruzando las avenidas o sentadas en los cafés de Berlín, con faldas cortas y tacones altos, riendo a carcajadas, fumando cigarrillos, quitándose una hebra de tabaco de los labios pintados de rojo. El brío que la aparta de él es lo que le hace estar más enamorado. Si hubiera venido para quedarse con él probablemente no la querría tanto. Judith habla ahora y por primera vez está sonriendo, con la sonrisa instintiva que provoca un recuerdo y que se forma en las comisuras de los labios cuando quien sonríe no lo sabe.

—Le hablé a mi madre de ti, en el hospital, unos pocos días antes de que perdiera el conocimiento. El dolor algunas veces no era tan fuerte y entonces necesitaba menos morfina, y pasaba horas muy despierta. Ella estaba segura de que en Madrid yo había conocido a alguien. Lo sabía porque le llegaban menos cartas. A mi madre no había manera de engañarla. Me preguntó algo y sin darme cuenta me vi hablándole de ti. Yo había pensado que si llegaba a enterarse se enfadaría conmigo. No le había gustado nada el que fue mi marido. Se daba cuenta de que yo me había empeñado más en casarme con él precisamente porque ella y mis hermanos y mi padre estaban en contra. La espantaba ver que yo iba hacia el desastre y que ella no podía hacer nada para impedírmelo, y en el fondo temía que mientras estaba en Europa cometiera otro error. Mi madre pensaba que nadie aprende de la experiencia. Que nadie escarmienta. Le habría gustado ese verbo español, que no tiene equivalente en inglés. Así que cuando vio que yo le escribía menos y que mis cartas tenían otro tono comprendió en seguida que algo estaba pasando. Tus cartas se volvieron como guías de viajes, me dijo. Pero esta vez no quería preguntar, no quería dar muestras de que se alarmaba por mí, porque tenía miedo de que al sentir yo alguna clase de censura me volvería de nuevo más insensata. Le hablé de ti y empezó a hacerme preguntas. Hasta le llevé una foto tuya. Se la estaba enseñando y no me creía que yo fuera capaz de hacer eso. Como si acabara de comprometerme, como si me hubieras regalado un anillo. Se puso las gafas para verte mejor en la foto y me dijo: *I'm glad to tell you this one is far more handsome than your former husband.* Le pareciste un caballero. Miraba la foto con sus gafas de leer y le faltaban fuerzas en las manos para sujetarla. *He looks like a true gentleman to me*, me dijo, y yo me sentí orgullosa, y me irrité conmigo misma, y me puse roja cuando se quitó las gafas y me miró para preguntarme lo que yo sabía que me iba a preguntar, lo que ella había adivinado desde el mismo momento en que vio la foto, o mucho antes, cuando empezaron a no llegar las cartas. *Is he married by any chance?* Pero en vez de reñirme o de ponerse seria cuando le dije que sí movió la cabeza y empezó a reírse, pero no podía, le salía tos en vez de risa y se ahogaba, tan pequeña dentro de su camisón, como un pájaro, sólo la piel y los huesos, y las manos que había tenido tan bonitas y de las que había estado tan orgullosa tan secas como las de un cadáver. ¿Cuál es la palabra en español? Como sarmientos. Pero se le notaba mucho que tú le gustabas, y yo pensé que a ti te habría gustado ella. *A good man is hard to find,* me dijo, y yo estaba asombrada de que no se hubiera enfadado conmigo. *A good man is hard to find but it can get even harder once you have found him.* Me preguntó dónde estabas, si pensabas reunirte conmigo en América, si yo pensaba volver a España a pesar de lo que contaban los periódicos y la radio que estaba sucediendo. Yo había tenido tanto miedo de que descubriera tu existencia y ahora ella sólo lamentaba no poder conocerte. Me iba del hospital y volvía a la mañana siguiente y a lo mejor estaba medio dormida y abría los ojos para preguntarme por ti, con esa ironía suya. *Any news from the darkly handsome Spanish gentleman?* Tanto miedo y remordimiento para nada.

Tenía la boca seca de hablar tanto y ha ido a la cocina a buscar un vaso de agua y a dejar la bandeja con los restos de la cena de Judith. Al volver a la biblioteca no la ha encontrado. Los zapatos y los calcetines estaban en el mismo sitio, delante del fuego, pero la maleta, que ella había dejado al entrar de nuevo junto a la puerta entornada, ya no estaba. De la vela quedaba sobre la mesa un cabo mínimo, la mayor parte de la cera derretida desbordando el cazo de la palmatoria. La llama en el interior de la lámpara de petróleo era una débil lengua azul. La música seguía sonando en la radio, pero ahora más lejos, mal sintonizada, con pitidos de interferencias. Si Judith estaba en la planta de arriba ahora iba descalza y no podía escuchar sus pasos. Al apagar la radio oyó el viento en los árboles como una marea nocturna y un poco después el chorro del grifo cayendo en una bañera. El principio de la noche le parecía tan lejano en el pasado como la posibilidad de su final. Los latidos del corazón rebotando en el pecho y en la boca del estómago lo empujaban con más vigor que sus pasos. Ahora ha llegado a la planta de arriba y como ya no escucha el ruido del agua sólo puede orientarse gracias a la raya de luz que ha visto debajo de una puerta, al fondo del corredor en el que está su habitación. La mano derecha tiembla un poco al tantear en las paredes. Las yemas de los dedos se le han quedado frías. Traga un exceso de saliva y un momento después la boca está de nuevo seca, la lengua casi tan áspera como los labios. Cada vez que va a empujar una puerta teme encontrarla cerrada. Entra en el dormitorio del que venía la luz y ve la maleta de Judith abierta en el suelo, junto a la mesa de noche donde hay una lámpara encendida, bajo una corola de cristal azulado. Detrás de la puerta del cuarto de baño escucha el sonido de un cuerpo moviéndose en el agua. La encontrará cerrada si la empuja. Intentará girar el pomo de porcelana y no se moverá. La puerta sólo estaba entornada y nada más empujarla viene de ella un vapor caliente. Con el pelo mojado y pegado hacia atrás la frente de Judith es más grande y altera un poco la forma de la cara. Ve la forma clara del cuerpo sumergido entre el agua y la espuma pero no se atreve a bajar la mirada. Ve sobresalir los hombros, las dos rodillas relucientes y juntas. El pantalón, la camisa, el sujetador, las bragas, están sobre los azulejos húmedos. En el espejo opaco de vapor Ignacio Abel ve de soslayo la sombra de su cara. «Acércame la toalla», dice Judith, y él mira a su alrededor y no comprende. «Está detrás de ti, colgada de la puerta.»

Le ha dicho que le hacía mucha falta un baño. Que estaba sudada, que tenía en los músculos todo el cansancio del viaje. Le ha dicho que la espere. Ha salido del cuarto de baño sin cerrar del todo la puerta y ahora está sentado en la cama, de espaldas a la ventana más allá de la cual oscilan las sombras de los árboles y se ve pasar muy lejos la hilera recta de luces de un tren, que él escucha sin volverse. La ha oído sumergirse del todo en el agua, emerger de nuevo, la espuma desbordando tal vez la bañera, los ojos cerrados, el cuerpo entero chorreando y brillante cuando se haya puesto de pie, tanteando en busca de la toalla. Luego un casi silencio, el roce del tejido espeso contra la piel enrojecida. Ve lo que escucha, los ojos fijos en la puerta del cuarto de baño, en la que de un momento a otro aparecerá Judith. Sigue llevando puestas la chaqueta y la corbata. Podría estar sentado en la cama de la habitación de un hotel, recién llegado de un viaje y todavía aturdido, rígido, acostumbrándose a ese lugar de soledad y de tránsito. De un radiador de hierro con patas labradas viene una calefacción tórrida, pero el frío que antes notaba sólo en las yemas de los dedos ahora se ha extendido a las manos enteras. Casi tirita. Si intentara levantarse le daría vértigo, tendría miedo de desvanecerse, de despertar. La excitación tiene algo de enconado dolor físico, de pánico crudo. Por muy fuerte que quiera respirar el aire no llega a llenar los pulmones. Se oye algo chocar contra el cristal de la repisa, contra la loza del lavabo. Judith ha estado peinándose y luego se ha lavado los dientes. Un grifo se corta en seco. Pero él no escucha abrirse la puerta. Cuando levanta los ojos Judith está delante de él, los hombros desnudos, la toalla anudada bajo las axilas. *Long time no see*: cuánto hace que no le oía esa expresión, que ella le dedicaba con ironía y dulzura cada vez que se quedaban desnudos el uno delante del otro. Hace un ademán torpe de levantarse pero ella lo disuade, con otro de sus gestos que vuelven. Se arrodilla delante de él y empieza a desatarle los cordones de los zapatos. Es difícil porque los cordones están gastados y los nudos son muy estrechos, y ella no tiene las uñas largas. Le quita un zapato y cuando lo deja caer rebota contra la tarima del suelo. Él ve a la luz de la lámpara los hombros sólidos y un poco pecosos, la cara inclinada, las clavículas, los pechos ceñidos por la toalla. Le quita el otro zapato dejándolo caer y luego los calcetines. Le acaricia un pie grande y tosco entre las dos manos, y al hacerlo la toalla se desprende. El cuerpo surge delgado y carnal y ella no intenta volver a cubrirse. Vuelve la cara hacia arriba buscando sus ojos y sujetando el pie de él entre las dos manos se lo aprieta contra los pechos, la planta ancha y áspera. Tanto como el roce de la carne acogedora lo conmueve la calidad de la conmemoración. Se incorpora y como él ha abierto la boca para respirar mejor o para decir algo se la tapa con un dedo índice. Bastante hemos hablado. Todo es igual que otras veces y también mucho mejor que en los recuerdos. Quiere empezar a quitarse la ropa pero ella no lo deja. Podría estar recién llegado de su trabajo en la Ciudad Universitaria, impaciente, todavía con la americana y la corbata, con el olor del cansancio y el de la excitación, con los zapatos manchados por el polvo de las obras. Como entonces, ella lo solivianta y a la vez le doma la premura. *There is time, plenty of it. We're not in a hurry, not anymore.* Se acuerda en voz alta: *Time on our hands.* Las manos le desordenan el pelo, aflojan la corbata, la arrancan, desabrochan los botones de la camisa, bajan al cinturón. Un tren pasa con un largo estrépito lejano y él se pregunta nebulosamente cuánto tiempo hace que entró en la casa volviendo de aquella cena académica ahora perdida en el tiempo, desde la tenue borrachera y el mareo en el coche de Stevens y la lluvia azotando la capota y el parabrisas; cuánto desde que oyó los golpes en la puerta y fue hacia ella llevando en la mano la lámpara de petróleo y pensando que era insensata la esperanza de ver a Judith cuando abriera la puerta. El tiempo en nuestras manos: en las suyas rebosan los pechos que conservan todavía el calor húmedo del baño y las de Judith le acarician la cara como para reconocerla y rozan las puntas ásperas de la barba. Pero ahora no tiene miedo ni vértigo y no siente el frío en las manos. Los latidos del corazón son igual de fuertes pero no apresurados. Ella los habrá notado cuando baje la boca besándole el pecho, mordiéndole con los labios, presionando sólo un poco los dientes. Judith abre la cama por el otro lado y se acuesta, la toalla en el suelo, revuelta con la ropa y los zapatos de él, y se queda inmóvil, recta, tapándose hasta la barbilla. Le ha dado frío al entrar en las sábanas. Se tiende de costado junto a ella, sin eludir del todo la vergüenza de su propia desnudez, y un momento antes de abrazarla no sabe recordar ni predecir la sensación de longitud y dulzura del cuerpo desnudo de Judith, revelada simultáneamente, desde el sabor de la boca a la suavidad del vientre y las caderas y de las rodillas y los talones y las puntas de los pies, desde la dureza suave de un pezón al vello escaso y un poco áspero del pubis, áspero sobre todo por el contraste con la piel. Levanta las sábanas para verla bien a la luz de la lámpara. Judith tiene las rodillas y los pies fríos, los ojos cerrados, la boca abierta y jugosa, con el sabor intacto que es tan ella misma como su mirada o su voz. La acoge todavía con torpeza en sus brazos y al cabo de unos minutos ya ha dejado de tiritar, pero sigue apretándose contra él, enredada a sus piernas. Cuando la mano baja hacia el vientre ella junta los muslos y le sujeta la muñeca. No hay prisa, le dice junto al oído, sin separar los muslos, tengo todo el cuerpo entero para que me acaricies.

37

En la oscuridad la voz de Judith ha dicho su nombre
tan cerca del oído que ha notado el roce del aliento y de los
labios. Pero estaba medio dormido y no ha llegado a entender bien lo que la voz le decía: las tres sílabas de una declaración de amor en español o en inglés o sólo las de su
nombre, pronunciadas como la clave de un secreto, con la
inflexión de un acento que hace las vocales ligeramente
distintas, menos rotundas que en español, con una leve
pausa entre ellas, cada una de ellas exigiendo una posición
distinta de la lengua y los labios. Por un momento la voz,
al mismo tiempo llamada y caricia, ha sido lo único que
existía en una oscuridad que él no sabe si estaba en la vigilia o en el sueño, a un lado o al otro del despertar, ni cuándo, ni dónde. En torno a él la noche es una extensión de
negrura sin orillas ni puntos de referencia visuales o sonoros, tan sólo la voz en su oído pronunciando el nombre o
la frase con las tres sílabas que se acentúan igual en español que en inglés. Quizás acababa de quedarse dormido y
ha soñado con exacta dulzura lo mismo que le estaba sucediendo; su conciencia y sus sensaciones —la fatiga sa-
brosa, el largo cuerpo desnudo y adherido al suyo, húmedo en algunas zonas— son una parte tan ingrávida de la

oscuridad como el sonido de la voz, formándose y disolviéndose en ella, ondulaciones lentas en el aire, despojadas de volumen, de la misma naturaleza que el rumor de la lluvia y del viento en el bosque o los silbidos cercanos de una lechuza. La ropa en el suelo, las maletas abiertas, la cartera guardada en un bolsillo de la gabardina, el cuaderno de dibujo, las hojas de bocetos dejadas sobre la mesa, delante de la ventana, el pasaporte con la fotografía de un hombre ya desconocido para él mismo, los recibos de restaurantes, las facturas de los hoteles con sus fechas y sellos y sus columnas manuscritas de números, la postal para sus hijos que olvidó echar en un buzón de la estación de Pennsylvania porque creía que llegaba tarde para tomar el tren, y de la que sigue sin acordarse, aunque la encontrará por sorpresa mañana, cuando palpe los bolsillos de la chaqueta buscando un lápiz: de todo se ha desprendido, transitoriamente, en esta suspensión del tiempo que no va a durar más de unos pocos minutos, absuelto del pasado igual que del porvenir, como un nadador que flotara boca arriba en la superficie de un lago, en lo más hondo de una noche sin luces, abrazado a Judith, que lo ha llamado por su nombre para saber si estaba despierto o dormido, o tan sólo para confirmar su presencia, la de él y la de ella misma, el nombre que es una invocación y un reconocimiento, un conjuro, aire saliendo de los labios y flotando y disolviéndose en la negrura, los dos nombres, escritos a mano en un sobre, Ignacio Abel, Judith Biely, mecanografiados en el espacio en blanco, sobre la línea de puntos de un documento oficial, en una copia hecha con papel carbónico, las letras desvaneciéndose poco a poco al paso de los años, según esta noche de finales de octubre de 1936 vaya quedándose en un pasado cada vez más lejano. Pero hace muchas horas que oscureció —declinaba esta tarde la luz y él seguía dibujando junto al gran foso inundado de maleza y de hojas caídas en cuyas paredes eran visibles las estrías verticales de las excavadoras— y aunque ahora tiene bien abiertos los ojos no advierte ningún signo de la cercanía inhóspita del amanecer, y lo que le ha sucedido y le sucede en esta noche tiene una cualidad simultánea de recuerdo y de sueño. Los labios de Judith, que acaban de curvarse para decir su nombre, le rozan ahora la mejilla y el cuello y la mano que había apresado la suya ahora la guía por el vientre abajo, tocando rastros de humedad enfriada, y la deja posada y la aprieta un poco justo cuando entreabre los muslos, el dedo índice de ella sobre su dedo corazón, la yema ahora mojada y hundiéndose con mucho cuidado, con la misma cautela con que la otra mano de ella busca en él, reconoce, casi estrujando, exigiendo de nuevo, haciéndolo revivir a pesar de la extenuación con una intensidad cercana al dolor físico y al desvanecimiento; de nuevo los dos adheridos y estáticos, Judith tan abierta y abrazándolo con las piernas y clavándole los talones en la espalda como si estuviera a punto de descoyuntarse para recibirlo más hondo, tapándole con una mano la boca abierta que gime sobre su cara, diciéndole cosas al oído, dulces palabras obscenas en español y en inglés, las que los dos se enseñaron y sólo ahora vuelven a pronunciar cada uno en el oído del otro, Judith acelerando el tiempo o dilatándolo hasta una extrema lentitud, mientras sus mandíbulas hacen ese sonido peculiar al abrirse cuando toma aire como a golpes secos, su cuerpo tenso y elástico brillando de sudor en la oscuridad, mientras la sombra de él se agiganta sobre ella como una gran joroba, la respiración violenta en las aletas de la nariz, el estertor de animal abatido, derrumbado luego junto a ella, no de golpe, sino despacio, desplomándose, desfallecido y besándole los párpados, las sienes, los pómulos, los labios.

Se quedará dormido y cuando despierte con la sensación de emerger de un sueño muy profundo —y con un breve sobresalto de frío y de alarma— ya habrá empezado muy débilmente a clarear y Judith no estará a su lado en la cama. Querrá saber la hora, pero anoche, cuando lo desnudaba, Judith le quitó también el reloj de pulsera, y ahora debe de estar caído entre la ropa, en el suelo, probablemente parado. Notará los huesos doloridos, los músculos sin fuerza, el olor enfriado de los dos cuerpos muy poderoso en el aire, en las sábanas. Tendrá miedo de que Judith se haya marchado mientras él dormía, y aguzará en vano el oído, el silencio de la casa agravando la alarma, la lluvia tan asidua en el despertar como cuando se filtraba en el sueño o la oían de fondo anoche mientras conversaban, la lluvia americana caudalosa y sin tregua que alimenta la anchura marítima de estos ríos y hace crecer estos bosques de árboles como catedrales. Por culpa de esa primera luz gris debilitada por una niebla que flota sobre las copas de los árboles la noche que todavía dura en las oquedades de la habitación ya será sin embargo la noche anterior. Se levantará de la cama e irá hacia la ventana con el miedo de no ver el coche de Judith delante de la casa. En el cristal empañado por la temperatura interior algunas gotas aisladas trazan senderos sinuosos. Pero comprobará que el coche sigue allí, negro y compacto, reluciendo bajo la lluvia. Entonces, todavía de pie, desnudo junto a la ventana, tocando el cristal frío, más opaco por el vaho de su aliento, le llegará como una confirmación de que Judith no se ha ido un ruido de platos y tazas en la cocina y olor a café y a pan recién tostado. Amanecer junto a Judith y compartir el desayuno son regalos que ha conocido muy pocas veces; una extensión doméstica del amor que sólo probó aquellos cuatro días en la casa al lado del mar, que empezaron siendo una culminación y en realidad iban a ser un epílogo, la víspera angustiosa del regreso a Madrid, al calor y a la furia de los comienzos del verano, al descubrimiento de los cajones abiertos y las fotografías y las cartas tiradas por el suelo del despacho y los timbrazos vengativos del teléfono. Antes de vestirse y bajar a la cocina se lavará la cara delante del espejo, en el cuarto de baño donde Judith se ha duchado esta mañana sin que él se despierte, tan profundamente se habrá dormido. Debería afeitarse: anoche ella le pasaba las manos por la cara áspera y le decía que tuviera cuidado para no arañarla. Pero sólo se peinará con los dedos y bajará sin detenerse, inseguro siempre de encontrarla, y cuando la vea en la cocina Judith se volverá hacia él sonriendo y ya estará vestida para el viaje, con una expresión descansada y serena y un aire de energía intacta, aunque no habrá dormido nada. Se acordará de respetar la condición que ella le puso anoche para quedarse: no le pediría que no se marchara. Habrá visto la maleta preparada en el vestíbulo, junto a la puerta. Pensará, mientras Judith dispone los platos del desayuno y las tazas del café y reparte el pan tostado y los huevos revueltos, que ha necesitado cada uno de los días que lleva conociéndola y todo el tiempo de la separación y el miedo a no verla nunca más y la certeza de que ahora está a punto de irse sin que él pueda hacer nada para apreciar de verdad este simple momento. Todo habrá sido un meticuloso aprendizaje que empezó para él no cuando Moreno Villa los presentó en la Residencia hace no mucho más de un año, sino un poco antes, el día en que la vio de espaldas sentada al piano y luego se volvió a medias hacia él, mostrándole un instante su perfil: la torpe urgencia sexual, la astucia sórdida de fingir y mentir y de inventar pretextos para estar con ella y de seguir inventándolos cuando ya era muy probable que no iba a ser creído, la insoportable añoranza, la sensación de pérdida de todo, los días de vejación y vergüenza, los billetes deslizados en la mano rapaz de Madame Mathilde, la desolación en Nueva York. Con la misma paciencia con que repetía para él palabras íntimas y giros en inglés Judith le había enseñado cómo tenía que besarla en la boca o que acariciarla, llevándole la mano, presionando sobre los dedos, sujetándole las muñecas, mostrándole la precisión necesaria de cada caricia, los ritmos del deseo. Pero también le había enseñado a conversar apasionadamente y a reparar en las cosas, con esa intención estética premeditada y a la vez intuitiva que ella ponía lo mismo en su manera de vestirse, de elegir unos zapatos, un sombrero, una flor para un vestido, que en organizar ahora la mesa para el desayuno, los platos y las tazas simétricos, el cuchillo, el tenedor, la cucharilla del café, los tarros de mermelada que había buscado por las alacenas. Rápida siempre y a la vez concienzuda. Sin prisa, recordaba ella de sus días en Madrid, con su amor por los dichos españoles, sin pausa, con una prisa lenta. A punto de separarse y no sabiendo si se volverán a encontrar no sentirán la tentación de decirse cosas definitivas, de mostrar la congoja que va socavando en silencio el interior de cada uno, según se acerque minuto a minuto la raya en el tiempo, la frontera irreparable de la despedida. Las confesiones habrán quedado en la cámara sellada de la noche anterior, a la luz insomne del fuego, cuando aún no se atrevían a tocarse, ni siquiera a dar un paso más o extender la mano para estar más cerca cada uno del espacio físico de soledad que circundaba al otro. Ahora, mientras desayunen, cruzarán comentarios de una trivialidad casi doméstica, no queriendo rebajar con palabras el recuerdo de lo que les sucedió desde el momento en que se encontraron en el dormitorio, en la penumbra atravesada por la claridad del cuarto de baño, y luego en la oscuridad en la que poco a poco empezó a precisarse el rectángulo de fosforescencia atenuada de la ventana, que apenas les permitía verse, conjurados en la sombra igual que en el silencio, en la repetición al oído de sus dos nombres y de las breves palabras secretas que estimulaban todavía más el deseo. Se preguntarán cómo han dormido, se pedirán el azúcar o la leche, se ofrecerán un poco más de café. Él querrá saber cuánto tardará ella conduciendo hasta Nueva York y a qué hora sale el barco, y en qué puerto de Francia y dentro de cuántos días terminará el viaje. Judith le dirá que mientras él dormía ha visto sus bocetos para la biblioteca, los dibujos que hizo ayer tarde en la ladera sobre el río. El edificio ha de distinguirse de lejos, pero ha de verse de golpe cuando ya se esté muy cerca, le dirá él qué ha pensado: ha de verse desde el río, o desde un tren que pase, pero quien camine hacia él lo perderá de vista al avanzar por un camino de trazo quebrado entre los árboles, no sólo en verano, cuando están llenos de hojas, sino también en invierno, porque los muros exteriores serán de esa piedra local de un color entre de hierro y bronce oxidados, de una tonalidad parecida a la de los troncos desnudos y cubiertos de liquen. Si alguien los oye, si alguien que pasa por el camino los ve por la ventana de la cocina, pensará que han madrugado para disfrutar tranquilamente del desayuno compartido y que les aguarda un largo día de trabajo y un regreso fatigado y grato al anochecer, y que llevarán vividos muchos días iguales a éste que comienza, en esta casa o en otra, habituados a una pasión que el tiempo y la experiencia habrán templado de camaradería pero que sigue uniéndolos en una íntima fiebre sexual, que ellos no muestran a los ojos de nadie pero que se revela en cada gesto que hacen. Conociéndose tanto que no hay parte recóndita del cuerpo de cada uno que el otro no haya explorado y gustado ni apetito que no sepan instantáneamente adivinar; desconociéndose como amantes de una sola noche; notando poco a poco, según aclara el día y pasan los minutos, que aunque no lo quieran la separación ya pesa sobre ellos, como si menguara el suelo bajo sus pies o se volviera más frágil, como si se acentuara la gravedad y les costara más levantar la mano que sostiene un tenedor, llevarse la taza a la boca, dar luego los pocos pasos que faltan, sobre el suelo quebradizo, *stepping on thin ice,* en dirección al vestíbulo, hacia la puerta de madera maciza que costará más abrir, después de descorrer un cerrojo que parece haberse vuelto más pesado de manejar durante la noche. De espaldas a él, muy seria frente al ventanal de la cocina, frente a un jardín descuidado y umbrío en que se levantan despacio jirones de niebla, Judith mirará el progreso de la claridad que ya va revelando colores amortiguados, hojas caídas, rojas, amarillas y ocres, arremolinadas por la tempestad al principio de la noche, brillantes ahora de lluvia, aleros de tablas podridas por la humedad y ramas goteando, rincones de helechos relucientes, una caseta de herramientas con el techo medio hundido, un muro bajo cubierto por las hojas color de vino de una parra virgen. Ignacio Abel la abrazará por detrás y ella se estremecerá por su contacto, porque estaba tan ensimismada que no lo ha sentido acercarse. Le besará la nuca, hundirá la cara en su pelo, le tocará los labios, pero no le pedirá que se quede, ni siquiera unas horas más, ni que le escriba en cuanto llegue a España, mucho antes, que empiece a escribirle durante la travesía, en el papel de cartas con membrete del barco, que le escriba una de esas postales en color que mandan los viajeros desde los transatlánticos, las chimeneas pintadas de blanco y rojo o negro y blanco despidiendo columnas de humo, la proa afilada hendiendo las olas. Si terminara todo antes de que ella llegue; sea la victoria de quien sea, pensará avergonzado de sí mismo, enamorado venal que aceptaría cualquier precio, con tal de

que Judith no corra peligro, y vuelva definitivamente sere-
nada, dispuesta a quedarse en un sitio de donde él sepa que
no va a moverse, donde haga un trabajo que le guste y que
le deje el tiempo y la quietud suficientes para descubrir lo
que estaba buscando cuando se marchó a Europa hace casi
tres años, la forma de su destino, lo que ha sentido como
una inminencia a punto de cumplirse cuando se ha sentado delante de la máquina de escribir y luego se le ha escapado de las manos. Ojalá la detengan los gendarmes franceses cuando vaya a pasar la frontera y la deporten como a
tantos otros, en cumplimiento de la consigna democrática
de que a los españoles hay que dejarlos solos para que sigan matándose entre sí hasta que queden agotados y ahí-
tos de su propia sangre, derramada con la ayuda experta
de los centuriones de Mussolini y de Hitler, de las bombas
incendiarias alemanas y las eficaces ametralladoras italia-
nas que ya aniquilaron con tanto éxito a los primitivos de
Abisinia y gracias a las cuales hoy mueren en los frentes
cercanos a Madrid españoles casi igual de renegridos, con
boinas y gorros cuarteleros en vez de collares de cuentas,
con fusiles viejos y no lanzas. Procurará ahuyentar esos
pensamientos mezquinos, más desleales todavía porque,
mientras alberga la esperanza de que por algún motivo
Judith no logre su propósito de llegar a España y sumergirse en una guerra que no sabe imaginar, estará abrazándola, y tardará en soltarla cuando ella quiera desprenderse.
Aunque no vuelva conmigo, aunque en Nueva York o en
el barco o en el viaje clandestino a través de Francia en-
cuentre al otro hombre más joven que yo siempre he estado temiendo que aparezca para arrebatármela. Judith le
apartará las manos de la cintura, diciéndole que ya sí que
tiene que irse, mirando el reloj, con una naturalidad que a
él de pronto lo hiere, como si se marchara sólo para hacer
un recado o para pasar el día en Nueva York y regresar a

la caída de la tarde. En el vestíbulo tomará la maleta y será él quien haga el esfuerzo de descorrer el cerrojo. Cuando vaya hacia el coche se le mojarán los zapatos en la hierba empapada aunque hará ya rato que dejó de llover, sin que ninguno de los dos cayera en la cuenta del silencio. Ahora será verdad que va a irse. Aún ella no ha subido al coche ni puesto en marcha el motor Ignacio Abel ya está viviendo en el país inhabitable de la luz del día y de las obligaciones en el que Judith no está, en el que probablemente él va a pasar el resto de su vida. Veo con tanta claridad la escena silenciosa, el principio agrisado y húmedo de la mañana, Ignacio Abel —sin afeitar, la camisa blanca, los pies sin calcetines en los zapatos— de pie en el porche de la casa, empequeñecido por la altura de las columnas, y Judith dejando la maleta en el asiento trasero del coche, sin volverse hacia él, consciente de su mirada, abriendo luego la puerta del lado del volante, como a punto de subir y marcharse. Pero la cierra, como quien se da cuenta de que ha olvidado algo en el último momento, y vuelve hacia él, sube mirándolo los peldaños de la entrada, junto a los cuales Ignacio Abel no se ha movido. Le tomará la cara entre las dos manos que se le han quedado frías y le dará un beso largo hundiéndole la lengua en la boca, buscando golosamente la suya, y cuando se aparte se le habrá corrido un poco el carmín. Él adelanta la mano pero no llega a tocarla. Si lo hiciera no podría evitar el gesto instintivo de retenerla. Verá el coche alejarse por el camino en el bosque. Notará el frío húmedo y hondo que viene de la tierra pero le faltará el coraje para entrar en la casa, para hacer frente a las habitaciones agigantadas por la soledad y a la extrañeza que caerá de nuevo sobre él en cuanto cierre la puerta, trayendo consigo el alud odioso de las obligaciones, la inaceptable normalidad a la que le costará tanto acostumbrarse, aunque poco a poco será abducido por ella, sometido a su halago, habituado a sus dosis diarias de dilación, expectativa y rutina, uno entre tantos profesores desplazados de Europa, hablando inglés con mucho acento, asustadizos y más bien envarados, ceremoniosos en exceso, impacientes por agradar, por obtener una cierta seguridad que les compense por lo que perdieron, vistiéndose con una formalidad impermeable a las desenvolturas indumentarias de América, aguardando cartas de familiares desperdigados por el mundo o desaparecidos sin rastro, fuera del alcance de cualquier indagación.

Pero ese momento no ha llegado todavía, pertenece a un tiempo aún inexistente, al futuro de dentro de unas pocas horas. En la oscuridad donde Judith ha acercado los labios a su oído para decir en voz muy baja las sílabas de su nombre Ignacio Abel no sabe calcular qué hora será, cuánto falta para que se acabe la noche. No hay relojes de péndulo dentro de la casa, por mucha atención que ponga no escucha campanadas de iglesias. Soñó con ellas en el silencio inusual del camarote del barco y era que estaba oyendo la campana de una boya de niebla. Cuando era niño se desvelaba en la noche y a cada hora distinguía el metal de campanas distintas en las torres de las iglesias de Madrid, y sabía que se acercaba el amanecer al oír sobre los adoquines el resonar de los cascos de los caballos y los mulos que subían por la calle Toledo tirando de carros cargados de hortalizas. Cobijado bajo las mantas en su cuarto tan diminuto que podía tocar el techo de piedra fría con la mano escuchaba a su padre que se había levantado mucho antes del amanecer para ir a las obras. Embozado en la capa, la gorra hundida sobre la cara, el cigarrillo en la boca, contento de que su hijo pudiera quedarse en la cama al menos hasta que rompiera el día, preparando sus libros y sus cuadernos antes de salir camino de la escuela, vestido y peinado como un señorito, el hijo que no tendría que trabajar tanto como él ni vivir de mayor en los cuartos insanos de una portería. A Miguel, de pequeño, le daba mucho miedo la oscuridad. Le daba tanto miedo que se siguió meando en la cama hasta que tuvo seis o siete años, cuando todavía extendía la mano buscando la de Lita y aferrándose a ella como en los primeros días de su vida. Le subía mucho la fiebre y al encender la luz tenía el pelo escaso pegado a la frente y el pecho se agitaba débil y convulso como el de un pájaro, las costillas marcándose en su pobre carne desvalida, destinada a la flaqueza y tal vez a la enfermedad. Qué lejos todo y qué cerca. Sumergido en la hondura y la amplitud de esta noche pero no borrado por ella, persistiendo como las cosas intactas en el interior de una casa clausurada desde hace tiempo: las cerraduras aseguradas bajo doble llave, los postigos encajados, los muebles y las lámparas embozados en sábanas, los cubiertos ordenados en el interior de los cajones, los trajes colgados en los armarios, cucarachas y hormigas aventurándose sobre las baldosas desde los resquicios más oscuros de la cocina, seguras en una tiniebla que varía muy poco de la mañana a la noche, aunque la noche verdadera sea mucho mejor, si no fuera porque a veces la casa entera es sacudida por la trepidación de las bombas, por el galope de la gente escaleras abajo, camino de los refugios. Cuando él era niño le daba mucho miedo bajar al sótano de techo bajo y abovedado de su casa de vecinos en la calle Toledo. Se abría la puerta y desde el primer escalón de piedra empezaba el descenso a una oscuridad densa y húmeda en la que se oían las pisadas como arañazos de las ratas. En ese mismo sótano que él no ha visitado desde hace más de treinta años esta noche han bajado a refugiarse los habitantes de la casa, y cuando las bombas caían cerca retumbaban el suelo y los muros y la bombilla sucia que colgaba del techo reducía su luz a la forma rojiza del filamento, temblaba como una vela y se apagaba del todo, disolviendo en la oscuridad las siluetas amontonadas como bultos, murmurando cosas, gemidos, como los enfermos que se quejan en sueños cuando se han apagado las luces en el hospital. La noche es un pozo sin fondo en el que todo parece que se pierde y todo sigue habitando y perdura, al menos durante un cierto tiempo, mientras se mantiene clara la memoria y lúcida la conciencia de quien yace con los ojos abiertos, atento a los sonidos que van cobrando forma en lo que parecía silencio, queriendo adivinar por la respiración del otro si está todavía despierto o se ha dejado llevar por la somnolencia del deleite colmado. En la habitación del hospital, junto a la cama de su madre, Judith se adormilaba a pesar de la incomodidad de la butaca y en el mismo momento en que se dormía del todo ya estaba despertándose con un sobresalto, oyendo unas palabras borrosas o una queja causada por el fin gradual del efecto de la morfina, o peor aún, alarmada por el silencio, echando en falta la respiración difícil de su madre, temiendo que se hubiera muerto a solas mientras ella dormía, que la hubiera llamado o se hubiera quejado sin que ella llegara a despertarse. Los muertos aún no han salido de la casa en la que vivieron y su lenta desaparición hacia la oscuridad ya ha comenzado, ya son extraños. Ignacio Abel se acercó al ataúd descubierto en el que yacía su padre y al asomarse a él ya no lo conoció. A la luz de las velas, la cara de su padre estaba amarilla e hinchada, como si le hubieran aplastado ligeramente la boca y la nariz bajo un cristal; las manos que sobresalían de los puños de la camisa y se cruzaban sobre el pecho eran las de otro hombre: exangües, de viejo, las uñas prominentes y los dedos encorvados y flacos, lo contrario de las manos de su padre, anchas, romas, sólidas, morenas, su padre del que casi nunca se acuerda ya y que hace muchos años que no aparece en sus sueños, tan

lejos, como los faroles de gas que alumbraban la calle Toledo y como ese Madrid que Ignacio Abel no quiere ahora recordar y que Judith no reconocerá cuando vuelva, al no ver
ninguna luz encendida, Madrid entero en la oscuridad y en
el silencio como en el fondo del mar, cruzado si acaso por
faros veloces y linternas que horadan la negrura espesa
como lámparas manejadas por buzos. En la noche de Nueva York flotaban en la oscuridad letreros luminosos, siluetas rosadas o amarillas o azules de tazas humeantes de café
o volutas de humo de cigarros o burbujas ascendiendo de
copas de champán y esfumándose un segundo más tarde.
Entre el sueño y la conciencia las imágenes se disuelven sin
llegar a formarse del todo y la frontera entre el recuerdo y
la imaginación es tan fluida como la que une y separa los
cuerpos cobijados en un abrazo hecho por igual de cansancio y deseo. La voz de Judith que ha dicho tan claramente
su nombre al oído podría también haber sonado en el
duermevela o en el sueño, en el momento justo en que Ignacio Abel se ha quedado dormido, como flotando en la inmovilidad plácida del tiempo. Es Judith quien permanece
despierta, velando por él, que se ha vuelto más atento y más
frágil, que estuvo a punto de morir asesinado sin que ella lo
supiera; la veo de perfil, más nítida según va amaneciendo,
incorporada contra el respaldo de la cama, ahora inquieta,
atemorizada, ansiosa, impaciente, resuelta, tan despejada
como si no fuera a tener nunca la necesidad de dormir, escuchando los trenes de mercancías, la respiración masculina a su lado, el viento en los árboles, la llamada de un pájaro, descubriendo con su atención insomne los primeros
signos todavía inciertos del amanecer, la primera luz gris
del primer día de su viaje, de un mañana inmediato que
ella no vislumbra y yo no sé ya imaginar, su porvenir igno-
rado y perdido en la gran noche de los tiempos.